OLJE SELECTIONS
17

국부론 1

사단법인 olje

올재의 꿈

올재는 지혜 나눔을 위해 2011년 9월 설립된 비영리 사단법인입니다. 예술과 문화 속에 담긴 지식과 교양을 널리 소개하고 향유함으로써, 격변하는 세상의 지향점을 찾고, 올바르고 창의적인 교육의 기틀을 마련하는 것이 올재의 꿈입니다. 특히 올재는 인문 고전이나 문화 예술을 접할 기회가 많지 않은 소외 계층과 저소득층 청소년들을 위해 다양한 지혜 나눔의 계기를 마련하고자 합니다.

올재의 첫 번째 지혜 나눔은 인문 고전입니다. 〈올재 클래식스〉는 최고 수준의 번역본을 부담 없는 가격에 보급합니다. 각 종당 5천 권을 발행하며 4천 권은 교보문고에서 6개월간 한정 판매합니다. 미판매된 도서와 발행 부수의 20%는 복지시설, 교정 기관, 저소득층 등에 무료 기증합니다. 출간한 번역본은 일정 기간 후 올재 인터넷 홈페이지(www.olje.or.kr)에 게시합니다.

Share the wisdom. Change the world.

사단법인 olje

올재의 새로운 지혜 나눔, 〈올재 셀렉션즈〉

〈올재 셀렉션즈〉는 판매 수익금이 전액 지혜 나눔에 쓰이는 시리즈로, 〈올재 클래식스〉로 한정 발행된 도서 가운데 독자들의 재발간 요청이 뜨거운 책들을 선별해 다시 편집하고 손질하여 펴내는 책들입니다. 지혜 나눔을 위해 각종 후원을 받아 2,900원이란 낮은 가격으로 판매되는 〈올재 클래식스〉 시리즈보다는 다소 높은 가격에 판매하는 대신 판매로 얻어지는 수익이 모두 공익을 위해 다시 쓰입니다. 〈올재 셀렉션즈〉를 통해 주옥 같은 고전도 읽으면서 지혜 나눔에도 동참하시기 바랍니다.

정기 후원과 일반 후원으로 올재의 지혜 나눔에 참여하세요.
올재의 벗들이 심은 작은 홀씨가 전국 곳곳에 인문 고전의 꽃으로 피어납니다.

올재 후원함 | 예금주 사단법인 올재

국민은행 023501-04-184681　　농협 301-0100-8607-71
신한은행 100-027-966986　　우리은행 1005-401-996902
하나은행 162-910013-46904

후원 문의처 | 올재 사무국

ⓣ 02)720-8278　ⓗ www.olje.or.kr　ⓔ oljeclassics@olje.or.kr
@oljeclassics　www.facebook.com/oljeclassics

지혜 나눔을 함께한 벗들

KYOBO 교보문고　Calligraphy Sooltong

차례

제 2 편
자재의 성질, 축적 및 용도에 관하여

제 3 편
각국에서의 국부 증진의 차이에 관하여

역자 해제

러너Mr. Lerner가 《국부론》의 서문에서 "모든 위대한 저서들처럼 《국부론》은 위대한 정신의 발로일 뿐만 아니라, 한 시대 전체의 발로였다. 그것을 쓴 사람은 학식과 지혜와 글재주를 갖고 있었으나, 이에 못지않게 중요한 것은 그가 이러한 재능을 갖고 유럽에 있어서 새로운 과학의 새벽, 새로운 시대의 여명기에 살고 있었다는 점이다. 그가 쓴 것은 호모 에코노미쿠스homo economicus, 즉 근대 세계의 경제인이라는 이제까지 보지 못한 무섭고 새로운 족속을 만들기 위하여 그 당시 활동하고 있던 여러 요인들의 표현이었다"라고 서술하고 있듯이, 《국부론》은 참으로 경제학이라는 과학을 처음으로 체계화한 사회과학의 고전이다. 《국부론》이 발간됨으로써 경제학의 발전은 새로운 시기를 맞이하게 된다. 그러므로 종전의 모든 경제사상은 이의 준비에 지나지 않는 것이 되었고, 그 후의 경제학은 이를 발판으로 하여 진행되었다. 또한 경제학은 《국부론》에 의하여 비로소 제자리를 차지하게 되었고, 가장 매력 있는 학문으로 되었다. 물론 스미스 전에도 캔틸런Cantillon · 케네Quesnay · 스튜어트Stewart · 튀르고Turgot 등의 훌륭한 학자가 많았을 뿐만 아니라 어느 면에서는 스미스보다도 분석이 예리하고 투철한 학자들이었지만, 그들은 스미스에 의하여 그림자처럼 되었고, 오직 스미스만이 경제학을 세운 명예를 후세에까지 독차지하게 되었다. 참으로 스미스는 학문적으로 경제학의 아버지가 될 뿐만 아니라 그의 이론은 성서와 같이 대접받고, 정부는 오랫동안 그의 이론을 일상생활에 적용하는 규범과 같이 준수했다.

이렇듯 획기적인 의의를 지니고 있는 《국부론》이 오늘에 이르기까지 그 완역을 보지 못하고 있다는 것은 우리나라 경제학계의 부끄러움이 아닐 수 없다고 생각된다.* 번역의 솜씨도 신통치 않고 또한 스미스에 관한 연구도 부족한 역자가

* 최임환 교수는 만 5년간의 번역 작업을 거쳐 1970년 당시 국내 최초로 《국부론》을 완역했다. 〈올재 클래식스〉 시리즈로 펴낸 본 역본은 최임환 교수의 제자인 경기대 이재은 교수가 근래에 최임환 역을 보완한 것이다.

모든 대가들을 제쳐놓고 감히 이 대저大著의 번역에 착수하게 된 까닭도 바로 이에 있는 것이라 할 수 있다. 이리하여 이 고전을 될 수 있는 대로 틀림이 없이, 그리고 쉬운 우리말로 옮겨 놓으려는 일념으로 한 장 한 장 번역하기 시작한 지 5개 성상星霜, 이 장구한 세월을 흘려보낸 오늘에야 겨우 그 끝맺음을 보게 되어 미흡한 가운데서나마 참으로 무한한 감회를 느끼지 않을 수 없다.

《국부론》이란 물론 약칭이며, 더 정확하게 말하면 《국민의 부의 성질 및 원인에 관한 연구An Inquiry into the Nature and Causes of the Wealth of Nations》라고 해야 할 것이다. 이 저서는 많은 판본이 있으나 본역서의 원본은 캐넌 판(Edited, with an Introduction, Notes, Marginal Summary and an Enlarged Index by Edwin Cannan, M. A. 6th edition, London, 1950, 2 vols.)으로서, 이 판을 택한 것은 이것이 가장 완비된 판이기 때문이었다. 그 내용에 관해서는 본 역서의 앞부분에 있는 캐넌 교수의 서문과 편자의 해설에 상세히 나와 있다.

앞서 《국부론》은 경제학이라는 과학을 처음으로 체계화한 사회과학의 고전이라고 했거니와, 여기에서 방대하게 펼쳐지는 경제 이론 하나하나가 예외 없이 모두 애덤 스미스의 심오한 학구적 태도의 결정인 것이다. 그렇게 먼 옛날에 이러한 이론을 전개할 수 있었다는 것은 참으로 감탄해 마지않는 바이며, 더욱이 그 어느 구절이라도 수긍이 가지 않는 데가 없다는 것은, 적어도 경제학, 아니 경제를 조금이라도 알고자 하는 사람에겐 누구에게나 마치 귀중한 열쇠 역할이라도 해 주는 것처럼, 경제관념에 관한, 말하자면 원시적인 사고를 평이하게 체계화해 주는 것이기도 하다. 애덤 스미스의 《국부론》을 읽지 않고는 근대 경제학 및 경제사상을 논할 자격이 없다고 하는 까닭도 바로 여기에 있다.

앞서 《국부론》은 "위대한 정신의 발로일 뿐만 아니라, 시대 전체의 발로"라고 지적한 바 있었다. 따라서 우리들이 《국부론》을 찾을 때, 우선 애덤 스미스라는 너무나도 유명한 한 학자의 생애가 송두리째 바쳐졌다는 점과, 유럽이라는 무대가 새로운 과학의 새벽, 새로운 시대의 막을 서서히 올리고 있었다는 점을 잊어서는 안 될 것이다. 이리하여 《국부론》은 그 격동의 시대에, 특히 모든 면에서 가장 앞서 진보해 나가고 있던 영국에서 태어난 스미스가 그러한 문화·경제·정치의 변동하는 소용돌이 속에서 몸소 겪고 연구한 생활 체험의 산물이라 할 수 있다.

애덤 스미스의 일생 동안이었던 1723~1790년의 67년간이라는 시대는 서구의 경제생활면에서는 커다란 변동의 시대였으며, 그 낡은 시대로부터 새로운 시대로 옮겨 가는 분수령에서 그는 하나의 커다란 기념비를 세워 올렸던 것이다. 저물어 가는 시대는 제한·간섭·속박의 시대였고, 밝아 올 새로운 시대는 자유·방임·해방의 시대였다. 이 기념비의 표면에 쓰인 것이 바로 경제적 자유주의였으니, 그것은 또한 '기술적 해방'의 뒷받침을 받고 있는 것이라 하겠다. 스미스는 봉건 말기의 머컨틸리즘mercantilism(중상주의), 특히 그 관세제도와 식민제도에 관한 대외적 교역의 여러 제한들은 부의 생산에 유해한 것이라고 비판했고, 본서에서 분업의 이익을 들어 설명하면서 그것을 자본의 생산력 확대의 계기로 삼았으니, 이것은 일종의 기술의 해방론이기도 한 것이다. 요컨대 이는 당시 발흥하고 있었던 매뉴팩처manufacture(공장제 수공업)의 요구였다고 하겠다. 때마침 처음으로 발명된 증기 펌프를 추진력으로 하여 그 거대한 산업혁명이 고고성을 올리면서 다가오고 있었으며, 스미스는 이러한 요란한 새 시대의 소리에 귀를 기울여 가면서 그의 머릿속에 다가올 세계의 이미지를 끈기 있게 그려 냈던 것이다.

스미스는 1723년 스코틀랜드의 커콜디Kirkcaldy라는 항구에서 태어났다. 당시 그곳에서는 자그마한 매뉴팩처가 번성하고 있었다. 그의 부친은 스코틀랜드의 세관 관리였으나 일찍 별세하고, 스미스는 그의 어머니의 혼잣손으로 자라났다. 그녀는 지방 지주의 명망가 출신으로 친척에는 유명한 군인도 있었다. 그녀는 종교심이 강하고 가사에는 조심성 있는 아름다운 여인이었다. 이 어머니의 덕분으로 연약했던 스미스는 새로운 시대의 거성으로서 그 빛을 발할 수 있게 성장했던 것이다.

스미스는 14세 때 글래스고의 백부댁으로 갔다. 그곳의 칼리지에서 장학금을 받게 되면 바로 옥스퍼드 대학에도 갈 수 있었기 때문이었다. 스미스가 다녔던 칼리지에는 수학 교수 로버트 심슨Robert Simson, 도덕철학 교수 프랜시스 허치슨Francis Hutcheson과 같은 세계적인 학자가 있었다. 스미스가 후년 이 대학의 총장이 되었을 때 그 취임사에서 "잊을 수 없는 허치슨"이라고 그에게 감사해 마지않았던 것은 스미스의 이신론理神論과 학문에 대한 충실한 마음가짐이 바로 그 사람에게 가르침을 받았던 것이기 때문일 것이다. 여하간 허치슨의 가르침을 받아 학문의 길을 택하기로 결심한 스미스는 그 때문에 옥스퍼드에 입학했다. 스코틀랜드에서 잉글랜드에 들어와 보니, 들판은 잘 경작되어 있고, 도시에는 인구도 많고, 스미스의 눈에는 모든 것이 새롭고 힘이 넘쳐흐르고 있는 것 같았다. 그리고 옥스퍼드 대학도 그 위용은 대단했다. 그러나 이 대학의 공기는 《국부론》의 제5편 제1장 제3절 제2항에서 설명하고 있는 것처럼, 종교에 종속된 일종의 강권 단체였으며, 그곳에는 베이컨 시대에서와 같은 학문의 자유에 대한 요구는 없었다. 전체가 반동 교수의 소굴이었다. 그리고 학생들 사이에도 외국에서 장학금을 받고 온 스미스와 같은 학생을 경멸하는 분위기가 있었다. 스미스는 우울했으며 자기 방에 들어박혀 책만 읽고 있었다고 한다. 그가 6년간이나 이렇게 지내면서 얻은 것은 정치, 경제에 관한 새로운 견해라기보다 다만 고전과 외국어를 읽는 힘만을 기르는 것이었다. 스미스의 박학한 소양은 바로 이 시기에 이루어졌는지도 모른다.

1746년 스미스는 긴 유학을 마치고 고향인 커콜디에 돌아와서 조용히 책만 읽고 있었다. 이때 에든버러에서 유력한 문학자이었던 케임스 경Lord Kames인 헨리 흄Henry Hume이 그를 위해 대학 강의를 할 기회를 마련해 주었다. 이 강의에서 스미스는 문학과 법학을 이야기했는데, 그것이 대단한 호평을 받았다. 이것이 계기가 되어 1751년(스미스의 나이 27세)에는 모교인 글래스고 대학 교수직을 교섭받고 기꺼이 승낙했으며, 13년간 그는 어머니와 함께 이곳에 살면서 이 대학을 위해 노력했다. 후년 그가 이 시대를 회고하면서 일생 가운데 가장 유용하고 행복한 시대였다고 하고 있는데, 무엇보다도 존경하는 스승 허치슨의 강좌를 이어받았다는 데에 그는 행복감을 느꼈던 것 같다. 따라서 그는 자연히 강의도 대단히 열심이었으므로 학생들 사이에 인기가 대단했다.

스미스가 글래스고에서 맡았던 도덕철학이라는 강좌는 대단히 광범위한 것이어서, 제1부 신학, 제2부 윤리학, 제3부 법철학, 제4부는 행정학이었다. 이와 같이 극히 광범위한 인문과학의 종합 강의는 새로운 경험주의와 실증주의의 스미스에게는 불편한 것이었다. 그리하여 그는 각 부를 나누어서 각각 독립된 것으로서 관찰하고 그 각 부의 발전의 특색을 알아보려고 생각했다. 이러한 시각에 입각하여 시도한 강의 가운데서 위의 제3~4부에 해당하는 것이 지금도 남아 있다. 후에 캐넌 교수는 그것을 학생의 노트에서 편집한 후 《정의, 경찰, 수입 및 군비에 관한 강의Lectures on Justice, Police, Revenue and Arms》(Oxford, 1896)라고 하여 출판했다. 이 《강의》는 오늘날의 학과목으로 본다면 법철학, 경제정책, 또는 행정학, 조세론, 군비론에 해당된다. 《국부론》은 이 강의 가운데 후편(조세론과 군비론)의 일부분이었다. 스미스는 그것을 《국부론》으로서 독립시킴에 있어서 그 범위를 확대했고 그 내용을 주로 경제 문제에만 한정했던 것이다. 스미스에 있어서의 이러한 분화 진전은, 물론 그 자신의 고안이었으나, 그 후에 각국의 사회과학이 경과한 궤도와 일치하고 있다. 즉 그 후 약 한 세기에 걸쳐 재정학은 행정학에서 분리되고 경제학이 국가학에서 분리되었다. 이러한 학문 분과의 세계사적 경과를 스미스 자신은 대학에서 행한 강의 가운데서 이미 실행하고 있었던 것이다. 그러니 우리는 스미스의 역사관이 얼마나 진보적이었고 타당성을 띠고 있었던가를 알 수 있다. 또한 스미스에 있어서는 철학도 그 당시까지와 같은 추상적인 논리가 아닌, 더욱 실천적인 윤리를 실체로서 구하지 않으면 안 되는 것이었고, 그 윤리도 도덕의 목적이라기보다 실천적인 원리여야 했으며, 그 원리도 경제 활동 가운데서 더욱더 많은 것을 파악할 수 있는 것이어야 했던 것이다.

스미스는 그의 교수 활동을 통하여, 특히 스코틀랜드 역사학파의 입장에 입각하여 자기의 과학적 체계를 펼쳐 나갔는데, 이러한 연구 과정에서 그는 1759년에 《도덕감정론The Theory of Moral Sentiments》이라는 책을 썼다. 이것은 앞서 말한 그의 《강의》의 제2부 〈윤리〉에 상당한다. 또한 이것은 그의 저작 생활의 순서 면에서 보든, 그의 전체 사상 체계의 서열 면에서 보든 《국부론》의 전편인 셈이다. 이 두 가지 저작을 비교해 본다면 《국부론》이 훨씬 더 유명하며, 체계로서도 웅대한 작품이지만, 스미스를 전면적으로 이해한다는 점에서는 역시 《도덕감정론》을 무시할 수 없는 것이다. 이 책에서 스미스는 인간이란 무엇이며, 인간 가운데서 도덕적인 인간과 그렇지 못한 인간이 있다면 그것은 무엇 때문인지의 문제를 제기하여 그것에 답을 하고 있다. 즉 그에 의하면 신은 인간에게 이기심을 주었고 인간은 그 이기심에 의하여 자기의 행복을 추구한다. 그 이기심을 위해서는 타인의 존재, 타인의 행복이 필요하다. 그 증거로서 누구든지 타인의 어려움을 볼 때 가련한 느낌이 든다. 이것이 바로 인간의 인간다운 감정이며, 이 감정은 인간에게 본원적인 것이다. 즉 인간은 이기적인 것이지만 고립적인 것은 아니다. 인간은 타인의 운명에 관심을 갖는데, 그 관심이 동감同感과 동정同情이다. 그것이 도덕의 실체이다. 다만 그러한 도덕이 사회의 도덕으로서 통용되고 실제로 널리 행해지기 위해서는 일정한 인간적 조건과 일정한 사회적 조건이 필요한바, 이를테면 사람이 서로서로 그 생산물을 교역할 경우, 누구나 근면하고 아끼고 검소하고 조심성 있게 그것을 수행한다. 바로 이러한 사회에서는 자연히 높은 도덕이 실행될 수 있다고 그는 말하고 있다.

이렇게 해서 인간의 동감과 동정이 어떻게 발달하는지를 설명했는데, 스미스는 도덕론을 형이상학적 추상에서부터 인간 사회로 끌어내렸고 윤리를 사회의 규준으로 삼았으니, 이 부문의 인식으로서는 커다란 혁신이 아닐 수 없었다. 더욱이 그 새로운 과학적 인식이 그의 경제학과 같은 기초 위에서 양자를 서로 조화·보충하면서 사회의 질서를 이룩했던 것이다. 스미스의 경제학에서 생산에 관계있는 모든 사람, 즉 자본가이든 노동자이든 그 각자가 자기의 이익을 추구하면 그것이 모여서 거대한 '보이지 않는 손(an invisible hand)'이 되어 사회를 부와 번영으로 이끌어 간다고 한다. 이러한 세계에서는 '경제인'은 곧 도덕가요, 경제와 도덕은 모순이 아닌 조화가 되는 것이다. 그는 바로 이러한 신념으로 살아온 것이다.

바로 그때 그에게는 뜻하지 않던 일이 생겼는데, 그것은 유력한 정치가 타운센드(조지 타운센드George Townshend)가 자기의 의붓아들인 버클로우 공작의 외국 유학을 감독하는 가정 교사로서 스미스를 선택하고 그 보수로서 종신 연금 300파운드를 내기로 제의해 온 것이다. 이 연금은 대학교수의 봉급보다 나았으며, 때마침 스미스는 외국을 돌아다녀 보면서 조용한 시간을 갖고 싶었던 터라 이 제의를 받아들였다. 1764년 이른 봄에 스미스는 버클로우 소년을 데리고 프랑스에 가서 툴루즈Toulouse에 안착했다. 여기에 잠깐 머문 후 스위스에 여행하여 그곳에서 볼테르를 만났으며, 다시 파리로 옮겨 왔다. 파리에는 친우 흄이 있었고, 그는 스미스를 디드로·엘베시우스·튀르고·모렐레·케네와 같은 사람들과 접촉하게 해 주었다. 이곳에서 케네의 진보성을 흡수했으며, 또한 잉여가치의 원천을 상업의 세계에서가 아닌 생산의 세계에서 구하는 것이 합리적이라는 것도 인정하게 되었다.

유학은 거의 3년, 귀국한 스미스는 커콜디의 서재에 들어앉았다. 그리고 경제학·경제사·정치사·경제정책의 책을 읽었다. 그리하여 오랜 세월의 희망이었던 저서에 몰두했던 것이다. 이 동안에도 영국의 경제는 변동하고 있었으니, 1760년에는 외국 무역이 세기 초의 두 배가 되어 있었고, 친우인 와트는 증기기관을 완성했고, 하그리브스(제임스 하그리브스James Hargreaves)는 방적기의 제작을 알렸다. 그리고 아메리카에는 인지세 문제를 계기로 이 식민지가 영국으로부터 독립하려는 싸움의 태세를 갖추고 있었다.

1773년, 쌓아 올린 원고를 들고 런던으로 향했다. 그러나 런던에서는 당시 이러한 책을 출판하기란 여간 까다로운 일이 아님을 깨닫고, 그는 3년을 들여서 교정에 종사하여 아메리카의 독립을 눈앞에 두고 식민에 관한 장과 그 밖의 것을 증보했다. 《국부론》 제1판은 1776년 3월 9일 스트레이한 캐델 서점에서 발행했다. 그가 《도덕감정론》 가운데서 이 책의 간행을 예고한 지 18년, 더욱 거슬러 올라가서 《강의》 가운데서 최초의 구상을 한 지 27년이 흘렀으니, 이것은 한 권의 책에 들인 세월로서는 너무나 긴 것이었다.

본서의 간행은 평판이 대단했다. 그리고 누구보다도 기뻐한 것은 흄이었다. 흄뿐만 아니라 유명한 사상가들이 이 책의 훌륭함을 칭찬해 마지않았던 것이다.

본서는 다섯 편으로 구성되어 있으며, 그 목차 아래 각 편의 문제가 기록되어 있다. 그 내용에 관하여는 이 책을 읽어 보면 알게 되겠지만 우선 간단히 요약해 보면 다음과 같다.

제1편에서는 생산에 있어서의 노동력의 개선이 사회의 부를 증가시키며, 그 부의 분배가 사회의 여러 계급의 구성을 결정한다는 점을 밝히고 있다. 즉 그는 노동생산성을 높이는 질적 방법으로서 분업을 보고, 이를 제1장에서 제2장까지 다루고 있다. 그리하여 분업에 의한 교환의 발달, 교환의 매개수단으로서의 화폐의 성립, 그리고 교환 비율의 규정으로서의 가치, 가격론이 전개된다. 그리하여 가치, 가격론을 제4장에서 제7장에 걸쳐 논급한다. 그리고 모든 상품가격은

임금·이윤·지대의 세 부분으로 분해되며, 이어 세 부분이 상품가격의 구성 부분을 이룬다고 보았다. 이 문제가 제1편 제8장에서 제11장에 걸쳐 논의되어 있다. 이와 같이 제1편은 분업을 출발점으로 하여 노동생산성의 증대, 가치, 가격론을 통하여 자본주의 사회의 생산, 분배 과정을 이론적으로 밝히고 있다. 이리하여 그는 일정한 원리에 의거한 교환을 바탕으로 하는 분업의 집합체인 '시민사회'라는 조직을 그려 내는 것이다. 이 '시민사회'는 곧 오늘날 '자본주의 사회'를 일컫게 되는 바, 따라서 이 제1편이 경제학의 구성의 원형이 된다고 할 수 있다.

제2편은 자재(stock)의 성질, 축적 및 용도에 관한 것으로서 여기에서는 실체자본을 고정자본과 유동자본으로 구분하고, 그것이 누구에 의하여 축적되는 것인가를 논하고 있다. 그에 따르면 시민사회의 부를 증대시키는 것은 노동, 즉 그것의 유효성이며, 이 노동의 유효성은 그 노동을 활동케 하는 자재의 대소에 따라 달라지는 바, 그 자재가 많을수록 노동은 더 유효하게 작용한다는 것이다. 그런데 자본(capital)에는 자재를 증식하는 것과 그렇지 않는 것이 있고, 노동에는 비생산적 노동과 생산적 노동이 있는데, 자재를 증식하는 자본은 이윤을 낳는 자본이고, 이 이윤을 낳는 데 도움이 되는 노동이 생산적 노동이라고 본다. 이리하여 그는 경제를 자본의 각 부분의 균형적 존재로서가 아니라 각 부분의 성장에 의하여 발전하는 조직으로서 파악했던 것이다.

제3편에서는 여러 나라에 있어서 부의 증진의 차이에 관하여 관찰한다. 제1편과 제2편에서 논한 이론을 현실의 역사에 비추어 다시 한번 실증하는 것으로서 제3편은 각국의 경제사이다.

제4편은 경제학의 여러 체계에 관한 것이다. 이것은 중상주의와 중농주의를 말하는 것으로 전자는 제8장, 후자는 제9장으로 해서, 전자가 그릇된 정책임을 그 유래부터 들추어 설명하고 있고, 후자에 대해서는 올바른 주장이라고 간단한 찬의를 표하고 있다.

제5편은 주권자 또는 국가의 수입에 관한 것으로서 보통의 재정학 교과서와 같다. 제1장 경비론에서는 '싸게 먹히는 정부'라는 것을 그 기조로서 강조하면서 인민을 부유하게 만드는 데는 그들에게 자연 그대로 방임해 두는 것이 가장 좋은 것이며, 국방과 사법제도 및 어떤 종류의 공공사업, 즉 도로, 교육과 같이 개인에게 맡겨질 수 없는 것만을 국가 경비로써 해야 한다고 주장하고, 될 수 있는 대로 적은 경비를 들일 것이 요망된다고 주장하고 있다. 그리고 제2장 국가 수입론에서는 조세와 공채를 국가 수입이라고 했는데, 조세는 각인各人의 수입에 공평하게 부담시킬 것을 목표로 하고 있는바, 조세 문제는 각인의 수입인 지대·이윤·임금이라는 세원稅源에 가장 공평하게 비례시켜 징수하려면 어떤 행정 기술을 요하는가의 문제로 귀착되는 것이라고 했다. 그다음에 제3장에서 국채를 논하면서 국채는 전쟁과 같은 시기에 조세가 부족될 때 부득이하게 짊어지게 되는 임시적인 차입금으로서, 될 수 있는 대로 기채起債를 아니해야 하고, 부득이한 경우에는 그 상환을 빨리하면 할수록 좋다고 했다.

요컨대 이 다섯 편을 오늘날 우리들의 학과목으로 고쳐 본다면 제1~2편은 경제학원론에 해당하고, 제3편은 경제사, 제4편은 경제정책, 제5편은 재정학에 해당하는 것이었던 셈이 된다.

《국부론》은 스미스의 생전에 그를 대단히 유명한 학자로 만들었다. 이 책이 나온 해에 아메리카합중국이 독립을 선언했던바, 이것은 스미스가 세계사적 필연이라고 역설했던 바로 그대로였다. 이 독립 후 얼마 되지 않아 프랑스에 혁명이 일어났고, 혁명에 의하여 해방된 프랑스에서는 자유주의의 물결이 넘쳐흘렀고, 이에 스미스의 제자 장바티스트 세Jean-Baptiste Say의 학설이 공식 허용되었던 바, 이는 역사의 당연한 귀결이라 아니할 수 없다. 이러한 역사를 통해서 스미스의 학설은 세계적으로 지배적인 지위에 놓였다. 영불英佛에 비해 독일 · 이탈리아 · 스페인 · 오스트리아에서는 스미스의 유행은 늦어졌다. 말하자면 이 책은 진보적 부르주아의 이해와 합치하고 있었으며, 당시의 재정 문제에 관해서는 이 책이 가장 명쾌한 답안 역할을 했던 것이다. 상기 국가들은 미처 이러한 답안을 이용할 만큼 자본주의 체제가 갖추어져 나아가지 못했다는 점이 바로 스미스의 유행이 늦어졌던 이유일 것이다.

스미스의 학설이 이렇게 유포된 것은 역시 영국이 경제적으로 세계를 지배했다는 것, 그 지배는 자유주의에 의하여 이루어졌다는 것에 힘입은 바 크다고 하겠다. 바꾸어 말해서 영국의 국부, 세계 각국의 국부의 증가가 스미스 한 사람에게 그 공적을 돌릴 수는 없다는 것이다. 자유주의 경제학을 통틀어 고찰해 볼 때 스미스가 그 중앙에 위치하고 있는 것은 사실이나, 스미스의 체계는 역시 대단히 포괄적인 것이어서 그 자체에 복잡한 모순을 내포하고 있었으니, 그것에 관하여 여러 가지 해석도 나오고, 또 그 가운데에서 정통·속류가 흘러나오게 되어 아직도 그에 관한 논의는 매듭을 짓지 못하고 있다. 우리가 스미스를 경제학의 창설자라고 부르는 것도 그러한 뜻에서이며, 우리가 《국부론》을 경제학의 최초의 책이라고 일컬음도 또한 그런 의미에서라 하겠다.

19세기의 전반기를 통해 스미스의 경제학이 소위 문명국을 통해 지배적이 됨과 동시에 이것에 관한 보정과 수정이 점점 늘어났다. 이를테면 밀(존 스튜어트 밀John Stuart)도 그 분배제도에 관해서는 자유방임을 허용해서는 안 된다고 했고, 그 이외에도 여러 가지로 실제적인 비판을 받게 되었는데, 그 가운데서도 가장 전면적이고 체계적으로 비판을 가했던 것은 마르크스였다. 그러나 마르크스 역시 스미스의 전체 학설을 토대로 해서 비판해 나가면서 이론을 전개해 나갔으니, 역시 마르크스의 문제의 설정이라든지, 그의 경제학의 구성이 얼마나 스미스를 존중하고 있는가를 나타내 주는 것이라고 해도 좋을 것이다.

마르크스의 이러한 비판이 일단 완성된 것은 19세기 말엽이었고, 이것에 의해 스미스의 학설은 약간 지양되기도 했으나, 이것은 물론 학문적 인식의 영역 안에서의 이야기이며 실제 사회에서는 스미스의 체계는 사라지지 않았다. 아니 오히려 스미스의 체계는 수많은 속류를 이루어 점점 널리 세계로 퍼져 나갔다. 역시 세계의 대부분을 지배하는 것은 그래도 자본주의이니 말이다.

그러나 마르크스의 비판이 크게 성공하여 100년 전에 가지고 있었던 스미스의 과학적 권위는 오늘날 크게 타파되었으니, 근본적으로는 스미스의 인식과 주장에 한계가 있었던 것이라고 보아야 할 것이다. 그렇다 하더라도 스미스의 이 업적이 고전 가운데서 그 왕좌에 놓여 있음은 영원한 사실일 것이며, 자본주의 사회의 발전이 그치지 않는 한 그 빛을 영원히 발할 것이라는 것도 믿어 의심치 않는다. 세계 각국에서 오늘날에 이르기까지, 즉 영국에서는 그의 완전한 전집을 낼 계획을 세웠고, 또 스미스의 학설의 새로운 연구도 많이 행해져 왔다. 그리고 뉴욕에서는 그의 저작과 전기, 그 밖의 것에 관한 호화로운 복각復刻이 나와 있다. 더욱이 소련과 독일에서도 스미스 연구가 많이 이루어지고 있고, 《국부론》의 새로운 역본도 나와 있다는 사실들에 비추어 본다면 스미스는 세계적으로도 아직 죽지 않고, 살아 있음을 증명해 주는 것이라 하겠다.

1970. 2.

최임환

일러두기

1. 본 역서의 저본은 《An Inquiry into the Nature and Causes of the Wealth of Nations by Adam Smith, edited with an Introduction, Notes, Marginal Summary and an Enlarged Index by Edwin Cannan, M. A.》, 6th edition, Lodon, 1950, 2 vols.이다.
2. 편집부는 《An Inquiry into the Nature and Causes of the Wealth of Nations by Adam Smith, edited with an Introduction, Notes, Marginal Summary and an Enlarged Index by Edwin Cannan》(London : Methuen, 1904), 2 vols.를 참고하여, 원서상 각주의 〔 〕 및 본문의 큰 괄호는 그대로 표기하고, 역자 · 편집자 주는 작은 괄호에 넣으며, 편집자 주의 각주는 *로 표시한다.
3. 번역은 한글을 원칙으로 하되, 필요한 경우 한자와 에드윈 캐넌Edwin Cannan(1904) 판版의 원어 그대로 병기한다.
4. 외래어의 표기는 외래어 표기 용례에 따랐으나 흔히 쓰이는 것은 관용대로 표기한다.
5. 학술적 표기법에 따른 각주는 용어 및 약자를 풀어서 기재하고, 저자 · 편집자 · 역자 등의 인명은 되도록 전체 이름을 사용하여 독자의 이해를 돕고자 한다.
6. 본문 중에 다음과 같은 부호를 사용한다.
   - 대화나 직접 인용은 " "으로, 부분 인용이나 강조하고자 하는 말은 ' '으로 표시한다.
   - 장편의 시 · 소설 등의 도서명과 잡지명 따위는 《 》으로, 단편의 시 · 소설 등의 도서명과 논문 따위는 〈 〉으로 표시한다.
   - 동격의 개념을 가진 단어는 ( )으로 작게 표시하고, 음이 다른 단어는 〔 〕으로 표시한다.

편자 서문

이 판의 본문은 애덤 스미스가 죽기 전의 최종 판인 제5판을 복사한 것이다. 제5판은 제1판과 면밀하게 대조되었으며, 두 판본이 일치하지 않는 점은 무엇이든지 그 변경의 내력을 그 중간의 각 판본을 통해 찾아냈다. 이 대조의 결과는 별로 중요하지 않은 예외, 즉 "these"를 "those"로 "towards"를 "toward"로 한 것과 "conveniencies"를 어쩌다가 "conveniences"로 대치한 것 이외에는 모두 각주에 기록되어 있다. 다만 각 판본 사이의 차이가 "it"을 "is"로, "than"을 "that"으로, "because"를 "becase"라고 아주 명백하고도 틀림없는 오식의 결과라면 주에 기록되어 있지 않다. 비록 틀림없는 오식일지라도, 흔히 있는 바와 같이 그 오식들이 현대판의 본문 중에 복사되어 그럴듯한 오해를 일으킨다거나, 또는 흥미 있는 어떤 다른 특징을 나타낼 때도 기록되어 있다.

18세기의 고전을 완전히 20세기의 의상으로 갈아입히는 것도 탐탁한 것 같지 않으므로 나는 제5판의 철자를 그대로 썼으며 굳이 그것을 일관되게 정리하려고 시도하지는 않았다. 그렇게 함으로써 초래될 위험은 "Cromwel(크롬웰)"의 예에서 볼 수 있다. 오늘날의 독자로선 이것을 주저함이 없이 오식이라고 비난하겠지만 사실 이 철자는 흄이 그의 《History》에서 즐겨 썼던 것이며, 애덤 스미스도 그에게서 차용했음이 틀림없다. 그러나 이 인명이 나오는 두 곳 가운데 두 번째 것에서는 인쇄자의 실수 또는 외고집 때문인지 제4판에 이르기까지 보통 철자인 "Cromwell"로 되어 있다. 대문자와 이탤릭체의 용법에 관해서도 나는 위에서와 같은 동일한 엄격성으로써 원저原著에 따랐다. 그러나 예외적으로 현대적인 양식을 존중하여 각 문단의 첫 글자를 대문자 대신에 소문자로, 각 장의 표제를 이탤릭체 대신에 대문자로, 그리고 "Chap."라고 약기되어 있는 것을 "Chapter"로 대치했다. 또한 새로운 장을 앞 장의 말미에 잇달아 시작하고 있는 낡은 습관은 본서를 참고하려는 연구자에겐 불편한 것이므로, 각 장을 새로운 면에서 시작하기로 했다. 원저의 한쪽 면마다 윗부분 머리말 칸에 있는 "The

Nature and Causes of the Wealth of Nations"라는 불필요한 표제는 각 장의 표제로 대치되었다. 그리고 가능할 때에는 각 장 내의 형식상의 소구분의 표제로 대치되어 있으므로, 몇 개의 소구분이 있는 긴 장절의 중간에서 본서를 펼쳐 보더라도 독자는 그곳이 어디인가를 즉시 알게 될 것이다. 이러한 표제를 구성한다는 것은 반드시 그렇게 쉬웠던 것은 아니므로, 나는 비평가들이 그 가운데 어떤 것을 비난할 의사가 있다면 이용 가능한 공간이 부족했다는 것을 고려해 주길 바란다.

원저의 머리말 칸에 편·장을 나타내는 숫자는 (그 장이 번호가 붙은 몇 절로 나뉘어져 있을 때) 각 장 내의 절을 나타내기 위해 아무래도 필요한 숫자를 추가하여 각 면의 상부로 옮겨 적었는데, 이것은 본문의 적요를 본문 밖에 써 넣을 여지를 만들기 위해서이다. 이 적요를 쓰면서 나는 어느 고전적 걸작 곁에 새 건축물을 세우도록 임명된 건축가와 같은 느낌을 가졌다. 나는 한편으로는 스미스의 용어와 문체를 부적당하게 집어넣는 것을 피하고, 또 한편으로는 원문과 불쾌한 대조가 될 우려가 있는 지나친 현대적 어법을 피하려고 노력했다.

원저의 색인은 불가피한 약간의 변경은 있었으나, 제3·4·5판대로 번각飜刻했다. 그러나 나는 여기에 수많은 새로운 항목과 참조항목을 추가하고 이것을 괄호에 넣어 두었다. 이러한 항목을 넣으면서, 나는 지명과 인명에 관해서는 절대 완전한 것으로 만들려고 노력했는데, 국왕과 그 밖의 인명이 단지 날짜를 표시하기 위해서 씌어 있을 경우에는 이름을 포함시키는 것이 소용없을 것 같고, 또 아시아·잉글랜드·영국·유럽은 아무리 포괄적으로 다루려고 해도 전혀 헛일인 것만 같아서 제외해 버렸다. 나는 "보이지 않는 손(Invisible hand)", "냄비와 솥(Pots and pans)", "보복(Retaliation)", "상인국민(Shopkeepers, nation of)" 등과 같이 특별히 주목할 만한 구절을 도로 찾는데 도움이 될 수 있는 몇 개의 표제어를 넣었다. 그러나 나는 원저의 색인 가운데 있는 '상업(Commerce)'이라든지 '노동'과 같은 비교적 일반적인 항목에는 그 이상 추가하고 싶은 생각이 없었다. 이런 것들은 곧 이 책에 있는 거의 모든 사항을 포함하게 될 만큼 확대될 것이기 때문이다.

원저가 손수 각주를 붙인 경우에는 비록 지시되어 있는 위치가 다소 이상하게 생각될 때가 종종 있더라도 정확하게 그대로 두었으며, 각주 그 자체는 제5판 그대로 정확하게 인쇄했다. 스미스의 각주에 대한 편자의 각주와 추기는 각 괄호 안에 넣었다. 아마도 비평가들은 여러 판본의 대조의 결과를 기록한 주 가운데 많은 것이 하찮은 성질의 것이라고 비난할 것이다. 그러나 만일 내가 그 모든 차이점을 기록해 두지 않았더라면, 독자들은 기록되어 있지 않은 차이점은 아무런 중요성이 없다고 하는 나의 견해에 완전히 의지하지 않으면 안 되었으리라는 것을 지적해 두고 싶다. 그 증거는 대단한 노력을 들여서 일단 수집된 것이므로, 그것을 기록해 두는 것이 그렇게 하지 않는 것보다 훨씬 더 나은 것이며, 특히 이러한 하찮은 각주가 비록 많다 하더라도 그들을 한데 모은다면 본서의 3~4면을 차지하는 데 불과했을 것이기 때문이다. 그뿐 아니라 편자의 서론에서 볼 수 있는 바와 같이 가장 하찮은 차이가 스미스가 자기의 저서에서 어떻게 생각하고 또 어떻게 다루었던가에 관하여 가끔 흥미 있는 사실을 밝혀 주고 있다.

그 밖의 각주는 주로 애덤 스미스의 지식의 원천에 관한 것이다. 그가 인용서 제목을 써넣은 곳에는 보통 아무런 어려움도 생기지 않는다. 그렇지 않은 곳에서는 그 문제에 관한 작은 의문이 가끔 생긴다. 보너(제임스 보너James Bonar) 박사의 《애덤 스미스 장서목록Catalogue of the Library of Adam Smith》이 1894년에, 또 애덤 스미스의 《강의Lectures》가 1896년에 공간되었기 때문에 여러 참고문헌에 관한 조사는 훨씬 쉬워졌다. 《애덤 스미스 장서목록》은 스미스가 《국부론》의 출간 이후 14년, 즉 자기의 사망 시에 어떠한 책들을 가지고 있었는가를 우리에게 말해 주고 있으며, 반면 《강의》는 어떤 특정된 지식이 1763년 이전에 출간된 책에서 얻어졌음에 틀림없다고 우리가 종종 말할 수 있게 해 주는 근거가 되는 것이다.

주지의 사실과 같이 스미스는 변호사 도서관을 이용했으므로, 1776년에 인쇄된 그 도서관 목록의 제2부도 어느 정도 도움이 된다. 물론 면밀하게 어구들을 비교해 보면 어떤 특정한 진술은 어떤 특정한 원천에서 나온 것에 틀림없다는 것이 확실하게 될 때가 이따금 있다. 그럼에도 불구하고 기지의 참고서의 대부분은 단순히 지식 또는 영감의 가능한 원천을 제시하는 데 지나지 않는 것이라고 생각해야 한다. 나는 스미스가 그것을 읽을 수 없었든지 또는 읽었을 것 같지 않은 경우에는 다른 저자의 유사 문구를 인용한다든지 또는 가르치는 것을 삼갔다. 해박한 지식을 지니고 있는 편자였더라면 더 많은 참고서가 제시되었으리라는 것을 나는 누구보다도 더 잘 알고 있다. 한 권의 참고서를 발견하는 데 몇 시간의 노고가 들기도 했고, 며칠을 걸려 찾아도 한 권도 발견할 수 없을 때도 종종 있었다.

애덤 스미스가 참고 문헌을 잘못 인용하거나 또는 명백히 그것을 오해하고 있을 때는 나는 그 사실을 각주에 기술해 두었지만, 일반적으로 스미스의 참고 문헌의 정당 여부를 단정해서 표명하지는 않았다. 《국부론》의 각주의 형태로서 거의 모든 경제제도와 그 밖의 대단히 많은 제도의 역사를 고쳐 쓰는 것은 될 일도 아니며 바람직한 것도 아니다.

또한 나는 애덤 스미스의 이론들을 현대적인 논의에 비추어서 비판하는 것은 좋게 생각하지 않았다. 의당 그렇게 해야 마땅하다고 생각하는 사람이 있다면 나는 그 사람에게 그렇게 하는 것이 무엇을 뜻하는 것인가를 진지하게 고려할 것을 간청하고자 한다. 즉 애덤 스미스가 다루었던 수많은 논제의 그 하나하나에 관하여 이루어진 현대적 연구의 수다數多하고도 훌륭한 저작들을 그로 하여금 논평하게 하고, 《국부론》에 있는 여러 논제들의 배열 순서가 경제 백과사전에 채택하는 데 편리한 것이라고 실제로 생각하는지 않는지를 자문시켜 보라. 본서는 확실히 위대한 역사적 관심을 불러일으킬 만한 고전이며, 후대의 일시적인 견해와 비판에 의하여—더구나 어떤 특정된 편자의 그것들에 의하여 덮어 씌워져서는 결코 안 되는 것이다.

이 판을 준비하는 데 수반된 고된 일, 특히 원저의 여러 판본의 대조는 대부분 나의 친구 무어 부인Mrs. Norman Moor에 의해 이루어졌으며, 그녀의 끈기 있는 조력 없이는 본서는 출판될 수 없었을 것이다.

수많은 친구들이 특별한 논점에 관한 그들의 지식을 나에게 베풀어 주었으며, 나는 그들에게 진심으로 감사를 드리는 바이다.

런던 경제 학교(London School of Economics), 1904

에드윈 캐넌Edwin Cannan

편자 해설

《국부론》의 초판은 1776년 3월 9일[1] 4절판의 두 권으로 공간되었다. 그 제1권은 제1~3편을 포함하며 510면, 그리고 제2권은 제4~5편을 포함하여 587면이었다. 책 이름이 나오는 첫 면에 저자는 "전前 글래스고 대학 도덕철학 교수, 왕립협회, 법학박사 애덤 스미스(Adam Smith, LL.D. and F.R.S. Formerly Professor of Moral Philosophy in the University of Glasgow)"라고 씌어 있다. 그 책에는 서문도 없으며 색인도 없다. 전체 목차는 제1권의 권두에 인쇄되어 있다. 가격은 1파운드 16실링이었다.[2]

제2판은 1778년 초에 나왔으며, 가격은 2파운드 2실링[3]이었는데, 외관상 초판과 별 차이가 없다. 페이지는 거의 일치하고 있으며 뚜렷한 유일의 차이는 제2판에는 목차가 두 권에 분할되어 있다는 점이다. 그러나 초판과 제2판 사이에는 수많은 사소한 차이가 있다. 그중에서도 가장 작은 것의 하나는 "최근의(late)"를 "현재의(present)"로 변경한 것인데, 이것은 1776년 봄 이전의 집필 중에 애덤 스미스가 "아메리카의 분쟁들(American Troubles)"을 "최근의 동란(the late disturbances)"이라고 불러도 틀림이 없다고 생각했다는 재미있는 사실이 우리들의 주의를 끌게 한다. 그 동란이 현실적으로 종결됐다고 생각하고 있었는지, 또는 그 동란이 본서의 출간 전에 종결되리라고 가정해도 틀리지는 않을 것이라고 생각한 데 지나지 않았는지는 우리가 알 수 없다. "현재의 동란"이 "최근의 동란" 바로 가까이에 나올 때도 있으므로, 그는 1775~1776년 겨울 교정할 때 그의 생각을 바꾸었으며, 교정볼 때 빠뜨려서 못 보았을 경우에만 "최근의"를 그대로 두었다고 억측해도 좋을 것이다. 여러 변경들의 대부분은 단순히 어구상의 변경에 지나지 않으며, 용어를 더 우아하게 하고, 또는 더

1 존 래John Rae, 《애덤 스미스의 삶The Life of Adam Smith》(1895), 284면.

2 존 래, 《애덤 스미스의 삶》, 285면.

3 존 래, 《애덤 스미스의 삶》, 324면.

적당하게 쓰기 위해서 이루어졌던 것이다. 예를 들면 "소모 감가消耗減價(tear and wear)"(이것은 《강의Lectures》, 208면에도 나온다)를 더 일반적인 "감가 소모減價消耗(wear and tear)"라고 종종 바꾼 것과 같은 것이다. 대부분의 각주는 제2판에서 처음 나온다. 스페인령 아메리카에 있어서의 은에 대한 과세율에 관련된 경우와 같은(제1권 169~170면) 사실들에 관해서도 몇 가지 정정되어 있다. 숫자는 제1권의 327면과 제2권의 371~374면에서 정정되어 있다. 새로운 견문이 여기저기 첨가되어 있다. 즉 공空어음을 사용하여 자금을 조달하는 추가적 방법은 제1권의 294면의 긴 각주에 기술되어 있으며, 베니스에 견직물 매뉴팩처가 도입된 데 관한 구체적 정보를 산디Sandi로부터 얻어 추가했으며(제1권 379면), 네덜란드에서의 사용인세(servant tax)가 설명되어 있고(제2권 341~342면), 흔히 잊히지만 그러나 중요한 지조地租의 성질과 동일 교구 내에서의 중복 과징의 가능성에 관해서도 언급되어 있는 것 등이 그것이다. 스미스 자신이 현대의 어떤 연구자들이 그러한 문제점을 중요시하는 것을 본다면 놀라겠지만 원시적인 사회 상태로부터 이윤 및 지대가 출현하는 것에 관한 이론 가운데도 약간 재미있는 변경이 있다(제1권 49~52면). 제1권의 99~100면의 높은 이윤은 고임금보다 더 물가를 등귀시킨다는 것을 논증하기 위한 잘못된 논의는, 그 논리 자체는 이미 다른 절에서 주장되어 있지만(제2권 100면), 전혀 새로운 것이다. 제1권의 195면과 311면에 있는 상호 참조의 지시는 초판에는 없으며, 제2판에 처음으로 삽입했는데, 이것은 아마도 '곡물법에 관한 여론' 및 '암스테르담 은행에 관한 여론'이 약간 뒤늦게 본서의 집필 계획에 추가되었다는 것을 말해 주고 있는 것 같다. 맥주는 초판의 어떤 곳에서는 생활필수품으로 되어 있고 또 다른 곳에서는 사치품으로 되어 있다. 그러나 제2판에서는 그것을 필수품이라고 한 곳은 없다(제1권 430면, 제2권 355면). 제2권 137면의 동인도회사에 대한 경구警句적인 비난은 제2판에 처음 나온다. 제2권의 284면에서는, "로마 가톨릭(Roman Catholic)"이 "크리스천Christian"으로 대치되어 있으며, 또 초판에서는 "박해(persecuted)"받고 있었던 잉글랜드의 청교도는 제2판에서는 다만 "억제(restrained)"되고 있는 것으로만 표현되어 있다(제2권 90면)—극단적으로 신교도적 입장에서 변절한 것은 아마 흄이 그의 친구 스미스에게 미친 영향이 흄의 사후에 작용했기 때문일 것이다.

제2판과 1784년 말[4]에 출간된 제3판과의 사이에는 상당한 차이가 있다. 제3판은 8절판의 3권으로 되어 있는데, 제1권은 제2편 제2장의 끝까지 계속되어 있고, 제2권은 그곳에서 식민지에 관한 장의 끝, 즉 제4편 제8장까지로 되어 있다. 저자는 1778년에는 관세 위원으로서의 자기의 직명을 자기의 다른 이력에 덧붙이는 것을 싫어했었는데, 이 당시에는 그것을 극복하고 있었으며[5] 그 결과 속표지에도 "전 글래스고 대학 도덕철학 교수, 스코틀랜드 관세 위원, 런던 및 에든버러 왕립협회 회원, 법학박사 애덤 스미스"라고 나와 있다. 간기刊記는 "런던 스트랜드가의 A. 스트레이한 및 T. 캐델을 위해 인쇄(London : printed for A. Strahan, and T. Cadell, in the Strand)"로 되어 있다. 이 판은 1기니[6]로 판매되었다. 그 권두에는 다음과 같은 제3판에 대한 머리말이 붙여져 있다.

> 본서의 초판은 1775년 말과 1776년 초에 인쇄되었다. 따라서 본서의 대부분을 통하여 사물의 현재의 상태를 말하고 있을 때는 언제나 대략 그 시기 또는 그보다 약간 앞선 시기, 즉 내가 본서를 집필하고 있었던 시기의 상태라고 이해해야 한다. 그러나 나는 이[7] 제3판에서 몇 가지 증보했는데, 특히 조세환급(Drawbacks) 및 장려금(Bounties)에 관한 장을 증보했으며, 마찬가지로 〈중상주의 체계에 관한 결론The Conclusion of the Mercantile System〉이라는 새로운 한 장을 첨가했다. 또한 주권자의 경비에 관한 장에도 새로운 1항을 덧붙였다. 이러한 모든 증보에서 "사물의 현상現象(the present state of things)"이라고 한 것

4 래, 《애덤 스미스의 삶》, 362면.

5 래, 《애덤 스미스의 삶》, 323면.

6 래, 《애덤 스미스의 삶》, 362면.

7 제4판의 여기에는 "이(this)"가 "the"로 되어 있다.

은 항상 1783년과 금년, 즉 1784년[8] 초까지의 상태를 의미하는 것이다.

제2판과 제3판을 비교하면 제3판에 가한 삭제가 꽤 많다는 것을 알게 된다. 방금 인용한 서문 또는 〈머리말〉에 있는 바와 같이 〈중상주의체계에 관한 결론〉이라고 제목이 붙여진 장(제2권 141~160면)은 전혀 새로운 것이다. 그리고 〈상업의 특정된 부문을 조장하는 데 필요한 토목 사업 및 공공시설에 관하여〉(제2권 223~248면)라는 절도 그러하다. 제4편 제3장에 있는 대불對佛무역에 과해진 여러 제한들이 불합리하다는 것을 논하고 있는 어떤 문장(제1권 437~438 및 459~460면), 여러 가지 조세 환급에 관하여 상술하고 있는 제4편 제4장의 첫머리의 3면(제2권 2~5면), 청어 어업 장려금에 관한 10개 문단(제2권 20~24면)과 같은 문제에 관한 부록(435~437면) 및 곡물 장려금의 효과들에 관한 논의의 일부(제2권 10~11면)도 역시 제3판에서 처음 나온다. 다른 몇 가지 비교적 소규모의 증보와 정정과 함께 이러한 문장은 "애덤 스미스 박사의 국부國富의 성질 및 원인에 관한 연구 제1판 및 제2판의 증보 및 정정(Additions and Corrections to the First and Second Editions of Dr. Adam Smith's Inquiry into the Nature and Causes of the Wealth of Nations)"[9]이라는 표제로서 4절판으로 따로 인쇄되었다. 1782년 12월, 스미스는 캐델에게 편지를 쓰면서 다음과 같이 말하고 있다.

> 나는 많은 곳을 정정하여, 주로 제2권에 서너 개의 극히 중요한 증보를 한 제2판을 2~3개월 내에 당신에게 보내고자 합니다. 그 밖의 추가분에는 짤막한 것이기는 하오나, 영국의 모든 무역회사의 완전한 역사라고 자랑으로 생각하고 있는 것도 들어 있습니다. 나는 이러한 증보를 신新판의 적당한 곳에 삽입시킬

8 제4판에는 "금년, 즉"이 삭제되어 있다.

9 이러한 따로 인쇄된 것은 현존하는 제2판의 장정裝幀한 책의 권말에서 종종 볼 수 있다. 래의 《애덤 스미스의 삶》 362면에는 따로 인쇄된 것은 1783년에 출간되었다고 하고 있으나 그것은 잘못이다. 앞의 〈제3판에 붙이는 머리말〉과 비교 참조하라.

뿐만 아니라, 따로 인쇄하여 그것이 구舊판의 구입자에게 1실링 또는 반半 크라운으로 판매되도록 할 예정입니다. 그 가격은 증보를 다 쓰고 난 다음에 그 책의 부피에 따라서 정해야겠습니다.[10]

따로 인쇄된 증보 이외에도 제2판과 제3판 사이에는 작은 변경이 많이 있다. 이를테면, 가옥세의 채용에 관하여 만족스러워하는 각주(제2권 328면), 통행세 받는 나들목(turnpikes)을 통해 얻게 되는 수입 가능액에 관한 견적의 정정(제2권 218면), 아메리카 전쟁의 경비에 대한 논급(제2권 409면) 등이 그것이다. 그러나 이런 것은 모두 그렇게 중요한 것은 아니다. 더 중요한 것은 "주의注意, 로마숫자는 권, 아라비아 숫자는 면을 표시한다"라는 오히려 기묘한 머리말이 붙은 기나긴 색인을 추가하고 있다. 우리는 애덤 스미스와 같은 성격의 인물이 손수 색인을 만들었다고는 생각하지 않는다. 그가 그렇게 하지 않았다는 것은 제2권 320면에 있는 "tallie"라는 오식이 같은 면의 어떤 곳에는 "taille"라고 바로 되어 있는데, 색인 중 '몽토방Montauban'의 항에는 오식 그대로 다시 나와 있는 것을 보아도 충분히 확실한 것이다. 그러나 그 색인이 무식한 조수가 한 일이라고 생각할 수는 없으며, 에어 은행(Ayr Bank)이 본문에는 없는데 그 색인 '은행(Banks)'의 항에 나와 있다는 사실은 그 색인의 작자가 스코틀랜드의 은행사에 관한 어떤 지식을 가지고 있었거나 그렇지 않으면 스미스가 여러 곳에서 그 사람이 한 일을 교정했다는 것을 말해 주는 것이다. 1784년 11월 17일에 스미스가 스트레이한으로부터 '그 색인의 일부가 포함되어 있는' 소포를 받았다는 것을, 우리는 《이코노믹저널Economic Journal》 지의 1878년 9월호에 실린 캐델 씨에게 보낸 그의 편지를 통해 알 수 있다. 스트레이한은 그 색인을 〈증보 및 정정〉과 함께 4절판으로 인쇄할 것인지 아닌지를 문의했는데, 스미스는 그에게 '여러 곳에서 면수가 부합하지 않는 이미 출간된 두 판본 중 어느 것에나 적응시키도록' 색인의 면을 모두 변경해 줄 것을 그에게 상기시켰다.

10 래, 《애덤 스미스의 삶》, 362면.

따라서 색인이 본서의 불가결한 부분으로 취급되지 않았다고 할 만한 이유는 전혀 없는 것이다.

제4판은 1786년에 간행되었으며 제3판과 똑같은 체제로 인쇄되었고, 면수도 똑같다. 이 판도 제3판에 붙인 머리말을 번각했으나 "이 제3판"을 "제3판"으로 "금년, 즉 1784년"을 "1784년"으로 고쳤으며, 그리고 다음과 같은 '제4판에 대한 머리말'을 붙이고 있다.

> 이 제4판에서 나는 어떤 종류의 변경도 하지 않았다. 그러나 나는 암스테르담의 헨리 호프[11] 씨(Mr. Henry Hop of Amsterdam)의 힘을 입은 바 대단히 컸음을 충심으로 감사드리고 싶은 마음 금치 못하는 바이다. 나는 이 신사의 덕분에 암스테르담 은행이라는 아주 흥미 있고 중요한 제목에 관한 명확하고 공평한 정보를 얻을 수 있었다. 이 은행에 관해 이때까지 인쇄된 기록은 나에게는 만족스럽지 못했으며, 이해하기 쉽지 않았다. 이 신사의 이름은 유럽에서 너무나 잘 알려져 있으므로, 그이한테서 지식을 얻는다는 것은 누구에게나 큰 영광이 아닐 수 없으며 여기에 감사의 뜻을 표하는 것은 나의 자랑이라고 느껴지므로, 나는 졸저拙著의 신판에 이 머리말을 붙이는 기쁨을 금할 수 없는 바이다.

어떤 종류의 변경도 가하지 않았다고 그는 말하고 있지만 스미스는 제3판과 제4판 사이에 극히 사소한 몇 가지 변경을 했거나 또는 그 사소한 변경을 묵인했다. "if" 뒤의 직설법 동사는 대단히 빈번히 가정법 동사로 바뀌었으며, 특히

11 제5판에서 "Hope"라고 정정. 암스테르담의 은행업자로서 잘 알려진 호프 상회商會는 17세기에 한 스코틀랜드인에 의해 창립되었다(《영국인명사전Dictionary of National Biography》의 '토마스 호프 경Sir Thomas Hope'의 항을 보라). 헨리 호프는 1736년 매사추세츠의 보스턴에서 태어났으며, 잉글랜드의 어떤 은행 상관商館에서 6년을 지냈고, 그 후 암스테르담에 있는 친척들과 결합했다. 그는 그 친척들의 상회의 사원이 되었으며 에드리안 호프Adrian Hope의 사후 그 상회의 사업의 전체 경영은 그에게 맡겨졌다. 1794년 프랑스인이 네덜란드를 침입했을 때 그는 잉글랜드로 은퇴했다. 1811년 2월 25일 사망했다. 유산은 226만 파운드였다(《젠틀맨스 매거진Gentleman's Magazine》 지, 1811년 3월호).

"if it was"라고 하는 문구는 일관해서 "if it were"로 바뀌어져 있다. 제1권 71면의 각주에서 "최근의 동란"이 "현재의 동란"으로 바뀌어져 있다. 그 밖의 차이는 인쇄자의 오독 또는 무단의 정정이라고 밖에 생각되지 않을 정도로 사소한 것이다.

제5판은 스미스의 생전에 출간된 최후의 판이며, 따라서 본서의 대본이었던 제5판의 출간 연도는 1789년이다. 이 판은 제4판과 거의 동일하며, 다만 다른 것은 제4판의 오식이 제5판에서 정정되어 있으며, 더구나 상당한 수의 새로운 오식이 생긴 반면, 몇 가지 틀린 문법상의 일치—또는 틀렸다고 생각되는 문법상의 일치—가 정정되어 있다는 것뿐이다(제1권 108면, 제2권 125면과 249면을 보라).[12]

스미스가 "국부國富의 성질 및 원인에 관한 일 연구"라는 표제를 '정치경제학(political œconomy)'의 동의어로 생각했던 것은 제2권 177면의 구절에서 명백하다. 따라서 그가 자기의 저서를 '정치경제학(Political Œconomy)' 또는 '정치경제학원론(Principles of Political Œconomy)'이라고 부르지 않았던 것은 약간 이상하게 생각된다. 그러나 우리는 그 용어가 1776년에는 아직도 대단히 신기한 것이었다는 것과, 제임스 스튜어트 경Sir James Steuart의 대저大著, 《정치경제학의 제 원리에 관한 일 연구—자유국가의 국내 정책의 과학에 관한 논의An Inquiry into

12 대다수의 현대 판본은 제4판에서 복사된 것이다. 그러나 제임스 로저스James Edwin Thorold Rogers(1823~1890) 판版은 그 서문에서 제4판을 복사한 것이라고 하고 있지만, 실은 제3판을 따르고 있다. 일례를 들면 사실은 로저스 판에는 (본판의) 제1권 43면 25째 줄에 있는 "as long as" 앞의 "so"가 빠져 있으며, 로저스 판의 본문은 제3판의 본문보다 오히려 제4판의 그것에 합치하고 있지만 이것은 틀린 데가 우연히 일치한 것이며, 이러한 틀림은 특히 쉽게 이루어질 수 있는 것으로서, 실제로 제4판의 정오표에서 정정되어 있으므로, 그것은 실로 제4판의 본문은 아니다. 제5판은 1793년에 더블린에서 출간된 8절판 2권의 가짜 판본, 즉 증보를 가한 제5판과 혼동되어서는 안 된다. 이 가짜 판본은 "그러나 나는 이 제3판에서 몇 군데 증보를 했다"라고 하는 구절에서 "제3"을 "제5"로 바꿈으로써 고의적으로 위조한 제3판에 대한 머리말이 붙여져 있다. 몇 사람의 저술가(예로서 래, 《애덤 스미스의 삶》, 293면)가 진정한 제5판을 무시하게 된 것은 아마 이 가짜의 '제5판'이 존재하고 있었기 때문이겠다. 제6판의 출간 연도는 1791년이다.

the Principles of Political Œconomy : being an Essay on Science of Domestic Policy in Free Nations》의 표제에서 이미 사용되었던 것이라는 점을 기억해 두지 않으면 안 된다. 이 대저는 1767년에 출간되었다. 물론 오늘날 어떤 저자라도 책의 표제를 배타적으로 사용할 특권을 주장할 수는 없다. 우리는 "경제학 제諸 원리"라는 표제의 저작권을 주장하려면 '산술(Arithmetic)' 또는 '지질학 기초(Elements of Geology)'라고 하는 표제의 저작권을 주장하는 것에 관해 생각해 봐야 할 것이다. 그러나 1776년에 애덤 스미스는 그 9년 전에 스튜어트가 썼다는 이유만으로써 그리고 특히 《국부론》이 스튜어트의 저서를 출판했던 바로 그 출판인에 의해 나오게 되었다는 사실도 고려하여,[13] 그 표제를 사용하는 것을 삼갔을지도 모른다.

늦어도 1759년 이후에는 그 후 《국부론》으로 발전된 초기의 초고가 스미스의 강의의 일부분으로서, 즉 그가 '행정, 수입 및 군비(Police, Revenue and Arms)'라고 불렀던 그의 '법학(Jurisprudence)'에 관한 강의의 일부분으로서 존재하고 있었으며, '법학'의 그 나머지 부분은 '정의(Justice)' 및 '국제법(Laws of Nations)'이었다. 그는 법학을 정의하기를, "모든 국민의 여러 법률들의 기초가 되어야 할 일반적 원리들을 연구하는 과학" 또는 "법률 및 통치에 관한 일반적 원리들의 이론"[14]이라고 규정했다. 이 논제에 관한 강의를 예상하면서 그는 학생들에게 다음과 같이 말했다.

> 법률의 4대 목적은 정의 · 행정 · 수입 및 군비이다.
>
> 정의의 목적은 침해로부터의 안전보장이며, 그것은 정부(Civil Government)의 기초이다.

13 스튜어트의 《제 원리》는 스트랜드가街의 A. 밀러와 T. 캐델을 위하여 인쇄되었다. 《국부론》은 스트랜드가의 W. 스트레이한 및 T. 캐델을 위하여 인쇄되었다.

14 애덤 스미스가 글래스고 대학교에서 강연했던, 《정의, 경찰, 수입 및 군비에 관한 강의 Lectures on Justice, Police, Revenue and Arms》. 1763년 한 학생에 의해 알려졌고, 1896년에 드위 캐넌Edwin Cannan이 서문과 주를 편집했던 1896년도 판, 1, 3면.

만일 마지막 두 가지가 이런 종류의 강의로서는 너무 사소한 것이 아니라면, 행정의 목적은 상품의 저렴과 공공안전과 청결이다. 이 항목하에서 우리는 국가의 부유富裕(opulence)를 고찰할 것이다.

국무를 위하여 자기의 시간과 노력을 바치는 관리가 그 보상을 받는다는 것도 또한 필요한 것이다. 이 목적을 위하여, 즉 정부의 경비를 지출하기 위하여 얼마간의 기금이 조달되어야 한다. 여기에 수입의 기원이 있다. 이 항목하에서 고찰되는 논제는 조세 · 관세 등에 의하여, 인민으로부터 거두어들이지 않으면 안 되는 수입을 부과하는 적절한 방법일 것이다. 대체로 인민이 거의 느끼지 않게 조달될 수 있는 수입은 어떤 것이든 채택되어야 한다. 그리고 끝으로 영국과 다른 유럽 제국의 여러 법률들이 어느 정도까지 이 목적에 적합하고 있는가를 밝히게 될 것이다.

정부가 외국의 침해와 공격에 대하여 자위할 수 없다면, 최선의 행정이 시행되어도 공공안전은 유지될 수 없으므로 법률이 정하는 네 번째 사항은 이 목적을 위한 것이다. 그리고 이 항목하에서는 여러 가지 종류의 군비와 그 이점 및 결점, 즉 상비군과 민병 등의 조직 구성이 밝혀질 것이다.

이런 것 다음에 국제법이 고찰될 것이다…….[15]

법률 및 통치에 관한 일반적 원리들이 수입 및 군비와 관련되어 있다는 것은 충분히 명백하다. 그 구상에서 정해진 항목 설명에 관해서는 아무런 의문도 생기지 않는다. 그러나 '행정(police)'의 항목하에서 "국가의 부유를 고찰한다(consider the opulence of a state)"라는 것은 첫 눈에 조금 이상하다고 생각된다. 그것을 설명하기 위하여 우리는 《강의》 가운데 '행정'에 관한 부분의 첫머리로 돌아가 보자.

행정(Police)은 법학의 두 번째 일반적 부문이다. 이 명칭은 프랑스어로서, 본

15 《Lectures》, 3~4면.

래는 그리스어 폴리테이아(πολιτεία)에서 나온 것이며, 정부의 정책을 의미했다고 함이 옳겠으나, 현재에는 그것은 즉 청결(cleanliness), 공안(security) 및 저렴(cheapness) 또는 풍부(plenty) 따위의 통치의 종속적인 여러 부문들을 규제하는 것을 뜻하는 데 지나지 않는다.[16]

프랑스어의 이러한 정의가 정확했다는 것은 스미스가 사망했을 때 소장하고 있었던 것으로 알려져 있는 한 권의 책[17] 속의 다음과 같은 문장, 즉《빌펠드의 정치제도Bielfeld's Institutions politiques》(1760)(제1권 99면)의 구절에 의하여 충분히 명백하다.

파리 고등법원장 아를레Harlay는 다르장송 씨M. d'Argenson를 파리시 경찰총감으로 받아들이고, 그에게 다음과 같이 말했는데, 그 말들이 주목을 받을 만한 가치가 있다. 즉 '그대여 국왕은 그대에게 공안 · 청결 · 저렴을 요구하신다.' 사실로 이 세 항목은 국내 정치의 세 번째 큰 목적을 형성하고 있는 행정(politique)의 전체를 포함하고 있다.

1697년에 파리의 경찰 총감이 공안 및 청결과 함께 저렴에 관해서도 배려하도록 기대되고 있었던 것을 보면, "법학" 또는 "법률 및 통치에 관한 일반적 원리" 가운데 "저렴 또는 풍부", 또는 "국가의 부유"가 포함되어 있다고 해서 우리는 그렇게 이상하게 생각하지 않는다. "저렴은 사실상 풍부와 같은 것"이며, "저렴 또는 풍부에 관한 배려"는 "부 및 풍요를 확보하는 데 가장 적당한 방법"과 "동일한 것"[18]이다. 만일 애덤 스미스가 무역과 산업에 관한 국가 통제의 낡은 신봉자였다면, 그는 부와 풍요를 확보하기 위한 가장 적당한 규제들에 관

16 《Lectures》, 154면.

17 제임스 보너James Bonar, 《A Catalogue of the Library of Adam Smith》(1894)를 보라.

18 《Lectures》, 157면.

해서 기술했을 것이다. 그리고 이러한 서술이 "법률 및 통치에 관한 일반적 원리"라는 이름 아래 이루어진다는 것이 조금도 이상하지 않았을 것이다. 실제로 이상한 것은 스미스의 부정적 태도—즉 과거 및 현재의 규제들의 대부분을 전적으로 유해한 것뿐이었다고 하는 신념—에서 생겼다는 데 있을 뿐이다.

청결 및 공안이라는 두 항목을 그는 극히 짤막하게 처리해 버렸다. 즉 "길거리에서 오물을 실어 내는 적당한 방법과 범죄 방지를 위한 규제 또는 도시의 경비 방법에 관한 한에 있어서의 정의의 집행은 유용하기는 하지만 너무 사소한 것이어서 이런 종류의 일반론에서는 고찰되지 않는다"[19]라고 했다. 그는 다만 공예 및 상업의 상설은 인간의 독립을 가져오고 따라서 그것은 범죄 방지를 위해서 최선의 행정이라는 소견을 내놓았을 뿐이다. 그것은 서민들에게 더 많은 임금을 주고, "그 결과 전국에 걸쳐 일반적으로 성실한 풍습이 생긴다. 정직하고 부지런한 태도로 임하면 더욱 많은 빵을 획득할 수 있는데, 길거리에 자기 자신을 내놓는 미치광이는 한 사람도 없을 것이다."[20]

그다음에 그는 "저렴 또는 풍부, 즉 부와 풍요豊饒를 확보하기 위한 가장 적당한 방법과 동일한 사실"에 관해 논했다. 그는 논제의 이 부분을 "충족되어야 할 인류의 자연적 욕망(natural wants of mankind which are to be supplied)"[21]을 고찰하는 것에서 시작했으며, 이 논제는 그 후 경제학 논문들 가운데 "소비(consumption)"라는 표제를 얻었다. 그다음에 그는 부유는 분업에서 생긴다는 것, 왜 그런가 하는 것, 그리고 분업은 어떻게 해서 "생산물을 증가시키며,"[22] 그리고 왜 분업은 상업의 크기에 비례하지 않을 수 없는가 하는 것을 설명했다. "이렇게 해서 분업은 사회의 부유를 증진시키는 중요한 원인이며, 그것은 언제나 국민의 근면에 비례하는 것이지, 어리석게 상상되고 있는 것처럼 금은

19 《Lectures》, 154면.

20 《Lectures》, 156면.

21 《Lectures》, 157면.

22 《Lectures》, 163면.

金銀의 양에 비례하지는 않는 것이다." "이와 같이 무엇이 사회의 부유를 일으키는가를 밝혔으므로" 계속 다음의 여러 점을 고찰하게 될 것이라고 그는 말했다. 즉—

> 첫째, 어떤 사정이 상품의 가격을 규정하는가를 고찰한다.
>
> 둘째, 두 가지 다른 관점에서, 즉 먼저 가치의 척도로서, 그다음에 상업의 용구로서의 화폐를 고찰한다.
>
> 셋째, 상업사商業史를 고찰하고, 여기에서 고대에 있어서나 근대에 있어서나 모두 부유의 진보가 완만했던 것의 원인들에 관해 주의를 기울일 것이다. 그리고 그 원인들이 농업 또는 공예 및 제조업에 영향을 미치고 있음이 밝혀질 것이다.
>
> 마지막으로, 상업 정신이 한 나라 국민의 정치 · 기질 · 풍습에 미치는 선악의 여러 효과들과 그 적당한 구제책을 고찰한다.[23]

이러한 항목 가운데 첫째 것에서 그는 자연가격과 시장가격, 그리고 임금의 차이를 취급했으며, "어떠한 행정이라도 시장가격을 자연가격 이상으로 높이는 경향이 있는 것은 사회의 부유를 감소시키는 경향을 가지고 있다는 것"[24]을 설명했다. 이러한 유해한 여러 규제 가운데에서 그는 필수품에 대한 과세, 독점 및 동업조합의 배타적 특권을 열거했다. 그는 시장가격을 자연가격 이하로 떨어뜨리는 규제도 똑같이 유해하다고 보았으며, 따라서 어떤 다른 사업에 사용하는 편이 더 좋았을 자재를 농업으로 끌어들이는 곡물 장려금을 비난했다. "사물을 그의 자연적 과정에 방임해 두는 것이 가장 최선의 행정이다(It is by far the best police to leave things to their natural course)."[25]

23 《Lectures》, 172~173면.

24 《Lectures》, 178면.

25 《Lectures》, 182면.

두 번째 항목에서 그는 화폐가 공통의 표준으로써 사용되는 이유와 그것이 결과적으로 상업의 용구로서 사용되는 이유를 설명했다. 그는 왜 금은金銀이 공통의 표준으로 선택되었는지, 그리고 왜 화폐주조 제도가 도입되었는지를 밝혔으며, 이어서 통화에 간섭하는 것의 폐해와 금은화金銀貨를 동시에 유통시키는 것의 어려움을 설명해 갔다. 화폐는 죽은 자재이므로 화폐를 불필요한 것으로 만들고, 그것을 해외로 보내 버릴 수 있는 은행권銀行券 및 지권신용紙券信用은 유익하다. 해외로 보내어지는 화폐는 "본국에 의식주를 위한 재료를 가지고 올 것이며", "수입되는 상품들이 얼마가 되든지 꼭 그만큼 그 나라의 부유에 보태어진다."[26] 은행을 "억제하는 것은 나쁜 행정"[27]이다. 런던 상인인 만Mun은 "잉글랜드는 그 화폐가 고갈되어 있으므로, 파멸할 것이 틀림없다"[28]라고 확언했다. "기이 씨Mr. Gee도 상인과 마찬가지로" "잉글랜드는 머지않아 외국들과의 무역에 의하여 파멸할 것임을 밝히고", "다른 국민들과 하는 우리의 상거래의 거의 모든 것에서 우리가 손실자임"[29]을 밝히려고 노력했다. 흄 씨Mr. Hume는 이러한 학설과 그 밖의 여러 학설들이 불합리하다는 것을 밝혔음에도 불구하고, 자기도 "사회의 부유는 화폐에 있다는 관념(the notion that public opulence consists in money)"[30]을 깨끗이 청산해 버리지는 않았다. 화폐는 소비 가능한 것이 아니며, 또한 "만일 재화의 소비 가능성(consumptibility of goods)이라는 말을 써도 된다면, 이 소비 가능성이야말로 인간의 노동의 주요 원인(the great cause of human industry)이라 하겠다."[31]

부가 화폐에 있다는 부조리한 견해는 "실제 문제에 있어서 유해한 많은 잘

26 《Lectures》, 192면.

27 《Lectures》, 195면.

28 《Lectures》, 195면.

29 《Lectures》, 196면.

30 《Lectures》, 197면.

31 《Lectures》, 199면.

못"[32]을 일으켰으니, 이를테면 주화의 수출 금지라든지 순조로운 무역차액을 확보하려고 꾀하는 일이 그것이다. 만일 사물이 그의 자유로운 운행에 방임되어 있다면, 화폐는 항상 풍부할 것이며, 또한 모든 수출 금지는 무효일 것이다. 순조로운 무역차액을 확보하려는 욕망이 대對프랑스 무역에 대한 제한과 같은 "가장 유해한 규제(most pernicious regulations)"[33]로 이끌어 간 것이다.

> 이러한 규제가 불합리하다는 것은 조금이라도 반성하면 드러날 것이다. 어떤 두 나라 사이에 행해지고 있는 모든 상업은 필연적으로 쌍방에 이익이 됨이 틀림없다. 상업의 참된 의도는 자기 자신의 상품들을 자기에게 더욱 편익이 있을 것이라고 생각되는 다른 사람들의 상품과 교환하는 데 있다. 두 사람의 인간이 서로 거래를 할 때, 틀림없이 쌍방의 이익을 위해서 하는 것이다……이 사정은 어떤 두 나라 국민 사이에서도 똑같다. 잉글랜드의 상인들이 프랑스로부터 수입하고 싶어 하는 재화는 그들이 그 재화와 교환으로 주는 것보다 그들에게는 확실히 더 가치가 많은 것이다.[34]

이러한 시기猜忌와 금지는 가장 부유한 국민들에게 가장 유해한 것이며, 만일 "모든 국민적 편견이 사라지고 자유롭고 방해받지 않는 상업이 확립된다(all national prejudices were rooted out and a free and uninterrupted commerce established)"[35]라면 특히 프랑스와 잉글랜드는 이득을 볼 것이다. 이 무역차액으로 파멸한 국민은 아직 없다. 찰스 2세의 시대 이래, 모든 정치적 논객들은 "몇 년 이내에 우리는 정말로 빈곤 상태에 떨어질 것이다(that in a few years we would be reduced to an absolute state of poverty)"라고 예언해 왔다. 그러나 "우리는 이전보

32 《Lectures》, 200면.
33 《Lectures》, 204면.
34 《Lectures》, 204면.
35 《Lectures》, 206면.

다 훨씬 더 부유해진 것을 알고 있다(we find ourselves far richer than before)."[36]
국민의 부유는 화폐에 있다고 하는 그릇된 관념은 또한 "국내소비는 한 나라의 부유를 결코 해칠 수 없다(no home consumption can hurt the opulence of a country)"[37]라는 불합리한 견해를 가져왔던 것이다.
로의 미시시피 계획(Law's Mississippi scheme)으로 이끌어 갔던 것도 또한 이 관념이었다. 이것에 비한다면 우리나라(영국)의 남해계획(South Sea scheme)은 사소한 것이었다.[38]
이자利子는 화폐의 가치에 의존하는 것이 아니고 자본의 양에 의존한다. 환煥(exchange)은 화폐의 송달을 불필요하게 하는 방법이다.[39]
세 번째 항목, 즉 상업사 또는 부유의 완만한 진보의 원인들에서 애덤 스미스는 "첫째로 자연적 여러 장해들, 그리고 둘째로 정부의 압제"[40]를 논했다. 미개하고 야만적인 시대에는 자본이 부족했기 때문에 분업이 없었다는 것[41] 이외에는, 자연적 장해들에 관한 그의 논급은 전혀 기록되어 있지 않다. 그러나 그는 정부의 압제에 관해서는 많은 말을 늘어놓았다. 처음에는 여러 정부들은 너무 허약했기 때문에, 그 신민臣民에게 그것 없이는 누구도 근면해지려는 동기를 가질 수 없는 공안(security)을 확보해 줄 수 없었다. 그 후 국내의 공안을 충분히 보증할 수 있을 만큼 강력해졌을 때 각 정부들은 서로 싸웠으며 그 신민은 외적에게 약탈당했다. 농업은 광대한 면적의 토지가 단 한 사람의 손에 들어갔기 때문에 저해되었다. 이것은 처음에는 근로에 대한 동기를 전혀 갖지 않았던 노예에 의한 경작을 가져왔으며, 그다음에 토지개량을 위해 충분한 유인을 갖지 못했던 분익소작인分益小作人(metayers)이 나오게 했고, 마지막으

36 《Lectures》, 207면.
37 《Lectures》, 209면.
38 《Lectures》, 211~219면.
39 《Lectures》, 219~222면.
40 《Lectures》, 222면.
41 《Lectures》, 222~223면.

로 소작인에 의한 경작이라는 현재의 방법을 가져왔다. 그러나 이러한 소작인은 오랫동안 그들의 점유권이 불안정했으며, 더구나 지대를 현물로 지불해야 했던 바, 이것이 그들로 하여금 불순한 날씨에 크게 영향을 받게 했다. 봉건적 상납금은 근로 의욕을 저해했고, 장자상속법, 한사限嗣상속법 및 토지소유권의 이전 비용은 대소유지의 분할을 방해했다. 곡물 수출에 대한 여러 제한들은 농업의 진보가 멈추는 것을 조장했다. 공예와 상업의 진보도 또한 노예제도와 아울러 제조업과 상업에 대한 옛날의 멸시, 계약들에 대한 법적 강제력의 결여, 운송에 관한 여러 가지 곤란과 위험, 정기시定期市(정기적으로 열리는 장날)와 시장과 주요 물자 집산 도시의 개설, 수출입세稅, 각종 독점, 동업조합의 여러 특권, 도제조례徒弟條例 및 각종 장려금들에 의해 저지되었다.[42]

네 번째 그리고 마지막 항목, 즉 상업이 인민의 풍습에 미치는 영향이라는 곳에서 스미스는 "어떤 나라에 상업이 도입되면 언제나 성실과 엄정함이 그것에 따른다(whenever commerce is introduced into any country probity and punctuality always accompany it)"[43]라고 단언했다. 상인이란 너무나 자주 거래를 하기 때문에 정직이라는 것이 최선의 상술이라는 것을 깨닫게 된다. "정치가란 성실하고 엄정하다는 점에서 세상에서 가장 이름난 인물이 아니다. 여러 국가들로부터 파견되어 오는 사절들은 더욱더 그런 인물은 아니다(Politicians are not the most remarkable men in the world for probity and punctuality. Ambassadors from different nations are still less so)."[44] 그 이유는 각 국가들은 상인들이 하는 것보다 훨씬 드물게 서로 교섭하고 있기 때문이다.

그러나 상업 정신에서는 약간의 불편이 생긴다. 사람들의 시야가 한정된다. 그리하여 "하나의 핀의 17분의 1 또는 한 개의 단추의 80분의 1에 한 사람의

42 《Lectures》, 223~236면.

43 《Lectures》, 253면.

44 《Lectures》, 254면.

주의력이 집중될 때"[45] 그 사람은 바보가 된다. 교육이 등한시된다. 스코틀랜드에서는 가장 비천한 짐꾼도 읽을 수 있고 쓸 수 있는데, 버밍엄에서는 6~7세의 소년들도 하루에 3펜스 내지 6펜스를 벌 수 있다. 그러므로 그들의 양친은 그들이 어려서부터 일을 시킨다. 그래서 그들의 교육이 소홀해진다. 단순히 읽을 수 있다는 것만으로도 좋다. 왜냐하면 그것은 "사람들에게 경건한 의미에서뿐만 아니라, 그것이 그들에게 사상과 사색을 위한 문제를 제공한다는 것으로서도 커다란 이익이 되는 종교의 은혜를 주기 때문이다."[46] 그 이외에도 "소년들을 너무 일찍 일하러 보내는 것에 따르는 또 한 가지 큰 손실"이 있다. 그 소년들은 양친의 위신을 내동댕이치고 음주와 방종에 몸을 맡긴다. 그 결과 잉글랜드의 상업지역들에서의 직공들은 "비열한 상태"에 놓여 있으며, 그들은 "한 주의 절반만 일해도 그들을 부양하는 데 충분하다. 그리고 교육이 부족했으므로, 방종과 방탕 이외에는 별다른 재미를 찾지 못한다. 따라서 전 세계에 의복을 공급하고 있는 국민이 그들 스스로는 넝마 조각을 입고 있다고 함이 꼭 들어맞을 것이다."[47]

그뿐 아니라 상업은 용기를 잃게 하고 상무尙武 정신을 없애 버린다. 국방은 특수한 한 계급에게 넘어가고, 국민의 대부분이 유약하고 비열해져 간다. 이것은 "4000~5000명의 벌거숭이의 무장하지 않는 스코틀랜드의 고지대 지역의 주민은 만일 상비군의 저항이 없었다면, 쉽사리 영국의 정부를 전복시켰을 것"[48]이라는 1745년의 사실에 의하여 밝혀져 있다.

상업에 의하여 초래된 이러한 폐해를 "치유하는 것은 진지한 주의를 기울일 만한 가치가 있는 문제일 것이다."

여하튼 애덤 스미스의 강의 노트가 만들어졌을 때는, 수입은 방금 논한 행정

45 《Lectures》, 255면.

46 《Lectures》, 256면.

47 《Lectures》, 256~257면.

48 《Lectures》, 258면.

의 항목에 앞서 취급되고 있었으며, 그 표면적인 이유는 실은 수입이 부유의 완만한 진보의 여러 원인들 가운데 하나였기 때문이었다.[49]

그가 가르친 바에 의하면, 원래는 수입이라는 것은 불필요했다. 즉 위정자는 그 지위가 고귀하다는 것과 자기가 받을 수 있었던 선물로써 만족하고 있었다. 선물을 받는다는 것이 곧 부패로 이어졌다. 또한 처음에는 사병들이 무급이었는데, 이것은 지속되지 않았다. 수입을 조달하기 위하여 채용된 가장 초기의 방법은 정부를 유지하기 위하여 토지를 양도하는 것이었다. 영국의 정부를 유지하는 데는 적어도 그 나라의 토지 전체의 4분의 1을 필요로 할 것이다. "정부가 비용이 많이 들게 된 뒤에는, 지대로써 그것을 유지한다는 것은 있을 수 있는 최악의 방법이다."[50] 문명과 비싸게 먹히는 정부는 동행하는 것이다.

조세는 재산에 대한 조세와 상품들에 대한 조세로 나눌 수 있다. 토지에 과세하는 것은 쉽지만, 자본 또는 화폐에 과세하는 것은 곤란하다. 지조地租는 극히 싸게 징수되며, 상품가격을 등귀시키지 않는다. 그리하여 상품들을 교역하는 데 충분한 자본을 가지고 있는 사람들의 수를 제한하지 않는다. 지조와 소비세의 쌍방을 지불해야 한다는 것은 지주들에게는 힘에 겨운 것이다. 이러한 사실 때문에 "아마도 이른바 토리당Tory黨이라고 불리는 것이 존속하고 있는 것이리라."[51]

소비세는 내국소비세로서 부과되는 것이 최선으로 된다. 내국소비세는 "의식하지 않고 지불되는(being paid imperceptibly)"[52] 이점을 가지고 있다. 왜냐하면 "우리가 1파운드의 차(tea)를 구매할 때 그 가격의 대부분이 정부에 지불되는 조세라는 것을 생각하지 않고, 따라서 그것이 오직 그 상품의 자연가격인 것처럼 안심하고 지불하기 때문이다."[53] 그뿐 아니라 그러한 조세는 지조보다도 인민

49 《Lectures》, 236면.

50 《Lectures》, 239면.

51 《Lectures》, 241~242면.

52 《Lectures》, 242~243면.

53 《Lectures》, 243면.

(people)을 파멸시킬 가능성이 더 작다. 인민은 과세 상품에 대한 지출을 항상 절감할 수 있기 때문이다.

잉글랜드와 같은 고정된 지조地租는 프랑스처럼 지대地代와 함께 변동하는 지조보다 더 나으며, "잉글랜드인은 유럽에서 가장 훌륭한 재정가이며, 그들의 조세는 다른 어떤 나라의 그것보다 더 적당하게 부과되고 있다."[54] 수입세輸入稅는 산업을 부자연스러운 방향으로 돌려 버리기 때문에 유해하다. 그러나 수출세는 더욱더 유해하다. 부가 화폐에 있다고 하는 일반적 신념은 수입세에 관해서는 예상되었던 것처럼 유해하지는 않았는데, 이는 그 신념이 우연히도 원료품의 수입 장려 및 제조품의 수입 저지로 이끌었기 때문이다.[55]

애덤 스미스는 수입을 다루는 데에서 아주 자연스럽게 국채를 논하게 되었고, 이것에서 그는 공채의 등락의 여러 원인 및 투기 행위에 관한 논의로 나아가게 되었다.[56]

군비에 관한 논급을 통하여 그는 처음에는 전체 인민이 전쟁을 하러 나갔다가, 그다음에는 비교적 상층의 계급만이 나가고 최하층의 계급은 남아서 토지를 경작한다는 것을 가르쳐 주었다. 그러나 그 후 공예와 제조업이 도입되면 부자로서는 그들 자신의 업무를 버리고 떠난다는 것이 불편하게 되어, 국가의 방위는 가장 비천한 사람들에게 떨어진다. "이것이 우리 영국의 현상이다."[57] 여기에 훈련이 필요하게 되고 상비군이 도입된다. 가장 좋은 부류의 군대는 "그 나라의 공직을 가지고 있는 향신鄕紳(지주 출신 신사)들에 의하여 지휘되는 민병民兵"[58]이며, 그것이 "그 나라의 자유를 희생하리라고는 전혀 예상될 수 없다(can never have any prospect of sacrificing the liberties of the country)." 스웨덴의 경우가 그러하다.

54 《Lectures》, 245면.

55 《Lectures》, 246~247면.

56 《Lectures》, 247~252면.

57 《Lectures》, 261면.

58 《Lectures》, 263면.

이제 이상에서 언급한 것들을 〈서론 및 구상Introduction and Plan〉에는 기술되어 있지 않으나, 이 저작 그 자체의 본문에서 찾아볼 수 있는 《국부론》의 취지와 비교해 보자.

제1편은 노동생산력의 최대의 개선은 분업에 기인한 것이라는 것을 설명하는 것부터 시작한다. 분업에서 화폐로 나아간다. 그 이유는 화폐는 교환에 의존하는 분업을 조장하기 위하여 필요하기 때문이다. 이러한 논술은 자연히 교환이 이루어지는 조건, 즉 가치론과 가격론으로 인도한다. 가격에 관한 고찰은 가격이 임금, 이윤 및 지대로 분할되고, 따라서 가격이 임금, 이윤 및 지대의 비율에 의존한다는 사실을 나타내고 있으므로, 이러한 비율의 변동을 네 장에 걸쳐 논할 필요가 있다.

제2편은 첫째로 자재(stock)의 성질 및 분류를 다루고, 둘째로는 그 가운데 특히 중요한 부분, 즉 화폐와 그 부분을 은행의 조작에 의해 절약하는 방법을 취급하고, 셋째로는 생산적 노동(productive labour)의 고용(employment)과 관련이 있는 자본(capital)의 축적을 논하고 있다. 넷째로는 이자율의 등락을 고찰하고, 다섯째 즉 끝으로는 자본을 고용하는 여러 가지 방법의 상대적 장점을 비교 고찰한다.

제3편은 부유의 자연적 진보는 자본을 처음에는 농업에, 그다음에는 제조업에, 그리고 마지막으로 외국상업으로 향하게 만드는 것인데, 근대 유럽 국가들의 정책에 의하여 이 질서가 전도되어 왔다는 것을 설명하고 있다.

제4편은 정치경제학의 두 가지 상이한 체계, 즉 (1)상업의 체계와 (2)농업의 체계를 논하고 있다. 그러나 전자에 할당된 지면이 초판에서까지도 후자에 주어진 그것의 8배나 된다. 제1장은 부는 무역차액에 의존한다는 상업의 체계, 즉 중상주의 체계의 원리가 불합리하다는 것을 밝히고, 그다음의 다섯 장은 중상주의자들이 그들의 불합리한 목적을 달성하려고 애썼던 각가지 야비하고 악의적인 편법, 즉 일반적 보호관세, 무역차액이 불리하다고 생각되는 특정 국가로부터의 수입 재화에 대한 금지와 중세重稅, 조세 환급, 장려금 및 통상조약

을 상세히 논하고, 그것들이 무익하다는 것을 밝히고 있다. 제7장은 긴 장으로서 식민지를 논한다. 제4편 제1장의 말미에서 예정했던 바에 따르면, 식민지들은 고유한 여러 가지 특권 및 독점을 바탕으로 수출을 장려하기 위해 창설된 것이기 때문에 여기에서 이 문제가 제기된다. 그러나 이 장 자체에는 이러한 흔적은 전혀 없다. 식민지들의 역사와 진보는 그 자체를 위하여 논술되어 있으며, 중요한 식민지들은 제1장에 암시되어 있는 목적하에 건설되었다고는 주장하고 있지 않다.

제4편의 마지막 장에서 중농주의의 체계가 기술되어 있고, 상업의 체계에 대해서와 마찬가지로 이 체계에 대해서도 반대의 평가評定가 내려져 있다. 알맞은 체계야말로 자연적 자유의 체계이며, 더구나 이 체계는 주권자(sovereign)로 하여금 "민간인의 산업을 감독하고 또 그것을 사회의 이익에 가장 적합한 일에 종사하게 만드는 의무"에서 해방시켜 주는 것이다.

제5편은 주권자가 자기에게 위임된 의무를 이행하기 위한 경비들, 그러한 경비를 충족시키는 데 필요한 여러 수입들 및 경비가 수입을 초과할 경우 결과들을 논하고 있다. 국방비에 관한 논의는 여러 가지 종류의 군사조직, 재판소, 공공 토목 사업의 유지 방법, 교육 및 종교시설에 관한 논의를 포함하고 있다.

이상 두 가지 초안을 합쳐 보면, 우리는 본서가 얼마나 《강의》와 밀접하게 관련되어 있는지를 쉽사리 알 수 있다.

"행정"이라는 표제는 그 실체를 충분히 밝히고 있지 않아 탈락되었기에 청결이라는 것에 언급할 필요는 없다. 그리고 공안에 관한 의견은 자본 축적에 관한 장에 옮겨져 있다. 경제학자들이 소비에 관하여 일반적으로 느끼고 있는 곤란을 한 번 더 되풀이해서 예증함으로써 인간의 여러 자연적 욕망에 관한 두(二) 절은 삭제되어 있다.[59] 분업에 관한 그다음의 네(四) 절은 발전하여 《국부론》의 제1편의 최초의 세(三) 장으로 되어 있다. 《강의》에서는 이 부분에서 갑자기 가격으로 넘어가고, 그다음에 화폐, 상업사 및 상업 정신의 효과들이 나

59 지대地代에 관한 장에는 이 점을 상기시키는 기술이 있다.

온다. 그러나 《국부론》에서는 노동이 분할되는 데 도움이 되는 기구로서 화폐를 다루고 나서 자연적으로 가격으로 넘어감으로써 갑작스러운 가격으로의 이행을 피하고 있다. 《강의》에서는 화폐론은 부가 화폐에 있다는 관념의 고찰과 은행업 및 외국무역을 제한한다는 망상의 모든 유해한 결과를 고찰했다. 이것은 명백히 화폐이론의 부담을 과중하게 했으며, 그 결과로서 은행론은 죽은 자재인 화폐를 불필요한 것으로 만들고, 따라서 자본을 절약한다는 이유로 자본에 관한 편으로 미루어 놓은 반면 상업정책은 단독으로 제4편에 옮겨져 있다. 《강의》에서는 다시 임금은 가격에서 가볍게 취급되어 있고, 이윤 및 지대는 전혀 취급되어 있지 않았는데, 《국부론》에서는 임금, 이윤 및 지대는 가격의 구성 부분으로서 상세히 논의되어 있고, 한 나라의 총생산물은 세 가지 몫으로서 그들에게 배분된다고 적고 있다.

《강의》의 그다음 부분은 부유의 완만한 진보의 여러 원인들을 논하고 있는 것으로서 《국부론》에서의 제3편의 기초를 이루고 있다. 생활양식에 미치는 상업의 영향은 독립된 항목으로서는 없어졌으나, 그곳에서 취급되어 있던 문제의 대부분은 교육론과 군사조직론에서 이용되고 있다.

소비 이외에 《강의》에서 꽤 상세하게 논술되어 있던 다른 두 가지 논제, 즉 투기 행위 및 미시시피 계획이 《국부론》에서는 모두 삭제되어 있다. 투기 행위에 관한 기술이 제외된 것은 아마 그것이 본서의 비교적 성숙한 독자보다도, 강의에서의 젊은 수강생에게 더 적합했기 때문일 것이다. 미시시피 계획을 삭제한 이유로 스미스 자신은 뒤 베르네Du Verney가 그것을 적절히 논했기 때문이라고 말하고 있다.

《강의》에서 표현된 여러 견해들과 본서에서 표현된 그것 사이에는 여기저기에 서로 어긋나는 점을 발견할 수 있다. 곡물 장려금의 효과들에 관한 합리적이고 단도직입적인 견해는 좀 더 불충분한 것이기는 하지만 더 심오한 학설로 대치되어 있다. 외국상업에 대한 규제의 불편함에 관한 의견은, 그 규제들이 원료를 수출하는 나라들과의 무역을 장려하고, 제품을 수출하는 나라들과의 무역을 저지한다는 사실에 의하여 완화되었기 때문에, 본서에서는 되풀이하고 있지 않다. 《강의》의 문장은 대단히 압축되어 있어서, 아마도 애덤 스미스가 말한 것을 잘못 표현하고 있을 것이다. 만일 그렇지 않다면 그것은 강의를 하고 있었던 당시의 그가 보호주의자의 오류에서 아직 완전히 탈각하고 있지 않았음을 말해 주는 것이다.[60]

두세 개의 극히 명백한 추가가 있고, 가장 현저한 것은 제4편의 최후의 장을 차지하고 있는 프랑스의 중농주의의 체계, 즉 농업의 체계에 관한 설명이다. 교회와 국가와의 관계에 관한 항(제5편 제1장 제3절 제3항)도 역시 적어도 행정 및 수입에 관한 강의와 관련되어 있는 이상, 명백히 추가된 것이라고 생각된다. 그러나 우리가 곧 알게 되겠지만, 당시의 전통으로서는 스미스가 법학에 관한 자기 강의의 이 부문에서 종교적 시설들을 논했음을 말해 주고 있는 것 같으므로, 강의 필기가 이 특정한 점에서 불충분했을 수도 있고, 아니면 필기가 이루어진 그 특정한 연도에 그 문제가 강의에서 삭제되었던 것인지도 모른다. 그다음에 식민지들에 관한 긴 장이 있다. 강의를 하고 있던 때부터 본서가 출간되기까지의 기간에 식민지들이 애덤 스미스의 주의를 끌었다는 사실은, 그 기간이 식민지에 대한 과세를 꾀하기 시작하여 독립선언이 이루어지기까지의 시기와 거의 정확하게 일치하고 있다는 것을 우리가 상기한다면 그렇게 놀라운 것도 아니다.

그러나 이러한 추가는 제2편에서 자재 또는 자본 및 비생산적 노동에 관한 이론이 도입된 것이라든지, 제1편 제6장의 마지막쯤에서 분배이론이 가격이론 가운데 미끄러져 들어가는 것과, 연간 생산물이라는 개념이 강조되어 있는 것에 비한다면, 그렇게 중요한 것도 아니다. 이러한 변화는 사람들이 생각하고 있던 것처럼 스미스 자신의 저작에 있어서 실제로 그렇게 큰 차이를 만들지는 않는다. 분배이론은 제1편의 표제에서 나오지만, 이 저작의 본질적인 부분은 아니며, 제1편 제6장의 겨우 몇 문단과 다른 곳의 몇 줄을 지워 버리면 쉽

60 이 문제에 관한 억측을 위해서는 〈편자의 서론〉 뒷부분을 보라.

게 절제될 수 있을 것이다. 그리고 만일 제2편이 전부 삭제되어도, 다른 편들은 완전히 자립할 수 있을 것이다. 그러나 그 후의 경제학에 대해서는 그러한 변화는 근본적인 중요성을 지니는 것이었다. 그것들은 적어도 1세기 동안 경제학 논설의 형식을 확정해 왔다.

이상에서와 같은 변화들은 말할 것도 없이 애덤 스미스가 프랑스의 에코노미스트(Économistes)들과 맺은 교우, 즉 그가 1764~1766년에 버클로우 공작Duke of Buccleugh을 따라 프랑스를 방문했을 때 사귄 교우에 기인한 것이었다. 그는 그의 강의의 노트가 작성되기 전에 벌써 그 학파의 많은 저작을 잘 알고 있었던 것인지 모른다고 전해지고 있다. 그리고 또 그는 능히 그렇게 할 수 있었을 것이다. 그러나 그의 강의 노트는 실은 스미스가 그러한 저작에 아직 정통하지 않았거나, 아니면 여하튼 스미스가 그들의 주요한 경제학상의 여러 이론들을 일단 소화하지는 않았다는 것을 말해 주는 좋은 증거이다. 그러한 이론의 흔적이 《강의》에는 전혀 없는데 《국부론》에는 대단히 많이 있다는 것, 그리고 그동안에 애덤 스미스는 프랑스에 가서, 그들의 스승인 케네Quesnay를 포함한 '교파敎派'의 저명한 성원들 모두와 사귀었다는 것을 볼 때, 우리는 아무런 증거도 없이 스미스가 글래스고 시대 이전 또는 그 시대가 아닌 그 이후에 중농학파의 영향을 받게 되었을 것이라는 것을 왜 믿지 말아야 하는지 그 이유를 이해하기 곤란하다.

이코노미스트들의 신념의 고백은 케네의 《경제표Tableau Économique》에 구체화되어 있으며 그들 가운데 한 사람은 이것을 문자 및 화폐와 함께 인류의 3대 발명의 하나에 들 만큼의 가치가 있는 것이라고 기술했다. 다음 면에 옮겨 놓은 것이 그것이다. 이는 영국 경제학회(Britich Economic Association)(현재의 왕립경제학협회 : Royal Economic Society)가 1759년 판의 《경제표》를 복사하여 1894년에 출간한 것이다.

《경제표》의 지그재그 선의 정확한 의미를 알고 싶은 사람은 영국경제학회가 그 표와 함께 1894년에 출간한 케네의 《설명Explication》을 연구해 보아도 좋을 것이다. 우리의 당면 목적으로서는 (1)그것은 한 나라의 연간 총생산물 또는 재생산총액이라는 개념을 포함하고 있다는 것, (2)그것은 어떤 노동은 비생산적이며 매년 생산물을 유지하기 위해서는 일정한 '전불前拂(avances)'이 필요하며, 그리고 이 연간 생산물은 '분배'된다는 것을 가르치고 있다는 것을 알면 충분하다. 애덤 스미스는 자신의 농업의 체계들에 관한 장에서 밝히고 있는 바와 같이, 이 표의 상세한 항목을 높이 평가하지 않았으나, 그가 이러한 주요 관념을 취하여 될 수 있는 대로 그것을 글래스고 시대의 여러 이론에 응용했던 것은 확실하다. 연간 생산물이라는 개념은 이러한 이론과 조금도 모순되지 않았고, 그는 아주 빈번히 깜빡 잊고서 옛날의 말씨로 되돌아가곤 하지만, 연간 생산물을 한 나라 국민의 부로서 받아들여서 쓰는 데 조금도 어렵지 않았던 것이다. 비생산적 노동에 관해서는 그는 글래스고의 모든 산업을 불임의 것이라고 비난하려고 생각하지는 않았으나, 중세적 시종은 물론 근대적인 하인까지 비생산적 계급 속에 넣기를 주저하지 않았다. 그는 좀 더 나아가서 그 노동이 특정의 매각 가능한 물품을 생산하지 않는 사람 또는 그 고용주의 화폐 이득을 위해서 사용되지 않는 사람을 그러한 계급에 포함시키려고까지 했다. 그는 이러한 구별과 '전불'이라고 하는 중농학파의 학설 사이에 약간의 혼란이 일어나게 되면서도 생산적 노동의 사용과 자본의 축적 및 사용 사이에는 하나의 긴밀한 관련이 있다고 상상했다. 여기에서 한 사람의 자본가가 나타나면 얼마 되지 않아 노동자들이 솟아난다고 하는 평범한 관찰의 도움으로써, 그는 한 나라의 자본의 양이 "유용하고 생산적"인 노동자의 수를 결정한다는 견해에 도달했다. 마지막으로 그는 가격 및 그 구성 부분에 관한 이론 속에, 어떤 상품의 가격이 임금, 이윤 및 지대 사이에 분할되듯이 총생산물은 노동자 · 자본가 · 지주들 사이에 분할된다는 암시를 슬쩍 집어넣었다.

자본과 비생산적 노동에 관한 이러한 관념은 경제학설사에 있어 확실히 중대한 것이지만, 근본적으로는 불건전한 것이며, 보통 생각되고 있는 것처럼 그렇게 보편적으로 받아들여지지는 않았다. 그러나 매년 분배되는 연간 생산물

DEPENSES *PRODUCTIVES.*	DEPENSES DU REVENU, l'Impôt prélevé, se partagent aux Dépenses productives & aux Dépenses stériles.	DEPENSES *STERILES.*
Avances annuelles.	*Revenu.*	*Avances annuelles.*
₶	₶	₶
600 produisent	600	300
Productions.		*Ouvrages, &c.*
₶	₶	₶
300 reproduisent net	300	300
150 reproduisent net	150	150
75 reproduisent net	75	75
ſ	ſ	ſ
37..10 reproduisent net	37..10	37..10
18..15 reproduisent net	18..15	18..15
₰	₰	₰
9....7....6 reproduisent net	9....7....6	9....7....6
4..13....9 reproduisent net	4..13....9	4..13....9
2....6..10 reproduisent net	2....6..10	2....6..10
1....3....5 reproduisent net	1....3....5	1....3....5
0..11....8 reproduisent net	0..11....8	0..11....8
0....5..10 reproduisent net	0....5..10	0....5..10
0....2..11 reproduisent net	0....2..11	0....2..11
0....1....5 reproduisent net	0....1....5	0....1....5

로서의 국민들의 부라는 개념은 무한의 가치가 있다. 그런 종류의 다른 개념들과 마찬가지로 그 개념은 반드시 나와야 할 것이었다. 그것은 거의 1세기 전에 대버넌트Davenant 또는 페티Petty로부터 직접 전개되었던 것일지도 모른다. 우리는 만일 애덤 스미스가 그것을 하지 않았다면 영국 경제학자들 가운데서 그 개념을 그러한 위치에 놓아 줄 만한 사람은 아무도 없으리라고 생각할 필요는 없다. 그러나 우리가 주저하지 않고 기억해 두어야 할 것은 그 개념을 도입한 것은 바로 그였으며, 더구나 그는 이코노미스트들과의 교제의 결과로서 그 개념을 도입했다는 사실이겠다.

만일 《국부론》의 기원에 관한 역사를 강의 필기의 날짜인 1763년 전후 또는 그때보다 더 이전으로 거슬러 올라가려 하면, 우리는 아직도 약간의 권위 있는 정보를 발견할 수 있다. 우리는 그가 1759년의 강의에서 실제로 상술한 것과 동일한 구분을 쓰고 있었음에 틀림없다는 것을 알고 있다. 왜냐하면 그가 그해에 출간된 《도덕감정론》의 최종 문단에서 "정의뿐만 아니라, 행정 수입 및 군비에 관하여, 그리고 그 밖에 법률의 대상이 되는 모든 사항에 관계가 있는 법률 및 통치의 일반적 원리들과 이것들이 사회의 여러 시대 및 시기에 겪었던 여러 가지 변혁을 설명하려고 노력할 것"이라는 '또 하나의 논저'를 약속하고 있기 때문이다. 그러나 그 강의 가운데 경제학적 부분에 반드시 "행정, 수입 및 군비"라는 표제가 붙여지지 않았던 것은 확실한 것 같다. 왜냐하면 1751~1752년에 그 강의가 처음 있었을 때 청강했던 밀러Millar가 다음과 같이 말하고 있기 때문이다.

> 그의 《강의》의 마지막 부분에서 그는 '정의(justice)'의 원리에 기초하지 않고 '편의(expediency)'의 원리에 기초하고, 국가의 부·힘 및 번영을 증진시킬 것을 의도하는 정치적 여러 규제들을 검토했다. 이러한 견지에서 그는 상업·재정·종교·군사적 제도들에 관련된 정치적 여러 제도들을 고찰했다. 그가 이러한 논제에 관하여 강의했던 것은 그 뒤에 이르러 그가 "국부의 성질 및 원인에 관한 연구(An

Inquiry into the Nature and Causes of the Wealth of Nations)"라는 표제 아래 출간한 저작의 실체를 포함하는 것이었다.[61]

물론 이것은 그러한 초기의 시대에도 경제학 강의가 "행정, 수입 및 군비"라고 불렸었다는 것과 반드시 모순된다고는 할 수 없으나 '정의' 및 '편의'라는 말이 이탤릭체로 되어 있는 것은 만일 밀러가 그렇게 했다면, 오히려 그 반대를 뜻하는 것이며, 더구나 "저렴 또는 풍부"를 '행정'이라는 제목하에 배열했다는 것은 아무래도 경제학상의 소재의 대부분을 법학의 강의에 넣는 것을 정당화하기 위하여 뒤늦게 떠올랐던 생각이었을 것이라고밖에 생각되지 않는다. 그렇다면 왜 그것을 삽입했는가 하는 이유에 관해서는, 글래스고에서 스미스가 처음 활동했던 학기의 여러 사정들이 스미스가 그 논제를 좋아하고 있다는 것 이외의 또 하나의 동기를 시사해 주고 있는 바, 우리가 주의해야 할 것은 그러한 동기가 있었기 때문에 그가 최초로 윤리학에 관한 견해를 출간하게 되었다는 것이다.

기억해 둘 것은 그가 처음으로 글래스고(University of Glasgow)의 윤리학 교수로 임명되었던 것은 1751년 1월이었는데, 에든버러에서의 계약 때문에 그는 그 학기에는 그 강의를 이행하지 못했다는 것이다. 그다음 학기가 시작되기 전에 도덕철학 교수 크레이기Craigie가 건강 때문에 물러나게 되었으므로, 스미스는 그의 대강代講을 해 달라는 요청을 받았다. 그는 그것을 승낙했으며, 그 결과 1751~1752년의 학기에는 두 개의 강좌를 시작해야만 했으며, 그중 한 가지에 관해서도 그는 사전에 별다른 통고를 받지 못했다.[62] 어떤 교사라도 이러한 입장에 놓이면 간혹 수중에 있는 적당한 재료라도 이용하려고 최선을 다하려 들

61 듀갈 스튜어트Dugald Stewart가 1793년에 에든버러 왕립협회(The Royal Society of Edinburgh)에서 강연하고 그 후 1795년에 출간된 스미스의 유저 《Essays on Philosophical Subjects》 18면과 《애덤 스미스의 생애와 저작들Account of the Life and Writings of Adam Smith》에 있다. 존 래John Rae, 《애덤 스미스의 삶Life of Adam Smith》 53~55면을 보라.

62 존 래, 《애덤 스미스의 삶》, 42~45면.

것이며, 대다수의 사람은 다소 부적당한 것까지도 이용하려고 억지를 부리려고 할 것이다.

이제 우리는 애덤 스미스가 1750~1751년의 겨울에 에든버러에서 한 강의를 자기가 고용한 한 명의 서기가 필기한 수고手稿 형태로 가지고 있었음을 알고 있다. 그리고 우리는 이러한 강의 가운데에서 그가 자유의 유익한 효과들에 관한 학설과, 듀갈 스튜어트가 말하고 있는 "《국부론》에서도 가장 중요한 견해들의 많은 것"을 설명했다는 것을 알고 있다. 스튜어트가 글을 썼을 당시에는 "1755년에 스미스 씨가 썼고, 그 당시 그가 그 회원의 한 사람이었던 어떤 학회에 제출했던 한편의 짤막한 초고"가 존재하고 있었다. 이 논급에 관해서 스튜어트는 다음과 같이 말하고 있다.

> 《국부론》 가운데에서 가장 중요한 견해들의 많은 것은 여기에 상술되어 있으나, 나는 다만 다음의 문장만을 인용해 두기로 한다. 즉 '정치가와 기획가들은 인간을 일반적으로 일종의 정치적 기계의 재료로 생각하고 있다. 기획가란 인간사에 있어서 자연의 운행을 방해하지만 자연이 그 자체의 목적들을 추구하고 있을 경우에는 방임해 두고 그것을 공정하게 활동시켜서 그 자신의 의도를 확립할 수 있도록 하는 것 이외에는 필요한 것은 아무것도 없는 것이다.' 또 다른 구절에서는 '국가를 최하급의 야만상태에서 최고도의 부유에까지 끌어올리는 데는 평화, 가벼운 조세, 정의의 관대한 집행 이외에 불가결한 것은 거의 없다. 다른 모든 것은 사물의 자연적 운행에 의하여 초래되기 때문이다. 이러한 자연적 운행을 방해하고 사물을 무리하게 다른 수로에 밀어 넣든지, 또는 어떤 특정된 점에서 사회의 진보를 정지시키려고 애쓰는 모든 통치는 부자연스럽고 그들의 통치를 유지하는 것은 억압적이며 폭군적이 되지 않을 수 없다.' '이 논문에 기록되어 있는 견해의 대부분은 내가 아직 수중에 가지고 있으며 6년 전에 내 곁을 떠난 한 서기의 손으로 쓰였던 강의안 속에 상세하게 논급되고 있다. 그런 것의 대부분은 내가 글래스고에서 지냈던 최초의 겨울에 처음으로 크

레이기 씨의 학급을 가르쳤을 때부터 줄곧 중요한 변경 없이 오늘날까지 나의 강의의 일관된 논제가 되어 왔었다. 그 모두가 내가 에든버러를 떠나기 전의 겨울에 그곳에서 했던 강의의 논제였으며, 나는 그런 것들이 나 자신의 것이라는 것을 충분히 확인해 줄 무수한 증인을 이곳저곳에서 들 수 있다.'[63]라고 그는 술회述懷하고 있다.

그렇다면 1751년에 두 개 강좌에 직면했을 때 스미스는 진보에 관한 약간의 강의안, 즉 "부유의 완만한 진보"를 설명한 것 같은 강의안을 가지고 있었던 것 같으며, 더구나 그러한 사태에서라면 누구나가 그렇게 하고 싶어 했을 것처럼 그도 이것을 도덕철학의 과정에 집어넣었다고 생각된다.

때마침 이렇게 하는 데는 아무런 곤란이 없었다. 크레이기 자신이 그렇게 하는 것이 좋을 것이라고 건의했다는 것은 거의 틀림없다. 스미스가 크레이기의 일을 맡아 달라는 요청이 컬렌Cullen을 통해서 나왔으며, 지금까지 보존되어 있지 않는 컬렌의 편지에 대한 답장에서 스미스는 "당신은 자연법학과 정치학을 크레이기 강의의 분담 부분으로서 말씀하시는데 저로서도 그것을 가르친다는 것이 대단히 마음에 들 것 같습니다. 저는 기꺼이 그 쌍방을 받아들이겠습니다"[64]라고 하고 있다. 틀림없이 크레이기는 스미스가 에든버러에서 그전 겨울에 무엇을 강의하고 있었는가를 알고 있었으며, 스미스가 그것을 '정치학'이라고 부르고 있었다는 것도 알고 있었다.

그뿐 아니라 도덕철학 강좌의 전통은 애덤 스미스에게도 알려져 있듯이 어느 정도의 경제학을 필요로 하고 있었다. 12년 전에 프랜시스 허치슨Francis Hutcheson이 교수였던 당시 스미스 자신이 그의 학생이었다. 스코트 박사Dr. W. R. Scott가 밝혔던 바와 같이,[65] 허치슨의 《도덕철학체계A System of Moral

63 듀갈 스튜어트 Dugald Stewart, In Smith's 《Essay》, lxxx, lxxxi면.

64 존 래, 《애덤 스미스의 삶》, 43~44면.

65 윌리엄 로버트 스캇William Robert Scott, 《프랜시스 허치슨Francis Hutcheson》(1900), 210, 231면.

Philosophy》는 1755년에 처음으로 공간되었지만 스미스가 한 학생이었던 당시에 이미 존재하고 있었던바, 우리가 그 《도덕철학체계》에서 판단할 수 있는 한에서는, 허치슨은 첫째, 윤리학에 관해서 강의했고, 그다음에 자연법학이라고 불러도 좋을 것에 관해서 강의했고, 셋째로 국가행정(Civil Polity)에 관하여 강의했다. 뒤의 두 부분에 걸쳐서는 상당한 양의 경제학설이 산재하고 있다.

'사회생활의 필연성'을 고찰할 경우 허치슨은 인간이 독립하면 아무리 강하고 아무리 많은 기술을 배웠다 하더라도, "최량의 토질 또는 기후하에서도 불과 얼마 안 되는 필수품마저 좀처럼 자급自給할 수 없으리라"라는 것을 지적하고 있다.

> 아니 생활필수품 또는 편의품을 조달함에 있어서, 이를테면 20명이라는 주어진 인원수의 노동생산물은 그 한 사람에게 쉽게 숙련과 기교를 습득할 수 있는 일정 종류의 일을 할당하고, 또 한 사람에게는 다른 종류의 일을 할당하는 경우가, 20명의 각자가 모두 그 어느 노동에도 충분한 기교를 습득하지도 않고 자기 생계에 불가결한 여러 가지 종류의 노동 전부를 번갈아 종사하지 않을 수 없을 경우에 비하여 훨씬 더 많을 것이라는 것쯤은 누구나가 잘 알고 있다. 전자의 방법에 있어서는 각인은 한 종류의 재화를 다량 획득하고, 그 일부분은 다른 사람의 노동에 의하여 획득되며, 자기가 필요로 하는 재화와 교환할 수 있다. 한 사람은 농경에 숙달하고, 또 한 사람은 방목과 가축 사육에, 세 번째 사람은 석공에, 네 번째 사람은 수렵에, 다섯 번째 사람은 철공에, 여섯 번째 사람은 베틀의 기술에 숙달하고, 그 나머지도 이렇게 되어 간다. 그리하여 모든 사람은 물물교환에 의하여 완벽한 기술자들의 생산물을 받게 된다. 후자의 방법에 의하면, 누구 한 사람에게도 어떤 한 가지 부류의 노동에 기교와 숙

《도덕철학 입문요강A Short Introduction to Moral Philosophy》(1747)에서는, "국가행정(Civil Polity)"이 "경제학 및 정치학(Œconomicks and Politicks)"으로 바뀌어져 있다. 그러나 Œconomicks는 가정법, 즉 부부·친자親子·주종主從의 원리들을 의미하는 데 지나지 않는다.

련을 쌓을 수 없을 것이다.

다시 말하면 많은 수의 사람들에게 최고도의 유용한 약간의 일은 다수의 공동 노동에 의하여 가장 유효하게 이루어질 수 있다. 그리고 이 일은 그와 동일 인원수의 분리된 노동으로서는 결코 수행될 수 없을 것이다. 다수의 합력合力은 야수와 도적 떼에서 생기는 위험을 물리칠 수 있는데, 만일 개별적으로 그러한 위험에 직면한다면, 그것은 치명적이었을지도 모른다. 20인의 공동 노동은 동일 인원수의 분리된 노동이 할 수 있는 것보다 훨씬 더 빨리 각인의 농장을 위해 삼림을 개간하고, 늪을 배수하고, 살기 위한 가옥과 가축 떼를 위한 울타리를 만들 것이다. 협동과 상호부조에 의하여 그들은 영구적인 감시를 할 수 있으나 협동 없이는 이것을 달성할 수 없을 것이다.[66]

'재산의 기초(Foundation of Property)'를 설명함에 있어서 허치슨은 인구가 희소하고, 국토가 비옥하며, 기후가 온화했을 때는 재화에 관한 여러 규칙들을 발달시킬 필요가 별로 없었으나 현재에는 "인류를 유지하기 위해 보편적인 근로가 확실히 필요하며" 사람들은 이기심과 가족애에 의하여 자극받아 노동하지 않으면 안 된다고 한다. 만일 사람들의 노동의 열매가 그 사람들에게 보증되지 않는다면, "인간은 자기의 종족에 대하여 일반적 애정 이외에 노동하려는 동기를 전혀 가지지 않으며, 이 일반적 애정은 우리들의 친우나 친척에 대한 좁은 애정보다도 훨씬 더 약하며, 하물며 이런 경우에 이기적인 사람의 대부분이 들고 나서게 될 반대는 말할 것도 없다." 자발적인 근로는 공산주의 사회에서는 보장될 수 없을 것이다.[67]

《도덕철학체계》 가운데 경제학설이 가장 큰 덩어리로 계속되고 있는 것은 계약론의 중간쯤에서 나오는 '상업에 있어서의 재화의 가치와 주화의 성질'에 관

66 《도덕철학체계》, 제1권, 288~289면.

67 《도덕철학체계》, 제1권, 319~321면.

한 장에서 발견된다. 이 장에서 상업을 위해서는 재화의 가치가 평가되어야 한다는 것이 지적되고 있다. 재화의 가치는 그 재화에 대한 수요와 그것을 획득하는 데 따르는 곤란의 정도에 의존한다. 가치들은 어떤 공통의 표준에 의하여 측정되어야 하며, 이 표준은 사람들이 일반적으로 그것과 기꺼이 교환하고자 할 정도로 일반적으로 욕구欲求되고 있는 어떤 것이어야 한다. 이것을 보증하기 위해서는, 그것은 가지고 다닐 수 있고, 손실 없이 분배할 수 있고, 또 내구적인 어떤 것이어야 한다. 금은金銀은 이러한 요구를 가장 잘 충족시켜 준다. 처음에는 금은金銀이 주조되지 않고 수량 또는 중량에 따라 사용되었는데, 결국엔 국가가 각인刻印함으로써 그 양과 질을 보증하게 되었다. 각인은 "세공하기 쉽기" 때문에 그리 많은 가치를 더하지는 않는다. "주화는 다른 재화와 마찬가지로 상업에 있어서 하나의 상품으로서의 가치가 언제나 있다. 그리고 그 가치는 그 금속의 희소성에 비례한다. 왜냐하면 수요가 보편적이기 때문이다." 금속의 가치를 인위적으로 올리려는 유일한 방법은 광산의 생산량을 억제하는 것이다.

> 사실 우리는 이런 말을 보통 한다. 즉 노동과 재화의 시세는 그러한 금속이 풍부해졌기 때문에 상승했고, 그러한 금속이 희소해졌을 때는 노동과 재화의 시세는 하락한다고 말이다. 파운드, 실링 또는 펜스라는 주화 조각의 법정 명목은 법률이 그것들을 변경시킬 때까지는 계속 동일하기 때문에 우리들은 그 금속의 가치도 또한 불변이라고 생각하고 있다. 그러나 하루의 채굴 또는 하루의 밭갈이는, 비록 당시는 현재만큼의 은을 획득할 수 없었다 하더라도 천년 전이나 지금이나 한 사람의 인간에게는 마찬가지로 괴로운 것이다. 그런데 인체를 유지하는 데 한 통의 밀가루 또는 쇠고기는 당시에나 현재에나 마찬가지로 유용하지만 현재는 그것이 당시에 비해 네 배의 은과 교환되고 있다. 적절히 말한다면 노동, 곡물 및 가축의 가치는 항상 대체로 동일한 것이다. 왜냐하면 이들은 생활에 동일한 효용을 제공하며, 이러한 경우에는 농경 또는 목축에 신新

발명이 일어나지 않아 수요에 비례하여 수량을 더 많이 증대시키지 않기 때문이다.[68]

주화의 가격을 올렸다 내렸다 하는 것은 부당하고 유해한 조작이다. 풍부한 광산은 귀금속의 가치를 낮춘다.

그 표준 자체는 눈에 띄지 않게 변동하고 있다. 그러므로 만일 우리가 모든 경우에 생활의 동일한 목적에 적응할 만하거나, 또는 그것을 받을 자격이 있는 사람을 타인들과의 관계에서 같은 조건으로 유지해 줄 만한 고정적인 급료를 확정하려고 한다면, 그러한 급료를 주화의 법정 명목으로 결정해서는 안 되며, 또한 금은金銀의 일정한 온스 크기로써 결정해서도 안 된다. 국가의 포고布告는 그 법정 명목을 바꿀 수 있다. 따라서 그 온스의 가치는 이들 금속의 양의 증감에 의하여 바뀔 수 있다. 또한 그러한 급료는 비교적 정교한 제조품의 어떤 수량에 의하여 결정되어서도 안 된다. 왜냐하면 노동을 촉진시키기 위한 교묘한 계략들이 그러한 재화의 가치를 낮출 수 있기 때문이다. 가장 불변적인 급료는 인간 노동의 며칠분分, 또는 평범하고 단순한 노동에 의하여 생산되는 재화의 일정량일 것이다. 이를테면 일상생활에 적합한 일정량의 재화일 것이다. 곡물의 양은 그러한 표준에 가장 가까운 것이다.[69]

재화의 가격은 그 생산비용, 사용된 화폐의 이자, 그리고 "또한 그 재화에 관한 배려, 주의, 계산 및 통신이라는 노동"에도 의존한다. 때에 따라서는 우리는 "그러한 노동에 종사하는 사람들의 생활상태도 고려"하지 않으면 안 된다. 왜냐하면 "그 사람의 생활상의 지위를 위한 경비는 그러한 노동의 가격으로 지불되어야 하며, 그러한 노동은 다른 어떤 노동과 같은 만큼의 보상을 당연

68 《도덕철학체계》, 제2권, 58면.

69 《도덕철학체계》, 제2권, 62~63면.

히 받아야 하기" 때문이다. "그들의 노동의 이러한 추가적 가격은 바로 상인들의 통상이윤의 기초인 것이다."

다음 장, 즉 '사회생활에 있어서의 주요 계약'에 관한 장에서, 우리는 이를테면 가옥과 같이 과실果實을 낳지 않는 재화의 임료賃料, 즉 임차료가 그러한 재화의 소유자는 자기의 화폐 또는 노동을 자연적으로 과실을 낳을 수 있는 재화에 사용할 수 있을지도 모른다는 근거 아래 정당화되어 있음을 발견한다.

> 만일 어떤 방향의 사업에서든지 사람들이 다액의 화폐의 도움으로 그것 없이 얻을 수 있었을 것보다 훨씬 큰 이득을 올릴 수 있다면, 사람들에게 이 이득을 보는 데 필요했던 수단인 화폐를 공급해 준 사람이 그 화폐의 사용에 대하여 이윤의 약간의 몫을 받게 되는 것은 당연하며, 그 몫은 화폐를 공급한 사람이 자연적으로 과실을 낳게 되는 것을 구입하든지 또는 임차료를 받음으로써 얻을 수 있었을 이윤과 적어도 같은 것이어야 한다. 화폐는 자연적으로 과실을 낳지는 않지만, 바로 이것이 대여된 화폐에 대한 이자의 기초임을 말해 주는 것이다. 가옥은 과실 또는 수확을 낳지 않으며, 경지耕地도 많은 노동 없이는 아무것도 산출하지 않을 것이다. 상업 또는 제조업에서 화폐의 관리에 종사하는 노동은 다른 어떤 것과 마찬가지로 그 화폐로 하여금 과실을 낳게 할 것이다. 만일 이자가 금지된다면, 누구도 자선을 위한 것 이외에는 화폐를 빌려주는 사람이 없을 것이며, 자선의 대상이 아닌 많은 근면한 일손은 대중에게 극히 유리한 방법으로 큰 이득을 볼 수 있는 것에서 제외되어 버릴 것이다.[70]

합리적인 이자는 상황과 주화의 양에 따라 변동한다. 신생국가에서는 적은 금액으로 큰 이윤을 얻게 되고, 토지는 비교적 적은 구매년수(years' purchase)의 가치밖에 되지 않으므로 비교적 높은 이자가 합리적이다. 이자를 확정하는 법

70 《도덕철학체계》, 제2권, 71~72면.

률들은 “이들 자연적 원인들”[71]에 따르지 않으면 안 된다. 그렇지 않으면 법망은 뚫리고 말 것이다.

‘민법의 성질 및 그 집행에 관하여’라는 장에서는 경건함 다음으로 국가에 가장 필요한 덕목은 근엄(sobriety)·근면(industry)·정의(justice)·불굴(fortitude)의 정신으로 되어 있다.

> 근로는 부의 자연적 보고이며, 국민의 수입품의 가치를 초과하는 잉여분만큼의 수출을 가져오는 모든 용품의 자원이 되며, 이는 또한 부와 힘을 증대시킬 것에 틀림없다. 근면한 농업은 생활필수품과 모든 제조업의 원료를 공급해 주지 않으면 안 된다. 그리고 모든 기계공의 기술은 그것들을 사용하고 수출할 수 있도록 장려되어야 할 것이다. 이 수출을 위해 마련된 재화는 일반적으로 모든 부담과 조세에서 면제되어야 하며, 또 공장들이 필수적으로 소비하는 재화도 될 수 있는 대로 그렇게 되어야 한다. 이렇게 하면 다른 어떤 나라도 외국시장에서 같은 재화를 더 싸게 팔 수 없게 될 것이다. 한 나라만이 어떤 일정한 원료를 가지고 있을 경우, 그 원료의 수출에는 안심하고 과세하여도 좋지만, 그 과세는 해외에서 그것의 소비가 저해되지 않을 정도로 적당한 것이 좋을 것이다.
>
> 만일 인민이 근면한 습관을 갖고 있지 않다면, 모든 생활필수품의 저렴은 오히려 게으름을 조장한다. 그 최선의 구제책은 이따금 유효하게 사용되고 있는 것이지만, 필수품을 수출하는 데 대하여 프리미엄을 줄 뿐만 아니라, 필수품을 소비하는 국민의 수를 증가시킴으로써 모든 필수품에 대한 수요를 증가시키는 것이다. 그리고 이러한 필수품이 비쌀 때는 그것들을 조달하기 위하여 모든 상공업보다 많은 노동과 정려精勵가 필요하게 될 것이다. 그러므로 근면한 외국인을 우리나라에 초치招致하여야 하며 근면한 사람이라면 누구나가 우리와 함

71 《도덕철학체계》, 제2권, 73면.

께 무사안락하게 생활해야 한다. 결혼은 장려되어야 하고 산업을 위해서 다수의 자손을 양육하는 사람들에게도 장려가 베풀어져야 한다. 미혼자는 국가를 위해 새로운 신민을 양육하는 책임을 지고 있지 않으므로 비교적 높은 조세를 지불시켜야 한다.

기계공의 기술을 상류 가정의 사람들에게는 맞지 않은 것인 양 천시하는 어리석은 관념은 모두 타파되어야 하고, 태생과 재산이 비교적 좋은 조건에 있는 사람들이 이러한 직업에 종사하도록 해야 한다. 나태는 적어도 일시적 고역에 의해 처벌되어야 한다. 우리나라의 모든 일손이 고용되도록 하며, 그리고 외국원료를 제품으로 만들어 재수출함으로써 우리는 해외에서 우리의 노동의 가격을 획득할 수 있도록 하기 위해서는, 외국 원료를 수입해야 하고, 또 필요하다면 프리미엄까지도 주어야 하는 것이다. 만일 우리가 그것의 소비를 전적으로 금지할 수 없다면 소비용 외국 제품 및 생산물에는 조세를 중과함으로써 소비자에게 비싸게 먹히도록 하여야 한다. 그렇게 하면 부유한 소수자보다 훨씬 더 많은 소비를 하는 하층의, 그리고 대다수의 사람들은 외국 제품 및 생산물을 결코 사용할 수 없게 될 것이다. 항해업, 즉 내외 화물의 운송은 종종 상인이 올리는 모든 이윤을 넘을 만큼 이득이 많은 사업부문이므로 장려되어야 한다. 더욱이 이는 또한 해상 방위에 적합한 일꾼을 양성하는 것이기도 한 것이다.

사치와 낭비는 소비를 증가시킴으로써 모든 노동과 제조업을 장려하므로, 일국의 부에 필요한 것이라고 주장하는 것은 잘못된 것이다. 인간 생활의 의무를 다하면서 그의 재산이 허용하는 한 최고급의 생산물을 소비하거나 최고가격의 제품을 입는다고 해서, 그것이 반드시 악덕이라 할 수 없다는 것은 명백하다. 그러나 만일 사람들이 그러한 물건에 관하여 일반적으로 조금 더 절약하고 절제하게 된다면 어떻게 될까? 이러한 비교적 우량품은 보다 더 많이 해외로 보내질 수 있을 것이다.

만일 그것이 불가능하다면 비용이 덜 드는 재화의 소비를 더 많이 함으로써, 근로와 부는 동등하게 촉진될 것이다. 왜냐하면 자기 자신의 비용이 많이 드

> 는 화미華美를 절감함으로써 저축하는 사람은 그 친구에게 관대한 호의로써, 또 가난한 사람에게는 자선이라는 현명한 방법으로써 타인으로 하여금 더 좋은 생활을 할 수 있게 해 주고 일찍이 한 사람의 사치에 의하여 이루어졌던 것보다 더 많은 소비를 일으킬 수 있게 하기 때문이다……그러므로 모든 사람이 생활필수품 및 편의품을 이미 윤택하게 공급받고 있는 국민이 되어 있지 않는 한, 사람들은 사치를 전혀 하지 않고 그들의 아이들에게 많은 식물을 주고, 친척과 빈곤한 명사名士에게 관대하게 동정을 베풀어 줌으로써 최대의 소비를 일으킬 수 있을 것이다.[72]

〈군사적 숙련 및 불굴의 정신〉이라는 곳에서 허치슨은 그 후 애덤 스미스가 〈군비〉에 넣었던 문제를 논하고, 훈련받은 민병에 찬성하고 있다.[73]

같은 장에서 그는 "어떤 조세 또는 공납이 가장 적당한가"라고 하는 별도의 제목을 가지는 일절을 두었는데, 여기에 수입을 얻는 것만을 목적으로 하는 과세정책을 부인하는 것이 포함되어 있다.

> 공공경비를 지변支辨하기 위한 조세들에 관해서는, 생활필수품보다 오히려 사치품과 화미한 물품에, 국산보다도 외국 생산물과 제조품에 과해지는 것, 더구나 그것들을 징수하는 데 비용이 많이 드는 관서官署 없이도 쉽게 조달될 수 있는 것, 이러한 조세들이 가장 편리한 것이다. 그러나 인민으로부터 어떤 것을 징수하든지 간에 무엇보다도 그들의 부에 정당한 비례를 가지게 해야 하는데, 외국 생산물과 제조품에 대한 관세는 다르다. 왜냐하면 그러한 관세는 비록 공공경비의 수출이 없더라도 국내 산업을 장려하기 위하여 종종 필요하기

72 《도덕철학체계》, 제2권, 318~321면.

73 《도덕철학체계》, 제2권, 323~325면.

때문이다.[74]

이와 같이 조세를 부에 비례시킨다는 것은 여러 세대의 부를 정기적으로 평가하는 방법에 의하지 않고서는 달성될 수 없다고 그는 생각하고 있다. 왜냐하면 지조는 부채 있는 지주를 부당히 억압하고, 화폐를 소유하고 있는 사람들에게는 부과되지 않는 한편, 관세와 내국소비세는 소비자에 의하여 지불되기 때문에 "친절하고 관대한 사람들, 또는 품위 있게 부양된 다수의 가족을 가지고 있는 사람들이 주로 부담하게 되며, 고독하고 마음씨 나쁜 구두쇠는 거의 또는 전혀 부담하지 않게 되기 때문이다."[75]

이상의 모든 것을 미루어 보건대, 스미스는 경제학상의 논제들을 선택함에 있어서 그의 강좌의 전통에 크게 영향을 받았던 것은 아주 명백하다. 스코트 박사Dr. Scott는 허치슨의 《도덕철학체계》에 나타나곤 하는 논제의 배열 순서와 스미스의 《강의》에 나타나는 동일한 논제의 배열 순서는 거의 동일하다는 흥미 있는 사실에 주의를 끌고 있다.[76] 우리는 스미스가 크레이기의 학급을 위해서 자기 강의의 준비를 급히 서둘러야만 했을 당시(그와 같은 입장에 있는 수백여 명의 사람들이 그 이전 또 그 이후에도 했던 것과 같이), 그는 옛 스승의 강의를 필기한 것을 훑어보고 경제학상의 논제들을 한 뭉치로 묶어서 그가 에든버러에서 가지고 왔던 강의의 서론 및 그 속편으로 했다고 굳이 추측하고 싶어진다. 허치슨은 학생에게 감명을 주는 교사였다. 그의 동료 리치만Leechman은 다음과 같이 말하고 있다.

> 그는 매년의 강의 과정에서 통치의 기원을 설명하고, 그 여러 가지 형태를 비교할 기회를 가졌으므로 그 논제하에서 인류의 행복에 대한 시민적 · 종교적

74 《도덕철학체계》, 제2권, 340~341면.

75 《도덕철학체계》, 제2권, 341~342면.

76 《프랜시스 허치슨Francis Hutcheson》, 232~235면.

자유의 중요성을 설득시키기 위해 각별한 주의를 기울였다. 자유에 대한 따듯한 사랑과 그것을 촉진시키려는 씩씩한 열의가 그의 심정을 지배하는 원리였으므로, 그는 항상 자유를 철저하게 주장했고 그것을 평론했다. 그 경우 최대한의 힘을 기울여서 논의하고 진지하게 설득했으니, 그는 이 중요한 점에서 대성공을 거두어, 비록 그의 학생들이 어떤 반대의 편견을 들고 나서더라도, 그가 지지하고 옹호했던 문제의 편에 찬의를 표하지 않고 그의 곁을 떠난 학생은 거의 없었다.[77]

반세기 후에 애덤 스미스가 글래스고의 도덕철학 강좌에 관해서, "그것은 결코 잊어버릴 수 없는 허치슨 박사의 역량과 덕이 걸출한 실례를 제시해 주었던 직"이라고 말했다.[78]

그러나 우리는 애덤 스미스가 자유주의의 일반적 방향에 관해서는 허치슨의 영향을 받았다는 것을 믿어도 좋지만, 《국부론》 가운데 스며들어 있고, 그 후에 그의 경제학적 사색의 출발점이 되었던 이기심의 경제적 은혜에 대한 신념을 허치슨의 영향에 기인한 것이라고 할 만한 이유는 없는 것 같다. 방금 인용한 두세 개의 장구章句에서 볼 수 있는 바와 같이 허치슨은 중상주의자였으며, 따라서 그의 체계에 있는 경제학상의 모든 가르침은 당시 통용되고 있던 여러 견해의 "불합리성"과 그러한 견해에 의하여 일어났던 "유해한 여러 규제들"을 종종 되풀이하여 비난하는 스미스의 저렴 및 풍부에 관한 활기에 찬 강의에 비한다면 아주 무미건조한 것이라 하겠다. 허치슨의 강의를 청강한 지 20년이 지난 뒤 애덤 스미스는 허치슨이 자애심을 너무 등한시했다는 이유로써 그를 명백히 비판했다. 《도덕감정론》의 철학의 여러 체계에 관한 장에서는 덕은 인애에 있다고 했는데, 이 장에서 스미스는, 허치슨은 어떤 행위에 덕성의 각인을 찍을 수 있는 것은 오직 자비심뿐이며, 가장 자비적인 행위는 국민의 최

77 허치슨Hutcheson, 《도덕철학체계》 〈서문〉, xxxv, xxxvi면.

78 래, 《애덤 스미스의 삶》, 411면.

대다수의 선과 행복을 목적으로 하는 행위이며, 자애는 개개인이 자기의 행복을 위해서 배려하게 하는 이외에 아무런 효과를 갖고 있지 않을 때는 비록 무해한 것이었다 하더라도, 결코 유덕有德한 것이 될 수 없는 원리라고 믿고 있었다고 말하고 있다. 이 "상냥한 체계, 즉 인간의 마음 가운데서 모든 애정 중 가장 고귀하고 가장 유쾌한 애정을 기르고 지지하는 특수한 경향을 가지고 있는 체계"는 "우리가 왜 신중 · 조심 · 용의주도 · 절제 · 항심 · 견실이라는 하급의 덕목을 시인하는가를 설명하지 못하고 있는 결함"을 가지고 있다고 스미스는 생각했다.

'우리 자신의 사적인 행복과 이익을 고려할 경우에도' 스미스는 계속해서 '허다한 경우 그것은 칭찬할 만한 행동 원리가 되는 것 같다. 절약하고 근면하고 주의 깊고 사고를 응용하는 습관은 일반적으로 이기심 동기에서 계발된 것으로 생각되는 동시에 이들은 모든 사람의 존경과 찬동을 받을 만한 가치가 있는 극히 훌륭한 성질이라고 이해되고 있다……그러나 부주의와 불경제는 일반적으로 옳지 못한 것이라고 보고 있지만, 그것은 자비심의 부족에서 생기는 것이 아니라, 이기심의 대상에 대한 적당한 주의의 부족에서 생기는 것이라는 점에 일반적으로 인정되지 않고 있다'[79]고 말한다.

애덤 스미스는 허치슨의 체계가 이기심에 충분히 높은 지위를 주지 않았다는 것을 명백히 믿고 있었다. "우리들이 우리의 식사를 기대하는 것은 푸줏간 · 술집 · 빵집의 자비에서가 아니고, 그들 자신의 이익에 대한 그들의 고려에서이다"라고 한 그의 의견을 갖게 한 것은 허치슨은 아니었다. 그는 허치슨으로부터 자유에 대한 일반적인 사랑을 습득했을지 모르지만 이기심이 경제사회 전체의 이익을 위하여 작용한다는 신념은 어디에서 얻었을까? 물론 그는 허치슨의 학급을 떠난 후에 다른 강의를 듣거나, 또는 다른 책을 읽지 않고도

79 《도덕감정론》(1759), 464~466면.

자기 자신의 심중에 그 신념을 전면적으로 발전시킬 수 있었을 것이다. 그러나 맨더빌Mandeville에 관한 그의 연구에 의하여 도움을 받았던 것은—그 이상으로는 확신할 수 없으나—확실한 것이라고 생각되며, 맨더빌은 맥컬로치(존 램지 맥컬로치John Ramsay McCulloch)가 그의 《경제학 문헌The Literature of Political Economy》에서 그 문제에 관하여 유익한 암시를 주고 있지만 경제학사상에서 그 가치를 옳게 인정받지 못했던 한 저술가이다. 《도덕감정론》 가운데에서 방금 인용한 바 있는 허치슨을 비판한 장의 다음 장에서 스미스는 "방종한 여러 체계"를 논하고 있다. 그는 말하기를 "일견하기에는 그러한 체계에 찬성하고 있는 것 같은 인간의 본성의 발현은 로시푸코 공duke of Rochefaucault이 세련되고 섬세한 정밀성을 가지고 가볍게 묘사했으며, 그 후 맨더빌 박사가 거칠고 야비하기는 하지만 기운차고 유머러스한 능변으로써 더 완전하게 묘사하고 있다"[80]라고 한다.

스미스는 말하기를 맨더빌은 모든 칭찬할 만한 행위를 "호평과 칭찬에 대한 사랑", 즉 "허영"의 탓으로 돌리고 그것으로 만족하지 않고 다른 많은 점에서도 인간의 덕이 불완전하다는 것을 지적하려고 노력하고 있다고 한다.

> 쾌락에 관한 우리의 자제가 가장 금욕적인 절제에까지 이르지 않을 경우는 어떤 경우이든 그는 그것을 야비한 사치와 육욕이라고 취급하고 있다. 그에 의하면 인간의 본성을 유지하는 데 절대적으로 필요로 하는 정도를 넘는 모든 것은 사치이다. 그러므로 깨끗한 셔츠를 입는 것, 또는 편리한 가옥에 사는 것까지도 악덕인 셈이다.[81]

그러나 스미스는 맨더빌이 그것의 정도와 방향의 여하를 불문에 붙인다면 모든 정열은 곧 부덕不德이라고 주장하게 되는 큰 오류에 빠진다고 생각한다.

80 《도덕감정론》(1759), 474면.

81 《도덕감정론》(1759), 483면.

이렇게 해서 그는 다른 사람들의 감정의 존재와 당위의 어느 것에든 관련을 가진 모든 것은 허영으로 취급하고 있다. 그리고 사인私人의 악덕은 공공의 이익이라고 하는 자기의 좋아하는 결론을 확립하는 것도 이 궤변 때문이라 하겠다. 만일 화려함을 좋아하는 것과, 세련된 공예와, 인간 생활의 개선에 대한 취미와 의복, 가구 또는 집기와 같은 쾌락한 것에 대한 취미, 건축·조각·회화·음악에 대한 취미가, 아무런 불편 없이 이러한 감정을 허용할 만한 지위에 있는 사람들에게까지도 사치요, 탐욕이요, 허식이라고 간주되어야 한다면, 사치도 탐욕도 허식도 공공의 이익임은 명백하다. 왜냐하면, 그가 그러한 오명을 씌우는 것이 적당하다고 생각하는 바로 그 여러 성질이 없다면 정교한 공예는 결코 장려될 수 없을 것이며, 일거리가 없어서 쇠퇴해 버릴 것이 틀림없기 때문이다.[82]

"이러한 것이 한때 그렇게 세상을 떠들썩하게 했던 맨더빌 박사의 체계다"라고 스미스는 결론을 내린다. 비록 아무리 파괴적으로 보일지라도, "만일 그것이 어떤 점에서 진리에 가까운 것이 아니었다면, 그 체계가 그렇게 많은 사람들을 속일 수도 없었을 것이며, 더 좋은 원리들에 친근감을 가진 사람들 사이에 그렇게 전반적인 놀라움을 일으키지 못했을 것이다"[83]라고 스미스는 생각했다.

맨더빌의 저작은 본래 "불평을 털어놓고 있는 벌집 또는 악한이 정직한 자로 변화하는 이야기(The Grumbling Hive : or Knaves Turn'd Honest)"라고 불리는 400행의 시로서 되어 있다. 그리고 이것은 그 자체의 기록에 의하면 1705년경 6펜스의 팸플릿으로서 처음으로 출간되었던 것이다.[84] 1714년에 그는 대단히 많은 양의 산문을 덧붙이고, "꿀벌의 우화, 일명 개인의 악덕은 공공의 이익, 부록附錄 자선론과 자선학교론 및 사회의 성질에 관한 조사(The Fable of the Bees, or

82 《도덕감정론》(1759), 485면.

83 《도덕감정론》(1759), 487면.

84 《꿀벌의 우화The Fable of the Bees》(1714), 〈서문〉.

Private Vices, Public Benefits, with an Essay on Charity and Charity Schools and a Search into the Nature of Society)"라고 하는 표제를 붙여서 그것을 번각했다. 1729년 그는 제2부를 추가했는데, 그것은 제1부와 거의 같은 크기로서, 그 논제에 관한 문답으로 되어 있었다. 그 시 가운데에서 실은 인간 사회에 지나지 않는 "불평을 털어놓고 있는 벌집"은 그것이 악덕으로 충만해 있을 동안에는 크게 번영한다고 쓰여 있다.

모든 중에서 가장 나쁜 것도
우리의 이익을 위해서 조금은 도와 준다.
다스리는 묘妙는 이런 것이어서
모두가 다스려져도, 불평은 있기 마련이다.
그건 음악의 화음에서처럼,
전체로는 잡음도 멋지게 어울리는 법.
나를 반대하는 사람도,
그러한 악음惡音에서처럼, 서로 돕는다.
술을 끊어야 한다고 결심하는 한
누구나 더 취하고 닥치는 대로 먹고 싶다.
악을 열매 맺는 탐욕의 뿌리,
저주받을 해로운 악덕은,
낭비라는, 그 고상한 죄악의 노예가 되고.
한편으로는 찬란한 사치가
수많은 가난한 자를 고용하고,
역겨운 교만이 보다 많은 빈곤에게 일터를 준다.
부러움, 그 허영이
산업에 공헌하는 것이다.
그들의 자랑스런 어리석음이여,

의식주에 있어서의 변덕쟁이인,
괴상망측한 악덕이,
상업을 일으키는 원동력이요,
수레바퀴로써 진행한다.
그러나 법률은, 옷(衣)은
변하고.
아시다시피 훌륭하던 것도,
반년이 못 가서 범죄로 떨어진다.
그들은 법률을 뜯어고치나,
여전히 흠을 찾아내고, 또 고치지만,
아무리 주의해도 미리 발견 못 하는
그 결점을 다시 개정하기에 바쁘다.
악덕은 나날이 약삭빠르고,
시간과 근면과 한패가 되어,
말하자면 생활의 편리를,
참다운 쾌락, 편안과 안이함을,
그처럼 높이 끌어올린다.
이제 가난하다는 자도 옛날 부자보다 잘 산다.
어찌하면 더 좋겠다는 말이냐.[85]

그러나 벌들은 주피터의 신이 노하여 기만의 벌통을 없애야겠다고 맹세하기까지 불평을 그치지 않았다. 그리하여 벌통은 유덕해지고 검소해지고 또한 정직해졌다. 그래서 교역은 지출의 정지로 인해 파멸했다.

'사회의 성질에 관한 조사'의 마지막에서 저자는 자기의 결론을 다음과 같이 맺고 있다.

85 《꿀벌의 우화The Fable of the Bees》(1705), 11~13면.

> 이상의 것에 의하여 나는 인간에게 천부적인 우정과 친애도, 그리고 인간이 이성과 극기에 의하여 획득할 수 있는 참다운 덕도 모두가 사회의 기초는 아니고, 우리가 자연계에서나 도덕계에서나 악덕이라고 부르는 것이 실은 우리를 사교적인 동물로 만드는 대원리이며, 예외 없이 모든 교역과 직업의 견고한 기반이며, 생명이요, 지주라는 것을 증명했으며, 우리는 그곳에서 모든 기술과 과학의 참된 기원을 찾아야 하며, 악덕이 그치는 순간 전면적으로 와해한다고는 할 수 없으나, 사회는 못 쓰게 되어 버릴 것에 틀림없다는 것을 증명했음을 흐뭇하게 생각하는 바이다.[86]

맨더빌은 1723년 8월 10일부로 《런던 저널London Journal》 지紙에 보낸 편지 가운데서 적의 있는 한 비판자에게 이 문장을 극력 변호했는데, 그는 그 편지를 1724년판 가운데 번각하고 있다. 그는 말하기를 만일 자기가 가장 열등한 재능을 가진 사람에게도 이해가 갈 만큼 썼다면, 모든 욕망은 악덕이라고 설명했을 것이라고 했다.

> 그러한 욕망이 다종다양하기 때문에 사회의 개개의 성원은 서로 봉사해 주고받는다. 따라서 욕망에도 종류가 많으면 많을수록 점점 더 많은 수의 개인이 타인의 행복을 위해 노동하는 데에서 사적인 이익을 찾아낼 수 있게 될 것이며, 서로 결합하여 일체를 이룰 것이다.[87]

만일 우리가 《도덕감정론》의 여러 장에서의 스미스의 허치슨 및 맨더빌 비판을 염두에 두고, 더욱이 그가 허치슨의 강의를 청강하고 있었을 때나 또는 얼마 후 《꿀벌의 우화》를 알게 되었음에 거의 틀림없다는 것을 상기한다면, "우리가 식사를 기대할 수 있는 것은 결코 푸줏간 · 술집 · 빵집의 은혜 때문이 아

86 《꿀벌의 우화》, 제2판(1723), 427~428면.

87 《꿀벌의 우화》(1724), 465면.

니고, 그들 자신의 이익에 대한 그들의 배려 때문이다"라는 사실을 처음으로 스미스에게 실감시킨 것은, 다름 아닌 맨더빌이 아니었는가라고 추리하여도 거의 틀림없을 것이다. 애덤 스미스는 '악덕'이라는 말을 자애의 잘못된 것이라고 취급함으로써, 이미 인용한 맨더빌의 다음의 몇 구절을 진심으로 되풀이할 수 있었을 것이다.

> 악덕은 나날이 약삭빠르고,
> 시간과 근면과 한패가 되어,
> 말하자면 생활의 편리를,
> 참다운 쾌락, 편안과 안이성을,
> 그처럼 높이 끌어올린다.
> 이제 가난하다는 자도 옛날 부자보다 잘 산다.

스미스는 그 서투른 시를 산문으로 고치고, 실제로 《국부론》의 논쟁적인 부분에서 문제를 제기할 경우, 그는 자유에 대한 허치슨류의 사랑에서 추려 낸 약간의 것을 추가했다.

> 자기 자신의 생활상태를 개선하려고 하는 각 개인의 본능적 노력은 자유와 공안에 의하여 노력하도록 허용될 때는, 그것만으로도 아무런 도움도 없이 사회를 부와 번영으로 이끌어 갈 수 있을 뿐 아니라, 인정법人定法의 어리석음에 의하여 너무나 자주 그 활동을 방해해 온 그 수많은 부적당한 장애물을 극복할 수 있을 정도로 대단히 강력한 원리가 되는 것이다.

경험이 밝혀 주는 바로서는, 이기심의 경제적 작용의 은혜에 관한 일반적 신념만으로써는 아무리 보통 정도 이상의 지식을 가진 사람일지라도 자유무역론자가 되기에는 반드시 충분하다고는 할 수 없다. 따라서 스미스의 중상주의에 대한 불신은 단순히 경제적 자유에 대한 그의 일반적 신념의 자연적 결과에 지나지 않는다고 생각하는 것은 경솔하다. 1755년의 그의 논급에서 나온 듀갈 스튜어트의 인용은 에든버러를 떠나기 전과 글래스고에서의 초기의 연대에 그가 이 학설에 대하여 멸시를 퍼부었다는 것을 밝혀 줄 만한 것은 아무것도 포함하고 있지 않다. 《강의》에서 흄의 "이것들과 그 밖의 이러한 학설이 불합리하다는 것을 설명하고 있는 논문들"[88]이 참고로 나와 있는 것은 은혜에 대한 감사의 표시라고 간주되어야 한다. 그러므로 이 문제에 관해서 애덤 스미스의 눈을 처음으로 열어 주었던 것은 흄이었으며, 그의 1752년의 화폐 및 무역차액에 관한 《정치논집Political Discourses》에 의하여 그러했다는 것은 있을 법하다고 생각된다. 이의 가능성은 다음 사실, 즉 《강의》 가운데에서는 무역차액에 관한 중상주의적 오류가, 만일 스미스가 허치슨의 순서를 따랐든지, 또는 그 오류를 "부유의 완만한 진보"의 여러 원인 가운데 넣었더라면 차지했었을 위치에 두지 않고, 흄의 《논집》에서와 마찬가지로 '화폐'와의 관련하에 논술하고 있었다는 사실에 의해서 조금 더 짙어진다. 또한 1752년의 《논집》에서의 흄과, 그보다 10년 후의 《강의》에 있어서의 스미스는 다 같이 순조로운 무역차액을 확보하려는 기도企圖를 전면적으로 거부했지만 흄은 역시 아직도 국내산업 보호의 효용을 확신하고 있었고, 스미스는 적어도 그것이 마음에 들어서 상당한 양보를 했다고 전해지고 있는 것도 아마 단순한 일치는 아닐 것이다.[89] 애덤 스미스의 여러 견해의 기원에 관한 연구를 이 이상 더 해 나간다는 것은 소용없을 것이다. 아마 이것만으로도 벌써 지나치게 길게 끌어져 온 셈이다. 《국부론》을 엮어 가는 데 스미스가 실제로 책 제목 또는 저자명을 들면서 거의

88 《Lectures》, 197면.

89 그의 《논집》의 제2판을 출판하기 전에 흄은 스미스에게 편지를 내어 그 논평을 청했다. 스미스가 흄의 《무역차액론》 가운데 보호주의의 구절에 관해서 아무런 논평을 하지 않았다는 것은 그 구절이 바뀌지 않은 채 그대로 남아 있는 사실에 의해 명백해진다(데이비드 흄David Hume의 《Essays, Moral, Political, and Literary》, 토머스 힐 그린Thomas Hill Green & 토마스 호지 그로즈Thomas Hodge Grose(편), 제1권, 59, 343~344면을 보라).

100권이나 되는 책을 인용했다. 이 판의 각주를 주의 깊게 연구하면 독자는 비록 그 가운데 소수는 간접적으로 인용된 것이 있지만, 실제로 인용된 책 수는 훨씬 더 많았다는 것에 납득이 갈 것이다. 거의 대부분의 경우, 때로는 단 한 가지의 사실, 문장 또는 견해가 개개의 것에서 채택되고 있기 때문에 애덤 스미스보다 타인의 저작을 표절했다는 비난을 적게 받은 저자도 드물 것이다. 그러한 비난은 튀르고Turgot의 《성찰Réflexions》에 관한 것을 제하면 결코 그에게 심하게 가해진 적은 한 번도 없었다. 그 경우에도 그가 문제의 책을 이용했다든지, 보았다고까지 한 사실을 제시해 줄 만한 티끌만한 증거도 드러난 것이 없었다. 《국부론》은 저자의 뇌리에 아직 생생하게 남아 있는 최근에 읽었던 인상을 섞어서 바쁘게 쓴 것은 아니다. 그 구상에는 1749년부터 1776년까지의 적어도 27년이란 세월이 펼쳐져 있다. 그 기간을 통하여 여러 경제사상은 몇 차례나 영국해협을 건너가고 건너오곤 했으며, 그 진보에 대한 영불英佛 양국의 상대적 기여에 관해서 다투는 것은 소용없는 짓이며, 동시에 불유쾌하기도 하다. 더 깊이 들어가서 그 공적을 여러 저자들에게 할당하려고 하는 것은, 어떤 해변에 서서 높아지는 호수와 가장 관계가 있는 파도는 어느 것인가를 논의하는 것과 마찬가지이겠다. 한 파도는 아기가 만든 첫 번째 모래성을 휩쓸어 가는 데 공이 있는 것처럼 보일는지도 모르며, 그리고 다른 파도는 그 아기의 두 번째 모래성을 명백히 쓸어버릴지 모르지만, 아주 조용한 날에는 성은 둘 다 깨끗이 더구나 거의 동시에 침수되어 버렸을 것이다.

에드윈 캐넌Edwin Cannan

국부론

국가의 부富의
성질과 원인에 관한 고찰考察

An Inquiry into
the Nature and Causes of
the Wealth of Nations

By Adam Smith

서론 및 본서의 구상

연간 노동의 생산물이 연간 소비를 충족시키며,

모든 국민의 연간[1] 노동은 그 국민이 해마다 소비하는 모든 생활필수품과 편의품[2]을 본원적으로 공급하는 자원(fund)이며, 그 필수품 및 편의품은 항상 그 노동의 직접의 생산물이든지 또는 그 생산물과 교환으로 다른 나라에서 구입해 온 물품이다.

그것이 충분히 충족되는지 안 되는지는 인구에 대한 생산물의 비율에 따르고,

그러므로 이 생산물, 또는 그것으로 구입된 것이 그것을 소비하도록 되어 있는 인구의 수에 대한 비율의 크기에 따라 그 국민은 필요로 하는 모든 필수품 및 편의품을 충분히 또는 불충분하게 공급받게 될 것이다.[3]

그리고 이 비율은 노동의 숙련 등과 유용한 노동자의 비율에 의하여 규정되며,

그러나 이 비율은 어떤 국민에게도 두 가지 다른 사정, 즉 첫째, 그 나라의 노동에 일반적으로 유효하게 적용[4]될 숙련(skill)·기교(dexterity)·판단(judgement), 둘째, 유용한 노동에 종사하는 사람의 수와 그러한 노동에 종사하지 않는 사람

1 〔이 "연간(annual)"과 바로 그 옆의 "해마다(annually)"라는 말만으로도 스미스가 국부를 축적된 자원이라고 보는 옛날의 영국 경제학자의 통상의 관례를 탈각하고 있었음을 확실히 알 수 있다. 중농주의자들을 따라 스미스는, 주어진 시간에 얼마나 생산될 수 있느냐가 중요한 것이라고 생각하고 있다.〕

2 〔이 문구를 존 로크John Locke, 《Some Considerations of the Consequences of the Lowering of Interest and the Raising the Value of Money》(1696), 66면의 "어떤 것에 내재하는 자연적 가치는 그것이 인간 생활의 각가지 필요를 충족하든지, 또는 편의에 도움이 되는 적합성에 있다"와 비교하라.〕

3 〔국민의 복지는 그 성원의 평균 복지에 의하여 계산되어야 하며, 그 성원 전체의 복지의 총계에 의해서는 안 된다는 합의는 주의할 만하다.〕

4 〔"그 나라의 노동에 일반적으로 유효하게 적용될 경우의"는 초판에는 "노동이 그 나라에서 일반적으로 유용하게 적용되는 경우의"로 되어 있다.〕

의 수 사이의 비율[5]에 의하여 규정되지 않을 수 없는 것이다. 어떤 특정된 국민의 영토의 토질, 기후 및 넓이가 어떠하든지 간에 그 나라의 연간 공급이 넉넉한지 또는 부족한지는 그 특정한 상황하에서는 이러한 두 가지 사정에 의존하지 않을 수 없다.

더구나 그 경우에도 유용한 노동자의 비율보다도 숙련 등에 의하여 더 많이 규정된다는 것은 문명사회의 생산물이 보다 더 크다는 것에 의하여 밝혀지는 것이다.
더욱이 이러한 공급이 넉넉한지 부족한지는 이 두 가지 사정 가운데에서도 후자보다 전자에 더 많이 의존하고 있는 것 같다. 수렵민과 어로민漁撈民과 같은 야만민족 사이에서는 노동할 수 있는 모든 개인은 유용한 노동에 다소나마 종사하며, 각자는 자기 자신을 위해서, 또는[6] 너무 노쇠했거나, 또는 너무 어리거나 또는 허약해서 수렵이나 어로에 나갈 수 없는 자기의 가족들을 위해서, 생활필수품 및 편의품을 될 수 있는 데까지 조달하려고 노력한다. 그러나 이러한 민족은 너무 가난하므로 단순한 곤궁 때문에 그들은 그들의 자녀와 노인, 만성 질병에 걸린 사람들을 때로는 직접 없애 버리든지, 때로는 유기하여 아사시키든지, 야수에게 먹혀 버리도록 하지 않을 수 없는 사태에 시시로 직면하게 되거나, 또는 적어도 스스로 그렇게 되었다고 생각하게 되는 것이다. 이에 반하여 문명화되고 번창한 나라들에서는, 비록 다수의 국민이 전혀 노동을 하지 않고도 일하는 대부분의 사람들에 비해, 열 배 때로는 100배나 더 많은 노동생산물을 소비하고 있지만, 그러나 사회의 총노동의 생산물은 대단히 많으므로, 모두들 넉넉하게 공급받으며, 가장 하층의, 가장 가난한 층의 노동자까지도 그가 검소하고 부지런하기만 하다면 어떤 야만인이 획득할 수 있는

5 〔이 제2의 사정을 유용한 노동에 종사하는 사람의 노동의 계속기간 및 강도를 포함할 만큼 확대될 수 있을지 모르지만, 또 하나의 중요한 사정인 축적된 생산용구의 양과 질은 전적으로 빠지게 된다.〕

6 〔"또는"은 초판에서는 "그리고"로 되어 있다.〕

것보다 더 많은 생활필수품과 편의품의 몫을 향수할 수 있다.

개선의 여러 원인과 자연적 분배는 제1편의 주제이다.

노동의 생산력에 있어서 이 개선의 여러 원인[7]과, 그 생산물을 그 사회의 여러 계급과 지위의 사람들 사이에 자연적으로 분배하는 질서는 이 연구의 제1편의 주제가 된다.

유용한 노동자의 비율을 규정하는 자본자재는 제2편에서 다루어진다.

어떤 나라에서 노동에 적용될 숙련, 기교 및 판단의 현재 상태가 어떻든 간에 그 상태가 존속하는 한 그 연간 공급이 넉넉한지 부족한지는 유용한 노동에 해마다 종사하는 사람의 수와, 그러한 노동에 종사하지 않는 사람 사이의 비율에 의존하지 않을 수 없다. 유용하고 생산적인[8] 노동자의 수는, 뒤에서 밝혀지겠지만, 어디에서나 그들을 취업시키기 위해 사용되는 자본자재(capital stock)의 양과, 그 자본이 그렇게 사용되는 특정된 방법에 비례한다. 그러므로 제2편은 자본자재의 성질, 그것이 점차 축적되어 가는 양태 및 그 여러 가지 사용 방법에 따라 가동하게 되는 노동의 여러 가지 양을 취급하고 있다.

유럽에서 도시의 산업을 장려하고 농업을 저지케 한 여러 사정은 제3편에서 다루어진다.

숙련, 기교 및 판단에 관해서는 상당히 진보한 국민도 노동을 충용充用함에 있어서는 노동을 일반적으로 관리 또는 지도하는 데 대단히 많은 방책을 따르고 있었다. 그리고 그러한 방책이 모두가 그 나라의 생산물을 거대하게 하는

7 〔실제로 다루어져 있는 것은 분업이라는 단 한 가지의 원인이다.〕

8 〔이 "생산적인(productive)"이라는 말은 "유용한(useful)"이라는 말의 가벼운 의미에서의 동의어로서 부지중에 나온 것이다. 그러나 뒤에서는 "유용한"은 전적으로 빠져 있고 비생산적 노동도 유용할 수 있다는 듯이 설명되어 있다.〕

데 다 같이 유리했던 것은 아니다. 어떤 국민의 정책은 농촌의 산업을 이상하게 장려하고, 다른 국민의 정책은 도시의 산업을 장려해 왔다. 모든 부류의 산업을 동등하고 공평하게 취급했던 국민은 거의 없었다. 로마제국의 몰락 이래 유럽의 정책은 농업, 즉 농촌의 산업보다도 도시의 산업인 공예(arts)·제조업(manufactures)·상업(commerce)에 더 호의를 보여 왔다. 이러한 정책을 도입하여 확립했다고 생각되는 여러 사정은 제3편에 설명된다.

여러 가지 정책에서 생긴 여러 이론은 제4편에서 설명된다.

이러한 여러 가지 방책은 아마 당초에는 사회의 일반적 복지에 미치게 될 결과에 관해서는 고려도 예견도 하지 않고, 특정 계급 사람들의 사적 이익과 편견에 의하여 도입되었던 것이지만 경제학(political economy)의 대단히 상이한 이론이 생겨나게 했다. 그 가운데 어떤 것은 도시에서 운영되는 산업의 중요성을 과장하고 있으며, 또 다른 어떤 것은 농촌에서 운영되는 산업을 과장하고 있다. 이러한 이론들은 학식 있는 사람들의 견해에 대해서뿐만 아니라 군주와 독립국의 행정에도 상당한 영향을 미쳤다. 나는 제4편에서 될 수 있는 대로 충분히 그리고 명료하게 이러한 여러 가지 이론을 설명하고 또 그 이론이 여러 시대와 국민에게 가져왔던 주요한 결과를 설명하려고 노력했다.

주권자의 지출, 수입 및 부채는 제5편에 취급되어 있다.

대다수의 국민의 수입은 무엇으로 되어 있는가, 즉 여러 시대와 나라들의 연간 소비를 충족하여 왔던 자원은 어떤 성질의 것이었던가[9]를 설명하는 것이[10] 이들 처음 네 개 편의 목적이었다.[11] 제5편, 즉 최후의 편은 주권자 또는 국가(commonwealth)의 수입을 다룬다. 이 편에서 나는 첫째, 주권자 또는 국가의 필

9 〔"어떤 성질의 것이었던가"는 초판에서는 "어떤 성질의 것인가"로 되어 있다.〕

10 〔초판에는 "를 설명하는 것"이 없다.〕

11 〔"의 목적이다"는 초판에서는 "에서 취급되어 있다"라고 되어 있다.〕

요경비란 어떤 것인가, 그 가운데 어떤 것이 전체 사회의 일반적 공납에 의하여 지변되어야 하며, 그 가운데 어떤 것이 사회의 특정 부분, 즉 그[12] 사회의 어떤 특정 구성원만의 공납에 의하여 지변되어야 하는가를 설명하고, 둘째로 전체 사회의 의무로서 지워진 경비들을 지변하기 위하여 전체 사회가 공납하도록 하는 여러 가지 방법은 어떤 것이며, 그러한 방법의 이점과 난점은 무엇인가, 그리고 셋째, 마지막으로 거의 모든 근대 정부가 이 수입의 일부를 담보로 넣게 되었던 것, 즉 채무계약을 맺게 되었던 이유와 원인은 무엇인지, 그리고 그러한 채무가 사회의 실질적 부, 즉 토지 및 노동의 연간 생산물에 어떤 영향을 미쳤는가[13]를 밝히려고 노력했다.

12 〔"그"는 초판에는 "그 사회의"로 되어 있다.〕

13 〔이 문단을 앞의 두 문단과 관련시켜 읽으면, 한 나라의 국부는 그 일인당 소득에 의하여 계산되어야 하는 것이라고 한 것이 명백해진다. 그러나 본서를 논하여 감에 있어서는 일시적이더라도 이 견해가 변경되어 있을 때가 종종 있다.〕

제 1 편

노동생산력의 원인에 관하여, 그리고 그 생산물이 인민의 여러 계급 가운데에서 자연적으로 분배되는 질서에 관하여

제1장 분업[1]에 관하여

분업은 노동생산력을 증진시키는 대원인이며,

노동의 생산력의 최대의 개선[2]과, 그것이 어떤 곳에 돌려진다든지 또는 적용된다든지 할 때 도움이 되는 숙련과 기교와 판단의 대부분은, 분업의 결과였다고 생각된다.

한 가지 특정한 예를 들어 보면 더욱 잘 이해된다.

사회 전반의 업무에 미치는 분업의 효과는, 몇 가지 특정한 제조업에서 분업이 어떻게 이루어지고 있는가를 고찰해 봄으로써, 훨씬 쉽게 이해될 것이다. 분업

1 〔이 용어는 이전에 전혀 사용되지 않았던 것은 아니지만 일상 용어는 아니었다. 그것이 여기에 나온 것은, 버나드 맨더빌Bernard Mandeville, 《꿀벌의 우화The Fable of the Bees》(1729), 제2부, 대화 6(dial. vi), 335면에 있는 다음과 같은 구절 때문인 듯하다. "클리오메니스……일단 인간이 성문법으로써 통치되면, 다른 모든 것도 신속히 진보한다……인간이 일단 안식을 누리고, 그 이웃을 두려워할 필요가 없게 되면, 인간은 무릇 그 노동을 분할하고 세분하는 것을 배우지 않고서는 견디지 못하게 될 것이다. 호라티우스－나는 당신을 이해하지 못하겠는데. 클리오메니스－내가 앞에서도 암시한 바와 같이, 인간이란, 타인이 하는 것을 보면 자연 그것을 모방하기를 좋아한다. 그래서 야만인을 보면 자연 그것을 모방하기를 좋아한다. 그래서 야만인이 모두 똑같은 짓을 하는 것도 이 때문이며, 그들은 그것을 원하면서도, 이 때문에 그들의 상태를 개선하지 못한다. 그러나 만일 한 사람이 활과 화살을 만드는 데 전념하고, 또 한 사람은 식물을 마련하고, 제3의 사람은 오두막을 짓고, 제4의 사람은 의복을 만들고, 제5의 사람은 기구류를 만드는 데 전념한다면, 그들은 서로가 유리하게 될 뿐만 아니라, 그들의 생업과 업무도, 이 다섯 사람 각자가 복잡하게 했을 때보다는, 같은 연한에 더 진보할 것이다. 호라티우스－그것이야 당신이 아주 옳다고 생각됩니다. 더구나 당신이 말하는 것이 진리임을 말해 주는 것은, 무엇보다도 시계를 제조하는 경우에 뚜렷하군요. 즉 그 전부의 일이 한 사람의 일로서 하도록 되어 있을 때 도달했을 정도보다는, 훨씬 높은 정도의 완성을 갖게 될 것이며, 벽시계와 회중시계를, 우리가 풍부하게 가지고, 또 그것이 정확하고 아름답게 제조되는 것도, 그 제조 기술이 많은 부분으로 분할되어 있는 데 주로 기인된 것이라고 나는 확신하고 있습니다."라고 되어 있다. 조셉 해리스Joseph Harris, 《Essay upon Money and Coins》(1757), 제1부, 제12항은 "별개의 직업의 유용성" 또는 "각자가 각가지 직업에 종사함으로써 인간에게 생기는 이익"을 다루고 있으나, "분업"이란 말은 쓰지 않았다.〕

2 〔"개선"은 초판에서는 "여러 개선들"이라고 되어 있다.〕

은 몇몇의 극히 영세한 제조업에서 더 진보되어 있다고 일반적으로 믿어지고 있는데, 이는 이러한 제조업에서의 분업이 더 중요한 다른 제조업에서의 분업보다도 실제로 더 진보되기 때문에 그런 것은 아니고, 극히 소수밖에 안 되는 사람들의 욕구를 충족하기로 되어 있는 이러한 영세한 제조업에서는, 전체 직공(workmen) 수도 반드시 소수이기 마련이고, 업무의 각가지 부문에 각기 종사하고 있는 이들은, 흔히 동일한 일터(workhouse)에 모일 수 있으며, 한 사람의 관찰자가 한번에 볼 수 있는 곳에 위치하고 있기 때문이다. 이와는 반대로 국민의 대다수의 많은 욕구를 충족시키는 것을 맡고 있는 대규모 제조업에서는, 업무의 각가지 부문은 각각 너무 많은 직공을 사용하고 있으므로, 그들을 같은 일터에 집합시킨다는 것은 불가능하다. 우리는 단일 부문에 종사하는 사람들보다 더 많은 사람들을 일시에 볼 수는 거의 없다. 그러므로 비록 이러한 제조업에서는,[3] 소규모의 제조업에서보다도 실제로는 그 작업이 훨씬 더 많은 부분으로 분할되어 있을지라도, 그 분할이 그렇게 명백하지 않고, 따라서 그렇게 주목받지도 않았다.

예를 들면 핀 제조업 같은 것이다.

따라서 극히 영세한 제조업이기는 하지만, 일례로서,[4] 그 분업이 너무나 흔히 사람들의 주의를 끌어 온 제조업인, 핀 제조업의 직업을 들어보자. 이 업무(분업이 이 일을 별개의 직업으로 만들었다[5])를 위한 교육도 받지 않고, 그 일에서 사용되는 기계류(이 발명을 일으킨 것도 같은 분업이었을 것이다)의 사용법도 알지 못하는 직공은 아무리 근면해도, 아마 하루에 한 개의 핀도 만들 수 없을 것이며, 20개를 만들 수는 물론 없을 것이다. 그러나 이 일은 지금 행해지고 있는

3 〔"비록 이러한 제조업에서는"이 초판에서는 "비록 그들에게 있어서는"이라고 되어 있다.〕

4 〔이하와 같은 예를 든 또 하나의 이유, 또는 보다 더 중요한 이유는 분업의 이익을 통계로서 나타낼 수 있다는 것이다.〕

5 〔이 삽입구만으로도, 스미스가 "분업" 가운데 일의 세분화를 포함시키지 않았다고 믿는 사람들이 잘못이라는 것을 설명해 주기에 족하다.〕

방법으로서는, 전 작업이 하나의 독특한 직업일 뿐만 아니라, 그것은 수많은 부문으로 분할되어 있고, 그 각 부문의 대부분이 역시 독특한 직업들이다. 한 사람은 철사를 뽑아 내고, 또 한 사람은 그것을 곧게 다듬고, 세 번째 사람은 그것을 자르고, 네 번째는 그것의 날을 내고, 다섯 번째는 머리를 만들기 위해 그 끝을 간다. 머리를 만드는 데에도 두세 가지의 별개의 작업을 필요로 한다. 그것을 붙이는 일이 하나의 독특한 일이라면, 핀을 휘게 만드는 것도 하나의 일이다. 그리고 핀을 종이에 포장하는 것마저 하나의 직업이다. 그러니 한 개의 핀을 만든다는 이 중요한 일은, 이와 같이 약 18개의 별개의 작업으로 분할되어 있으며, 어떤 제조장에서는, 그 모두가 별개의 손에 의해서 수행되지만, 어떤 제조장에서는 동일인이 그 가운데 두세 개를 맡는 경우도 있을 것이다.[6] 나는 이런 종류의 작은 제조장을 본 일이 있는데, 그곳에서는 열 명만이 사용되고 있었으며, 그 결과 그들 가운데 어떤 사람은 두세 가지의 별개의 작업을 수행하고 있었다. 그러나 그들은 대단히 빈곤하며, 따라서 필요한 기계류의 설비도 변변치 않았지만, 그들은 노력만 하면 함께 하루에 약 12파운드의 핀을 만들 수 있었다. 1파운드의 핀은 중형의 것으로서, 4000개 이상이나 된다. 그러므로 이 열 사람은 함께 하루에 4만 8000개 이상의 핀을 제조할 수 있는 셈이다. 따라서 각 개인은 핀 4만 8000개의 10분의 1 즉 하루에 4800개의 핀을 제조한다고 생각할 수 있다. 그러나 만일 그들이 모두 따로따로 독립하여 일하고 그들 가운데 누구도 이런 특별한 일을 위한 교육을 받지 않았다면, 그들은 각자가 하루에 20개는커녕 한 개의 핀도 만들 수 없었을 것임은 명백하다. 다시 말하면 그들이 그 여러 가지 작업의 적당한 분할과 결합의 결과로서 현재 수행할 수 있는 분량의 240분

6 〔애덤 스미스의 《강의》 164면에서는, 업무는 여기에서와 마찬가지로 18개의 작업으로 분할되어 있다. 이 수는 틀림없이 《L'Encyclopédie》(1755), 제5권의 'Épingle(핀)'이라는 항에서 택한 것이다. 이 항은 실제로 직공들의 일터에서의 핀 제조에 관해서 기술한 바 있는 같은 책 807면의 M. Delaire가 쓴 것으로 되어 있다. 몇몇 공역에서는, 분업이 훨씬 더 진보되어 있었다. 에프라임 챔버스E. Chambers, 《Cyclopœdia》, 제2권, 제2판(1738)과 제4판(1741)의 핀'(Pin)'이라는 항은 별개 작업의 수를 25라 하고 있다.〕

의 1은커녕 4800분의 1도 할 수 없으리라는 것이 확실하다.

그 효과는 모든 직업에서 다 같으며, 업무의 분할에 관해서도 역시 그러하다.

분업의 효과는 다른 모든 공예나 제조업에 있어서도, 이러한 영세한 제조업에서와 마찬가지이다. 어떤 제조업 가운데에는, 그렇게 노동이 많이 분화되거나, 또 작업이 그처럼 단순화될 수 없는 것도 많이 있다. 그럼에도 불구하고, 분업은 그것이 도입될 수 있는 한 모든 공예에 있어서 노동의 생산력을 비례적으로 증대시키고 있다. 여러 가지 직업과 일이 서로 분화되는 것도, 이러한 이익의 결과로서 일어난 것 같다. 또한 이 분화는 일반적으로 최고도의 산업과 문명을 향수하고 있는 국가에서 가장 진보되어 있다. 즉 미개상태의 사회에 있어서의 한 사람의 작업은, 문명사회에서는 대체로 여러 사람의 작업이 되고 있다. 모든 문명사회에서는, 농업경영자(farmer)는 일반적으로 농업경영자일 수밖에 없으며 제조업자도 제조업자이외에 아무것도 아니다. 각가지 완제품을 만드는 데 필요한 노동 역시 거의 언제나 다수의 일손으로 분할된다. 아마포亞麻布나 양모의 생산자로부터, 아마포의 표백공과 끝손질하는 사람, 또는 복지服地(양복감)의 염색공과 끝손질하는 사람에 이르기까지 얼마나 많은 각가지 직업이 아마포업과 모직물업의 각 부문에 종사되고 있는가! 사실 농업은 그 성격상 제조업만큼 노동을 그렇게 수많이 세분할 수 없으며, 한 가지 일과 또 다른 일을 그처럼 완전히 분화하도록 되어 있지 않다. 보통 목공의 직업은 대장간의 직업에서 분화되어 있듯이, 목축업자의 일을 곡물 경작자의 일에서 완전히 분화시킨다는 것은 불가능하다. 방직공과 직조공은 거의 언제나 다른 사람이다. 그러나 괭이질하는 사람, 써레질하는 사람, 씨 뿌리는 사람 및 수확하는 사람은 동일인일 때가 많다. 이러한 여러 가지 부류의 노동을 하게 될 기회는, 연간의 여러 계절과 더불어 반복되는 것이므로, 한 사람이 언제나 그 어느 한 가지 일에만 종사한다는 것은 불가능하다. 농업에 종사하는 노동의 여러 부문을 모두 그렇게 완전히 전적으로 분화시킬 수는 없다는 것이, 아마 이 분야에 있어서의 노동의 생산력의 개선이 제조업에 있어서의 그것과 항상 보조를 맞추지 못하고 있는 이유가 될 것이다. 실로, 가장 부유한 국민은 농업에 있어서나 제조업에 있어서나 일반적으로 그들의 모든 이웃 나라에 앞서고 있지만, 그들은 보통 농업보다도 제조업의 우월성에 의해서 더욱 뚜렷하게 구별된다고 하겠다. 그들의 토지는 대체로 잘 경작되어 있고, 비교적 많은 노동과 경비를 그 토지에 들였으므로 토지의 면적과 자연적 비옥도에 비해서 더 많이 생산한다. 그러나 이와 같은 생산의 우월성[7]이, 노동과 비용의 비율 이상의 것일 수는 거의 없다. 농업에서는 부유한 나라의 노동이 반드시 가난한 나라의 그것보다 훨씬 생산적이라고 할 수 없으며, 적어도 제조업에서 일반적으로 그러할 정도로 농업 부문에서도 훨씬 더 생산적일 수는 없는 것이다. 프랑스라는 국가는 뛰어나게 부유하고 진보하여 있음에도 불구하고, 네덜란드의 곡물은 그 품질이 동등할 경우엔 프랑스의 그것과 같을 정도로 가격이 싸다. 프랑스는 부와 진보에 있어서는 잉글랜드보다 못할는지 모르나. 곡물생산지에서는 프랑스의 곡물은 잉글랜드의 곡물과 같은 품질이며, 대부분의 년도에는 거의 동일한 가격이다. 그런데 잉글랜드의 곡물생산지는 프랑스의 그것보다 잘 경작되어 있으며, 프랑스의 곡물생산지[8]는 네덜란드의 그것보다 더 잘 손질되어 있다고들 한다. 그러나 가난한 나라는 그 경작에서는 뒤떨어져 있음에도 불구하고, 가난한 나라가 비록 그 곡물의 저렴함이나 품질에 있어서 어느 정도 부유한 나라에 대적할 수 있다 하더라도, 그 제조업에 있어서는 이러한 경쟁이 될 만하다고 주장할 수는 없으며, 적어도 이러한 제조업은 부유한 나라의 토질·기후·위치에 적합할 경우에는, 더욱더 경쟁이 되지 않는다. 프랑스의 견직물은 잉글랜드의 그것보다도 질이 더 좋고 값이 더 싸다. 왜냐하면 적어도 생사의 수입에 높은 비율의 관세가 과해지고 있는 현 상황하에서는,[9] 견직물업은 프랑스의

7 〔"생산의 이러한 우월성"은 초판에서는 "생산의 우월성"이라고 되어 있다.〕

8 〔초판에서는 "곡물생산지"가 "토지"로 되어 있다.〕

9 〔초판에서는 "적어도 생사의 수입에 높은 비율의 관세가 과해지고 있는 현재 상태하에서는" 이란 구절이 없다.〕

기후만큼 잉글랜드의 기후에 잘 적합하지 않기 때문이다. 그러나 잉글랜드의 철물과 직조된 모직물은 프랑스의 그것들과는 비교도 안 될 만큼 뛰어나 있으며, 같은 정도의 품질이라면 역시 훨씬 값이 싸다.[10] 네덜란드에는, 그것 없이는 어떤 나라도 잘 존속할 수 없는, 극히 소수의 비교적 조잡한 가내제조업을 제외하고는 어떤 종류의 제조업도 거의 없다고 한다.

그 이익은 세 가지 사정에 기인하는 것이며,

분업의 결과로서[11] 동일 인원수의 사람들이 할 수 있는 일의 양이 이렇게 크게 증가하는 것은, 세 가지 서로 다른 사정, 즉 첫째 모든 개별 직공의 기교의 증진, 둘째 한 가지 일에서 다른 일로 넘어갈 때 보통 잃게 되는 시간의 절약, 끝으로 노동을 촉진하고 단축시키며, 더구나 한 사람이 많은 사람의 일을 할 수 있게 해 주는 수많은 기계의 발명 때문이라고 하겠다.[12]

(1) 기교의 개선.

첫째, 직공의 기교의 개선은, 그가 수행할 수 있는 일의 양을 반드시 증가시키며, 분업은 모든 사람의 일을 어떤 단일 작업으로 환원시킴으로써, 더구나 그

10 〔《Lectures》 164면에는 잉글랜드와 프랑스의 "장난감" 즉, 금속 제품을 비교하고 있다.〕

11 〔"분업의 결과로서"는 초판에는, 바로 뒤의 "동일 인원수의 사람이 할 수 있는 일의 양" 다음에 나와 있다.〕

12 〔"작업의 신속함과 제품의 안전함은 모여진 노동자가 다수이냐에 전적으로 의존한다. 직공이 많으면 각각의 작업에는 각기 다른 사람들이 종사한다. 이러한 노동자는 단지 단 한 가지 것만을 만들고 있으며, 더욱이 일생을 그것밖에 만들지 않으며, 또 다른 노동자는 다른 것을 만든다. 그러니 각각은 훌륭하게 그리고 신속하게 만들게 되고, 가장 잘된 제품까지도 비교적 싼값으로 매매되는 것이다. 더욱이 대다수의 노동자들 사이에서는 그들의 동류들을 능가할 수 있는 유일한 방법, 즉 새로운 기계에 의하든지 비교적 간편한 조작에 의하든지 간에, 재료를 절약하거나 시간을 연장하거나 또는 근로를 더 비싸게 파는 방법을 생각해 내고 궁리해 내고, 마침내 발견할 수 있는 사람이 반드시 나타나기 때문에 그 기호와 만듦새도 반드시 개선된다." 《Encyclopédie》(1751), 제1권, 717면, '공예(Art)' 항. 본문에 기술되어 있는 세 가지 이익은 모두 여기에 포함되어 있다.〕

작업을 그 사람의 일생의 유일한 업무로 만들어 버림으로써, 직공의 기교를 반드시 크게 증진시킨다. 해머 쓰는 데는 익숙하지만 못을 만드는 데 익숙해지지 못한 보통의 대장장이가, 만일 어떠한 기회에 그것을 만들지 않을 수 없게 된다면, 그는 확실히 하루에 200~300개 이상을 결코 만들 수 없을 것이며, 더구나 아주 질이 나쁜 것밖에 만들지 못할 것이다.[13] 못을 만드는 데 익숙해 있기는 하나, 못의 제조를 유일 또는 주된 일로 해 오지 아니한 대장장이는 아무리 부지런히 일한다 하더라도 하루에 800개 내지 천 개 이상의 못을 만들지는 못한다. 나는, 못 제조 이외의 어떠한 직업에도 종사한 일이 없는 20세 이하의 몇몇 소년을 본 적이 있는데, 그들은 각기 힘을 다할 때는 하루에 200~300개 이상의 못을 만들 수 있었다.[14] 그러나 못을 만든다는 것이 결코 가장 단순한 작업의 하나라고 할 수는 없다. 동일인이 풀무질을 하고, 필요할 때는 불을 피우거나 숯을 더 넣는다든지, 철을 가열하고, 못의 모든 부분을 다듬기도 한다. 또한 그 머리 부분을 다듬는 데도 그는 자기의 도구를 바꾸어 쓰지 않으면 안 된다. 핀 또는 금속단추[15]를 만드는 데 세분되는 여러 가지 작업은 못에 비하면 둘 다 훨씬 단순하며, 그런 작업을 하는 것을 일생의 유일한 일로 삼고 있는 사람의 기교는, 보통 훨씬 더 뛰어나 있다. 그러한 제조업에서 몇 가지 작업이 이루어지는 속도는, 그것을 한 번도 본 적이 없는 사람에게는 마치 인간의 손으로서는 습득할 수 없는 것으로만 생각될 수밖에 없을 것이다.

(2) 시간의 절약

둘째, 한 가지 일에서 다른 일로 넘어갈 때 보통 손실되는 시간을 절약함으로써 얻게 되는 이익은, 우리가 얼핏 상상하게 되는 것보다 훨씬 더 크다. 어떤 종류

13 〔《Lectures》, 166면. "못을 만드는 데 익숙해 있지 않은 농촌 대장장이는 열심히 일해도 하루에 300~400개 정도 만들 것이며, 그것이나마 아주 조악한 것밖에 만들지 못할 것이다."〕

14 〔《Lectures》, 166면. "그것에 익숙해 있는 소년은 2000개를 쉽사리 만들어 낼 것이며, 더구나 비교도 안될 만큼 질도 좋은 것을 만들 것이다."〕

15 〔《Lectures》, 255면. 단추 제조 노동은 80명의 사람들에게 분할돼 있다는 것이 암시되어 있다.〕

의 일에서 다른 일로 신속하게 옮아간다는 것은, 그것이 서로 다른 장소에서 전혀 다른 도구로써 행해질 때는 불가능하다. 조그마한 농장을 경작하고 있는 농촌 직조공[16]이, 자기의 직기로 옮기는 데, 상당히 많은 시간을 소비하지 않을 수 없다. 이 두 가지 직업이 동일한 작업장에서 행해질 수 있을 때는, 시간의 손실은 훨씬 적을 것이 틀림없다. 그러나 이 경우에도 손실은 상당하다. 인간이란 어떤 종류의 일에서 다른 일로 손을 옮길 때는, 약간 빈둥거리는 것이 보통이다. 그가 새로운 일을 처음 시작할 때는, 아주 예민하여 열을 올리는 경우는 별로 없으며, 말하자면 그 일에 마음이 내키지 않는다는 것이다. 그래서 얼마 동안은 좋은 성과를 거두려고 노력하기보다는, 그는 오히려 그저 단순히 만지작거릴 뿐이다. 반시간마다 그 일과 도구를 바꾸어야 하고, 그 일생 동안 거의 매일 20가지나 되는 방법으로 자연의 손을 놀리지 않을 수 없는 농촌의 모든 노동자는 자연히, 아니 오히려 필연적으로 빈둥거린다든지, 부주의하게 게으름을 피우는 버릇이 붙게 되고, 이 버릇이 그로 하여금 거의 언제나 게으르고 빈둥빈둥하게 만들어, 가장 긴박한 경우에도 조금도 활기 있는 일을 하지 못하게 만들어 버린다. 그러므로 기교라는 점에서의 그의 결함은 고사하고라도, 이 원인만으로도 그가 수행할 수 있는 일의 양은, 항상 상당히 감소되지 않을 수 없다.

(3) 직공들에 의하여 발명된 기계의 응용

끝으로 셋째, 적절한 기계를 응용함으로써 얼마나 노동이 촉진되고 또 단축되는가를 그 누구도 느끼지 않을 수 없다. 그것은 어떤 실례를 들 필요마저 없다.[17] 그러므로 나는,[18] 그렇게 노동이 촉진되고 단축되는 그러한 모든 기계의 발명도

16 〔같은 예가 《Lectures》, 166면에도 나와 있다.〕

17 〔《Lectures》, 167면에는 여러 가지 예가 열거되어 있다. "두 사람의 남자와 세 마리의 말은, 쟁기를 쓰면 하루에 그것 없이 20명의 남자가 하는 일보다 더 많은 일을 할 것이다. 방앗간 주인과 그 사용인은 물레방아를 사용하면 디딜방아를 써서 열두 명이 하는 것보다 더 많은 일을 할 것이다. 디딜방아도 역시 하나의 기계이기는 하지만."〕

18 〔이 "I shall only observe, therefore"가 초판에서는 "I shall, therefore, only observe"로

본래는 분업 때문이었던 것 같다는 것만을 말해 두기로 한다. 인간이란 그 주의력을 여러 가지 많은 사물에 분산할 때보다는 그것을 단일 목적에 집중할 때 그 목적을 달성하기 위해 더 쉽고 빠른 방법을 발견하게 될 가능성이 훨씬 더 많다. 그런데 분업의 결과로서, 각자의 주의력의 전부는 자연히 어떤 극히 단순한 목적에 집중하게 된다. 그러므로 일의 성질상 개선의 여지가 있을 때는 어디에서나 그 노동의 특정부문에 각각 종사하는 여러 사람은, 마침내는 그들 자신의 특정의 일을 더 쉽게 더 신속하게 할 수 있는 방법들을 찾아내리라는 것이 자연 기대된다. 노동이 가장 심하게 세분되어 있는 제조업에 이용되고 있는[19] 기계의 대부분은, 본래 보통 직공들이 발명한 것이며, 그들 각자는 어떤 극히 단순한 작업에 종사하고 있으므로, 자연히 그 일을 수행하는 데 더 쉽고 더 신속한 방법을 찾아내려는 데 그들의 사고력을 기울이게 되는 것이다. 이러한 제조업을 자주 방문해 본 사람이라면 누구나, 그들 자신의 일의 특정부문을 촉진하고 신속화하기 위해, 그러한 직공들[20]이 발명한 아주 멋있는 기계를 흔히 보았을 것에 틀림없다. 최초의 화력기관(fire-engine)[21]의 경우에는, 피스톤이 오르내리는 데 따라 보일러와 실린더 사이의 통로를 번갈아 개폐하기 위해서 언제나 한 사람의 소년이 사용되고 있었다. 이러한 소년들 가운데 한 아이가 친구들과 놀기 좋아하여 이 통로를 여는 밸브의 핸들에서 이 기계의 다른 부분에다 한 가닥 끈을 매어 둠으로써, 그 밸브가 그 아이의 도움 없이 개폐되어 자기는 놀 친구들과 마음대로 놀 수 있다는 사실을 알게 되었다. 그 발명 이래 이 기계에 이루어진 최대의 개선 가운데 하나가, 이렇게 자기 자신의 노동을 절약하고 싶었던 한 소년의 발견이었던 것이다.[22]

되어 있다.〕

19 〔"이용되고 있는"이 초판에서는 "사용되고 있는"으로 되어 있다.〕

20 〔"그러한 직공들"이 초판에서는 "보통의 직공들"로 되어 있다.〕

21 〔증기기관(steam-engine)을 말한다.〕

22 〔이 재미있는 이야기는 하여튼 엄청나게 신화적인 것이다. 그것은 다음 문장의 오독(반드시 스미스에 의한 것이라고는 할 수 없으나)에서 싹텄던 것이라고 생각된다. "종래에 그들이 사

또는 기계 제작자와 철학자에 의해서 발명된 기계의 응용.

그러나 기계에 있었던 모든 개선은 기계를 사용할 필요가 있었던 사람들의 발명에만 국한된 것은 아니었다. 기계를 제작하는 것이 하나의 특별한 직업이 되자, 많은 개선은 기계 제작자들의 창의에 의해서도 이루어졌던 것이다. 그리고 어떠한 일을 하는 것은 아니지만 모든 사물을 관찰하는 것을 직업으로 삼고 있으며, 이 때문에 가장 멀리 떨어져 있는 이질적인 여러 대상의 힘을 한데 결합할 수 있는 철학자 또는 사색가(philosophers or men of speculation)라고 불리는 사람들에 의해서도 이루어졌다.[23] 사회가 발전함에 따라 철학 또는 사색은 모든 다른 일과 마찬가지로 특정 계급의 시민의 주요 또는 유일한 생업과 직업으로 되었다. 다른 모든 일과 마찬가지로 이 직업도 수많은 부문으로 세분되며, 그 각 부문은 철학자들의 특별한 계층 또는 계급에게 직업을 마련해 준다. 철학에 있어서의 일이 이렇게 세분된다는 것 역시 다른 모든 업무에서와 마찬가지로 기교를 개선하고

용한 것은 실린더 안에 파이프로 둘러싸인 하나의 부표가 붙어 있어 증기가 강해질 때는 그 부표가 상승하여 분사구를 열어서 한 번 치도록 되어 있었다. 그 때문에 그들은 2분간에 겨우 6, 8 또는 10회의 타격밖에 줄 수 없었다. 그런데 이 기관을 지키고 있었던 험프리 포터라는 소년이 하나의 손잡이를 붙였다. (그는 그것을 스코간scoggan이라고 불렀다.) 그러니 지렛대 큐(beam Q)는 언제나 열려서 1분에 15~16회의 타격을 할 수 있게 되었다. 그러나 이것도 손잡이나 끈으로 되어서 착잡했으므로, 헨리 베이톤Henry Beighton 씨는 그가 1718년에 '뉴캐슬 온 타인'에서 건조했던 기계에서 이러한 것을 모두 떼어 버리고, 지렛대만으로써 제대로 모든 것이 잘 되도록 했다." – 존 테오필 데자글리에J. T. Desaguliers, 《A Course of Experimental Philosophy》(1744), 제2권, 533면. 같은 책 469~471면에서는, 이 부표가 고찰될 때까지는 본래 손으로 하는 노동이 사용되었던 것으로 되어 있다.〕

23 〔《Lectures》, 167면에는 쟁기의 발명은 한 농업경영자에 의한 것이고, 또 디방아는 한 노예에 의한 것이라고 억측되고 있는 반면, 수차와 증기기관의 발명은 철학자의 공적이라고 되어 있다. 맨더빌(Mandeville)은 발명에 관한 철학자의 권리 주장에 대해서 스미스보다 훨씬 더 냉담하다. "기술과 그 개선을 발명하는 사람과 사물의 조리를 연구하는 사람이 동일 부류의 사람들인 경우는 거의 없으며, 그 후자는 대부분의 경우 게으르고 빈둥거리면서 은퇴를 좋아하고, 실무를 싫어하고 사색을 즐기는 편이다. 그 반면 전자의 경우에는 손수 쟁기를 잡고 실행을 해 보고 자기가 종사하는 일에 주의력을 집중하는 능동적이고 감동적인 알뜰한 사람들이 아니고서는 성공하지 못할 것이다." – 《꿀벌의 우화》(1723), 제2부, 대화 3(dial. iii.), 151면. 나아가서 그는 비누 제조, 불변염색법 등의 개선에 관한 실례를 들고 있다.〕

시간을 절약한다. 각 개인은 자기 자신의 특별한 부문에서는 더욱 전문가가 되며, 이 때문에 전체적으로는 더 많은 일이 이루어지고 과학(science)의 양도 훨씬 더 증가된다.[24]

그러므로 잘 다스려진 사회는 보편적으로 부유하며,

잘 다스려진 사회에서는 보편적인 부유(universal opulence)를 국민의 최하층의 계급까지도 누리고 있는 것은 분업의 결과 여러 가지 기예의 모두가 생산의 커다란 증식을 보았다는 사실이다. 각 직공은 자기 자신이 필요로 하는 이상의 것을 처분할 수 있는 자기 자신의 작품을 다량으로 가지고 있으며, 또 다른 직공들도 이와 꼭 동일한 입장에 있으므로, 자기 자신의 다량의 재화를 타인의 다량의 재화, 또는 같은 것이지만, 그들의 많은 재화의 가격과 교환할 수 있다. 그는 그들에게 그들이 필요로 하는 것을 풍부하게 공급하고, 또 그들은 그가 필요로 하는 것을 그에게 충분히 융통해 준다. 그리하여 전반적 풍요(general plenty)가 사회의 모든 갖가지 계급으로 퍼져 간다.

날품 노동자의 외투까지도 무수한 직공의 생산물이다.

문명되고 번영한 국가에서 가장 흔히 볼 수 있는 공장(artificer) 또는 날품 노동자의 생활 조건을 관찰하여 보라. 그러면 여러분들은 이 생활조건을 마련하려고 비록 작은 부분에 지나지 않으나마 그 노동의 일부를 사용한 사람의 수가 헤아릴 수 없이 많다는 사실을 파악하게 될 것이다. 예를 들면, 날품 노동자가 입는 모직 상의는 그 외관이 아무리 거칠고 텁수룩한 것일지라도 수많은 직공들의

24 〔특별한 상품들은, 자연적으로 그 생산에 적합한 국가에서 전적으로 생산하든지 또는 주로 생산하는 것이 유리하다는 것은 다음 423면에서 인정되어 있다. 그러나 그것을 성취하기 위해서 분업이 필요하다는 사실은 언급되지 않았다. 분업이 각가지 직공들로 하여금, 그 교육과 실습에 의해서는 습득될 수 없는 성질, 즉 연령·성·체격·역량에 가장 알맞은 종류의 일에 배타적으로 취업시킨다는 사실은 다음 17~18면에서, 일부는 무시되고, 일부는 부정되고 있다. 분업 또는 전문화의 불이익은 다음 제2권 267~269면에서 취급하고 있다.〕

공동노동(joint labour)의 생산물이다. 이 소박한 생산물까지도 이것을 완성하기 위해서는, 양치기, 양모의 선모공, 소모공 또는 쇄모공, 염색공, 조소공, 방적공, 직조공, 축융공, 끝손질하는 사람, 그 밖에도 많은 사람이 모두 그들의 각가지 기술을 종합하지 않으면 안 된다. 그뿐 아니라, 이러한 직공들 가운데 어떤 사람으로부터, 그 나라의 아주 먼 지방에 살고 있는 다른 직공들에게 그 원료를 운송하는 데에 얼마나 많은 상인과 운반인이 종사하지 않을 수 없었을 것인가! 염색공이 사용하는 약제, 즉 이따금 세계의 가장 먼 변두리에서 오기도 하는 갖가지 약제를 수집하기 위해서는 얼마나 많은 상업과 항해업이 이용되었으며, 또 얼마나 많은 조선공, 선원, 범포 제조인, 로프 제조인 등이 사용되었을 것인가! 또한 그러한 직공 가운데에서도 가장 초라한 직공이 가지고 있는 도구를 생산하기 위해서 얼마나 가지각색의 노동이 필요할 것인가! 선원의 배, 축융공의 기계, 또는 직조공의 직기 같은 복잡한 기계는 말할 것도 없다 하더라도, 아주 단순한 기계, 즉 양치기가 양모를 깎는 데 사용하는 큰 가위를 만드는 데도 얼마나 많은 여러 가지 노동이 필요한 것인가라는 사실만이라도 생각해 보자. 그것을 생산하기 위해서는 광부, 철광석을 용해하는 용광로의 제조인, 재목의 벌목공, 벽돌 쌓는 사람, 용광로 관리자, 기계공, 단철공, 대장장이 등, 이 모두가 그들의 가지가지의 기술을 결합하지 않으면 안 되는 것이다. 마찬가지 방법으로 우리가 그 사람의 의복과 가구의 모든 갖가지 부분을 검토해 본다면, 즉 그의 피부에 가장 가깝게 입는 거친 아마포 셔츠, 그의 발을 감싸 주는 신발, 그가 눕는 침대, 그리고 그것을 구성하고 있는 모든 갖가지 부분, 그가 식사를 마련할 때 쓰는 부엌의 석쇠, 그가 이용할 수 있도록 땅 밑바닥에서 파내어져서, 아마 기나긴 해로와 육로의 운송에 의하여 그에게 보내어진 석탄, 그 밖의 다른 모든 부엌 도구, 그의 모든 식탁 용구, 나이프, 포크, 그가 음식을 받아먹고 나누어 먹는 도자기 그릇 또는 백납으로 만든 접시, 그의 빵과 맥주를 만드는 데 사용되는 여러 일손들, 열과 빛을 끌어들이고, 바람과 비를 막는 유리창 등, 이 모든 것을 이것 없이는 세계의 이 북방지방에서 대단히 살기 좋은 주거를 마련할 수도 없었을, 그러한 아름답고 즐거운 발명을 이룩하는 데 불가결한 모든 지식 및 기술과 더불어 그들 갖가지 편의품의 생산에 동원된 모든 직공들의 여러 가지 도구와 아울러 검토하며, 이들 모든 것들과, 그리고 그것들의 하나하나에 얼마나 많은 여러 가지의 노동이 가해졌는가를 고찰한다면, 우리는 수천 명의 조력과 협력 없이는, 문명국에서 가장 초라한 사람에게, 우리가 크게 잘못 생각하여 간편하고 단순한 양식이라고 상상되고 있는 가재도구마저도 제공해 주지 못할 것이라는 것을 느끼게 될 것이다. 사실상, 높은 사람들의 엄청난 사치에 비한다면, 그의 가재도구는 극히 단순하고 간편하게 보일 것은 틀림없다. 그러나 유럽의 어느 군주의 가재도구가 부지런하고 아끼는 한 농민의 가재도구를 능가하는 정도는, 후자의 가재도구가 1만 명의 벌거벗은 야만인의 생명 및 자유의 절대적 지배자인 아프리카의 많은 왕의 가재도구를 능가하는 정도보다 반드시 크다고 할 수 없는 것은 사실일지도 모른다.[25]

제2장 분업을 일으키는 원리에 관하여

분업은 인간성에 내재하는 교환 성향에서 생긴다.

그렇게도 많은 이익이 생겨나는 이 분업은, 본래 이것이 일으킬 일반적인 부유를 예측하고 의도하는 어떤 인간의 지혜의 소산은 아니다.[26] 그것은 그렇게 광범위

25 〔이 문단은 저자의 강의의 수고手稿에서 송두리째 따온 것인 듯하다. 그것은 토머스 먼Thomas Mun의 《대외 무역에 따른 잉글랜드의 보물England's Treasure by Foreign Trade》, 제3장의 말미 ; 로크Locke, 《시민정부론Civil Government》, 제43항 ; 맨더빌(Mandeville), 《꿀벌의 우화The Fable of the Bees》, 제1부, Remark P, 제2판(1723), 182면과 그리고 아마도 해리스Harris, 《Essay upon Money and Coins》, 제1부, 제12항 등에 기초를 둔 것이라고 생각된다. 《Lectures》, 161~162면과 그 각주를 보라.〕

26 〔즉 분업은 모든 사람은 자기 아버지의 일을 이어받아야 한다고 한 '세소스트리스의 법(law of Sesostris)'과 같이, 국가 또는 사회에 의한 어떤 의식적 규제의 소산은 아닌바, 이는 《Lectures》, 168면에서 이와 일치하는 문장으로 언급되고 있다. 분업은 특정한 생득의 재능

한 효용을 안중에 두지 않은 인간의 본성에 내재하는 일정한 성향, 즉 완만하고 점진적이기는 하지만 어떤 것을 다른 것과 거래·교역·교환하려는 성향의 필연적인 결과이다.

이 성향은 인간에게서만 볼 수 있다.

이 성향이 인간의 본성 가운데 있는 그 이상 더 설명할 수 없는 본원적 원리들의 하나인지, 아니면 이것이 더욱 그럴듯하게 생각되는데 이성과 언어라는 능력의 필연적 결과인지는, 우리들의 당면의 연구 과제에 속한 것은 아니다. 그것은 모든 인간에게 공통되는 것이며, 다른 어떤 종류의 동물에게서도 볼 수 없는 것이다. 동물은 이런 종류의 계약이나 또는 다른 어떤 종류의 계약도 알지 못하는 것 같다. 같은 토끼를 쫓고 있는 두 마리의 그레이하운드(몸이 길고 날쌘 사냥개)는 때로는 어떤 종류의 공동동작을 하고 있는 것같이 보인다. 즉 저마다 토끼를 제 짝이 있는 쪽으로 몰아준다든지, 또는 그 짝이 자기에게 그 토끼를 몰아줄 때는 그것을 가로 막으려고 애쓰기도 한다. 그러나 이것은 계약의 결과는 아니며, 그 특수한 시점에서 동일한 목적물에 대한 그들의 격정이 우연히 일치한 결과에 지나지 않는다. 한 마리의 개가 또 한 마리의 개와 뼈 한 개씩을 공정하게 또 신중하게 교환하는 것을 본 사람은 아무도 없다.[27] 한 마리의 동물이 다른 한 마리의 동물에게 몸짓과 생득의 울음소리로써, '이것은 내 것이다. 저것은 네 것이다. 나는 그것 대신에 이것을 주겠다'라고 표시하는 것을 그 누구도 본 일이 없다. 동물은 인간 또는 다른 동물로부터 그 무엇을 획득하려고 할 때, 그것을 해줄 상대자의 호의를 얻는 길 이외에는 아무런 설득 방법을 갖고 있지 않다. 강아지는 어미 개에게 아양을 떨고, 스패니얼(털의 결이 곱고 귀가 긴 개)은 얻어먹고 싶

을 발휘하는 것이 유리하다는 것을 인식하고 있는 개인의 지혜의 소산임을 부정하고 있는 것은 다음의 17면에 나온다.〕

27 〔뼈 하나를 다른 하나와 교환하는 데 어떤 목적이 있을 수 있느냐 하는 것은 결코 명백하지 않다.〕

을 때는 온갖 시늉을 다하여 식사 중인 주인의 주의를 끌려고 애쓴다. 인간도 때로는 그 동포에 대하여 이와 똑같은 기교를 사용하며, 그들로 하여금 자기가 마음먹은 대로 행동하도록 하는 데 별다른 방법이 없을 때는, 그들의 호의를 얻기 위해서 온갖 비열하고 아첨하는 친절을 베풀기도 한다. 그러나 인간은 모든 기회마다 다 이런 짓을 할 만큼 시간적 여유를 갖고 있지 않다. 문명사회에서는 인간은 언제나 수많은 사람들의 협력과 원조를 필요로 하고 있음에도 불구하고 자기의 전 생애를 다 들여도 소수의 사람들의 우정을 얻을까 말까 할 형편이다. 다른 종류의 거의 모든 동물의 경우 각 개체는 일단 성숙해 버리면 완전히[28] 독립해 버리고 그 자연의 상태로서는 다른 생물의 원조를 조금도 필요로 하지 않는다. 그러나 인간은 거의 끊임없이 그 동포의 조력을 필요로 하고 있으며, 더구나 동포의 자애만으로써 그 조력을 기대한다는 것은 소용없는 짓이다. 그렇게 하기보다는 만일 그가, 자기의 입맛에 맡도록 동포의 자애심(self-love)을 자극할 수 있고, 또한 그가 동포로부터 필요로 하고 있는 도움을 동포가 그에게 해 주는 것이 동포 자신에게도 이익이 된다는 것을 설명해 줄 수 있다면, 이것이 오히려 더 효력이 있을 것 같다. 타인에게 어떤 종류의 흥정을 신청하는 자는 누구든지 이렇게 할 것을 제안한다. 즉 '내가 원하는 것을 나에게 주시오, 그러면 당신이 원하는 것을 드리겠습니다'라고 하는 것이 바로 그러한 모든 신청의 취지이다. 이렇게 하여 우리는 우리가 필요로 하는 거의 대부분의 호의를 서로가 주고받는다. 우리가 우리의 식사를 기대하는 것은 푸줏간·술집·빵집의 자비심에서가 아니고, 그들 자신의 이익에 대한 그들의 고려에서 기대하는 것이다. 우리는 그들의 인류애에 대해서가 아니라 그들의 자애심에 대하여 말하는 것이며, 우리는 그들에게 우리 자신의 필요에 관하여 말하지 않고, 그들의 이익에 관해 말한다. 자기의 동료 시민의 인애에 의존하는 것은 거지 이외에는 없다. 거지까지도 완전히 그것에만 의존하지는 않는다. 사실 호의 있는 사람들의 자선이 그 생

28 〔"entirely"가 초판에서 제5판까지 "intirely"로 오식되어 있다. 그 조금 뒤에 나온 판은 전부 "Entirely"로 되어 있다.〕

존에 필요한 전 자원을 그에게 공급해 주고는 있다. 그러나 비록 이 원리(자선)가 궁극적으로는 그가 필요로 하는 모든 생활필수품을 마련해 준다 하더라도, 그것은 그가 필요로 하고 있는 만큼을 그대로 다 마련해 주지는 않으며, 또 해 줄 수도 없다. 수시로 일어나는 그의 욕망의 대부분은, 다른 사람들의 그것과 마찬가지로 동의에 의해서, 교역에 의해서, 그리고 구매에 의해서 충족된다. 어떤 사람이 그에게 주는 돈으로써 그는 음식물을 산다. 또 다른 사람이 그에게 주는 헌 옷을, 그에게 더 잘 맞는 다른 헌 옷과 교환하든지, 아니면 숙소 또는 양식, 또는 화폐와 교환한다. 그리고 그 화폐로써 그는 필요에 따라 식량과 의복 또는 숙소의 어느 것이든 구입할 수 있다.[29]

이 성향은 이기심에 의해 촉진되어 분업에 이르며,

우리가 필요로 하고 있는 상호적인 호의의 대부분을, 동의에 의하여, 교역에 의하여, 그리고 구매에 의하여 서로 주고받고 있는 것과 마찬가지로 분업을 일으킨 것도, 원래 이것과 동일한 거래하는 성향이라 하겠다. 예를 들면 수렵민족 또는 유목민족 가운데서, 어떤 특정 인물이 다른 어떤 사람보다도 더 재빠르고 교묘하게 활과 화살을 만든다. 그러면 그는 그것으로 그의 동료가 가지고 있는 가축이나 사슴 고기와 교환한다. 그리하여 그는 마침내 자기 자신이 손수 그것을 잡기 위해서 들로 나가는 것보다 더 많은 가축과 사슴 고기를 이러한 방법으로 얻을 수 있음을 깨닫게 된다. 그러므로 자기 자신의 이익에 대한 고려에서, 활과 화살을 만드는 것이 점차 자기의 주업이 되어 그는 일종의 무기 제조인이 된다. 또 다른 한 사람은 그들의 작은 오막살이, 또는 이동 가옥의 뼈대와 지붕의 제작에 뛰어나다. 그러면 그는 그런 방면에서 그의 이웃 사람들에게 잘 이용됨에 이르고, 그 이웃 사람들은 또 마찬가지로 그에게 가축과 사슴 고기로서 보답하고, 드디어 그는 그 일에 전적으로 헌신하는 것이 자기의 이익이라는 것을 알

29 〔이 문단은 《Lectures》, 169면의 되풀이이다. 그것은 맨더빌의 《꿀벌의 우화》(1729), 제2부, 대화 6(dial. vi), 421~422면에 기초를 두고 있다.〕

게 된다. 그리하여 그는 일종의 집 짓는 목수가 된다. 이와 마찬가지로 제3의 사람은 대장장이나 놋갓장이가 되고, 제4의 사람은 야만인의 의복의 주요부분인 생피, 가죽의 무두장이, 또는 끝손질장이가 된다. 이리하여 자기 자신의 노동의 생산물의 잉여 부분에서 자기 자신이 소비하고 남는 모든 것을 타인들의 노동의 생산물 가운데 자기가 필요하다고 생각되는 부분과 교환할 수 있다는 확실성이 모든 사람으로 하여금 특정 직업에 전념케 하고, 그 특정한 종류의 일을 위해서 그가 가지고 있는 재능, 또는 소질이 어떤 것이든지 그걸 발전시키고, 완성시키도록 자극한다.[30]

이리하여 선천적으로 타고난 차이보다 훨씬 더 중요한 재능의 차이를 발생케 하며, 여러 사람들의 선천적으로 타고난 재능의 차이라는 것은 우리가 느끼고 있는 것보다는 실은 훨씬 작은 것이며, 여러 가지 직업을 가진 사람들은 그가 성년이 되었을 때 그를 다른 직업인과 구별해 주고 있는 것같이 생각되는 대단히 뛰어난 재능은 대부분의 경우, 분업의 원인이라기보다는 분업의 결과인 것이다.[31] 가장 이질적인 인물 간의 차이, 예를 들어 철학자와 거리에 있는 보통 짐꾼 간의 차이도, 그 천성에서 생긴다기보다 오히려 습관, 전통적인 풍습, 교육에서 생긴 것으로 생각된다. 그들이 이 세상에 태어났을 때, 그리고 그 생존의 최초의 6년 내지 8년 동안에, 그들은 아마[32] 대단히 비슷했을 것이며, 그들의 양친이나 놀이 친구도 어떤 현저한 차이를 파악할 수는 없었을 것이다. 그만한 연령일 때, 또는 그보다 얼마 후에, 그들은 아주 상이한 직업에 종사하게 된다. 그때에는 재능의 차

30 〔《Lectures》, 169~170면.〕

31 〔이것은 명백하게, 해리스Harris, 《Essay upon Money and Coins》, 제1부, 제2항에 반대하고, 흄Hume의 견해에 찬성하고 있다. 흄은 독자들로 하여금 "모든 인간은 그 체력에 있어서 그리고 그 정신력이나 지력에 있어서까지도 교육에 의해서 계발되기 전에는 얼마나 동일한가를 생각할" 것을 요구하고 있다.-《Essays, Moral and Political》(1748)의 〈원시계약에 대하여Of the Original Contract〉, 291면.〕

32 〔"아마"는 제2판과 제3판에서는 삭제되어, 제4판의 정오표에서 다시 나와 있다.〕

이가 주의를 끌게 되며, 그것이 점차 더 확대되어, 마침내 철학자의 허영심이라는 것이 짐꾼과 거의 어떤 유사점도 시인하지 않으려고 하기에 이른다. 그러나 거래하고 교역하고 교환하려는 성향이 없었다면, 모든 사람은 자기가 원하는 모든 생활필수품과 편의품을 손수 조달하지 않을 수 없었을 것이다. 모든 사람이 동일한 의무를 수행해야만 했고, 똑같은 일을 하지 않을 수 없었을 것이며, 따라서 한 가지에만 종사하게 됐을 경우, 재능에 어떤 커다란 차이를 일으켰을 정도의 직업상의 차이는 존재할 수 없었을 것이다.[33]

이러한 차이를 유용한 것으로 만든다.

갖가지 직업의 사람 사이에 그렇게 현저한 재능의 차이를 만들어 내는 것이 바로 이 성향인 동시에 그 차이를 유익한 것으로 만드는 것도 바로 이 성향인 것이다. 모두 동일 족속이라고 인정되어 있는 동물 종족은, 습관과 교육에 앞서서 인간들 사이에서 생기는 천성의 차별보다도 더 현저한 차별을 그 천성에서 찾아볼 수 있다. 날 때부터 철학자가 그 재능이나 성향에 있어서 거리의 짐꾼과 다른 것은, 마스티프가 그레이하운드와 다르고, 그레이하운드는 스패니얼과 다르며, 또는 스패니얼이 셰퍼드와 다른 정도에 비하면, 그 반도 되지 않는다. 그러나 여러 가지 동물 종족은 그 모두가 동일 종에 속하고 있더라도, 그들은 서로 유용한 것은 결코 아니다. 마스티프의 체력이 그레이하운드의 재빠름이라든지, 스패니얼의 영리성 또는 셰퍼드의 양순성에 의해서 조금도 지원을 받지 못한다. 교역하고 교환하는 힘, 또는 성향이 없기 때문에 그렇게 다른 여러 가지의 많은 소질과 재능의 효과를 공동의 자원(common stock)으로 만들 수 없었으며, 그 종족의 적응과 편의의 증진에 조금도 기여하지 못한다. 각 동물은 역시 하나하나 독립해서 자신을 유지하고 방어하지 않을 수 없으며, 자연 이 종족의 동료들을 구별지어 놓은 여러 가지 재능에서는 어떤 종류의 이익도 끌어내지 못한다. 이와 반대로 인간들 사이에서는, 가장 이질적인 천부적 재능도 서로 도움이 된다. 그들

33 〔《Lectures》, 170~171면.〕

각자의 재능이 만들어 내는 여러 가지 생산물은 거래·교역·교환하려는 일반적 성향에 의하여, 일종의 공동 자재가 됨으로써, 모든 사람은 자기가 필요로 하는 다른 사람의 재능에 의해 이루어진 생산물의 어떤 부분이라도 구매할 수 있게 된다.

제3장 분업은 시장의 크기에 의해서 제한된다는 것

분업은 교환 능력의 크기에 의해 제한된다.
분업을 일으키는 것이 교환 능력(power of exchanging)이듯이, 이 분업의 범위도 언제나 이 교환 능력의 크기에 의하여, 다른 말로 표현하면, 시장의 크기에 의하여 제한받지 않을 수 없다. 시장이 너무 작으면, 누구도 한 가지 일에 전적으로 헌신하도록 자극될 수 없다. 왜냐하면 자기 자신이 노동한 생산물의 잉여 부분 가운데에서 자기 자신의 소비를 넘어서 남는 모든 부분을 다른 사람의 노동의 생산물의 그러한 부분 가운데서 자기가 필요로 하는 부분과 교환하는 힘이 결여되기 때문이다.

여러 가지의 직업은 도시 이외에서는 이루어질 수 없다.
어떤 부류의 산업에는 비록 최하등의 것이라 하더라도 대도시 이외에서는 결코 계속해 나갈 수 없는 것이 있다. 예를 들면 짐꾼은 다른 어떤 장소에서도 일터와 생활자료生活資料(subsistence)를 발견할 수 없다. 촌락은 그의 활동 범위로서는 너무 지나치게 좁으며, 보통의 시장도시라 하더라도, 그에게 끊임없이 일을 제공해 줄 만큼 충분히 큰 것은 별로 없다. 스코틀랜드의 고지高地지방과 같이 황폐한 지방에 산재해 있는 고립된 집들과 매우 작은 마을에서는, 모든 농업경영자는 자기 자신의 가족을 위해 푸줏간 주인이나 빵 굽는 사람, 술을 담그는 사람이 되지 않을 수 없다. 이러한 상태하에서는 20마일 이내에서 동일 직업에 종사하는 또 한 사람의 대장장이나 목수 또는 석공을 발견하리라고는 기대할 수 없다. 가장 가깝다 해도 8 내지 10마일이나 떨어져 산재하여 생활하고 있는 가족들은 수많은 작은 일을 손수 해 내도록 배워 두지 않으면 안 된다. 그들은 더 인구가 많은 지방에서라면 그런 일을 하는 기능공들의 원조를 청할 수도 있을 것이다. 농촌의 기능공들은 거의 어느 곳에서나 대략 같은 종류의 재료를 사용할 만큼 매우 유사성이 있는 모든 여러 가지 산업부문에, 자기 자신을 적응시켜야 한다. 농촌의 목수는 목재로써 만들어지는 모든 종류의 일에 종사하고, 농촌의 대장장이는 쇠로써 만들어지는 모든 종류의 일에 종사한다. 전자는 목수일 뿐만 아니라 소목장이이며, 가구공이며, 목조가이기도 하며, 그뿐 아니라 수레 목수, 쟁기 제조공, 짐차와 대형 마차의 제조공이기도 하다. 후자의 일은 더욱더 여러 가지이다. 스코틀랜드의 하이랜드The Highlands와 같은 내륙지방에, 못 제조공 같은 직업까지도 존재한다는 것은 불가능하다. 하루에 1000개의 비율로 못을 만드는 직공이 1년에 300일을 일한다고 하면, 그는 30만 개의 못을 만들 것이다. 그러나 이러한 지방에서는 1년에 1000개, 즉 일부분의 제품을 처분하는 것마저 불가능할 것이다.

수운水運은 시장을 확대하며,

수운에 의함으로써 육상 운송만으로 제공할 수 있는 것보다 더 넓은 시장이 모든 종류의 산업에 개방되는 한편, 모든 종류의 산업이 자연 세분되고 개선되기 시작하는 것도 해안 지대와 항해 가능한 하천의 둑에 연해 있는 지방에서이며, 그러한 개선이 그 나라의 내륙지방에까지 퍼지는 것은 흔히 그것보다 훨씬 뒤에 일어난다. 두 명의 마부가 따르고, 여덟 마리 말이 이끄는 바퀴 넓은 대형 마차는 거의 4톤의 화물을 싣고 런던과 에든버러 사이를 약 6주간의 일정으로 왕복한다. 6인 내지 8인에 의해 조종되고, 런던과 리즈 두 항구 사이를 항행하는 선박은, 거의 동일한 시간에 200톤의 화물을 싣고 왕복하는 수가 많다. 그러므로 이 6명 내지 8명은 수운의 도움에 의해서 동일 시간에 100명의 마차꾼이 타고

400마리의 말이 끄는 50대의 수레바퀴 넓은 대형 마차가 실어나르는 것과 같은 양의 화물을 싣고 런던과 에든버러 간을 왕복할 수 있는 셈이다.[34] 따라서 런던에서 에든버러까지 가장 값싼 육운에 의하여 운반되는 200톤의 화물에는, 100명의 3주간 동안의 유지비와 400마리의 말과, 50대의 대형마차의 유지비 및 이것과 거의 동등한 소모비가 들지 않을 수 없다. 그런데 수운에 의하여 운송되는 같은 양의 화물에는 6명 내지 8명의 유지비와 적재량 200톤의 선박의 소모비와 고위험률의 가치, 즉 육운과 수운의 보험료의 차액이 드는 데 불과하다. 그러므로 만일 이 두 지역 간에 육운 이외의 교통이 없었다면 그 중량에 비해 가격이 대단히 비싼 화물을 제외하고는, 어떤 화물도 한 지방에서 다른 지방으로 운송될 수 없었을 것이므로, 두 지방은 현재 두 지역 사이에 존속하고 있는[35] 작은 부분의 상업밖에 할 수 없었을 것이다. 그러므로 현재 그들이 서로의 산업에 제공하고 있는 자극의 일부분밖에 줄 수 없었을 것이다. 그리고 세계의 원격 지방 간에는 어떤 종류의 방법도 거의 존재할 수 없을 것이다. 어떤 화물이 런던과 캘커타 간의 육운의 경비를 부담할 수 있었겠는가?[36] 아니면 만일 이 경비를 감당할 수 있을 만큼 귀중한 화물이 있었다 하더라도[37] 그렇게 많은 야만 민족의 영토를 통과하는 데 무슨 수단으로 안전하게 그 화물이 운송될 수 있었을까? 그러나 이 두 도시는 현재 서로[38] 상당히 많은 상업을 행하고 있으며, 서로가 시

34 〔해로에 의한 수송의 우월성은 《Lectures》, 172면에 나온 것보다 훨씬 적으나, 그래도 역시 과장된 것 같다. 윌리엄 플레이페어William Playfair(편), 《Wealth of Nations》(1805), 제1권, 29면에는 상기한 종류의 대형마차는 8톤을 운반할 수 있었다고 하고 있다. 그러나 물론 30년 동안에 도로가 개선되었음을 참고하지 않을 수 없다.〕

35 〔"현재 두 지역 간에 존속하고 있는"은 초판에서는 "현재 두 지역 간에 행해지고 있는"으로 돼 있다.〕

36 〔윌리엄 플레이페어(편), 《Wealth of Nations》(1805), 제1권, 30면은 출항과 귀항을 평균하면, 해로로서는, 런던에서 캘커타Calcutta 간의 화물은, 육로로서의 런던과 리즈Leeds 간의 화물과 동일한 가격(1헌드레드웨이트당當 12실링)으로 운반되었다고 한다.〕

37 〔초판에서는 원문이 "if there were" 대신에 "if there was"로 되어 있다.〕

38 〔초판에서는 "다 함께"로 되어 있다.〕

장을 제공함으로써 서로의 산업에 상당한 자극을 주고 있다.

그러므로 여러 가지 개선이 처음 이룩된 것도, 해안 지대 또는 항해 가능한 하천부터였으며,

수운의 이익이 이러했으므로 기술과 산업에 관한 최초의 개선이 이러한 편의에 의해서 모든 부류의 노동생산물의 시장이 전 세계에 개방되어 있는 곳에서 이루어졌으며, 언제나 훨씬 뒤에 그 나라의 내륙지방으로 퍼져 갔으리라는 것은 당연하다. 그 나라의 내륙 여러 지방은 그들과 해안과 항행 가능한 대大하천을 격리하고 있어서 그들을 둘러싸고 있는 지방 이외에는 오랫동안 그들의 재화의 대부분을 위한 시장을 가질 수 없었다. 그러므로 내륙지방의 시장의 크기는 오랫동안 그 주변의 지방의 부와 인구밀도에 비례하지 않을 수 없으며, 따라서 개선도 언제나 그 주변의 지방의 개선에 뒤따르지 않을 수 없다. 우리의 북아메리카의 식민지들에서도, 플랜테이션 농업은 으레 해안이나 항해 가능 하천의 둑을 좇아서 행해졌으며, 그러한 곳에서 상당히 먼 거리에까지 확대된 것은 거의 어떤 곳도 없었다.

이를테면 지중해 연안에 있어서의 고대 제국 사이에서 그 예를 볼 수 있다.

가장 신뢰할 만한 역사에 의하면 최초로 문명화했다고 생각되는 나라들은 지중해 연안을 따라 거주했던 나라들이었다. 지중해는 최대의 만으로서 세계에 알려져 있으며, 조수의 간만이 없고, 따라서 바람이 일으키는 이외의 파도[39]도 없는 이 바다는, 해면이 잔잔하고, 수많은 섬들이 있다는 것, 그리고 이웃하고 있는 해안이 가깝다는 것 때문에 당시의 유치한 수준의 항해술에는 지극히 유리했다. 그 당시의 사람들은 나침반을 몰랐기 때문에, 해안선을 놓쳐서 보이지 않게 되는 것을 두려워했으며, 또한 조선술도 불완전했기 때문에, 대양의 거친 파도에 몸을 맡기는 것도 두려워했다. 헤라클레스의 물기둥을 넘어간다는 것, 즉 지

39 〔이것은 조수가 파도를 일으킬 수 있는 능력이 있다고 하는 기묘한 확신을 설명해 준다.〕

브롤터 해협에서 외양外洋으로 출항한다는 것은, 고대 세계에서는 오랫동안 가장 놀라우며 가장 위험한 항해상의 위업이라고 생각되어 왔다. 그 옛 시대에 가장 기술 있는 항해자이며 조선 기술자였던 페니키아인과 카르타고인까지도 그것을 시도한 것은 훨씬 뒤의 일이었으며, 더구나 그 후 오랫동안 그들은 감히 그것을 시도했던 유일한 국민이었다.

개선은 초기에 이집트에서 일어났으며,

지중해 연안에 있는 모든 국가 가운데에서 이집트는 농업 또는 제조업이 발전되고 상당히 개선된 최초의 국가였던 것 같다. 상부 이집트에서는 나일강에서 수 마일 이상 확장된 곳은 어디에도 없는데, 하부 이집트에서는 그 대하천이 다수의 수로[40]로 갈리고, 또 이 수로는 초보적인 기술의 도움을 받아 대도시 사이뿐만 아니라 모든 중요한 마을들 사이에 그리고 농촌의 많은 농가들 사이에 이르기까지 수운에 의한 교통을 제공하고 있었던 것 같다. 마치 현재 네덜란드에서 라인강과 마스강이 하고 있는 것과 같은 방법으로. 이러한 내륙 항행이 넓고 쉽게 된 것이 이집트의 초기의 개선을 가져온 주요 원인의 하나였었다.

벵골과 중국에서 일어났으나,

농업과 제조업에 있어서의 개선은 동인도의 벵골Bengal 각 주와, 중국의 몇몇 동부 성들에서도 마찬가지로 태곳적부터 있었던 것 같다. 그렇지만 이러한 태고의 대영역에 관하여는 세계의 한 구석에 있는 우리가 그 권위를 충분히 확신하고 있는 어떤 역사에 의해서도 확인되어 있지 않다. 벵골에서는 갠지스강과 기타 몇 개의 큰 강이 이집트의 나일강이 하고 있는 것과 같은 방법으로 수많은 항해 가능 수로를 형성하고 있다.[41] 중국의 동부성들에서도 몇 개의 큰 강이 그의 여

40 〔이 말이 특히 인공 운하에 적용되었던 것은 겨우 최근에 지나지 않는다. 제임스 머레이 James Murray, 《옥스포드 영어사전Oxford English Dictionary》의 그 항을 보라.〕

41 〔"수많은 항해 가능 수로를 형성하고 있다"가 초판에서는 "수많은 수로로 갈라져 있다"로 되

러 갈래의 지류에 의해, 수많은 수로를 형성하고 그들 서로를 연결함으로써 나일강 또는 갠지스강의 어느 것보다도, 아니 그 두 강을 한데 합한 것보다 훨씬 더 광대한 내륙 항행을 가능케 한다. 고대 이집트인도, 인도인도, 또한 중국인도 외국상업을 장려하지는 않았다. 그들의 거대한 부유를 이 내륙 항행에서 획득했다는 것은 주목할 만한 것이다.

반면 아프리카 · 타타르 · 시베리아 · 바바리아 · 오스트리아 · 헝가리는 뒤떨어져 있다.

아프리카의 모든 내륙지방과 흑해와 카스피해 북방의 상당히 떨어진 곳에 놓여 있는 아시아의 내륙지방, 즉 고대 스키티아, 근대 타타르 및 시베리아는 옛날이나 지금이나 우리가 현재에 목격하는 것과 마찬가지로 야만적이며 미개한 상태에 놓여 있었던 것으로 생각된다. 타타르의 바다는 항해를 허용하지 않는 얼어붙은 대양이며, 세계에서 최대의 하천의 어떤 것이 이 지방을 관류하고 있지만[42] 그것은 상호 간의 거리가 너무 멀기 때문에, 이 지방의 대부분을 통하여 상업을 해 나갈 교통을 가지지 못한다. 아프리카에는, 유럽에서의 발트해海와 아드리아, 유럽과 아시아에 있어서의 지중해 및 흑해, 아시아에 있어서 아라비아만灣·페르시아만·인도만·벵골만·샴만처럼 그 대륙의 내부 여러 지방에까지 해상 상업을 끌어들일 만한 큰 내해가 전혀 없으며, 아프리카의 큰 호수들은 그들 상호 간의 거리가 너무 떨어져 있어, 이렇다 할 내륙 항행을 일으킬 수 없다. 그뿐 아니라 어떤 국민이 다수의 지류나 수로로 갈라지지 않고 또 그것이 바다에 도달하기 전에 외국의 영토로 흘러들어가는 그러한 하천에 의하여 행할 수 있는 상업은 결코 크게 발전할 수는 없다. 왜냐하면 상류 지방의 국가와 바다 사이의 교통을 방해하는 것은 으레 그러한 영토를 영유하는 여러 나라의 권한이

어 있다.〕

42 〔참으로 어려운 것은 그들 하천의 하구가 북극해에 있어서 그들 서로가 떨어져 있다는 점이다. 시베리아 철도의 목적의 하나는 그러한 하천을 연결하는 데 있다.〕

기 때문이다. 다뉴브 강의 항행이, 바바리아, 오스트리아, 헝가리 같은 여러 국가에 대하여 유용한 정도는, 만일 그 강들 가운데 어느 것[43]이 흑해에 들어가기까지의 전체 수로를 어느 한 나라가 영유하게 될 경우 있을 수 있는 정도에 비한다면 극히 적은 것이다.[44]

제4장 화폐의 기원 및 사용에 관하여

분업이 확립되면 모든 사람은 교환에 의하여 생활한다.

분업이 일단 철저하게 확립되면 자기 자신의 노동의 생산물로써 충족할 수 있는 것은 인간의 욕망 가운데 극히 적은 부분에 지나지 않는다. 그는 자기 자신의 노동의 생산물의 잉여 부분, 즉 자기 자신의 소비를 넘어서 남는 부분을 자기가 필요로 하는 다른 사람들의 노동의 생산물의 잉여분과 교환함으로써, 그 욕망의 훨씬 더 많은 부분을 충족한다. 이리하여 모든 사람은 교환하는 것에 의해서 생활하거나 또는 어느 정도 상인이 되는 것이다. 따라서 사회 그 자체도 마땅히 하나의 상업사회로 성장해 가는 것이다.

물물교환의 어려움은 하나의 상품을 화폐로서 선정케 했으니,

그러나 분업이 처음 일어나기 시작했을 때는 이 교환 능력의 작은 흔히 많은 방해를 받고 곤란을 당했을 것에 틀림없다. 어떤 사람은 어떤 상품을 자기 자신이 필요로 하고 있는 것보다 더 많이 소유하고 있는데, 다른 한 사람은 자기의 필요량보다 적게 소유하고 있다고 가정하자. 그 결과 전자는 이 잉여분의 일부를 기꺼이 처분하고자 할 것이며, 후자는 구매하고자 할 것이다. 그런데 만일 후자는 전자가 필요로 하는 것을 하나도 갖고 있지 않다면 그들간에는 교환이 이루

43 〔"어느 것이"가 초판에서는 "어느 일국一國이"로 되어 있다.〕

44 〔본서에 일치하는 장구章句는 《Lectures》, 172면에 있는 한 문단 안에 포함되어 있다.〕

어질 수 없을 것이다. 푸줏간 주인은 자기 자신이 소비할 수 있는 것보다 더 많은 고기를 자기의 푸줏간에 가지고 있고, 양조장 주인과 빵가게 주인은 각기 고기의 일부분을 구매하고자 한다. 그러나 그들은 저마다의 직업의 생산물 이외에는 교환에 내어 놓을 만한 것을 아무것도 갖고 있지 않는데, 푸줏간 주인은 자기가 당장 필요로 하는 빵과 맥주를 이미 다 준비해 두고 있다. 이런 경우에는 그들 사이에 어떠한 교환도 이루어질 수 없는 것이다. 그는 그들의 상인이 되지 못하며 그들은 그의 고객이 될 수도 없다. 그리하여 그들은 모두가 서로서로 별로 도움이 되지 못하게 된다. 이러한 사태의 불편을 피하기 위해서 분업이 처음 확립된 뒤에, 어느 사회에서나 신중한 사람은 누구나가 자기 자신의 근로로써 생긴 특유한 생산물 이외에 아무도 그들의 근로의 생산물과 교환하기를 거부할 사람이 없을 것이라고 생각하는 일정량의 어떤 상품을 언제나 그의 수중에 지니고 있는 방법으로써, 자기의 당면 문제를 처리하려고 자연 노력했을 것은 틀림없다.[45]

예로서 가축 · 소금 · 조개껍데기 · 대구 · 담배 · 설탕 · 가죽 · 못을 들 수 있다.

이 목적을 위해서 아마도 많은 여러 가지 상품들이 잇달아 착상되었으며, 또 사용되기도 했을 것이다. 미개 시대의 사회에서는 가축이 상품의 일반적인 용구였다고 한다. 그리고 비록 그들은 가장 불편한 것이었음에는 틀림없으나, 그래도 옛날에는 모든 상품은 이 상품들과 교환으로 주어졌던 가축의 수에 따라 평가되고 있었다는 것을 우리는 알고 있다. 호머는 말하기를, 디오메데스의 갑옷은 겨우 황소 아홉 마리 가치밖에 들지 않았는데, 글라우쿠스의 그것은 황소 100마리나 들었다[46]고 했다. 아비시니아에서는 소금이,[47]인도의 해안의 어떤 지방에

45 〔이 문단은 해리스Harris, 《Essay upon Money and Coins》, 제1부, 제19~20항과 아주 비슷한 데가 있다.〕

46 〔《일리아드Iliad》, 제4권, 236행. 동일한 목적으로 이것을 인용하고 있는 것에는 플리니우스Pliny, 《박물지Hist. Nat.》, 제33권, 제1장 ; 사무엘 프펜도르프Samuel Pufendorf, 《자연법과 만민법De jure naturœ et gentium》, 제5권, 제5장, 제1항 ; 스티븐 리크Stephen Martin Leake,

서는 어떤 종류의 조개껍데기가, 뉴펀들랜드에서는 말린 대구가, 버지니아에서는 담배가,[48] 우리의 서인도 식민지에서는 설탕이, 또 어떤 다른 국가에서는 생파 또는 가공된 가죽이 상업과 교환의 도구라고들 한다. 그리고 오늘날에도 스코틀랜드의 어떤 마을에서는 직공이 화폐 대신에 못을 가지고 빵가게와 주점에 가는 일이 흔히 있다고도 한다.[49]

결국 금속이 뽑혔는데 그 이유는 내구적이고 분할할 수 있다는 데 있었다.

그러나 모든 국가에서 사람들은 불가항력적인 이유에 의해, 마침내 모든 다른 상품을 제쳐 놓고 금속류를 택해 그것을 사용하기로 결정했던 것 같다.[50] 금속은 다른 어떤 상품에 못지않을 만큼 적은 손실로써 보존될 수 있고, 이만큼 잘 부패하지 않는 물품도 없을뿐더러, 조금의 손실도 없이 임의로 수개의 부분으

《Historical Account of English Money》, 제2판(1745), 4면 등 기타가 있다.〕

47 〔몽테스키외Montesquieu, 《법의 정신Esprit des lois》, 제22편, 제1장, 주註.〕

48 〔윌리엄 더글라스William Douglass, 《A Summary Historical and Political of the First Planting, Progressive Improvements and Present State of the British Settlements in North America》(1760), 제2권, 364면. 워싱턴의 어떤 사법관의 수수료는 1888년에도 여전히 담배로 계산되었다. －J.J. 랄로J.J. Lalor, 《Cyclopœdia of Political Science》(1888), 'Money' 항, 879면.〕

49 〔플레이페어(편), 《Wealth of Nations》(1805), 제1권, 36면은 이것에 관한 설명을 하기를, 도매상은 못 제조자들에게 재료를 공급하고, 그들이 일하고 있는 동안 그들에게 빵과 치즈 및 잡화를 구입할 수 있는 신용을 준다. 그러면 그들은 철이 손질되어 못이 되었을 때, 그 못으로써 그 대가를 지불한다라고 했다. 그다음 문단의 첫머리에서는 못이 쇠붙이라는 사실을 잊어버리고 있다.〕

50 〔이러한 이유에 관한 비교적 초기의 여러 원론에 관해서는 다음 책들을 보라. 휴고 그로티우스Hugo Grotius, 《전쟁과 평화의 법De jure belli, et pacis》, 제2권, 제12장, 제17항 ; 푸펜도르프, 《자연법과 만민법De jure naturœ et gentium》, 제5권, 제1장, 제13항 ; 존 로크Locke, 《Some Considerations》, 제2판(1696), 31면 ; 존 로JohnLaw, 《Money and Trade》(1705), 제1장 ; 허치슨Hutcheson, 《도덕철학체계》(1755), 제2권, 55~56면 ; 몽테스키외Montesquieu, 《법의 정신》, 제22편, 제2장 ; 리차드 캔틸런Richard Cantillon, 《Essai surla Nature du Commerce en général》(1755), 153, 355~357면 ; 해리스Harris, 《Essay upon Money and Coins》, 제1부, 22~27, 55~56항. 《Lectures》, 182~185면을 비교 참조하라.〕

로 분할할 수 있으며, 용해에 의해 그 부분들을 쉽게 재결합할 수도 있다. 이런 성질이야말로 동등하게 내구적인 다른 어떤 상품도 갖고 있지 않는 것이며, 다른 어떤 성질보다도 그를 상업과 유통의 용구에 더 적합한 것으로 만들었던 것이다. 예를 들면 소금을 구매하고자 하는 사람이 그 소금과 교환하는 데 가축 이외엔 줄 것이 전혀 없었다면, 그는 한 번에 한 마리의 황소, 또는 한 마리의 양의 가치만큼의 소금을 사들이지 않을 수 없었을 것이다. 그는 이보다도 더 적은 양의 소금을 구매할 수는 거의 없을 것이다. 왜냐하면 그가 소금의 대가로서 주려고 했던 것은 손실 없인 결코 분할될 수 없는 것이었기 때문이다. 그리고 만일 그가 그보다 더 많이 구매하고 싶은 생각이 있었다면, 같은 이유에서, 그는 두 배 또는 세 배의 양, 즉 두 마리 내지 세 마리의 황소, 또는 두 마리 내지 세 마리의 양의 가치만큼의 소금을 구매하지 않을 수 없었을 것이다. 이와 반대로 만일 그가 양이나 소 대신에 소금과 교환하는 데 줄 수 있는 금속류를 가지고 있었다면 그는 그 금속의 양을 지금 당장 필요로 하는 상품의 정확한 양에 쉽사리 비례시킬 수 있었을 것이다.

철 · 동 · 금 · 은이,

여러 가지 금속이 여러 국민에 의해서 이 목적에 사용되어 왔다. 철은 고대 스파르타인들의 상업의 공통의 용구였으며, 동은 고대 로마인들에, 그리고 금과 은은 모든 부유한 상업 국민들 사이에서 그러했다.

처음에는 각인이 되지 않은 막대기 모양 그대로 사용되었다가,

이들 금속은 본래 각인도 되지 않고 주조도 되지 않은 가공되지 않은 막대기로서, 이 목적을 위해 사용되고 있었던 것 같다. 따라서 플리니우스Pliny[51]가 고대

51 플리니우스, 《박물지》. 제33권, 제3장. ("세르비우스 왕이 처음 동화銅貨를 지정했다. 그 이전에는 로마의 티미우스가 동막대기를 받고 필요품을 주었다(Servius rex primus signavit aes. Antea rudi usos Romæ Timæus tradit)." 초판에는 "고대의 역사가 티미우스를 전거典據로 하여"가 "고대의 역사가 레메우스 모某(one Remeus)를 전거典據로 해서"라고 되어 있다. 제임스

의 역사가 티미우스Timæus를 전거로 해서 말한 바에 의하면, 세르비우스 툴리우스Servius Tullius의 시대까지 로마인은 주조된 화폐를 전혀 가지지 않았으며, 필요로 하는 어떤 물품을 구매하는 데도 각인을 하지 않은 구리 덩어리를 사용하고 있었다고 한다. 그러므로 그 시대에는 이러한 가공되지 않은 막대기가 화폐의 기능을 했다고 하겠다.

그 후에 중량과 순도를 표시하기 위해 각인刻印을 하게 되었으며,

이러한 가공되지 않은 상태로 금속을 사용하는 것에는 두 가지 극히 중대한 불편이 따랐다. 즉, 첫째 저울질이[52] 번잡하다는 것에서, 그리고 둘째 그들을 시금試金하는 데도 그러하다[53]는 것에서이다. 귀금속에 있어서는 그 분량에 조금의 차이가 있어도 가치에 커다란 차이를 만들기 때문에 상당히 정확성을 지니고 있는 계량 업무마저도, 적어도 대단히 정확한 분동과 형기를 필요로 한다. 특히 금의 형량은 대단히 정밀을 요하는 작업이다. 비교적 나쁜 금속에 있어서는 사실상 근소한 오차가 있더라도 별로 중요하지 않으므로, 틀림없이 그렇게 정확성을 필요로 하지는 않을 것이다. 그렇지만 만일 가난한 사람이 1파딩farthing의 가치밖에 안 되는 재화를 매매할 필요가 있을 때, 그때마다 그 파딩을 저울질하지 않을 수 없다면, 우리는 그것이 얼마나 엄청나게 성가신 것인가를 알게 될 것이다. 시금하는 작업은 더욱더 어렵고, 더욱더 지루하며, 금속의 일부분을 도가니에 넣어 적당한 용제熔劑와 함께 완전히 용해하지 않는 한, 그 저울질에서 나올 수 있는 결론이란 아무래도 극히 불확실하다. 그러나 주화제도鑄貨制度 이전에는 이 지루하고 어려운 작업을 거치지 않는 한, 사람들은 언제나 가장 심한 사기와 협잡을 당하기 일쑤였음은 틀림없으며, 그들의 재화를 교환함에 있어서 그

보너James Bonar의 《애덤 스미스 장서목록A Catalogue of the Library of Adam Smith》(1894), 87면과 비교하라. 초판에는 이 주註가 없다.〕

52 〔초판에는 "그것들을 저울질하는 것"이라고 되어 있다.〕

53 〔"그러하다"는 초판에서는 "번잡하다"로 되어 있다.〕

러한 중량 1파운드의 순은 또는 순동 대신에 그 외관은 그러한 금속과 비슷하게 만들어진 가장 조악하고 값싼 재료들로 섞어진 혼합물을 받을지도 모른다. 개선의 상당한 진전을 보게 된 모든 국가에서는 이러한 폐해를 방지하고, 교환을 촉진시키고, 나아가서는 모든 종류의 산업과 상업을 장려하기 위해서, 이러한 국가에서 재화를 구입하는 데 보통 사용되고 있었던 특정의 금속류의 일정량에 공적인 각인을 할 필요가 있다는 것을 알게 되었다. 이것이 조화의 기원이며, 조폐국이라고 불리는 관세의 기원[54]이며, 이러한 제도는 모직물과 아마포에 관한 모직물 검사관과 아마포 검사관의 제도와 정확하게 동일한 성질의 제도[55]이다. 그러한 제도들은 모두가 여러 가지 상품이 시장에 보내졌을 때 공적인 각인에 의해서 그 분량을 그리고 균일한 품질을 확인하기 위해 꾀해진 것이다.

순분도純分度를 표시하는 각인이 최초로 도입되었고,

유통하는 금속에 최초로 이런 종류의 각인이 찍혀졌던 것은, 그것을 확인하는 것이 가장 어렵고 동시에 가장 중요한 금속의 양질성 또는 순분도를 확인하려는 의도에서였다고 생각된다. 그리고 그러한 각인은 현재 판은板銀과 봉은棒銀에 찍혀져 있는 순도 기표記標, 또는 이따금 금덩어리에 찍혀지는 스페인식 기표에 유사한 것이었던 것 같다. 이 스페인식 기표는 쇠붙이의 한쪽 면에만 찍혀지고 전면을 다 덮어 씌우지는 아니한 것으로서, 그 금속의 순도는 확인하지만 그 중량

54 〔아리스토텔레스, 《정치학Politics》, 1257a, 38~41면. 이것은 푸펜도르프, 《자연법과 만민법》, 제5권, 제1장, 제12항에 인용되어 있다.〕

55 〔잉글랜드에서는 모직물 검사관은 에드워드 3세 제25년 제4회의 제정 법률 제1호에 의해서 모직물을 검척檢尺했다. 존 스미스John Smith, 《Chronicon Rusticum-Commerciable of Memoirs of Wool》(1747), 제1권, 37면을 보라. "근년 아마포의 제직에 있어서……그 길이와 폭과 실뽑기의 불균등에 관해서 여러 가지 폐해와 사술詐術이 이용되었으며, 그 때문에 국내나 해외 여러 지방에서 이상의 아마포의 대대적인 품질 저하와 가격을 싸게 매기는 경향이 생기게 되었다. 이러한 여러 가지 폐해와 사술을 방지하기 위하여 앤 여왕 제10년 법률 제21호에 의하여 스코틀랜드의 아마포 제직 지방에서는 아마포 검사관이 임명되었다."-《The Statutes of the Realm》, 제9권, 682면.〕

을 확인하지는 않는다. 아브라함은 막벨라 평야의 대가로서 지불하기로 동의했던 400세겔shekels의 은을 에브론Ephron에게 달아 주었다.[56] 이러한 은은 상인의 유통화폐였다고 하고 있으나, 오늘날 금괴와 봉은이 그러한 것과 마찬가지로 중량에 따라 수수收受되었으며, 개수에 따라 수수되지는 않았다. 잉글랜드의 고대 색슨의 왕들의 수입은 화폐가 아닌 현물, 즉 모든 종류의 식물과 식료품으로써 지불받고 있었다. 정복왕 윌리엄은 그것을 화폐로 지불하는 관습을 도입했다.[57] 그러나 이 화폐는 오랫동안 중량에 의해서 국고에 받아들여졌으며 개수個數에 의하지는 아니했다.[58]

후에 이르러 중량을 표시하는 주화제도가 도입되었다.

그들 금속을 정확하게 저울질하는 것이 불편하고 곤란하기 때문에 주화제도가 발생했으며, 주화편鑄貨片의 양면 전부, 때로는 그 가장자리까지 덮는 각인은 그 금속의 순도뿐만 아니라 중량까지 확인하는 것이라고 생각되었다. 그러므로 이러한 주화는 저울질이라는 성가신 일없이 현재와 같이 개수에 따라 받아들여졌던 것이다.

주화의 명칭은 본래 그 주화들의 중량을 표현하는 것이었다.

이러한 주화의 명칭은 본래 그것에 함유되어 있는 금속의 중량 또는 분량을 표현했던 것 같다. 로마에서 처음으로 화폐를 주조한 세르비우스 툴리우스 시대에, 로마의 아스 또는 폰도(Roman As or Pondo)는 1로마파운드의 순동을 함유하고 있었다. 그것은 우리의 트로이파운드Troyes Pound와 마찬가지로 12온스로 분

56 〔〈창세기〉 23장 16절.〕

57 〔"윌리엄 1세는 자기의 전사들의 봉급 지급을 개선하기 위해서, 그 당시까지 대부분은 식물로써 지불되고 있었던 현물지대現物地代(firmes)를 금납(in pecuniam numeratam)으로 바꾸게 했다." – 윌리엄 론디스William Lowndes, 《A Report containing an Essay for the Amendment of the Silver Coins》(1695), 4면. 애덤 스미스가 이따금 따랐던 흄은 이러한 불합리한 설명은 하지 않았다. 《History》(1773), 제1권, 225~226면.〕

58 〔론디스Lowndes, 《Essay》, 4면.〕

할되고, 그 하나하나는 정미正味 1온스의 순동을 함유하고 있었다. 에드워드 1세 시대의 잉글랜드의 파운드스털링Pound sterling은, 타워 형衡(Tower weight)으로서 1파운드의 일정 순도의 은을 함유하고 있었다. 타워파운드는 로마파운드보다 약간 더 무거웠던 것 같으며, 트로이파운드보다는 약간 가벼웠던 것이라고 생각된다. 이 마지막 것은 헨리 8세 제18년까지는 잉글랜드의 조폐국에 도입되지 않았다. 프랑스의 리브르livre는 샤를마뉴의 시대에 트로이 형衡으로서 1파운드의 일정 순도의 은을 함유하고 있었다. 샹페인에 있는 트로이의 정기시定期市는 그 당시 유럽의 모든 국민이 항상 드나들었으니, 그렇게도 유명한 시장에서의 중량과 척도는 일반적으로 알려지게 되고 또 존중되었던 것이다. 스코틀랜드의 화폐 파운드는 알렉산더 1세 시대에서 로버트 브루스Robert Bruce의 시대까지 잉글랜드의 파운드스털링과 동일 중량 및 순도의 은 1파운드를 함유하고 있었다. 잉글랜드·프랑스·스코틀랜드의 페니도 역시 본래 모두가 정미 1페니웨이트Pennyweight의 은, 즉 정미 1온스의 20분의 1, 또는 1파운드의 240분의 1의 은을 함유하고 있었다. 실링 역시 본래 중량을 표시하는 명칭이었던 것 같다. 헨리 3세의 어떤 오래된 법령에는 "소맥(밀)이 쿼터quarter에 12실링일 경우에 1파딩의 극상極上의 빵은 11실링 4펜스의 중량이 나가야 한다"[59]라고 되어 있다. 그러나 한편으로 실링과 페니 사이의 비율과, 또 한편으로는 실링과 파운드 사이의 비율은, 페니와 파운드 사이의 비율만큼 항상 불변의 것은 아니었다고 생각된다. 프랑스의 최초의 왕통 기간王統期間 동안에, 프랑스의 수sou, 즉 실링은 시기에 따라서 5, 12, 20, 40페니[60]를 포함하고 있었던 것 같다. 고대 색슨인들

59 〔헨리 3세 제51년의 '빵 및 맥주에 관한 공정 가격량'은 정밀한 가격표를 내세워 그 첫머리에서 "소맥 1쿼터가 12펜스로 팔릴 때는, 1파딩의 극상의 빵은 6파운드 16실링의 중량이 나가지 않으면 안 된다"라고 하고, 앞의 본문에 인용된 숫자에까지 이르렀다. 이 법령은 해리스Harris, 《Essay upon Money and Coins》, 제1부, 제29항과 동일한 목적으로 마틴 포크스Martin Folkes, 《Table of English Silver Coins》에서 이 중 인용되어 있다. 그러나 해리스는 가격표 가운데에서 페니를 중량이라고 할 만한 정도에까지 이르지는 않았다.〕

60 〔초판에는 "20, 40, 48페니로 되어 있다." 저메인 가르니에Germain Garnirer, 《Recherches sur la nature et les causes de la richesse des nations, par Adam Smith》(1802), 제5권, 55

사이에서는 1실링이 한때는 겨우 5페니밖에 포함하지 않았던 것 같으며,[61] 그들의 이웃 나라 사람들인 고대 프랑크인들 사이에 그러했듯이, 그들 사이에서도 변동했으리라는 것은 있을 법한 일이다. 샤를마뉴 시대 이후의 프랑스[62]인들 사이에서, 그리고 정복왕 윌리엄 시대 이후의 잉글랜드인들 사이에서는,[63] 파운드·실링·페니 상호 간의 비율이 현재와 마찬가지로 한결같이 동일했던 것 같지만, 그 각각의 가치는 아주 달랐다고 생각된다. 왜냐하면 세계의 어느 지방에서나 군주와 주권국가의 탐욕과 부정은, 그들의 신민의 신임을 악용하여 그들의 주화가 본래 함유하고 있었던 금속의 정미의 분량을 점차 감소시켰기 때문이라고 생각된다. 로마의 아스는 공화국의 말년에는 그 본래의 가치의 24분의 1로 감소되었으며, 1파운드의 무게가 나가기는커녕 겨우 반 온스의 중량밖에 나가지 않게 되었다.[64] 잉글랜드의 파운드와 페니는 현재는 그 본래의 가치의 약 3분의 1밖에 함유하지 않고 있으며, 스코틀랜드의 파운드와 페니는 약 36분의 1, 그리고 프랑스의 파운드와 페니는 약 66분의 1밖에 함유하고 있지 않다.[65] 이러한 조작을 했던 군주와 주권국가는 이러한 조작에 의해서, 그렇게 하지 않았을 때 필요로 했을지도 모르는 양보다 더 적은 양의 은으로써, 외관상으로 그들의 채무들을 지불하고, 재계약을 이행할 수 있었다. 그것은 외관상으로만 그러했던 것에 지나지 않는다. 왜냐하면 그들의 채권자들은 당연히 자기들에게 지불되어야 할 것의 일부를 실질적으로 사취당하고 있는 것이기 때문이

면은 이 문장에 관한 주에서 "수"는 언제나 12드니에denier였다고 하고 있다.〕

61 〔흄Hume, 《History of England》(1773), 제1권, 226면 ; 윌리엄 플릿우드William Fleetwood, 《Chronicon Preciosum》(1707), 30면. 이러한 문헌은 당시의 1파운드는 48실링이었으며, 따라서 240펜스는 역시 1파운드를 이룩하고 있었을 것이라고 하고 있다.〕

62 〔해리스, 《Essay upon Money and Coins》, 제1부, 제29항.〕

63 〔"이 정복 후 곧 1파운드스털링이 20실링으로 분할되었다고 생각된다."－흄, 《History of England》(1773). 제1권, 227면.〕

64 〔플리니우스, 《박물지》, 제33권, 제3장과 다음의 제2권 416~417면을 보라.〕

65 〔해리스, 《Essay upon Money and Coins》, 제1부, 제30항의 주는 프랑스의 리브르를 그 본래의 가치의 약 70분의 1로 되어 있다.〕

다. 그 국가에 있는 다른 모든 채무자들도 같은 특권을 인정받고 있었으며, 구舊화폐로써 그들이 빌렸던 화폐는 모두 명목상 동일류의 악화된 신新주화로써 지불될 수 있었던 것이다. 그러므로 이러한 조작은 항상 채무자에게는 유리하나, 채권자에게는 파멸적이라는 것이 입증되었다. 그리하여 때로는 큰 사회적 재난에 의해서 일어날 수 있었던 것보다 더 크고 더 보편적인 변혁을 사인私人의 재산 위해 초래했던 것이다.[66]

이리하여 화폐는 모든 문명국에서 상업의 보편적 용구가 된 것이며, 이것을 매개로 하여 모든 종류의 재화가 매매되었든지 또는 서로 교환되었던 것이다.[67]

다음 연구는 어떠한 법칙들이 교환가치를 결정하는가의 문제이다.

재화들을 화폐로써 교환하든지 또는 서로서로 물물교환하든지 간에, 이 교환에 있어서 인간이 자연적으로 준수하는 법칙들이 무엇인가를, 나는 계속 더 검토할 것이다. 이러한 법칙은 재화들의 상대가치 또는 교환가치라고 불릴 수 있는 것을 결정한다.

가치라 함은 교환가치 또는 사용가치 중의 어느 것을 의미한다.

주목할 만한 것은, 가치(value)라고 하는 말은 두 가지 상이한 의미를 가지고 있다는 것이며, 어떤 때는 어느 특정한 물품의 효용을 표현하고, 또 어떤 때는 그

66 〔악화되고 감가減價된 주화의 문제는, 다음의 36, 37, 194면 및 제2권 51~57, 415~418면에서 재론된다. 금과 은이 왜 가장 흔히 사용되는 화폐의 형태가 되었는가 하는 이유 중의 하나는 다음의 172~173면에서 취급되어 있다.〕

67 〔《Lectures》, 182~190면에는 본 장本章에 관한 많은 내용이 있다. 그곳에는 화폐가 "처음에는 가치의 척도로서 다음에는 교역 또는 교환의 매개물로서" 고찰되고 있다. 화폐는 사람들이 자연적으로 일상품一商品에 의거하여 다른 모든 상품의 가치를 비교하게 된다는 사실에 그 기원이 있다고 한다. 일단 이 상품이 선정되었을 때, 그것은 교환의 매개물이 되었다. 본 장에서는, 화폐는 처음부터 교환의 매개물로서 사용되기로 되어 있으며, 가치의 척도로서의 사용은 언급되어 있지 않다. 차장次章에서, 화폐는 상업의 용구 또는 교환의 매개물로서 사용되기 때문에 통속적으로 가치의 척도로서 사용된다는 것을 설명하고 있다.〕

물품을 소유함으로써 따르게 되는, 다른 재화에 대한 구매력을 표현한다. 전자를 '사용가치(value in use)'라고 하며, 후자를 '교환가치(value in exchange)'라고 불러도 좋을 것이다. 최대의 사용가치를 가지고 있는 물품이 교환가치를 거의 또는 전혀 갖고 있지 않을 수도 흔히 있다. 그리고 이와 반대로 최대의 교환가치를 가지고 있는 것이 거의 또는 전혀 사용가치를 가지지 않는 경우도 있다. 물보다 더 유용한 것은 없다. 그러나 그것으로써는 거의 어떤 물품도 구매할 수 없을 것이며, 그것과의 교환으로 거의 어떤 것도 얻을 수 없다. 이와 반대로 다이아몬드는 거의 어떤 사용가치도 갖고 있지 않지만, 그것과의 교환으로 아주 많은 양의 재화를 흔히 얻을 수 있다.[68]

세 가지 문제는,

상품의 교환가치를 규정하는 원리들을 밝히기 위하여 나는 다음 여러 가지 문제를 밝혀 두기로 한다.

(1) 상품들의 실질가격은 어디에 존재하는가.

첫째, 이 교환가치의 실질적 척도는 무엇인가, 다시 말하면 모든 상품의 실질가격(real price)은 어디에 존재하는가 하는 문제이다.

(2) 이 가격의 갖가지 부분은 어떠한 것인가.

둘째, 이 실질가격은 어떤 각가지 부분으로 구성 또는 형성되어 있는가의 문제이다.

68 〔《Lectures》, 157면과 존 로John Law, 《Money and Trade》(1705), 제1장(해리스, 《Essay upon Money and Coins》, 제1부, 제3항은 이를 따랐다)은 물의 가치를 다이아몬드의 가치와 대조시키고 있다. 물이 값싸다는 것은 플라톤Plato, 《에우튀데모스Euthydem》 304B에 의해서 언급된 것이며, 푸펜도르프, 《자연법과 만민법》, 제5권, 제1장, 제6항에 인용되어 있다. 제4항에 관한 장 바르베이라크Jean Barbeyrac의 주註와 비교하라.〕

(3) 시장가격은 왜 이따금 이 가격에서 떨어져 나가는가.

끝으로 가격의 이러한 각가지 부분의 어떤 것, 또는 모두를 때로는 올리고 때로는 그 자연율 또는 통상률(natural or ordinary rate) 이하로 낮추게 하는 여러 가지 사정은 어떤 것인가, 다시 말해서 시장가격, 즉 상품들의 실제 가격(actual price)이 그 상품의 자연가격(natural price)이라고 불릴 수 있는 것과 정확하게 일치하는 것을 막는 여러 가지 원인은 어떤 것인가 하는 문제이다.

이상 세 가지 문제의 답이 다음 세 장(5~7장)에서 논의될 것이다.

나는 이 세 가지 문제를 다음에 나오는 세 장에서 될 수 있는 한 완전하게 그리고 명료하게 설명하려고 노력할 것이다. 인간 생활을 위하여 나는 독자의 인내와 주의를 충심으로 간청해 두지 않을 수 없다. 즉 어떤 곳에서는 쓸데없이 지루하게 느껴질지도 모를 만큼 상세한 설명을 검출하기 위한 인내와, 또 내가 할 수 있는 데까지 충분한 설명을 했는데도 역시 어느 정도 불명료하게 생각될지도 모르는 것을 이해하기 위한 주의를 간청해 두는 바이다. 나는 내가 알고 있는 바를 명확하게 설명하기 위해서는 어느 정도 지루하게 될 위험을 무릅쓸 것이며, 내가 가능한 한 명확성을 꾀하기 위해서 최대한 고심을 다 기울였는데도, 그 자체의 성질이 극히 추상적인 문제[69]에 관해서는, 어느 정도의 불명료함이 남아 있을 것같이 생각된다.

제5장 상품의 실질가격 및 명목가격에 관하여, 즉 상품의 노동가격 및 화폐가격에 관하여

노동은 교환가치의 실질적 척도이며,

모든 사람은 제각기 인간 생활의 필수품·편의품·오락품을 어느 정도로 향유할

69 〔"추상적인 문제"가 초판에는 "추상적으로 되어 있는 문제"라고 되어 있다.〕

수 있느냐에 따라 부유하든가 또는 가난하다.[70] 그러나 분업이 철저하게 일어나고 난 뒤에는, 한 인간이 자기 자신의 노동으로써 그 자신을 충족시킬 수 있는 것은 이런 물품들 가운데 극히 적은 일부분에 지나지 않는다. 그는 그 대부분을 다른 사람들의 노동에서 얻어 오지 않으면 안 된다. 그리하여 그는 자기가 지배할 수 있는 노동의 양, 즉 자기가 구매할 수 있는 노동의 양에 따라서 부유하든가 아니면 가난하다. 그러므로 어떤 상품의 가치는, 그 상품을 소유하고 있으나 그것을 자기 자신이 사용 또는 소비하려 하지 않고, 그것을 다른 상품과 교환하려고 하는 사람에게는, 그 상품이 그로 하여금 구매하거나 지배할 수 있게 해 주는 노동의 양과 같은 것이다. 따라서 노동은 모든 상품의 교환가치의 실질적 척도이다.

모든 물품에 지불되는 최초의 가격이기도 하다.

모든 물품의 실질가격, 즉 모든 물품이 그것을 획득하고 싶은 사람에게 실제로 치르게 하는 것은, 그것을 획득하는 데 드는 노고와 괴로움이다. 그것을 획득하여 처분한다든지, 다른 물품과 교환하기를 원하는 사람에게 대하여 모든 물품이 실제로 얼마만한 가치가 나가는가 하는 것은, 그 물품이 덜어 줄 수 있는 자기 자신의 노고와 괴로움이며, 그 물품이 다른 사람에게 과할 수 있는 노고와 괴로움이기도 하다. 화폐 또는 재화로 구매되는 것은, 우리가 우리 자신의 육체적 노고로써 획득하는 것과 똑같은 분량의 노동에 의해 구매된다.[71] 사실 화폐 또는 재화는 우리들의 이러한 노고를 덜어 주는 셈이다. 화폐 또는 재화는 우리로 하여금 일정량의 노동에서 벗어나게 해 준다. 이러한 화폐와 재화는 일정량의 노동의 가치를 포함하고 있으며, 그때에 우리는 그것으로 똑같은 양의 가치

70 〔부富 그 자체는 식료품, 생활의 편의품 및 오락품 이외의 아무것도 아니다–리차드 캔틸런 Richard Cantillon, 《Essai》, 1~2면.〕

71 〔"세계의 모든 것은 노동에 의해서 구매된다."–흄Hume, 《Political Discourses》(1752)의 〈Of commerce〉, 12면.〕

를 갖고 있다고 생각되는 것과 교환한다. 노동은 최초의 가격, 즉 모든 물품에 지불되었던 본원적인 구매화폐(original purchase-money)였다. 세계의 모든 부가 본원적으로 구매되고 있었던 것은 금 또는 은에 의해서가 아니고 노동에 의해서였으며, 부를 소유하고 있는 사람들, 그리고 그것을 어떤 새로운 생산물과 교환하려고 하는 사람들에게는 그 부의 가치는, 이것이 그 사람들로 하여금 구매 또는 지배하도록 해 주는 노동의 양과 똑같은 것이다.

부富는 노동을 구매하는 힘이다.

홉스Hobbes가 말한 바와 같이 부는 곧 힘이다.[72] 그러나 큰 재산을 획득하거나 상속하는 사람이 반드시 시민적이건 군사적이건 어떤 정치권력을 획득한다거나 상속받을 수는 없다. 아마도 그의 재산은 그에게 그 두 가지를 획득할 수 있는 수단을 제공해 줄 수는 있을 것이다. 그렇다고 해서 그 재산의 단순한 소유가 반드시 그에게, 그들 가운데 어느 한 가지를 얻게 해 준다고는 할 수 없다. 그 소유가 그에게 즉시에 그리고 직접적으로 가져다주는 힘은 구매력, 즉 그 당시 시장에 있는 모든 노동 또는 모든 노동생산물에 대한 일정한 지배력이다. 그의 재산의 대소大小는 이 힘의 크기, 다시 말하면 그 재산으로 그가 구매 또는 지배할 수 있는 다른 사람들의 노동의 양에 비례하거나 또는 같은 뜻이지만, 다른 사람들의 노동생산물의 양에 정확하게 비례한다. 모든 물품의 교환가치는 그 물품이 그 소유자에게 주는 이 힘의 크기와 언제나 정확하게 같은 것임에 틀림없다.[73]

그러나 노동은 측정하기가 곤란하기 때문에 가치는 보통노동에 의하여 평가되지

72 〔"너그러움과 결부되어 있는 부도 또한 힘이다. 왜냐하면 그것은 벗과 하인을 마련해 주기 때문이다. 너그러움과 결부되지 않은 것은 그렇지 못하다. 왜냐하면 이 경우에는 그 부는 사람들을 방위하지 않고, 오히려 사람들을 선망의 희생이 되게 할 따름이기 때문이다."-《리바이어던 Leviathan》, 제1부, 제10장.〕

73 〔이 문단은 〈증보 및 정정〉과 제3판에 처음으로 나온다.〕

않으며,

노동이 모든 상품의 교환가치의 척도이기는 하지만, 상품의 가치는 보통노동에 의하여 평가되지는 않는다. 두 가지 상이한 노동량 사이의 비율을 확정하는 것은 곤란할 때가 많다. 두 가지의 상이한 종류의 일에 소비된 시간만이 반드시 이 비율을 결정한다고는 할 수 없다. 견디어 낸 고난, 발휘된 독창력의 정도를 동시에 계산에 넣지 않으면 안 된다. 한 시간의 힘든 일에는 두 시간의 쉬운 일보다 더 많은 노동이 들었을지도 모른다. 또한 그것을 습득하는 데 10년의 노동이 드는 직업에 대한 한 시간의 응용이, 일상적인 평범한 일에 행해진 1개월의 근로보다도 더 많은 노동이 들 수 있을 것이다. 그러나 고난이나 독창력에 관해서 어떤 정확한 척도를 발견한다는 것도 쉬운 일은 아니다. 실제로 상이한 종류의 노동의 상이한 생산물을 서로 교환할 경우에, 두 가지에 대해서 약간의 참작이 이루어지는 것이 보통이다. 그러나 그 참작은 어떤 정확한 척도에 의해서 되는 것이 아니고, 시장의 가격 흥정에 의해, 즉 비록 정확하지는 않지만 일상생활의 일을 해 나가기에는 충분한 한 어떤 종류의 대체적인 등식(equality)에 따라서 조절되고 있다.[74]

상품은 노동과 교환된다기보다 오히려 다른 상품과 교환될 때가 더 많고,

그뿐 아니라 모든 상품은 노동과 교환되고 또 비교되기보다는, 오히려 다른 상품과 교환되고 비교되는 경우가 더 많다. 그러므로 그 교환가치를 평가하는 데는, 그것이 구매할 수 있는 노동의 양에 의하기보다는 그것이 구매할 수 있는 어떤 다른 상품의 양에 의해서 평가하는 것이 더 자연스럽다. 대부분의 사람들도 역시 노동의 양보다는 특정 상품의 양이 뜻하는 의미를 더 잘 이해한다. 후자는 만져볼 수 있는 물체이고, 전자는 비록 그것을 충분히 이해할 수는 있지만, 아주 자연스럽지도 않고 또 명백하지도 않은 추상적인 관념이다.

74 〔제10장에서 이 문제가 길게 논의되어 있는데, 여기서는 아무런 언급도 하지 않은 것은 이상하다.〕

특히 화폐와 교환되며, 화폐도 이 때문에 가치를 평가하는 데 더 흔히 사용된다.

그러나 물물교환이 없어지고 화폐가 상업의 공통의 도구로 되면, 모든 개개의 상품은 다른 어떤 상품과 교환되기보다 더 빈번하게 화폐와 교환된다. 푸줏간 주인이 빵이나 맥주와 교환하기 위해서, 자기의 쇠고기나 양고기를 빵집 또는 양조장에 가지고 가지는 않을 것이다. 그는 그것을 시장에 가지고 가서, 그곳에서 그것을 화폐와 교환하고, 그 후에 그 화폐를 빵과 맥주와 교환한다. 그가 그 고기의 대가로서 받는 화폐의 양은 그 후에 그가 구매할 수 있는 빵과 맥주의 양을 규정한다. 그러므로 빵과 맥주, 즉 그가 또 하나의 상품의 매개에 의해서만 교환할 수 있는 다른 상품의 양에 의해서라기보다는, 오히려 그가 직접 교환할 수 있는 상품인 화폐의 양에 의해서, 그 상품들의 가치를 평가하는 것이 그에게는 훨씬 더 자연스러우며 명백하다. 그리고 그의 고기 1파운드가 빵 3파운드 또는 4파운드의 가치가 나간다든지, 3쿼트quart 또는 4쿼트의 맥주만큼의 가치가 나간다고 말하기보다는, 오히려 고기 1파운드가 3펜스 또는 4펜스의 가치가 있다고 말하는 것이 더 자연스럽고 분명하다. 그러므로 모든 상품의 교환가치는 그것과 교환으로 얻어지는 노동의 양이나 다른 어떤 상품의 양에 의해서 평가되기보다는 더 빈번하게 화폐의 양에 의해서 평가된다.

그러나 금과 은의 가치는 변동한다. 금은金銀은 노동이 많이 들 때도 있고 노동이 적게 들 때도 있다. 그런데 동등한 노동은 노동자에겐 언제나 동등한 희생을 의미하는 것이다.

그러나 금과 은은 모든 다른 상품과 마찬가지로 그 가치가 변동하여, 때로는 값이 싸고, 어떤 때는 비싸고, 어떤 때는 쉽게 구매할 수 있고, 어떤 때는 구매하기 곤란하다. 어떤 특정량의 금은으로써 구매 또는 지배할 수 있는 노동의 양, 다시 말하면 그것과 교환될 다른 재화의 양은 이러한 교환이 이루어지는 그 시기에 간혹 알려지곤 하는 광산의 부존량賦存量이 많으냐 적느냐에 달려 있다. 아메리카에서 부존량이 풍부한 광산의 발견은 16세기에 유럽의 금은의 가치를 그 이전의 약 3분의 1로 떨어뜨렸다. 이러한 금속은 광산에서 시장으로 운반하는 데 비교적 적은 노동이 들었으므로, 그곳에[75] 운반되었을 때는 그것들이 비교적 적은 노동을 구매 또는 지배할 수밖에 없었을 것이다. 그리고 금은의 가치에 관한 이러한 변혁은 아마 최대의 것이겠지만 역사가 기술하고 있는 유일한 것은 결코 아니다. 그러나 한 걸음, 한 길, 한 줌과 같이 그 자체의 양이 계속 변동하는 양의 척도가 다른 상품들의 양에 대한 정확한 척도가 될 수 없듯이, 그 자체의 가치에 대한 정확한 척도는 결코 될 수 없다. 언제든지 그리고 어떤 곳에서나 등량等量의 노동은 노동자에게는 동등한 가치를 가지는 것이라고 해도 좋을 것이다.[76] 그의 건강·체력·정신이 평상 상태이며, 그의 숙련과 기교가 보통 정도라면,[77] 그는 자기의 안락·자유·행복 가운데에서 그만큼의 부분을 포기하지 않으면 안 되는 셈이다. 그가 지불하는 가격은, 그가 그 대가로서 받아들이는 재화의 양이 어떻든 간에 항상 동일하지 않으면 안 된다. 실제로는 그 노동이 구매할 수 있는 이러한 재화는 어떤 때는 비교적 많을 때도 있고, 때로는 적을 때도 있다. 그러나 변동하는 것은 그 재화들의 가치이지, 그 재화를 구매하는 노동의 가치는 아니다. 언제 어느 곳에서나 그것은 얻기 어려운 것, 또는 그것을 획득하는 데 많은 노동이 드는 것은 값비싸며 쉽게 얻을 수 있는 것, 또는 그것을 얻는 데 노동이 적게 드는 것은 값싸다. 그러므로 그 자체의 가치가 결코 변동하지 않는 노동이야말로 오직 언제 어디서나 모든 상품의 가치가 평가되고 비교될 수 있는 궁극적이며 실질적인 표준이라 하겠다. 노동이야말로 모든 상품의 실질가격이며, 화폐는 그 명목가격에 지나지 않는다.

그럼에도 불구하고 고용주는 노동의 가치는 변동하는 것이라고 생각하고 있다.

그러나 등량의 노동은 노동자에게는 언제나 동등한 가치를 가지는 것이지만 그

75 〔초판에는 "thither"가 "there"로 되어 있다.〕

76 〔"……라고 해도 좋을 것이다"가 초판에는 "……라고 하지 않을 수 없다"라고 되어 있다.〕

77 〔"그의 건강 · 체력 · 정신이……"에서 "보통 정도라면……"까지의 어구는 제2판에서 처음 나온다.〕

를 고용하는 사람에게는, 때로는 비교적 큰, 그리고 때로는 비교적 작은 가치가 있는 것이라고 생각된다. 그는 등량의 노동을 때로는 비교적 다량의, 때로는 비교적 소량의 재화로써 구매한다. 그에게는 노동의 가격이 다른 모든 물품의 가격과 마찬가지로 변동하는 것같이 생각된다. 그에게는 앞의 경우에는 그 가격이 비싸고 뒤의 경우에는 싼 것같이 느껴진다. 그러나 실제로는, 앞의 경우에는 재화가 싸고, 뒤의 경우에는 재화가 비싼 것이다.

그렇게 보면 노동은 실질가격과 명목가격을 가지고 있다.

그러므로 이러한 통속적인 의미로서는 노동도 다른 상품들과 마찬가지로 실질가격과 명목가격을 가지고 있다고 해도 좋을 것이다. 실질가격은 그것과 교환으로 주어지는 생활필수품과 편의품의 양으로 되어 있고, 명목가격은 화폐의 양으로 되어 있다고 해도 좋겠다. 노동자가 부유한가 가난한가, 그 보수가 충분한가 불충분한가 하는 것은 그 노동의 실질가격에 비례하는 것이지 명목가격에 비례하는 것이 아니다.

실질가격과 명목가격을 구별하는 것은 때에 따라서는 실용적인데,

상품과 노동의 실질가격과 명목가격을 구별하는 것은 단순한 이론의 문제만은 아니고, 어떤 때는 상당히 실용적인 것이기도 하다. 동일의 실질가격은 항상 동일한 가치이지만 금과 은의 가치가 변동하기 때문에 동일한 명목가격은 때로는 대단히 상이한 가치일 수도 있다. 따라서 토지재산이 영구지대永久地代(perpetual rent)를 유보 조건으로 하여 매각될 때, 만일 이 지대가 언제나 동일한 가치를 갖도록 하려면, 그 지대를 유보해 받는 가족을 위해서 중요한 것은, 그것이 특정액의 화폐로 되어 있지 않도록 해 둔다는 것이다.[78] 그 가치는 이 경우에 두 가지

78 ("비록 그것이 현재로서는 대단히 탐나는 흥정이라고 생각되더라도 당신은 당신에게 돌아갈 곡물과 교환으로 일정한 화폐가격을 받기로 하는 장기에 걸친 타협, 또는 협약을 어떻게 맺을 것인가에 관하여는 무엇보다도 주의해야 한다."—윌리엄 플릿우드William Fleetwood, 《Chronicon Preciosum》, 174면.)

상이한 종류의 변동을 면할 수 없을 것이다. 첫째 동일 명칭의 주화에 함유되어 있는 금은의 양이 여러 시대에 따라 달라지는 데서 생기는 변동이며, 둘째는 등량의 금은의 가치도 시대에 따라서 달라진다는 것에서 생기는 변동이다.

그 이유는 주화에 들어 있는 금속의 양이 감소하는 경향이 있고,

군주와 독립국은 흔히들 그들의 주화에 함유되어 있는 순純 금속의 양을 감소시킴으로써 일시적인 이익을 본다고는 공상했지만, 그러나 그들은 그것을 증가시키는 것이 이익이 된다고는 결코 생각하지 않았다. 따라서 나는 모든 국가에 있어서 주화에 함유되어 있는 금속의 양은 거의 끊임없이 감소되어 가고 있지 결코 증가하고 있지는 않다고 믿고 있다. 그러므로 이러한 변동은 거의 언제나 화폐지대의 가치를 감소시키는 경향이 있다.

금과 은의 가치도 하락하는 경향이 있기 때문이다.

아메리카의 광산들의 발견은 유럽의 금은의 가치를 감소시켰다. 나는 확실한 증거는 없다고 생각하지만 일반적으로 상상되고 있는 바로서는 이러한 감소가 아직도 점진적으로 진행되고 있으며 오랫동안 계속 그렇게 되어 갈 것이라고 생각된다. 따라서 이 가정에 의한다면 비록 화폐지대가 어떤 명칭을 가진 주화의 일정량(예를 들면 몇 파운드스털링)으로써 지불되지 않고, 순은 또는 일정 표준의 은 몇 온스로 지불된다는 약정이 되어 있다 하더라도, 이러한 변동은 그 화폐지대의 가치를 증가시키기는커녕 감소시킬 우려가 더 많은 것이다.

화폐로써 유보되어 있었던 잉글랜드의 지대는 1586년 이래 4분의 1로 하락했으며,

곡물로 유보되어 있던 지대地代는 주화의 명칭이 변경되지 않았을 때도 화폐로 유보되었던 것보다 훨씬 더 그 가치를 잘 보존해 왔다. 엘리자베스 제18년의 법률[79]에 의해서, 모든 대학의 차지借地의 지대 가운데 3분의 1은 곡물로써 유보하

79 〔옥스퍼드·케임브리지·윈체스터·이튼에 적용된 이 법률 제6호는 어떤 대학도 적어도 세대(전

고, 그 지불은 현물 또는 가장 가까운 공공시장의 시가에 따라서 지불되어야 한다고 규정되었다. 이 곡물지대에서 생기는 화폐는 본래 지대 전체의 3분의 1에 지나지 않았지만, 블랙스톤 박사에 따르면, 현재에는 보통 그 나머지 3분의 2에서 나오는 것보다 거의 두 배가 된다.[80] 이 계산에 따르면 대학들의 옛 화폐지대는 그 옛날의 가치의 거의 4분의 1로 하락한 것으로, 바꾸어 말하면 그것은 종전의 화폐지대에 상응했던 곡물의 4분의 1을 넘지 않는 가치밖에는 없는 것이다. 그런데 필리페 및 메리의 치세 이래 잉글랜드의 주화의 명칭은 전혀 변경을 겪지 않았으며, 같은 금액의 파운드·실링·페니는 거의 같은 양에 가까운 순은을 함유하고 있었다. 그러므로 대학의 화폐지대貨幣地代의 이러한 가치 하락은 전적으로 은의 가치가 하락된 데서 생긴 것이었다.

마찬가지로 스코틀랜드와 프랑스의 지대는 거의 무가치하게 되었다.

은의 가치 하락이 동일 명칭의 주화에 함유되어 있는 은의 양의 감소와 결합될 때 그 손실은 더욱더 클 때가 많다. 주화의 명칭이 잉글랜드에서 그러했던 것보다 훨씬 더 큰 변경을 겪었던 스코틀랜드와, 그리고 그것이 스코틀랜드에서 겪었던 것보다 더 큰 변동을 겪었던 프랑스에서는, 본래는 상당한 가치가 있었던 옛날 지대의 어떤 것이 이렇게 하여 거의 무가치하게 되어 버린 것이다.

체 원문에는 "tholde rent"라고 되어 있는데 이것은 "old rent"가 아니고 "whole rent"일 것이다)의 3분의 1을 곡물로 지불한다는 것을 보증받지 않고서는, 몇 대에 걸쳐 또는 10분의 1세稅의 기간 동안에 경지 또는 방목지의 차지계약借地契約을 맺어서는 안 된다고 규정하고 있다. 이 법령은 토마스 스미스 경이 그 통과에 노력했던 것으로서, 의회의 동료들은 이 법령에 의해서 어떤 차이가 생기는가를 이해할 수 없었으니, 그의 하는 짓에 놀라기만 했다고 한다. "그러나 이 기사는 현재의 곡물 가격이 싸다는 것을 이용했으며, 그는 인간이 날로 증가하고 최근에 운송에 관한 면허가 주어졌으므로, 앞으로 곡물이 점차 등귀하리라는 것을 알고 있었던 것이다. 그러므로 이 법령이 통과됨으로써 오늘날에는 각 대학은 그 소득이 많이 늘었으며, 그들의 지대는 그대로인데 그들의 수입은 증가했다."—토마스 풀러Thomas Fuller, 《Hist. of the University of Cambridge》(1655), 144면. 이것은 존 스트라이프John Strype, 《The Life of the Learned Sir Thomas Smith》(1698), 192면에 인용되어 있다.〕

80 〔《Commentaries》(1765), 제2권, 322면.〕

곡물지대는 화폐지대보다 더 안정적인 것이지만,

등량의 노동은 오랜 시기에 걸쳐 보면 노동자의 생활자료生活資料인 등량의 곡물로써 구매되는 편이 등량의 금은 또는 다른 어떤 상품으로써 구매되는 것보다 더 비슷한 양으로써 구매될 것이다. 그러므로 등량의 곡물이야말로 장기간에 걸쳐 볼 때 동일한 실질가격에 더 가까울 것이다. 다시 말하면 곡물은 그 소유자로 하여금 다른 사람들의 등량의 노동과 더욱더 가까운 양을 구매 또는 지배할 수 있도록 해 줄 것이다. 등량의 곡물은 거의 어떤 다른 등량의 상품보다도 더 근사적으로 그렇게 할 것이지만, 등량의 곡물일지라도 아주 정확하게는 그렇게 하지 못할 것이다. 내가 앞으로 설명하려고 노력하겠지만, 노동자의 생활자료, 즉 노동의 실질가격은 여러 가지 경우에 대단히 달라지며, 부유를 향해 전진하고 있는 사회에서는 정지하고 있는 사회에서보다도 훨씬 더 후하다. 그리고 정지하고 있는 사회에서는 후퇴하고 있는 사회에서보다 더 후한 편이다. 그럼에도 불구하고 모든 다른 상품이 어느 특정된 시기에 구매할 수 있는 노동의 양의 대소는 그 상품이 그 시기에 구매할 수 있는 생활자료의 양에 비례할 것이다. 그러므로 곡물로써 유보되는 지대는 일정량의 곡물이 구매할 수 있는 노동의 양의 변동에만 영향을 받기 쉽다. 그러나 다른 어떤 상품으로써 유보되는 지대는 일정량의 바로 그 상품이 구매할 수 있는 노동량의 변동뿐만 아니라, 일정량의 바로 그 상품이 구매할 수 있는 곡물량의 변동에 의해서 영향을 받게 되기 마련이다.

그러나 훨씬 더 큰 연년年年의 변동에 영향받기 쉽다.

곡물지대의 실질가치의 여러 세기에 걸친 변동은 화폐지대의 그것보다 훨씬 적다 하더라도 연간에 걸쳐 일어나는 변동은 꽤 크다는 것을 주의해야 한다. 앞으로 내가 밝히려고 노력할 것인 바 노동의 화폐가격은 곡물의 화폐가격과 함께 해마다 변동하지는 않으며, 어느 곳에서나 생활필수품의 일시적 또는 수시적인 가격에 적응하지 않고 평균적 또는 통상적인 가격에 적응하고 있는 것이라고 생각된다. 나는 이것도 뒤에서 설명하려고 노력하겠는데, 곡물의 평균적 또는 통상적 가격은 은의 가치에 의해서, 그리고 그 금속을 시장에 공급하는 광산이 풍부한지 빈약한지에 의해서, 다시 말하면 어떤 특정량의 은[81]은 광산에서 시장에 보내기까지 반드시 사용되어야 하는 노동의 양, 따라서 소비되지 않을 수 없는 곡물의 양에 의해서 규정되는 것이다. 그러나 은의 가치는 비록 세기世紀 간에 걸쳐서는 크게 변동하기도 하지만 해마다 크게 변동하는 일은 거의 없으며, 반세기 또는 일세기 동안 계속 동일하든지 또는 거의 동일할 때가 많다. 그러므로 곡물의 통상적 또는 평균적인 화폐가격도 이 정도의 긴 기간 동안 계속 동일 또는 거의 동일할 수도 있을 것이다. 그리고 적어도 그 사회가 존속하고, 다른 점으로도 동일 또는 거의 동일한 상태로 존속한다면, 노동의 화폐가격도 그것에 따라 그러할지도 모른다. 그동안에 곡물의 일시적이며 수시적인 가격은 어떤 해에는 전년의 두 배가 될 때도 흔히 있다. 즉 예를 들면 1쿼터에 25실링에서 50실링으로 변동할 수 있다는 것이다. 그러나 곡물이 50실링이라는 가격일 때 곡물지대의 명목가격뿐만 아니라, 실질가치도 그것이 20실링이라는 가격일 때의 두 배가 될 것이며, 다시 말해서 그것은 노동 또는 대부분의 다른 상품의 두 배의 양을 지배할 것이다. 그런데 노동의 화폐가격과 이것에 따르는 다른 대부분의 물품의 화폐가격은 이러한 모든 변동이 일어나는 동안에 계속 동일하다.

따라서 노동이 유일한 보편적 표준이다.

그러므로 노동은 가치의 유일한 보편적 척도임과 동시에, 유일한 정확한 척도이기도 하다. 즉 노동은 언제든지 그리고 어떤 곳에서나 우리들이 여러 가지 상품의 가치를 비교할 수 있는 유일한 표준이라는 것은 명백한 것 같다. 우리는 매세기마다 여러 가지 상품의 실질가치를, 이 상품들과 교환으로 주어지는 은의 양에 의해서 평가할 수 없다는 것은 이미 인정한 것이다. 우리는 연간 경우에는 곡물의 양에 의해서 그것을 평가할 수 없다. 노동의 양에 의한다면 우리는 매세기마다, 매년마다 가장 정확하게 그것을 평가할 수 있다. 세기 간에 걸칠 경우

81 〔초판에는 "은"은 "그것"이라고 되어 있다.〕

에는 곡물은 은보다는 좋은 척도이다. 왜냐하면 세기 간에 걸쳐서는 등량의 곡물은 등량의 은보다도 훨씬 더 근사한 등량의 노동을 지배할 것이기 때문이다.[82] 이와 반대로 연도에서 연도에 걸쳐서는 은이 곡물보다도 양호한 척도이다. 왜냐하면 은의 같은 양은 곡물의 같은 양보다도 더욱 근사하게 노동의 같은 양을 지배할 것이기 때문이다.

그러나 통상의 거래에는 화폐로써 충분하다.

영대지대永代地代를 설정한다든지 아주 장기간의 차지계약借地契約을 맺을 경우에는 실질가격과 명목가격을 구별하는 것이 유익할 것이지만, 그러나 매매하는 데, 즉 인간 생활에서보다 통상적이며 일상적인 거래에서는 그러한 구별은 아무런 소용이 없는 것이다.

이는 화폐가 동일한 때와 장소에서는 완전히 정확하기 때문인데,

동일한 때와 장소에서는 모든 상품의 실질가격과 명목가격은 서로 정확하게 비

82 〔"잉글랜드와 세계의 이 부분에서는, 소맥은 불변의 그리고 일반적인 식료품이며, 유행에 따라 변하지도 않으며, 우연히 증가하지도 않는다. 그러나 농업경영자가 씨를 뿌릴 때 그들은 차년도의 예비에서 전년도의 잉여를 빼어 버린다든지, 그 반대로 하든지 함으로써 될 수 있는 대로 소비에 근사하도록 추량하여, 그것에 비례시키려고 노력하면서, 적게 파종할 때도 있고 많이 할 때도 있으므로, 만일 여러분들이 7년 내지 20년을 통틀어 보면 소맥과 그 소비(이것에 관해서는 다른 상품에 관한 것보다 더 연구가 되어 있으며 계획도 되어 있다)는 어떤 물품의 소비에 비해서도, 더 근사적인 비율을 가지고 있다는 결과가 될 것이 틀림없다. 그러나 다만 계절의 사고 때문에 한 해의 부족이 바로 그 전년도나 바로 그다음 년도와는 그것이 아주 달라져 버릴 수도 있기는 하다. 그러므로 세계의, 이 지방에 있어서의 소맥(그리고 다른 지방에 있어서는 불변적이고 일반적인 식료품인 곡류)은 장기간에 걸쳐 변화하는 물품들의 가치를 판단하는 데 최적의 척도이다. 그리고 이 때문에 여기에서는 소맥이, 터키에서는 쌀이 장래 언제까지나 항상 동일하도록 계획된 지대를 유보하는 데는 최적의 물품이다. 그런데 화폐는 그 유통이 동일하고 그 양도 천천히 변화하므로, 몇 년 동안에 변화하는 물품의 가치를 측정하는 데는 최선의 척도이다. 그러나 소맥 또는 다른 곡류는 그 부피가 너무 크고 그 양이 너무 급격히 변화하므로 화폐 대용으로 사용될 수는 없다."-로크Locke, 《Some Considerations of the Consequences of the Lowering of Interest and Raising the Value of Money》(1696), 74~75면.〕

례하고 있다. 예를 들면 런던 시장에서 여러분이 어떤 상품과 교환으로 획득하는 다량 또는 소량의 화폐는, 그때와 그 장소에서 여러분으로 하여금 다량 또는 소량의 노동을 구매 또는 지배하도록 해 줄 것이다. 동일한 때와 장소에서는, 화폐는 모든 상품의 실제의 교환가치의 정확한 척도이다. 그러나 동일한 때와 장소에서만이 그러하다.

원격지 간遠隔地間의 거래에 있어선 고려해야 할 것이 오직 한 가지 있다.

원격지 간에는(서로 떨어진 장소에서는) 상품들의 실질가격과 화폐가격 사이에 규칙적인 비율은 없다 하더라도, 어떤 곳에서 다른 곳으로 재화를 운반하는 상인은 그 재화의 화폐가격 이외에는 아무것도 고려하지 않는다. 즉 그가 재화를 살 때 주는 은의 양과 그 재화를 팔 때 받는 은의 양과의 사이에 생기는 차이 이외엔 아무것도 생각하지 않는다. 중국의 광저우에서의 반 온스의 은은, 런던에서의 1온스보다 더 많은 양의 노동과 더 많은 양의 생활필수품 및 편의품을 지배할 수 있을 것이다. 그러므로 광저우에서 반 온스의 은으로 팔리는 상품은 그곳(광저우)에서의 그 소유자에게는, 런던에서 1온스의 은으로 팔리는 일상품[83]이 런던에서 그것의 소유자에 대해서보다도 실질적으로 더 비싼 셈이다. 즉 실질적으로 더 소중하다는 것이다. 그러나 만일 런던 상인이 광저우에서 반 온스의 은으로써 상품을 구매하여 그 뒤에 런던에서 그것을 1온스에 팔 수 있다면, 그는 이 거래에서 100퍼센트의 이득을 보는 셈이다. 그리고 이것은 1온스의 은이 런던에 있어서도 광저우에 있어서와 정확하게 동일한 가치를 가지고 있다는 것과 같은 것이다. 런던에서 1온스의 은보다도 광저우에서 반 온스의 은이 훨씬 더 많은 노동과 더 많은 양의 생활필수품 및 편의품에 대한 지배력을 그에게 주었을 것이라는 사실은 그에겐 전혀 중요한 것이 아니다. 런던에서의 1온스는 광저우에서의 반 온스가 이런 모든 것에 관하여 그에게 줄 수 있었을 양의 두 배의 지배력을 항상 그에게 줄 것이며, 이것이야말로 바로 그가 원하는 것이다.

83 〔"일상품"이 초판에는 "그것"으로 되어 있다.〕

그러므로 화폐가격이 주의를 끌어왔던 것은 조금도 이상할 것 없다.

그러므로 모든 구매와 판매에 관해서 분별 있는 행위인지 무분별한 행위인지를 결정하고, 나아가서는 가격과 관계를 가지고 있는 일상생활의 거의 모든 업무를 규정하는 것은 재화의 명목가격 또는 화폐가격이므로, 그 실질가격보다도 이 화폐가격에 더 많은 주의가 집중되어 왔다고 해서 우리는 이상하다고 생각할 수는 없다.

본서에서는 이따금 곡물 가격이 사용될 것이다.

그러나 본서와 같은 저작에서는, 상이한 때와 장소에서 특정 상품의 상이한 실질가치를 비교하는 것, 다시 말하면 여러 가지 경우에 특정 상품이 그것을 소유하고 있는 사람에게 줄 수 있는 다른 사람들의 노동을 지배하는 힘의 각가지 정도를 비교하는 것은 때로는 유익할지도 모른다. 우리는 그 상품이 보통 팔리고 있었던 각가지 양의 은을 비교하기보다는 오히려 이 각가지 양의 은으로써 구매할 수 있는 온갖 양의 노동을 비교하지 않으면 안 된다. 그러나 때와 장소를 달리하고 있는 경우의 노동의 시가를 어느 정도 정확하게 안다는 것은 거의 불가능하다. 곡물의 시가는 비록 규칙적으로 기록되어 왔던 곳은 몇 군데 되지 않지만, 일반적으로 비교적 잘 알려져 왔으며, 역사가와 다른 저술가들도 비교적 주의를 기울여 왔던 것이다. 그러므로 우리는 그러한 시가로써 만족하지 않으면 안 되는 바, 이는 곡물의 시가가 노동의 가치와 언제나 정확하게 동일 비율을 가지지는 않지만, 그것과 비례하는 것으로서 우리가 보통 가질 수 있는 가장 근사한 것인데 연유하는 것이다. 나는 뒤에서 이런 종류의 몇 가지 교환을 만들 필요가 있게 될 것이다.

몇 가지 금속이 화폐로서 주조되었으나 단 한 가지만이 표준으로서 사용되었고 보통 이것이 처음으로 상업에 사용되었다.

산업이 발달함에 따라 상업 국민들은 몇 가지 별개의 금속을 화폐로 제조하는 것이 편리하다는 것을 알게 되었다. 금은 거액의 지불을 위해서, 은은 중간 정도의 가치의 구매를 위해서, 동銅 또는 다른 몇 가지 금속은 보다 더 적은 금액의 지불을 위해서 주조되었다. 그러나 상업국가들은 이런 금속 가운데 하나를 다른 둘보다도 가치의 척도로서 특별한 것이라고 항상 생각했다. 그리고 일반적으로 그들이 상업 용구로서 간혹 처음으로 사용했던 바로 그 금속이 이러한 우선권을 차지한 것 같다. 그들이 다른 화폐를 가지지 않았을 때 그렇게 하지 않을 수 없었던 그 금속을 일단 그들의 표준으로써 사용하기 시작하면, 그들은 그 필요가 달라졌을 때에도 일반적으로 계속 그것을 사용했다.

로마인은 동을 사용했고,

로마인은 제1차 포에니 전쟁[84]의 약 5년 전까지는 동화銅貨 이외에 아무 화폐도 가지지 않았으며, 이때 비로소 은을 주조하기 시작했다고 한다. 따라서 그 공화국에서는 동이 계속 언제나 가치의 척도였던 것 같다. 로마에서는 모든 계산서와 모든 자산의 가치가 아스Asses 또는 세스테르티우스Sestertii로 기입되고, 계산되어 왔다고 생각된다. 아스는 언제나 동화의 명칭이었다. 세스테르티우스라는 말은 2아스 반半을 의미한다. 따라서 비록 세스테르티우스는 본래[85] 은화였으나 그 가치는 동으로써 평가되고 있었다. 로마에서는 다액의 빚을 지고 있는 사람을 타인의 동을 많이 가졌다고들 했다.[86]

근대 유럽 각국들은 은을 사용했다.

로마제국의 폐허 위에 건국했던 북방 국민은 정착 초기부터 은화를 가졌으며, 그 후 여러 대 동안 금화 또는 동화를 알지 못했던 것 같다. 색슨 시대의 잉글랜드에서는 은화는 있었으나, 에드워드 3세의 시대까지 주화된 금화는 별로 없었

84 〔플리니우스Pliny, 《박물지Hist. Nat.》, 제33권, c.3. 이 주는 초판에는 없다.〕

85 〔"본래"는 초판 및 제2판에는 "언제나"로 되어 있다.〕

86 〔Habere aes alienum.〕 *'빚을 져야 한다'는 뜻의 라틴어 문장이다.

으며, 영국의 제임스 1세 시대까지 동화도 별로 주조되지 않았다. 그러므로 잉글랜드와, 그리고 동일한 이유에서 유럽의 다른 모든 근대국가에서는, 모든 계산이 은으로써 기입되고, 모든 재화와 모든 재산의 가치가 일반적으로 은으로 계산되었다고 나는 믿고 있다. 그리고 우리들이 어떤 사람의 재산의 총액을 표현하려고 할 때, 우리는 그 재산의 대가로서 얻게 되리라고 생각되는 것을 기니 Guinea의 액수로 운운하는 경우는 거의 없으며, 파운드스털링[87]의 액수로 따지는 것이다.

표준 금속이 본래 유일한 법화였는데,

내가 믿고 있는 바로는, 본래[88] 모든 국가에서 지불을 위한 법화로 될 수 있었던 것은 특별히 가치의 표준 또는 척도라고 생각되었던 금속으로써 만들어진 주화만[89]이었다. 잉글랜드에서는 금이 화폐로 주조된 뒤에도 오랫동안 법화라고 생각되지는 않았다. 금화와 은화의 가치의 비율은 어떤 법률이나 포고에 의해서 고정되지 않고, 시장에 의해서 정해지도록 방임되어 있었다. 만일 채무자가 금으로 지불을 하겠다고 나서면, 채권자는 그러한 지불을 전적으로 거부하든지, 아니면 그와 그의 채무자가 합의할 수 있을 만한 금의 평가로써 그 지불을 받아들일 수 있었다. 동화는 소액의 은화와 교환하는 경우를 제외하면 현재도 법화가 아니다. 이러한 사태에서는 표준화였던 금속과 표준화가 아니었던 금속과의 구별은 명목상의 구별 이상의 것이었다.

그 후 이 두 금속의 가치의 비율이 법률에 의해서 포고되어, 두 금속이 법화가 되고 양자의 구별은 중요하지 않게 되었는데,

세월이 흐름에 따라 사람들이 점차 여러 가지 금속을 주화로서 사용하는 데 익

87 〔초판에는 "스털링"이 없다.〕

88 〔"본래"는 초판에는 "법화로 될 수 있었던 것" 앞에 있었다.〕

89 〔"만"은 초판에는 "척도라고 생각되었던 금속" 뒤에 있었다.〕

숙해지게 되고, 따라서 그들 각각의 가치 간의 비율을 더 잘 알게 되었으므로, 대부분의 국가에서는, 예를 들어 그만큼의 중량과 순도를 가진 1기니는 21실링과 교환되어야 한다든지 또는 그 액額[90]만큼의 채무 상환에 대한 법화法貨이어야 한다는 식으로, 그 비율을 확실히 하고, 그것을 공법公法[91]으로 선포하는 것이 편리하다는 것을 알게 되었다고 나는 믿고 있다. 이러한 상황하에서는 이런 종류의 어떤 하나의 규제된 비율이 존속하고 있는 동안은 표준 금속과 표준이 아닌 금속 간의 구별은 명목상의 구별에 지나지 않게 되어 버린다.[92]

모든 채무도 은화로 표현되므로, 대부분의 지불은 그 어느 경우에나 전과 같은 양의 은화로써 치러질 것이다. 그러나 그 지불이 필요로 하는 금화의 양은 대단히 달라질 것이다. 즉 전자의 경우에는 더 많은 금화가 후자의 경우에는 더 적은 금화가 소요될 것이다. 은은 금보다 그 가치가 더 불변하는 것같이 보일 것이다. 은은 금의 가치를 측정하는 것같이 보이는데 금은 은의 가치를 측정하는 것같이 보이지는 않는다. 금의 가치는 이것과 교환되는 은의 양에 의존하고 있는 것같이 생각되는데, 은의 가치는 이것과 교환되는 금의 양에 의존하고 있는 것 같지 않다. 그런데 이러한 차이는 모두 기장記帳의 습관에서 유래한 것이

90 〔"액"은 초판에서는 "총액"으로 되어 있다.〕

91 〔헨리 7세 제19년 의회 법률 제5호라는 법령은 어떤 금화는 주조명목의 금액대로 통용되어야 한다고 정했으며, 에드워드 6세 제5년 및 제6년에는 포고에 의해 정당화되어 있는 이상을 주고받을 때는 처벌한다고 규정했다. 기니의 가치는 1717년의 포고에 의해 고정된 것으로 생각되어 왔다. 이것에 관해서는 《이코노믹저널The Economic Journal》 지, 1868년 3월호를 보라. 연鉛의 명목화폐가 엘리자베스의 치세 때 개인에 의해서 주조되었다. 제임스 1세는 동으로 파딩이라는 명목화폐를 주조했으나, 그것을 그 가치의 화폐라고 포고하지는 않았다. 1672년에는 반 페니의 동화가 발행되었고, 반 페니와 파딩은 모두 6펜스 이하의 모든 지불에 있어서 그만큼의 가치가 있는 화폐로서 통용하기로 되었다. 해리스Harris, 《Money and Coins》, 제1부, 제39항 ; 찰스 젠킨슨Charles Jenkinson, Ist Earl of Liverpool, 《A Treatise on the Coins of the Realm : in a letter to the King》(1805), 130~131면.〕

92 〔즉 만일 21파운드가 실링은화 420개로 지불되든지, 또는 기니금화(gold quinea) 20개로써 지불될 수 있다면 '1파운드'가 마땅히 실링은화 20개 또는 금화 1기니의 21분의 20을 표시하고 있다고 하는 것은 문제가 되지 않는다.〕 *본서에는 이후의 내용인, 캐넌 판(1904), 61면의 "In consequence of any change,……two-and-twenty shillings,"의 내용이 없다.

며, 모든 대소 금액의 총액을 금은보다도 은화로 표현하는 습관에서 생긴 것일 것이다. 드러몬드 씨의 25기니 또는 50기니의 어음 한 장은 이런 종류의 변경이 있은 뒤에도 역시 전과 똑같은 방법으로 25기니 또는 50기니로 지불할 수 있을 것이다. 즉 이러한 변경 후에는 전과 동일한 양의 금으로 지불할 수 있으나, 은의 양은 아주 달라질 것이다. 이러한 어음의 지불에 있어서는 금이 은보다 그 가치가 불변인 것같이 보인다. 금이 은의 가치를 측정하는 것같이 생각되며, 은은 금의 가치를 측정하는 것같이 생각되지 않는다. 만일 기장의 습관과 약속어음, 기타 화폐 채무를 이러한 식으로 표현하는 습관이 일반화된다면, 은이 아니라 금이, 특히 가치의 표준 또는 척도가 되는 금속으로 간주될 것 같다.

규제된 비율이 존속하는 동안은, 영국에서와 같이 가장 귀중한 금속의 가치가 주화 전체의 가치를 규제하는 것이며,

주화로 변한 여러 가지 금속의 각각의 가치 사이에 어떤 하나의 규제된 비율이 존속하는 동안은 실제로 가장 귀중한 금속의 가치가 주화 전체의 가치를 규정한다.[93] 동화 12펜스는 상형常衡(16온스를 1파운드로 하는 저울)으로 반 파운드의 동을 함유하고, 이 동은 최고 양질의 것이 아니고 주화되기 전에는 은 7펜스의 가치도 거의 되지 않는다. 그러나 법규에 의하여 이러한 12펜스는 1실링과 교환되도록 정해졌으므로 시장에서는 1실링의 가치가 있는 것으로 생각되고, 항상 12펜스 대신에 1실링을 얻을 수 있다. 영국에서 최근 금화를 대폭 다시 주조하기[94] 전까지 적어도 런던 및 그 부근에서 유통되고 있었던 일부 금화는 대부분의 은화보다 더 적게 그 표준량 이하로 마손되어 있었다. 그럼에도 불구하고 마손되

93 〔이것이 변함없이 그렇다는 것은 아니지만 보통 그러하며, 그 단순한 이유는 화폐로서 사용되고 있는 금속 가운데 가장 귀중한 금속이 간혹 표준으로 만들어졌거나 혹은 표준으로 되었기 때문이다. 잉글랜드에서는 그 사실이 일반적으로 시인되지 아니했지만, 금은 이미 표준이었다. 해리스, 《Essay upon Money and Coins》, 제2부, 제36~37항을 보라.〕

94 〔1774년.〕

고 훼손된 은화 12실링은 1기니와 등가라고 생각되었고, 1기니도 실은 역시 마손되고 훼손되어 있었을 것이지마는 은화만큼 그렇게 심하지는 않았을 것이다. 최근의 여러 법규[95]는 어떤 국가도 그 유통화폐에 관해서 그 이상은 할 수 없었을 정도로 금화를 그 표준 중량에 가깝게 만들었다. 더구나 관청에서는 중량에 의하지 아니하고는 금을 받지 못한다고 한 명령은, 이 명령이 실시되는 한, 그 표준 중량을 보존시킬 것 같다. 은화는 아직도 계속 금화의 개주改鑄 이전과 똑같이 마손되고 마멸된 상태에 있다. 그러나 시장에서는 이 타락된 은화 12실링이 아직도 이 우량한 금화 1기니의 가치가 있는 것으로 생각되고 있다.

영국에서는 금화의 개주改鑄가 은화의 가치를 올렸다.

금화의 개주는 명백히 이 금화와 교환될 수 있는 은화의 가치를 올렸다.

잉글랜드의 조폐국에서는 1파운드 무게의 금은 4기니 반으로 주조되고 1기니를 12실링이라고 치면, 그것은 46파운드 14실링 6펜스와 같다. 그러므로 이러한 금화 1온스는 은으로서는 3파운드 17실링 10펜스 반의 가치이다. 잉글랜드에서는 주조는 무세無稅이며, 조폐 수수료도 지불하지 않는다. 그리고 1파운드의 무게 또는 1온스의 무게의 표준 금 지금地金을 조폐국에 가지고 가는 사람은 전혀 공제됨이 없이 1파운드의 무게 또는 1온스의 무게가 나가는 금화를 돌려받는다. 그러므로 1온스에 3파운드 17실링 10펜스 반이라는 것이 잉글랜드에서는 금의 주조 가격이라고 한다. 다시 말하면 금화의 양은 조폐국이 표준 금 지금과 바꾸어 주는 금화의 양이다.

금화의 개주 이전에 시장에서의 표준 금 지금의 가격은 오랫동안 1온스에 3파운드 18실링 이상이었으며, 때로는 3파운드 19실링, 그리고 아주 빈번히 4파운드이기도 했지만 아마 이것은 표준 금 1온스 이상을 함유하는 경우는 별로 없고 닳고 품위가 떨어진 금화로서의 금액이었을 것이다. 금화의 개주 이래

95 〔이 법규들은 1774년에 공포되었으며, 기니화는 그 일정의 중량을 잃게 되면 통용하지 못할 것을 규정하고, 또 이 일정의 중량은 년도에 따라 변화하고 있다. 찰스 젠킨슨Charles Jenkinson, Ist Earl of Liverpool, 《Coins of the Realm》, 216면, 주註.〕

표준 금지금金地金의 시장가격이 1온스에 3파운드 17실링 7펜스를 넘는 일은 별로 없었다. 금화의 개주 이전에는 그 시장가격은 언제나 다소나마 주조 가격을 넘고 있었다. 이 개주 이래 그 시장가격은 빈번히 주조 가격을 하회했다. 그런데 시장가격은 금화로 지불되든, 은화로 지불되든 간에 동일하다. 그러므로 최근의 금화의 개주는 금화의 가치를 올렸을 뿐만 아니라, 금 지금에 비례하여, 또한 다른 모든 상품에 비례하여 은화의 가치도 역시 올렸던 셈이다. 그러나 대부분의 다른 상품의 가격은 다른 다양한 원인에 의해 영향을 받기 때문에, 그 상품들에 비한 금화 또는 은화의 가치의 상승은 그렇게 뚜렷하지도 현저하지도 않을지 모른다.

잉글랜드의 조폐국에서는 1파운드 무게의 표준량 지금은 62실링으로 주조되며, 이것은 금화의 경우와 마찬가지로 1파운드 무게의 표준 은(standard silver)을 함유하고 있다. 그러므로 1온스에 5실링 2펜스라는 것이 잉글랜드에서의 은의 조폐국 가격이라고 한다. 즉 조폐국이 표준 은지금銀地金과 바꾸어 주는 은화의 양이라고 하겠다. 금화의 개주 이전에는 표준 은지금의 시장가격은 경우에 따라 1온스에 5실링 4펜스, 5실링 5펜스, 5실링 6펜스, 5실링 7펜스였으며, 그리고 5실링 8펜스인 경우도 가끔 있었다. 그러나 5실링 7펜스가 가장 흔한 가격이었던 것 같다. 금화의 개주 이래 표준 금 지금의 시장가격은 때때로 1온스에 5실링 3펜스, 5실링 4펜스, 그리고 5실링 5펜스로 하락했으며, 이 마지막 가격을 넘은 적은 거의 없었다. 즉 은지금의 시장가격이 금화의 개주 이래 상당히 하락했으나 주조 가격만큼 낮게 하락하지는 않았다.

잉글랜드에서는 은이 그 가치 이하로 평가되고 있다.

잉글랜드의 주화의 여러 가지 금속 사이의 비比에 있어서는, 동이 그 실질가치 이상으로 대단히 높게 평가되고 있는 것처럼, 은은 약간 그 이하로 평가되고 있다. 유럽의 시장에서는 프랑스의 주화로서나 네덜란드의 주화로서나 1온스의 순금은 약 14온스의 순은과 교환된다. 잉글랜드 주화로서는 그것은 약 15온스의 순은과 교환된다. 즉 그것은 유럽에서의 보통의 평가에 의한 가치보다도 더 많은 은과 교환되는 것이다.[96] 잉글랜드에서 잉글랜드의 주화로서의 동이 고가라고 해서 동봉銅棒의 가격이 그만큼 올라가지는 않았던 것과 마찬가지로, 잉글랜드의 주화로서의 은이 낮게 평가된다고 해서 은지금銀地金의 가격이 내리지는 않는다. 은지금 역시 금에 대한 적당한 비율을 유지하고 있는 것도 동봉이 은에 대하여 적절한 비율을 유지하고 있는 것과 같은 이유에서이다.[97]

은지금銀地金의 고가에 관한 로크의 설명은 잘못이다.

윌리엄 3세 치하에서 은화의 개주가 있었는데, 은지금의 가격은 여전히 주조가격보다 약간 높은 그대로였다. 로크는 이렇게 가격이 높은 것은 은지금의 수출이 허용되어 있고, 은화의 수출이 금지되어 있는 탓이라고 했다.[98] 이 수출 허가는 은화에 대한 수요보다도 은지금에 대한 수요를 더 크게 만들었다고 그는 말했다. 그러나 국내에서의 매매에 보통 사용하기 위하여 은화를 원하고 있는 사람들의 수가, 수출 또는 기타의 용도를 위해 은지금을 원하는 사람들의 수보다는 훨씬 더 많다는 것은 확실하다. 현재에도 금 지금에 관해서는 이와 같은 수출 허가가, 금화에 관해서는 수출 금지가 존재하고 있는데도 금 지금의

96 〔니콜라스 매건스Nicolas Magens, 《Universal Merchant》, 호슬리Horsley(편), (1753), 53~55면에는 이 비율을 다음과 같이 들고 있다. 즉 프랑스의 주화는 $1:14\frac{5803}{12279}$이며, 네덜란드의 주화는 $1:14\frac{82550}{154425}$이며, 잉글랜드의 그것은 $1:15\frac{14295}{68200}$이다.〕

97 〔전全 중량을 가지는 은화는 그 속에 함유되어 있는 지금을 기니로 계산하거나 통상의 낡고 마모된 은화로 계산하거나 간에 그들에 각인되어 있는 명목액보다 더 많은 가치가 있었으므로 유통계에는 머물러 있지 않았을 것이다.〕

98 〔존 로크John Locke, 《Further Considerations Concerning Raising the Value of Money》, 제2판(1695), 58~60면. 외국의 주화(피커링Pickering에 의한 《조례집》에서는 이 주화(coin)가 "kind"로 오식되어 있다) 또는 금은金銀지금의 수출은 찰스 2세 제15 "그 연법률年法律 제7호에 의하여 허가되었다. 그 이유는 화폐와 지금은 "수출에 무제한의 자유를 주고 있는(공동시장과 같은) 지방으로 가장 풍부하게 반입된다는 것"이 "경험에 의해 밝혀졌다는 것" 때문이며, 또한 그렇게 함으로써 이 왕국의 "유통주화를 더 잘 보존하고 증가시키기 위해서도 더 적당"했기 때문이다.〕

가격은 주조 가격 이하로 하락되어 왔다. 그러나 당시 잉글랜드의 주화에 있어서는 은이 현재와 마찬가지로 금화가 금과의 비율에 있어서는 낮게 평가되어 있고(그 당시에도 개주를 필요로 한다고는 생각하지 않았다), 현재와 마찬가지로 당시에도 전체 주화의 실질가치를 규정하고 있었다. 은화의 개주가 은지금의 가격을 주조 가격에까지 내리게 하지 못했으므로, 오늘날이라고 해서 그와 비슷한 개주가 그렇게 할 것 같지는 않다.

만일 은화가 개주된다면 그것은 용해되기 마련이다.

은화가 금화와 마찬가지로 그 표준 중량에 가까울 만큼 회복된다면 1기니 금화는 현재의 비율에 의하면 이것으로써 은지금을 구매할 경우보다 더 많은 은화와 교환되는 셈이 된다. 은화는 완전한 표준 중량을 함유하고 있으므로 이 경우에는 먼저 은화를 용해하여 그 은지금을 금화와 바꾸고, 그다음에 그 금화를 은화와 바꾸어서, 다시 같은 방법으로 용해한다면 이익이 있을 것이다. 현재의 비율에 다소의 변경을 가하는 것이 이와 같은 불편을 방지하는 데에 유일한 방법이라는 생각이 든다.

은은 더 높이 평가되어야 하지만, 1기니 이상의 법화法貨가 되어서는 안 된다.

만일 주화로서의 은이 현재 금에 대한 온당한 비율 이하로 평가되고 있는 그 정도만큼 그 이상으로 평가된다면 이 불편은 아마 덜해질 것이다. 다만 이와 동시에 동화銅貨가 1실링의 거래(change)만을 위한 법화이듯이 은화는 1기니의 거래만을 위한 법화이어야 한다는 것이 법제화되어야 할 필요가 있다. 현재 동이 높이 평가되는 결과로서 속임수에 빠지는 채권자는 결코 없듯이, 이 경우에도 은화로서의 은이 높이 평가되는 결과로 인하여 속임수에 빠질 채권자는 결코 있을 수 없을 것이다. 다만 은행가들에게 이 법규 때문에 고통을 받을 것이다. 은행가들에게 예금 즉시 환불 신청이 쇄도할 때 그들은 6펜스 은화로 지불함으로써 시간의 여유를 얻으려고 애쓰는 일이 가끔 있는데 이 법규에 의하면, 그들은 즉시 지불을 회피하는 이러한 창피스러운 방법을 쓰지 못하게 될 것이다. 그 결과 그들은 현재보다 더 많은 양의 현금을 언제나 그들의 금고에 보유하지 않을 수 없게 된다. 그리고 이런 일이 그들에게는 대단히 불편한 일임에 틀림없지만, 동시에 그들의 채권자들에게는 상당한 보증이 될 것이다.[99]

만일 적절히 평가된다면 은지금은 개주하지 않더라도 조폐가격 이하로 떨어질 것이다.

현재의 우리의 우량한 금화로도, 3파운드 17실링 10펜스 반(금의 주조 가격)에는 1온스 이상의 표준 금을 함유하고 있지 않음은 확실하므로, 이 가격으로써는 표준 금 지금 1온스 이상을 구매할 수 없는 것으로 생각될지도 모른다. 그러나 주화로 변한 금은 지금으로서의 금보다도 더 편리하고, 잉글랜드에서는 주조는 무료로 되지만 지금으로서 조폐국에 운반된 금이 주화가 되어 그 소유자에게 돌아가자면 몇 주일이나 늦어지는 것이 예사이다. 조폐국이 현재와 같이 바쁠 때는 수개월이 늦어질 수도 있다. 이러한 지연은 소액의 세금과 같은 것이므로 주화로서의 금으로 하여금 동량의 지금으로서의 금보다 조금 더 값나가게 한다.[100] 만일 잉글랜드의 주화에 있어서 은이 금에 대하여 적절한 비율에 따라 평가된다면, 현재의 닳고 훼손된 은화까지도 이것과 교환될 수 있는 우량한 금화의 가치에 의해서 그 가치가 규정되고 있기 때문에, 은지금 가격은 은화의 개주 없이도 그 조폐가격 이하로 하락하게 될 것이다.

조폐 수수료는 용해를 방지하고, 수출을 저지할 것이다.

금은의 주조에 대하여 모두 소액의 조폐 수수료 또는 세금을 과한다면, 주화로

99 〔약 20년 전에 해리스Harris는 "그 성분이 은이어야 하는데 금으로써 표준적 완전물을 만들려고 꾀한다든지, 또는 일부는 금, 일부는 은인 혼성된 표준을 만들려고 시도한다는 것은 우스꽝스럽고 헛된 짓일 것이다"라고 쓴 바 있었다. 《Essay upon Money and Coins》, 제1부, 제36항.〕

100 〔즉 1온스의 표준 금은 현금으로 즉매한다면 실제 3파운드 17실링 10펜스 반으로 팔리지는 않을 것이다.〕

서의 이 두 금속은 같은 양의 지금으로서의 그것에 대하여 가지고 있는 우월성을 훨씬 더 증가시킬 것이다. 이 경우 주조는 그 만듦새가 그 모양의 가격에 비례하여 판금板金의 가치를 증가시키는 것과 같은 이유에서의 주조되는 금속의 가치를 이 소액의 세금의 크기에 비례해서 증가시킬 것이다. 지금에 대한 주화의 우월성은 주화의 용해를 방지하고 그 수출을 방지할 것이다. 만일 어떤 사회적 위급에 처하여 주화를 수출하게 되더라도 그 대부분은 얼마 안 가서 저절로 되돌아올 것이다. 외국에서는 그 주화는 다만 그 중량의 지금으로밖에 팔리지 않지만 국내에서는 그 중량 이상으로 구매력을 가지고 있기 때문이다. 그러므로 그것을 다시 국내로 가져오는 것이 이익이 될 것이다. 프랑스에서는 주조에 대하여 8퍼센트의 조폐 수수료가 과해지며, 수출되더라도 저절로 본국으로 되돌아온다고 한다.[101]

금은의 시장가격의 파동은 보통 있는 상업적 원인 때문에 생기는 것이지만 조폐가격에서 부단히 일탈하고 있는 것은 주화의 상태 때문이다.

금은지금金銀地金의 시장가격이 수시로 변동하는 것은 다른 모든 상품의 가격이 변동하는 것과 같은 원인에서 일어난다. 이러한 금속이 해로나 육로에서 당하는 여러 가지 사고 때문에 빈번히 일어나는 손실, 도금과 피금, 레이스와 채식彩飾 등에 사용됨으로써 일어나는 끊임없는 낭비, 주화로서의 감가 소모減價消耗, 그리고 판금板金으로서의 감가 소모[102]로 인한 낭비로 말미암아, 자국에 광산을 갖고 있지 않은 모든 국가에서는 이러한 손실과 낭비를 메우기 위해서 끊임없는 수입을 필요로 하고 있다. 수입업자는 다른 모든 상인들과 마찬가지로 즉각적으로 수요되리라고 그들이 판단하는 것에는 될 수 있는 한, 그때그때의 수입을 적합시키려고 노력하리라고 믿어도 좋다. 그러나 아무리 주의를 하더

101 〔조폐 수수료의 문제는 통상조약에 관한 장에서 약간 상세하게 논의되어 있다.〕

102 〔"주화로서의 감가 소모(wear and tear) 그리고 판금으로서의 그것"은 초판에서는 "주화로서의 소모 감가(tear and wear)"로 되어 있다.〕

라도 그들은 이 일을 너무 지나치게 할 때도 있고 또 지나치게 적게 할 때도 있다. 그들이 필요 이상으로 그 지금을 수입할 때는 그들은 그것을 다시 수출해야 할 위험과 괴로움을 겪기보다 때로는 차라리 그 일부를 보통가격 또는 평균가격 이하로 팔고자 한다. 다른 한편 그들의 필요한 양 이하로 수입할 때는 수시의 변동하에서도 금은金銀의 지금地金의 시장가격은 수년 동안 모두 착실하게 그 조폐가격보다 약간 등세를 보이거나 또는 낙세를 보인다면, 우리는 가격의 꾸준하고 끊임없는 우세 또는 열세는 주화의 상태에 내재하는 그 무엇의 결과라고 확신하여도 좋을 것이며, 이것이야말로 그때에 일정량의 주화로 하여금 이것이 반드시 함유해야 하는 정확한 양의 지금地金보다도 더 큰 가치 또는 더 적은 가치를 가지게 해 주는 것이라 하겠다. 그만한 지구성과 일관성이 있다는 것을 뜻하는 것이라 하겠다.

재화의 가격은 주화의 실제의 내용에 맞추어진다.

어느 특정 국가의 주화는 어떤 특정한 시기와 장소에서, 유통주화가 그 표준에 얼마만큼 정확하게 일치하느냐에 따라서 또한 그것이 당연히 함유하고 있어야 할 순금 또는 순은의 정확한 양을 어느 정도 정확하게 함유하고 있느냐에 따라, 가치의 정확한 척도가 되기도 하고 못 되기도 한다. 예를 들면 만일 잉글랜드에서 44기니 반이 정확하게 1파운드의 표준 금, 즉 순금 11온스와 합금 1온스를 함유한다면, 잉글랜드의 금화는 사물의 성질상 인정되는 한, 어떤 때와 장소에서도 재화의 실질가치의 정확한 척도가 될 것이다. 그러나 만일 마찰과 마멸에 의하여 44기니 반이 대체로 표준 금 1파운드의 무게보다 적게 함유한다면, 비록 그 감손減損이 어떤 주화는 심하고 어떤 것은 덜하다 하더라도, 가치의 척도는 다른 모든 도량형度量衡이 흔히 노정露呈하게 되는 것과 같은 종류의 불확실성을 면치 못하게 된다. 이들 도량형이 그들의 표준에 정확하게 일치한다는 것은 아주 드물기 때문에, 상인은 가능한 한 자기의 재화의 가격을 그들 도량형이 마땅히 갖추고 있어야 하는 것에 맞추지 않고 대개 경험상 알게 되는 도량형의 실정에 맞춘다. 주화에 이와 같은 무질서가 존재하는 결과로, 재화의 가격은 마찬가지로 주화가 당연히 함유하고 있어야 할 순금 또는 순은의 양에 맞추어지게 되는 것이 아니고, 경험상 알게 되는 주화가 실제로 함유하고 있는 양에 맞추어지게 된다.
재화의 화폐가격이라 함은 그 주화의 명칭을 전혀 고려하지 않고, 재화가 팔릴 때 받게 되는 순금 또는 순은의 양을 의미하고 있다는 것은 주의해야 한다. 예를 들면 에드워드 1세 시대의 6실링 8펜스를, 나는 현재의 1파운드스털링과 같은 화폐가격이라고 생각하고 있다. 왜냐하면 우리가 판단할 수 있는 한에서는 그것은 이와 같은 양의 순은을 함유하고 있었기 때문이다.

제6장 상품가격의 구성 부분에 관하여

노동의 양은 본래 가치의 유일한 표준이다.
자본의 축적과 토지의 전유專有에 선행한 초기 미개의 사회 상태에서는 여러 가지 물품을 획득하는 데 필요한 노동량 간의 비율이 그 물품들을 서로 교환하는 데 필요한 어떤 법칙을 만들어 줄 수 있는 유일한 사정이었던 것 같다. 이를테면 수렵민족 사이에서 보통 한 마리의 해리海狸를 죽이는 데는, 사슴 한 마리를 죽이는 데 필요한 노동의 두 배가 든다면, 한 마리의 해리는 자연히 사슴 두 마리와 교환된다. 즉 사슴 두 마리의 가치가 되어야 할 것이다. 이틀 또는 두 시간분의 노동의 생산물이 보통 하루 또는 한 시간분의 노동생산물의 두 배의 가치가 된다는 것은 자연스러운 것이다.

심한 신고辛苦는 참작되며,
만일 어떤 종류의 노동이 다른 것보다 더욱더 고된 것이라면, 이러한 많은 신고에 대하여는 자연히 약간의 참작이 있을 것이다. 그리하여 곤란의 정도가 높은 노동이 한 시간분의 노동의 생산물은 곤란의 정도가 낮은 노동 두 시간분의 노동생산물과 교환될 수 있을 것이다.

비범한 기교와 창의력도 참작된다.

또는 어떤 종류의 노동이 비범한 정도의 기교와 창의력을 필요로 한다면 이러한 재능에 대하여 인간이 가지는 존중은 자연히 그러한 노동의 생산물에게 그 생산에 사용된 시간에 상당하는 이상의 가치를 줄 것이다. 이러한 재능은 오랜 동안의 응용의 결과에서만이 획득될 수 있는 것이며, 그러한 생산물의 탁월한 가치는 흔히 그러한 재능을 획득하는 데 소비되어야 하는 시간과 노동에 대한 정당한 보상에 지나지 않을 수도 있을 것이다. 진보된 사회 상태에서는, 심한 신고와 더 높은 숙련에 대한 이런 종류의 참작은 보통노동의 임금에서 고려되고 있다. 그리고 더 초기의, 더 미개한 시대에도 이와 비슷한 어떤 것이 있었던 것은 틀림없다.

그 당시에는 총생산물은 노동자에게 속한다.

이러한 사태에서는 노동의 총생산물은 그 노동자에게 속한다. 그리고[103] 어떤 상품을 획득 또는 생산하는 데 보통 사용되는 노동량은 그 상품이 보통 구매하고 지배하고 교환되어야 할 노동량을 규정할 수 있는 유일한 사정이다.

자재가 사용됨에 이르면 기업가의 이윤에 대하여는 그 무엇이 주어지지 않으면 안 된다. 따라서 노동의 가치 그 자체는 임금과 이윤으로 분해된다.

특정의 사람들 수중에 자재가 축적되자마자, 그들 가운데 어떤 사람은 자연히 근면한 사람들을 취업시키는 데 그것을 사용할 것인 바, 이는 그들이 그 부지런한 사람들에게 원료와 생활자료를 공급하여, 그들의 제작품을 판매함으로써 또는 그들의 노동이 그 원료의 가치에다 더 부가해 준 것에 의해서 이윤을 얻

103 〔초판에는 “노동의 총생산물은 노동자에게 속하고, 그리고”라는 구절이 없다.〕

기 위해서이다. 그 완제품을 화폐, 노동 또는 다른 자재와 교환할 때는 원료의 가격과 공인의 임금을 지불하기에 족한 것 이외에 위험을 무릅쓰고 이러한 모험에 자기의 자재를 써 버린 이 사업의 기업가의 이윤으로서도 어떤 것이 주어져야 한다. 그러므로 공인들이 원료에 부가하는 가치는 이런 경우 두 가지 부분으로 나뉜다. 그 일부는 그들의 임금을 지불하고, 또 다른 일부는 고용주가 선불한 원료와 임금의 전全 자재에 대한 이윤을 지불한다. 고용주는 공인들의 제작품을 매각함으로써 자기의 재화를 회수하고도 남음이 있을 만한 어떤 것을 기대하지 않고서는, 그 자재를 사용하는 데 아무런 흥미를 가질 수 없을 것이다. 그리고 그는 자기의 이윤이 자기의 자재의 크기에 대하여 어떤 비례를 갖고 있지 않는 한, 작은 자재보다는 오히려 큰 자재를 사용하는 데 아무런 흥미를 가질 수 없는 것이다.

이윤은 단순히 감독과 지휘의 임금만을 뜻하는 것은 아니다.

자재의 이윤은 특수한 종류의 노동, 즉 감독하고 지위하는 노동의 임금에 관한 별명에 지나지 않는다고 생각하는 사람도 있을 것이다. 그러나 이윤은 노동임금과는 전혀 다른 것이며, 아주 상이한 원리에 의하여 규정되고 있으며, 감독 및 지휘라는 이 가상적 노동의 양, 신고辛苦 또는 창의와는 전혀 비례하지 않는다. 이윤은 사용되는 자재의 가치에 의해서 전적으로 규정되고, 이 자재의 크기에 비례하여 많기도 하고 적기도 하다. 예를 들어 어떤 특정 지방에서 제조업의 자재의 통상 연年이윤이 10퍼센트라고 하고, 그곳에 두 개의 상이한 제조업이 있어 각개에 20명의 공인이 각각 연액 15파운드로 고용되고 있거나, 또는 각 제조공장에서는 연 300파운드의 경비가 든다고 가정하자. 또한 이들 중의 한 제조공장에서는 해마다 쓰이는 총 원료비가 겨우 700파운드밖에 되지 않는데, 다른 한 공장에서 쓰이는 보다 좋은 원료비는 7000파운드나 든다고 가정하자. 이 경우에 전자에서 해마다 사용되는 자본[104]은 1000파운드에 달함에 불

104 ("해마다 사용되는 자본"은 12개월 동안의 영업비이며, 통상의 근대적 의미에 있어서의 자본

과한데 후자에서 사용되는 자본은 7300파운드에 달하게 된다. 그러므로 10퍼센트의 비율로써는 전자의 기업가는 겨우 약 100파운드의 연年이윤을 기대할 뿐인데, 후자의 기업가는 약 730파운드의 연年이윤을 기대할 것이다. 그런데 그들의 이윤은 그렇게 엄청나게 차이가 있음에도, 그들의 감독과 지위하는 노동은 둘 다 전적으로 같든지 아니면 거의 같은 것이다. 대부분의 대규모 사업에 있어서는 이러한 종류의 노동의 거의 전부가 어떤 주임서기主任書記에게 위임되어 있다.[105] 이 주임서기의 자금도 감독하고 지휘하는 노동의 가치를 적절히 표현하고 있다. 이 임금을 정하는 데는 그 사람의 노동과 숙련뿐만 아니라, 그에게 주어져 있는 신임에 대해서도 다소의 고려가 주어지기는 하지만, 그의 임금은 그가 운영을 감독하는 그 자본에 대하여 결코 규칙적인 비례를 가지지는 않으며, 이 자재의 소유자는 이렇게 하여 거의 모든 노동을 면제받고 있음에도, 그는 자기의 이윤이 자기의 자본에[106] 대하여 규칙적인 비율을 가져야 한다는 것을 기대한다. 그러므로 상품들의 가격에 있어서, 자재의 이윤은 노동의 임금과는 다른 구성 부분을 이루고 있으며[107] 전혀 다른 원리에 의하여 규정된다.

노동자는 고용주와 몫을 나누어 가지며, 노동만이 가치를 규정하지는 않는다.

이러한 사태에서는 노동의 총생산물이 반드시 노동자에게만 귀속하지는 않는다. 대부분의 경우 그는 자기를 고용하는 자재의 소유자와 더불어 그것을 나누어 가져야 한다. 어떤 상품을 획득 또는 생산하는 데 보통 고용된 노동량은 그 상품이 보통 마땅히 구매하고 지배하고 교환해야 할 다른 노동량을 규정할 수 있는 유일한 사정은 아니다.[108] 임금을 선불하고 그 노동의 원료를 제공한 자재

은 아니다.〕

105 〔"위임되어 있다"가 초판에서는 "위임되어 있는 일이 흔히 있다"라고 되어 있다.〕

106 〔"자기의 자본에"가 초판 및 제2판에는 "그것에"라고 되어 있다.〕

107 〔초판에는 "자재의 이윤은 가치의 한 원천이다"라고 되어 있다.〕

108 〔초판에는 이 문단의 처음에서 여기까지가 다음과 같이 되어 있다. "그러므로 이러한 사태에

의 이윤에 대하여도 당연히 추가량(additional quantity)이 지불되어야 한다는 것은 명백하다.

토지가 모두 사유재산화되면, 지대는 대부분의 상품가격의 제3의 구성 부분을 이루게 된다.

어떤 국가의 토지가 모두 사유재산이 되어 버리면, 곧 지주들은 다른 모든 사람들과 마찬가지로 그들이 씨를 뿌리지 않았던 곳에서 수확하기를 좋아하며,[109] 그 자연의 생산물에 대해서까지 지대地代를 요구하게 된다. 삼림의 목재, 들의 풀, 대지의 모든 천연적 과실들은 토지가 공유했을 때는 노동자가 다만 이런 것을 거둬들이는 수고만을 들이면 되었던 것이 이제는 그에게까지도[110] 그런 것들에 추가적 가격이 붙여지게 된 셈이다. 그는 자기의 노동이 수집 또는 생산하는 것의 일부를 지주에게 넘겨주지 않으면 안 된다. 이 부분, 또는 같은 것이지만 이 부분의 가격이 토지의 지대를 구성하며, 대부분의 상품가격에 있어서 제3의 구성 부분을 이루고 있다.[111]

서는 어떤 상품을 획득 또는 생산하는 데 보통 고용된 노동량은, 그 상품이 보통 마땅히 구매하고 지배하고 교환해야 할 노동량을 규정할 수 있는 유일한 사정은 결코 아니다.")

109 (데이비드 뷰캐넌David Buchanan(편), 《Wealth of Nations》(1814), 제1권, 80면에서 말하기를 "그들(지주)은 그렇게 하고 있다. 그러나 문제는 왜 이렇게도 명백하게 불합리한 요구가 그렇게 일반적으로 용인되어 있는가 하는 것이다. 다른 사람들도 역시 그들이 씨를 뿌리지 않는 곳에서 수확하기를 좋아하지만 그렇게 희구하는 목적에 성공하는 것은 지주뿐인 것 같다"라고.)

110 (초판에는 "노동자가"와 "그에게까지도"는 없다.)

111 (초판에는 이 두 개의 문장 대신에 다음과 같이 되어 있다. "이제는 사람들은 그것들을 채취하도록 한 허가에 대하여도 지불하지 않으면 안 되며, 또 그것들을 화폐, 노동 또는 다른 재화와 교환할 때에는 그것들을 채취하는 데 든 노동과 이 노동을 사용하는 자재의 이윤과의 쌍방에 대하여 당연히 지불하는 것 이상으로 그 허가의 대가에 대해서도 얼마간의 참작이 있어야 한다. 이것이 바로 토지의 최초의 지대를 구성하는 것이다. 그러므로 대부분의 상품가격에는 토지의 지대가 이와 같이 가치의 제3의 원천을 이루게 된다. 이러한 사태에서는 어떤 상품을 획득 또는 생산하는 데 보통 쓰이는 노동량이든, 또는 임금을 선불하고 그 노동의 원료를 제공하는 자재의 이윤이든 모두가 그 상품이 보통 구매, 지배 또는 교환되어야 할 노동량을 규정할 수 있는 유일한 사정은 못 된다. 제3의 사정, 즉 토지의 대가도 마찬가지로 고려하

세 가지 부분 모두의 실질가치는 다 같이 노동에 의해서 측정된다.

주의해야 할 것은 가격의 모든 구성 부분의 실질가치는 그들 각 부분이 구매 또는 지배할 수 있는 노동량에 의해서 측정된다는 것이다.[112] 노동은 가격 가운데서 노동으로 분해되는 부분의 가치를 측정할 뿐만 아니라, 지대로 분해되는 부분의 가치와 이윤으로 분해되는 부분의 가치까지도 측정한다.

진보한 사회에서는 일반적으로 세 가지 부분이 다 같이 존재하고 있으니,

모든 사회에서 모든 상품의 가격은 결국 이들 세 가지 부분 가운데 어느 하나 또는 전부로 분해되며, 모든 진보한 사회에서는 이 세 가지 모두가 대부분의 상품가격 속에, 그 구성 성분으로서 다소나마 들어 있다.

예를 들면 곡물에 있어서 그러하며,

예를 들면 곡물의 가격에 있어서, 일부분은 지주의 지대를 지불하고 다른 한 부분은 그 생산에 고용된 노동자 및 역축役畜의 임금 또는 유지비[113]를 지불하고 세 번째 부분은 농업경영자의 이윤을 지불한다. 이들 세 부분은 직접적이거나 또는 궁극적으로 전체 곡물 가격을 형성하고 있는 것이라고 생각된다. 아마도 제4의 부분이 농업경영자의 자재를 회수하기 위하여 또는 그의 역축과 기타의 영농기구의 감가 소모[114]를 보상하기 위해서 필요하다고 생각될지도 모른다. 그러나 역마와 같은 어떤 영농기구의 가격도 그 자체는 똑같은 세 부분, 즉 그

지 않으면 안 된다. 그리고 그 상품은 보통 그것을 시장에 가지고 가는 사람으로 하여금 이 지대를 지불할 수 있게 하기 위해서, 부가노동량을 구매하고 지배하고 또 이것과 교환되지 않으면 안 된다.")

112 (초판에는 "가격의 모든 각가지 구성 부분의 실질가치는 이러한 방법으로 그들 각 부분이 구매 또는 지배할 수 있는 노동량에 의해서 측정된다"로 되어 있다.)

113 (스미스는 여기서 역축의 유지비를 일종의 임금으로 포함시켰던바, 이로써 그는 국민소득 또는 "국민의 부(wealth of the nation)" 가운데 그 유지비를 포함시켜야 하고, 따라서 그 가축 자체를 국민의 일부로서 계산하여야 하는데, 이러한 사실을 그는 간과했다.)

114 (초판에서는 "감가 소모(wear and tear)"가 "소모 감가(tear and wear)"로 되어 있다.)

것이 사육되고 있는 토지의 지대, 그것을 돌보고 사육하는 노동, 그리고 이 토지의 지대와 이 노동의 임금을 선불하는 농업경영자의 이윤으로 형성되어 있다고 생각하지 않으면 안 된다. 그러므로 비록 곡물 가격은 말(馬)의 유지비는 물론 그 가격도 지불하겠지만, 그 전全 가격은 직접적이나 또는 궁극적이거나 지대地代, 노동[115] 및 이윤이라고 하는 세 부분으로 나눠게 되는 것이다.

밀가루 또는 거친 가루에 있어서도 그러하며,

밀가루 또는 거친 가루의 가격에는 곡물의 가격에다 제분업자의 이윤과 그 사용인의 임금을 가산해야 하며, 빵의 가격에는 제빵업자의 이윤과 그 사용인의 임금을 가산하지 않으면 안 된다. 그리고 이 양자의 가격에는 곡물을 농업경영자의 집으로부터 제분업자의 집까지, 그리고 방앗간으로부터 빵집까지 운반하는 노동을, 이 노동의 임금을 선불하는 사람의 이윤과 함께 가산해야 하는 것이다.

또한 아마亞麻의 가격에 있어서도 그러하다.

아마의 가격은 곡물의 가격과 똑같은 세 부분으로 분해된다. 아마포의 가격은 아마의 가격에 아마의 끝손질공·방적공·직조공·표백공 등의 임금을 그들의 각 고용주의 이윤과 함께 가산하지 않으면 안 된다.

고급으로 제조된 상품에 있어서는 지대의 비율이 비교적 작다

어떤 특정된 상품이 더 정제 가공되면, 임금과 이윤으로 분해되는 가격 부분은 지대로 분해되는 부분에 비해서 훨씬 더 커진다. 제조업이 진보함에 따라 이윤량이 증대할 뿐만 아니라, 후 단계의 이윤은 전 단계의 이윤보다 커진다. 왜냐하면 이윤이 파생되어 나오는 자본 자체는 항상 보다 더 크지 않으면 안

115 〔여기에서 한층 자연스러운 "임금"이란 말 대신에 "노동"이라고 한 것은 가축의 유지가 어렵다라는 생각에서보다는, 오히려 3행 앞에 "노동"이라는 말을 썼기 때문일 것이다.〕

되기 때문이다. 예를 들면 직조공을 고용하는 자본은 방적공을 고용하는 자본보다는 크지 않으면 안 된다. 왜냐하면 전자의 자본은 후자의 자본을 그 이윤과 함께 회수할 뿐만 아니라, 그 외에 직조공의 임금을 지불하지 않으면 안 되며, 이윤은 자본에 대하여 항상 어떤 비례를 가지고 있지 않으면 안 되기 때문이다.[116]

소수의 상품은 세 가지 구성 부분 가운데 오직 두 부분 또는 심지어 일부분만을 갖는다.

그러나 가장 진보된 사회에서도 그 가격이 두 부분, 즉 노동의 임금과 자재의 이윤으로만 분해되는 소수의 상품은 언제나 존재한다. 그리고 그 가격이 모두 노동의 임금으로만 되어 있는 상품도 아주 조금은 있다. 예를 들어 바닷고기의 가격에 있어서는 일부분은 어업자들의 노동을 지불하고, 또 일부분은 어업에 사용되는 자본의 이윤을 지불한다. 내가 뒤에서 설명하려는 바와 같이 지대가 때로는 그 일부분을 형성하기도 하지만 극히 드물다. 하천의 어업에 있어서는 적어도 유럽의 대부분을 통하여 그렇지 않다. 연어업은 지대를 지불하며, 또한 이 지대를 토지의 지대라고 부르는 것은 옳다고 할 수 없을지 모르겠으나, 임금과 이윤과 함께 이것도 연어 가격의 일부를 형성하고 있다. 스코틀랜드의 어떤 지방에서는 소수의 가난한 사람들이 해안을 따라 스코틀랜드 마노라는 이름으로 알려져 있는 얼룩덜룩한 잔돌을 모으는 것을 직업으로 하고 있다. 석공들로부터 그들에게 지불되는 가격은 전부가 그들의 노동의 임금이다. 지대도 이윤도 그 가격의 일부를 형성하고 있지 않다.

그러나 모든 상품의 가격은 적어도 그 일부분을 가지지 않을 수 없으며,

116 〔후 단계의 제조업자가 여기에서 자본이라 일컫는 것, 즉 전 단계의 제조업자의 정기적 지출을 회수하여야 한다는 사실은 그로 하여금 동일한 생산물을 다루는 데 반드시 보다 큰 자본을 지녀야 한다는 것을 요하지는 않는다. 이 자본은 만일 그가 비교적 소규모의 기계 및 건물과, 비교적 소량의 원료 재고밖에 필요로 하지 않는다면, 그렇게 클 필요는 없는 것이다.〕

그러나 어떤 상품의 전체 가격은 역시 결국에는 그 세 부분 가운데 어느 한 부분, 아니면 전술 부분으로 분해되지 않으면 안 된다. 즉 토지의 지대와 그것을 산출하고 제조하고 시장에 가지고 가는 데 쓰인 총노동의 가격을 지불한 뒤에 그중 얼마가 남더라도 그것은 반드시 어떤 사람의 이윤이 되지 않으면 안 되기 때문이다.[117]

또한 연간 총생산물의 가격은 임금 · 이윤 · 지대로 분해되고,

개별적으로 다루어 본다면 모든 특정 상품의 가격 또는 교환가치가 이러한 세 부분의 어느 일부분 아니면 전술 부분으로 분해되듯이, 모든 상품의 가격도 역시 복합적으로 본다면 같은 세 부분으로 분해되고 그 나라의 여러 주민들 간에 그들의 노동의 임금, 그들의 자재의 이윤 또는 그들의 토지의 지대로서 분배되지 않으면 안 된다.[118] 모든 사회의 노동에 의하여 해마다 수집 또는 생산된 전부, 같은 의미로서 그것의 전술 가격은 이렇게 하여 여러 성원의 어떤 사람들 사이에 본원적으로 분배된다. 임금·이윤·지대는 모든 교환가치의 세 가지 본원적인 원천임과 동시에 모든 수입의 세 가지 본원적인 원천이기도 하다. 다른 모든 수입[119]은 궁극적으로는 이 가운데 그 어떤 것에서 파생된다.

임금 · 이윤 · 지대만이 수입의 본원적인 종류들이다.

자기 자신의 자원(fund)에서 자기의 수입을 끌어내는 사람은 누구나 자기의 노동, 자기의 자재 또는 자기의 토지에서 그것을 끌어내지 않으면 안 된다. 노동

117 〔"상품"이란 용어는 소득을 구성하는 자재만을 포함하는 것이라고 이해될 경우에 한하여 타당성을 갖는다.〕

118 〔"연간 총생산물"이라고 하는 것은 소득을 의미하는 것이라고 생각하지 않으면 안 된다. 즉 다른 상품을 창조하는 데 소멸되거나 또는 써 버리는 것들을 포함한 생산된 재화의 전량을 의미한다고 생각해서는 안 된다.〕

119 〔"다른 수입"의 어떤 부분, 즉 이자와 조세는 다음 문단에서 논술된다. 아마 가축의 임대료도 역시 포함시키려 했을 것이다.〕

에서 얻어진 수입은 '임금'이라고 불린다. 자재를 운영하고 사용하는 사람들이 자재에서 얻는 수입은 '이윤'이라고 불린다. 그 자재를 손수 사용하지 않고 다른 사람에게 그것을 빌려주는 사람이 그것에서 얻는 수입을 '이자' 또는 '화폐사용료(use of money)'라고 한다. 이것은 차용인이 그 화폐를 사용함으로써 얻을 기회를 갖는바, 그 이윤에 대하여 빌려주는 사람에게 지불하는 보상인 것이다. 마땅히 이 이윤의 일부분은 위험을 무릅쓰고 그 화폐를 사용하는 데 수고를 아끼지 않는 사용인에게 속하고, 나머지 일부분이 차용인에게 이 이윤을 획득할 수 있는 기회를 제공하는 대여인에게 속한다. 화폐의 이자는 항상 파생적인 수입으로서 이는 차용인이 첫 번째의 채무의 이자를 지불하기 위해 두 번째의 채무를 계약하는 낭비자가 아닌 한, 그 화폐를 사용함으로써 생기게 되는 이윤에서 그것을 지불할 수 없을 경우에는 어떤 다른 수입원천에서 지불하지 않으면 안 된다. 전적으로 토지에서 생기는 수입은 지대라고 불리며 지주에게 속한다. 농업경영자의 수입의 일부분은 자기 노동에서, 나머지 일부분은 자기의 자재에서 나온다. 그에게 있어서 토지는 그로 하여금 이 노동의 임금을 벌게 해 주며, 이 자재의 이윤을 올리게 해 줄 수 있는 용구일 따름이다. 모든 조세, 이들을 근거로 하는 모든 수입, 모든 급료, 은급 및 모든 종류의 연금은 궁극적으로 수입의 이들 세 가지 본원적 원천 가운데 그 어느 것으로부터 나오게 된다. 즉 노동의 임금, 자재의 이윤, 토지의 대가에서 직접 또는 간접으로 지불되는 것이다.

이러한 수입은 때때로 혼동되는 것이며,

이러한 세 가지의 상이한 종류의 수입이 상이한 사람들에게 속하고 있을 때는 쉽게 구별이 되지만, 그것들이 동일인에게 속할 때는 적어도 일상 용어상으로는 서로 혼동될 때가 흔히 있다.

예를 들면 지주地主적 농업경영자의 지대地代는 이윤利潤이라고 불리며,

자기 자신의 소유지의 일부를 경영하는 지주(gentleman)는 경작비용을 지불하고 난 뒤에 지주(landlord)의 지대와 농업경영자의 이윤을 함께 얻게 될 것이다. 그러나 그는 자칫하면 자기의 총 이득을 이윤이라고 부르기 쉽다. 이리하여 적어도 일상 용어에서는 지대와 이윤을 혼동하고 있다. 우리의 북아메리카와 서인도 식민자들의 대부분은 이러한 입장에 있다. 그들 대부분은 그들 자신의 소유지를 경작하고 있다. 따라서 우리는 어떤 농장의 지대라고는 별로 듣지 못하지만, 그의 이윤이란 말은 흔히 듣는다.

보통 농업경영자의 임금을 이윤이라 부른다.

보통의 농업경영자들은 농장의 일반적인 작업을 지휘하기 위한 감독자를 고용하는 일은 별로 없다. 그들은 일반적으로 괭이질, 쓰레질하는 사람으로서 많은 일을 손수 한다. 따라서 지대를 지불하고 난 뒤에 남는 수확물은 경작에 사용된 그들의 자재를 그 보통의 이윤과 함께 그들에게 돌려주어야 할 뿐만 아니라, 노동자로서 그리고 감독자로서의 그들에게 당연히 돌아가야 할 임금도 그들에게 지불해야 한다. 그럼에도 불구하고 자재를 유지하고 난 뒤에 남는 것을 이윤이라 일컫는다. 그러나 분명히 임금이 그의 일부를 차지하고 있다. 농업경영자는 이 임금을 절약함으로써 반드시 그만큼의 이득을 보아야 하는 것이다. 그러므로 이러한 경우 임금은 이윤과 혼동되고 있다.

그리고 독립된 제조업자의 임금도 역시 이윤이라고 불린다.

원료를 구입하고 자기의 제작품을 시장에 가지고 갈 때까지 자기를 먹여 살릴 만큼 충분한 자재를 소유하고 있는 독립된 제조업자는 장인匠人(master) 밑에서 일하는 수습 기간을 마친 직인職人(journeyman)의 임금과 장인이 그의 직인의 제작물을 판매함으로써 얻는 이윤을 둘 다 차지할 것이다.[120] 그럼에도 불구하고 그 사람의 총 이득은 보통 이윤이라고 불리며, 임금은 이런 경우에도 역시 이윤

120 〔초판에는 "직인의 제작품을 매각하여"가 "그의 제작품을 매각하여"로 되어 있다.〕

과 혼동되고 있다.

그 반면 자기 자신의 토지로써 재배하는 원예사의 지대와 이윤은 노동의 소득이라고 생각되고 있다.

자기 자신의 정원에서 손수 재배하는 정원사는 지주, 농업경영자 및 노동자라는 세 가지의 다른 성격을 자기의 한 몸에 겸비하고 있다. 그러므로 그의 생산물은 지주에 대한 지대, 농업경영자에 대한 이윤, 그리고 노동자에 대한 임금을 그에게 지불해야 한다. 그러나 그 전체는 그의 노동의 소득으로 생각되는 것이 보통이다. 이런 경우 지대 및 이윤의 양자는 임금과 혼동되고 있는 셈이다.

연간 생산물의 대부분은 놀고 있는 사람들의 수중에 들어가며, 이 비율이 생산물의 증감을 규정한다.

문명국에서는 교환가치가 노동에서만 생기는 상품은 거의 없으며, 지대와 이윤이 대부분의 상품의 교환가치에 크게 기여하고 있으므로, 그 나라의 노동의 연간 생산물은 그 생산물을 산출하고, 가공하고, 그것을 시장에 운송하는 데 사용된 노동보다도 훨씬 더 많은 양의 노동을 구매 또는 지배하기에 넉넉할 것이다. 만일 그 사회가 해마다 구매할 수 있는 모든 노동을 사용한다면[121] 노동량은 해마다 크게 증가할 것이므로 후속하는 연간 생산물은 선행하는 연간 생산물보다 훨씬 많은 가치의 것이 될 것이다. 그러나 연간 총생산물을 근면한 사람들을 부양하는 데 사용하고 있는 국가는 없다. 곳곳마다 놀고먹는 사람들이 그것의 큰 부분을 소비한다. 그리고 그 총생산물이 해마다 이 두 계급의 사람들 사이에 분할되는 상이한 비율에 따라서 그 총생산물의 통상적 또는 평균적 가치가 해마다 증감增減 또는 연년連年 계속 동일하지 않을 수 없는 것이다.

121 〔초판에서 3판까지는 가정법 "were"가 아닌 직설법 "was"로 되어 있다.〕

제7장 상품의 자연가격과 시장상품에 관하여[122]

임금과 이윤의 통상률 또는 평균율.

모든 사회 또는 그 인근 지역 안에서는, 노동과 자재의 여러 가지 용도마다, 임금과 이윤에 관한 통상률 또는 평균율(ordinary or average rate)이라는 것이 있다. 뒤에서도 설명하겠지만, 이 비율은 일부분은 그 사회의 일반적인 여러 사정, 즉 그 사회의 빈부 상태, 그들의 진보, 정체 또는 쇠퇴의 어떤 상태에 의해서 규정되며, 또 일부분은 각 용도의 특수한 성질에 의해서 자연적으로 규정된다.

지대의 통상률 또는 평균율.

마찬가지로 모든 사회 또는 그 인근 지역 안에서는 지대의 통상률 또는 평균율이라는 것이 있으며, 이것 역시 뒤에서 설명하겠지만, 일부분은 그 토지가 위치하고 있는 사회 또는 그 인근 지역의 일반적 사정들에 의해서, 그리고 일부분은 그 토지의 자연적인 또는 개량된 비옥도에 의해서 규정된다.

이것은 자연율이라고 불러도 되는 것이다.

이러한 통상률 또는 평균율은, 이들이 보통 널리 보급되어 있는 때와 장소에서는, 임금, 이윤 및 지대의 자연율이라고 부를 수 있을 것이다.

이 자연율로 지불되면 상품은 그의 자연가격으로 팔리는 것이며,

어떤 상품의 가격이, 이것을 산출하고 가공하고 그것을 시장에 보내기까지에 사용된 토지의 지대, 노동의 임금 및 자재의 이윤을, 그것들의 자연율에 따라서 지불하기에 과부족이 없다면, 그 상품은 그것의 자연가격(natural price)이라고 불릴 만한 가격으로 팔리고 있다.

122 〔본 장은 《Lectures》, 173~182면을 밀접하게 따르고 있다.〕

즉 그것은 실제로 먹힌 값으로 팔리는 것이며, 이것에는 이윤이 포함되어 있다.

이런 경우에 그 상품은 정확하게 그 상품이 지니고 있는 가치만큼으로, 다시 말하면 그 상품을 시장에 가지고 가는 사람이 실제로 치른 값으로 팔리는 것이다. 왜냐하면 비록 일상 용어에서 일컫는 상품원가에는 그것을 재차 팔게 되는 사람의 이윤이 포함되어 있지 않을지라도, 만일 그가 자기 이웃에서의 통상이윤율마저 넣지 못할 만한 값으로 그것을 판다면, 그는 명백히 그 장사에서 손실을 입게 되는 것이다. 왜냐하면 그가 그 자재를 어떤 다른 방면에 사용함으로써 그만큼의 이윤을 올릴 수 있었을 것이기 때문이다. 그뿐 아니라 그의 이윤은 그의 수입이며, 그의 생존에 필요한 정당한 자원이기도 하다. 그가 상품을 마련하고 그것을 시장에 보내는 동안에 자기의 공인들에게 임금 또는 그들의 생활자료를 선불해 주듯이 자기 자신에게도 마찬가지로 스스로의 생활자료를 선불한다. 그리고 이 생활자료는 자기의 재화의 매각에서 합리적으로 기대할 만한 이윤과 대체로 부합된다. 그러므로 그들 재화가 그에게 이러한 이윤을 가져다주지 않는 한, 그들 재화는 그가 그들 재화의 생산에 실제로 들였다고 당연히 주장할 만한 비용을 그에게 변상하지 않은 것으로 된다.

왜냐하면 이윤을 보지 않고 계속 팔려는 사람은 아무도 없기 때문이다.

그러므로 이런 이윤을 그에게 남겨 주는 그 가격은 반드시 상인이 자기의 재화를 때에 따라서 팔 수도 있는 최근의 가격이라고는 할 수 없을지언정, 그것은 적어도 완전한 자유가 존재하는 곳에서는, 또는 그가 하고 싶을 때마다 몇 번이든지 자기의 직업을 바꿀 수 있는 곳에서는 상당한 기간 동안 계속 팔릴 수 있을 듯 한 최근의 가격이다.

시장가격은,

어떤 상품이 보통 팔리는 실제 가격은 그 상품의 사장가격(market price)이라고 불린다. 시장가격은 자연가격보다 높든가 낮든가 아니면 정확하게 동일하다.

시장에 반입되는 양과 유효수요에 의해서 규정된다.

모든 특정 상품의 시장가격은 실제로 그것이 시장에 반입되는 양과, 그 자연가격, 즉 그 상품을 그곳에 가져오는 데 지불되어야 하는 지대·노동 및 이윤의 총가치를 기꺼이 지불하려는 사람들의 수요와의 비율에 의해 규정된다. 이러한 사람들의 수요는 그 상품을 시장에 반입하는 데 충분히 유효하게 작용해 주는 것이므로, 이러한 사람들을 유효수요자라고 부를 수 있으며, 그들의 수요를 유효수요(effectual demand)라고 불러도 된다. 그것은 절대수요(absolute demand)와는 다르다. 매우 가난한 사람이라도 어떤 의미에서는 말 여섯 필이 끄는 마차에 대한 수요를 가지고 있다고 할 수 있으며, 그는 그 마차를 가지고 싶어 할지도 모르지만, 그의 수요를 충족시켜 주기 위해서 그 상품이 결코 시장에 나오지는 않을 것이므로 그의 수요는 유효수요가 아니다.

반입된 양이 유효수요에 부족할 때 시장가격은 자연가격 이상으로 상승한다.

시장에 반입되는 어떤 상품의 양이 유효수요에 달하지 못할 때, 그것을 그곳에 반입하기 위해서 지불되어야 하는 지대·임금·이윤의 총가치를 기꺼이 지불하고자 하는 모든 사람들 모두가 그들이 원하는 양을 그대로 다 공급받을 수는 없다. 그들 가운데 어떤 사람은 전혀 그것 없이 지내기보다는 오히려 기꺼이 더 높은 값을 주려고 할 것이다. 그들 사이에는 곧바로 경쟁이 시작될 것이며, 따라서 시장가격은 상품의 부족량의 크기, 또는 경쟁자들의 부 및 그들의 방자한 사치가 경쟁열을 다소 부추길 것이기 때문에, 다소간 자연가격 이상으로 상승할 것이다. 부와 사치가 동등한 경쟁자들 간에 같은 정도의 상품 부족[123]은 일반적으로 다소간의 경쟁을 일으킬 것인데, 그 정도는 그 상품의 획득이 그들에게[124] 주게 되는 중요도에 따른다. 도시가 봉쇄되어 있는 동안이거나 또는 기근이 있을

123 〔초판에는 이 2행 앞의 문장이 "부족량의 크기가 다소간 경쟁세력을 증진시킴에 따라서 같은 정도의 상품 부족은"으로 되어 있다.〕

124 〔"그들에게"가 초판에서는 "경쟁자들에게"로 되어 있다.〕

때에는 생활필수품의 가격이 엄청나게 오르는 것도 이 때문이다.

그것이 유효수요를 초과할 때는 시장가격은 자연가격 이하로 떨어지며,

시장에 반입된 양이 유효수요를 초과할 때, 그 양은 그것을 시장에 보내기 위해 지불되어야 하는 지대, 임금 및 이윤의 총가치를 기꺼이 지불하고자 하는 사람들에게 전량이 다 팔릴 수는 없을 것이다. 어떤 부분은 값을 덜 내도 사겠다는 사람들에게 팔리지 않으면 안 되고 그들이 그것에 대해 지불하는 그 저가격이 전체의 가격을 인하할 것은 틀림없다. 시장가격은, 그 초과분의 크기가 판매자의 경쟁을 증대시키는 정도에 따라서, 또는 그 상품을 즉각 처분해 버리는 것이 그들에게 중요하게 되는 정도에 따라서, 다소간 자연가격 이하로 떨어질 것이다. 예를 들면 오렌지의 수입과 고철의 수입에 있어서 그러한 것과 같이, 부패하기 쉬운 상품의 수입초과는 내구적인 상품의 그 정도 수입초과보다도 훨씬 더 큰 경쟁을 일으킬 것이다.

그것이 꼭 유효수요와 동등할 때 시장가격과 자연가격은 일치한다.

시장에 반입된 양이 유효수요를 충족시키는 데 충분하고 남지 않을 때 자연히 시장가격은 자연가격과 정확하게 동일하든가 또는 판단될 수 있을 정도로 근사하게 동일하게 된다. 수중에 있는 전량은 이 가격으로 처분될 수 있으나 그 이상의 값으로는 처분될 수 없을 것이다. 여러 상인들의 경쟁이 그들로 하여금 이 가격을 승인하지 않을 수 없게 하지만, 그들로 하여금 그 이하의 가격을 승인하게끔 하지는 않는다.

그 양은 자연히 그 자체를 유효수요에 맞춘다.

시장에 반입된 모든 상품의 양은 자연적으로 그 자체를 유효수요에 적합시킨다. 어떤 상품을 시장에 보내는 데 있어서 그 양이 결코 유효수요를 초과해서는 안 된다는 것이, 토지, 노동 또는 자재를 사용하는 모든 사람들의 이익이 되며, 그

것이 결코 유효수요[125]에 부족되어서도 안 된다는 것이 그 밖의 모든 다른 사람들의 이익이 된다.

그 양이 유효수요를 초과할 때 그 가격의 구성 부분 가운데 어떤 것은 자연율 이하로 떨어지는 것이 있다.

만일 어떤 시기에 그 양이 유효수요를 초과하면, 그 가격의 구성 부분 가운데 어떤 것은 그들의 자연율 이하로 지불되지 않을 수 없다. 만일 그것이 지대라면 지주들의 이익은 즉시 그들로 하여금 그들의 토지 가운데 일부분을 회수하게 할 것이며, 또한 만일 그것이 임금 또는 이윤이라면 임금의 경우엔 노동자들의 이익이, 이윤의 경우라면 그들의 고용주의 이익이 그들로 하여금 그들의 노동 또는 자재의 일부를 이러한 일에서 손을 떼게 할 것이다. 이리하여 시장에 반입된 양은 곧 유효수요를 공급하는 데 충분할 정도밖에 되지 않을 것이다. 그 가격의 모든 상이한 부분들은 그들의 자연율까지 상승할 것이며, 그 전 가격은 그의 자연가격에까지 상승할 것이다.

그것이 유효수요에 부족할 때 그 가격의 구성 부분들 가운데 어떤 것은 자연율 이상이 된다.

이와 반대로, 시장에 반입된 양이 어떤 시기에 유효수요보다 부족하면, 그 가격의 구성 부분들 가운데 어떤 것은 그들의 자연율 이상으로 상승할 것이 틀림없다. 만일 그것이 지대라면 다른 모든 지주들의 이익을 자연히 그들로 하여금 이러한 상품의 산출을 위해 더 많은 토지를 마련하도록 할 것이며, 만일 그것이 임금 또는 이윤이라면 다른 모든 노동자와 상인의 이익이 곧 그들로 하여금 그것을 만들어 시장에 보내는 데 더 많은 노동과 자재를 사용하게끔 할 것이다. 그곳에 반입되는 양은 곧 유효수요를 충족하게 될 것이다. 그 가격의 모든 상이한 부분들은 곧 그들의 자연율까지 하락할 것이며, 전체 가격도 그의 자연가격

125 〔"유효수요"가 초판에서는 "그것"이라고 되어 있다.〕

에로 하락하게 될 것이다.

자연가격은 실제 가격이 끌려가는 중심가격이다.

따라서 자연가격은 말하자면 모든 상품의 가격이 계속 그것에 끌려가는 중심가격이다. 여러 가지 우발사고가 그 가격들을, 때로는 그 중심가격보다 훨씬 위에 머물러 있게 하고, 때로는 어느 정도 그보다 더 아래에 머물게 하는지도 모른다. 그러나 이러한 가격이 이 중심에 안정하고 지속하지 못하게 하는 장애가 어떤 것이든 간에 그 가격은 끊임없이 그 중심을 향하는 경향이 있다.

근로는 그 자체를 유효수요에 적합시킨다.

어떤 상품을 시장에 보내기 위해서 해마다 사용되는 총노동량은 이렇게 하여 자연적으로 그 자체를 유효수요에 적합시킨다. 그것은 언제나 그 수요를 정확하게 공급하고, 그 이상이 되지 않을 만큼의 정확한 양을 시장에 보낼 것을 지향하고 있다.

그러나 소여된 노동량에 의하여 생산되는 양은 때때로 변동한다.

그러나 어떤 직업에 있어서는 같은 양의 근로가 해를 달리함에 따라 대단히 상이한 양의 상품을 생산할 것이지만, 한편 다른 직업에 있어서는 그것이 항상 동일 또는 거의 같은 양의 상품을 생산할 것이다. 농업에 있어서 동수의 노동자가 매년 대단히 상이한 양의 곡물·포도주·기름·홉 등을 생산할 것이다. 그러나 동수의 방적공과 직조공은 매년 동일 또는 거의 같은 양의 아마포와 모직물을 생산할 것이다. 전자의 종류의 근로에 있어서는 어느 점에서나 유효수요에 적합될 수 있는 것은 그 평균생산고뿐이며, 그 실제의 생산고는 이따금 그 평균생산고보다 훨씬 더 많았다 적었다 하므로, 시장에 운반되는 상품의 양은 때때로 그 유효수요를 훨씬 더 초과할 때도 있고, 또 그것에 상당히 부족될 때도 있을 것이다. 그러므로 비록 그 수요가 계속 언제나 동일하다 하더라도, 그 시장가격은 큰 변동을 면할 수 없을 것이며, 때로는 훨씬 그 이상으로 오르기도 할 것이다. 후자의 종류의 근로에 있어서는 등량의 노동생산물은 언제나 동일 또는 거의 동일하므로 그것은 유효수요에 더욱 정확하게 적합될 수 있다. 그러므로 그 수요가 계속 동일한 한, 상품들의 사장가격도 역시 그렇기 쉬우며, 그것은 그 자연가격과 전혀 동일하거나, 또는 판단될 수 있을 정도로 근사하게 동일하게 된다. 아마포 및 모직물의 가격이 곡물 가격처럼 빈번하게, 그리고 큰 변동을 겪지 않는다는 것은 누구나가 자기의 경험에서 알고 있을 것이다. 전자의 종류의 상품들의 가격은 수요의 변동에 따라 변동하는데, 후자의 그것은 수요의 변동과 더불어 변화할 뿐만 아니라, 그 수요를 충족시키기 위하여 시장에 운반되는 양이 훨씬 더 크고 훨씬 더 빈번한 변동을 하게 됨에 따라 변동하기도 한다.

시장가격의 변동은 지대보다도 임금과 이윤에 더 큰 영향을 미친다.

어떤 상품의 시장가격의 수시적이며 일시적인 변동은 그 가격 가운데에서 임금과 이윤으로 분해되는 부분에 주로 영향을 미친다. 지대로 분해되는 부분은 그 변동에 의한 영향이 적다. 화폐로써 확정된 지대는 그 비율에 있어서나 그 가치에 있어서나 그러한 변동에 의해서는 거의 영향을 받지 않는다. 지대가 총생산물의 시장가격에 일어나는 모든 수시적이며 일상적인 변동에 의하여 매년의 가치가 영향을 받을 것은 틀림없으나, 그의 연율이 그 때문에 영향을 받지는 않는다. 차지借地계약의 조건을 정할 때, 지주와 차지농업경영자는, 그들의 최선의 판단에 따라서, 그 비율을 생산물의 일시적이며 수시적인 가격이 아니라, 그의 평균적이며 통상적인 가격에 적합시키려고 노력한다.

그 영향의 정도는 상품 및 노동의 공급에 따라 다르다.

이러한 변동은 임금 또는 이윤의 가치와 비율에 다 같이 영향을 미치는데, 그 정도는 시장에 있는 상품 또는 노동이, 즉 이미 이루어진 작업 또는 이루어질 작업이 공급과잉(over-stocked)이냐, 혹은 공급부족(under-stocked)이냐에 의존한다. 국상은 흑포(검은 천)의 가격을 올린다(이런 경우엔 거의 언제나 시장은 공급부족이다). 그리고 상당히 많은 양의 흑포를 가지고 있는 상인들의 이윤을 증가시킨다. 그것은 직조공의 임금에는 아무런 영향을 미치지 않는다. 시장은 상품에 관해서 공급부족이지만, 노동에 관해서는 그렇지 않기 때문이다. 즉 이미 이루어진 작업의 공급부족이지, 이루어질 작업의 공급부족이 아니다. 그것은 직인 재봉사(journeymen taylors)의 임금을 올린다. 시장은 이 경우에 노동에 관해서 공급부족이다. 그곳에는 더 많은 유효수요가 있는 셈이다. 공장은 빛깔 있는 견직물과 복지의 가격을 떨어뜨리며, 따라서 그것을 상당히 많이 수중에 가지고 있는 상인들의 이윤을 감소시킨다. 그것은 또한 그러한 상품을 만드는 데 고용된 직공들의 임금을 떨어뜨린다. 왜냐하면 그러한 상품에 대한 모든 수요가 6개월 또는 12개월 동안 정지되기 때문이다. 이 경우 시장은 상품과 노동에 다 같이 공급과잉을 초래한다.

그러나 시장가격은 오랫동안 자연가격 이상으로 유지될 수도 있다.

그러나 모든 특정 상품의 시장가격은 이와 같이 끊임없이 자연가격에도 끌려가고 있다고 할 수 있으나, 때로는 특별한 사고, 때로는 자연적 원인, 그리고 때로는 행정상의 특정한 법규가 많은 상품의 시장가격이 계속 오랫동안 자연가격을 훨씬 상회하여 머물러 있도록 할 수 있다.

그것은 높은 이윤에 관한 일반적인 정보가 결여된 결과이다.

유효수요가 증가하여 어떤 특정 상품의 시장가격이 그 자연가격을 훨씬 넘을 만큼 상승하게 될 때, 그 시장을 충족하기 위해서 자신들의 자재를 사용하는 사람들은, 일반적으로 이러한 변화를 감추려고 애쓴다. 만일 그것이 일반에게 알려지면 그들의 커다란 이윤은 동일방면에 그 자재를 사용하려는 수많은 새로운 경쟁자를 유혹하므로 그 유효수요는 완전히 충족되어 시장가격은 곧 자연가격으로 되돌아가게 될 것이며, 아마 얼마 동안은 오히려 그 자연가격 이하로 떨어지기까지 할 것이다. 만일 시장이 그 상품을 공급하는 사람들의 주소에서 아주 멀리 떨어져 있다면, 그들은 몇 년 동안에 걸쳐 그 비밀을 간직할 수 있으며, 그동안에는 한 사람의 새로운 경쟁자도 없이 그들의 특별이윤(extraordinary profits)을 향수할 수 있을지 모른다. 그러나 이런 종류의 비밀은 오랫동안 간직될 수도 없다는 것은 시인되지 않을 수 없는 것이다. 그리고 특별이윤은 그 비밀이 지켜지지 않으면 곧 계속될 수 없게 되어 버리기 마련이다.

또는 제조업상의 비밀의 결과이다.

제조업상의 비밀은 상업상의 비밀보다도 훨씬 오랫동안 지켜질 수 있다. 보통 사용되고 있는 것의 반값밖에 들지 않는 원료로써, 특정의 색을 만들어 내는 방법을 발견한 염색업자는 잘 경영하면 그가 생존하고 있는 동안 자기가 발견한 것의 이익을 향수할 수 있으며, 그것을 유산으로서 자손에게 남겨 주기까지 할 수 있을지도 모른다. 그의 특별이득(extraordinary gains)은 그의 비밀의 노동에 대하여 지불되는 높은 가격에서 생기는 것이다. 이러한 이득은 그와 같은 노동의 고임금에 있다고 함이 옳을 것이다. 그러나 이 이득은 그의 자재의 모든 부분에서 되풀이되고 있으며, 그 때문에 그 이득의 총액이 자재에 대하여 규칙적인 비율을 가지게 되므로, 보통 자재의 특별이윤이라고 생각되고 있다.[126]

이는 장기간 작용할 수도 있다.

시장가격의 이러한 등귀는 특정한 우연사의 결과임이 명백하다. 그러나 그 작용이 때론 몇 년 동안 걸쳐 계속될 수도 있다.

126 〔이것이 단순히 이윤이라고 불리고 있는 이유는 마스터 제조업자(master－manufacturer)의 모든 이득이 이윤이라고 불리고 있기 때문이다. 이것은 잘 “생각”하고서 그렇게 말하는 것은 결코 아니다. 만일 그렇게 생각했다면 이 이득은 틀림없이 다음 문단에서 “어떤 특정한 우연의 결과”, 즉 염색업자가 특별한 지식을 소유하고 있는 결과로 얻어지는 것이라고 단언하여야 할 것이다.〕

또는 그것이 특정한 토질의 희소한 결과일 수도 있다.

어떤 자연의 생산물은 특이한 토질과 위치를 필요로 하므로 그것을 생산하는 데 적합한 토지는 대국의 전 국토를 통틀어도 그 유효수요를 충족시키기에 충분하지 못할 수도 있다. 그러므로 시장에 반입된 전량은 그것을 마련하여 시장에 보내는 데 사용되었던 노동의 임금과, 자재의 이윤을 다 같이 그들의 자연율에 따라서 지불하기에 정한 것 이상을 기꺼이 치르겠다는 사람들에게 처분될 것이다. 그러한 상품들은 꼬박 수 세기 동안[127] 줄곧 이러한 고가로 판매되는 수가 있다. 그리고 그 가격 가운데에서 토지의 지대로 분해되는 부분은 이런 경우엔 보통 그 자연율 이상으로 지불되는 부분이다. 이러한 특이하고도 귀중하게 여겨지는 생산물을 산출하는 토지의 지대는, 특수하게 알맞은 토질과 위치에 있는 프랑스의 어떤 포도원의 지대와 마찬가지로, 그 이웃에 있는 동등하게 비옥하고 동등하게 잘 가꾸어진 다른 토지의 지대에 대하여 규칙적인 비례를 갖지 않는다. 이에 반하여 이러한 상품을 시장에 보내는 데 사용된 노동의 임금과 자재의 이윤은 그 이웃에서 달리 사용되고 있는 노동과 자재의 그것들에 대하여 그들의 자연적 비례를 벗어나는 경우는 별로 없다.

이것은 영원히 계속될 수도 있다.

시장가격의 이러한 등귀는 유효수요가 항상 완전히 충족되지 못하게 저지하며, 따라서 영원히 계속하여 작용할지도 모르는 자연적 여러 원인의 결과임이 명백하다.

독점은 상업상의 비밀과 같은 효과를 가지고 있다.

개인 또는 상사에게 주어진 독점은 상업상의, 또는 제조업상의 비밀과 동일한 효과를 갖는다. 독점자들은 시장을 항상 공급부족 상태로 유지함으로써, 즉 유효수요를 결코 완전히 충족시키지 않음으로써, 그들의 상품을 그들의 자연가격

127 〔"꼬박 수 세기 동안"은 초판에서는 "줄곧 이러한 고가高價로"란 구의 뒤에 있다.〕

훨씬 이상으로 판매한다. 그리고 그것이 임금이든 또는 이윤이든 간에 자신들의 이득을 그의 자연율 이상으로 크게 올리는 것이다.

독점가격은 획득할 수 있는 최고의 것이다.

독점가격은 모든 경우에 획득할 수 있는 최고의 가격이다. 이와 반대로 자연가격, 다시 말하면 자유경쟁가격은, 실은 모든 경우는 아니지만 어떤 상당한 장기간에 걸쳐 취득할 수 있는 최저의 가격이다. 전자는 모든 경우에 구매자로부터 짜낼 수 있는 최고의 가격, 즉 구매자가 낼 것을 승낙하는 것이라고 생각되는 최고의 가격이다. 후자는 판매자가 보통 취득할 수 있는, 동시에 그들의 일을 계속할 수 있는 최저의 가격이다.

동업조합의 특권 등은 확대된 독점이다.

동업조합의 배타적 특권, 도제조례[128] 및 특정의 직업에 있어서, 이것이 없었을 경우보다는 더 소수의 사람들 사이에 경쟁을 억제하는 모든 법률은, 정도는 심하지 않더라도 독점과 동일한 경향을 가지고 있다. 그것들은 일종의 확대된 독점이며, 흔히들 몇 대에 걸쳐 각가지 직업의 모든 계층을 통해서 특정 상품들의 시장가격을 자연가격 이상으로 지속시키기도 하며, 그것에 사용되는 노동의 임금과 자재의 이윤을 다 같이 어느 정도 그 자연율 이상으로 유지하기도 한다.
시장가격의 이러한 등귀는 그렇게 만든 행정상의 여러 법규가 존재하는 한 지속될 것이다.

128 〔윌리엄 플레이페어William Playfair는 《Wealth of Nations》(1805), 제1권, 97면의 이 구절에 대한 주에서 이렇게 말한다. "동업조합과 도제도에 관한 이러한 소견은 오늘날에는 전혀 통용되지 않는다. 예를 들면 런던에서 조합의 면허를 가지는 사람(freemen)만이 시내에서 일정의 사업을 영위할 수 있다. 이러한 사업 가운데는 시외에서 운영할 수 없는 것은 하나도 없으며, 그 생산물을 시내에서 판매해서는 안 되는 것도 하나도 없다. 만일 스미스 씨의 원리가 적용된다면, 재화는 치프사이드Cheapside(시내)에서는 본드 가(Bond Street, 시외)에서보다 더 비쌀 것이다. 그러나 사실은 그렇지 않다."〕

시장가격이 오랫동안 자연가격 이하로 되는 일은 별로 없다.

어떤 특정 상품의 시장가격이 오랫동안 자연가격을 상회할 수는 있을지라도, 오랫동안 그 자연가격을 하회할 수는 없다. 자연율 이하로 지불되는 것이 그 가격의 어느 부분일지라도, 그것 때문에 이해관계상 영향을 받는 사람들은 곧 손실을 깨닫게 되고, 즉시 그만큼의 토지나 노동 또는 자재를 그 일에서 거둬들임으로써, 시장에 보내지는 양이 곧 유효수요를 충족하기에 꼭 알맞게 될 것이다. 그러므로 그의 시장가격은 곧 그의 자연가격에까지 오를 것이다. 이것은 적어도 완전한 자유가 있었던 곳에서의 실정일 것이다.

그렇지만 때로는 도제도 및 동업조합법이 일정 기간 동안 임금을 자연율 이하로 내리기도 한다.

제조업이 번영하고 있을 때는 직공으로 하여금 자신들의 임금을 자연율을 훨씬 넘도록 올릴 수 있게 해 주는 바로 그 도제조례와 그 밖의 동업조합 법규들을 실로 그 제조업이 쇠퇴하고 있을 때는 때때로 직공들로 하여금 자신들의 임금을 자연율 이하로 뚝 떨어지게 하지 않을 수 없게 한다. 앞의 경우에는 그러한 조례와 법규들이, 그 직공이 고용되고 있는 직업에 많은 사람들이 들어가지 못하게 배제하고, 뒤의 경우에는 이 직공으로 하여금 다른 많은 직업에 들어가지 못하게 배제한다. 그러나 이러한 법규의 효과는 그 직공의 임금을 그 자연율 이상으로 올리는 점에서는 지속적이지만, 그 이하로 떨어지게 하는 점에서는 그렇게 오래 가지 못한다. 법규의 작용은 전자의 경우에 있어서는 수 세기 동안 계속될 수 있으나, 후자의 경우에 있어서는 그 사업의 번영기에 육성된 직공들 가운데 어떤 사람들이 살아 있는 동안에만 계속될 수 있다. 그들이 죽으면 그 후에 그 직업을 위해 교육받은 사람들의 수가 자연히 유효수요에 저절로 맞추어질 것이다. 그 행정은 인도스탄 또는 고대 이집트[129](그곳에서는 모든 사람은 종교의 원리에 묶여서 자기 아버지의 직업을 따르도록 되어 있었으며, 만일 전업하면 가장 무서

129 〔《Lectures》, 168면에서는 이집트의 이 관행은 "세소스트리스Sesostris의 법" 때문이라고 한다.〕

운 신성모독이라고 생각되었다)의 그것과 마찬가지로 강포하게 시행되지 않으면 안 될 것이다. 그렇게 하지 않으면 어떤 특정의 직업에 있어서, 수 세대에 걸쳐 노동의 임금, 또는 자재의 이윤을 그들의 자연율 이하로 떨어뜨릴 수는 없는 것이다.

이상은 상품들의 시장가격이 수시적이든 또는 영구적이든 간에 자연가격으로부터 일탈하는 데 관해서 지금 논급해 둘 필요가 있다고 생각되는 전부라 하겠다.

자연가격은 임금, 이윤 및 지대의 자연율과 함께 변동한다.

자연가격 그 자체는 임금, 이윤 및 지대라는 그 가격의 구성 부분들 각자의 자연율과 더불어 변동한다. 그리고 어느 사회에서나 이 비율은 그들의 여러 사정, 그들의 빈부, 그들의 진보, 정체 또는 쇠퇴의 상태에 따라서 변동한다. 나는 다음의 네 개(8~11) 장에서 될 수 있는 대로 완전히 그리고 명료하게, 그 각가지 변동의 원인을 설명하려고 노력할 것이다.

임금은 제8장에서 논의된다.

첫째, 나는 임금률을 자연적으로 결정하는 여러 사정은 무엇이며, 그들 사정이 어떻게 그 사회의 빈부, 진보, 정체, 또는 쇠퇴에 의해 영향을 받게 되는가를 설명하기로 한다.

이윤은 제9장에서,

둘째, 나는 이윤율을 자연적으로 결정하는 사정은 무엇이며, 또한 이들 사정이 어떻게 사회 상태의 이상과 같은 변동에 의해 영향을 받게 되는가를 밝히려고 한다.

임금과 이윤의 차이는 제10장에서,

비록 금전적 임금과 이윤은 노동 및 자재의 여러 가지 용도에 따라 대단히 상이하다 하더라도, 노동의 여러 용도 전부를 통한 금전적 임금 간에서나, 그리고 자재의 여러 용도 전체를 통한 금전적 이윤 간에서나 다 같이 보통 일정한 비율이 생기는 것 같다. 앞으로 명백해지겠지만 이 비율은 일부는 여러 가지 직업의 성질에 의존하고 있으며, 일부는 여러 가지 직업이 계속되고 있는 사회의 법률과 정책에 의존한다. 그러나 이 비율은 여러 가지 점에 있어서 법률과 정책에 의존하지만, 그 사회의 빈부, 진보, 정체, 또는 쇠퇴의 상태에 의해서는 거의 영향을 받지 않고, 이들 모든 상이한 상태를 통해서는 여전히 동일 또는 거의 동일한 것 같이 생각된다. 셋째로, 나는 이 비율을 규정하는 모든 각가지의 사정을 설명하려고 노력할 것이다.

그리고 지대는 제11장에서 각각 다루어질 것이다.

넷째, 끝으로 토지의 지대를 규정하고, 토지가 생산하는 여러 가지의 모든 물질(substances)의 실질가격을 혹은 등귀시키고, 혹은 하락시키는 여러 사정은 무엇인가를 밝히려고 할 것이다.

제8장 노동의 임금에 관하여

생산물은 노동의 자연적 임금이다.

노동의 생산물은 노동의 자연적 보수(natural recompence) 또는 자연적 임금(natural wages)을 구성한다.

본래 노동의 총생산물은 노동자에게 귀속했었다.

토지의 점유와 자재의 축적이라는 이 양자에 선행하는 원시적인 상태에 있어서는 노동의 총생산물은 그 노동자에게 속했다.[130] 그는 자기와 몫을 나누어 가질

130 〔"노동의 총생산물은 노동자에게 속한다"라고 하는, 같은 구절이 제2판 및 그 후의 재판의 49

지주도 마스터도 갖고 있지 않았다.

이런 상태가 계속되었더라면 모든 물품은 더 저렴해졌을 것이다.

만일 이러한 상태가 계속되었더라면 노동의 임금은 분업에 의하여 일어나는 그의 생산력의 모든 개선과 함께 증가되었을 것이다. 모든 물품은 점점 더 값싸게 되어 갔을 것이다.[131] 그러한 물품은 비교적 적은 양의 노동에 의하여 생산되었을 것이며, 이러한 사태에서는 등량의 노동에 의해서 생산된 상품이 자연히 서로 교환되었을 것이므로, 그러한 상품도 마찬가지로 비교적 소량의 노동생산물로 구매되었을 것이다.

외관상으로 많은 물품이 보다 비싸게 되었을지 모른다.

그러나 비록 실제에는 모든 것이 더 싸졌을지라도, 외관상으로는 많은 것이 전보다 더 비싸게 되었을지 모르며, 또는 보다 더 많은 양의 다른 재화와 교환되었을지도 모른다.[132] 예를 들어 대부분의 직업에서 노동의 생산력이 열 배로 개선되었거나 또는 1인분의 노동이 본래 했던 양의 열 배를 생산할 수 있었는데, 어떤 특정의 직업에 있어서는 그들이 두 배로 개선되었을 뿐이어서, 하루의 노동이 오직 전에 했던 양의 두 배밖에 생산할 수 없었다고 가정하자. 대부분의 직업에서의 하루치 노동생산물을, 이 특정의 직업에 있어서의 하루치 노동생산물과 교환할 때, 전자에 있어서의 본래의 소산물의 열 배는 후자에 있어서의 본래의 두 배의 그것만큼 밖에 구매하지 못할 것이다. 따라서 후자의 어떤 특정량, 예를 들어 중량 1파운드는 전보다 다섯 배나 더 비싸게 된 것같이 보일

면에도 나온다.〕

131 〔"더 값싸게"라는 말은 그다음의 "보다 더 소량의 노동에 의해서 생산된"이라고 하는 문장에 의해서 정의되어 있다.〕

132 〔이 문장을 다음과 같이 쓴다면 혼동이 덜 될 것이다. 즉 "그러나 비록 모든 것이 바로 이 말에 주어진 의미로는 보다 더 싸졌을 것이지만, 보다 싸다든지 보다 비싸다는 말이 보통 사용되는 의미에 있어서는 많은 것들이 전보다 비싸게 되었을지 모른다."〕

것이다.[133] 그러나 실제로는[134] 그것은 두 배나 싸진 셈이다. 그것을 구매하는 데는 다른 재화량의 다섯 배를 필요로 하지만, 그것을 구매 또는 생산하는 데는 반량의 노동밖에 필요하지 않을 것이다. 따라서 그것을 획득하는 데는 전보다 두 배나 쉽게[135] 될 것이다.

토지의 점유와 자재의 축적에 의해서 이러한 상태는 끝을 맺었다.

그러나 노동자가 자기 자신의 노동의 총생산물을 향수했던 이 원시상태는 토지의 점유와 자재의 축적이 최초로 도입됨으로써 곧 계속될 수 없게 되었다. 그러므로 그 상태는 노동의 생산력에 있어서 가장 현저한 개선이 이루어지기 훨씬 이전에 종지부를 찍었고, 따라서 그것이 노동의 보수, 즉 임금에 어떠한 효과를 미쳤는가를 더 이상 밝히는 것은 아주 헛된 일일 것이다.

처음에는 지대가 공제되고,

토지가 사유재산으로 되자마자, 지주는 노동자가 그 토지에서 산출하거나 수집할 수 있는 거의 모든 생산물[136]에 관해서 한몫을 요구한다. 그의 지대는 토지에 사용되는 노동의 생산물에서 나오는 첫 번째의 공제분이라 하겠다.

농업에 있어서도 이윤은 두 번째로 공제되고,

토지를 경작하는 사람으로서 그 수확을 거두어들일 때까지 자신의 부양 수단을 소유하는 경우는 별로 없다. 그의 생활유지비는 대체로 마스터, 즉 그를 고용하는 농업경영자의 자재에서 그에게 선불된다. 그리고 그 마스터는 그의 노동생산물에서 한몫을 차지하지 않는 한, 즉 자기의 자재가 이윤과 함께 자기에게 회수

133 〔즉 "이 말의 통상의 의미로는 전보다 다섯 배 비쌀 것이다."〕

134 〔즉 "앞에서 이 말에 주어진 의미로는."〕

135 〔만일 어떤 물품의 획득을 위해 필요한 노동량이 그의 가치를 측정한다면, "두 배나 싸다"라는 말은 단순히 그것을 획득하는 것이 두 배나 더 쉽다는 것을 의미한다.〕

136 〔초판에는 "어떤 생산물이라도"라고 되어 있다.〕

되도록 되어 있지 않은 한, 그 마스터는 그를 고용함으로써 아무런 흥미도 느끼지 못할 것이다. 이 이윤은 토지에 사용되는 노동의 생산물에서 나오게 되는 두 번째의 공제를 이룬다.

다른 공예와 제조업에 있어서도 모두 그러하다.
거의 모든 다른 노동의 생산물도 마찬가지로 이윤의 공제를 면할 수 없다. 모든 공예와 제조업에 있어서 대부분의 직공은 그들의 일에 쓰이는 원료와 그것이 완성될 때까지 임금과 생활유지비를 그들에게 선불해 주는 마스터를 필요로 한다.[137] 그 마스터는 그들의 노동생산물에 한몫 낀다. 즉 그 노동이 사용됨으로써 원료에 부가되는 가치에서 한몫을 차지하며 그의 이윤은 바로 이 몫 속에 존재하고 있다.[138]

독립한 직공은 임금과 함께 이윤도 획득한다.
사실 때로는 단독으로 독립하고 있는 직공으로서 자기가 하는 일의 원료를 구매하고 그것이 완성될 때까지 자기를 부양하기에 충분할 만큼의 자재를 가지고 있을 경우도 있다. 그는 마스터이며 직공이기도 하다. 따라서 자기 노동의 총생산물, 즉 자기의 노동이 투하되어 원료에 부가되는 총가치를 향수享受한다. 그것은 보통 별개의 두 사람에게 속하는 두 개의 별개의 수입, 즉 자재의 이윤과 노동의 임금을 포함하고 있다.

그러나 이런 경우는 좀처럼 없다.
그러나 이런 경우는 그렇게 흔하지 않으며, 유렵의 대부분의 지방에서는 독립되어 있는 직공 한 사람에 대하여 마스터에게 봉사하는 직공은 20명이나 되며, 어디에서든지 노동의 임금이라는 것은, 보통노동자가 한 사람의 인격이며, 그

137 〔스미스는 일에 사용하는 도구와 일을 하는 장소인 건물의 준비는 생각하지 못했다.〕
138 〔이 설명을 앞의 제6장의 첫머리와 비교하라.〕

를 고용하는 자재의 소유자가 별개의 인격일 때 존재하는 것이라고 이해되고 있다.

임금은 마스터와 직공들 간의 계약에 의존한다.

보통노동의 임금이라고 하는 것은 어떤 곳에서나 그 이해관계가 결코 다른 양 당사자들 간에 보통 맺어지는 계약에 의존한다. 직공들은 될 수 있는 한 많이 받으려고 하고, 마스터들은 될 수 있는 대로 적게 주고 싶어 한다. 전자는 노동의 임금을 올리기 위해 단결하고자 하고 후자는 그것을 내리기 위해 단결하고자 한다.

마스터가 유리하나,

그러나 모든 통상의 경우 쟁의爭議에 있어서 양 당사자 가운데 어느 편이 유리한지, 따라서 어느 편이 상대방을 강제하여 자신들 조건에 따르게 할 것인가를 예견하는 것은 어렵지 않다. 마스터들은 비교적 수가 적으므로 훨씬 더 쉽게 단결할 수 있으며, 게다가 법률은 그들의 단결을 인정하거나, 또는 적어도 금지하지는 않으면서도,[139] 직공들의 단결은 금지하고 있다.[140] 우리는 노동의 가격을 내리도록 하기 위한 단결을 금지하는 의회의 법률은 갖고 있지 않지만, 이것을 인상하기 위한 단결을 금지하는 법률은 많이 가지고 있다. 이러한 모든 쟁의에 있어서는 마스터들이 훨씬 장기간 견디어 나갈 수 있다. 지주 · 농업경영자 · 마스터 · 제조업자 · 상인은 비록 이들이 한 사람의 직공도 고용하지 않더라도, 이들

139 〔초판에서는 다음과 같이 되어 있다. "그 수가 비교적 소수인 마스터들은 더 쉽게 단결할 수 있을 뿐만 아니라, 법률도 그들의 단결을 인정해 주거나 또는 적어도 그들을 금지하지는 않는다."〕

140 〔예를 들면 조지 1세 제7년 법령 제1권 법률 제13호는 런던의 재봉업자에 대하여, 조지 1세 제12년 법률 제34호는 양모의 소모공과 직조공에 대하여, 조지 1세 제12년 법률 제35호는 런던에서 15마일 이내에 있는 벽돌과 기와 제조인에 대하여, 조지 2세 제22년 법률 제27호 제12조는 모직물 제조업에 사용되는 사람들 및 많은 다른 사람들에 대하여 이것을 규정하고 있다.〕

은 그들이 이미 획득하여 둔 자재로써 1년 내지 2년은 살 수 있는 것이 보통이다. 많은 직공들은 직업 없이는 일주일도 살아갈 수 없을 것이며, 1개월 동안 살아갈 수 있는 사람도 극소수이고, 1년간 살아갈 수 있는 사람이라곤 거의 없을 것이다. 장기간에 걸쳐서 보면, 직공이 자기의 마스터를 필요로 하는 것과 마찬가지로 마스터도 그 직공을 필요로 하지만 그 필요는 그렇게 절박한 것은 아니다.

마스터들의 단결은 직공들의 단결만큼 소문이 나지 않는다.

직공들의 단결에 관해서는 흔히 듣지만 마스터들의 단결에 관한 소문은 극히 드물다고들 해 왔다. 그러나 이 때문에 마스터들은 거의 단결하지 않는다고 생각하는 사람이 있다면, 그는 세상 물정을 모르는 사람이며, 이 문제를 모르고 있는 사람이다. 마스터들은 언제, 어느 곳에서나 일종의 암암리에 끊임없이 통일적인 단결을 맺고, 노동의 임금을 그들의 실제율(actual rate) 이상으로 올리지 않으려고 한다. 이 단결을 깨뜨린다는 것은 어느 곳에서나 평판이 좋지 못한 행동이며, 이러한 마스터는 그 이웃과 동년배들 사이에서 일종의 망신인 것이다. 실제로 우리는 이러한 단결에 관해서는 별로 듣지 못하는데 그 이유는 그 누구도 항상 듣지 못하는 것이 보통이며, 자연스럽다고 할 만한 것이기 때문이다. 또한 마스터들은 노동의 임금을 이 비율 이하로 떨어뜨리기까지 하려고 특정의 단결을 맺을 때도 있다. 이러한 단결은 언제나 그 실행의 순간까지 극도의 침묵과 비밀리에 이루어지며, 직공들이 때때로 하는 것처럼 아무런 저항도 없이 굴복할 때는, 비록 그들에게는 통절히 느껴지더라도, 다른 사람들에게는 결코 들리지 않는다. 그럼에도 불구하고 그러한 단결은 직공들의 대항적이고 방위적인 단결에 의해서 이따금 저항을 받고, 직공들도 또한 이러한 도발이 없을 경우에도 자신들의 노동의 가격을 올리기 위해서 자발적으로 단결한다. 그들의 통상의 주장[141]은 어떤 때는 식료품이 고가라는 것이며, 어떤 때는 그들의 작업

141 〔애덤 스미스가 이 말을 다른 곳에서 사용하고 있는 바와 같이 이는 현재 그것에 붙여져 있

으로 말미암아 그들의 마스터들이 얻게 되는 이윤이 너무 크다는 것이다. 그러나 그들의 단결이 공격적이든 방위적이든 언제나 널리 소문이 퍼진다. 그 쟁점을 신속히 매듭짓기 위해서 그들은 언제나 가장 시끄러운 소란에 의뢰하며, 때로는 가장 무서운 폭력과 불법을 수단으로 사용하기도 한다. 그들은 자포자기하고 있으며, 또 절망적인 사람들의 어리석음과 무모로써 행동하여 스스로 아사하든가,[142] 아니면 마스터들을 위협하여 그들의 요구에 즉각 복종시키든가 그 어느 것을 선택하지 않으면 안 된다. 이런 경우에는 마스터들도 상대방에 대하여 그만큼 시끄럽게 일어나서, 소리높이 관헌의 원조를 청하며, 사용인(servants), 노동자(labourers) 및 직공들(journeymen)의 단결을 그렇게도 엄격하게 막기 위해 제정되었던 법률들의 엄격한 적용을 청하여 마지않는다. 따라서 직공들은 이렇게 소란스러운 단결의 폭력에서는 아무런 이익도 얻지 못한다. 이러한 단결은 일부는 관헌의 간섭 때문에, 일부는 마스터들의 우세한 끈기 때문에, 또 일부는 대다수의 직공이 목전의 생존에 쪼들려 굴복할 필요에 놓여 있기 때문에, 주모자의 처벌 또는 파멸 이외에는 대체로 아무런 소득 없이 끝나는 것이다.

그러나 마스터들은 임금을 일정율 이하로 내릴 수는 없다.

그러나 비록 마스터들은 직공들과의 쟁의에서 대체로 유리하지만, 상당히 장기간 동안에는 가장 열등한 노동에 있어서까지도 통상의 임금을 그 이하로 내리는 것이 불가능하다고 생각되는 일정율이 있다.

즉 이 일정율은 한 사람분의 생활자료와 가족을 위한 그 이상의 어떤 것을 말한다.

인간이란 항상 자기의 노동(work)에 의하여 생활하지 않으면 안 되며, 따라서 자기의 임금은 적어도 자기를 부양하기에 족한 것이어야 한다. 임금은 대부분의

는 핑계(구실)라는 것을 암시하고 있는 것이 아니라, 단순히 주장하는 어떤 것(something put forward)을 의미하는 데 지나지 않는다.〕

142 〔초판에는 "든가"가 없다.〕

경우 자기 부양을 위한 것 이상이어야 하며, 그렇지 못하면 그에겐 한 가족을 양육하는 것이 불가능해질 것이며, 따라서 그러한 직공들의 가족은 일대 이상 존속할 수 없을 것이다. 이 때문에 캔틸런 씨도 가장 열등한 보통의 노동자들은 어느 곳에서나 대체로 두 어린아이를 양육할 수 있게 되기 위해서는 적어도 자기 생활비의 두 배를 벌지 않으면 안 된다—다만 부인의 노동은 어린아이를 돌보아 주어야 하기 때문에 그녀 자신을 부양할 만한 것에 지나지 않는다고 생각되므로—고 생각하는 것 같다.[143] 그러나 태어나는 어린이의 반수半數는 성년에 달하기 전에 죽는다[144]고 추정되어 있다. 그러므로 이 계산에 따르면 가장 가난한 노동자들은 대체로 두 어린이에게 성년까지 살 수 있는 균등한 기회를 주기 위해서는 적어도 어린애 넷을 양육해 보지 않으면 안 된다. 그러나 네 어린이의 생활유지비는 한 사람의 남자 어른의 그것과 거의 맞먹는다고 상상되어 있다. 같은 저자는 한 사람의 강건한 노예의 노동은 자기의 생활유지비의 두 배 가치의 그것이라고 추정된다고 부언하고, 그는 또 가장 보잘것없는 노동자의 노동은 건강한 노예 한 사람의 그것보다 적은 가치밖에 되지 않을 리는 없다고 생각하고 있다. 적어도 일가를 양육하기 위해서는 비록 가장 열등한 보통의 노동자의 경우에 있어서까지도 부부가 함께 노동하여 그들 자신의 생활유지비로서 꼭 맞게 필요한 것보다 더 벌지 않을 수 없으리라는 것은 확실한 것 같다. 그러나 그 많다는 정도가 어떤 비율이면 될 것인지, 즉 상기한 비율인지 아니면 다른 어떤 비율인지를 나는 단정하지는 않겠다.[145]

임금이 이윤보다 상당히 높을 수도 있으니,

143 〔《Essai sur la nature en commerce en general》(1755), 42~47면. "것 같다"라고 한 것은 여기에 참조된 캔틸런 씨의 문장이 대단히 모호하므로 무의미한 것은 아니다. 그가 부인의 소득을 포함하려고 하는지, 아닌지는 명백하지 않다.〕

144 〔즉 만 17세가 되기 이전이라는 뜻이며, 이는 핼리 박사가 말한 것인 바, 이를 캔틸런 씨는 《Essai sur la nature en commerce en general》, 42~43면에서 인용하고 있다.〕

145 〔캔틸런 자신도 44면에서, "이 문제에 관해선 정확한 계산을 할 수 없는 사항이며, 또한 정확하게 계산해야 할 필요도 없는 사항이다. 진상과 그렇게 멀지 않으면 그만이다"라고 말하고 있다.〕

그러나 때로는 노동자에게 유리하고 그들로 하여금 임금을 이 비율, 즉 분명히 보통의 인도人道에 합치되는 최저율보다 상당히 높게 올릴 수 있게 해 주는 어떤 사정들이 있다.

노동자에 대한 수요가 증가할 때 그러하다.

어떤 나라에서 임금으로 생활하는 사람들, 즉 노동자, 직공들, 그리고 각종 사용인에 대한 수요가 계속 증가하고 있을 때, 즉 매년 전년도에 고용되었던 인원수보다 더 많은 사람이 고용되는 때에는 직공들은 자신들의 임금을 올리기 위하여 단결할 필요는 없다. 일손의 부족은 마스터들 사이에 경쟁을 일으켜서, 직공[146]들을 얻기 위하여 서로 맞서고, 따라서 임금을 올리지 않으려는 마스터 간의 자연적 단결을 자발적으로 파괴하는 것이다.

그것은 임금을 지불하기 위해 예정된 기금의 증가 때문이며, 그 기금을 구성하고 있는 것은,

임금생활자들에 대한 수요는 임금지불을 위해 책정된 기금(funds)의 증가에 비례하는 이외에는 증가할 수 없다. 이 기금엔 두 종류가 있다. 첫째, 생활유지[147]에 필요한 것을 넘는 수입이고, 둘째는 그들의 마스터들의 일에 필요로 하는 것을 넘는 자재이다.

이 기금은 잉여수입과,

지주, 연금 수령자 또는 돈 있는 사람(monied man)은 그들 자신의 가족을 부양하기에 족하다고 판단되는 것보다 더 많은 수입을 얻을 때, 그는 그 잉여의 전부 또는 일부를 한 사람, 또는 그 이상의 사용인을 부양하기 위해 사용한다.[148] 이

146 〔초판에는 "그들"로 되어 있다.〕

147 〔"생활유지"를 정의하려고 하지 않고 있어, 그 결과 어떤 사람의 수입을 생활유지에 필요한 것과, 이상의 것으로 구별한 것이 전혀 애매한 채 되어 있다.〕

148 〔여기에서는 사용인을 데리고 있다는 것은 가장 필요한 일(예를 들면 홀아비의 젖먹이를 돌

잉여분이 증가하면 그는 자연적으로 그러한 사용인使用人(servants)의 수를 증가시킬 것이다.

잉여자재이다.

직조공 또는 제화공과 같은 독립된 직공이 자기 자신의 제작물의 원료를 구입하고 그것을 처분할 수 있을 때까지 자기 자신을 부양하기에 족한 것보다 더 많은 자재를 획득할 경우에, 그는 자연히 그 잉여로써 한 사람 또는 그 이상의 직공들을 고용하며, 그들의 작업에 의해서 이윤을 얻는다. 이 잉여가 증가하면 그는 자연히 그의 직공들의 수를 증가시킬 것이다.

그러므로 노동자에 대한 수요는 국부의 증가와 더불어 증가한다.

그러므로 임금으로 생활하는 사람들에 대한 수요는 반드시 모든 국가의 수입과 자재의 증가와 함께 증가하며, 그것 없이는 도저히 증가할 수 없다. 수입과 자재의 증가는 곧 국부(national wealth)의 증가이다.[149] 그러므로 임금으로 살아가는 사람들에 대한 수요는 자연 국부의 증가와 더불어 증가하며, 따라서 그것 없이는 도저히 증가할 수 없다.

고임금은 국부의 실제의 크기에 의해서가 아니라, 그 증가에 의하여 야기된다.

노동의 임금을 상승시키는 것은[150] 국부의 실제의 크기는 아니며, 그의 계속적인 증가이다. 따라서 노동자의 임금이 가장 높은 것은 가장 부유한 국가에 그런 것이 아니고 가장 번영하고 있는, 즉 가장 신속하게 부유해져 가는 국가에서이다. 잉글랜드는 확실히 현재에는 북아메리카의 어떤 지방보다 더 부유한 국가이

보는 것)을 시키는 경우마저 가족을 "부양한다"는 것이 아니라는 뜻으로 되어 있는 것 같다.〕

149 〔앞의 1면에서는 국민의 부가 국민의 연간 생산물과 동의어로 취급되어 있었으며, 여기까지는 국민의 자재를 고려해야 한다는 것은 전혀 시사한 바 없었다.〕

150 〔"임금을 상승시키는 것"은 명백히 "고임금을 일으키는 것"을 실수하여 쓴 것이다. 어떻든 간에 그다음 문장은 이 주장을 필요로 하고 있으나, 실제로는 이루어지지 않았다.〕

다. 그러나 노동의 임금은 잉글랜드의 어떤 지방에 있어서보다 북아메리카에서 훨씬 더 높다. 뉴욕 주에서는 보통노동자는 하루에 통화 3실링 6펜스, 즉 영화英貨 2실링과 동일한 것을 번다.[151] 조선 목수는 통화로서 10실링 6펜스와 영화 6펜스의 가치가 있는 럼주 1파인트, 즉 전부 영화로는 6실링 6펜스와 같은 것을 벌고, 가옥 목수와 벽돌 쌓는 사람들은 통화로 8실링, 즉 영화로 4실링 6펜스와 같은 것을 번다. 재봉사(journeymen taylors)는 통화로 5실링, 즉 영화로는 약 2실링 10펜스와 같은 것을 번다. 이러한 가격은 모두 런던의 가격보다 더 많으며, 그 임금은 다른 식민지에 있어서도 뉴욕에 있어서와 마찬가지로 높다고 한다. 식료품의 가격은 북아메리카의 어느 지방에서나 런던보다 훨씬 더 싸다. 그곳에서는 식료품의 부족 같은 것은 결코 알려진 적이 없었다. 최악의 계절에도 그들은 수출용은 적더라도 자신들을 위한 것으로는 충분한 것을 가지고 있었다. 그러므로 노동의 화폐가격이 모국의 어느 곳에서보다 높다면 그 실질가격, 즉 노동이 노동자에게 가져다주는 생활필수품과 편의품에 대한 실질적인 지배력은 훨씬 더 큰 비율로 높을 것임이 틀림없다.

북아메리카는 잉글랜드보다 더 번성하고 있다.

그러나 비록 아직은 북아메리카가 잉글랜드만큼 부유하지는 않더라도, 그것은 훨씬 더 번성하고 있으며, 부의 더 많은 획득을 향하여 훨씬 더 급속히 전진하고 있다. 어떤 국가의 번영의 가장 결정적인 지표는 그 주민의 수의 증가이다. 영국과 대부분의 유럽 국가에서는 주민이 500년 이내에 두 배가 되었다고는 생각되지 않는다. 북아메리카에 있는 잉글랜드의 식민지에서는 20년 내지 25년 내에 두 배가 된다는 게 밝혀졌다.[152] 오늘날에도 이러한 증가는 주로 새로운 주민

151 이것은 1773년, 즉 최근의 동란 이전에 씌었던 것이다. 〔초판에는 이 각주를 넣지 않고 제2판 및 제3판에서는 "최근의 동란"이 "현재의 동란"이라고 되어 있다.〕

152 〔윌리엄 페티 경Sir William Petty, 《정치산술Political Arithmetic》(1699), 18면은 이 기간을 잉글랜드에서는 360년으로 했다. 찰스 대버넌트Charles Davenant, 《The Political and Commercial Works》, 찰스 휘트워스 경Sir Charles Whitworth(편), (1771), 제2권, 176면에 인용되어 있는 그

의 계속적인 이입에 기인된 것이 아니고, 그 종족의 대증식에 기인된 것이다. 노년기까지 사는 사람들은 자기 자신의 몸에서 난 50명 내지 100명, 때로는 그 이상의 자손을 보는 일이 흔히 있다고들 한다. 그곳에서는 노동은 많은 보수를 받으므로 그 양친에게는 어린아이들의 대가족이 무거운 짐이라기보다는 오히려 부와 번영의 원천이다. 각 어린이의 노동은 어버이의 집을 떠날 수 있을 때까지 양친에게는 순이득 100파운드의 가치가 있는 것이라고 추정된다. 4~5명의 어린아이를 가진 젊은 과부는 유럽의 중류 또는 하류계급의 사람들 사이에서는 재혼할 기회가 거의 없는데, 그곳에서는 일종의 재산으로서 구혼받을 때가 많다. 어린아이들의 가치는 결혼에 대한 모든 장려물 가운데에서도 최대의 것이다. 그러므로 우리는 북아메리카 사람들이 일반적으로 대단히 빨리 결혼을 한다는 것을 이상하게 생각할 수 없다. 이러한 조혼에 의하여 야기된 대폭 증가에도 불구하고, 북아메리카에서는 일손이 부족하다는 불평이 그치는 날이 없다. 노동자에 대한 수요, 즉 그들을 부양하기 위해 배정된 기금은 고용해야 할 노동자를 발견하는 것보다 훨씬 더 빨리 증가하는 것 같다.

아무리 부유하더라도 정체한 국가에서는 임금은 높지 않다.

일국의 부가 대단히 크다 하더라도, 그것이 만일 오래 정체되어 있다면 우리는 그곳에서 노동의 임금이 대단히 높을 것이라고 기대해서는 안 된다. 임금지불을 위해 배정된 기금, 즉 그 주민의 수입과 자재는 최대한의 것일지 모르지만, 몇 세

레고리 킹Gregory King은 그것을 과거엔 435년, 장래에는 아마 600년으로 잡고 있다. 1703년에 버지니아의 인구는 6만이었는데 1755년에는 30만이었고, 1765년에는 50만이었다. "이것에 의하면 그 수가 20년마다 거의 배가한 것으로 생각된다."–《The Present State of Great Britain and North America with regard to Agriculture, Population, Trade and Manufactures》(1767), 22면, 주註. "1643년에 뉴잉글랜드에 정주했던 사람들의 최초의 수는 1만 2200명이었다. 그 이후 정주했던 사람들보다 떠나간 사람들이 더 많았다고 산정되어 있다. 1760년에는 그들은 50만으로 증가되었다. 그러므로 그들의 수는 처음부터 25년간에 배가한 셈이다."–리처드 프라이스Richard Price, 《Observations on Reversionary Payments. etc.》(1771), 204~205면.]

기 동안 그 기금이 동일 또는 거의 동일한 정도라면, 매년 고용되는 노동자 수는, 그다음 해에 필요하게 될 노동자 수를 쉽게 충족할 수 있을 것이며, 충족하고도 남음이 있을 수도 있을 것이다. 그곳에서는 일손이 모자란다는 것은 거의 있을 수 없을 것이며, 노동자를 얻기 위해서 마스터들이 부득이 서로 다투게 되는 일도 없을 것이다. 반대로 이 경우에는, 자연히 사람 손이 그들의 일거리를 초과하여 증가할 것이다. 그곳에서는 언제나 일거리가 부족해질 것이며, 그 일을 얻기 위하여 서로 맞서지 않을 수 없게 될 것이다. 만일 이러한 국가에서 노동임금이 그 노동자를 유지하고, 또 그로 하여금 가족을 양육할 수 있게 하기에 족한 것 이상의 것이었다 하더라도, 드디어는 노동자들의 경쟁과 마스터들의 이해관계는 보통의 인간성과 일치하는 이 최저의 비율에까지 그들의 임금을 끌어내려 버릴 것이다. 중국은 오랫동안 세계에서 가장 부유한 나라, 즉 가장 다산적이고 가장 잘 경작되어 있고, 가장 부지런하고, 가장 인구가 많은 나라 가운데 한 나라였다.[153] 그러나 그것은 오랫동안 정체적이었다고 생각된다. 500년[154] 이전에 이 나라를 방문했던 마르코 폴로는 현재의 여행자들이 기술하고 있는 것과 거의 같은 말로써 그의 경작과 산업, 인구밀도에 관하여 기술하고 있다. 아마 그의 시대 훨씬 이전에 이 나라의 법률과 제도의 성질상 획득할 수 있는 한의 전량이 획득되었던 것 같다. 모든 여행자의 설명은 많은 다른 점에 있어서는 모순되고 있으나, 노동의 저임금, 그리고 국가에서는 노동자가 가족을 양육하기 어렵다는 점에 관해서는 일치하고 있다. 만일 하루 종일 땅을 파서 그날 저녁에 소량의 쌀을 구매할 만큼을 획득할 수 있다면 그는 만족한다. 기술공(artificers)의 상태는 훨씬 더 나쁘다. 유럽에서처럼 그들의 고객들의 부름을 그들의 일터에서 무위하게 기다리는 것이 아니라, 그들은 그들의 각자의 직업에 필요한 도구를 가지고 서비스를 제공하며, 마치 일거리를 구걸하고 있는 것처럼 늘 거리를 쏘다니고 있다.[155]

153 〔여기에 일국의 부를 계산하는 제3의 방법, 즉 1에이커 당의 생산물의 총액에 의한 방법이 있다.〕
154 〔그의 도착 연대는 1275년이었다.〕
155 〔"기술공들은 고객을 구하러 아침부터 밤까지 마을을 통해 쏘다니고 있다." 《Éphémérides

중국에서의 최하층계급의 시민의 빈곤은 유럽에서 가장 거지같은 국민의 그것을 훨씬 넘는다. 광저우 부근에서는 수백 수천의 가족이 땅 위에 주거를 가지지 못하고 강이나 운하 위의 고기잡이배 속에서 살고 있다고들 보통 말한다. 그들이 그곳에서 찾아내는 생활자료는 너무 부족한 것이므로 그들은 유럽 선박에서 물에 던져지는 아주 더러운 찌꺼기를 열심히 주어 올린다. 예를 들면 반쯤 썩어 악취 나는 죽은 개나 고양이의 시체라도, 가장 건강에 좋은 음식이 다른 국민들에게 환영받는 것처럼 그들에게 환영받는다. 결혼이 장려되는 것은 어린이들이 유리하다는 것 때문이 아니고, 어린이들을 죽이는 자유가 생기기 때문이다. 모든 대도시에서는 매일 밤 몇 명이 가두街頭에 유기되든지, 강아지처럼 물에 빠져 죽게 된다. 이렇게 무서운 일을 수행하는 것은 공인된 직무이며, 어떤 사람은 이 일을 함으로써 생활자료를 벌고 있다고 할 정도이다.[156]

du citoyen》 지, 1767년 3월호에 실린 프랑수아 케네François Quesnay의 글과 어거스트 온켄August Oncken(편), 《Œuvres Économiques et Philosophiques de François Quesnay》(1888), 581면에 실린 글을 보라.〕

156 〔"그러나 중국의 인민이 아무리 검소하고 근면하다 하더라도 그 주민의 수가 많다는 것은, 그곳에서 많은 참사가 일어나는 원인이 되고 있다. 잘 알려져 있듯이 그들은 그들의 어린아이들에게 필요한 식물을 줄 수 없을 만큼 가난하므로 무엇보다도 어머니가 병에 걸리거나 아이들에게 먹일 젖이 부족할 때는 아이들을 길에 버린다. 이 죄 없는 꼬마들은 인생의 출발을 시작함과 동시에 거의 대부분 사형의 선고를 받는 것이며, 이런 것은 북경과 광저우와 같은 대도시에서 가장 인상적이다. 왜냐하면 다른 도시에서는 알아차리기 어렵기 때문이다.
이러한 사정에서 전도사들은 인구가 대단히 조밀한 이러한 지방에 다수의 포교사를 유지하게 되었다. 그리고 포교사들은 죽어 가는 아이들에게 세례의 은총을 베풀기 위하여 그 전 지역을 분담하여 매일 아침 순회한다.
같은 목적을 위하여 사람들은 부실한 산파를 설득하여 그녀들이 불려 가게 되는 여러 가정으로 수녀들을 데리고 갈 것을 승낙하도록 할 때가 이따금 있었다. 왜냐하면 많은 가족을 부양할 수 없는 상태에 있을 때는 중국인은 여자아이가 태어나면 곧 산파들에게 부탁하여 물이 가득 찬 대야 속에 질식시켜 죽이도록 하게 될 때가 이따금 있기 때문이다. 그리고 그러한 수녀는 그 여자아이들에게 세례하는 것을 돌봐 주고, 이렇게 해서 그 양친의 빈고의 비참한 희생자는 그 짧고 덧없는 생명을 빼앗는 바로 그 물속에서 영원한 생명을 찾는 것이다."
—장-바티스트 뒤알드Jean-Baptiste Du Halde, 《Description géographique, historique, chronolgique, politique et physique de l' empire de la Chine et de la Tartarie

중국은 후퇴하고 있지는 않으며, 노동자는 그곳에서 그 수를 유지하고 있다.

그러나 비록 중국은 정지하고 있을지는 모르나, 후퇴하고 있을 것 같지는 않다. 여러 도시 가운데서 그들의 주민들에게 버림받은 것은 하나도 없다. 따라서 동일 또는 거의 동일한 연간 노동이 계속 행해지고 있음이 틀림없으며, 따라서 그것을 유지하기 위해 배정된 기금도 뚜렷하게 감소되지 않았을 것이 틀림없다. 그러므로 최하층의 노동자들은 그들의 부족한 생활자료에도 불구하고 그들의 평상의 수를 유지할 정도로 그들의 종족을 존속시키려고 어떻게든지 여러 모로 궁리하지 않으면 안 되는 것이다.

쇠퇴하고 있는 국가에서는 사정이 이와는 다를 것이다.

그러나 노동의 유지를 위해 배정된 기금이 현저히 감퇴하고 있는 국가에서는 그렇지 않을 것이다. 여러 모든 직업에 있어서 매년 사용인과 노동자에 대한 수요가 전前년도에 있었던 것보다 적어질 것이다. 상류계급에서 육성된 많은 사람들이 그들 자신의 계급의 업무에서는 일터를 찾을 수 없을 것이므로, 최하층의 계급의 업무 가운데에서 일을 서슴지 않고 찾으려 할 것이다. 최하층의 계급도 그들 자신의 직공뿐만 아니라 다른 모든 계급에서 넘쳐 나온 직공으로 공급과잉이 되어 있으므로, 일터를 구하기 위한 경쟁이 그곳에서는 너무 심하여, 노동의 임금을 노동자의 가장 비참하고 보잘것없는 생활비의 정도로 인하시킬 것이다. 많은 사람들은 이러한 어려운 조건에서까지도 일을 얻을 수 없으므로, 아사하든지 아니면 하는 수 없이 구걸을 함으로써, 또는 극악무도한 범행을 함으로써, 생활자료를 찾게 될 것이다. 곤궁, 기아 및 사망이 곧 그 계급에 퍼지며, 나아가 모든 상류계급에까지 손을 뻗쳐 마침내 그 나라의 주민의 수는, 나머지를 파멸시켜 버린 포학과 재난을 면하여 그곳에 잔존하고 있는 수입과 자재에 의해서 쉽게 부양될 수 있는 정도에 이르기까지 감소될 것이다. 이것은 아마 동인도의

chinoise》(1735), 제2권, 73~74면. 상기의 본문 가운데 애기를 물에 빠져 죽게 하는 것이 특별한 일이라고 한 것은 "산파(sages-femmes)"를 오역한 것에 유래하는 것이라고 생각된다.)

벵골 및 몇몇의 다른 잉글랜드 식민지의 현상일지도 모른다. 이전에 인구가 많이 줄어 버렸던 다산적인 나라, 따라서 그곳에서는 생존이 그렇게 어렵지 않을 국가인데도 불구하고 1년에 30~40만의 인민이 아사하는 일이 있다고 하면, 우리들은 거기서는 노동빈민의 생활유지를 위해 예정된 기금이 급속히 감쇠하고 있다고 단언해도 좋을 것이다. 북아메리카를 보호하고 통치하는 영국 헌법의 정신과 동인도에서 억압하고 권세를 부리는 상사사회(mercantile company)의 그것과의 차이를 설명해 주는 것으로는 이러한 나라들의 상태의 차이보다 더 좋은 것은 아마 없을 것이다.

그러므로 노동의 보수가 많다는 것은 국부가 증가하고 있다는 것의 필연적인 결과이며, 동시에 그 자연적 징후이기도 하다. 또 한편으로는 노동빈민의 생활자료가 부족하게 된다는 것은 사태가 정체하고 있다는 자연적 징후이며, 노동빈민이 아사상태에 있다는 것은 사태가 이미 급속히 후퇴하고 있다는 자연적 징후인 것이다.

영국에서는 임금이 최저율을 상회하고 있다.

영국에서는 노동의 임금이 오늘날 노동자가 일가족을 양육할 수 있는 데 꼭 맞게 필요한 것보다 확실히 더 많은 것이라고 생각된다. 이 점에 관해서 우리 자신을 만족시키기 위해서, 이것을 가능하게 하는 최저금액이 얼마인지에 관하여 지루하고 확실치 않은 계산에 몰두할 필요는 없을 것이다. 이 나라에서는 노동의 임금이 보통의 인간성에 모순이 없는 이 최저율에 의하여 규정되고 있는 곳은 아무 데도 없다는 명백한 징후가 많이 있다.

(1) 왜냐하면 겨울과 여름의 임금 사이에 차이가 있기 때문이다.

첫째, 영국의 거의 모든 지방에서는 최하층의 종류의 노동에 있어서까지, 여름과 겨울의 임금은 구별되어 있다. 여름 임금이 언제나 최고이다. 그러나 연료비가 엄청나게 많기 때문에 가족의 생활유지비는 겨울에 가장 많이 든다. 그러므로 임금은 이 경비가 최저일 때 가장 높기 때문에, 이 경비에 필요한 금액에 의하여 규정되는 것이 아니고, 일의 양과 그 추정가치(supposed value)에 의해서 규정되는 것은 명백한 것 같다. 사실 노동자는 겨울의 경비를 지출하기 위하여 여름의 임금의 일부분을 저축해야 한다고도 할 수 있으며, 1년 전체를 통해 보면 임금은 노동자의 가족은 1년 전체를 통해서 부양하는 데 필요한 금액을 넘지 않는다고 할 수 있을 것이다. 그러나 노예라든지 또는 그의 직접적인 생활자료를 우리들에게 절대적으로 의존하고 있는 사람은 이러한 방법으로 취급되지 않을 것이다. 그의 나날의 생활자료는 그의 나날의 필요에 비례하여 부여될 것이다.

(2) 임금은 식료품의 가격과 더불어 변동하지 않기 때문이다.

둘째, 노동의 임금은 영국에서는 식료품의 가격과 함께 변동하지 않는다. 식료품은 어떤 곳에서나 해마다 변동하고, 다달이 변동할 때도 흔히 있다. 그러나 많은 곳에서 노동의 화폐가격은 때로는 반세기 동안 동일한 그대로이다. 따라서 만일 이러한 곳에서 노동빈민이 식료품이 비싼 년도에 그들의 가족을 부양할 수 있다면, 그들은 식료품이 적당히 풍부할 때는 여유 있게 지날 것이 틀림없으며, 그것이 비상하게 쌀 때는 유복해질 것이 틀림없을 것이다. 지난 10년 동안 식료품은 고가였으나, 이 왕국의 여러 지방에서 노동의 화폐가격이 뚜렷하게 상승한 일은 없었다. 실제로 어떤 지방에서는 상승한 적이 있었지만, 이것도 식료품 가격의 증대 때문이라기보다는 오히려 노동에 대한 수요의 증대에 더욱더 기인된 것이었다.

(3) 임금은 식료품의 가격보다 장소의 여하에 따라 더 변동하기 때문이다.

셋째, 식료품의 가격은 노동의 임금보다도 연간 변동이 더 크듯이 다른 한편에 있어서는 노동의 임금은 식료품의 가격보다도 장소에 따른 변동이 더 심하다. 빵과 고기의 가격은 일반적으로 연합왕국의 대부분의 지방을 통해서 동일하거나 또는 거의 동일하다. 소매로 팔리며, 또한 노동빈민이 이 방법으로 모든 것을 구매하는 이들 및 그 밖의 대부분의 물품은 일반적으로 이 나라의 먼 지방에서나 대도시에서나 똑같이 값이 싸거나 아니면 대도시에서 더 싸다. 이 이유를 나는 뒤에서 설명할 기회를 가질 것이다. 그러나 대도시와 그 부근에서의 노동의 임금은 수 마일 떨어진 곳에서보다 흔히 4분의 1 내지 5분의 1, 즉 20퍼센트 내지 25퍼센트만큼 더 높다. 일당 18펜스는 런던과 그 부근에서의 노동의 보통가격이라고 생각해도 좋다. 수 마일 떨어진 곳에서는, 그것은 14~15펜스로 하락한다. 에든버러 및 그 부근에서는 그 가격이 10펜스라고 보아도 된다. 수 마일 떨어지면 그것은 8펜스로 하락하며, 이것은 스코틀랜드의 낮은 지방의 대부분을 통한 보통노동의 일상의 가격이며, 그곳에서는 잉글랜드에서보다도 임금의 변동은 더 적다.[157] 이러한 가격의 차는 한 교구에서 다른 교구로 인간을 수송하기에 반드시 족한 것은 아니나, 상품들일 경우에는 가장 부피가 큰 것이라도 한 교구에서 타 교구로뿐만 아니라, 이 왕국의 끝에서 다른 끝으로, 아니 세계의 일단에서 다른 일단에까지도 반드시 대수송을 일으킬 만한 것이므로, 이러한 가격의 차이는 마침내는 거의 일정의 수준에 더욱 가까워질 것이다. 인간의 본성이 경박하고 변덕스럽다는 것에 관해서는 논급된 바 많으나, 모든 종류의 하물 가운데에서 인간처럼 수송하기 곤란한 것도 없다는 것은 경험상 명백한 것 같다. 그러므로 노동빈민이 이 왕국 내에서 노동의 가격이 최저인 지방에서 그들의 가족을 부양할 수 있다면, 그것이 최고인 지방에서는 그들은 반드시 유복해져 있어야 하는 것이다.

그리고 또 (4) 스코틀랜드보다도 잉글랜드에서는 곡류가 더 싸고 임금이 높은 것처럼, 임금과 식료품의 가격은 이따금 반대의 방향으로 변동한다.

넷째, 노동의 가격에 일어나는 변동은 장소나 때에 따라서 식료품의 가격 변동과 일치하지 않을 뿐만 아니라, 오히려 전혀 반대일 때도 흔히 있다.

서민의 식물인 곡류는 잉글랜드보다도 스코틀랜드에서 더 비싸다. 그래서 스코

157 〔이 점에 있어서의 잉글랜드와 스코틀랜드의 차이는 영국의 정주법(law of settlement) 때문이다.〕

틀랜드는 거의 매년 잉글랜드로부터 많은 공급을 받는다. 그러나 잉글랜드의 곡물은 보내 주는 나라인 잉글랜드에서보다 들여오는 나라인 스코틀랜드에서 더 비싸게 팔릴 것이 틀림없다. 그런데 이것과 경쟁하여 같은 시장에 들어오는 스코틀랜드의 곡물보다 그 품질에 비해서 그렇게 비싸게 팔리지는 않는다. 곡류의 품질은 주로 제분소에서 나오는 밀가루 또는 거친 가루의 양에 의존한다. 이 점에서 잉글랜드의 곡류는 스코틀랜드의 그것보다 품질이 훨씬 우량하다. 그러므로 외관상으로는, 즉 그 용적의 크기에 비한다면 비쌀 때가 종종 있으나, 실제에 있어서는, 즉 그 품질 또는 그 중량에 비한다면 일반적으로 더 싼 편이다. 이와 반대로 노동의 가격은 잉글랜드에서는 스코틀랜드에서보다 훨씬 더 비싸다. 그러므로 노동빈민이 연합왕국의 한 지방에서 그 가족을 부양할 수 있다면, 그들은 다른 지방에서는 부유할 것이 틀림없을 것이다. 실제에 있어서는 연맥(귀리)은 스코틀랜드의 서민에게는 최대이며 최선의 식물로서 공급된다. 그런데 이것은 그 이웃인 잉글랜드의 동일 계급의 식물보다도 일반적으로 훨씬 못한 것이다. 그러나 그들의 생활 양식에 있어서의 이러한 차이는 그들의 임금에 있어서의 차이의 원인이 아니며, 그의 결과인데도 그것이 마치 원인인 양 주장하는 기묘한 오해를 나는 흔히 들어왔다. 한 사람이 부유하고, 다른 사람이 빈곤한 것은 전자가 마차를 타고 후자가 도보하기 때문이 아니라, 전자는 부유하기 때문에 마차를 타는 것이고 후자는 빈곤하기 때문에 도보하는 것이다.

그리고 전前 세기는 현現 세기보다 곡류는 더 비쌌으며 임금은 더 저렴했다.

연합왕국의 두 지방의 곡물은 연년으로 따져 본다면 현 세기를 통해서보다 전 세기를 통하여 더 비쌌다. 이것은 지금 어떠한 합리적인 의문을 품을 여지도 없는 사실이며, 그것을 입증할 수 있는 한에서는, 스코틀랜드에 관한 편이 잉글랜드에 관해서보다 더 결정적이다. 스코틀랜드에서는 이것이 공정곡가(public fiars), 즉 스코틀랜드의 여러 군마다 여러 종류의 곡류 전부에 관하여 시장의 실제 상태에 따라서, 선서를 바탕으로 해마다 평가하여 정해진 평가가격으로써 입증할 수가 있다. 만일 이러한 직접적인 입증이 그것을 확인하기 위한 어떤 방증을 필요로 한다면, 나는 프랑스에서, 그리고 유럽의 다른 대부분의 지방에서도 이것은 마찬가지로 사실이었다는 것을 말해 두고 싶다. 프랑스에 관해서도 가장 명백한 증거가 있다. 그러나 연합왕국의 두 지방에서 곡류가 현 세기에 있어서보다 전 세기에 약간 고가였다는 것이 확실하지만, 노동이 훨씬 더 저렴했다는 것도 이와 마찬가지로 확실하다. 그러므로 만일 노동빈민이 그 당시에 그들의 가족을 양육할 수 있었다면, 그들은 오늘날에는 훨씬 더 안락하게 지낼 것이 틀림없다. 전 세기에는 스코틀랜드의 대부분을 통하여 보통노동자의 가장 통상적인 하루 임금(day-wages)은 여름에는 6펜스, 겨울에는 5펜스였다. 1주에 3실링, 즉 이것과 거의 동일한 가격이 오늘날에도 고지지방 그리고 서부제도의 어떤 지방에서는 계속 지불되고 있다. 저지지방의 대부분을 통하여 보통노동자의 가장 일상적인 임금은 오늘날 하루에 8펜스이다. 에든버러 부근과, 그 이웃이기 때문에 아마 영향을 받고 있을 잉글랜드를 접하고 있는 제군과, 최근에 노동에 대한 수요가 상당히 증가한 기타 몇몇 지방, 즉 글래스고·캐런·에어셔 등의 부근에서는 10펜스이며, 때로는 1실링이다. 잉글랜드에서는 농업·제조업·상업에 있어서의 개선이 스코틀랜드보다도 훨씬 일찍 시작되었다. 노동에 대한 수요, 그리고 그 결과로서의 노동의 가격이 반드시 이러한 개선과 더불어 증가되었을 것이다. 따라서 현 세기와 마찬가지로 전 세기에도 노동의 임금은 스코틀랜드에서보다도 잉글랜드에서 더 높았다. 그때 이래 노동의 임금도 상당히 상승했지만, 잉글랜드에서 지불된 임금은 장소에 따라 여러 가지로 많이 달랐기 때문에 얼마 정도 올랐는지를 확인한다는 것은 비교적 곤란하다. 1614년에는 보병 한 사람의 급료가 현재와 똑같이 일당 8펜스였다.[158] 그것이 처음 제정되었을 때 그것은 자연히 보병이 배출되어 나오는 계급의 인민, 즉 보통노동자의 일상의 임금에 의

158 〔데이비드 흄David Hume, 《The History of Egland》(1773), 제6권, 178면은 토마스 라이머 Thomas Rymer, 《Foedera》, 제16권, 717면을 인용하고 있다. 이것은 독일의 병역에 대한 급료이다.〕

하여 규정되었을 것이다. 찰스 2세 시대에 저술했던 고등법원장 헤일즈 씨[159]는 6인으로 구성된, 즉 부모, 어느 정도 일할 수 있는 어린이 두 명, 아무것도 못하는 아기 두 명인 노동자의 가족의 필요경비를 1주에 10실링, 즉 1년에 26파운드로 추정했다. 만일 그들이 자신들 노동으로 이만큼을 벌 수 없다면 구걸을 하든지 도둑질을 하여서 그것을 메워 나가지 않으면 안 된다고 그는 생각하고 있다. 그는 이 문제를 대단히 주의하여 연구했던 것같이 보인다.[160] 1688년에 대버넌트 박사[161]에 의하여 정치산술에 있어서의 그의 기교를 격찬받은 바 있는 그레고리 킹 씨는 노동자 및 호외사용인(out-servants)의 보통 소득을, 평균 세 명 반으로 구성된다고 상정하는 한 가족의 경우, 1년에 15파운드라고 추정했다.[162] 따라서 그의 계산은 외관상으로는 상이한 것같이 보이지만 근본에 있어서는 재판관 헤일즈의 그것과 거의 일치하고 있다. 양자 모두 이러한 가족의 1주간의 경비를 한 사람당 약 20펜스로 상정하고 있다. 이러한 가족의 금전적 소득과 경비는 모두 곳에 따라 더하기도 하고 덜하기도 했지만, 왕국의 대부분을 통하여 그 당시 이래 상당히 증가했다. 그렇다고 해서 현재의 노동의 임금에 관하여 어떤 과장적 보고가 최근에 공표했던 것처럼 그렇게 증가된 곳은 없을 것이다. 알아 두지 않으면 안 될 것은, 같은 장소에서 동일 부류의 노동에 대하여 지불되는 노동의 가격이라도 직공들의 능력의 차이뿐만 아니라, 마스터들이 후한지 까다로운지에

159 〔매듀 헤일 경Sir Matthew Hale을 말한다.〕

160 리차드 번Richard Burn, 《The History of the Poor Laws : With Observations》에 있는 빈민의 부양에 관한 그의 제안을 보라. 〔이 주는 제2판에서 처음 나온다. 매듀 헤일 경Sir Matthew Hale, 《Discourse Touching Provision for the Poor》는 1683년에 인쇄되었다. 이 책은 상술한 바와 같은 주의 깊은 연구에 관한 내재적인 증거를 포함하고 있지 않다.〕

161 〔대버넌트Davenant, 《Essay upon the probable Methods of Making a People Gainers in the Balance of Trade》(1699), 15~16면과 찰스 휘트워스(편), 《The Political and Commercial Works》, 제2권 175면을 보라.〕

162 〔찰스 휘트워스(편), 《The Political and Commercial Works》, 제2권 184면의 표 B와 대버넌트, 《the Balance of Trade》의 표 D를 보라. 조지 버클리George Berkely, 《질문자Querist》, 제5판(1752), 196면 주를 보라.〕

따라서 차가 생기는 일이 흔히 있으므로 그것을 아주 정확하게 확인한다는 것은 어떤 곳에서도 가능한 것이 못 된다는 것이다. 법률에 의하여 임금이 규제되어 있지 않은 곳에서는, 우리가 결정하려고 주장할 수 있는 모든 것은 가장 통상적인 임금은 얼마인가 하는 것뿐이며, 또 경험상으로도 법률은 종종 그것을 그렇게 결정하려고 주장했으나 결코 적절하게 규제할 수 없다는 것을 설명해 주는 것 같다.

반면 다른 필수품과 편의품도 또한 더 저렴해졌다.
노동의 실질적 보수, 즉 노동이 노동자에게 생기게 해 주는 생활필수품 및 편의품의 실질적 양은 현 세기가 지나는 동안에 그 화폐가격에 비해서 아마 굉장히 큰 비율로 증가했을 것이다. 곡류가 조금 싸졌을 뿐만 아니라 부지런한 빈민이 기분에 맞고 건강에 좋은 각가지 식물을 만들어 내는 많은 다른 물품도 엄청나게 싸졌다. 예를 들면 감자는 현재 왕국의 대부분을 통하여 30~40년 전의 가격의 반밖에 되지 않는다. 순무나 당근, 둥근 배추도 그와 같다고 할 수 있다. 이런 것은 이전에는 삽으로만 재배할 수 있었으나, 오늘날에는 보통 쟁기로써 재배되고 있다. 모든 채소류도 역시 싸졌다. 영국에서 소비되는 사과와 양파까지도 그 대부분이 전 세기에는 플랑드르에서 수입했던 것이다. 비교적 거친 아마포와 모직물이 크게 개선되어, 노동자에게 비교적 값싸고 좋은 의복을 공급하게 되었으며, 또 비교적 조악한 금속 제품도 많이 개선되었으므로, 그들은 값싸고 질 좋은 직업용 도구와, 많은 기분 좋고 편리한 가구를 공급받게 되었다. 비누·소금·양초·가죽·양조주는 사실 상당히 비싸졌는데, 이는 주로 이런 물품에 과해졌던 조세 때문이었다. 그러나 노동빈민이 부득이 소비하지 않을 수 없는 물품의 양은 너무 소량이기 때문에 그것들의 가격의 증가는 결코 그렇게 많은 다른 물품의 가격의 감소를 상쇄하지는 못한다. 사치가 최하층의 계급의 인민에게까지 퍼졌다든가, 노동빈민이 그 이전의 시절에 만족했던 것과 똑같은 의식주로써는 이제는 만족하지 않을 것이라는 등의 일반적인 불평은, 우리들에게 노동의 화폐가격뿐만 아니라 그 실질적 보수가 증가되었다는 것을 확신시켜 주는 것이라 하겠다.

노동의 수입이 많은 것은 그 사회에 이롭다.

하층계급의 인민이 사정이 이렇게 개선된 것이 그 사회에 이로운 것으로 생각되어야 할 것인지, 또는 달갑지 않은 것이라고 보아야 할 것인지?[163] 그 답은 일견하여 너무나 명백한 것 같다. 여러 가지 종류의 사용인과 노동자 및 직공은 모든 대정치사회의 대부분을 구성하고 있다. 그러나 이 대부분의 사정을 개선하는 것이 그 전체에 대하여 달갑지 않다고 생각될 리는 없는 것이다. 어떠한 사회도 그 성질의 대부분이 가난하고 비참하고서는 결코 그 사회가 융성하고 행보할 수는 없다. 그뿐 아니라 인민 전체를 먹이고 입히고 거주케 하는 사람들이 그들 자신의 노동의 생산물에서 자신들도 꽤 잘 먹고 잘 입고 잘 거처할 만큼의 몫을 차지하여야 한다는 것은 공평할 따름이다.

빈곤은 출생을 방해하지 않는다.

빈곤은 비록 결혼을 장려하지 않는 것이 사실이지만, 반드시 결혼을 방해하지는 않는다. 그것은 오히려 생식에 더 유익한 것이라고까지 생각된다. 고지지방의 반 굶주린 부인이 20명 이상의 아기를 낳을 수가 있는데 포식하고 있는 귀부인은 아기를 가질 수 없는 경우도 흔히 있으며, 일반적으로 두세 명만 낳고서는 지쳐 버리는 것이 보통이다. 불임은 상류의 부인들 사이에는 아주 흔하며, 비교적 하급층의 부인들 간에는 극히 드물다. 여성의 사치는 향락에 대한 격정을 타오르게 하지만, 언제나 그 출산력을 약화시키고, 흔히는 완전 파괴해 버리는 것 같다.

163 〔조지 버클리George Berkely, 《질문자Querist》, 제5판(1752), 질문 2는 "서민을 잘 먹이고 잘 입히고 잘 거처시켜 주는 곳에서 그 인민이 가난하다고 말할 수 있을 것인가?"라고 묻고 있다. 흄Hume의 〈On Commerce〉는 "국가의 강대함과 그 신민의 행복은 비록 어떤 점에서는 무관계한 것이라고, 보통 인정되더라도 상업과는 불가분의 관계가 있다는 것이 보통 인정된다"라고 말하고 있다. –《Political Discovers》(1752), 4면.〕

그러나 아이들을 양육하는 데는 유익하지 못하다.

그러나 빈곤은 비록 그것이 출산을 방해하지는 않더라도 아이들을 양육하는 데는 극히 불편한 것이다. 연약한 식물은 싹이 나더라도 토양이 너무 한랭하고 기후가 혹독하면 쉽게 말라 죽는다. 스코틀랜드의 고지지방에서 20명의 어린 아이를 낳은 어머니가 두 명도 성장시키지 못하는 것이 보통이라고 나는 흔히 들어 왔다. 경험이 있는 몇 명의 장교가 나에게 확인한 바는, 그들은 그 연대 내에서 태어난 사병의 아이들 전원으로서도 그들 연대의 신병 보충은커녕 북치는 자와 피리를 부는 자조차 공급할 수 없었다는 것이다. 그러나 비교적 다수의 훌륭한 어린이는 병영 부근 이외에서는 결코 보이지 않는다. 그들 가운데 극소수가 13세 또는 14세까지 살아남는 것 같다. 어떤 곳에서는 태어난 아이의 반수는 4세도 되기 전에 죽는다. 7세 이전에 죽는 것도 허다하다. 그리고 거의 대부분의 지방에서는 9세 내지 10세가 되기 전에 죽는 것이다. 그러나 이렇게 높은 사망률은 어떤 곳에서도 비교적 좋은 지위에 있는 사람들이 하는 것과 같은 정도로 아이들을 보살펴 줄 수 없는 서민의 어린이들 가운데에서 주로 볼 수 있을 것이다. 비록 그들의 결혼이 일반적으로 상류사회의 사람들의 그것에 비하여 더 다산적이라 하더라도, 그들의 아이들이 살아남아 성년이 되는 비율은 훨씬 적다. 기아양육원에서, 그리고 교구의 자선사업에 의해 양육된 아이들 가운데에는, 그 사망률이 서민의 아이들 간에 있어서의 그것보다 훨씬 더 크다.

그래서 증식을 억제한다.

모든 종류의 동물은 본래 그들의 생존수단에 비례하여 증식하며, 어떤 종류라도 그것을 넘어서는 증식할 수 없다. 그러나 문명사회에서는 생활자료의 부족이 인간종족의 모든 증식을 제한할 수 있는 것은 하층계급의 인민들 사이에서만 있는 것이며, 더구나 그것은 그들의 다산적인 결혼이 출산해 내는 어린이들의 대부분을 죽이는 길밖에는 어떠한 방법으로써도 그렇게 할 수는 없다.

반면 노동의 보수가 후하면 증식은 촉진된다.

노동의 보수가 많으면 그들로 하여금 그들의 어린아이들을 더 잘 먹일 수 있게 하고, 그 결과 비교적 다수의 어린아이를 양육할 수 있게 해 줌으로써 증식에 대한 그들 제한은 자연히 확대되고 신장되는 경향이 생긴다. 더욱이 한 마디 논급해 둘 만한 것은 이러한 일은 노동에 대한 수요가 소요로 하는 것에 가능한 한 비례하여 필연적으로 일어난다는 점이라 하겠다.[164] 만일 이 수요가 계속 증가하고 있으면 노동의 보수도 반드시 노동자의 결혼과 증식을 장려할 것이다. 즉 지속적인 인구증가에 의하여 계속적인 수요증가를 충족할 수 있도록 해 주는 그러한 방법으로 촉진될 것이다. 만일 그 보수[165]가 이 목적을 위해서 필요로 하는 금액 이하일 때에는 언제나 일손의 부족이 곧 그 보수를 끌어올릴 것이다. 그리고 그것이 그 이상일 때는 언제나 그들의 초과증식이 곧 그 보수를 이 필요한 비율에까지 끌어내릴 것이다. 전자의 경우에는 시장은 노동의 공급 부족일 것이며, 후자의 경우에는 그만큼 공급과잉일 것이다. 이 과부족은 곧 그 사회의 여러 사정이 필요로 하고 있는 적당한 비율까지 그 가격을 되돌아가게 할 것이다. 인간에 대한 수요는 다른 상품에 대한 수요와 마찬가지로 반드시 인간의 생산을 규정하며, 그것이 너무 느릴 때는 그것을 빠르게 하고, 너무 빨리 나아갈 때는 그것을 정지시키는 것도 이상과 같은 방법으로 행해진다. 세계의 모든 여러 나라, 즉 북아메리카·유럽·중국에서 번식의 상태를 규정하고 결정하는 것은 이러한 수요이며, 이 수요가 첫 번째 나라에서는 번식의 상태를 신속하게 누진적으로 만들며, 두 번째 나라에서는 그것을 완만하고 점진적인 것으로 만들고, 세 번째 나라에서는 그것을 전혀 정체적인 것으로 만들고 있다.[166]

164 〔캔틸런Cantillon, 《Essai》, 제1부, 제9장의 표제는 "어떤 국가에서 일하는 노동자, 직공 및 기타의 수는 자연히 그들에 대한 수요에 비례한다"이다.〕

165 〔"만일 그 보수가"는 초판에는 "만일 그것이"로 되어 있다.〕

166 〔버클리Berkeley, 《질문자Querist》, 질문 62는 "잘 먹고 잘 입고 잘 사는 사람이 거주하는 나라가 나날이 더 인구가 조밀해져 가는지 또는 아닌지? 그리고 이러한 실정에 있는 다수의 인민이 번영하는 국민을 구성하고 있는지 또는 아닌지?"라고 묻고 있다.〕

자유인의 감가 소모도 노예의 그것처럼 비록 그렇게 크게는 아니지만, 대가가 지불되지 않으면 안 된다.

노예의 감가 소모[167]는 마스터의 경비부담이 되지만 자유로운 사용인의 그것은 그 자신의 경비부담이 된다고들 하고 있다. 그러나 후자의 감가 소모도 실제에 있어서는 전자의 그것과 마찬가지로 그 마스터의 경비부담이 된다. 모든 종류의 직공들과 사용인에게 지불되는 임금은, 그 사회가 이따금 필요로 하게 되는 수요가 증가하고 있는지 감소하고 있는지, 또는 정체하고 있는지에 따라, 직공들과 사용인의 일족을 평균적으로 존속시킬 수 있을 만한 것이라야 한다. 그러나 자유로운 사용인의 감가 소모가 동등하게 그 마스터의 경비부담이라 하더라도, 그것은 노예의 그것보다 일반적으로 그에게는 훨씬 싸게 먹힌다. 노예의 감가 소모를 보충 또는 수리한다고 할 수 있다면, 그것을 보충하거나 수리하기 위해 예정된 기금은 보통 태만한 주인 또는 부주의한 감독자에 의하여 관리된다. 자유인에 관해 동일한 역할을 하도록 예정된 기금은 자유인 자신에 의해서 관리된다. 부자의 경비에 일반적으로 유행하는 무질서는 자연히 전자의 관리에 도입되기 마련이며, 빈자의 엄격한 절약과 인색한 주의는 자연 후자의 관리에서 확립된다. 이러한 상이한 관리하에서는 목적이 동일하더라도 그것을 달성하는 데 필요한 경비는 그 정도를 달리하지 않을 수 없다. 따라서 자유인에 의하여 이루어지는 일이 노예에 의하여 수행되는 일보다 결국에는 더 싸게 된다는 것이 모든 시대와 국민에 관한 경험에서 명백한 것 같다고 나는 믿고 있다. 보통노동의 임금이 대단히 높은 보스턴·뉴욕·필라델피아에서까지도 그러한 것을 볼 수 있다.

고임금은 인구를 증가시킨다.

그러므로 노동에 대한 풍부한 보수는 부의 증가의 결과이듯이, 이것은 인구증가의 원인이기도 하다. 그것에 관하여 불평을 하는 것은 최대의 사회적 번영의

167 〔이 곳과 이 문단의 다른 세 곳에도 사용되고 있는 "감가 소모(wear and tear)"는 초판에서는 모두 "소모 감가(tear and wear)"로 되어 있다.〕

필연적 결과 및 원인에 관하여 비탄하는 것이나 마찬가지다.

진보적인 상대는 노동빈민에게는 최선의 것이다.

인민의 대다수인 노동빈민의 상태가 가장 행복하고 가장 마음 편하다고 생각되는 것은 사회가 부의 전량을 획득했을 때보다도, 오히려 사회가 그 획득을 향하여 전진하고 있는 진보적인 상태에 있을 때라고 하는 것은 한마디 해 둘 만한 것이겠다. 사회가 정체적인 상태에 있을 때는 노동빈민의 상태는 어렵고, 또 쇠퇴적인 상태에 있을 때는 비참하다. 진보적인 상태는 그 사회의 모든 계급으로서는 실로 유쾌한 상태이며, 마음 편한 상태이다. 정체적인 것은 활기를 띠지 못하며, 쇠퇴하고 있다는 것은 우울하다.

고임금은 근면을 조장한다.

노동의 후한 보수는 이것이 번식을 촉진하듯이 서민의 근면을 증진시킨다. 노동의 임금이 근면에의 자극제이며, 근면은 인간의 다른 성질과 마찬가지로 자극을 받는 데 비례하여 향상한다. 풍부한 생활자료는 노동자의 체력을 증진시키며, 자기의 상태가 개선되고, 만년에는 안락하고 넉넉하게 되리라는 즐거운 희망이 그로 하여금 그 힘을 최대한으로 발휘하도록 한다. 따라서 임금이 낮은 곳보다도 임금이 높은 곳에서 우리는 더욱 능동적이고 부지런하고 신속한 직공들을 볼 수 있을 것이다. 예를 들면 스코틀랜드에서보다는 잉글랜드에서, 즉 먼 농촌에서보다도 대도시의 부근에서 볼 수 있을 것이다. 사실은 일주일 동안 자기를 부양할 만한 것을 4일 만에 벌 수 있을 때 어떤 직공은 나머지 3일 간은 게을러질 것이다. 그러나 이것은 결코 대부분에 관한 사실은 아니다.[168] 이에 반하여 직공이란 일한 분량으로 따져서 후하게 지불받을 때는 자칫하면 과로하게 되기 쉬우며, 몇 년 못 가서 자신의 건강과 체질을 망쳐 버리게 된다. 런던과 그 밖의 몇몇 곳에서는 목수가 최대의 활기에 차 있는 동안 8년 이상 가지 않는다고 생각

168 〔《Lectures》, 257면에서 취한 것보다 더 호의적 소견이다.〕

되고 있다. 이것과 약간 비슷한 종류의 것은 직공이 일한 분량으로 따져서 지불받는 다른 많은 직공에서도 일어나고 있다. 그리고 이것은 일반적으로 제조업에서 그러하며, 임금이 보통보다도 높은 곳이라면 농촌노동에 있어서까지도 그러하다. 거의 모든 계층의 공장들은 그들이 소유한 종류의 일에 지나치게 골몰함으로써 일어난 특유한 질병에 걸리기 쉽다. 이탈리아의 고명한 의사 라마치니 Ramuzzini는 이러한 병에 관하여 특수한 책을 썼다.[169] 우리는 우리의 병사들을 우리들 가운데에서 가장 근면한 부류의 사람들이라고 하지는 않는다. 그런데도 병사들이 어떤 특수한 부류의 일에 종사하여, 일한 분량으로 따져서 후하게 지불받고 있을 때, 그들의 장교들은 부득이 기업가와 약정을 맺어 그들이 종래 지불받고 있었던 비율에 따라서, 매일 그 일정 금액 이상을 벌게 하지 못하도록 했던 일도 흔히 있었다. 이러한 약정이 이루어지기까지는 그들은 상호 경쟁과 더 큰 이득에 관한 욕구에 자극받아 과로하게 되고, 과도한 노동에 의하여 자신들 건강을 해쳤던 것이다. 일주일 가운데 4일간의 과도한 근면은 나머지 3일간에 태만하게 되는 사실상의 원인이 될 수 있다. 이것에 관해서는 수많은 사람이 소리높이 불평을 발하고 있다. 며칠 동안 쭉 계속되는 심신의 대노동은 대부분의 사람으로 하여금 자연 휴양을 크게 욕구하게 하는바, 이 욕구는 강제 또는 어떤 강한 필요에 의하여 억제되지 않는 한 거의 불가항력적인 것이다. 그것은 자연의 욕구로서 어느 정도의 방종, 즉 때로는 편안하게 있는 것으로써, 아니 때로는 낭비와 기분 전환하는 것에 의하여 구출되기를 요구하고 있다. 만일 그것이 충족되지 못하면, 그 결과는 종종 위험하며, 때로는 치명적이며 조만간에 거의 언제나 그 직업에 특유한 질환을 초래하게 된다. 만일 마스터들이 언제나 현재와 인간애의 명령에 귀를 기울이려면 그들 밑에 있는 직공들의 사기를 고무하기보다, 오히려 그것을 완화해 줄 필요가 흔히 있을 것이다. 계속 일할 수 있을 만큼 적당하게 일하는 사람은 자기의 건강을 가장 오래 유지할 뿐만 아니라 그해

169 〔《De morbis artificum diatriba》(1700)은 1746년 로버트 제임스Robert James에 의하여 영역(《A Treatise on the Diseases of Tradesmen》)되었다.〕

를 통해 본다면 최대량의 일을 하는 사람이라고 나는 믿고 있다. 그리고 이러한 사실은 모든 종류의 직업에서 볼 수 있을 것이다.

식료품의 값이 싼 연도에는 게으름을 조장한다는 견해는 잘못이다.

식료품이 싼 해에는 직공들이 일반적으로 보통 해보다 더 게으르고, 비싼 해에는 보통 해보다 일반적으로 더 부지런하다고 주장되고 있다. 따라서 생활자료가 풍부하면 그들의 근면은 해이해지고, 그것이 모자라게 되면 그들의 근면이 활기를 띠게 된다고 결론지어졌다. 보통보다도 조금 더 풍부하면 어떤 직공은 게을러질 수 있다는 것은 의심할 여지가 없지만, 그렇다고 해서 대부분에게 이러한 효과를 가져온다든지, 인간이란 일반적으로 그들이 잘 먹을 때보다는 잘 못 먹을 때, 그들이 기분 좋을 때보다 낙심되어 있을 때, 그리고 대체로 건강할 때보다도 자주 질병에 걸릴 때에 더 일을 잘 한다는 것은 결코 있을 법하지도 않은 것 같다. 주의해야 할 것은 기근의 해는 일반적으로 서민들 사이에 질병과 사망이 많은 해여서 이것이 그들의 근로의 소산을 감소시키지 않을 수 없다는 점이다.

식료품이 싼 해는 임금이 높다.

풍년에는 흔히 사용인들이 그들의 마스터를 떠나서, 그들 자신의 근로에 의하여 획득할 수 있는 것으로써 그들의 생계를 이어 가려고 한다. 그러나 식료품이 싸다는 이 동일의 사실은 사용인들의 부양을 위해 예정된 기금을 증가시킴으로써 마스터들, 특히 농업경영자들로 하여금 더 많은 사람을 고용하도록 자극해 준다. 이런 경우에 농업경영자들은 그 곡물을 시장에서 싼값으로 팔기보다는 그것으로써 노동하는 사용인을 몇 사람 더 부양함으로써 더 많은 이윤을 기대한다. 사용인에 대한 수요는 증가하는 반면 그 수요를 충족하려고 나서는 사람의 수는 감소한다. 그러므로 노동의 가격은 흔히 식료품이 싼 해에 상승한다.

그것이 비싼 해에는 임금이 낮다.

흉년에는 생활의 유지가 곤란하고 불확실해져서, 이러한 모든 사람들로 하여금 근무에 돌아갈 것을 열망하게끔 만든다. 그러나 식료품의 고가는 사용인의 부양을 위해 예정된 기금을 감소시키므로 마스터들로 하여금 그들이 거느리고 있는 사용인의 수를 증가시키기보다 오히려 감소시킬 마음이 나게 한다. 또한 비싼 해에는 가난한 독립공들은 그들의 일의 원료를 자급하는 데 사용했던 얼마 되지 않는 자재를 흔히 다 써 버리고, 생존을 위해서 부득이 직공이 되어 버린다. 일을 원하는 사람이 일을 쉽게 얻을 수 있는 사람들보다 많으며, 많은 사람들이 보통보다 더 낮은 조건으로 서슴지 않고 그것을 얻으려고 한다. 그래서 사용인과 직공들의 임금은 다 같이 식료품이 비싼 해에 흔히 떨어지곤 한다.

마스터들은 식료품이 비싼 해를 더 좋아한다.

그러므로 모든 부류의 마스터들은 식료품이 싼 해보다도 비싼 해에, 흔히 그 사용인과 더 유리한 흥정을 하고, 싼 년도보다 비싼 년도에 그 사용인들이 더 겸손하고 더 종속적이라는 것을 알게 된다. 따라서 그들은 자연히 비싼 해를 산업에 더 유리한 것이라고 추정한다. 그뿐 아니라 마스터들의 최대의 두 계급인 지주들과 농업경영자들도 비싼 해를 더 좋아하는 또 하나의 이유를 가지고 있다. 전자의 지대와 후자의 이윤은 식료품의 가격에 의존하는 도가 크기 때문이다. 그러나 인간은 타인을 위하여 일할 때보다, 자신들을 위해 일할 때가 일반적으로 더 적게 일할 것이라고 상상하는 것처럼 부조리한 것도 없다. 가난한 독립직공은 일반적으로 분량을 따져서 일하는 직공보다도 더 부지런하다. 전자는 자기 자신의 근로의 총생산물을 향수하는 데, 후자는 그것을 자기의 주인과 나누어 가진다. 전자는 독립되어 떨어진 상태에 있으므로 커다란 제조업장에서 그렇게 빈번히 후자의 도덕을 파멸시키는 나쁜 동업자의 유혹에 덜 빠지게 된다. 월月 또는 연계적으로 고용되고, 일을 많이 하든 적게 하든 그 임금과 수당이 동일한 사용인에 대한 독립된 직공의 우월성이 역시 더 클 것 같다. 식료품값이 싼 해는 모든 종류의 직공과 사용인에 대한 독립된 직공의 비율을 증가시키고, 그것이 비싼 해는 그 비율을 감소시키는 경향이 있다.

메상스는 프랑스의 어떤 제조업에서는 식료품 값이 싼 해에 훨씬 더 많은 것이 생산되었다고 설명하고 있다.

박식하고 독창력이 풍부한 한 저자이며 생테티엔 선거구의 타이유tailles(인두세)[170]의 수납원인 메상스 씨Mr. Messance는 상이한 세 징세업, 즉 엘뵈프Elbeuf에서 운영되는 거친 모직물업, 루앙Rouen 전역의 징세구에 퍼져 있는 아마포직물업 및 견직물업에 있어서, 식료품값이 싼 해와 비싼 해에 제조되는 재화의 양 및 가치를 비교함으로써, 가난한 사람은 비싼 해보다도 싼 해에 더 많은 일을 한다는 것을 밝히려고 노력하고 있다.[171] 관서의 등가부에서 옮겨 온 그의 보고에 의하면 이 세 징수업 모두에서 제조된 재화의 양 및 가치는 일반적으로 식료품값이 비싼 해보다 싼 해에 더 컸으며, 가장 싼 해는 최대였고, 가장 비싼 해는 최소였다는 것이 드러나 있다. 세 징수업은 모두 정체적인 제조업인 것같이 보인다. 즉 비록 그들의 생산물은 해를 거듭함에 따라 약간 변동한다 하더라도 전체적으로는 후퇴하고 있지도 않으며 전진하고 있지도 않은 것 같다.

매년 식료품 가격의 고저와 스코틀랜드의 아마포 및 요크셔의 모직물 제조의 변동과의 사이에는 어떠한 관련도 보이지 않는다.

스코틀랜드의 아마포업과 요크셔 서구의 거친 모직물업은 성장하고 있는 제조업이다. 그 생산은 다소의 변동은 있지만, 그 양과 가치에 있어서 일반적으로 증가하고 있다. 그러나 그들의 연간 생산물에 관해 공표되었던 보고를 검토해 본

170 〔제3판에서 제5판까지는 taillies라고 오식되어 있다.〕

171 〔《Recherches sur la population des généralités dAvergne, de Lyon, de Rouen, et de quelques provinces et villes du royaume, avec des réflexions sur la valeur du bled tant en France qu'en Angleterre, depuis 1674 jusqu'en 1764, par M. Messance, receveur des tailles de l'election de Saint-Etienne》(1766), 287~292, 305~308면.〕

결과, 나는 그 변동이 식료품이 비싼 계절 또는 싼 계절과 뚜렷한 관련을 가지고 있었다는 것을 관찰할 수 없었다. 대흉년인 1740년에는 실제로 두 제조업은 모두 상당히 쇠퇴한 것같이 보인다. 그러나 1756년도 대흉년이었다는데 스코틀랜드의 제조업은 보통 연도年度 이상의 전진을 보았다. 요크셔의 제조업은 확실히 쇠퇴했고, 그 생산물도 아메리카의 인지법(stamp act)의 폐지 후인 1766년까지는 1755년의 생산물만큼 오르지 않았다. 1766년과 그다음 해에는 그것이 종전에 올렸던 생산물을 크게 초과했고, 그 후에도 계속 증진하고 있다.[172]

생산고는 다른 여러 사정에 의존하고 있으며, 비교적 많은 것들이 식료품값이 싼 해에는 계산에서 빠진다.

먼 곳에 판매할 것을 목적으로 하는 모든 대제조업의 생산물은 이 대제조업이 운영되고 있는 나라들의 계절에 따른 식료품값의 고저에 의존한다기보다는, 오히려 언제나 그 생산물이 소비되는 국가들에 있어서의 수요에 영향을 미치는 여러 사정들, 즉 평화냐 전쟁이냐에, 그리고 다른 경쟁에, 그리고 주요 고객들의 성미가 좋은가 나쁜가 하는 것 등에 의존하지 않을 수 없다. 그 밖에도 식료품값이 싼 해에 이루어지는 임대적인 일의 대부분은 제조업의 공적인 등가부에는 기입되지 않는다. 그들의 마스터 곁을 떠나는 남자 사용인은 독립된 노동자가 된다. 여자들은 그 양친에게 돌아가서 보통 자기 자신들이나 그 가족의 의복을 만들기 위해 실을 잣는다. 독립된 직공들까지도 언제까지나 공중에게 판매하기 위해서만 일을 하는 것이 아니고, 그 이웃에 있는 어떤 사람에게 고용되어 자기 가족을 위한 제조에 종사하기도 한다. 따라서 그들의 노동의 생산고는 공적인 등기부에 숫자로 나타나지 않을 때가 많으며, 그 등기부의 기록은 때때로 너무 과장되게 공표되어, 우리의 상인들과 제조업자들은 그 기록에 의거해서 위대한 제국의 성쇠를 예언하는 체하는 헛된 일도 흔히 한다.

172 〔초판에는 "계속 증진하고 있다"가 "계속 그렇게 되고 있다"라고 되어 있다.〕

그러나 노동의 가격과 식료품의 가격 사이에는 어떤 관련이 있다.

노동의 가격의 변동은 비록 식료품의 가격 변동과 반드시 일치하지는 않을 뿐 아니라, 흔히 그 정반대일 때도 있지만, 우리는 이 때문에 식료품의 가격이 노동의 가격에 아무런 영향도 미치지 않는다고 생각해서는 안 된다. 노동의 화폐가격은 언제나 두 가지 사정, 즉 노동에 대한 수요와 생활필수품 및 편의품의 가격에 의하여 규정된다. 또한 노동에 대한 수요는 이것이 때마침 증가하고 있는지, 정체하고 있는지, 또는 쇠퇴하고 있는지에 따라, 또는 그것이 인구의 증가를 필요로 하고 있는지, 또는 정체, 또는 쇠퇴를 요구하고 있는지에 따라 노동자에게 주어야 할 생활필수품 및 편의품의 양을 결정하고, 또 노동의 화폐가격은 이 양을 구매하는 데 필요한 금액에 의하여 결정된다. 그러므로 비록 노동의 화폐가격은 식료품의 가격이 저렴한 곳에서도 때로는 높을 수가 있지만 그 수요가 계속 동일하더라도 식료품의 가격이 높을 때는, 더욱 높아질 것이다.

노동의 화폐가격이 때로는 돌발적이며 이례적으로 풍부한 해에는 상승하고, 돌발적이고 이례적으로 궁핍한 해에는 감소하는 것은 노동에 대한 수요가 전자에 있어서는 증가하고, 후자에 있어서는 감소하기 때문이다.

풍년에는 노동에 대한 수요가 비교적 많다.

돌발적이며 이례적인 풍년에는 그 전前년도에 고용했던 것보다 더 많은 수의 부지런한 사람들을 유지하고 고용하기에 충분한 기금이 산업의 많은 마스터들의 수중에 있지만, 이 굉장히 많은 수가 반드시 다 채워질 수는 없는 것이다. 따라서 다 많은 직공을 원하는 마스터들은 그들을 얻기 위하여 서로 경쟁하고, 이것이 어떤 때는 그들의 노동의 실질가격과 화폐가격을 모두 올린다.

흉년에는 이 수요가 비교적 적다.

돌발적이며 이례적인 흉년에는 이상의 것과는 반대되는 것이 일어난다. 근면한 사람들을 고용하기 위해 예정된 기금은 그 전前년도에 있었던 것보다 적어진다.

상당한 수의 사람들이 직업에서 쫓겨나고, 이들은 일을 얻기 위하여 서로 다투어 노동의 실질가격과 화폐가격을 내리곤 한다. 이례적인 흉년이었던 1740년도에 많은 사람들이 불과 얼마 안 되는 생활자료를 얻기 위해 즐겨 일했다. 그다음에 뒤따르는 풍년에는 노동자와 사용인을 획득하는 것이 보다 어려웠다.

식료품 가격의 변동의 결과는 이렇게 하여 상쇄된다.

식료품이 비싼 해의 물자의 부족은 노동에 대한 수요를 감소시킴으로써 그 가격을 인하하는 경향이 있는 동시에 식료품의 고가는 그것을 올리는 경향도 있다. 이에 반하여 식료품 가격이 싼 해의 물자의 풍족은 그 수요를 증가시킴으로써 노동의 가격을 올리는 경향이 있는 동시에, 식료품의 저렴이 그것을 인하하는 경향도 있다. 식료품 가격의 보통의 변동에는 이러한 두 가지 반대되는 원인이 서로 상쇄된다고 생각되며, 이 사실은 아마 노동의 임금이 왜 모든 곳에서 식료품의 가격보다는 훨씬 더 안정되어 있고 영속적인가 하는 이유의 일부가 될 것이다.

임금의 증가는 가격을 증가시킨다. 그러나 임금을 증가시킨 원인은 가격을 감소시키는 경향이 있다.

노동임금의 증가는 가격 가운데에서 임금으로 분해되어 버리는 부분을 증가시킴으로써 반드시 많은 상품의 가격을 증가시켜, 또한 그 정도만큼 상품들의 국내 및 해외에서의 소비를 감소시키는 경향이 있다. 그러나 노동의 임금을 올리는 바로 동일의 원인, 즉 자재의 증가는 노동의 생산력을 증가시키고, 비교적 소량의 노동으로써 비교적 다량의 작업을 생산하도록 하는 경향이 있다. 다수의 노동자를 고용하는 자재의 소유자는 반드시 자기 자신의 이익을 위해서 가능한 한 최대량의 작업을 생산할 수 있도록 일을 적당하게 분할하고 분배하려고 노력한다. 같은 이유에서 그는 노동자들에게 자기나 또는 노동자들이 생각해 낼 수 있는 최선의 기계를 공급하려고 노력한다. 어떤 특정의 작물장에서의 노동자들 사이에 일어나는 것은 동일한 이유에서 큰 사회에 있어서의 노동자들 사이에서도 일어난다. 그 수가 많으면 많을수록 그들은 자연적으로 직업의 여러 가지 부문과, 작은 부문으로 더 많이 분할된다. 점점 더 많은 두뇌가 각자의 일을 하는데 가장 적당한 기계의 발명에 종사하게 되고 따라서 역시 그러한 기계가 발명될 가능성도 점점 더 많아진다. 그러므로 이러한 개선의 결과로 많은 상품이 종전보다 더 적은 노동에 의하여 생산되게 되므로 노동가격의 증가는 그 양의 감소에 의하여 채워지는 것 이상의 것이 된다.[173]

제9장 자재의 이윤에 관하여

이윤은 부의 증감에 의존하며,

자재의 이윤의 상승 및 하락은 노동임금의 상승 및 하락과 동일한 여러 원인, 즉 사회의 부가 증가하는 상태에 있느냐 감소하는 상태에 있느냐에 의존하고 있다. 그러나 이들 원인은 전자와 후자에 대단히 상이한 영향을 미친다.

부의 증가와 더불어 하락해 간다.

자재의 증가는 임금을 올리지만 이윤을 낮추는 경향이 있다. 많은 부유한 상인들의 자재가 동일 사업에 몰리는 경우엔 그들의 상호 경쟁은 자연히 그 이윤을 낮추는 경향이 있으며, 어떤 사회에서 영위되는 모든 각가지 사업의 자재가 마찬가지로 증가할 때는 동일한 경쟁이 모든 사업에 동일한 효과를 낼 것은 틀림없다.

173 〔초판에는 "그 가격의 증가는 그 양의 감소를 채우지 않는다"로 되어 있다. 그 뜻은 일정량의 노동에 대하여 지불되는 총액의 증가는 소요노동량의 감소에 의하여 상쇄되고도 남을 만하다는 것이다.〕

그 비율을 확정하는 것은 곤란하다.

이미 설명한 바와 같이 노동의 평균임금이 얼마인가를 확정하는 것은 어떤 특정 장소에서 그리고 특정의 시기에 있어서도 쉬운 것이 아니다. 우리는 이런 경우에도 겨우 가장 통상적인 임금을 결정할 수밖에 없다. 그러나 자재의 이윤에 관해서는 이것마저도 불가능하다. 이윤이란 너무 변동하기 때문에 특정 사업을 경영하는 사람이 자기의 연年이윤의 평균이 얼마나 되는가를 반드시 말해 줄 수는 없다. 그것은 그가 다루고 있는 상품들의 가격에 일어나는 모든 변동에 의하여 영향을 받을 뿐만 아니라, 그의 경쟁자와 고객의 행운 또는 불운에 의하여도, 그리고 재화가 해로 또는 육로로 운반될 때, 또는 창고에 저장될 때까지도 일어나기 쉬운 수많은 사고에 의하여서도 영향을 받는다. 그러므로 그것은 해마다 변동할 뿐만 아니라, 나날이 변동하고 거의 시시각각으로 변동하고 있다. 하나의 대왕국에서 영위되는 모든 각가지 사업의 평균이윤이 얼마인지를 확정한다는 것은 훨씬 더 곤란하며, 그것이 이전에는 얼마였던가, 또는 먼 옛날에는 얼마였었다는 것을 어느 정도 정확하게 판단한다는 것은 전혀 불가능할 것이 틀림없다.

이자율을 통하여 추정할 수는 있다.

그러나 오늘날에 있어서나 옛날에 있어서나, 자재의 평균이윤이 얼마이며 얼마였던가를 어느 정도 정확하게 결정하는 것은 불가능할지 모르지만, 그것에 관한 어떤 개념이 화폐이자를 통해서 이루어질 수는 있다. 화폐의 사용에 의하여 많은 것이 벌어질 수 있는 곳은 어디에서나 그것의 사용에 대하여 보통 많은 이자가 주어질 것이며, 그 사용에 의하여 조금밖에 벌어질 수 없는 곳에서는 그 사용에 대하여 이자가 보통 조금밖에 주어지지 않을 것이라는 것이 하나의 원칙으로 세워질 수 있다. 그러므로 어떤 나라에서나 일상적인 시장이자율의 변동에 따라서 자재의 통상이윤도 변동한다. 즉 전자가 내리면 후자도 내리고, 전자가 오르면 후자도 오른다는 것을 우리는 확신해도 좋을 것이다. 따라서 이자의 추이는 우리에게 이윤의 추이에 관한 어떤 관념을 형성하게끔 해 주는 셈이다.

잉글랜드에서는 이자율이 떨어졌다.

헨리 8세, 제37년의 법률[174]에 의하여 10퍼센트 이상의 모든 이자는 위법이라고 선언되었다. 그 이전에는 더 많은 것이 징수되었을 때도 있었던 것 같다. 에드워드 6세 치세 때는 종교상의 열의가 모든 이자를 금지했다.[175] 그러나 이러한 금지는 다른 관세의 모든 금지와 마찬가지로 아무런 효과도 거두지 못했다고 하며, 고리의 악을 감소시키기는커녕 오히려 증가시켰다고들 한다. 헨리 8세의 조례는 엘리자베스 제13년 법률 제8호에 의하여 부활되었으며,[176] 제임스 1세 제21년[177] 그것이 8퍼센트로 제한되기까지 10퍼센트가 계속 법정이자율이었다. 왕정복고 후 얼마 안 되어 이자율이 6퍼센트로 감해졌으며,[178] 앤 여왕 제12년의 법률[179]에

174 〔법률 제9호 "고리금지법"을 말한다. 이 법률은 종래의 법령 및 법률들이 애매했다는 이유에서 그것을 모두 폐지하고, 팔린 재화가 3개월 이내에 재구매되는 것을 금하고, 화폐의 지불 보류에 대하여는 어떤 수단에 의해서도 연 10퍼센트 이상 취득하는 것을 금하고 있다. 이 법률의 현실적 효과는 10퍼센트까지의 이자를 합법화했던 것이다.〕

175 〔에드워드 6세 제5년, 제6년 법률 제20호는 모든 이자를 금지했으며, 헨리 8세 제37년 법률 제9호를 폐지했으며, 그 전문에서 다음과 같이 주장하고 있다. 즉 이 법령은 "지나친 자애심으로 눈이 어두워진 여러 사람들이" 상쇄하고 있는 것만큼 고리를 허용하려고 계획된 것이 아니고, 모든 고리를 금지할 것을 목적으로 하고 있다. "그럼에도 불구하고 본법에 의하여도 고리는 허용되어 있으나 그것은 종래 실행되어 왔던 보다 많은 폐해와 불편을 피하기 위하여 허용된 것에 지나지 않는다"라고 되어 있다.〕

176 〔에드워드 6세 제5년, 제6년 법률 제20호는 "기대되었던 만큼의 좋은 결과를 가져오지 못하고, 오히려 상술한 고리의 폐해가 물품의 판매와 이자의 속임수에 의하여 더욱 증대하고 이 때문에 많은 지주 · 상인 · 차지인, 그 밖의 사람들이 영락했다"는 이유에서 폐지되었다.〕

177 〔법률 제17호에 의한 것이며, 이 법률은 물가하락의 당시에 10퍼센트란 "대단히 높은 비율"을 유지하는 것은 농업 및 상업에 유해하므로 장래에는 이것을 최고 8퍼센트로 내린다고 주장하고 있다. 이 법률은 다음과 같은 아주 공허한 단서를 붙여 결말을 짓고 있다. 즉 본법에 나오는 어떤 용어도 종교와 도의상 고리의 실행을 허용하는 것으로 해석되거나 설명되어서는 안 된다는 것이다.〕

178 〔1651년 8월에 통과된 공화국 의회의 법령에 의하여 이자율은 이미 6퍼센트로 내려져 있었다. 이 법령은 제임스 1세 제21년 법률 제17호에서 들고 있는 이유를 채택한 것이다. 그러나

의하여 5퍼센트로 내렸다. 이러한 모든 법률 규제는 아주 적당하게 만들어진 것이라고 생각된다. 그것들은 시장이율에 따랐던 것이며, 이들의 비율을 선도한 것은 아니었던 것 같다. 앤 여왕 시대 이래 5퍼센트는 시장률을 하회하기보다 오히려 상회하는 것이었다고 생각된다. 최근의 전쟁[180] 이전에는 정부는 3퍼센트로 차관을 하고,[181] 수도와 왕국의 다른 많은 지방에서 극히 신용 있는 사람들은 3퍼센트 반, 4퍼센트 및 4퍼센트 반으로 돈을 빌리곤 했다.

그동안에 부는 증가하고 있었다.

헨리 8세의 시대 이래 이 나라의 부와 수입은 계속 증진하여 왔다. 그들의 전진

공화국의 다른 법령과 마찬가지로 이것도 왕정복고 후의 의회에 의하여 무시되었음은 물론이다. 이 의회는 찰스 2세 제12년 법률 제13호에 의하여 다시 이자를 10퍼센트에서 내렸는데, 그 이유는 다음과 같다. 즉 "지난 날에 있었던 10퍼센트에서 이자를 내린 것은 우리 국민이 다른 현저한 이익과 더불어 상업의 진보 및 우수한 영농에 의한 토지개량에 유익했다는 것은 주목할 만한 경험이며, 이자율을 우리의 교역 상대국의 그것과 가까운 비율에까지 내려놓는다는 것은 특히 유익한 것이며," 또한 "우리의 기억에도 생생한 바 최근에 계속 실시를 본 8퍼센트에서 6퍼센트의 하락은 우리 국민이 대체로 만족할 만한 성공이었음은 여러 방면에서 이루어진 개선에서 역력히 볼 수 있다." 그런데 "현재 어떤 사람들은 관습상 그것을 현재법이 인정하고 있는 8퍼센트로 되돌아가게 하려고 노력하고 있으며, 이것은 우리 국민의 영농 · 교역 · 상업에 있어서 창의와 근면을 크게 저해하는 것임을 알게 되었다."〕

179 〔앤 치세 제12년 제2의회 제정 법률 제16호는 이미 이루어진 이자의 하락이 교역과 영농에 유익했음을 언급하고, 전쟁이 토지소유자들에게 가져다준 부담 및 국내 화폐의 고이자와 높은 이윤에 의한 외국무역 쇠퇴에 관해서도 논하고, 이러한 사정은 외국에서 인정되는 이자율에 보다 가까운 비율에까지 "높은 이자율을 내리는 것이 절대 필요하게끔 만들고 있다"라고 했다.〕

180 〔즉 1756~1763년의 전쟁을 말한다.〕

181 〔4퍼센트 이利의 연금보유자들은 그것과 교환으로 수년 동안은 3.5퍼센트 이利로, 그 후는 3퍼센트 이利의 새 공채를 받는 것을 거절했던 바, 1750년에 3퍼센트 이의 공채로써 조달된 화폐에 의하여 상환되었다. 존 싱클레어 경Sir John Sinclair, 《The History of the Public Revenue of the British Empire》(1785), 제2부, 113면을 보라. 그때부터 1755년의 초기까지 3퍼센트 이利의 공채는 보통 액면가격을 상회하고 있었다. 그 후 점차 1763년 1월에는 63파운드로 내리고, 1763년 3월에는 96파운드로 오르고, 1764년 10월에는 다시 내려서 80파운드가 되고, 그 후 《국부론》이 공간되기까지 90파운드를 상회한 일은 결코 없었다(싱클레어, 《History of the Public Revenue》(1790), 제3부, 부록 3).〕

의 과정에서 그들의 속도는 늦추어졌다기보다 오히려 점차 가속되어 왔던 것 같다. 그들은 증진하기를 계속했을 뿐만 아니라, 점차 더 급속하게 증진을 거듭했던 것 같다. 동기간에 노동의 임금도 끊임없이 증가했으며, 여러 부문의 상업과 제조업의 대부분에 있어서는 자재의 이윤은 감소하여 가고 있었다.

이윤은 자재가 적은 농촌보다 그것이 많은 도시가 보다 더 낮다.

일반적으로 어떤 종류의 사업을 운영하더라도 농촌에서보다는 대도시에서 더 많은 자재를 필요로 한다. 사업의 모든 부문에 사용되는 거대한 자재와 다수의 부유한 경쟁자들은 대체로 후자에 있어서의 이윤율을 전자에 있어서의 그것 이하로 떨어뜨린다. 그러나 노동의 임금은 일반적으로 농촌에서보다 대도시에서 더 높다. 번영하는 도시에서는 사용할 대자재를 가지고 있는 사람들이 자신들이 원하는 수만큼의 직공을 얻을 수 없을 때가 많다. 그래서 될 수 있는 대로 많이 얻기 위하여 서로 다투어 노동의 임금을 올리고 자재의 이윤을 낮춘다. 멀리 떨어져 있는 지방에서는 모든 사람들을 사용하기에 충분할 정도의 자재가 없을 때가 많다. 그러므로 그들은 일을 얻기 위하여 서로 다투게 되며, 이 때문에 노동의 임금을 떨어뜨리고 자재의 이윤을 올리는 것이다.

이자는 빈국인 스코틀랜드가 잉글랜드보다 더 높다.

스코틀랜드에서는 법정이자율은 잉글랜드와 동일하지만 시장률은 더 높다. 그곳에서는 가장 신용 있는 사람들도 5퍼센트 이하로는 거의 돈을 빌리지 못한다. 에든버러의 개인 은행가들까지도 수시로 전액 또는 일부 지불을 요구할 수 있는 자신들의 약속어음에 대하여 4퍼센트를 지불한다. 런던의 개인 은행가들은 그들에게 맡겨지는 예금에 대하여는 전혀 이자를 물지 않는다. 스코틀랜드에서는 잉글랜드에서보다 더 적은 자재로써 운영될 수 없는 사업은 거의 없다. 따라서 보통의 이윤율은 어느 정도 더 많은 것에 틀림없다. 이미 설명한 바와 같이 노동의 임금은 잉글랜드보다 스코틀랜드가 더 낮다. 또한 이 나라는 훨씬 더 가난할 뿐만 아니라, 또한 명백히 전진하고 있지만 이 나라가 보다 좋은 상태를 향해 전진하는 보조는 훨씬 더 느리고 더 더딘 것 같다.

잉글랜드보다 덜 부유한 프랑스에서도 그러하다.

프랑스의 법정이자율은 현 세기를 통해 반드시 시장율[182]에 의하여서만 규제되지는 않았다. 1720년에 이자는 20분의 1페니에서 50분의 1페니로, 다시 말하면 5퍼센트에서 2퍼센트로 떨어졌다. 1724년에는 그것이 30분의 1페니, 즉 3과 3분의 1퍼센트로 올랐다. 1725년에는 그것이 다시 20분의 1페니, 즉 5퍼센트로 올랐다. 1766년 라베르디 씨의 시정施政 중에는 25분의 1페니, 즉 4퍼센트로 떨어졌다. 그 후 아베 테레Abbe Terray는 그것을 본디 이율인 5퍼센트로 올렸다. 이러한 심한 이자 인하의 목적은 공채의 이자를 낮게 하기 위한 길을 마련하기 위한 것이었다고 상상되었으며, 이 목적은 때로는 성취되었던 일도 있었다. 프랑스는 현대에 잉글랜드만큼 부유하지 않을 것이며, 법정이자율이 프랑스에서는 잉글랜드보다 낮았지만, 그 시장율은 일반적으로 더 높았다. 왜냐하면 그곳에서는 다른 제국에서와 마찬가지로 그들이 법률을 용하게 빠져 나가는 아주 안전하고 쉬운 방법 몇 가지를 가지고 있기 때문이다. 양국에서 사업을 한 일이 있었던 잉글랜드 상인들에게서 내가 확실히 들은 바에 의하면, 사업의 이윤은 잉글랜드보다 프랑스가 더 높으며, 많은 잉글랜드의 신민이, 사업이 높이 존경을 받고 있는 나라에서보다 사업이 천시되고 있는 나라에서 그들의 자본을 사용하려고 하는 것도 틀림없이 이 때문이라고 한다. 노동의 임금은 잉글랜드보다 프랑스가 더 낮다. 스코틀랜드에서 잉글랜드로 가면, 전자와 후자에서의 서민의 의복과 안색에서 느낄 수 있는 차이는 그들의 상태의 차이를 충분히 표시해 준다. 프랑스에서 귀국한다면, 그 대조는 훨씬 더 심하다. 프랑스는 스코틀랜드보다는 더

182 장 밥티스트 데니사트Jean-Baptiste Denisart, 〈Article Taux des Interets〉, 제3권, 18면을 보라. 〔J. B. Denisart, 《Collection de decisions nouvelles et de notions relatives a la jurisprudence actuelle》, 제7판(1771)의 이자(Intérêt)의 항 가운데 소량 "이자율(Taux des Intérêts)". 이 항은 1766년의 인하까지 취급하지는 않았다. 이 주는 제2판에서 처음 나온다.〕

부유한 나라임은 틀림없으나 그렇게 급속도로 전진하고 있는 것 같지 않다. 이 나라가 후퇴하고 있다는 것은 그 나라에서는 일반적인 견해이며 통속적인 견해이기도 하지만, 나는, 이 견해는 프랑스에 관하여서까지도 근거박약한 것이 아닌가 생각되며, 스코틀랜드에 관하여서는 20~30년 전에 이 나라를 본 사람이, 지금 이 나라를 다시 보는 사람이라면, 누구나 그런 견해를 가질 리 없을 것이라고 알고 있다.

그러나 잉글랜드보다 더 부유한 네덜란드에서는 더 낮다.

또 한편 네덜란드 지방은 그 영토의 면적과 인민의 수에 비하여 잉글랜드보다 더 부유한 나라이다. 그곳에서는 정부는 2퍼센트로 차관하고, 신용 있는 민간인은 3퍼센트로 돈을 빌려 쓴다. 노동의 임금은 잉글랜드에서보다 네덜란드에서 더 높다고 한다. 그리고 네덜란드인은 유럽의 어떤 인민보다도 낮은 이윤으로 사업을 하고 있다는 것은 잘 알려진 사실이다. 어떤 사람은 네덜란드의 사업은 감쇠해 가고 있다고 주장하여 왔으며, 그 나라의 사업의 어떤 특정의 부문에서는 그러할지도 모른다. 그러나 이들 징후는 그곳에서 일반적 감쇠는 없다는 것을 충분히 표시해 주는 것이라고 생각된다. 이윤이 감소되면 상인들은 자칫하면 그 사업이 쇠퇴한다고 불평하기 마련이다. 그러나 이윤의 감소는 사업이 번영하고 있다는 자연적 결과 또는 그 사업에는 전보다 더 많은 자재가 사용되고 있다는 것의 자연적 결과이다. 최근의 전쟁 동안에 네덜란드인은 프랑스의 모든 중계무역을 손에 넣었으며, 그들은 아직도 그 가운데에서 대단히 큰 몫을 유지하고 있다. 그들이 프랑스와 잉글랜드의 공채(funds)로써 소유하고 있는 대재산은 후자에서만도 약 4000만 파운드라고 하며(그러나 나는 그것에는 상당한 과장이 있을 것이라고 생각된다),[183] 이자율이 자신들 나라에서보다 더 높은 여러 나라의

183 〔말러키 포스틀레쓰와이트Malachy Postlethwayt, 《The Universal Dictionary of Trade and Commerce》, 제2판(1757), 제1권, 877면의 'Funds'의 항에서는, 외국인이 보유하는 영국의 공채의 총액을 어떤 사람은 부채 총액의 5분의 1이라고 평가했고, 또 다른 사람들은 4분의 1이라고 평가되어 왔다고 말하고 있다. 그러나 니콜라스 매건스Nicolas Magens, 《Universal

민간인에게 그들이 빌려준 금액이 거액이라는 것은 틀림없이 그들의 자재가 과잉이라는 것, 다시 말하면 그것을 자국의 적당한 사업에 사용하여 꽤 후한 이윤을 올릴 수 있는 한도를 넘을 만큼 증가했다는 것을 입증하는 여러 사정이기도 하다. 그러나 그 사정은 사업이 감퇴되었다는 것을 입증하는 것은 아니다. 민간인의 자본은 비록 어느 특정 사업에 의하여 획득된 것일지라도 그가 그 사업에서 사용할 수 있는 것 이상으로 증가하고, 더구나 그 사업도 역시 계속 증진할 수 있듯이, 일대 국민의 자본도 이것과 마찬가지로 증가할 수 있을 것이다.

새 식민지의 특수한 경우에는 고임금과 높은 이윤은 병존하지만, 이윤은 점차 감소한다.

우리의 북아메리카 및 서인도 식민지에서는 노동의 임금뿐만 아니라 화폐의 이자, 따라서 자재의 이윤도 잉글랜드에서보다 더 높다. 식민지에서는 법정이자율과 시장이자율은 둘 다 평균 6퍼센트에서 8퍼센트이다. 그러나 노동의 고임금과 자재의 높은 이윤은 새 식민지 특유의 여러 사정하에 있지 않고서는 거의 전혀 병존할 수 없는 것이다. 새 식민지란 얼마 동안은 다른 대부분의 국가보다도 그 영토의 면적에 비해 자재가 부족되고 있으며, 자재의 크기에 비해 인구가 부

Merchant》, 윌리엄 호슬리William Horsley(편), (1753), 13면은 "외국인이 4분의 1로 관여하고 있지 않았을 가능성이 더 많다"라고 생각하고 있다. 그가 들은 바에 의하면, "네덜란드인이 잉글랜드에서 가지고 있는 화폐의 대부분은 잉글랜드 은행주, 동인도회사주 및 남해무역주에 들어 있는 것이며, 그 이자의 총액은 전체의 3분의 1에 달할지 모른다"라는 것이다. 윌리엄 페어맨William Fairman, 《Account of the Public Funds》, 제7판(1824), 229면은 "잉글랜드 은행에서 바꿀 수 있는 여러 가지 공채 가운데 얼마 만큼이 당시 외국인의 명의로 되어 있었는가를 말해 주는 1762년에 쓰인 보고서"를 인용하고 있다. 존 싱클레어 경Sir John Sinclair, 《History of the Public Revenue》(1790), 제3부, 366면에도 이 보고서가 있다. 이것에 의하면 외국인이 잉글랜드 은행주 462만 7858파운드, 기타의 공채 1032만 8537파운드를 소유하고 있으며, 후자는 남해무역주 및 동인도회사주를 포함하지 않았다. 윌리엄 페어맨William Fairman은 남해무역주의 보유고는 250만 파운드, 동인도회사주의 그것은 50만 파운드 이상에 달하고 모두 합해서 약 1800만 파운드가 되리라고 믿을 만한 이유가 있다고 한다. 그는 말하기를 1806년에는 소득세의 면제를 요구한 금액(외국인은 면세되어 있었다)은 합계 1850만 파운드였었다. 그러나 이것은 은행주銀行株를 포함하고 있지 않은 것이라고 한다.]

족되어 있지 않을 수 없다. 그들은 경작에 쓸 자재에 비하여 토지를 더 많이 가지고 있다. 그러므로 그들이 가지고 있는 자재는 해안 가까운 땅과 항행 가능한 하천의 연안처럼 다산적이고 가장 좋은 위치에 있는 토지[184]의 경작에만 충용된다. 또한 이러한 토지는 그 자연적 생산물의 가치만큼도 되지 않는 값으로 흔히 구매된다. 이러한 토지의 구매와 개량에 사용되는 자재는 대단히 큰 이윤을 낳게 될 것이 틀림없으며, 따라서 아주 비싼 이자를 지불할 수 있을 것도 틀림없다. 이렇게 유리한 일로써 급속히 자개가 축적되면 재식자栽植者는 새 식민지에서는 얻을 수 없을 만큼 아주 급속하게 자기의 일손의 수를 증가시킬 수 있게 된다. 그러므로 그가 찾아낼 수 있는 일군一群들은 대단히 후한 보수를 받게 된다. 식민지가 증대함에 따라 자재의 이윤은 점차 감소한다. 가장 다산적이고 가장 좋은 위치에 있는 토지가 모두 다 점유되어 버리면 토질이나 위치상으로나, 보다 못한 토지의 경작에서는 비교적 적은 이윤밖에 올릴 수 없으며, 그렇게 사용되는 자재에 대하여는 비교적 적은 이자밖에 주어질 수 없다. 따라서 우리의 식민지의 대부분에서는 이자의 법정율과 시장율은 현 세기를 통하여 상당히 내렸다. 부와 개선 및 인구의 증가에 따라 이자는 감퇴되었다. 노동의 임금은 자재의 이윤과 함께 떨어지지는 않는다. 노동에 대한 수요는 그 이윤이 어떻든 간에 자재의 증가에 따라 증가한다. 그리고 이윤이 감소된 뒤에도 자재는 계속 증가할 뿐만 아니라 전보다 더 급속히 증가한다. 이것은 근면한 개개인에 관하여도 그러하듯이 부의 획득을 향해 전진하고 있는 근면한 국민에 관하여도 그러하다. 대자재는 비록 이윤은 적더라도, 큰 이윤이 따르는 소자재보다 더 급속히 증가하는 것이 보통이다. 속담에 돈이 돈을 번다고 한다. 여러분들이 조금만 돈을 벌고나면 더 많은 돈을 버는 것은 흔히 쉬운 일이다. 이 조금의 돈을 획득하는 것이야말로 대단히 어려운 일이다. 자재의 증가와 근로의 증가와의 관련 또는 그것과 유용노동에 대한 수요의 증가와의 관련에 관해서는 부분적으로나마 이미 설명해 두었으나, 앞으로 자재의 축적을 취급할 때 더 완전히 설명될 것이다.

184 〔"토지"는 초판에서 제3판까지 복수로 되어 있다.〕

새로운 영토 및 사업은 부가 증진하고 있는 나라에서도 이윤을 상승시킬 수 있다.

새로운 영토 또는 새로운 사업부문의 획득은 부의 획득을 향하여 빠르게 전진하고 있는 나라에서까지도 때로는 자재의 이윤을 올리고 이와 아울러 화폐의 이자를 올릴 수 있다. 이러한 획득에 의하여 여러 사람들에게 일이 맡겨지고 또 그들 사이에 그 일이 분할되지만, 이 나라의 자재는 이러한 사업을 전면적으로 받아들일 만큼 충분하지 못하므로, 그 자재는 최대의 이윤을 제공해 줄 만한 특정부문에만 충용된다. 종래에 다른 사업에 사용되었던 자재의 일부는 반드시 그곳에서 빠져 나와 새롭고 더 유리한 사업에 돌려진다. 그러므로 이러한 종래의 모든 사업에서는 경쟁이 전보다 약화된다. 시장은 여러 가지 종류의 많은 재화를 충분히 공급받지 못하게 된다. 재화의 가격은 반드시 다소 상승하고 그것을 취급하는 사람들에게 최대의 이윤을 가져다준다. 따라서 그들은 더 비싼 이자로도 돈을 빌릴 수 있다. 최근 전쟁의 종결 후 얼마 동안 가장 신용 있는 민간인들뿐만 아니라 런던에 있는 최대의 몇몇 회사들 가운데 어떤 것도 보통 5퍼센트로 돈을 빌렸다. 이들은 이전에는 언제나 4퍼센트나 4.5퍼센트밖에 지불하지 않았던 것이다. 이것을 충분히 설명해 주는 것으로는 그 사회의 자본자재가 감소되었기 때문이라고 생각할 것이 아니라, 우리가 북아메리카와 서인도제도를 획득함으로써 영토 및 사업이 모두 크게 증가했다는 것이다. 기존하고 있는 재래의 자재로써 경영될 새로운 사업이 그렇게 크게 증가했다는 것은 반드시 수많은 특정부문에 사용되고 있었던 자재의 양을 감소시켰을 것이 틀림없고, 또한 이 특정부문에서는 경쟁이 적어졌으므로, 이윤이 비교적 많아졌을 것임이 틀림없다. 나는 앞으로 영국의 자본자재가 최근 전쟁의 거액의 비용에 의하여서도 감소되지 않았다는 것을 믿게 할 만한 이유를 설명할 기회를 갖게 될 것이다.

자본자재의 감소는 이윤을 상승시킨다.

그러나 사회의 자본자재, 즉 근로의 유지를 위해 예정된 기금의 감소는 노동의 임금을 내리는 동시에 자재의 이윤을 올리고, 따라서 화폐의 이자를 올린다. 노동의 임금이 내리면 그 사회에 남아 있는 자재의 소유자들은 그들의 재화를 종전보다 더 적은 비용을 들여 시장에 가져갈 수 있으며, 시장에 공급하는 데 이전보다 적은 자재가 사용되므로 그들은 그들의 재화를 더 비싸게[185] 팔 수 있게 된다. 그들의 재화는 그들에게는 비용이 적게 먹히고 그것과 교환으로 더 많은 것을 획득케 한다. 따라서 그들의 이윤은 양쪽에서 증가하므로 비싼 이자를 능히 지불할 수 있다. 벵골과 기타 동인도에 있는 영국의 식민지들에서 그렇게도 갑자기, 그렇게도 쉽게 획득된 거대한 재산은 이들 몰락된 나라에서는 노동의 임금이 대단히 낮은 동시에 그만큼 자재의 이윤이 높다는 것을 우리들에게 납득시켜 주고도 남음이 있다. 화폐의 이자도 비례적으로 높다. 벵골에서는 화폐는 종종 40퍼센트, 50퍼센트 및 60퍼센트로 농업경영자에게 대여된다. 그리고 그 지불을 위해서 차기의 수확이 담보가 된다. 이러한 이자를 지불할 수 있을 만한 이윤은 지주의 지대의 거의 전부를 먹어 버릴 것이 틀림없다. 로마 공화국의 몰락 이전에도 이와 같은 종류의 고리가 그들의 지방 총독들의 폭정하에서 각 주에 공통적으로 있었던 것 같다. 우리가 키케로의 편지[186]에서 알 수 있는 바로는 덕이 높은 브루투스도 키프로스에서 48퍼센트[187]로 화폐를 빌려주었던 것이다.

부유해질 수 있는 데까지 부유해진 국가에서는 이윤도 임금도 다 같이 극히 낮다. 그의 토질과 기후의 성질 및 다른 나라들에 대해 그의 위치가 허용하는 한도까지 모든 부를 남김없이 다 획득해 버린 국가, 따라서 그 이상 전진도 후퇴도 할 수 없는 국가에서는 노동의 임금도 자본의 이윤도 극히 낮을 것이다. 그의 영토

185 〔초판과 제2판에는 "더 싸게"로 되어 있다.〕

186 〔《아티쿠스에게 보낸 편지들Epistulae Ad Atticum》, 제6권, 제1장, 5~6번. 키케로는 6년 묵은 부채를 연리 12퍼센트의 이자로써 변제하고, 원금은 6년간 매년 이 액수만큼 증가하도록 정했다. 이것은 원금을 거의 배로 만든 셈이다. 그러나 브루투스는 자기의 대리인을 통하여 48퍼센트를 청구해 마지않았으니, 이렇게 되면 원금이 15배 이상이 된 셈이다. 그러나 키케로는 12퍼센트는 가장 냉혹한 고리대금업자라도 만족시켰을 것이라고 주장했다.〕

187 〔초판에는 "45퍼센트"로 되어 있으나 아마 8이 5로 잘못 씌어졌던 것일 것이다.〕

가 유지할 수 있거나, 또는 그의 자재가 고용할 수 있는 것에 비례하여 인구가 꽉 차 있는 국가에서는 직업에 대한 경쟁이 격심하여 반드시 노동의 임금을, 노동자의 수를 유지하는 데 간신히 자랄 만한 금액에까지 내려놓을 것이다. 그리고 이 나라는 이미 인민이 충만해 있기 때문에 그 수도 결코 증가될 수 없을 것이다. 또한 맡아 해야 할 모든 사업과의 비율 이상으로 자재가 충분히 충만해 있는 나라에서는 사업의 성질과 크기가 허용하는 한 모든 특정부문에서 최다량의 자재가 사용될 것이다. 그러므로 어디에서나 경쟁이 심해질 것이며, 그 결과 통상의 이윤은 가능한 한 낮아질 것이다.

그러나 이러한 국가는 결코 없었다.

그러나 어떠한 국가도 이 정도의 부유에까지는 이르지 못했다. 중국은 오랫동안 정체해 있었던 것 같으며, 오랜 예산에 그 나라의 법률 및 제도의 성질과 양립하는 데까지의 부의 전량을 충분히 획득해 버렸던 것 같다. 그러나 이 전량은 다른 법률과 제도하에서라면 그의 토질과 기후 및 위치가 허용할 수 있을 만한 것보다는 훨씬 못한 것인지도 모른다. 해외 상업을 경시하고, 멸시하고, 외국 선박을 한두 개의 항구에만 입항하도록 하는 나라는 별개의 법률과 제도로써 할 수 있을지도 모르는 것과 같은 양의 사업을 처리할 수는 없다. 또한 부자, 즉 대자본의 소유자들이 충분한 안전을 누리고 있으나, 빈자 즉 소자본의 소유자들은 조금도 그것을 향수하지 못하고, 정의의 구실 아래 자칫하면 어느 때나 하급 관리에 의하여 강탈 및 약탈당하기 쉬운 나라에서는 그 나라에서 이루어지는 각가지의 모든 사업부문에 사용되는 자재의 양이 그 사업의 성질과 크기가 허용할 수 있는 양과는 결코 같을 수가 없다. 모든 부문에서 빈자에 대한 압제는 반드시 부자의 독점을 확립하고, 부자는 모든 사업을 자신들이 도맡아 함으로써 대단히 큰 이윤을 얻을 수 있을 것이다. 따라서 중국에서는 12퍼센트가 화폐의 보통의 이자라고 한다. 그리고 자재의 통상의 이윤도 이 비싼 이자를 감당하기에 충분할 것은 틀림없다.

이자는 계약 이행의 강제에 결함이 있으면 올라간다.

법률의 결함은 그 나라의 부와 빈에 관한 상태가 필요로 하고 있는 정도 이상으로 이자율을 올릴 때도 있다. 법률이 계약의 이행을 강제하지 않을 때는 모든 차금자借金者는 비교적 잘 단속된 나라에서의 파산자 또는 신용이 의심스러운 사람과 동등한 입장에 놓인다. 대금회수의 불안에서 대주貸主는 보통 파산자들에게 요구하는 것과 똑같은 고리대적 이자를 요구하게 된다. 로마제국의 서부 여러 지방들을 침략했던 야만 민족들 사이에서는 계약의 이행은 여러 세대를 걸쳐 계약 당사자의 신의에 맡겨져 있었다.[188] 그들의 제왕의 재판소가 그것에 간섭하는 일은 거의 없었다. 이러한 옛날에 생겼던 고이자율은 이상의 원인에 의하여 어느 정도 설명될 것이다.

금지에 의하여 오르기도 한다.

법률이 이자를 전적으로 금지할 때도 법률은 이자를 저지하지는 못한다. 많은 사람들이 차금하지 않으면 안 되고, 누구도 자신들 화폐의 사용에 의하여 벌 수 있는 것에 상당할 뿐만 아니라, 법망을 뚫는 곤란성과 위험에 상당할 만큼의 보수 없이는 누구도 돈을 빌려주지 않을 것이다. 모든 마호메트교 국민들 간의 이자율은 그들이 가난하다는 것 때문이 아니라, 일부분은 이것[189] 때문이며, 또 일부분은 화폐회수의 곤란성[190] 때문이라고 몽테스키외에 의하여 설명되고 있다.

최저이윤율은 손실을 메우고도 남음이 있을 만한 것이어야 한다.

188 〔《Lectures》, 130~134면.〕

189 〔즉 법망을 뚫는 위험을 말한다.〕

190 〔《법의 정신Esprit des lois》, 제22편, 제19장은 "마호메트교 제국에서는 금지가 심하면 심할수록 점점 증대한다. 즉 대주는 위반의 위험을 보상받는다. 이러한 동양의 제국에서는 다수의 사람들이 어떠한 담보도 갖고 있지 않다. 일정 금액을 현실로 소유하고 있는 것과 그것을 일단 빌려준 뒤에 회수한다는 시기와의 사이에는 거의 아무런 관계가 없으므로, 고리는 변제불능의 위험에 비례하여 증대한다"라고 하고 있다.〕

최저의 통상이윤율은 항상 사용되는 모든 자재가 당하게 될 우연적인 손실을 보충하기에 충분한 것보다 조금 더 많은 것이어야 한다. 순이윤 또는 정미의 이윤(neat or clear profit)이라는 것은 바로 이 잉여에 지나지 않는 것이다. 총이윤(gross profit)이라고 불리는 것은 이 잉여뿐만 아니라 이러한 비통상적인 손실들을 메우기 위하여 유보되는 것을 합한 것일 때가 많다. 차용자가 지불할 수 있는 이자는 순이윤에만 비례한다.

최저이자율도 그러한 것이어야 한다.

최저통상이자율도 이와 마찬가지로, 상당한 신중을 기한다 하더라도, 대출에 따르기 마련인 우연의 손실들을 메우기에 충분한 것보다 좀더 많은 것이어야 한다. 그것이 더 많은 것이 아니라면 동정과 우정만이 빌려주는 데 유일의 동기가 될 수밖에 없을 것이다.

가능한 한계까지 부유해져 버린 국가에서는 이자가 대단히 낮으므로 가장 부유한 사람들만이 그것으로 생활할 수 있을 것이다.

부의 전량을 완전히 획득해 버린 국가, 따라서 사업의 각 특정부문에 사용될 수 있는 최대량의 자재가 존재하는 나라에서는 순이윤의 통상율이 대단히 작으므로, 그것에서 지불될 수 있는 이자의 일상적인 시장율도 대단히 낮아서 아주 최대의 부자가 아닌 한 그들의 화폐의 이자로써 생활하는 것은 누구에게도 불가능할 정도일 것이다. 소재산이나 중재산을 가지고 있는 모든 사람들은 자신들 자재의 사용을 스스로 관리하지 않으면 안 되게 될 것이다. 거의 모든 사람이 사업가가 되든지, 아니면 어떤 종류의 사업에 종사해야 함이 필요하게 될 것이다. 네덜란드 지방은 이 상태에 접근하고 있는 것 같다. 그곳에서는 사업가가 안 되는 것은 유행에 뒤떨어지는 것이다.[191] 필요가 거의 모든 사람들로 하여금 사업

191 [조슈아 지Joshua Gee, 《Trade and Navigation of Great Britain Considered》(1729), 128면은 네덜란드인이 모두 사업에 종사하고 있다는 사실을 지적하고 그것을 가치 있는 토지의 부족

가가 되는 것이 보통이도록 만든 것이며, 또한 어떠한 곳에서나 습관이 유행을 좌우한다. 옷을 입지 않은 것이 우스운 것과 마찬가지로, 다른 사람들처럼 일을 맡아 하지 않는 것도 약간 우스꽝스럽다. 시민적 직업에 젖은 사람이 군대 생활이나 수비대 생활에서는 서투르게 보이며, 또 그곳에서는 경멸당할 위험마저 있듯이, 게으른 사람이 실업가들 속에 섞이어 있는 경우에도 그러하다.

최고의 이윤율은 모든 지대를 먹어 버리고 임금만을 남길 것이다.

최고의 통상이윤율은 대부분의 상품의 가격 가운데에서 토지의 지대로 돌아가야 할 것의 전부를 먹어 버리고, 그 상품들을 만들어 시장에 내어가는 노동에 대하여는, 노동이 어떠한 곳에서나 지불받을 수 있을 최저율, 즉 그 노동자의 최저한의 생활자료에 맞추어, 지불할 만큼의 것을 남겨 줄 뿐이다. 직공은 일에 종사하고 있을 동안은 어떻게든지 해서 먹여 살려지고 있음은 틀림없으나 지주들은 반드시 지불받고 있다고는 할 수 없을 것이다. 동인도회사의 사용인들이 벵골에서 하고 있는 상업의 이윤은 이러한 비율과 거리가 먼 것은 아닐 것이다.

이자의 이윤에 대한 비율은 이윤율과 함께 상승하고 하락한다.

일상의 시장이자율(usual market rate of interest)이 통상적인 순이윤율(ordinary rate of clear profit)에 대하여 가져야 하는 비율은 반드시 이윤이 오르고 내리는 데 따라 변동한다. 영국에서는 이자의 두 배가 상인들이 타당하며, 합리적인 이윤이라고 부르는데, 이러한 용어들은 보통의 일상적 이윤을 의미하는 것에 지나지 않는 것이라고 나는 생각한다. 순이윤의 통상율이 8퍼센트 또는 10퍼센트인 국가에서 차입금으로 사업이 운영된다면, 순이윤의 반이 이자로 들어가야 한다는 것은 합리적인 것일지도 모른다. 자재에 관한 위험은 차용자가 부담하는 것이며, 이 차용자는 대여자에게 대하여 마치 그것을 보험에 거는 것과 같다. 그리고 대부분의 사업에서는 4퍼센트 또는 5퍼센트가 이 보험의 위험에 대한 충분한 이

의 탓으로 돌리고 있다.]

윤임과 동시에 그 자재를 사용하는 노고에 대한 충분한 보수일 것이다. 그러나 이윤의 통상율이 대단히 낮든지 또는 대단히 높은 국가에서는 이자와 순이윤 간의 비율이 동일하지 않을 것이다. 만일 그것이 상당히 낮다면 그 반이 이자로 지불될 수 없을 것이며, 만일 그것이 대단히 높다면 절반 이상을 이자로 지불할 수 있을 것이다.

이윤이 낮은 국가는 임금이 낮은 국가와 마찬가지로 싸게 팔 수 있다.

부를 향하여 급속히 전진하고 있는 나라에서는 이윤의 저율이 상품들의 가격에 있어서의 노동의 고임금을 상쇄할 수 있을 것이며, 또한 이것 때문에 그러한 나라들은 보다 덜 번영하고 있는 이웃 나라, 즉 노동의 임금이 더 낮은 이웃 나라와 마찬가지로 그의 상품을 싸게 팔 수 있게 될 것이다.

또 실제로 높은 이윤은 고임금보다 더 물가를 올리는 경향이 있다.

실제로 높은 이윤은 고임금보다 훨씬 더 제작물(work)의 가격을 올리는 경향이 있다. 이를테면 만일 아마포 제조업에서 일하는 여러 직공의 임금, 즉 아마끝손질공·방적공·직조공 등의 임금이 모두 하루에 2펜스 오른다면, 아마포 한 필의 가격은 이것에 사용되었던 인수와 같은 수에 2펜스를 곱하고, 또 그들이 사용되었던 일수를 여기에 곱한 금액만큼을 올려야 할 것이다. 임금으로 분해되는 상품의 가격 부분은 그 여러 가지 전체 제조 공정을 통하여 임금의 이러한 상승에 대해서 오직 산술급수적 비율로 상승할 따름이다. 그러나 만일 이러한 직공들의 각가지 고용주 전부의 이윤이 5퍼센트 올려진다면, 이윤으로 분해되어 버리는 상품의 가격 부분은 그 여러 제조 공정 전부를 통해서 이러한 이윤의 상승에 대하여 기하급수적 비율로 상승할 것이다. 아마끝손질공들의 고용주는 자기의 아마를 팔 때 자기의 직공들에게 선불한 원료와 임금의 총가치에 대하여 5퍼센트의 추가분을 요구할 것이다. 방직공들의 고용주는 선불한 아마의 가격과 방직공들의 임금의 쌍방에 대하여 퍼센트의 추가분을 요구할 것이다. 그리고 직조공들의 고용주는 선불한 아마포사와 직공들의 임금 쌍방에 대하여 같은 5퍼센트를 요구할 것이다. 상품들의 가격을 올린다는 점에 있어서는 임금의 상승은 단리가 부채의 누적에 미치는 것과 똑같은 모양으로 작용한다. 이윤의 상승은 복리와 마찬가지의 작용을 한다.[192] 우리의 상인들과 제조업 고용주들은 고임금이 가격을 올린다는 악영향에 관해서, 그리고 그 때문에 자기의 재화의 판매고가 국내에서나 해외에서나 줄어든다고 불평을 하고 있다. 그들은 높은 이윤의 악영향에 관한 것은 조금도 말하지 않는다. 그들은 그들 자신의 이득의 유해한 효과에 관해서는 침묵을 지킨다. 그들은 다만 다른 사람들의 여러 이득에 관해서만 불평을 하는 것이다.

제10장 노동 및 자재의 여러 가지 용도에 있어서의 임금과 이윤에 관하여[193]

완전한 자유가 있는 곳에서는 이익과 불이익은 평등화되는 경향이 있다.

인접한 동일 지방에서는 노동 및 자재의 여러 가지 용도에 관한 이익 및 불이익

192 〔여기에 설명된 논지에 따르면 만일 3인의 고용주가 있는데 그 각자가 임금 및 원료에 100파운드를 소비하고, 이윤은 최초 5퍼센트이고, 그 후 10퍼센트로 상승한다고 하면, 완성된 상품은 331파운드 0실링 3펜스에서 364파운드 2실링으로 상승하지 않으면 안 된다. 그런데 한편으로는 만일 임금이 100파운드에서 105파운드로 상승하면, 상품은 347파운드 11실링 3펜스로 상승할 뿐일 것이다. 여기엔 다음과 같은 것이 가정되어 있다. 즉 이윤이라는 것은 회전에 대한 이윤을 뜻하며, 연간 자본에 대한 이윤을 뜻하지는 않는다는 것, 또는 고용주들 각자는 그들의 자본을 1년에 1회 회전시킨다는 것이다. 그러나 이러한 가정 가운데 어느 한 가지가 시인될 때라도, "단리"는 "복리"보다 더 쉽게 커질 수 있다는 것은 명백하다. 방금 위에서 든 실례에서 우리는 이윤을 두 배로 했으나 임금에는 20분의 1을 추가한 데 지나지 않는 것이다. 만일 우리가 임금을 두 배로 하고 이윤을 5퍼센트로 그대로 둔다면, 그 상품은 331파운드 0실링 3펜스에서 662파운드 0실링 6펜스로 상승하지 않으면 안 되는 셈이 된다.〕

193 〔본 장의 일반적 구상은 그 수많은 세목과 함께 캔틸런Cantillon, 《Essai》, 제1부, 제7~8장에서 암시를 받았음에 틀림없다. 이 장 가운데 전자의 것의 표제는 다음과 같다. "노동자의 노동은 공장의 그것보다 가치가 적다", 후자의 표제는 "어떤 공장은 경우에 따라, 그리고 사정

의 전체는 완전히 평등하든지 또는 끊임없이 평등화되어 가는 경향이 있음에 틀림없다. 만일 인접한 동일 지방에 존재하는 어떤 직업이 명백히 그 나머지 직업보다 이익이 더 많다든지, 또는 적다든지 하면, 전자의 경우에는 많은 사람이 그 직업에 모여들 것이며, 후자의 경우에는 많은 사람이 그것을 버릴 것이다. 그러므로 그 이익은 얼마 안 되어 다른 직업의 수준으로 복귀하게 될 것이다. 이것은 적어도 사물이 그들의 자연적 과정을 따르도록 방임되어 있고, 모든 사람은 자기가 적당하다고 생각할 때는 언제나 그 직업을 바꿀 수 있을 만큼 완전한 자유가 주어진 사회에서의 경우라고 하겠다. 모든 사람의 이해는 유리한 직업을 찾게 하고, 불리한 직업을 피하도록 각자를 자극할 것이다.

금전적 임금 및 이윤의 실제의 차이는 일부분은 상쇄적인 여러 사정에 기인된 것이며, 또 일부분은 완전한 자유의 결여에 기인된 것이다.

실로 금전상의 임금 및 이윤은 노동 및 자재의 여러 가지 용도에 따라 유럽의 어느 곳에서나 극히 많은 차이를 보이고 있다. 그러나 이러한 차이는 극히 많은 차이를 보이고 있다. 그러나 이러한 차이는 일부분은 직업 그 자체에 깃들고 있는 어떤 사정, 즉 실제로 그렇든지, 또는 적어도 사람들의 상상 속으로 그렇든지 간에 어떤 직업에 있어서의 소액의 금전적 이득을 얻는 한편, 다른 직업에 있어서의 다액의 이득을 상쇄해 버리는 일정한 여러 사정 때문에 생기며, 또 일부분은 어떠한 곳에서도 사물을 완전한 자유로 방임해 두지 않는 유럽의 정책 때문에 생긴다.

이러한 여러 사정과 이 정책에 관한 개별적 고찰 때문에 본 장은 2절로 나뉜다.

에 따라서 다른 공장보다 더 많이 번다"라고 되어 있다. 그리고 후자는 다음과 같은 말로 끝나 있다. "이러한 결론과 그 밖의 일상의 경험에서 얻을 수 있는 바에 의하여 우리는 다음과 같은 것을 쉽게 알 수 있다. 즉 나날의 노동에 대하여 지불되는 가격에 차이가 있는 것은 자연적 이유와 감성적 이유에 기인된 것이다."〕

제1절 직업 그 자체의 성격에서 생기는 불평등[194]

상쇄적 여러 사정은 다섯 가지가 있다.

다음의 다섯 가지 사정은 내가 관찰할 수 있었던 한에 있어서 어떤 직업에 있어서는 소액의 금전적 이득을 얻게 해 주고 다른 직업에 있어서는 다액의 금전적 이득을 상쇄해 버리는 주요한 사정이다. 즉 첫째는 직업 그 자체의 쾌 또는 불쾌, 둘째는 그 습득의 난이難易 및 습득비의 대소, 셋째 이러한 직업에 있어서의 취업의 항구성의 유무, 넷째 이러한 직업에 종사하는 사람들에게 놓여야 할 신임의 대소, 다섯째 이러한 직업에 있어서 성공할 가능성의 유무라 하겠다.

(1) 임금은 직업의 (불)쾌와 더불어 변화한다.

첫째, 노동의 임금은 그 직업이 쉬운 것인지 어려운 것인지, 깨끗한 것인지 더러운 것인지, 명예스러운 것인지 불명예스러운 것인지에 따라서 차이가 생긴다. 따라서 대부분의 지방에서는 1년을 통틀어 따져 보면 재봉공은 직조공보다 적게 번다. 전자의 일은 훨씬 더 쉽기 때문이다. 직조공은 대장장이보다 적게 수득한다. 전자의 일이 후자의 그것보다 반드시 더 쉽다고는 할 수 없으나 훨씬 더 청결하기 때문이다. 대장장이는 일종의 공장이기는 하지만 노동자에 지나지 않는 탄광부가 8시간에 버는 것을 12시간 걸려도 거의 벌지 못한다. 전자의 일은 후자의 일보다 불결하지도 않으며 덜 위험하고, 주간에 지상에서 이루어지기 때문이다. 명예라는 것도 모든 명예스러운 직업의 보수의 대부분을 이루고 있다. 모

194 〔앞의 서론적인 문단은 논리적으로 생각하는 독자에게는 이 장의 제1절의 표제가 "기타의 이익 및 불이익의 불평등을 단순히 상쇄하는 금전적 임금 및 이윤의 불평등"으로 되리라고 기대하게끔 할 것이다. 실제로 택해진 표제는 오히려 애매한 것이기는 하지만, 이 이유는 이 절의 거의 4분의 1이 총체의 이익 및 불이익의 평등을 가져오기 위하여 "완전한 자유" 이외에 존재하지 않으면 안 될 세 가지 조건을 논하는 것으로 다 차지되어 있다는 것에 기인된 것이라 하겠다. 만일 이러한 의론이 모두에 놓여졌다면, 본 장은 더 명확했을 것이다. 그러나 아마 이 논의는 뒤에 가서 생각이 미쳤던 것 같다.〕

든 사정을 생각해 본다면, 이러한 직업은 금전이득이라는 점에서는 일반적으로 보수부족報酬不足(under recompensed)인데, 나는 이 점을 곧 설명하려고 노력할 것이다. 그러나 그것은 대부분의 지방에서 대부분의 보통 직업보다 더 유리하다. 모든 직업 가운데 가장 혐오할 사형집행이라는 직업은 행해지는 일의 양에 비추어 보통의 어떠한 직업보다도 더 많이 지불받는다.

대단히 쾌적한 직업은 엄청나게 보수가 적다.

미개상태의 사회에서는 인류의 가장 중요한 직업이었던 수렵과 어로가 진보한 사회에서는 가장 기분 좋은 오락으로 되었으며, 사람들은 일찍이 필요에 못 이겨 했던 것을 지금은 쾌락을 위해서 추구한다. 따라서 사회가 진보한 상태에서는, 사람들이 심심풀이로 하는 일을 하나의 직업으로 삼고 종사하는 사람들은 모두가 대단히 가난한 사람들이다. 테오크리토스 시대[195] 이래 어부들은 그러했다. 밀렵자는 영국에서는 어느 곳에서나 대단히 가난한 사람이다. 엄격한 법률이 밀렵자를 전혀 허용하지 않는 국가에서는 면허를 받은 수렵자라도 밀수렵자보다 더 나은 생활상태에 있다고 할 수 없다. 이러한 직업에 대한 자연적 취미는 많은 사람들로 하여금 그것에 종사하도록 만들어, 그 직업으로써는 안락하게 생활할 수 없을 정도로 되어 버린다. 그리하여 그들의 노동의 생산물은 그 양에 비해서 너무나 싼값으로 시장에 나가므로 그 노동자들에게는 가장 빈약한 생활 자료밖엔 아무것도 제공해 줄 수 없게 된다.

이와 같은 것은 이윤에 관해서도 마찬가지로 들어맞는다.

본래와 불명예는 노동의 임금에 있어서와 마찬가지로 자재의 이윤에도 영향을 미친다. 여인숙 또는 주막의 경영자는 자기 자신의 집인데도 결코 주인이 자유로 사용할 수 없고, 모든 주정뱅이의 만행을 당하게 되며, 아주 기분 좋은 일도

195 테오크리토스Theocritus, 《목가Idyllium》 제21권을 보라. ("이것은 두 명의 가난한 어부의 생활을 기술하고 있는 데 지나지 않는다. 이 주는 제2판에서 처음 나온다.")

아니며 아주 칭찬할 만한 일도 아닌 것을 하고 있는 셈이다. 그러나 적은 자재가 그렇게 많은 이윤을 낳는 것은 어떠한 보통 직업에도 없다.

(2) 임금은 그 일을 습득하는 데 드는 비용에 따라 차이가 생긴다.

둘째, 노동의 임금은 그 일의 난이 및 습득비의 대소에 따라 차이가 생긴다.

어떤 값비싼 기계가 세워질 때, 그것이 닳아 없어지기 전까지 그것에 의하여 이루어질 비상한 일은 그것에 투하된 자본을 적어도 통상의[196] 이윤과 함께 회수할 것이라고 기대되어야 한다. 비상한 기교와 숙련을 필요로 하는 직업중의 어떤 것을 배우는 데 많은 비용과 노고를 들인 사람은 이러한 값비싼 기계들 중의 하나에 비할 수 있을 것이다. 그가 습득하는 일은 보통노동의 일상의 임금에 부가해서 그의 교육비 모두를, 적어도 그와 동등의 가치가 있는 자본의 통상의 이윤과 더불어 그에게 회수해 줄 것이라는 것쯤은 기대하지 않을 수 없다. 그뿐 아니라 이 회수는 내구 기간이 비교적 확실한 기계에 대하여 주어지는 것과 똑같은 고려가, 생존기간이 극히 불확실한 인간의 생명에 대해서도 주어져야만 하고, 더구나 합리적 기간 내에 회수되어야 한다.

숙련노동의 임금과 보통노동의 임금과의 차이는 이 원리에 기초를 두고 있는 셈이다.

도제 수업 비용은 제조업자의 임금이 농촌 노동자의 그것보다 더 높은 이유를 설명해 준다.

유럽의 정책은 모든 기계공과 공장 및 제조업자의 노동을 숙련노동으로 간주하고, 모든 농촌 노동자의 노동을 보통노동이라고 생각한다. 이 경우에 전자의 노동이 후자의 그것보다 더 정밀하고 섬세한 성질의 것이라고 생각되고 있는 것 같다. 경우에 따라서는 아마 그럴 수도 있을 것이지만 대다수의 경우 그것은 전혀 그렇지 않다. 따라서 나는 이것을 점차 밝히고자 노력할 것이다. 그러

196 〔초판에는 "적어도 통상의"가 "적어도 그의 통상의"라고 되어 있다.〕

므로 유럽의 법률과 관습은 여러 지방마다 그 엄격의 정도는 다르겠지만 전자의 종류의 노동에 종사하는 사람의 자격을 주기 위해서는 도제 수업의 필요를 의무로 지우고 있다. 그들은 후자의 노동을 자유로 방임하고 그것을 모든 사람에게 개방하고 있다. 도제 사업의 계속기간 중 도제의 총노동은 그의 마스터에게 속한다. 허다한 경우 그는 그동안에 자기의 양친이나 친척에 의하여 부양되지 않으면 안 된다. 그리고 거의 모든 경우 그들로부터 의복도 지급받지 않으면 안 된다. 뿐만 아니라 그에게 직업을 가르치는 대가로써 그의 마스터에게 약간의 화폐도 지불되는 것이 보통이다. 화폐를 줄 수 없는 도제들은 시간을 지불한다. 즉 통상 이상의 수년 동안 얽매이게 된다. 도제들은 보통 태만하기 때문에 이러한 보수는 마스터에게 반드시 유리한 것이라고는 할 수 없지만 도제에게도 언제나 불리한 것이다. 이와 반대로 농촌 노동에 있어서는 노동자는 자기가 그 일의 비교적 쉬운 부면部面을 습득하고 자기 자신의 노동이 농사의 여러 가지 모든 단계를 통해서 자기를 부양해 준다. 그러므로 유럽에서는 기계공과 공장 및 제조업자의 임금이 보통노동자들의 그것보다 약간 높아야 한다는 것은 당연하다.[197] 따라서 실정도 그러하며, 그들의 이득이 우월하기 때문에 대부분의 지방에서 그들은 우월한 계급의 사람들이라고 생각되고 있다. 그러나 이 우월이란 일반적으로 너무나 적은 것이다. 평직의 아마포와 모직물 같은 비교적 보통 부류의 제조업에 있어서의 직공의 나날의, 또는 주마다의 수득은 평균하여 추정하면, 대부분의 지방에서 보통노동자들의 하루 임금보다 극히 조금밖에 더 많지 않다. 사실 그들의 직업은 보통노동자들의 그것보다 더 견실하고 일정해 있으니 그들의 우월한 수득은 1년 전부를 다 쳐 보면 보통노동자의 그것보다 약간 더 클지 모른다. 그러나 그것이 그들의 우월한 교육비를 메우기에 족할 정도밖에 더 많지 않을 것은 명백한 것 같다.

197 〔이 논의는 캔틸런의 《Essai》, 23~24면을 근사하게 본 따서 쓴 것 같다. 그러나 또한 맨더빌의 《꿀벌의 우화The Fable of the Bees》, 제2권, 제2부, 대화 6, 423면에도 약간 기초를 두고 있는 것 같다. 《Lectures》, 173~175면과 비교하라.〕

자유직업에 대한 교육은 비용이 더 많이 든다. 그리고 금전적 보수도 따라서 더 높다.

독창적인 예술과 자유직업에 있어서의 교육은 훨씬 더 지루하고 경비도 많이 든다. 그러므로 화가 및 조각가, 법률가 및 의사의 금전적 보수는 훨씬 더 후한 것이어야 한다.[198] 따라서 실정도 그러하다.

이윤은 이러한 사정에 의하여서는 그렇게 크게 영향을 받지 않는다.

자재의 이윤은 이것이 사용되고 있는 사업을 습득하는 것의 난이 여하에는 거의 영향을 받지 않는 것 같다. 자재가 대도시에서 보통 사용되고 있는 여러 가지 모든 방법은 실제에 있어서는 그 습득이 거의 동등하게 쉽기도 하고, 거의 동등하게 어려운 것 같기도 하다. 외국무역 또는 국내상업의 어느 편이든 일부문이 다른 일부문보다도 훨씬 더 복잡한 업무일 수는 좀처럼 없을 것이다.

(3) 임금은 취업의 항구성에 따라 차이가 생긴다.

셋째로 여러 가지 직업의 노동의 임금은 그 취업에 항구성이 있느냐에 따라 차이가 생긴다.[199]

198 〔"ought"라는 것은 앞 문단의 "약간 높은 것은 당연하다고 말하지 않으면 안 된다(it is reasonable they should be)"와 같은 것이다. 그리고 105면의 "도식하고 있는 동안 자기를 부양해야 할 뿐만 아니라"의 "해야 할(must)"과도 동의이다. 이것은 캔틸런, 《Essai》, 24면의 "공장工匠 또는 기술자를 고용하는 사람들은 반드시 보통노동자 또는 인부의 노동보다도 높은 보수를 지불하지 않으면 안 된다"의 "하지 않으면 안 된다(doivent)"와 비교하라. 이 의미는 자신들의 교육에 다액의 비용을 들인 사람들은 다액의 보수를 받는 것이 윤리적으로 정당하다는 것으로 이해될 필요는 없는 것이며, 다만 그것이 경제상으로 요망된다는 뜻이다. 왜냐하면 그렇지 않으면 이러한 사람들이 부족하게 될 것이기 때문이다.〕

199 〔이 항의 논법은 하루 임금(이 면의 마지막에 나오는)과 연소득 사이의 구별부터 시작했다면 더 명백해졌을 것이다. 이 논의의 최초의 문단은 취업에 항구성이 없을 때는 하루 임금도 연소득도 "불안과 실망의 순간"을 가지게 하는 불이익 또는 혐오의 정을 일으키게 하는 힘을 상쇄하기 위하여 비교적 높아질 것이라는 것을 주장하고 있다. 그러나 그다음 문단에는 이 주장이 사라져 버리고, 비록 하루 임금이 불공평하더라도 연소득은 평등하다는 것이 명제인 것처럼 논의가 진행되어 있다.〕

어떤 사업에 있어서는 다른 사업보다 취업이 훨씬 더 항구성이 있다. 대부분의 제조업에선 직공의 취업은 그가 일할 수 있는 한 연중 거의 매일 상당히 확실할 것이다. 이에 반해 석공 또는 벽돌 쌓는 사람은 혹한이나 악천후에는 일할 수 없다. 그리고 다른 모든 경우의 그의 일은 자기의 고객의 수시의 요청에 의존하고 있다. 그 결과 자칫하면 그는 아무 일도 없이 지내기 쉽다. 그러므로 그가 고용되어 있을 동안에 그가 수득하는 것은 그가 놀고 있는 동안 그를 부양할 뿐만 아니라, 그렇게 믿을 수 없는 처지를 생각하면 아무래도 이따금 일어나지 않을 수 없는 불안과 실망의 기간에 대한 약간의 보상이 되지 않으면 안 된다. 따라서 대부분의 제조업의 추정적 소득이 보통노동자들의 하루 임금과 가까운 수준인 곳에서는 석공과 벽돌공의 그것은 일반적으로 이러한 임금의 1배 반에서 두 배가 된다. 보통노동자가 일주일에 4~5실링 버는 곳에서는 석공과 벽돌공은 흔히 7~8실링 번다. 전자가 6실링 버는 곳에서는 후자는 9~10실링 버는 수가 많다. 그리고 런던에서와 같이 전자가 9~10실링 버는 곳에서는 후자는 보통 15~18실링 번다. 그러나 어떤 종류의 숙련노동이라도 석공과 벽돌공의 노동보다 더 배우기 쉬운 것은 없는 것 같다. 런던에서의 의자공들은 여름 동안에는 때때로 벽돌공으로 사용되는 수가 있다고 한다. 그러므로 이러한 직공의 고임금은 그들의 숙련에 대한 보수라기보다는 그들의 취업의 불안정성에 대한 보상이다.

목수는 석공보다는 더 정밀하고 기교적인 직업에 종사한다고 생각된다. 그러나 어디에서나 다 그렇다는 것은 아니지만, 대부분의 지방에서는 그의 하루 임금은 석공의 그것보다 약간 낮다. 그의 직업도 자기의 고객의 수시적인 요청에 크게 의존하고 있기도 하지만 석공의 경우처럼 전적으로 의존하고 있는 것은 아니며, 그것은 기후에 의하여 중단되기 쉬운 것도 아니다.

일반적으로 계속적인 일을 제공할 수 있는 직업이 특정의 지방에서 간혹 그렇지 못할 때 직공들의 임금은 보통노동의 임금에 대한 통상의 비율을 넘어서 상당히 높이 상승한다. 런던에서는 거의 모든 직공들은 다른 여러 지방들에 있어서의 날품노동자와 마찬가지로 그들의 마스터들에게 날이면 날마다 그리고 주면 주마다 고용되었다가는 해고되기가 일쑤이다. 따라서 보통노동의 임금이 18펜스로 추정될 때, 공장의 최하층의 계급인 재봉공은 하루에 반 크라운을 번다. 소도시와 농촌에서는 재봉공의 임금이 보통노동의 임금만큼도 되지 않을 때가 흔히 있다. 그러나 런던에서는 그들은 가끔 몇 주일 동안이나 일이 없을 때가 있으며 특히 여름 동안은 그러하다.

취업에 항구성이 없는 데다가 작업의 어려움과 불쾌함과 불결함이 결합될 경우에는, 가장 평범한 노동의 임금이 가장 숙련된 공장의 그것 이상으로 오르기도 한다. 일한 분량을 따져서 지불받기로 하고 일하는 탄광부는 뉴캐슬에서는 보통노동임금의 약 두 배, 그리고 스코틀랜드의 여러 지방에서는 약 세 배를 버는 것이 보통이라고 생각되고 있다. 그의 고임금은 전적으로 그의 작업상의 신고와 불쾌 및 불결에서 생긴다. 그의 일은 대부분의 경우 그가 원하는 한 계속될 수 있을 것이다. 런던의 석탄하역부는 그 신고와 불쾌와 불결한 점에 있어서는 탄광부들의 그것과 거의 동일한 직업에 종사하고 있다. 그리고 석탄선 도착의 불규칙성은 불가피하므로 그들 대다수의 취업은 필연적으로 극히 불안정하다. 그러므로 만일 탄광부들이 보통노동임금의 약 두세 배를 번다면 석탄하역부는 때때로 그러한 임금의 네 배, 또는 다섯 배를 번다 해도 그것이 불합리한 것이라고 생각되어서는 안 된다. 몇 년 전에 그들 상태에 관하여 행해진 조사에서는 그들이 그 당시에 지불받고 있었던 비율로서는 그들은 1일에 6실링 내지 10실링을 벌 수 있었을 것이라는 것이 밝혀졌다. 6실링은 런던에서의 보통노동의 임금의 약 네 배이다. 그리고 모든 특정 사업에 있어서는 최저의 보통 소득이라는 것이 언제나 거의 대다수 사람들의 소득이라고 생각하여도 좋다. 이러한 소득이 아무리 엄청난 것처럼 보인다 하더라도 만일 그것이 그 일의 모든 불쾌한 여러 사정을 보상하고도 남음이 있을 것이라면 배타적인 특권을 전혀 갖고 있지 않은 사업에서는 순식간에 그러한 소득을 재빨리 더 낮은 비율까지 끌어내릴 만큼 많은 경쟁자가 생길 것이다.

항구성은 이윤에 영향을 미치지 않는다.

취업의 항구성의 유무가 어떤 특정 사업에서의 자재의 통상이윤에 영향을 미칠[200] 수는 없다. 자재가 항구적으로 사용되는지는 사업이 아니라 사업가에 의존하고 있다.[201]

(4) 임금은 주어지는 신용에 따라 차이가 생긴다.

넷째로 노동의 임금은 직공들에게 주어져야 할 임금의 대소에 따라 달라진다.[202] 금장金匠이와 보석직공의 임금은 어떤 곳에서나 그들에게 필적하는 창의를 지니고 있을 뿐만 아니라, 그들보다 더 뛰어난 창의를 가진 많은 다른 직공들의 그것보다 우월하다. 그 이유는 귀중한 재료가 그들에게 신탁되어 있기 때문이다.

우리는 우리의 건강을 의사에게 맡기고, 우리의 재산, 때로는 우리의 생명과 명성까지 법률가와 변호사에게 맡긴다. 아주 비천하든지 저속한 처지에 있는 사람에게는 이러한 신임이 안전하게 주어질 수 없을 것이다. 따라서 그들의 보수는 그렇게도 중대한 신임이 필요로 하는 사회적 지위를 그들에게 줄 수 있을 만한

200 〔제5판에는 "affect"가 "effect"로 오식되어 있다.〕

201 〔여기에서는 "자재"가 실제의 물품들로 구성되어 있다는 것이 간과된 것 같다. 이러한 물품이 사용될 수 있는 항구성은 여러 가지다. 어느 마을의 영구마차가 사용될 항구성은 사망자 수에 의존하고, 이것은 "사업"에 의존하는 것이며, "사업가"에 의존하지 않는 것은 확실하다. 취업의 항구성이 불평등하다는 것에 기인된 하루 임금의 차이에 대응하는 이윤의 차이는 없다. 그 이유는 이윤은 연액으로 계산된다는 단순한 이유 때문이다. 그러나 농촌의 장의사는 건강에 좋은 계절에는 장기간 일이 중단되기 쉬우므로 마치 벽돌공과 마찬가지로 "그렇게 믿을 수 없는 처지를 생각해 볼 경우 이따금 당하지 않을 수 없는 불안해하고 실망하는 시기에 대한 약간의 보상"을 받을 것이라고 생각되어도 좋을 것이다.〕

202 〔본 장의 서론적 문단에서 예시된 논의는 자기에게 신용이 주어진다는 것은 그 사람에게는 일종의 불이익이 된다라고 하는 주장을 필요로 한다. 그러나 그러한 주장은 전혀 되어 있지 않다. 캔틸런, 《Essai》 27면에서 말하기를 "그 능력과 신임을 필요로 할 경우에는 보석직공 · 회계원 · 출납원 및 기타의 경우와 마찬가지로 사람들은 그 노동에 역시 비싼 것을 치른다"라고 하고 있다. 흄, 《History》(1773), 제8권, 323면은 말하기를, "모든 사람이 자기에게 놓인 신임과 자기가 가지고 있는 능력에 비례하여 지불받아야 한다는 것은 모든 업무에 있어서 잘 알려져 있는 법칙이다"라고 한다.〕

것이어야 한다. 그들의 교육에 투하될 것이 틀림없는 장기간과 다액의 경비는 이러한 사정과 결합할 때 반드시 그들의 노동의 가격을 역시 훨씬 더 높일 것이다.

이윤은 신임에 의하여 영향을 받지 않는다.

어떤 사람이 자기의 자재만을 사업에 사용할 때는 신임이란 것은 없으며, 그가 다른 사람들로부터 얻을 수 있는 신용은 그 사람의 사업의 성질에 의존하는 것이 아니고, 그의 재산, 성실 및 조심성에 대한 다른 사람들의 평가에 의존하고 있다. 그러므로 여러 가지 사업부문에 있어서의 각가지 이윤율의 차는 그 사업가들에게 두어진 신임의 여러 가지 정도에서 생길 수는 없다.[203]

⑸ 임금은 성공의 가능성에 따라 달라진다.

다섯째 여러 가지 직업에 있어서의 노동임금은 그러한 직업에 있어서의 성공의 가능성 유무에 따라 달라진다.[204]

어떤 특정 인물이 자기가 교육받은 그 일을 할 만한 자격이 있게 될 것인지의 가능성은 여러 가지 직업에 따라 대단히 다르다. 기계공 직업의 대부분에 있어서는 성공은 거의 확실하나, 그러나 자유직업에 있어서는 대단히 불확실하다. 당신의 아들을 구둣방의 도제로 두면, 그가 한 켤레의 신발을 만드는 것을 습득하는 것은 조금도 의심할 여지가 없다. 그러나 법률을 공부하기 위해서 그를 보낸다면, 그가 그 직업에 의하여 생활할 수 있을 만큼 그것에 숙달할지 않을지의 가능성은 비록 있다 하더라도 겨우 20 대 1에 지나지 않는다. 완전히 공평한 복

203 〔그러나 예를 들어 은행업과 같은 어떤 사업은 반드시 보통 정도 이상의 신임을 지닌 사람에게만 한정되어야 한다. 따라서 만일 이러한 인물들이 충분히 존재하지 않는다면 이윤율을 보통 수준 이상으로 올릴 것이다.

204 〔이 항의 논의는 종종 오해되고 있는 바, 큰 경품과 수많은 빈 딱지가 있는 사업에서는 금전적 임금이 (대이득과 소이득을 평균해 놓으므로) 비교적 적다는 것이다. 큰 경품을 뽑을지도 모른다는 희박한 가능성은 "사람들의 상상 속 소액의 금전적 이득을 메워 주는(101면)" 사정의 하나이다. 캔틸런, 《Essai》, 24면은 다만 보수를 위험에 비례시키고 있을 따름이며, 그렇게 미세하게 논하고 있지 않다.〕

첨福籤에서 경품을 뽑는 사람들은 빈 깍지를 뽑는 사람들이 잃어버린 모든 것을 획득함은 당연하다. 한 사람이 성공하는 대신에 20명이 실패하는 직업에 있어서는, 그 한 사람은 실패한 20명이 획득하여야 했을 모든 것을 획득하지 않으면 안 된다. 아마 40세 가까워서 자기 직업에 의하여 약간의 재산을 만들기 시작하는 변호사는 자기 자신의 그렇게도 지루하고 값비싸게 먹힌 교육에 대한 보수뿐만 아니라 그 교육에 의하여 아무것도 얻을 것 같지 않는 20명을 넘는 다른 사람들의 교육에 관한 보수도 받아야 함은 당연하다. 변호사의 수수료가 때로는 설사 아무리 엄청난 것같이 보인다 하더라도 그들의 실질적인 보수는 결코 이런 것에 필적하지는 못한다.[205] 어떤 특정 지방에서 구둣방 또는 직조공과 같은 어떤 보통 직업에 종사하는 모든 가지각색의 직공들이 해마다 벌게 될 듯한 금액과 해마다 소비할 듯한 금액을 추상해 보라. 그러면 여러분들은 일반적으로 전자가 후자를 초과할 것이라는 것을 알게 될 것이다. 그러나 모든 여러 법학원의 모든 변호사와 법학도에 관하여 이와 같은 계산을 해 보면 비록 여러분들이 그들의 연간 이득을 될 수 있는 대로 높게, 그리고 그들의 연간 경비를 될 수 있는 대로 적게 평가하더라도, 전자가 후자에 대하여 가지는 비율은 극히 적다는 것을 알게 될 것이다. 그러므로 법률이라고 하는 복첨福籤은 완전히 공평한 복첨이 되기에는 거리가 먼 것이다. 더구나 많은 다른 자유롭고 명예스러운 직업과 마찬가지로 금전적 이득이라는 점에 있어서는 명백히 보수부족인 셈이다.[206]

그럼에도 불구하고 법률과 이와 비슷한 직업에 사람들이 모여든다.

그러나 이러한 직업은(professions) 다른 여러 직업(occupations)과 같은 수준을 유지하고 있으며, 이상과 같은 지장이 있음에도 불구하고 가장 관대하고 자유로운

205 〔《Lectures》, 175면.〕

206 〔The lottery of the law……, is, evidently under－recom－penced인데 초판에서 제4판까지는 "is"가 "are"로 되어 있다.〕

정신을 가진 모든 사람은 그 직업으로 열망하여 모여들고 있다. 두 가지 상이한 원인이 도움이 되어 이러한 직업이 호감을 사고 있다. 첫째 이러한 직업 가운데 그 어느 것에 있어서나 뛰어난 우수성에 따르는 명성을 얻으려는 욕망, 둘째는 모든 사람이 자기 자신의 능력에 관해서뿐만 아니라 자기 자신의 행운에 관해서 다소나마 가지고 있는 선천적 자신이다.

사회적 상찬賞讚은 우수한 능력에 대한 보수의 일부분을 이루고 있다.

보통 정도에 달하는 것마저 몇 사람밖에 되지 않는 어떤 직업에 있어서 두각을 나타낸다는 것은 소위 천재 또는 수재라고 불리는 이의 가장 결정적인 표식이다. 이러한 두드러진 능력에 따르는 사회적 상찬은 그들의 보수의 일부분을 형성하는 것이며, 그 보수의 대소는 걸출의 정도의 고저에 비례한다. 그것은 의사라는 직업에 있어서 그 보수[207]의 상당한 부분을 이루고 있고, 법률에 관한 직업에 있어서는 더 많은 부분을 이루고 있으며, 시와 철학에 있어서는 그것이 보수의 거의 전부를 이루고 있다.

배우 및 오페라 가수 등의 특유한 경우는 예외이다.

아주 유쾌하고 아름다운 재능을 가진 사람들이 있는데, 그것을 가짐으로써 어떤 종류의 상찬을 끌지만, 이득을 위하여 그것을 발휘하는 것은 이성에 의하든지 또는 편견 때문이든 간에 일종의 사회적 매절 행위라고 생각된다. 그러므로 그것을 이렇게 발휘하는 사람들의 금전적 보수는 그 재능을 획득하는 데 든 시간과 노동 및 경비를 보상해 줄 뿐만 아니라, 생계비를 얻는 수단으로써 그러한 재능을 사용하는 데 따르는 불명예까지 보상해 줄 만큼 충분한 것이어야 한다. 배우와 오페라 가수, 오페라 댄서 등의 엄청난 보수는 그 재능이 드물고 아름답다는 것, 그리고 이렇게 그 재능을 사용한다는 것은 불명예스럽다는 것, 이 두 가지 원리를 근거로 하여 된 것이다. 우리가 그들의 인격을 경멸해야 하면서 그

207 〔초판에는 "그것의"로 되어 있다.〕

들의 재능에 대하여 가장 후한 보수를 준다는 것은 일견 불합리한 것같이 생각된다. 그러나 우리가 전자의 태도를 취하는 한 후자의 행위를 하지 않으면 안 된다. 만일 이러한 직업에 관하여 여론 또는 편견이 변경된다면 그들의 금전적 보수는 재빨리 감소할 것이다. 보다 많은 사람이 이러한 직업에 전념하게 될 것이며, 그 결과 경쟁은 재빨리 그들의 노동의 가격을 내릴 것이다. 이러한 재능은 보편적인 것은 결코 아닌 것이지만 결코 상상되고 있는 정도로 그렇게 드문 것은 아니다. 많은 사람들이 이러한 재능을 아주 완전하게 가지고 있으나 그것을 이러게 사용하는 것을 떳떳하게 생각하지 않고 있으며, 만일 그들 재능에 의하여 어떤 이득이 떳떳하게 얻어질 수 있다면 그것을 습득할 능력이 있는 사람은 얼마든지 있다.

대부분 사람은 자신들의 능력에 관하여 지나치게 자신 있는 자부심을 가지고 있다.
대부분의 사람들이 자기 자신의 능력에 관하여 가지고 있는 지나친 자부심은 모든 시대의 철학자와 도덕가에 의하여 지적된 오래전부터의 악덕이다. 자신의 행운에 관하여 불합리한 억측을 하고 있다는 것은 사람들의 주목을 그렇게 끌지 못했다. 그러나 그것이 오히려 보편적인 것일지도 모른다. 인간으로서 살고 있으면서 꽤 좋은 건강과 기력을 가지고 있을 때 조금이나마 이러한 억측을 하는 것에 한몫 끼지 않는 사람은 없다. 모든 사람은 이득의 기회를 다소나마 과대평가하고, 대부분의 사람들은 손실의 기회를 다소 과소평가한다. 그리고 상당히 좋은 건강과 기력을 가진 사람으로서 이 손실을 실가實價 이상으로 평가하는 사람은 거의 없다.

복첨은 이득의 기회가 과대평가되고 있음을 말해 준다.
이득의 기회가 자연히 과대평가된다는 것을 우리는 복첨이 보편적으로 성공하고 있다는 것에서 알 수 있다. 세상은 완전히 공평한 복첨, 즉 이득 전체가 손실 전체를 보상하는 복첨은 본 일도 없으며, 앞으로도 보지 못할 것이다. 왜냐하면 이렇게 되면 그 기획자는 아무런 이득을 얻지 못할 것이기 때문이다. 국가에서 하는 복첨에 있어서 복권은 최초의 응모자들에 의하여 지불되는 가격만큼의 가치를 실제로 지니고 있지 않음에도 시장에서는 보통 20퍼센트, 30퍼센트, 때로는 40퍼센트 더 높은 가치의 것으로 팔리고 있다. 크게 당첨될 복권을 얻으리라는 헛된 희망만이 이러한 수요의 유일한 원인이다. 가장 온건한 삶들도 1만 파운드나 2만 파운드를 얻을 기회가 있다면, 이들은 그 적은 금전까지도 이러한 기회의 실가보다 아마 20퍼센트 내지 30퍼센트 더 비싸다는 것을 알고 있음에도 불구하고, 그것에 약간의 금전을 지불하는 것이 어리석은 짓이라고는 생각하지 않는다. 20파운드를 넘는 경품이 하나도 없는 복첨에는, 비록 그것이 다른 점에 있어서는 보통의 국영의 복첨보다도 훨씬 더 완전히 공평한 것에 가까운 것일지라도, 이 복권에 대해서는 국영의 그것에 대한 것과 동일한 수요는 없을 것이다. 큰 경품들 중의 어느 것을 뽑을 조금 더 나은 기회를 가지기 위하여 어떤 사람들은 몇 장의 복첨을 사고, 다른 사람들은 더 많은 수의 소액권을 산다. 그러나 여러분들이 모험으로 복권을 많이 사면 살수록 손해를 볼 가능성이 더 많아진다는 것보다 더 확실한 수학상의 명제는 없다. 복첨에 있어서의 모든 복권을 다 사 버리는 모험을 해 보라. 그러면 여러분들이 손실을 볼 것은 확실하다. 그리고 그 사들이는 복권의 수가 많으면 많을수록 이 확실성에 점점 더 가까워진다.

그리고 보험업자들의 온당한 이득 손실의 기회가 과소평가되어 있다는 것을 말해준다.

손실의 기회가 흔히 과소평가되며, 그 실가實價 이상으로 평가되는 일이 거의 없다는 것을 우리는 보험업자들의 아주 온당한 이윤에서 알 수 있다. 화재이든 해난이든 간에 보험이라는 것을 하나의 사업으로 만들기 위해서는, 그 보통의 보험료는 보통의 손실을 메우고, 경영비를 지불하고, 나아가서 어떤 보통 사업에 사용된 같은 금액의 자본에서 얻을 수 있었을 만큼의 이윤을 올리기에 족한 것이어야 한다. 다만 꼭 이것만을 지불하는 사람은 명백히 위험의 실질가치밖에 지불하지 않는 것이며, 다시 말하면 그가 그것을 보험에 넣음으로써 합리적으로 기대할 수 있는 최저가격밖에 지불하지 않는 셈이다. 그러나 보험에 의하여 약간의 돈을 벌었던 사람은 많지마는 대재산을 만든 사람은 거의 없다. 따라서 이러한 이유만으로도 이 사업에 있어서의 통상의 손익의 차액이, 그렇게 많은 사람들이 재산을 벌고 있는 다른 보통 사업에서보다 더 유리하지는 않는다는 것은 충분히 명백한 것 같다. 그러나 보통의 보험료가 아무리 온당한 것일지라도, 많은 사람은 그 많은 위험을 경시하며, 그것을 지불할 것을 꺼려한다. 왕국 전체를 평균해서 본다면 20호 가운데 17호, 아니 그보다도 100호 가운데 77호는 화재보험에 들어 있지 않다. 해난은 대다수의 사람들에게 화재보다 더 무서운 것이며, 피보험선의 무보험선에 대한 비율은 화재보험의 경우보다 더 크다. 그러나 다수의 선박은 모든 계절에, 아니 전시 중에도 전혀 보험에 들지 않고 항해하고 있다. 이것은 때로는 경솔한 행위라고만 할 수는 없을 것이다. 어떤 큰 회사 또는 어느 큰 무역상까지도 20척 또는 30척의 배를 바다에 띄울 때 그 배들이 마치 서로 보험을 하고 있는 것 같을 수도 있다. 이 배들 전부에 대하여 절약된 보험료는 이 배들이 운수의 보통 추세에서 만나게 될 것 같은 손실을 메우고도 남음이 있을지 모른다. 그러나 선박의 보험을 무시하는 것은 가옥의 보험에 관하여 그렇게 하는 것과 마찬가지로 대부분의 경우 이러한 면밀한 계산의 결과가 아니고 단순한 부주의한 경솔과 위험에 관한 건방진 경멸의 결과이다.

청년들은 특히 이득의 기회를 과대평가하고 손실의 위험을 과소평가하는 경향이 있다.

위험을 깔보고, 성공에 관하여 주제넘은 희망을 가진다는 것은 인생을 통해서 보면 젊은 사람들이 자신들 직업을 택할 그 시기처럼 적극적일 때가 없다. 그 시기엔 행운에 대한 희망을 상쇄할 수 있는 불행에 대한 공포가 얼마나 적은지는 상류사회의 사람들이 소위 자유직업에 들어가려고 하는 열의에서보다도 서민이 자진해서 군에 입대한다든지, 배를 타려고 하는 데서 훨씬 더 명백하게 나타나 있다.

이 이유 때문에 군인은 급료를 적게 받는다.

보통의 군인이 얼마나 손해를 보고 있는가 하는 것은 충분히 명백하다. 그럼에도 불구하고 새로운 전쟁의 시초처럼 청년의 용병이 위험을 무릅쓰고 쉽게 입대하는 때는 없으며, 특히 그들은 승진의 기회를 거의 가지지 못할지라도 그들의 젊은 공상으로, 결코 일어나지 않는 명예와 수훈을 세우리라는 수많은 호기를 마음속에 그린다. 이러한 로맨틱한 희망이 그들의 피에 대한 대가이다. 그들의 급료는 보통의 노동자들의 그것보다 적고, 현실적인 근무에서 그들이 얻는 피로는 훨씬 더 크다.

수병의 급료도 그렇게 많지 않다.

바다라고 하는 복첨은 전혀 육군의 그것처럼 그렇게 불리하지는 않다. 신용 있는 노동자 또는 공장의 아들은 자기 아버지의 동의를 얻어 흔히 배를 탈 수가 있다. 그러나 만일 그가 육군에 입대한다면 언제나 이 동의 없이 한다. 전자를 직업으로 할 경우에는 그가 어떤 일을 할 수 있는 기회를 가지리라고 다른 사람들도 인정해 주지만, 후자를 직업으로 삼을 때는 어떤 것을 할 수 있는 기회를 가지리라고는 그 자신을 제하고는 아무도 생각해 주지 않는다. 대제독은 대장군만큼 사회적 상찬의 대상이 되지는 않으며, 해상근무에 있어서의 최고의 성공은 육상에서의 동일의 성공보다도 빛나는 무운武運과 명성을 더 적게 약속해준다. 이와 동일한 차이는 육해군의 쌍방에 있어서의 하위계급을 통틀어 일관하고 있다. 우선순위의 규정에 의하면 해군대령은 육군대령과 동렬이지만, 일반사회의 평가에서는 전자는 후자와 같은 순위에 있지 않다. 복첨에서는 큰 상품이 비교적 소액이므로 소액의 경품은 수가 더 많아야 한다. 그러므로 보통의 수병은 보통의 육병보다 약간의 무운을 만난다든지 승진하는 수가 더 많으며, 주로 이러한 당첨에 대한 희망이 곧 그것을 직업으로 삼게 하는 것이다. 비록 그들의 숙련과 기교는 거의 어떤 공장의 그것보다 더 뛰어나 있고 그들의 전 생애가 끊임없는 신고와 위험으로 이루어진 하나의 무대라 하더라도 이 모든 숙련과 기교, 그리고 그 모든 고난과 위험들에도 불구하고, 그들의 보통의 수병이라는 신분으로 있는 한, 그들은 그 숙련과 기교를 발휘하고, 그 신고와 위험을 극복한다는 기쁨 이외에는 아무런 보수도 받지 못한다. 그들의 임금은 선원의 임금률을 규제하는 보통의 항만노동자의 그것보다 더 많은 것도 아니다. 그들은 끊임없이 항구에서 항구로 항행하고 있으므로, 영국의 각가지 모든 항구에서 출범하는 이러한 사람들의 월급은 이러한 여러 가지 지방에서의 다른 어떤 직공 월급보다도 어떤 일정한 수준에 더 가까워져 있다. 그리고 최대다수가 출입하는 항구, 즉 런던 항의 임금률은 나머지 모든 항구의 그것을 규제한다. 런던에서는 여러 계급의 직공의 대부분의 임금은 에든버러에서 동일 계급의 직공들의 약 두 배나 된다. 그러나 런던 항에서 출범하는 선원은 리즈 항에서 출범하는 사람들보다 한 달에 3~4실링 더 버는 경우는 거의 없으며, 그 차액이 이만큼도 되지 않을 때가 많다. 평화시, 상선 근무에 있어서는 역월에 1기니 내지는 약 27실링이 런던의 가격이다. 런던에 있는 보통노동자는 주당 9~10실링이라는 비율로 따지면, 역월에 40~45실링을 벌 수 있다. 그러나 그 가치는 그의 급료와 보통노동자의 급료와의 차액을 거의 초과하지 않을 것이며, 그것이 비록 초과하더라도 그 초과분은 선원의 순이득은 아닐 것이다. 왜냐하면 그는 그것을 자기의 임금으로써 집에서 부양하지 않으면 안 될 자기의 아내와 가족에게 나누어 줄 수 없기 때문이다.

극복될 수 있을 만한 위험은 사람을 끌지만 단순히 건강에 좋지 못한 것은 사람을 반발케 한다.

모험 생활에 있어서 위험이라든지 아슬아슬한 탈출이라는 것은 청년들을 낙심시키기는커녕 이 때문에 그들이 그것을 흔히 직업으로 택하게끔 하는 것 같다. 하층민의 인자한 어머니는 자기의 아들이 선박을 보고 선원들의 회화 및 모험담에 홀려서 바다로 가지나 않을까 두려워서 그를 항구도시의 학교에 보내기를 두려워하는 수가 흔히 있다. 용기와 숙련에 의하여 벗어날 수 있을 것 같은 모험을 멀리서 조망한다는 것은 우리들에게도 불유쾌하지는 않으며, 이 때문에 어떤 직업에 있어서의 노동임금을 올리는 것도 아니다. 용기와 숙련이 아무런 소용이 없는 그러한 직업에서는 사정이 다를 것이다. 아주 건강에 나쁘다고 알려져 있는 직업에서는 노동의 임금은 언제나 현저하게 높다. 건강에 나쁘다는 것은 일종의 불유쾌이며, 따라서 그것이 노동의 임금에 미치는 효과는 그 일반적 항목하에 두어져야 한다는 것이다.

이윤은 수익의 확실성에 따라 변화한다.

자재의 모든 여러 가지 용도에 있는 이윤의 통상률은 수익의 확실성 또는 불확실성에 따라 다소 차이가 생긴다. 이러한 수익은 일반적으로 국내상업이 외국무역보다도 불확실성이 덜하며, 외국무역 가운데에서도 어떤 부문이 타 부문보다 덜하다. 예를 들면 북아메리카 무역이 자메이카 무역보다 불확실성이 적다는 것이다. 이윤의 통상률은 언제나 위험과 함께 다소 상승한다. 그러나 그것은 위험에 비례하여 상승하는 것 같지는 않다. 즉 그 위험을 완전히 보상해 줄 수 있을 만큼 상승하는 것은 아닌 것 같다. 가장 위험한 사업에서는 파산도 가장 자주 일어난다. 모든 사업 가운데 가장 위험한 것인 밀수업은 그 모험이 성공할 때는 가장 유리한 것이기는 하지만 틀림없이 파산으로 향하는 길이기도 하다. 성공하리라는 주제넘은 희망이 다른 모든 경우와 마찬가지로 여기에서도 작용하는 것 같으며, 그리고 너무나 많은 모험자들을 이러한 위험한 사업에 꾀어 넣기 때문에, 그들의 경쟁은 그 이윤을[208] 감소시켜 그 위험을 메우기에 족한 것 이하로 떨어뜨린다. 그 위험을 완전히 메우기 위해서는 보통의 수익은 자재의 통상이윤 이외에 수시로 일어나는 모든 손실을 메울 뿐만 아니라, 보험업자의 이윤과 같은 성질의 잉여 이윤을 모험자에게 제공할 만한 것이어야 한다. 그러나 만일 그

208 〔"그 이윤"은 제4 및 제5판에서는 "그들의 이윤"으로 되어 있는데 이것은 틀림없는 오식이다.〕

보통의 수익이 이상의 모든 것을 메우기에 충분한 것이라면, 파산이 다른 사업에 있어서보다 이러한 사업에 더 빈번하게 일어나지는 않을 것이다.[209]

이윤은 임금보다 덜 불평등하며 또한 그들의 불평등도 때로는 다만 임금을 포함하고 있다는 것에 기인될 경우가 많다.

그러므로 노동임금에 차이가 생기게 하는 다섯 가지 사정 가운데에서 두 가지만이 자재의 이윤에 영향을 미친다. 즉 일의 결 또는 부결, 그리고 그 일에 따르는 위험 또는 안전이 그것이다. 결 또는 부결의 점에 있어서는, 자재의 여러 가지 용도의 대부분에 관해서는 거의 또는 전혀 아무런 차이가 없으나 노동의 여러 용도에 관해서는 많은 차이가 있다. 그리고 자재의 통상이윤은 위험에 따라 상승하지만 반드시 그것에 정비례해서 상승하지는 않는 것 같다. 상기한 모든 것을 통해 동일 사회 또는 그 이웃에서는 자재의 여러 가지 용도에 있어서는 그 평균이윤율과 통상이윤율은 여러 가지 부류의 노동의 금전적 임금보다 더 근사하게 동일 수준에 있음이 틀림없다는 것이 도출되어 나온다. 따라서 실정도 그러하다. 보통의 노동자의 소득과 잘 되어 가는 법률가나 의사의 소득과의 차이는 어떠한 두 가지 상이한 사업부문의 통상이윤 간의 차이보다도 더 큰 것은 명백하다. 그 밖에도 여러 가지 사업의 이윤의 외견상의 차이는 일반적으로 우리가 임금으로 간주해야 할 것은 무엇이며, 이윤이라고 생각해야 할 것은 무엇인가를 반드시 구별하지는 않는다는 것에서 생기는 착오이다.

약제사의 이윤의 경우가 그러하며,

약제사의 이윤은 무언가 터무니없이 엄청난 것을 의미하는 속담으로 되어 있다. 그러나 이 커다란 외견상의 이윤은 노동의 합리적 임금에 지나지 않을 때가 많

209 〔수많은 파산은 대이득이라는 사례에 의하여 상쇄된다는 사실이 간과되어 있다. 다음의 127면에 이와 반대되는 오류를 범하고 있으니, 대성공을 비교하고 있으면서, 대실패를 계산에 넣지 않고 있다.〕

다. 약제사의 숙련은 어떠한 공장의 그것보다도 더 정밀하고 섬세한 것이다. 그리고 그에게 지워진 신임은 훨씬 더 중대하다. 그는 모든 경우에 가난한 사람들의 의사이며, 고뇌와 위험이 그렇게 크지 않을 때는 부자의 의사이기도 하다. 그러므로 그의 보수는 그의 숙련과 그의 신임에 알맞은 것이어야 하며, 따라서 그것은 대체로 그가 팔고 있는 약의 가격에서 생긴다. 그러나 하나의 큰 시장도시에서 가장 잘 되는 약제사가 1년 동안 파는 약품 전부라도 30~40파운드 이상의 비용은 먹히지 않을 것이다. 그러므로 그가 그 약품들을 300 또는 400파운드로, 즉 1000퍼센트의 이윤으로 판다 하더라도 그 이윤은 그가 자기의 약품의 가격에 매겨진 자기 노동의 합리적 임금에 지나지 않을 때가 많으며, 또한 그가 자기 노동의 임금을 청구할 수 있는 유일한 방법이다. 외견상의 이윤의 대부분은 이윤이라는 옷에 위장된 실질임금이다.

또는 시골의 잡화상도 그러하다.

작은 항구 도시에서는[210] 작은 잡화상이 겨우 100파운드의 자재로써 40~50퍼센트의 이윤을 올릴 것이다. 그 반면 같은 지방에서 도매상은 만 파운드나 되는 자재로써 겨우 8~10퍼센트밖에 벌지 못할 것이다. 잡화상이라는 직업은 주민의 편의를 위하여 필요한 것인데, 시장이 좁기 때문에 보다 큰 자본을 이 일에 사용하는 것을 허용하지 않을 것이다. 그러나 그 사람은 자기의 직업에 의하여 생활하지 않으면 안 될 뿐만 아니라, 이 직업이 필요로 하는 자격을 갖추어서 그것을 생업으로 하지 않으면 안 된다. 소자본을 소유하는 것 이외에도 그는 읽고 쓰고 계산할 줄 알아야 하며, 또한 50~60종류나 되는 재화에 관하여 그 가격과 품질 및 가장 싸게 사들일 수 있는 시장에 관한 상당한 판단력을 가진 사람이어야 한다. 요컨대 그는 대상인에게 필요한 모든 지식을 갖고 있지 않으면 안 된다. 그가 대상인이 되지 못하게 방해하는 것은 오직 충분한 자본의 결여 이외에는 아무것도 없다. 1년에 30~40파운드란 이렇게 능란한 사람의 노동에 대한

210 〔커콜디Kirkcaldy가 스미스의 염두에 있었을 것이 틀림없다.〕

지나치게 많은 보수라고는 생각될 수 없다. 표면상으로 큰 그의 자본의 이윤에서 이것을 제하면 아마 자본의 통상이윤보다 더 남는 경우는 거의 없을 것이다. 외견상의 이윤의 대부분은 이 경우에도 실질임금인 것이다.

소매의 이윤과 도매의 이윤과의 차이가 시골보다 도시에서 더 큰 것은 위와 같은 이유에 기인된 것이다.

소매상의 외견상의 이윤과 도매상의 그것과의 차이는 소도시와 시골 마을에서보다 수도에서 훨씬 더 적다. 잡화상에 1만 파운드가 사용될 수 있는 곳에서는 잡화상의 노동의 임금은 그렇게 큰 자재의 실질적 이윤의 추가분으로서는 극히 적은 것에 지나지 않는다. 그러므로 부유한 소매상의 외견상의 이윤은 그곳에서의 도매상의 그것에 더 가까운 어떤 수준에 있는 셈이다. 소매로 팔리는 재화가 수도에서나 소도시 및 시골 마을에서나 일반적으로 다 같이 값이 싸고, 때로는 후자보다 전자에서 훨씬 더 값이 싸기도 한 것은 이상과 같은 이유 때문이다. 예를 들면, 잡화는 일반적으로 훨씬 값이 싸다. 빵과 수육도 마찬가지로 값이 쌀 때가 흔히 있다. 잡화는 대도시에 가지고 가나 시골 마을에 가지고 가나 별 차이 없이 비용이 얼마 들지 않으나, 곡물과 가축을 운반하는 데는, 그 대부분이 훨씬 먼 곳에서 들여오지 않을 수 없기 때문에 많은 비용이 든다. 그러므로 잡화의 원가는, 이 두 지방에서 동일하므로, 최소의 이윤이 매겨지는 곳에서 가장 값이 싸다. 빵과 수육의 원가는 시골에서보다 대도시에서 더 크다. 그러므로 비록 대도시에서의 이윤은 적지만, 그렇다고 해서 그곳에서의 빵과 수육이 반드시 시골보다 더 싼 것은 아니며, 이따금 동등하게 싸다. 빵과 수육 같은 물품에 있어서는 외견상의 이윤을 감소시키는 바로 그 원인이 원가를 증가시킨다. 즉 시장이 넓다는 것은 더 큰 이윤을 감소시킨다. 그러나 보다 먼 지방으로부터 공급을 받아야 할 필요가 있으므로 원가를 증가시킨다. 이와 같이 한편의 감소와 또 한편의 증가는 대부분의 경우 거의 서로 상쇄하는 것 같다. 그리고 이러한 사실이 아마 곡물과 가축의 가격은 보통 이 왕국의 여러 지방마다 대단히 상이하지만 빵과 수육의 가격은 대체로 이 왕국의 대부분의 지방을 통해서 거의 동일하다는 이유라 하겠다.

도시에서의 비교적 낮은 이윤율은 보다 큰 이득을 얻게 하지만 이들 이득은 대부분 투기에서 생긴다.

도매상과 소매상 쌍방의 자재의 이윤은 일반적으로 소도시와 시골 마을보다 수도에서 더 적지만, 수도에서는 소규모로 시작하여 큰 재산을 획득하는 수가 많으며, 소도시와 시골 마을에서는 그런 일은 결코 없다. 소도시와 시골에서는 시장이 좁기 때문에 자재가 커짐에 따라 사업도 반드시 확장된다고는 할 수 없다. 그러므로 이러한 지방에서는 특수한 사람의 이윤율은 극히 높을 수 있을지라도 그 금액, 또는 총계는 결코 그렇게 클 수 없으며, 따라서 그 사람의 연간 축적도 결코 그렇게 클 수 없는 것이다. 이와 반대로 대도시에서는 자재가 증가함에 따라 사업도 확장될 수 있으며, 검소하고 성공하고 있는 사람의 신용은 그의 자재보다도 더 급속히 증가한다. 그의 사업은 이 양자의 합계에 비례하여 확장되며, 그의 연간 축적은 그의 이윤의 크기에 비례한다. 그러나 대도시에서라 할지라도 기초가 굳건하고 잘 알려진 사업부문에서 큰 이득을 얻게 된다는 것은 오랫동안의 부지런하고 검소하고 조심성 있는 생활의 결과가 아니고서는 거의 있을 수 없는 것이다. 사실 대도시에서는 때로는 갑작스런 재산이 투기사업이라 일컬어지는 것에 의하여 이루어지기도 한다. 투기상인은 결코 질서 있고, 굳건하고, 잘 알려진 사업부문에 종사하지는 않는다. 그는 금년에는 곡물 상인, 그다음 해는 포도주 상인, 그다음 해는 설탕, 담배 또는 차의 상인이 된다. 그는 보통 이윤보다 조금 더 남을 것 같다고 예견될 때는 어떤 사업에도 손을 대며, 그 이윤이 다른 사업의 수준으로 되돌아가는 듯 하다고 예견할 때는 그는 그것을 그만둔다. 그러므로 그의 이윤과 손실은 기초가 튼튼하고 잘 알려진 사업부문의 이윤 및 손실과는 결코 규칙적인 비례를 지닐 수 없다. 대담한 모험자가 때로는 두세 번의 성공적인 투기에 의하여 상당히 많은 재산을 획득할 수 있을지 모르지만, 이와 똑같이 두세 번의 불운한 투기에 의하여 그 재산을 잃게 되는 수도 있다. 이러한 사업은 대도시가 아니고서는 어떤 곳에서도 이루어질 수 없다. 그것을 위해 소유되는 정보가 얻어질 수 있는 것은 오직 가장 대규모의 상업과 통신이 이루어지고 있는 곳에 한한다.

이리하여 다섯 가지 사정은 금전적 이득의 차이를 상쇄한다.

상기한 다섯 가지 사정은, 비록 이것이 노동의 임금과 자재의 이윤에 상당한 불평등을 일으키기는 하지만, 노동 및 자재의 여러 용도에 관한, 실제상 또는 상상 속의 이익 및 불이익의 전체에 있어서는 아무런 불평등도 일으키지 않는다. 어떤 사업에 있어서는 소액의 금전적 이득을 메워 주고, 다른 사업에 있어서는 거액의 금전적 이득을 상쇄하는 것이 바로 이러한 사정의 성질이라 하겠다.

그러나 완전한 자유와 함께 세 가지의 것들이 필요하다.

그러나 이 평등이 그들의 이익 및 불이익의 전체에 일어나도록 하기 위해서는 가장 완전한 자유가 존재하는 곳에서까지도 세 가지 불가결한 것이 또 있다. 첫째, 직업이 그 이웃에 잘 알려져 있어야 하며, 오랫동안 확립되어 온 것이어야 한다. 둘째, 직업은 그 통상의 상태, 즉 소위 그 자연적 상태에 있어야 한다. 그리고 셋째, 직업은 그것에 종사하는 사람들에게는 유일 또는 주요한 것이어야 한다.

(1) 직업은 잘 알려져 있어야 하고 오랫동안 확립되어 온 것이어야 한다.

첫째, 이 평등은 그 이웃에 잘 알려져 있고 더구나 오랫동안 확립되어 온 직업에서만 일어날 수 있다.

왜냐하면 새로운 사업은 더 높은 임금을 낳기 때문이다.

다른 모든 사정이 동등한 곳에서는 임금은 대체로 오래된 사업보다 새로운 사업에서 더 높다. 어떤 기업가가 새로운 제조업을 설립하려고 계획할 때, 그는 우선 그들이 그들 자신의 직업에서 벌 수 있는 것보다 더 높은 임금을 지불하거나, 그의 노동의 성질이 그렇지 않았을 때 하는 것보다 더 높은 임금을 지불함으로써 그의 직공들은 다른 직업으로부터 유인해 오지 않으면 안 되며, 그가 감히 이들 임금을 보통의 수준에까지 내릴 수 있을 때까지는 많은 시일이 흐르지 않으면 안 된다. 그 수요가 전적으로 유행이나 도락에서 생기는 제조업은 끊임없이 변화하고 있으며, 오래 확립되어 온 제조업이라고 간주될 만큼 존속하지 않는다. 이와 반대로 그 수요가 주로 유용 또는 필요에서 생기는 제조업은 잘 변화하지 않으며, 동일의 형태 또는 구조가 수 세기 동안 끊임없이 계속 소요된다. 그러므로 노동의 임금도 후자와 같은 종류의 제조업에서보다는 전자와 같은 제조업에서 더 높은 것 같다. 버밍엄은 주로 전자와 같은 제조업에 종사하고, 셰필드는 후자와 같은 종류의 제조업에서 종사하고 있는바, 이 두 상이한 지방에서의 노동의 임금은 그들 제조업의 성질에 있는 이러한 차이에 어울리는 것이라고들 한다.

비교적 높은 이윤을 낳기 때문이다.

어떤 새로운 제조업, 어떤 새로운 상업부문을 설치한다든지, 또는 농업에 있어서 어떤 새로운 방법을 설정하는 것은 언제나 하나의 투기이며, 그 기획가는 그 투기에서 비상한 이윤을 기대하고 있다. 이러한 이윤은 때로는 대단히 크지만 어떤 때는, 아니 더 흔히 전혀 그렇지 못하다. 그러나 일반적으로 이러한 이윤은 그 이웃에 있는 다른 오래된 사업의 그것과 규칙적인 비례를 가지지 않는다. 만일 그 기획이 성공하면 보통 그 이윤이 처음엔 대단히 높다. 그 사업 또는 방법이 철저하게 확립되고 잘 알려져 버리면 경쟁 때문에 그 이윤은 다른 사업의 수준에까지 내려진다.

⑵ 직업은 그들의 자연의 상태에 있어야 한다.

둘째, 노동 및 자재의 여러 가지 용도에 있어서의 이익과 불이익 전체에 관한 이

평등은 그들 직업의 평상의 상태, 또는 이른바 자연의 상태에서만 일어날 수 있다.

왜냐하면 각 직업의 노동에 대한 수요는 시시로 변동하기 때문이다.

거의 모든 여러 가지 부류의 노동에 대한 수요는 때로는 평상보다 더 크고, 어떤 때는 더 작다. 전자의 경우 그 직업의 이익은 보통의 수준 이상으로 상승하고, 후자의 경우에는 그것은 그 이하로 떨어진다. 농촌의 노동에 대한 수요는 건초기와 수확기에 1년의 대부분을 통해서보다 더 크며, 따라서 임금도 수요와 더불어 상승한다. 전시에 4만~5만 명의 선원이 해상무역의 근무로부터 국왕을 위한 근무에로 강제될 때는 상선의 선원에 대한 수요는 반드시 그 부족과 더불어 상승한다. 이와 반대로 기울어져 가는 제조업에서는 많은 직공이 자신의 오래된 직업을 그만두기보다는 오히려 기울어지지 않을 경우 자신들의 직업의 성질에 상응할 만한 것보다 더 적은 임금으로 만족하고 있다.

이윤은 생산되는 상품의 가격과 더불어 변동하기 때문이다.

자재의 이윤은 그 자재가 사용되는 상품들의 가격과 더불어 변동한다. 어떤 상품이 평상률 또는 평균율 이상으로 상승하면 그것을 시장에 보내기까지 사용되는 자재 가운데, 적어도 어떤 부분의 이윤은 그들의 적당한 수준 이상으로 상승하며 그 가격이 하락하면 이윤도 그 수준 이하로 내린다. 모든 상품은 다소간 가격의 변동을 면하지 못하지만 어떤 상품에 있어서 해마다 사용되는 노동의 양은 반드시 연간 수요에 의하여 규정되는데, 이로써 평균 연생산은 될 수 있는 대로 근사하게 평균 연소비와 같아지게 된다. 이미 설명한 바 있거니와 어떤 직업에서는 같은 양의 근로가 반드시 동일 또는 거의 같은 양의 상품들을 생산할 것이다. 예를 들면 아마포 또는 모직물의 제조업에서는 동수의 인부가 해마다 거의 같은 양의 아마포와 모직물을 완성시킬 것이다. 그러므로 이러한 상품의 시장가격의 변동은 수요에 일어나는 어떤 우연적인 변동만에 의하여 생길 수 있다. 공장은 흑포(검은 천)의 가격을 올린다. 그러나 대부분의 종류의 평직아마포와 모직물에 대한 수요는 거의 일정하며, 그 가격도 마찬가지로 불변한다. 그러나 같은 양의 근로가 반드시 같은 양의 상품을 생산한다고는 할 수 없는 다른 직업도 있다. 예를 들어 같은 양의 근로는 여러 년도에 대단히 상이한 양의 곡물·포도주·홉·설탕·담배 등을 생산할 것이다. 그러므로 이러한 상품의 가격은 수요의 변동에 따라 변동할 뿐 아니라 그것보다도 한층 더 크고 빈번한 그 양의 변동에 따라서 몹시 파동하고 있다. 그런데 상인들 중의 어떤 사람의 이윤은 반드시 상품들의 가격과 더불어 변동하지 않을 수 없다. 투기상의 제작용은 주로 이러한 상품들에 관해서 가해진다. 그는 그 가격이 오를 것 같다고 예상할 때 그 상품을 매점해 버리고, 그것이 떨어질 것 같을 때 그것들을 팔아 버리려고 애쓴다.

(3) 직업은 그 직업에 종사하고 있는 사람들에게 주요한 것이어야 한다.

셋째, 노동 및 자재의 여러 가지 용도의 이익 및 불이익의 전체에 관한 이러한 평등은 그 직업이 그것에 종사하는 사람들에게는 유일 또는 주요한 것인 그러한 직업에서만 일어날 수 있다.

왜냐하면 한 직업에 의하여 부양되는 사람들은 다른 직업에서는 싼값으로 일할 것이기 때문이다.

어떤 사람이 하나의 직업에서 자기의 생활자료를 얻고 있는데, 그 직업이 그 사람의 시간의 대부분을 차지하지 않을 경우, 그는 자기의 여가 사이에 또 다른 직업에서, 그 직업의 성질에 알맞을 만한 임금보다 더 적은 임금을 받고 기꺼이 일하려고 하는 수가 가끔 있다.

스코틀랜드의 농장 오막살이집에 사는 날품팔이 농부가 그러하다.

스코틀랜드의 많은 지방에는 더부살이 농부(Cotters) 또는 날품팔이 농부

(Cottagers)라고 불리는 일군의 사람들이 아직 생존하고 있다. 물론 그들은 현재보다도 몇 년 전에는 더 많이 있었다. 그들은 지주와 농업경영자의 일종의 옥외 사용인(out-servants)이다. 그들의 주인으로부터 그들이 받는 보통의 보수는 한 채의 집, 채소를 일구기 위한 작은 채소밭, 한 마리의 소를 기를 만큼의 목초지, 그리고 아마 1~2에이커의 나쁜 경작지이다. 그들의 주인이 그들의 노동을 필요로 할 때는, 주인은 그들에게 이밖에도 1주일에 영화로 약 16펜스의 가치가 되는 2펙peck의 귀리(연맥)를 준다. 1년의 대부분을 통하여 주인은 그들의 노동을 거의 필요로 하지 않으며, 그들 자신의 조그마한 소유지의 경작은 그들 자신의 처분에 맡겨져 있는 시간을 메우기에는 불충분하다. 이러한 차지인이 현재보다도 더 많았던 시대에는 그들은 아주 적은 보수로써 어떤 사람에게도 그들의 나머지 시간을 서슴지 않고 제공하고, 다른 노동자들보다 더 적은 임금으로써 일했다고 한다. 고대에는 그들이 유럽의 전 지역에 공통적으로 존재했었던 것 같다. 경작이 잘 되어 있지 않고 주민이 희박한 나라에서는 지주와 농업경영자의 대부분은 농촌노동이 어떤 계절에 필요로 하는 엄청나게 많은 일손을 다른 방법으로는 조달할 수 없었다. 이러한 노동자들이 그들의 주인으로부터 수시로 받았던 날품 또는 주마다의 보수가, 그들의 노동의 전체 가격이 아니라는 것은 명백하다. 그들의 조그마한 차지가 그 가운데 상당한 부분을 이루고 있었다. 그러나 고대의 노동 및 식료품의 가격을 수집하여 그 두 가지가 놀랄 만큼 낮았다고 주장함을 즐겨 했던 많은 저술가들은, 이 날품 또는 주마다의 보수가 노동의 전체 가격이라고 생각했던 것 같다.

셰틀랜드의 뜨개질하는 사람.

이러한 노동의 생산물은 그렇지 않을 경우 그 성질에 상응할 만한 것보다 더 싸게 시장에 나오는 수가 많다. 스코틀랜드의 많은 지방에서 양말은 어떤 곳에서나 직기로써 만들어질 수 있는 것보다 훨씬 더 싸게 짜여진다. 이 양말은 그들의 생활자료의 주요부분을 어떤 다른 직업에서 만들어 내는 사용인과 노동자의 제품이다. 1000켤레 이상의 셰틀랜드의 양말은 매년 리즈에 수입되는데, 그 가격은 한 켤레에 5펜스에서 7펜스이다. 셰틀랜드 제도의 작은 수도인 러윅에서는 내가 확인한 바에 의하면 일부 10펜스가 보통노동의 통상 가격이다. 같은 제도에서 그들은 한 켤레에 1기니 및 그 이상의 가치가 나가는 털양말들을 뜨고 있다.

스코틀랜드의 아마사 방직공.

스코틀랜드에서는 아마사방적은 양말뜨기와 거의 같은 방법으로 주로 다른 목적 때문에 고용된 사용인들에 의하여 행해지고 있다. 이런 직업 가운데 그 어느 하나에 의하여 그들의 전 생계를 세우려고 노력하고 있는 사람들은 극히 적은 생활자료 밖에 벌지 못한다. 스코틀랜드의 대부분의 지방에서는 1주일에 20펜스 벌 수 있는 여자는 훌륭한 방적공이다.

그리고 런던의 하숙업자들이 그러하다.

부유한 나라에서는 시장이 일반적으로 대단히 넓기 때문에 어떤 사업도 그것에 종사하는 사람들의 노동 및 자재의 전부를 고용하기에 충분하다. 사람들이 한 가지 직업에 의하여 생활하는 동시에, 또 다른 직업에서 약간의 이익을 만들어 내는 사례는 주로 가난한 나라에서 일어나는 것이다. 그러나 이것과 거의 같은 종류의 다음과 같은 사례는 아주 부유한 나라의 수도에서 발견된다. 내가 믿고 있기에는, 유럽에서 런던만큼 가옥의 임차료가 비싼 곳은 없지만, 그러나 또한 나는 가구가 갖추어진 아파트가 런던에서만큼 싸게 빌릴 수 있는 수도는 없다고 알고 있다. 런던에서의 셋방은 파리의 그것보다 훨씬 더 쌀 뿐만 아니라, 에든버러에 있는 같은 정도의 셋방에 비해서도 훨씬 더 싸다. 그리고 이상하게 생각될지 모르지만 가옥임차료가 비싸다는 것이 곧 셋방이 싸다는 것의 원인이 되는 것이다. 런던의 가옥임차료가 비싼 것은 모든 대수도에서 집세를 높이는 여러 원인, 즉 노동이 비싸다는 것, 일반적으로 먼 지방에서 운반되어

오지 않을 수 없는 모든 건축 재료가 비싸다는 것, 그리고 모든 지주가 독점자의 역할을 하며, 따라서 농촌에서라면 100에이커나 되는 좋은 토지에서 얻어질 수 있는 것보다 더 비싼 지대를 도시에 있어서의 나쁜 토지 1에이커에 대하여 흔히들 강요함으로써, 무엇보다도 지대가 높다는 것 등의 여러 원인에서 생길 뿐만 아니라, 그것은 일가의 주인이라면 누구나 옥상에서 지하실까지 집 전부를 빌리지 않으면 안 된다는 사람들의 특유한 풍속과 습관에서도 어느 정도 생긴다. 잉글랜드에서 주택이라 함은 같은 지붕 아래 포함되어 있는 모든 것을 의미한다. 프랑스와 스코틀랜드 및 유럽의 다른 많은 지방에서는, 그것은 어느 한 층을 의미하는 데 지나지 않을 때가 많다. 런던의 소매상인은 자기의 고객들이 살고 있는 바로 그 거리에서 부득이 한 집 전체를 빌리지 않으면 안 된다. 그의 상점은 1층에 있고, 그와 그의 가족은 제일 윗층에서 자고, 그는 그 중간의 두 개의 층을 세 드는 사람에게 빌려줌으로써 자기의 집세의 일부를 지불하려고 노력한다. 그는 자기의 상업에 의하여 자기의 가족을 부양하기를 기대하고 있는 것이지, 자기의 셋방 든 사람에 의하여 그렇게 할 생각은 없는 것이다. 이에 반하여 파리와 에든버러에서는 셋방을 놓는 사람들은 보통 그 이외에는 아무런 다른 생활유지의 수단을 갖고 있지 않으며, 셋방의 가격은 그 집세를 지불할 뿐만 아니라 그 가족의 전체 경비를 지불하지 않으면 안 되는 것이다.

제2절 유럽의 정책에 의하여 야기된 불평등

유럽의 정책은 더욱 중대한 불평등을 일으키고 있다.

노동 및 자재의 여러 가지 용도의 이익 및 불이익의 전체에 관한 불평등은 이상과 같은 것이며, 이것은 가장 완전한 자유가 있는 곳에서까지도 상술한 세 가지 요건의 그 어느 것이든 결함이 있으면 반드시 일어난다. 그러나 유럽의 정책은 사물을 완전히 자유로 방임해 두지 않음으로써 훨씬 더 중대한 다른 불평등을 일으키고 있다.

그것은 다음과 같은 세 가지 방법으로 일으킨다.

그것은 주로 다음의 세 가지 방법에 의하여 불평등을 일으킨다. 첫째는, 어떤 직업에 있어서의 경쟁을 억제함으로써 이렇게 하지 않을 경우 그 직업에 들어가고자 했었을 사람의 수보다 더 소수로 한정하는 것이며, 둘째로는, 다른 직업에서는 자연적으로 있을 정도 이상으로 경쟁을 증대시키는 것이며, 그리고 셋째는, 노동 및 자재가 한 직업에서 다른 직업으로, 한 지방에서 다른 지방으로 자유롭게 유통하는 것을 다 같이 방해하는 것이다.

(1) 그것은 어떤 직업에 있어서의 경쟁을 억제하는데,

첫째, 유럽의 정책은 노동 및 자재의 여러 가지 용도에 있는 이익 및 불이익의 전체에 아주 중대한 불평등을 일으키고 있다. 즉 어떤 직업에 있어서의 경쟁을 억제하여, 이렇게 하지 않을 경우 그 직업에 종사하고 싶어 할지도 모르는 사람의 수보다 더 소수로 한정하는 것이 곧 그것이다.

주로 동업조합에 배타적 특권을 부여함으로써 그렇게 되고 있다.

동업조합의 배타적 특권은 유럽의 정책이 이 목적을 위해 이용하는 주요한 수단이다.

동업조합은 장기의 도제 수업을 필요로 하고, 또 도제의 수를 제한한다.

조합화된 직업의 배타적 특권은 반드시 그것이 설립되어 있는 도시에서는 경쟁을 그 직업에 대하여 특권을 가지고 있는 사람들에게만 국한된 것으로 하여 특권을 가지고 있는 사람들에게만 국한된 것으로 한정한다. 그 도시에서 적절한 가격을 갖추고 있는 마스터 밑에서 도제 수업을 치렀다는 것이 보통 이 특권을 획득하는 데 불가결한 요건이 된다. 동업조합의 규약은 때로는 어떤 마스터가 가질 수 있도록 허용된 도제의 수와, 그리고 거의 반드시 각각의 도제가 치르지 않으면 안 되는 연수를 규정하고 있다. 양쪽의 이런 규정의 의도는, 이렇지 않을

경우, 그 직업에 들어가고 싶어 할지도 모르는 수보다 훨씬 더 소수의 사람들의 경쟁으로 한정하는 데 있다. 장기간의 도제 수업은 그 교육비를 증가시킴으로써 비교적 간접적이기는 하나 마찬가지로 유효하게 경쟁을 억제하고 있다. 셰필드에서는 칼 만드는 일의 마스터는 동업조합의 규약상 동시에 한 사람 이상의 도제를 가질 수 없다. 노퍽과 노리치에서는 직조공의 마스터는 두 명 이상의 도제를 가질 수 없으며, 이것을 어기면 한 달에 5파운드의 벌금을 국왕에게 바치지 않으면 안 된다.[211] 잉글랜드 또는 그 식민지의 어느 곳에서나 제모직의 마스터는 두 명 이상의 도제를 가질 수 없으며, 이것을 어기면 한 달에 5파운드의 벌금을, 그 반액은 국왕에게, 나머지 반은 어떤 등록재판소에 고소한 사람에게 바치라는 처벌이 규정되어 있다.[212] 이러한 규정은 둘 다 이 왕국의 공법에 의하여 확인되어 왔지만, 셰필드의 규약을 제정했던 것과 똑같은 동업조합 정신에 의하여 지도되었음은 명백하다.[213] 런던의 견직물 직자職者들은 그들이 조합을 만든 지 1년도 채 못 되어서 규약을 제정했고, 어떤 마스터도 동시에 두 명 이상의 도제를 가지지 못하게 했다. 이 규약을 폐지하기 위해서는 의회의 특별한 법령을 필요로 했다.[214]

211 〔찰스 2세 제13~14년 법률 제5호 제8조에 있다.〕

212 〔엘리자베스 제8년 법률 제11호 제8조, 제임스 1세 제1년 법률 제17호 제3조, 조지 2세 제5년 법률 제22호.〕

213 〔그러나 엘리자베스 제8년 법률 제11호는 제모직이 아니고 모자(cap) 제조인의 "슬픈 탄원 및 불평"에 따라 제정되었으며, 외국 양모로써 만들어진 모자(hat)가 많이 쓰이기 때문에 그들이 가난해졌다고 주장했기 때문이다. 그리고 조지 2세 제5년 법률 제22호에 의하여 도제의 억제가 식민지까지 확대된 것은 틀림없이 아메리카의 제모직에 대한 잉글랜드의 제모직의 질투에서 연유된 것이므로 이러한 규정은 셰필드 규약과 전적으로 동일한 정신에 의하여 지도되었던 것이라고는 할 수 없다.〕

214 〔찰스 2세 제13~14년 법률 제15호의 전문은 런던의 견絹(견직물) 제조의 조합은 1629년에 설립되었다고 하고 있으며, 찰스 2세 제20년 법률 제6호의 전문은 그 조합이 약 40년 전에 만든 어떤 규약을 실시하려고 노력했기 때문에 그 사업은 최근에 저해되었다고 하는데, 그 규약은 조합의 면허를 가진 사람(freemen)을 160추錘로 억제하고 견습은 240추로 억제하는 것이었다. 따라서 찰스 2세 제20년 법률 제6호라는 법령은 이 규약을 무효라고 선언하고 있다.〕

도제 수업의 통상기간은 7년이다.

7년이라는 것이 옛날 유럽 전체에 조합화된 직업의 대부분에 있어서 도제 수업의 통상의 계속기간으로서 확립되었던 연한이었다고 생각된다. 이러한 모든 단체를 옛날에는 유니버시티university라고 불렀으며, 실제로 그것은 어떠한 단체에도 어울리는 라틴어 명이었다. 대장장이직의 유니버시티, 재봉직의 유니버시티 등은 우리가 고대 도시의 오랜 특허장에서 보통 찾아볼 수 있는 표현이다.[215] 현재 특히 대학(university)이라고 불리고 있는 특수한 단체가 처음으로 설립되었을 때 석사(master of arts)라는 학위를 획득하기 위하여 필요한 수학 연한을 아주 옛날부터 단체를 이룩해 왔던 보통 직업에 있어서의 도제 수업의 연한에서 옮겨 왔다는 것은 명백하다고 생각된다. 적절한 자격을 갖추고 있는 마스터 밑에서 7년간 일해 왔다는 것이 보통의 직업에서 어떤 사람이 마스터가 되는 자격을 주기 위해서라든지, 또 그 자신이 도제를 갖게 되기 위해서 필요했던 것처럼 적절한 자격을 갖고 있는 선생 밑에서 7년 동안 수학했다는 것은 학예(liberal arts)에서도 선생(master), 교사(teacher), 또는 박사(doctor)(옛날에는 동의어였다)라는 칭호를 받거나 그의 지도하에 수학하는 학생 또는 문하생(scholars or apprentices)(역시 본래는 동의어였다)을 갖게 되는 데 필요했던 것이다.

도제조례는 잉글랜드의 모든 곳에서 필요로 했으나, 시장도시에만 국한되어 있었다.

보통 도제조례라고 불리는 엘리자베스 제5년의 법률에[216] 의하여 적어도 사전에 7년간 그것에 대해서 도제 수업을 치르지 않는 한 앞으로는 어떤 사람도 당시

그 법령은 또한 "상기조합에 의하여 이미 만들어진 어떠한 규약도 그리고 이제부터 만들어질 어떠한 규약도 도제 수를 세 명 이하로 제한해서는 안 된다"라고 규정하고 있다.〕

215 〔이탈리아에서는 공장과 상인의 'mestiere', 즉 조합은 때로는 'ars' 또는 'universitas'라고 불리었다……로마의 직물상의 조합은 'universitas merciariorum'이라고 불리었으며, 그곳의 빵상商의 조합은 'universitas pistorum'이라 불리었다.-토마스 매독스ThomasMadox, 《Firma Burgi》(1726), 32면.〕

216 〔법률 제4호 제31조.〕

잉글랜드에서 시행되고 있었던 어떠한 직업(trade), 기능(craft), 또는 수예(mystery)라도 행하여서는 안 된다는 것이 규정되었으며, 더구나 잉글랜드에서는 종래에는 많은 특수한 동업조합의 규약에 지나지 않았던 것이 시장도시에서 행해지는 모든 직업에 관한 일반적 공법이 되어 버렸다. 그 조례의 낱말들은 극히 일반적이고 명백히 전체 왕국을 포함하고 있는 것같이 보지만 그 해석상의 통상범위는 시장도시에 한정되어 있었기 때문이며, 또한 시골의 여러 마을에서는 각 직업마다 7년의 도제 수업을 치르지 않더라도 한 사람이 몇 가지 직업에 종사해도 좋다고 생각되어 왔으며, 그 직업들은 주민의 편의를 위해서 필요한 것이고 인민의 수가 그 각각의 특수한 일군의 일손[217]을 충분하게 공급할 수 없을 때가 많았기 때문이다.

더구나 이 조례가 통과되었을 당시 기재하고 있었던 직업에 국한되어 있었다.

그 위에 낱말들이 엄격하게 해석되었기 때문에 이 조례의 적용은 엘리자베스 제5년 이전의 잉글랜드에서 확립되어 있었던 여러 직업에 한정되었으며 그 당시 이후 도입된 것 같은 직업에까지 확장되지는 않았다.[218] 이 제한 때문에 행정의 법칙으로서 생각되었을 경우 아주 어리석은 것으로 생각되는 몇 가지 구별이 생겼다. 예를 들면 어떤 사륜마차 제조인은 자기가 만드는 마차의 수레바퀴를 손수 만들 수도 없으며, 또 직공을 고용해 만들게 할 수도 없고 다만 반드시 수레바퀴 제조인의 마스터로부터 그걸 사와야 한다는 판결이 내려졌다. 그것은 이 후자의 직업이 엘리자베스 제5년 이전에 잉글랜드에서 행해지고 있었기 때문이다.[219] 그런데 수레바퀴 제조인은 비록 사륜마차 제조인에게 도제 수업을 치른 일

217 ["이 조례는 동일인이 몇 가지 직업에 종사하는 것을 억제하는 것이 아니라, 그 사람이 그 몇 가지 직업 모두에 대해서 도제를 치렀다는 것으로 생각되어 왔다. 이러한 견지에서 이 조례는 소도시와 마을들의 모든 소상인을, 그들의 주인들도 역시 같은 잡업을 가지고 있었다는 이유에서 보호하는 것이다." 매튜 베이컨Matthew Bacon, 《A New Abridgement of the Law》, 제3판(1768), 제3권, 553면의 'Master and servant'의 항을 보라.]

218 [매튜 베이컨, 《A New Abridgement of the Law》, 제3판(1768), 제3권, 552면.]

이 없었을지라도 그는 손수 사륜마차를 만들어도 좋으며, 직공을 사용해 만들게 해도 좋다는 것이다. 왜냐하면 사륜마차 제조인이란 직업은 이 조례의 제정 당시의 잉글랜드에선 행해지고 있지 않았기 때문에 그 조례 안에 들어 있지 않다는 이유에서 그러하다는 것이다.[220] 맨체스터·버밍엄·울버햄프턴의 제조업 가운데 많은 것이 이 이유 때문에 엘리자베스 제5년 이전에 잉글랜드에서 행해지고 있지 않았다는 이유에서 이 조례의 적용범위 밖에 있다.

연한은 프랑스에서는 다르다.

프랑스에서는 도제 수업의 계속기간은 여러 도시와 여러 가지 직업에 따라 다르다. 파리에서는 5년이 대다수의 경우 필요로 하는 연한이다. 그러나 어떤 사람이라도 한 사람의 마스터로서 어떤 직업에 종사할 자격을 받을 수 있기에는 허다한 경우 직공으로서 5년 이상 봉사하지 않으면 안 된다. 이 후자의 연한 동안에 그는 자기의 마스터의 동료(companion)[221]라고 불리며 연한 그 자체는 그의 동료연한(companionship)[222]이라고 불린다.

그리고 스코틀랜드에서도 다르며 이곳에서는 법규가 그렇게 억압적이 아니다.

스코틀랜드에서는 도제 수업의 계속기간을 전반적으로 규정하는 일반법은 없다. 연한은 동업조합에 따라 다르다. 연한이 긴 곳에서는 일반적으로 소액의 요금을 지불함으로써 일부의 면제를 받을 수 있는 것이 보통이다. 대부분의 도시에서도 극히 적은 요금으로써 어떤 동업조합의 특권이라도 구매할 수 있다. 이 나라의 주요 제조업인 아마포 및 대마포의 직물직과 또 이들에게 도움이 되는

219 〔매튜 베이컨, 《A New Abridgement of the Law》, 제3판(1768), 제1권, 553면.〕

220 〔그러나 베이컨(《A New Abridgement of the Law》, 제3판(1768), 제3권, 553면)은 명백히 말하기를 페이튼 벤트리스 경Sir Peyton Ventris의 《Reports》, 346면을 전거로 해서 "사륜마차 제조인은 이 조례의 적용범위 내에 있다"라고 한다.〕

221 〔Compagnon.〕

222 〔Compagnonnage.〕

다른 모든 공장工匠, 즉 수레바퀴 제조인, 물레 제조인 등은 전혀 요금을 지불하지 않고 어떤 자치도시(town corporate)에서나 그들의 직업에 종사해도 좋다. 모든 자치도시에서는 모든 사람은 주의 법정 영업일에 수육獸肉을 팔 수 있는 자유를 가지고 있다. 스코틀랜드에서는 아주 정밀을 요하는 직업에 있어서도 3년이 도제 수업의 보통연한이며, 일반적으로 유럽에서 스코틀랜드만큼 동업조합법이 그렇게 덜 억압적인 나라를 나는 알지 못한다.

이러한 모든 법규는 억압적인 것임은 물론이요 부적당한 것이다.

모든 사람이 자기 자신의 노동이라는 형태로서 가지고 있는 재산만은 다른 모든 재산의 본원적 기초이므로,[223] 그것은 가장 신성하고 불가침의 것이다. 가난한 사람의 세습재산은 자기의 양손의 힘과 재치에 있다. 그리고 그가 이웃 사람에게 해가 됨이 없이 이 힘과 재치를 마음대로 사용하는 것을 저지한다는 것은 이 가장 신성한 재산에 대한 명백한 침해이다. 그것은 직공과 그를 사용하고 싶어 하는 사람들 쌍방의 정당한 자유에 대한 노골적인 잠식이다. 그것은 전자가 스스로 적당하다고 생각하는 대로 일하지 못하게 하듯이 후자가 스스로 적당하다고 생각하는 사람을 사용하지 못하게 한다. 어떤 사람을 사용하는 것이 적당한가 아닌가를 판단하는 것은 이것에 많은 관심을 가지고 있는 고용주들의 분별에 맡겨 두면 된다. 그들이 부적당한 사람을 사용하지나 않을까 하는 입법자의 지나친 걱정은 명백히 억압적인 것임은 물론 주제넘은 것이다.

장기의 도제 수업이 나쁜 제작품을 방지한다는 보증은 되지 않는다.

장기의 도제 수업 제도가 불실한 제품이 흔히 공매되는 일이 없도록 한다는 것을 보증해 줄 수는 없다. 이러한 일이 일어날 경우는 일반적으로 사기의 결과이지, 무능의 결과는 아니며, 따라서 가장 오랜 도제 수업이라도 사기를 막을 아무런 보증도 될 수는 없다. 이러한 폐해를 막는 데는 완전히 다른 여러 규제가 필

223 〔이것과 《Lectures》, 107~127면에 있는 재산의 기원에 관한 설명을 대조하라.〕

요하다. 금은식기金銀食器의 순분기표純分記標 및 아마포[224]와 모직물[225]의 검인이 그 어떤 도제조례보다도 더 큰 보증을 구매자에게 준다. 구매자는 대체로 수분기표와 검인을 자세히 보지만, 그것을 제조한 직공이 7년의 도제 수업을 치렀는지 아닌지를 물어 보는 것을 보람 있는 것이라고는 생각하지 않는다.

청년들을 근면하게 만들지도 않는다.

장기간의 도제 수업 제도는 청년들을 근면하게 하는 경향을 갖고 있지 않다. 일한 분량을 따져서 지불받는 직공은 부지런해지기 마련이다. 왜냐하면 그는 자기의 전력을 다함으로써 그때마다 그것에서 이익을 보기 때문이다. 도제란 게으르기 쉽다. 그리고 실제도 거의 언제나 그러하다. 왜냐하면 그는 부지런하게 된다고 해서 직접적인 이익을 보지 못하기 때문이다. 하급의 직업에 있어서는 노동의 쾌락은 전적으로 노동의 보수에 있다. 노동의 즐거움을 가장 빠르게 향수하는 상태에 있는 사람들이야말로 그것을 맛볼 것을 가장 빨리 생각해 내고, 따라서 근면의 습관을 가장 빨리 얻게 되는 것 같다. 청년은 장기간의 노동에서 아무런 이익을 얻지 못하면 그것에 대하여 자연히 싫어하는 마음을 가지게 된다. 공공의 자선단체에서 도제로 보내어지는 소년들은 일반적으로 보통 연수 이상의 기간 동안 속박당하며, 그들은 대체로 아주 게으르고 쓸모없는 사람이 되어 버린다.

도제 수업이란 옛날 사람들에게는 알려져 있지 않았다.

도제 수업은 옛날 사람들에게는 전혀 알려져 있지 않았다. 마스터와 도제의 상호 간의 의무는 모든 근대 법전 가운데 상당히 중요한 조항을 이루고 있다.[226] 로

224 〔스코틀랜드의 제품에 관해서는 앤 제10년 법률 제21호, 조지 1세 제13년 법률 제26호.〕

225 〔엘리자베스 제39년 법률 제20호, 엘리자베스 제43년 법률 제10호 제7조.〕

226 〔리차드 번Richard Burn, 《The Justice of the Peace, and Parish Officer》(1764)에서는 도제에 관한 조항이 24면을 점하고 있다.〕

마법은 그러한 의무에 관해서는 전혀 논급을 하지 않고 있다. 우리가 지금 도제라고 하는 말에 결부시키고 있는 관념, 즉 마스터가 그 직업을 가르친다는 조건으로 일정연한 동안 특정 직업에서 마스터의 이익을 위하여 일하도록 얽매이는 사용인이라는 관념을 표현하는 그리스어 또는 라틴어를 나는 전혀 모른다(나는 그런 말은 없다고 감히 단언해도 좋다고 믿고 있다).

장기간 도제 수업은 전혀 불필요하다.

장기간의 도제 수업은 전혀 불필요하다. 벽시계와 회중시계를 만드는 기술처럼 보통 직업보다 훨씬 탁월한 기술도 오랜 교육과정을 필요로 할 만큼 비전을 지니고 있는 것은 아니다. 사실 이러한 훌륭한 기계의 최초의 발명과 그런 것을 만드는 데 사용되는 어떤 도구의 최초의 발명까지도 틀림없이 깊은 사색과 오랜 시일의 소산이었을 것은 틀림없으며, 인간의 창의성의 가장 행복한 노력의 하나라고 생각되어 마땅할 것이다. 그러나 이 양자가 완전히 발명되어 잘 이해되기에 이르면 그 도구를 어떻게 사용하고, 그 기계를 어떻게 짜 맞추는가를 가장 완전한 방법으로 설명하는 데는 어떠한 청년에게도 몇 주간 이상의 교과를 필요로 할 리는 없으며, 아마 수일간이면 충분할지 모른다. 보통의 기계직이라면 확실히 수일간의 교과로써도 충분할 것이다. 실로 손의 기교는 보통의 직업에 있어서까지도 많은 실습과 경험 없이는 획득될 수 없다. 그러나 어떤 청년이 시초부터 직공으로서 일하고, 그가 할 수 있는 소량의 일에 비례하여 지불받고, 그 대신 그가 졸렬하고 경험이 없어서 때로는 원료를 손상하면 그 대상을 그가 지불하도록 되어 있다면, 그는 훨씬 더 효과적이며 언제나 덜 지루하고 비용도 적게 들 것이다. 실제에는 마스터가 손실자가 된다. 그는 꼬박 7년 동안 현재에 그가 절약하고 있는 도제의 임금을 모두 잃을 것이다. 결국에 가서는 아마도 도제 그 자신이 손실자가 될지 모른다. 대단히 쉽게 배워지는 직업에 있어서는 그는 더 많은 경쟁자를 가지게 될 것이며, 그가 완전한 직공이 되었을 때 그의 임금은 현재보다도 훨씬 더 적을 것이기 때문이다. 이와 동일한 경쟁의 증대는 직공의 임금과 마찬가지로 마스터의 이윤을 감소시킬 것이다. 직업·기능·수예[227]는 모두 손해를 볼 것이다. 그러나 모든 공장의 제작품이 이러한 방법으로 훨씬 더 싼값으로 시장에 나간다면 사회는 이득을 볼 것이다.

가격을 유지하고 따라서 임금과 이윤을 유지하기 위해서 동업조합이 설립되었다. 모든 동업조합이 설립되고 대부분의 동업조합법이 제정되었던 것은 자유경쟁을 억제하고, 이 자유경쟁이 틀림없이 일으킬 이와 같은 가격의 하락과, 따라서 임금 및 이윤의 하락을 방지하기 위해서이다. 동업조합을 설립하기 위해서 옛날 유럽의 많은 지방에서는 그것이 설립되는 자치도시의 허가 이외에는 아무것도 필요하지 않았다. 사실 잉글랜드에서는 국왕의 특허장도 역시 필요했다. 그러나 왕실의 대권은 그러한 억압적 독점에 대하여 일반의 자유를 방위한다기보다는 오히려 그 신하들로부터 화폐를 짜내기 위해서 유보되었던 것 같았으며, 국왕에게 요금을 지불하면 일반적으로 이 특허장은 곧 수여되었던 것 같다. 그리고 어떤 특정 계급의 공장 또는 상인이 특허장 없는 동업조합으로서, 즉 그 당시의 이른바 불의의 길드(adulterine guild)로서 활동하는 것이 적당하다고 생각했을 때도 반드시 그 때문에 특권을 빼앗기지는 않았으며, 그들이 횡령한 특권을 행사하도록 허가하는 대가로서 국왕에게 해마다 과료를 지불하면 그만이었다.[228] 모든 동업조합의 직접의 감독과 그 조합들이 그들 자신의 자치를 위하여 제정함이 적당하다고 생각하는 규약의 직접의 감독은 조합이 설립되어 있는 자치도시에 속해 있었으며, 그 조합에 과해진 어떠한 취체取締도 보통 국왕으로부터 나오는 것이 아니고, 이러한 하위 단체를 다만 그 부분 또는 성원으로 하고 있는 비교적 큰

227 〔뒤의 두 언어는 오히려 경멸적으로 사용되는 것 같다. 아마 스미스는 매독스Madox가 "갈리아Gallick어의 mestera, mistera 및 misteria라는 말"에서 나온 영어의 "misterie"라는 말을 마치 "무엇인가 신비, 불가사의한(something , μνστηριωδες mysterious) 것을 의미하는 것"처럼 사용하고 있는 것을 "한 편의 어린애 장난"이라고 조소하고 있는 인용절을 읽고 그의 기억 속에 생생하게 간직하고 있었던 것 같다. -《Firma Burgi》(1726), 33~35면.〕

228 매독스, 《Firma Burgi》, 26면 등을 보라. 〔이 주는 제2판에서 처음 나왔다.〕

단체에서 나왔던 것이다.[229]

그것에 의해 도시는 농촌을 희생으로 하여 이득을 보았다.

자치도시의 통치는 전적으로 상인과 공장들의 수중에 있었다. 그리고 그들 자신의 특종의 산업에 있어서, 시장이 소위 그들이 말하는 공급과잉이 되지 않도록 하는 것은 그들 모든 특정 계급의 명백한 이익이었다. 이것은 곧 실제로 시장을 항상 공급 부족이 되어 있도록 해 두는 것이 된다. 각 계급은 이 목적을 위하여 적당한 규약을 제정하기에 열심이었으며, 그렇게 하도록 허용되면 다른 모든 계급이 동일하게 할 것에 기꺼이 동의하려 했었다. 실은 이러한 규약의 결과로 그 도시 내에 있는 다른 모든 사람으로부터 필요한 재화를 구매할 때는 각 계급이 이렇지 않을 경우에 구매할 수 있었을지 모르는 값보다 약간 더 비싸게 사지 않으면 안 되었다. 그러나 그 대상으로서는 그들은 그들 자신의 재화를 꼭 그만큼 더 비싸게 팔 수 있었으며, 그러므로 그들이 말하는 바와 같이 그러한 한에 있어서는 이러나 저러나 결국 마찬가지다. 그리고 그 도시 내에서 각가지 계급 상호간의 거래에 있어서는 이러한 규약에 의해서 누구도 손실자는 되지 않았다. 그러나 그들이 농촌과의 거래에 있어서는 그들은 모두 큰 이득을 보았고, 모든 도시를 유지하고 부유하게 만드는 상업은 모두 그 농촌과의 거래에 있다고 하겠다.

이는 그들의 도시의 비교적 소량의 노동생산물과 교환으로 농촌의 비교적 다량의 노동생산물이 획득되기 때문이다.

모든 도시는 모든 생활자료와 그 산업의 모든 원료를 농촌에서 끌어낸다. 도시는 이 대가를 두 가지 방법으로 지불한다. 즉 첫째는 완성되고 제조된 물품의 일부를 농촌에 돌려보내는 것, 이 경우 이들 물품의 가격은 직공의 임금과 그들의 마스터들, 또는 직접의 고용주들의 이윤에 의하여 증가된다. 둘째로 다른 나라

229 ["아마 이러한 세속적인 길드에서, 또는 그것을 본따는 것에서 도시 전체를 길드화하고 단체화하는 방법 또는 관습이 생겼을 것이다." –《Firma Burgi》, 27면.]

또는 자국의 먼 지방에서 그 도시로 수입된 총생산물 또는 제조품의 일부분을 농촌으로 보내는 것, 이 경우에도 또한 이들 재화의 원가는 운반인 또는 선원의 임금과, 그리고 그들을 고용하는 상인들의 이윤에 의하여 증가된다. 이 두 가지 부문의 상업 가운데 첫째 번의 것에 관한 이득에는 도시가 그들 제조업에 의하여 올리는 이익이 들어 있다. 그리고 둘째 번 것에 관한 이득 가운데는 그 국내상업 및 외국무역의 이익이 들어 있다. 직공의 임금과 그들의 각가지 고용주들의 이윤은 이 양자에 관해서 이득된 것의 전부를 구성하고 있다. 그러므로 이러한 임금과 이윤을 이렇지 않을 경우에 있을 정도 이상으로 증대시키는 경향이 있는 규약이라면 어떤 것이든지, 도시가 그 비교적 소량의 노동으로써 농촌의 비교적 다량의 노동생산물을 구매할 수 있게 해 주는 경향을 가지고 있다. 그 규약들은 도시의 상인과 공장에게 농촌의 지주, 농업경영자 및 노동자보다 나은 이익을 주며, 더구나 그런 규약이 존재하지 않을 경우, 도시와 농촌 간에 행해지는 상업에서 일어날 자연적 평등을 파괴해 버린다. 사회의 노동의 연간 총생산물은 해마다 이 두 가지 상이한 부류의 사람들 사이에 분할된다. 이러한 규약이 있기 때문에 이렇지 않을 경우 그들에게 돌아갈 것보다 더 많은 몫이 도시의 주민에게 주어진다. 그리고 농촌의 주민에게는 더 적은 몫이 주어지는 것이다.

도시의 수출은 그의 수입의 실질가격인 것이다.

해마다 수입하는 식량과 원료에 대하여 도시가 실제로 지불하는 가격은 도시로부터 해마다 수출되는 제조품과 다른 재화의 양이라 하겠다. 후자가 비싸게 팔리면 팔릴수록 전자는 그만큼 더 싸게 사들여진다. 그러므로 도시의 산업은 점점 유리해지고 농촌의 그것은 점점 더 불리해진다.

도시의 산업이 더 이익이 많다는 것은 대재산이 그곳에서 만들어진다는 것에 나타나 있다.

유럽의 어느 곳에서나 도시에서 영위되는 산업이 농촌에서 영위되는 산업보다 더 유리하다는 것은 아주 정밀한 계산을 해 볼 것도 없이, 하나의 극히 단순하고 명백한 관찰만으로써도 우리는 충분히 납득이 간다. 유럽의 모든 나라에서 본래 도시에 속해 있는 산업인 상업 및 제조업에 의하여서 소재산으로 시작하여 대재산을 획득한 사람을 우리는 적어도 100명을 발견한다면, 본래 농촌에 속해 있는 토지의 개량과 경작에 의하여 총생산물을 생산하는 산업으로써 그렇게 한 사람을 한 명밖에 볼 수 없다. 그러므로 후자의 사태에서보다 전자의 사태에서 산업은 더 많은 보수를 받고 있음이 틀림없으며, 노동자의 임금과 자재의 이윤도 명백히 더 크지 않을 수 없다.[230] 그러나 자재와 노동은 자연적으로 가장 유리한 용도를 찾는다. 그러므로 자재와 노동은 자연히 될 수 있는 대로 많이 도시에 모이고 농촌을 떠난다.

도시의 주민은 단결하기 쉽다.

도시의 주민은 한곳에 모여 있으므로 쉽게 단결할 수 있다. 도시에서 행해지는 가장 대수롭지 않은 직업들이라도 곳에 따라서는 조합화되어 있다. 그러나 전혀 조합화되지 않았던 곳에서까지도 역시 동업조합 정신, 즉 낯선 사람에 대한 시기, 도제를 빼앗는다든지, 또는 직업의 비밀을 퍼뜨리는 데 대한 혐오가 일반적으로 그들 간에 유행하고 있으며, 이들 정신은 임의의 연합과 협약을 통해서 조합규약으로써는 금지할 수 없는 그러한 자유경쟁을 방지할 것을 종종 그들에게 가르치곤 한다. 소수의 일손밖에 사용되지 않는 직업은 가장 쉽게 이러한 연합이 된다. 1000명의 방적공 및 직조공을 취업시켜 두기 위해서는 여섯 명의 소모공梳毛工이 필요할 뿐이다. 이 소모공들이 단결하여 도제를 빼앗지 않는다면 그들은 이를 그들 자신의 노예의 일종으로 변화시켜 버릴 수 있으며, 따라서 그들의 노동의 가격을 그들의 일의 성질상 받아야 할 금액 이상으로 올릴 수 있다.

230 〔이 논의는 성공이 더 많더라도 동등하게 많은 실패에 의하여 상쇄되지 않는다는 것을 증명할 만한 어떤 증거를 결缺하고 있다는 점에서 근거박약하다.〕

농촌의 주민들이 단결하기 어려운 것은 그들이 분산되어 있어 동업조합 정신에 의하여 지배되고 있지 않기 때문이다. 농작기술은 어려운 것이기는 하지만 도제 수업이 규정되어 있지 않다.

농촌의 주민들은 먼 곳에 분산되어 있어 쉽사리 단결할 수 없다. 그들은 결코 조합화된 적도 없었을 뿐만 아니라, 그들에게는 동업조합 정신도 보급되어 있지 않았다. 농촌의 주요한 사업인 농경을 위한 자격을 주기 위해서 도제 수업이 필요하다고 생각된 적도 없었다. 그런데 예술과 자유직업이라고 불리는 것을 제외하고는 농업만큼 여러 가지 지식과 경험을 필요로 하는 직업은 없을 것이다. 이것에 관해서 온갖 국어로써 쓰인 수많은 책들이, 가장 현명하고 가장 많이 배운 국민 사이에서까지도, 그것이 결코 쉽게 이해되는 일이라고 간주된 적은 없었다는 것을 우리에게 말하여 주는 것이다. 이러한 책들 가운데 어떤 것의, 극히 한심한 저자가 설사 보통의 농업경영자에 대하여 아무리 경멸적으로 말하기를 즐겨 하고 있다 하더라도, 우리는 이러한 모든 서적에서 이 보통의 농업경영자까지도 보통 가지고 있는 여러 가지 복잡한 작업에 관한 지식을 수집하려고 해도 그것은 허사로 돌아갈 것이다. 이와 반대로 보통의 기계공의 모든 작업은 도해된 문장으로 설명될 수 있으므로, 이러한 직업 가운데에는 그 모든 작업이 겨우 몇 면의 팸플릿에 의하여 완전히 그리고 명료하게 설명될 수 없을 만한 것은 거의 없다고 하겠다. 현재 프랑스의 과학아카데미(French academy of sciences)에 의해 공간되고 있는 《기술사》[231]에서는 몇 가지 작업이 실제로 이러한 방법으로 설명되어 있다. 그뿐 아니라 기후의 모든 변동과 다른 많은 사고에 따라 변화하지 않을 수 없는 작업의 지휘는 그것이 항상 동일하거나, 또는 거의 동일한 직업의 지휘보다는 훨씬 더 많은 판단력과 분별을 필요로 하는 것이다.

231 [《Descriptions des Arts et Metiers faites ou approuvees par Messieurs de L'Acadéemie Royale des Sciences》(1761~1788).] *저자는 앙드레 제이콥 루보André Jacob Roubo로, 1761~1788년 사이에 파리왕립과학아카데미에서 출판한 공예품에 관한 책 모음이다.

대부분의 기계공의 직업보다도 더 많은 숙련을 필요로 하는 하급 부문의 농촌노동에 대하여도 도제 수업이 정해진 일은 없다.

농작업의 일반적 지휘라고 일컫는 농업경영자의 기술뿐만 아니라, 수많은 하급 부문의 농촌노동도 대부분의 기계공의 직업보다 더 많은 숙련과 경험을 필요로 한다. 놋쇠와 쇠에 가공을 하는 사람은 도구를 써서 일하며, 그 성질이 언제나 동일 또는 거의 동일한 재료에 가공을 한다. 그러나 한 쌍의 말이나 소로써 땅을 경작하는 사람은 건강·역량·기질이 때에 따라 아주 달라지는 도구로써 일을 한다. 또한 그가 가공하는 재료의 상태도 그가 가지고 일하는 도구의 그것처럼 변화하기 쉬운 것이며, 양자는 모두 많은 판단력과 분별로써 다스려져야 할 필요가 있다. 보통의 농부는 비록 일반적으로 우둔과 무지의 표본이라고 생각되고 있으나, 이런 판단력과 분별에 관해서는 거의 결함이 없다. 사실 그는 도시에 살고 있는 기계공보다는 사교에는 덜 익숙하다. 그의 목소리와 말씨는 기계공의 그것보다 더 무뚝뚝하며 듣는 데 습관이 되어 있지 않는 사람들에게는 이해되기 어렵다. 그러나 여러 가지 많은 사물을 생각하는 데 습관이 되어 있으므로, 그의 이해력은 대체로 아침부터 밤까지, 보통 한 가지 아니면 두 가지의 극히 단순한 작업을 수행하는 데 모든 주의가 집중되는 후자의 그것보다도 일반적으로 훨씬 더 뛰어나 있다. 농촌의 비교적 하층계급의 사람이 도시의 그들에 비해 실제로 얼마만큼 더 우수한가 하는 것은 업무상 또는 호기심에서 양자와 많이 이야기해 본 사람이라면 누구나 잘 알고 있다.[232] 따라서 중국과 인도스탄의 농촌노동자는 그 신분이나 임금이 공장과 제조업자의 대부분의 그것보다 더 상위에 있다고 한다. 만일 동업조합법과 동업조합 정신이 그것을 막지 않았더라면 어떠한 곳에서도 그렇게 되었을 것이다.

도시산업의 우월성은 외국 제품에 대한 높은 관세와 같은 다른 여러 규제에 의하여 유지된다.

232 〔《Lectures》, 255면.〕

유럽의 모든 곳에서 도시의 산업이 농촌의 그것에 대하여 가지고 있는 우월성은 전적으로 동업조합과 동업조합법에 기인된 것은 아니다. 그것은 다른 많은 규제에 의해서 유지되고 있다. 외국 제품과 외국 상인에 의하여 수입되는 모든 재화에 대한 높은 관세도 모두 이와 같은 목적에 이바지하고 있다. 동업조합법은 도시의 주민으로 하여금 그들 자국인의 자유경쟁에 의하여 헐값으로 팔릴 염려 없이 그들의 가격을 올릴 수 있게 해 준다. 이러한 다른 여러 규제는 외국인의 자유경쟁에 대해서도 마찬가지로 도시의 주민들을 보호해 준다. 그리하여 이 쌍방에 의하여 일어난 가격의 교양은 어디에서나 결국 이러한 독점의 설정을 결코 반대한 일이 없는 농촌의 지주, 농업경영자 및 노동자에 의하여 지불된다. 그들은 보통 단결하려는 의향도 갖고 있지 않으며, 또 그러한 적합성도 갖고 있지 않다. 그리고 상인과 제조업자들이 떠는 수선과 궤변은 사회의 일부, 더구나 그 종속적인 일부의 사적 이익이 곧 사회 전체의 일반적 이익이라는 것을 그들에게 쉽게 납득시킨다.

영국에서는 이 우월성이 쇠퇴해졌다.

영국에서는 농촌의 산업에 대하여 도시의 산업이 가지고 있는 우월성은 현재보다도 이전에 더 컸던 것 같다. 전 세기 또는 현 세기의 초기에 그랬었다고 하는 정도보다도 지금은 농촌노동의 임금은 제조업 노동임금에, 그리고 농업에 사용되는 자재의 이윤은 상업과 제조업의 자재의 이윤에 한층 더 가까워졌다. 이러한 변화는, 도시의 산업을 특별히 장려한 것의 대단히 늦어진 결과이기는 하지만 필연적인 것이라고 생각될 수도 있다. 즉 도시의 축적된 자재가 때가 지남에 따라 너무 커졌으므로 그 자재를 도시에 특유한 업종의 산업에 사용하여서 옛날과 같은 이윤을 올릴 수 없게 된 것이다. 그 산업은 다른 모든 산업과 마찬가지로 한계를 가지고 있으며 자재가 증가하면 경쟁이 증가하므로 반드시 이윤을 감소시킨다. 도시에서 이윤이 떨어진다는 것은 자재를 농촌으로 밀어 내고 농촌에서는 농촌노동에 대한 새로운 수요를 창조함으로써 반드시 그의 임금을 올린다. 이리하여 자재는 말하자면 저절로 지표에 펴져서 농업에 사용됨으로써, 본래 그것이 도시에 대대적으로 축적되었을 때 희생되었던 그 농촌도 부분적으로는 반환된다. 유럽의 도처에서 농촌이 크게 개선된 것은 본래 도시에 축적되었던 자재의 이와 같은 범람에 기인되었던 것이라는 것을 뒤에서 나는 밝히고자 노력할 것이다. 동시에 나는 어떤 국가는 이러한 과정에 의하여 상당한 정도의 부유를 달성했지만, 그 과정 자체는 반드시 완만하고 불확실하고 무수한 사고에 의하여 방해되거나 저지되기 일쑤며, 모든 점에 있어서 자연과 이성의 명령에 반하는 것이라는 것도 아울러 논증해 보려고 노력할 것이다. 이러한 과정에서 일어났던 이해관계·편견·법률·관습은 본연구의 제3편 및 제4편에서 될 수 있는 대로 완전히 명료하게 설명하려고 노력할 것이다.

동업자들의 회합은 조장되어서는 안 된다.
비록 동업자들이 환락과 기분 전환을 하기 위해서 회합한다 하더라도 그 대화는 언제나 사회에 대한 음모 또는 가격을 올리려는 계획에 귀착된다. 사실 이러한 회합을 막는 것은 집행 가능한 법률에 의해서도, 자유와 정의의 모순이 되지 않는 법률에 의해서도 불가능하다. 그러나 비록 법률이 동업자들이 때때로 집합하는 것을 저지할 수는 없다 하더라도 그러한 집회를 조장하는 어떠한 행위도 하여서는 안 되며, 그러한 집회의 필요성을 더 줄여야 한다.

즉 동업자의 등록과 같은 따위.
어떤 특정 도시의 모든 동업자로 하여금 그의 성명과 주소를 공공장부에 등록하도록 하는 규정은 이러한 집회를 조장한다. 그것은 이렇게 하지 않을 경우엔 결코 서로 간에 알려질 수 없을지도 모르는 개개인을 연결하여 동업자들의 각자에게 다른 동업자가 어디에 있는가를 발견하도록 방향을 제공한다.

병자, 과부 및 고아를 위한 기금의 설정과 같은 것.

동업자들이 그들이 빈자, 병자, 과부 및 고아를 부양하기 위하여 그들 자신에게 과세할 수 있게 하는 규정은, 그들이 처리할 수 있는 공동의 이익을 줌으로써 이런 집회를 필요한 것으로 만든다.

또는 단체에 의하여 조장되어서는 안 된다.

단체라고 하는 것은 그러한 집회를 필요로 할 뿐만 아니라 다수자의 결의로써 전체를 구속한다. 자유로운 직업에 있어서 유효한 단결은 모든 개개의 업자의[233] 전원일치의 동의에 의하지 아니하고서는 성립될 수 없으며, 또한 모든 개개의 업자가 계속 같은 마음을 지니고 있지 않는 한, 그것은 존속할 수 없는 것이다. 그런데 동업조합의 다수자는 적당한 벌칙을 가지는 규약을 제정할 수 있는데, 더욱이 이 규약은 어떠한 임의의 단체가 하는 것보다 더 효과적으로 그리고 계속적으로 경쟁을 제한할 것이다.

동업조합은 불필요한 것이며 직공들을 타락시킨다.

동업조합이 직업의 보다 나은 관리를 위하여 필요하다는 주장은 아무런 근거도 없다. 직공에게 가장 실질적이며 유효하게 작용되는 기율紀律은 그의 소속 동업조합의 기율이 아니고 자기의 고객의 그것이다. 직공이 그의 사기를 억제하고 그의 태만을 교정하는 것은 직업을 잃게 될 것을 두려워하기 때문이다. 배타적인 동업조합은 반드시 이러한 기율의 힘을 약화시킨다. 즉 이 경우 특정된 부류의 직공은 그들의 거동이 좋든 나쁘든 간에 고용되지 않을 수 없는 것이다. 많은 대자치도시에서 가장 필요한 몇몇 직업에 있어서까지도 꽤 훌륭한 직공을 얻을 수 없는 것은 이 때문이라 하겠다. 만일 당신이 당신의 일을 꽤 훌륭하게 이룩해 보려면 직공들이 아무런 배타적 특권도 갖고 있지 않아, 그들의 인격 이외에는 의지할 만한 아무것도 갖고 있지 않는 교외에서 그 일이 수행되어야 하며, 그렇

233 〔초판에는 여기와 바로 그다음 줄에 있는 "모든 개개의 업자"가 모두 "그의 개개의 성원"으로 되어 있다.〕

게 한 뒤에 당신은 될 수 있는 대로 감쪽같이 그것을 도시에 밀수입해 들여와야 하는 것이다.
이렇게 하여 유럽의 정책은 어떤 직업들에 있어서의 경쟁을 억제하여 그렇지 않을 경우에 이들 직업들에 종사하고 싶어 할 만한 수보다 더 적은 수의 사람들에게는 경쟁을 국한해 버림으로써 노동 및 자재의 각가지 용도에 있어서의 이익 및 불이익의 전체에 대단히 중요한 불평등을 야기시키고 있다.

(2) 유럽의 정책은 몇 가지 직업에 있어서 경쟁을 증대시키고 있다.
둘째 유럽의 정책은 몇몇 직업에 있어서의 경쟁을 그것이 자연적으로 이루어지는 정도 이상으로 증대시킴으로써, 노동 및 자재의 각가지 용도에 있어서의 이익 및 불이익의 전체에 관해서 이상의 것과는 정반대되는 종류의 또 하나의 불평등을 일으키고 있다.

그것은 성직자의 교육비를 싸게 하고 그렇게 함으로써 그들의 소득을 감소시킨다.
적당한 수의 청년이 어떤 직업을 위해서 교육을 받아야 한다는 것은 대단히 중요한 것이라고 생각되어 왔으므로, 때로는 사회가, 때로는 사적 설립자의 경건한 마음이 이러한 목적을 위해 많은 보조금·장학금·장려금·급비금給費金 등을 설정했던바, 이는 이렇지 않을 경우, 그러한 직업에 감히 종사하고자 할 만한 수 이상으로 많은 사람들을 그 직업에 끌어들이는 것이다. 내가 믿는 바에 의하면, 모든 기독교 국가에서 대부분의 성직자의 교육비는 이러한 방법으로 지불된다. 완전 자비로써 교육을 받는 사람은 그들 가운데 극히 소수이다. 그러므로 자비로 교육받는 사람들의 길고 지루하고 값비싼 교육은 반드시 그들에게 어울리는 보수를 가져다주지는 않을 것이며, 이것은 이렇지 않을 경우 이러한 교육이 그들에게 제공해 줄 만한 것보다 더 적은 보수를 서슴지 않고 받아들이려는 사람이 직업을 얻기 위하여 교회에 모여들기 때문이며, 즉 이렇게 하여 가난한 사람들의 경쟁이 부자의 보수를 빼앗아 가는 것이다. 목사보牧師補 또는 예배당 목사와 어떤 보통 직업의 직공과 비교하는 것은 틀림없이 실례일 것이다. 그러나 목사보 또는 예배당 목사의 봉급을 직공의 임금과 동일한 성질의 것으로 생각하는 것은 아주 적당할지도 모른다. 그들 삼자는 모두 각자의 상관과 우연히 맺게 되는 제약에 따라서 그 일에 대한 급료를 받는다. 몇몇 상이한 전국종교회의의 종령宗令이 규정하고 있는 바와 같이,[234] 14세기의 중엽 이후까지 잉글랜드에서는 목사보 또는 유급 교구신부[235]의 통상의 봉급은 5마크merk였으며, 이것은 현재 우리 화폐의 10파운드만큼의 은을 함유하고 있었다. 동시대에 마스터 석공의 하루 급료는 오늘날 우리의 화폐 1실링과 동일 양의 은을 함유하는 4펜스라고 선언되었으며, 현재 우리 화폐의 9펜스와 동일한 3펜스가 고용 석공의 하루 급료라고 선언되었다.[236] 그러므로 이 두 노동자의 임금은 이들이 계속 고용되어 왔다는 것을 가정하면 목사보의 그것보다 훨씬 더 많았던 것이다. 마스터 석공의 임금은 그가 1년의 3분의 1은 일을 하지 않았다고 가정할 때, 비로소 목사보의 그것과 똑같았을 것이다. 앤 여왕 제12년 법률 제12호에 의하여 "목사보에 대한 충분한 부양비와 장려금의 결여로 말미암아 몇몇 지방에서는 교구목사가 많이 부족했으므로, 1년에 50파운드를 넘지 않고 20파운드 이하도 되지 않는 범위 내에서, 일정의 충분한 급료 또는 수당을 자필로 쓴 문서에 의하여 지정하는 권능을 사교에게 부여했다"[237]라고 하는 것이 선언되었다. 1년에 40파운드는 현재에도 목사보에 대한 썩 좋은 급료라고 생각되고 있다. 그러나 의회의 이런 법령이 있음에도 불구하고 1년에 20파운드 이하의 목사보는 지금도 많이 있다. 런던의 제화공 가운데에는 1년에 40파운드 버는 사람도 있으며, 그 수도에서는 어

234 〔리차드 번Richard Burn, 《The Ecclesiastical Law》(1763)의 목사보의 항에 의하면 6마크mark라는 것이 대사교 아이슬립Islip의 법회에 의해 명령된 급료였으며, 이것은 1378년까지 계속되었으며 이해부터 8마크로 인상되었다.〕

235 〔"목사보 또는 유급 교구신부"의 원문은 "a curate or stipendiary parish priest"인데 제4판 및 제5판에서는 여기 "or" 뒤에도 잘못되어 "a"가 끼여 있다.〕

236 에드워드 3세 제25년의 노동자조례(Statute of labourers)를 보라.

237 〔이 인용문은 인용부를 사용했지만 축어적으로 인용하려고 한 것은 아니다.〕

떠한 종류의 근면한 직공이라도 20파운드 이상 벌지 않는 사람은 거의 없다. 사실 이 최후의 금액은 많은 지방교구의 보통노동자들에 의하여 흔히 획득되는 것을 초과하고 있지는 않는다. 법률이 직공의 임금을 규정하려고 할 때는 언제나 그 임금을 올리려는 것보다는 오히려 깎아 내리기 위한 것이었다. 그러나 법률은 허다한 경우에 목사보의 임금을 올리려고 기도했으며, 교회의 위신을 위하여 교구장으로 하여금 목사보들이 서슴지 않고 받아들일 비참한 생활유지비 이상을 그들에게 주도록 하려고 했던 것이다. 그런데 이 두 경우 모든 법률은 똑같이 효과가 없었던 것 같았으며, 목사보의 임금을 올릴 수도 없었고, 노동자의 임금을 그 기도했던 정도까지 떨어뜨릴 수도 없었다. 왜냐하면 법률은 그들의 처지의 빈곤과, 그들의 수많은 경쟁자 때문에 전자가 법정수당 이하를 서슴지 않고 받아들이는 것을 막을 수 없었으며, 후자를 고용하여 이윤 또는 쾌락을 얻는 것을 기대하는 사람들의 위와 반대되는 경쟁 때문에 후자가 법정임금 이상을 받는 것을 저지할 수 없었기 때문이다.

그러므로 잉글랜드 및 로마 가톨릭교회의 체면을 유지하는 것은 거액의 성직록 및 기타뿐이다.

교회의 하급 직원의 어떤 사람이 비천한 처지에 놓여 있음에도 불구하고 교회의 체면이 유지되고 있는 것은 다액의 성직록과 그 밖의 종교상의 위엄 때문이다. 그 직업이 받고 있는 존경 또한 하급 직원에게까지도 그들의 금전적 보수의 보잘것없음에 대한 다소의 보상이 되고 있다. 잉글랜드와 모든 로마 가톨릭교 국가에 있어서는 복첨이 실은 필요 이상으로 훨씬 더 유리하다. 스코틀랜드와 제네바의 교회 및 다른 몇몇 프로테스탄트교회의 실례는, 교육이 대단히 쉽게 받아지는, 그토록 명예스러운 직업에 있어서의 훨씬 더 근소한 성직록에 대한 기대만으로도 유식하고, 점잖고, 존경할 만한 사람들을 충분한 수만큼 성직에 끌어들이기에 족하다는 것을 우리에게 확신시켜 줄 것이다.

만일 이와 동일한 원인이 있다면, 그것은 법률가와 의사의 보수를 깎아 내릴 것이다.

법률 및 의술과 같이 성직록이란 것이 없는 직업에 있어서도, 만일 교회의 경우와 같은 비율의 사람들이 공공의 비용으로 교육을 받는다면, 얼마 안 되어 경쟁이 너무 심해져서 그들의 금전적 보수를 많이 떨어뜨릴 것이다. 그렇게 되면 어떤 사람에게도 이러한 직업의 그 어느 것을 위해서 자기의 아들을 자기 자신의 비용으로 교육시킨다는 것은 가치 없는 것이 될 것이다. 이러한 직업은 공공의 자선에 의하여서 교육받은 사람들에게 완전히 일임될 것이며, 그러한 사람의 수와 필요는 그들을 일반적으로 극히 비참한 보수로써 만족하게끔 만들어 버릴 것이며, 법률 및 의술과 같이 오늘날 존경받고 있는 직업을 완전히 저락시켜 버릴 것이다.

이러한 이유로써 문필가들의 보수도 하락했다.

보통 문필가(men of letters)라고 불리는 따분한 족속도 법률가 및 의사가 상술한 가정하에서 그렇게 될 입장과 거의 같은 처지에 있다. 유럽의 모든 지방에서는 그들의 대부분이 교회에 들어가기 위해서 교육을 받았었는데 여러 가지 이유 때문에 성직에 들어가지 못하게 된 것이다. 그러므로 그들은 대체로 공공의 비용으로 교육을 받았으며 그들의 수는 어디에 가나 너무나 많아서 그들의 노동의 가격은 보통 극히 적은 보수에까지 감소되어 있다.

교사의 보수도 그러했다.

인쇄술이 발명되기 전에 문필가가 자기의 재능에 의하여 할 수 있었던 유일한 일은 공적 또는 사적[238] 교육이라는 직업, 즉 그가 손수 획득했던 신기하고 유용한 지식을 다른 사람들에게 전달하는 일이다. 그리고 이 일은 역시 인쇄술 때문에 생겨난 서점을 위해서 집필하는 다른 일보다는 확실히 더 명예스럽고 유용한 것이며, 일반적으로 더 유리하기까지 한 일이다. 여러 학문의 우수한 교사

238 〔초판에는 "또는 사적"이란 말이 없다.〕

자격을 얻는 데 필요한 시간과 연구·소질·지식·근면은 적어도 법률 및 의술에 있어서 최대의 실무가가 되기 위해 필요한 것과 동일하다. 그러나 뛰어난 교사의 통상의 보수는 법률가나 의사의 그것과는 전혀 비교가 되지 않는다. 왜냐하면 전자의 직업은 공공의 비용으로써 그 직에 이르기까지 육성되었던 빈곤한 사람들로 빽빽하며, 그 반면 후자의 두 직업은 자비로써 교육을 받은 사람들만으로써 메워지고 있기 때문이다. 그러나 공적 및 사적 교사의 통상의 보수는 적은 것같이 보이지만, 만일 빵을 위해서 글을 쓰는 더욱더 가난한 문필가의 경쟁이 시장에서 없어지지 않는다면, 그것의 현재에 그러한 것보다 훨씬 더 적어질 것은 의심할 여지가 없다. 인쇄술이 발명되기 전까지는 학생과 거지(a scholar and a beggar)는 거의 동의어였던 것 같다. 그 당시까지는 대학의 여러 총장들은 그들의 학생들에게 구걸하는 면허장을 종종 수여했던 것같이 생각된다.[239]

교사들은 옛날에는 훨씬 더 많은 보수를 받았다.

옛날, 즉 이러한 종류의 자선 사업이 가난한 사람들을 교육시켜 학식을 필요로 하는 직업에 종사시키기 위해서 설립되기 이전에는, 뛰어난 교사의 보수는 훨씬 더 많았던 것 같다. 이소크라테스Isocrates는 궤변가에 대한 반론이라고 불리는 저작에서 그 시대의 교사들이 가지고 있었던 모순을 비난하고 있다. "그는 말하기를 그들은 그들의 학생들에게 가장 멋진 약속을 한다. 그리고 그들에게 현명하고, 행복하고, 정당하도록 가르칠 것을 기도한다. 그리고 그렇게 중요한 직무의 답례로서 교사들은 4~5미나minæ라는 극히 적은 보수를 요구한다. 그는 계속해서 말하기를, 지혜를 가르치는 사람은 그 자신도 현명하지 않으면 안 된다는 것은 확실하다. 그러나 만일 어떤 사람이 그러한 약정물을 그러한 가격으로 판다면,[240] 그는 가장 명백한 우물이라는 판정을 받을 것이다"라고.[241] 그가 보수

239 〔흄, 《History》(1773), 제3권, 403면에는 헨리 7세 제11년 법률 제 22호가 인용되어 있고, 이 법률은 학생이 대학 총장의 허가 없이는 구걸하는 것을 금하고 있다.〕

240 〔초판에서 제3판까지는 가정법이 아닌 직설법 "was"로 되어 있다.〕

241 〔제3~4항. 아주 자유로운 번역이기는 하지만 틀린 것은 아니다. 존 아버스낫John Arbuthnot,

를 과장할 뜻으로 말하지는 않았던 것은 확실하다. 그리고 우리는 그것이 그가 표현한 것보다 적지 않았다는 것을 확신해도 좋다. 4미나는 13파운드 6실링 8펜스와 같은 것이었으며, 5미나는 16파운드 13실링 4펜스와 같은 것이었다. 그러므로 이 두 가지 금액 가운데 최대의 것과 거의 같은 금액이 그 당시에 아테네에서 가장 뛰어난 교사에게 보통 지불되고 있었던 것이 틀림없다. 이소크라테스 자신은 학생 한 사람당 10미나, 즉 33파운드 6실링 8펜스를 요구했다.[242] 그가 아테네에서 가르치고 있었을 때 그는 백 명의 학생을 거느리고 있었다고 한다. 이것은 그가 일시에 가르쳤던 학생 수 즉 우리가 소위 말하는 한 과정의 강의를 청강했던 사람 수라고 나는 해석한다. 이 수는 그렇게 먼 도시에서 그렇게 유명한 교사가 더구나 당시에 모든 학문 가운데에서도 가장 유행한 수사학이라는 것을 가르쳤다는 것으로 본다면 그렇게 이상할 정도의 수라고는 생각되지 않을 것이다. 그러므로 그는 한 과정의 강의에 의하여 천 미나, 즉 3333파운드 6실링 8펜스를 받았음이 틀림없다. 따라서 플루타르크도 다른 데에서 말하기를 이소크라테스의 강의료(Didactron), 즉 수업료의 보통 가격은 1000미나였다고 한다.[243] 그 당시에 많은 다른 우수한 교사들도 큰 재산을 획득했던 것 같다. 고르기아스는 델피의 신전에 자신의 순금상을 헌납했다.[244] 우리는 그 상이 살아 있

《Tables of Ancient Coins, Weights and Measures》, 제2판(1754), 198면은 궤변학자의 보수가 4미나 또는 5미나라고 말하면서도, 그것의 전거로서 이 구절을 인용하지는 않았다. 그는 1미나를 3파운드 4실링 7펜스와 같은 것으로 취급하고 있는데, 이렇게 되면 1트로이파운드troy pound가 62실링꼴이 되니 너무 낮다.]

242 [플루타르코스Plutarch, 《데모스테네스Demosthenes》, 제5권, 제3항 ; 《이소크라테스Isocrates》, 제30항.]

243 [존 아버스낫, 《Tables of Ancient Coins》, 198면은 "이소크라테스는 자기의 제자로부터 천 미나, 즉 3229파운드 3실링 4펜스의 강의료, 즉 보수를 받았다"라고 하고, "Plut. in Isocrate"를 인용하고 있는데, 여기에서는 "강의료"에 관해서는 아무것도 언급하지 않았으나, 다만 이소크라테스는 10미나를 청구했으며, 200명의 학생을 가지고 있었다는 것을 기록하고 있다. – 제9, 12, 30항.]

244 [이 이야기는 플리니우스Pliny, 《박물지H.N.》, 제33편, 제4장에서 나온 것이다. 즉 플리니는 "변론술을 가르치는 데 이렇게 큰 이익이 있었다(Tantus erat docendae oratoriae quaestus)"라

는 육신만큼 큰 것이었다고 상상해서는 안 된다고 나는 생각한다. 그 당시의 다른 뛰어난 두 사람의 교사였던 히피아스와 프로타고라스의 그것과 마찬가지로 그의 생활상태는 허식이라고까지 할 만큼 화려한 것이었다고 플라톤은 말하고 있다.[245] 플라톤 자신도 굉장히 훌륭한 생활을 했다고들 한다. 아리스토텔레스는 알렉산더의 가정 교사가 된 뒤에, 알렉산더와 그 부친 필리포스에게 세상이 다 인정할 만큼 아낌없는 후한 보수를 받았다.[246] 그럼에도 불구하고 자기 학교의 수업을 재개하기 위하여 아테네에 돌아가는 것이 가치 있는 것이라고 생각했다. 여러 학문의 교사들이 그 시대에는 아마 그렇게 흔하지 않았으며, 그들이 일반화된 것은 1~2년대 이후였던 것 같고, 이 시대가 되면 경쟁이 교사들의 노동의 가격과 그 인격에 대한 칭찬을 모두 감소시켜 버린다. 그러나 그들 가운데 가장 뛰어난 사람들은 역시 현대에 있어서의 같은 직업의 누구보다도 훨씬 더 존경받는 신분을 향수했던 것 같다. 아테네의 사람들은 로마에 엄숙한 사절로서 아카데미학파의 카르네아데스와 스토아학파의 디오게네스를 파견했다. 그리고 당시의 아테네는 이전과 같은 장대함은 기울어져 있었음에도, 그것은 역시 독립된 그리고 당당한 공화국이었다. 더구나 카르네아데스는 바빌로니아 태생[247]이었고, 아테네 사람들처럼 외국인을 공직에 두는 것을 시기한 사람들도 없었다는 것으로 보아 그 사람에 대한 아테네인의 존경은 대단히 컸음은 틀림없다.

수업이 이렇게 싸다는 것은 사회로서는 아마 전혀 불합리한 것도 아니다.

이러한 불평등은 전체로 본다면 아마 사회에 대해서는 유해하다기보다 오히려 유익한 것이다. 그것은 공공의 교사라는 직업의 품위를 약간 떨어뜨릴는지 모

고 하고 있다. 그러나 주석가들이 지적하는 것에 의하면 이보다 이전의 전거는 이 상의 건립을 고르기아스 자신에게 돌리지 않고 전全 그리스에 돌리고 있다고 한다.〕

245 〔이 진술이 기초로 하고 있는 구절을 발견한다는 것은 곤란하다.〕

246 〔플루타르코스Plutarch, 《Alexander》〕

247 〔이것은 잘못 쓴 것이다. 카르네아데스는 키레네Cyrene 태생이었다. 그리고 바빌로니아 태생이었던 것은 그의 동료 디오게네스였던 것이다.〕

르지만 학문의 교육이 값싸게 먹힌다는 것은 확실히 이 하찮은 불편을 상쇄하고 남을 만한 이익이다. 또한 만일 교육이 이루어지는 학교와 대학의 제도가 유럽의 대부분을 통하여 현재보다도 더 합리적이라면 사회는 그것에서 훨씬 더 큰 이익을 얻을 수 있을지 모른다.

(3) 유럽의 정책은 노동의 자유로운 유통을 방해한다.

셋째, 유럽의 정책은 노동 및 자재가 어느 직업에서 다른 직업으로, 그리고 어느 지방에서 다른 지방으로 자유롭게 유통하는 것을 방해함으로써, 어떤 경우에는 그들의 여러 가지 용도에 있어서의 이익 및 불이익의 전체에 극히 달갑지 않은 불평등을 일으킨다.

도제조례와 동업조합의 특권은 직업에서 직업으로의 유통과 지방에서 지방으로의 유통을 방해한다.

도제조례는 동일한 지방에서까지도 노동이 한 직업에서 다른 직업으로 자유롭게 유통하는 것을 막는다. 동업조합의 배타적 특권은 같은 직업에 있어서까지도 그것이 한 지방에서 다른 지방에 자유롭게 유통하지 못하게 한다.

그러므로 임금을 평등화하는 데 필요한 전직轉職이 방해되고 있다.

어떤 제조업에서는 직공들에게 고임금이 지불되는데, 다른 어떤 제조업의 직공은 불과 얼마 안 되는 생활자료로써 만족하지 않으면 안 되는 경우가 흔히 일어난다. 전자는 전진하고 있는 상태에 있으며, 따라서 새로운 일손에 대한 끊임없는 수요가 있다. 후자는 쇠퇴하고 있는 상태에 있으며 과잉의 일손이 계속 증대되고 있는 셈이다. 이들 두 제조업은 때로는 동일의 도시에, 때로는 같은 이웃에 있으면서 서로 최소한의 원조도 할 수 없다. 전자의 경우에는 도제조례가 그것을 방해하고, 후자의 경우에는 도제조례와 배타적 동업조합이 그것을 방해하기 때문이다. 그러나 수많은 여러 가지 제조업에서는 작업이 너무 비슷하기 때문에, 만일 이러한 불합리한 법률이 그들을 막지 않는다면, 직공들은 쉽게 서로 직업을 바꿀 수 있다. 예를 들면 평직아마포와 평직견을 짜는 기술은 거의 완전히 동일하다. 평직모직물의 그것은 약간 다르지만 그 차이는 극히 사소한 것이므로, 아마포나 견직공도 며칠 안 되어 상당히 솜씨 있는 모직공이 될 수 있을 정도이다. 만일 이 세 가지 주요 제조업의 어느 것이 쇠퇴하고 있으면, 직공들은 더 번창하고 있는 다른 두 가지 가운데 어느 하나에서 재원을 찾아내어도 좋을 것이다. 그렇게 하면 그들의 임금은 번창하고 있는 제조업에서도 너무 높지 않고 쇠퇴하고 있는 것에서도 너무 낮게 떨어지지 않을 것이다. 사실 아마포 제조업은 잉글랜드에서는 특수한 조례[248]에 의하여 모든 사람에게 개방되어 있다. 그러나 그것은 이 나라의 대부분의 지방을 통해서 그렇게 많이 발달되어 있지 않으므로, 다른 쇠퇴하고 있는 제조업의 직공들에게서 일반적인 생활자원을 제공할 수도 없으며, 이러한 직공들은 도제조례가 실시되고 있는 곳에서는 어디에서나 교구의 신세를 지든지, 아니면 보통노동자로서 일하든지 할 수밖에 다른 선택의 여지가 없다. 그런데 보통노동자로서 일한다는 것은 그들의 종류의 제조업에서 일하는 것보다 훨씬 더 부적격이다. 그러므로 그들은 일반적으로 교구의 보호를 받는 편을 택한다.

노동의 유통을 방해하는 것은 또한 자재의 유통도 방해한다.

여하튼 노동이 어떤 직업에서 다른 직업으로 자유롭게 유통하는 것을 방해하는 것은 마찬가지로 자재의 유통을 방해한다. 즉 어떤 사업부문에 사용될 수 있는 자재의 양은 그 사업부문에 사용될 수 있는 노동량에 크게 의존하고 있기 때문이다. 그러나 동업조합법이 지방에서 지방으로의 자재의 자유로운 유통을 방해하는 것은 노동의 유통을 방해하는 것보다는 덜 심하다. 부유한 상인이 자치도시에서 영업의 특권을 획득하는 것은 어디에서나 가난한 공장이 그 도시에서 일할 특권을 획득하는 것보다 훨씬 더 쉬운 것이다.

248 〔찰스 2세 제25년 법률 제15호.〕

그 위에 또 잉글랜드에서는 노동의 유통이 구빈법救貧法에 의하여 방해되고 있다.

동업조합법이 노동의 자유로운 유통에 가하고 있는 방해는 유럽의 모든 지방에 공통된 것이라고 나는 믿고 있다. 구빈법(poor laws)에 의하여 그 유통에 가해지는 방해는, 내가 알고 있는 한에서, 잉글랜드에만 특유하다.[249] 그것은 가난한 사람은 자기가 속해 있는 교구 이외의 어떠한 교구에서도 정주를 획득하는 것이 곤란하거나, 또는 부지런하게 일하도록 허용받는 것마저도 곤란하게 하는 데 있다. 동업조합법에 의하여 그 자유로운 유통이 방해되고 있는 것은 공장 및 제조업자의 노동뿐이다. 정주를 획득하는 것이 곤란하다는 것은 보통노동자의 그것마저 방해하고 있다. 아마 잉글랜드의 어떠한 행정에 있어서도 가장 중요한 것인 이 무질서의 기원과 추이 및 현상에 관하여 약간의 설명을 해 둘 필요가 있겠다.

엘리자베스 제43년 법률 제2호에 의하여 각 교구는 자기 교구의 빈민을 부양하지 않으면 안 되게 되었다.

수도원의 파괴에 의하여 빈민이 이러한 사원의 동정을 받지 못하게 되자 그들의 구제를 위해서 다른 약간의 효력 없는 시도가 있은 다음, 엘리자베스 제43세 법률 제2호에 의하여 각 교구는 자기 교구의 빈민을 부양할 의무를 져야 한다는 것, 그리고 빈민감독관은 해마다 임명되어 교구위원과 더불어 이 목적을 위해서 충분한 금액을 교구세에 의하여 조달해야 한다는 것이 규정되었다.

찰스 2세 제13~14년의 법률은 40일 동안 교구에 거주한 빈민을 빈민이라고 판정하지만 그 기간 내의 새 주민은 퇴거될 수도 있다고 결정했다.

이 조례에 의하여 모든 교구는 자기 교구의 빈민을 부양할 의무가 불가피하게 과해졌다. 그러므로 각 교구에서 가난한 사람이라고 간주될 사람은 누구인가

249 〔이 문장의 원문은 "That which is given to it by the poor laws is, so far as I know, peculiar to England"인데, 초판에는 "laws"의 다음에 있는 "is"가 "peculiar"의 앞에 있다.〕

하는 문제가 약간 중요한 문제로 되었다. 약간의 변동이 있은 후에 최종으로 찰스 2세 제13~14년의 법률에[250] 의하여 어떤 교구에 40일간 평온하게 거주하면 누구나 정주를 획득할 수 있다는 것, 그러나 그 기일 내에 두 사람의 치안판사가 교구위원 또는 빈민감독관에 의하여 행해진 고소로 인해 어떤 새 주민을 그 직전까지 합법적으로 정주定住했던 교구에 쫓아 버리는 것은 합법이란 것,[251] 다만 그 새 주민이 연액 10파운드의 셋집을 빌렸든지 또는 현재 그가 살고 있는 교구에 대한 책임을 다하겠다는 것으로서 판사들이 충분하다고 판단할 만한 담보를 제공할 수 있든지 할 때는 예외라는 것이 비로소 최종적으로 결정되었다.

제임스 2세 제1년의 법령에 의하여 새 주민은 서면의 계출届出을 요구받게 되었다. 이 조례의 결과 약간의 사기가 행해졌다고 한다. 즉 교구 직원들이 때때로 그 교구의 빈민을 매수하여 내밀히 다른 교구에 보내어 그곳에서 정주를 획득하기 위해서 40일간 그들을 잠복시켜 둠으로써 그 빈민이 본래 소속해 있었던 교구의 책임을 면하게 했다. 그러므로 제임스 2세 제1년의 법률[252]에 의하여 정주를 획득하는 데 필요한 40일의 평온한 거주는 어떠한 사람의 경우라도 그가 자기의

250 〔법률 제12호.〕

251 〔정주에 관한 법령의 규정을 이렇게 설명해서 틀린 것은 아니지만 그 법령의 판정을 상기시키는 아이디어의 순서가 전도되어 버린다. 이 법령의 전문에는 당시의 법률에 여러 가지 결함이 있었기 때문에 "빈민이 어떤 교구에서 다른 교구로 이동하는 것을 억제받지 않고, 따라서 그들은 가장 자력이 많은 교구에 정주하려고 노력하게 된다" 등을 호소하고 있다. 그리하여 이 법령은 판사들에게 "이러한 사람 또는 사람들이 전술한 것같이 해서 정주하려고 도래하면 온 지 40일 이내에" 그들을 "그 사람 또는 그들이 그 직전까지 토착민, 호주, 기류자, 도제, 또는 사용인으로서 적어도 40일 동안 합법적으로 정주하고 있었던 교구"에 돌려보내는 권한을 주었다. "정주(settlement)"라는 용어는 이 법령에서 유래되었던 것 같다.〕

252 〔"법률 제17호, 즉 "각종 규정의 부활 및 계속에 관한 법령"을 말한다. 규정의 이유는 "어느 한 교구에 처음 오는 이러한 빈민들은 보통 그들을 감춘다"라는 것이다. 교구의 직원들이 자기 교구의 빈민을 매수하여 다른 교구에 보낸다는 것에 관해서는 이 법률에도, 리차드 번, 《구빈법의 역사The History of the Poor Laws》나 《The Justice of the Peace and Parich Officer》에도 한 마디의 언급도 없다.〕

주소와 가족 수를 새로 거주하러 온 그 교구의 교구위원 또는 감독관의 한 사람에게 서면에 의한 계출을 하는 그때부터 계산되어야 한다고 규정되었다.

윌리엄 3세 제3년의 법률에 의하여 이러한 계출은 교회에 공시돼야 하도록 되었다. 그러나 교구의 직원들은 반드시 타 교구에 대해서 성실했던 것 이상으로 자신들 교구에 대해서 더 성실했다고는 할 수 없으며, 계출을 수리하고서도 그것에 따르는 적당한 조치를 하지 않고 이러한 침입을 보고도 못 본 체할 때도 있었다. 그러므로 교구의 모든 사람은 이러한 침입자가 자신들의 부담이 되는 것을 될 수 있는 한 막는 것에 이익이 된다고 생각되었으므로 그 후 윌리엄 3세 제3년의 법률에 의하여 40일의 거주는 이러한 서면계출이 일요일의 예배 직후에 교회에서 공표되었을 때부터 계산되어야 한다는 것이 규정되었다.[253]
번 박사Dr. Burn는 말하기를, "결국, 서면 계출의 공표 후 40일의 계속에 의하여 이런 종류의 정주가 획득되는 것은 극히 드물며, 이 법령의 의도도 정주의 획득을 위해서라기보다는 오히려 내밀히 교구에 들어오는 사람들을 피하는 데 있다. 왜냐하면 계출을 한다는 것은 퇴거를 명하는 권한을 교구에 주는 것에 지나지 않기 때문이다. 그러나 만일 어떤 사람이 실제로 쫓겨날지 않을지가 의문인 그러한 경우에 처해 있다면 그는 계출을 제출함으로써 교구로 하여금 소송하지 말고 억지로 그에게 계속 40일의 거주를 용인하게끔 함으로써, 무조건으로 정주를 허용하도록 하든지, 그렇지 않으면 퇴거를 명하게 함으로써 그 권리를 써 보게 하든지 어느 한 가지를 택할 것이다"[254]라고 한다.

정주를 획득하는 데는 이밖에 네 가지 방법이 있었다.
그러므로 이 조례는 가난한 사람이 40일의 거주라고 하는 지금까지의 방법에 의하여 새로운 정주를 획득하는 것을 거의 실행 불가능하게 해 버렸다. 그러나

253 〔윌리엄과 메리 치세 제3년 법률 제11호 제3조.〕
254 〔리차드 번, 《Justice of the Peace》(1764), 제2권, 253면.〕

이 조례는 어떤 교구의 보통 사람들이 다른 교구에서 안전하게 자립하는 것을 전혀 못 하게 한 것같이 생각되지 않도록 계출 또는 공표 없이도 정주가 획득될 수 있는 네 가지 다른 방법을 지정했다. 첫째는 교구세를 부과시켜 그것을 지불하는 경우, 둘째는 해마다 선출되는 교구 직원에 뽑혀서 1년간 그 직무를 다하는 경우, 셋째는 그 교구에서 도제 수업을 치르고 있을 경우, 넷째는 그곳에서 1년간 봉사하며 더구나 그 기간 전체 동안 계속 같은 봉사를 하고 있을 경우가 이것이었다.[255]

그 가운데 두 가지는 모든 가난한 사람에게는 불가능했다.

처음 두 가지 방법 가운데 어느 한 가지에 의하여 정주를 획득하려면 누구나 전 교구의 공적인 행위에 의하여 할 수 밖에 없는데, 전 교구민들은 자기의 노동 이외에 자기를 부양할 수 있는 것은 아무것도 가지도 있지 않은 신래자新來者를 받아들여, 그에게 교구세를 부과한다든지, 그를 교구 직원으로 선출한다면 그 결과가 어떠할 것이라는 것쯤은 너무나 잘 알고 있다.

나머지 두 방법도 기혼자에게는 불가능했다.

나머지 두 방법 가운데 그 어느 것에 의하여도 기혼자는 정주를 쉽게 획득할 수 없다. 도제는 거의 미혼이며, 기혼의 사용인은 1년간 고용되어 있다고 해도 정주를 획득하지 못한다고 법률은 명백히 규정하고 있다.[256] 봉사에 의해서 정주를 획득하는 제도를 도입한 중요한 효과는 1년간 고용한다는 낡은 풍습을 대대적으로 타파하는 것이었다. 잉글랜드에서는 전부터 이 풍습이 관례로 되어 왔으므로 오늘날에도 특별한 기한이 협정되지 않을 때는 법률은 모든 사용인은 1년간 고용되고 고용주들은 반드시 이러한 방법으로 사용인을 고용하여서 그들에게 정주를 얻기를 바라고 있다고는 할 수 없으며 노비도 또한 반드시 그 방법으

255 〔제6조, 제8조.〕

256 〔제7조는 봉사에 의한 정주의 획득을 아이를 갖고 있지 않은 미혼자에게 한정하고 있다.〕

로 고용되려고 하지 않는다. 왜냐하면 정주가 바뀔 때마다 그 이전의 모든 정주가 무효로 되므로 사용인들은 그 때문에 그들의 양친과 친척이 살고 있는 그들의 출생지에서의 본래의 정주를 잃게 될지도 모르기 때문이다.

모든 독립한 직공들에게도 불가능했다.

노동자이든 공장이든 간에 독립한 직공은 도제 수업 또는 봉사에 의하여 새로운 정주를 획득할 가능성이 없음은 명백하다. 그러므로 이러한 사람이 새로운 교구에 벌이하러 갈 때 그는 아무리 건강하고 부지런하더라도 교구위원과 감독관의 변덕 때문에 자칫하면 쫓겨나기 쉬웠는데, 단지 그가 연액 10파운드의 셋집을 빌리든지, 또는 현재 교구에 대한 책임을 다 한다는 것에 관하여 두 사람의 치안판사가 충분하다고 판단할 만큼의 담보를 제공할 수 있을 때는 예외이지만, 자기의 노동 이외에는 생활 수단으로써 아무것도 갖고 있지 않은 사람에게는 연액 10파운드의 차가借家를 한다는 것은 가능한 일이 아니다. 실제로는 치안판사들이 어떠한 담보를 요구할 것인가 하는 것은 전적으로 그들의 자유재량에 맡겨져 있었으나, 그들도 30파운드 이하를 요구할 수는 없으며 30파운드 이하의 가치를 가진 자유 보유자산(Freehold estate)의 구매로서도 그 교구에 대한 책임을 다하는 데 불충분하므로, 어떠한 구매자도 이것에 의하여 정주를 획득할 수 없으리라는 것이 규정되어 있었기 때문이다.[257] 그러나 이러한 담보는 노동으로 생활하는 사람이라면 어떤 사람도 제공할 수 없을뿐더러, 더구나 이보다 더 많은 담보도 흔히 요구되곤 했다.

증명서가 발명되어 사람들은 즉시 퇴거할 것을 명령받지 않고, 또 정주를 획득하지 않고서도 어떤 교구에 주거할 수 있게 되었다.

이러한 여러 가지 조례가 거의 완전히 없애 버린 노동의 자유로운 유통[258]을 어

257 〔조지 1세 제9년 법률 제7호에 의한다.〕

258 〔찰스 2세 제13~14년 법률 제12호라는 법령은 40일 이내 그 이주자를 옮겨 가게 하는 권한

느 정도 회복하기 위하여 증명서라는 것이 발명됨에 이르렀다. 윌리엄 3세 제8~9년의 법률[259]에 의하여 만일 어떤 사람이 그 직전까지 합법적으로 정주하고 있었던 교구가 발급하고 교구위원과 빈민감독관에 의하여 서명되고, 두 명의 치안판사가 허가한 증명서를 지참하면, 다른 어떠한 교구도 모두 그 사람을 받아들일 의무를 져야 한다는 것, 그리고 그때 그 증명서를 허용한 교구는 그 사람의 생활유지비와 이전의 비용을 지불할 의무를 져야 한다는 것이 규정되었다. 그리고 이러한 증명서를 가진 사람이 와서 거주할 교구에 대해서는 가장 완전한 보증을 주기 위하여, 그 후 동일[260]의 조례에 의하여, 그는 연액 10파운드의 차가를 임차하는 경우나, 또는 매년 선출되는 교구 직원으로서 자비로 1년간 꼬박 봉사하는 경우를 제외하고는 어떠한 수단에 의해서도 그곳에서의 정주를 획득해서는 안 된다. 따라서 계출, 봉사, 도제 수업 및 교구세 지불의 그 어느 것에 의하여서도 그곳에서의 정주를 획득하지 못한다는 것이 규정되었다. 또한 그 후 앤 여왕 제12년 제1의회제정 법률 제18호에 의하여 이러한 증명서를 소득하는

을 판사에게 주어서, 노동의 자유로운 유통을 방해했던 것은 확실하다. 그러나 본문에 참조된 다른 조례는 정주의 획득을 더욱더 곤란하게 함으로써 교구가 쫓아 내는 권한을 행사하는 필요를 감소시켰던 것 같다. 그리하여 노동의 자유로운 유통은 방해되었다기보다 오히려 조장되었던 것 같다. 퇴거를 명할 수 있는 권한이 1795년에 폐지된 훨씬 후의 1834년의 구빈법 위원들도 정주법이 노동의 자유로운 유통을 크게 방해한다는 것을 발견했다. 왜냐하면 사람들이 새 정주를 획득하는 것을 두려워하고 있었기 때문이며, 그들이 새 정주를 획득하는 것을 거부당했기 때문은 아니었다.〕

259 〔법률 제30호, 즉 "본 왕국의 빈민구제법의 약간의 결함을 보충하기 위한 법령"을 말한다. 그 전문은 다음과 같은 사실을 예거하고 있다. 즉 "많은 빈민이 교구, 읍구 또는 거주지의 부담이 되고 있는 것은 일거리가 부족하기 때문이므로 어떤 다른 지방에서 충분한 일을 얻을 수 있다면 어떠한 교구, 읍구 또는 거주지의 부담도 되지 않고 그들 자신과 가족들을 부양할 것이다"라고. 그러나 증명서는 이보다 훨씬 이전에 발명되었던 것이다. 찰스 2세 제13~14년 법률 제12호는 수확 또는 어떤 다른 종류의 일을 위해서 다른 교구에 가는 사람들에게 증명서를 발급할 것을 규정하고 윌리엄 3세 제8~9년 법률 제30호의 전문은 이러한 증명서가 보통 주어졌다는 것을 나타내고 있다. 그러나 일시적인 일만이 고려되었으며, 그 일이 끝나면 증명서를 가진 사람도 퇴거당하게 되어 있었다.〕

260 〔오히려 해석상의 법령(explanatory Act), 즉 윌리엄 3세 제9~10년 법률 제11항에 의하여서이다.〕

사람의 사용인도 도제도 그가 이러한 증명서에 의하여 거주하고 있는 교구에서는 어떠한 정주도 획득하지 못한다는 것이 규정되었다.[261]

새 거주 교구는 증명서를 요구했으나 옛 교구는 그 발급을 거부했다.

이 발명이 종래의 조례 때문에 거의 완전히 빼앗겼던 노동의 자유로운 유통을 어느 정도로 회복시켰는가 하는 것은 번 박사의 다음과 같은 아주 사려 깊은 관찰에서 우리는 알 수 있다. 그는 말하기를, "어떤 장소에 정주하려고 오는 사람들에게 증명서를 요구하는 데는 각가지 그럴듯한 이유가 있는 것은 명백하다. 즉 증명서에 의하여 거주하는 사람들은 도제 수업, 봉사, 계출 제시 및 교구세 지불의 그 어느 것에 의하여서도 전혀 정주를 획득할 수 없다는 것, 그리고 그들은 자신들의 도제와 사용인을 정주시킬 수 없다는 것, 그리고 만일 그들의 구조를 받지 않으면 안 되는 경우에 그들을 어디로 옮겨 가게 할 것인지 확실히 알려져 있어서, 그 교구가 퇴거의 비용과 그 기간 중의 그들의 생활유지비를 위하여 지불을 받게 된다는 것, 그리고 만일 그들이 병이 들어 퇴거할 수 없을 때 증명서를 주었던 교구는 그들을 부양하지 않으면 안 된다는 것, 이상의 모든 것은 어느 것도 증명서 없이는 될 수 없는 것이다. 그러나 이상의 이유는 통상의 경우 교구가 증명서를 수여하지 않으려고 하는 이유이기도 한 것이다. 왜냐하면 교구에서 증명서를 받은 사람들이 그때보다 더 나쁜 상태로 다시 그 교구에 되돌아올 것이라는 가능성은 그렇지 않은 경우보다 훨씬 더 많기 때문이다"[262]라고 하고 있다. 이러한 소견의 진의는 증명서라고 하는 것이 가난한 사람이 거주하려고 오는 교구에 의해서만 요구되어야 한다는 것이며, 그가 그곳을 떠나려고 나서는 사람들에게는 거의 수여되어서는 안 된다는 것에 있는 것같이 생각된다. 바로 이 현명한 저자는 그의 《구빈법의 역사The History of the

261 〔이러한 모든 조례는 리차드 번, 《구빈법의 역사》(1764), 94~100면에 편리하게 수집되어 있다.〕

262 〔번, 《Justice of the Peace》(1764), 제2권, 274면.〕

Poor Laws》에서 말하기를, "이 증명서의 문제에는 약간의 곤란이 있다. 왜냐하면 불행히도 그가 소위 정주라고 불리는 것을 획득한 그 장소에 계속 거주하는 것이 그에게는 아무리 불편하더라도, 또는 다른 장소에서 생활함으로써 기도할 수 있는 이익이 얼마나 되든지 간에 증명서는 이 한 사람의 인간을 종생토록 감옥에 집어넣는 권한을 교구의 한 직원에게 주고 있기 때문이다"[263]라고 한다.

재판소는 감독관이 증명서를 교부하도록 강제할 것을 거부했다.
증명서는 그 자체 선행의 증거가 되지 않으며, 그것을 가진 사람이 해당 교구에 실제로 속하고 있다는 것을 증명하는 데 지나지 않지만 그것을 수여하는 것을 거절하는 것도 전적으로 교구 직원들의 자유재량이다. 번 박사가 말하기를 교구위원과 감독관을 강제하여 증명서에 서명하도록 하는 재판소의 명령이 한때 제의되었으나, 고등법원재판소는 극히 이상한 기도라고 해서 그 동의를 각하却下했다고 한다.[264]

이 법률은 잉글랜드에 있어서의 노동의 가격이 너무 불평등하다는 것의 원인이다.
우리는 잉글랜드에서 서로 그렇게 멀리 떨어져 있지 않은 지방에서도 노동의 가격이 극히 불평등한 것을 흔히 발견하는데, 이는 아마도 가난한 사람이 증명서를 가지지 않고 어떤 교구에서 다른 교구에로 그의 벌이를 하러 다니는 것을 정주법이 방해하고 있는 것에 기인할 것이다. 실제로 건강하고 부지런한 독신자는 그러한 증명서를 가지지 않고서도 묵인되어 거주할 수 있을 때도 있는데, 이렇게 하고자 하는 사람이 아내와 가족을 데리고 있으면 대부분의 교구에서 쫓겨나게 됨은 확실하며, 또한 독신자라도 그 후에 결혼하면, 대체로 마찬가지

263 〔번, 《구빈법의 역사》(1764), 235~236면에는 "40일의 거주에 의하여 정주를 획득하는 용이한 방법이 있었기 때문에 제교구는 빈민과 적대상태에 놓이게 되었다"라고 쓰여 있으며, 만일 정주가 출생지 또는 1년 내지 그 이상 동안 거주한 곳에 한정된다면 증명서는 소용없는 것이 될 것이다라고 쓰여 있다.〕

264 〔번, 《Justice》, 제2권, 209면. 그 일부는 1730년.〕

로 쫓겨나게 될 것이다.[265] 스코틀랜드에 있어서 기타 정주에 관한 아무런 곤란이 없는 다른 모든 나라에 있어서 항상 보는 바와 같이 어떤 교구에 있어서의 일손의 부족은 반드시 또 다른 교구에서의 그것의 과잉으로써 구제되어질 수는 결코 없는 것이다. 이러한 나라에서는 대도시의 이웃이라든지, 노동에 대한 이상한 수요가 있는 곳이면 그 밖의 어디에서나 임금은 약간 상승하고, 이러한 지방에서 멀어짐에 따라서 임금은 점점 하락하여 마침내 그 나라의 일반적인 비율에까지 떨어지는 수가 가끔 있지만, 우리가 잉글랜드의 인접 여러 지방들에서 이따금 발견하는 것처럼 돌발적이고 불가해한 임금의 차이에 당면하게 되는 일은 결코 없으며, 잉글랜드의 가난한 사람에게는 교구라고 하는 인위적 경계를 넘는다는 것은 다른 제국에서 여러 가지 임금률을 극히 뚜렷하게 놓는 바다의 후미 또는 고산의 분수령 같은 자연의 경계를 넘는 것보다 더 곤란할 때가 종종 있다.

비록 달게 받아들여지고 있지만, 이는 자연적 자유의 명백한 침해인 것이다.

아무런 비행도 범하지 않은 사람을 그가 살기를 원하는 교구로부터 옮겨 가게 하는 것은 자연적 자유와 정의에 명백하게 위배되는 것이다. 그러나 잉글랜드의 서민은 자신들 자유를 열애하고 있기는 하지만 다른 대다수의 국가의 서민들과 마찬가지로 자유가 어디에 존재하는가를 올바르게 이해하지 못한 채 벌써 1세기 이상이나 된 오늘날까지도 아무런 구제책도 없이 그들 자신이 이러한 억압을 당해 왔다. 또한 비록 사려 깊은 사람들이 정주법을 사회적 불만의 원인이라고 불평하기는 했지만 그것은 일반적 체포령에 대한 것처럼 일반 민중의 시끄러운 반항의 대상이 되지는 않았으며, 이 일반적 체포령은 명확히 악용된 관례임에는 틀림없으나, 일반적인 억압까지 일으킬 만한 것은 아니었던 것이다. 40세의 잉글랜드의 가난뱅이로서 그의 생애의 얼마 동안 정주법이라는 이 악법에 의하

265 〔왜냐하면 아버지가 정주권을 갖고 있지 않다는 사실이 있어도, 이 때문에 교구가 어떤 장래에 아이들을 부양하지 않으면 안 되게 되는 위험에서 해방되지는 않을 것이기 때문이다.〕

여 가장 참혹한 억압을 몸소 느끼지 않았던[266] 사람은 거의 없다는 것을 나는 감히 말해 둔다.

임금은 옛날에는 법률 또는 치안판사에 의하여 정해지고 있었다.

나는 옛날에는 임금이 처음엔 왕국 전체에 실시되는 일반법에 의하여, 그 후에 이르러 각 주州마다의 치안판사가 발하는 특별 명령에 의하여 정해지는 것이 보통이었으나, 이러한 두 관습은 모두 현재에는 완전히 폐지되어 버렸다는 것을 말하는 것으로써 이 기나긴 장을 결론짓겠다. 번 박사는 말하기를 "400년 이상이나 되는 경험에서 본다면, 그 자체의 성질상 상세한 한계를 지을 수 없을 것 같은 사항을 엄격한 규제하에 두려는 모든 노력을 버려야 할 때가 온 것 같다. 왜냐하면 만일 동일 종류에 종사하는 모든 사람들이 똑같은 임금을 받게 된다면 아무런 경쟁도 없을 것이며, 부지런하거나 창의력을 발휘할 만한 여지도 없어질 것이기 때문이다"[267]라고 하고 있다.

런던의 재봉직의 임금은 아직도 법률에 의하여 정해져 있다.

그러나 의회의 특별한 법령은 아직도 이따금 특정의 직업과 특정의 지방에 있어서의 임금을 규정하려고 꾀하곤 한다. 그리하여 조지 3세 제8년의 법률[268]은 런

266 〔이러한 주장을 내세움에 있어서의 어떠한 증거를 스미스는 시인하고 있었을 것이다. 한편 프레데릭 모튼 에덴 경Sir Frederic Morton Eden, 2nd Baronet, 《The State of the Poor》(1797), 제1권, 296~298면을 참고해도 좋을 것이다. 이든Eden이 정주법에 의하여 생긴 장해에 관해서 아주 과장된 견해를 제시한 것이라고 생각하고 있는 윌리엄 헤이William Hay, 《Remarks on the Laws Relating to the Poor》(1735)가 1776년에는 에든버러의 변호사도서관에 있었으니, 애덤 스미스는 그것을 보았을지도 모른다.〕

267 〔《구빈법의 역사》, 130면이 부정확하게 인용되어 있다. "제한"이란 말의 뒤에 오는 원문은 "그것은 부지런하게 일한다든지 창의를 발휘할 여지를 전혀 남기지 않으므로 지금이야말로 버려야 할 시기가 온 것 같다. 왜냐하면 만일 동일 종류의 일에 종사하는 모든 사람이 같은 금액의 임금을 받게 된다면, 경쟁이라는 것은 전혀 없어질 것이기 때문이다"라고 되어 있다.〕

268 〔조지 1세 제7년 제1의회 제정 법률 제13호가 통과된 것은 그 전문에 의하면 최근 고용 재봉공들이 적당한 이유 없이 그들의 의무를 떠나서 "자신들 임금을 부당한 가격까지 끌어올리고

던과 그 주위 5마일 내의 재봉직의 마스터들이 그 직공들에게 102실링 7펜스 반 이상을 주든지, 또는 직동들이 받는 것을 모두 엄한 벌칙하에 금지하고 있다. 다만 일반적 복사의 경우에는 제외한다. 입법부가 마스터와 그의 직공 사이의 불화를 조정하려고 꾀할 때는 언제나 입법부의 고문이 되는 것은 반드시 마스터들이다. 그러므로 규제가 직공들에게 유리하게 될 때는 그것은 언제나 정당하고 공평하지만 마스터에게 유리할 때는 그렇지 못할 때가 가끔 있다. 이리하여 몇몇 상이한 직업에 있어서의 마스터로 하여금 그들의 직공에게 화폐로써 지불하게 하고 실물로써는 지불하지 못하게 하는 법률은 아주 정당하고 공평한 것이다.[269] 그것은 마스터들에게 실질적인 곤란을 전혀 주지 않는다. 다만 그것은 마스터들로 하여금 그들이 실물로써 지불하는 체하나 실제로는 언제나 지불하지 아니한 그 가치를 화폐로 지불하도록 강요하는 것에 지나지 않는다. 이 법률은 직공들에게 유리하다. 그러나 조지 3세 제8년의 법률은 마스터들에게 유리한 것이다. 마스터들이 그들의 직공들의 임금을 깎아 내리기 위해서 단결할 때는 그들은 보통 사적인 맹약, 즉 협정을 맺고 일정의 벌칙하에 일정액 이상의 임금을 지불하지 않기로 한다. 만일 직공들이 이와 같은 종류이긴 하나 정반대의 단결을 맺어, 일정의 벌칙하에 일정액의 임금을 받아들이지 않기로 하면, 법률은 그들을 극히 엄격하게 처벌할 것이며, 또한 만일 법률이 공평하게 이것을 처

그 일상의 노동시간을 단축시키기 위해서 동맹을 맺고 있는데, 이것은 악례이며 분명히 영업을 손상하며, 게으름을 장려하고 빈민을 증가시키는 경향이 있다"라는 이유 때문이었다. 이 법률은 노동시간을 오전 6시에서 오후 8시까지로 규정하고 임금을 하절에는 100에 2실링, 나머지 계절에는 1실링 8펜스라고 규정했다. 사계재판은 이 비율을 변경할 수도 있었다. 이 법령은 조지 3세 제8년 법률 제17호에 의하여 수정되었는데 그 노동시간은 오전 6시에서 오후 7시까지, 그리고 임금은 최고 102실링 7펜스 반으로 되었다. 지역 내의 마스터들은 지역 외의 노동자에 대하여 법률이 지역 내에서 허용하고 있는 것보다 더 많은 임금을 지불하는 것이 금지되었다.〕

269 〔앤 제1년 제2의회 제정 법률 제18호는 모직물·아마포·능직면포·면포·철기 제조업의 직공에 적용됐다. 조지 2세 제13년 법률 제8호는 장갑, 장화, 단화, 그 밖의 가죽제품의 제조업자에 의해 적용됐다. 이 법령 중 후자는 직공들의 요구와 동의 없이 이루어질 경우의 실물임금제만을 금하고 있다.〕

리한다면, 그것은 마스터들을 같은 방법으로서 취급해야 할 것이다. 그런데 조지 3세 제8년의 법률은 마스터들이 그러한 단결에 의하여 확립하려고 이따금 계획하는 바로 그 규제를 강제하는 것에 다름없을 것이다. 그 법률은 가장 유능하고 가장 부지런한 직공들을 평범한 직공과 같은 입장에 놓게 한다는 직공들의 불평은 그 근거가 충분히 있는 것 같다.

가격을 교정시킴으로써 이윤을 규제하려는 계획도 세워졌었고, 빵의 공정가격제는 아직도 존속하고 있다.

또한 옛날에는 식료품과 기타 재화의 가격을 규정함으로써 상인들 및 그 밖의 매매업자의 이윤을 규제하려고 꾀하는 것이 보통이었다. 내가 알고 있는 한에 있어서는, 빵의 공정가격제는 이러한 옛 관행의 유일한 유물이다. 배타적 동업조합이 있는 곳에는 아마도 제1의 생활필수품의 가격을 규제하는 것이 타당할 것이다. 그러나 그것이 전혀 없는 곳에서는 경쟁이 어떠한 공정가격제보다도 훨씬 더 잘 그것을 규제할 것이다. 조지 2세 제31년의 법률[270]에 의하여 확립된 빵의 공정가격을 규정하는 방법은 법률에 결함이 있었기 때문에 스코틀랜드에서는 실행될 수 없었다. 즉 그 법률의 시행이 시장서기의 직무로 되어 있는데, 스코틀랜드에서는 이것이 없었기 때문이다. 이 결함은 조지 3세 제3년의 법률[271]이 생겼을 때까지 고쳐지지 않았다. 공정가격제가 없다고 해서 어떠한 현저한 불편도 야기하지 않았으며, 또 아직도 제도가 시행되지 않았던 몇몇 지방에 그것을 설정한다고 해서 뚜렷한 이익을 가져오지도 않았다. 그러나 스코틀랜드 대다수의 도시에는 비록 아주 엄격히 지켜지진 않지만 배타적 특권을 주장하는 빵 제조업자의 단체가 아직 존재하고 있다.

임금과 이윤의 불평등은 사회의 진보 또는 쇠퇴의 상태에 의하여서는 그렇게 크게

270 〔법률 제29호.〕

271 〔법률 제6호 전문은 이 결함을 말하고 있다.〕

영향을 받지 않는다.

노동 및 자재의 여러 가지 용도에 있어서의 상이한 임금률과 이윤율 사이에 있는 비율은 이미 설명한 바와 같이 그 사회의 빈부, 그리고 그 진보, 정체 또는 쇠퇴의 상태에 의하여 크게 영향을 받지는 않는 것 같다. 공공의 복지에 있어서의 이러한 변혁은 임금과 이윤 쌍방의 일반적 비율에 영향을 미치고 있기는 하지만, 결국엔 모든 여러 가지 용도를 통해서 균등하게 영향을 미치지 않을 수 없다. 그러므로 그 사이의 비율도 반드시 동일하게 유지되며, 적어도 상당히 오랜 기간 동안 어떠한 변혁에 의하여서도 쉽게 변경될 수 없는 것이다.

제11장 토지의 지대에 관하여

지대는 농업경영자에게 통상적인 이윤을 지불하는 데 필요한 것 이상의 생산물이다.

토지의 사용에 대하여 지불되는 가격이라고 생각되고 있는 지대는 자연 차지인이 그 토지의 현실적인 여러 사정하에서 지불할 수 있는 최고의 가격이다. 차지계약의 조건을 정함에 있어서 지주는 차지인이 종자를 마련하고, 노동의 대가를 지불하고, 가축과 그 밖의 영농 기구를 구입하고 보전하는 데 쓰이는 자재를 유지하기에 충분한 금액에다 그 이웃에 있어서의 농업경영 자재의 보통의 이윤을 더한 금액보다 더 큰 몫의 생산물을 차지인의 수중에 남겨 주지 않으려고 애쓴다. 이 몫이야말로 차지인이 손해 봄이 없이 만족할 수 있는 최소의 몫임은 명백하며 지주는 그 이상의 몫을 차지인에게 남겨 주려고 하는 일은 거의 없다. 생산물 가운데 얼마만큼이 또는 같은 말로서 생산물의 가격 가운데 얼마만큼이 이러한 몫을 초과하든, 지주가 자기 토지의 지대로서 자기 수중에 남겨 두려고 노력하는 것은 당연하다 하겠으며, 그 지대가 그 토지의 현실적인 사정하에서 차지인이 지불할 수 있는 최고의 금액이라는 것도 명백하다. 사실, 어떤 때는 지주의 너그러움, 아니 오히려 무지 때문에 그는 이 부분보다 적은 것을 받아들이는 수도 있으며, 때로는 아주 드물기는 하지만 차지인이 무지하여 그 이웃에 있어서의 농업경영 자재의 통상적인 이윤보다도 약간 더 많이 지불할 것을 약속하거나 또는 다소 적은 것으로써 만족하는 수도 있다. 그러나 이 부분은 역시 토지의 자연적 지대라고 간주되어도 좋으며, 또는 대부분의 토지가 그만한 지대로서 대여되는 것이 자연적으로 의미되는 지대라고 생각해도 좋을 것이다.

지대는 비단 토지의 개량에 투자된 자재의 이자뿐만 아니다.

토지의 지대는 지주가 토지의 개량에 투자한 자재에 대한 합리적인 이윤, 또는 이자에 지나지 않는 것으로 흔히들 생각될지도 모른다. 이것은 틀림없이 어떤 경우에 부분적으로 일어나는 것에 지나지 않는다. 왜냐하면, 그것은 결코 전반적으로 일어날 수는 없는 것이기 때문이다. 지주는 개량되지 않은 토지에 대해서까지도 지대를 요구하여 개량비에 대한 상상 속의 이자 또는 이윤은 일반적으로 이 본원적 지대에 대한 추가분에 지나지 않은 것이다. 더욱이, 이러한 개량은 반드시 지주의 자재에 의해서 이루어지는 것만은 아니며, 차지계약이 경신되는 경우에는 지주는 마치 이러한 개량이 자기 자신에 의해서 모두 이루어졌던 것처럼 그와 동일한 지대의 증액을 요구하는 것이다.

어떤 때는 개량될 수 없는 토지, 즉 켈프kelp가 자라는 바위에 대해서도 지대는 취득된다.

지주는 때로는 인간이 전혀 개량할 수 없는 것에 대하여도 지대를 요구한다. 켈프는 해초의 일종이며, 이것을 태우면 유리와 비누 및 그 밖의 몇 가지 목적에 쓰이는 알칼리성 염이 나온다. 그것은 영국의 몇몇 지방, 특히 스코틀랜드에 매일 두 차례씩 해수로 뒤덮이는 고수위표 이하의 바위에서만 자라며, 인간의 노동에 의해서는 결코 증가될 수 없는 생산물이기도 하다. 그런데도 그 소유지가 이런 종류의 켈프가 나는 해안에 접해 있는 지주는 자기의 곡물 논밭에 대한 것과 같은 정도의 지대를 그것에 대해서도 요구한다.

낚시질하는 기회에 대해서도 취득된다.

셰틀랜드 제도의 근해는 보통 이상으로 생선이 풍부한데 그것은 그 섬 주민들의 생활자료의 대부분을 이루고 있다. 그러나 해산물에 의한 이윤을 얻기 위해서 그들은 그 이웃의 토지에 거주하고 있어야 한다. 그곳 지주의 지대는 농업경영자가 그 토지에서 획득할 수 있는 것에 비례하지 않고 그가 토지와 그리고 바다[272] 양쪽에서 획득할 수 있는 것에 비례한다. 그 지대는 일부분은 바닷물고기로서 지불된다. 그리하여 지대가 상품가격의 일부를 형성하고 있는 극히 소액의 실례 중의 하나를 이 지방에서 볼 수 있다.

그러므로 지대는 하나의 독점가격이다.

그러므로 토지의 사용에 대하여 지불되는 가격이라고 생각되는 지대는 자연 하나의 독점가격이다. 그것은 지주가 그 토지의 개량에 투하했던 것, 또는 지주가 취득할 수 있는 것에는 전혀 비례하지 않고, 농업경영자가 지불할 수 있는 것에 비례하는 것이다.

생산물의 특정 부분이 지대를 마련하는 데 충분한 가격으로 팔릴는지 어떨지는 수요에 의존한다.

토지 생산물 가운데서 보통 시장에 보내질 수 있는 부분은 그 통상적인 가격이 그것을 시장에 보내기까지에 사용될 것이 틀림없는 자재를 그 통상적 이윤과 함께 회수하기에 충분한 것만이라야 하겠다. 만일 그 통상적 가격이 이 이상이면 그 잉여 부분은 자연히 토지의 지대로 돌아갈 것이다. 만일 그 이상이 되지 못한다면 그 상품이 시장에 보내질지라도 그 가격은 지주에게 지대를 제공할 수 없다. 그 가격이 그 이상인지 아닌지는 수요에 의존하고 있다.

272 〔원문 “both by the land and by the water”에서 뒤의 “by”는 제3판에서 처음으로 나와 있다.〕

어떤 부분은 충분한 수요가 있는데, 다른 부분은 때에 따라서는 있을 때도 있고 없을 때도 있다.

토지 생산물의 어떤 부분에 대해서는 그것을 시장에 보내기에 충분한 가격 이상의 높은 가격을 언제나 받을 수 있을 만큼의 수요가 반드시 있지만 여타의 부분에 대해서는 이러한 고가를 받을 만한 수요가 있을 때도 있고 없을 때도 있다. 전자는 반드시 지주에게 지대를 가져다줄 것이다. 후자는 여러 가지 사정에 따라 가져다줄 수도 있고 주지 못할 수도 있다.

임금과 이윤은 가격의 원인이고 지대는 그의 결과이다.

따라서 주의해야 할 것은 지대는 임금과 이윤과는 다른 방법으로 상품들 가격의 구성에 참여한다는 것이다. 임금과 이윤의 고저는 가격의 고저의 원인이다. 그런데 지대의 고저는 그의 결과이다. 특정 상품의 가격에 고저가 있는 것은 그 상품을 시장에 보내기까지에 지불되지 않을 수 없는 임금과 이윤에 고저가 있기 때문이다. 그러나 그 상품의 가격이 가져다주는 지대에 고저가 있다든가, 또는 전혀 지대를 가져다주지 않게 되는 것은 그 가격에 고저가 있기 때문이며, 환언하면 그 가격이 이러한 임금과 이윤을 지불하기에 충분한 것보다 훨씬 더 높든지, 약간 더 높든지, 아니면 전혀 높지 않기 때문이다.

본 장은 3절로 나뉜다.

본 장에서는 첫째, 언제나 다소나마 지대를 가져다주는 토지의 생산물 부분에 관한 고찰, 둘째, 어떤 때는 지대를 낳고 어떤 때는 지대를 낳지 않는 토지 생산물 부분에 관한 고찰과, 셋째, 각 단계에 따라 상이한 두 종의 총생산물을 서로 비교해 보고 또 이들을 제조품과 비교해 볼 때 개량의 각 단계에 따라 자연히 일어나는 이들 총생산물의 상대적 가치의 변동에 관해 개별적으로 고찰하게 됨으로써 본 장은 세 개 절로 나눠질 것이다.

제1절 항상 지대를 제공해 주는 토지 생산물에 관하여

식물은 언제나 그것이 유지할 수 있을 만큼의 노동을 구매할 수 있다.

다른 모든 동물과 마찬가지로 인간은 그 생산 수단에 비례하여 자연히 증식하므로, 식물에 대한 수요는 언제나 다소간 존재하게 된다. 식물은 언제나 다량 또는 소량의 노동을 구매 또는 지배할 수 있다. 그리고 그것을 획득하기 위해서 즐겨 무슨 일이든지 하려고 하는 사람은 언제나 찾아볼 수 있다. 실제 식물이 구매할 수 있는 노동의 양은 노동에 대하여 이따금 고임금이 지불되기 때문에 그 식물을 가장 경제적으로 다루는 경우 그것이 유지할 수 있을 노동량과 반드시 동일하다고는 할 수 없다. 그러나 식물은 그 부류의 노동이 보통 그 이웃에서 유지되고 있는 비율에 따라서 유지할 수 있을 만큼의 노동량을 언제나 구매할 수 있다.

거의 모든 토지는 노동을 유지하고 이윤을 지불하기에 족한 것 이상을 생산하며, 그리하여 지대를 낳아 주는 것이다.

그러나 토지는 거의 어떠한 위치에 있더라도 식물을 시장에 보내는 데 필요한 모든 노동을 유지하는 데 충분한 양 이상으로 다량의 식물을 생산하며, 더구나 그 노동이 가장 후하게 유지되어도 그러하다. 또한 그 잉여는 언제나 그 노동을 사용했던 자재를 그 이윤과 함께 회수하고도 남음이 있다. 그러므로 얼마만큼은 항상 지주에 대한 지대를 위해 남아 있게 된다. 노르웨이와 스코틀랜드의 가장 거친 황무지라도 가축을 위한 어떤 종류의 목초를 생산하는 것이며, 그 가축의 젖과 유축의 증식은 항상 그 가축을 돌봐 주는 데 필요한 모든 노동을 유지하고 농업경영자, 즉 그 소 떼와 양 떼의 소유자에게 통상의 이윤을 지불할 뿐만 아니라 그 지주에게 어떤 소액의 지대를 가져다주기에 족한 것 이상이다. 지대는 목초지의 품질에 비례하여 증가한다. 동일 면적의 토지라도 보다 많은 가축을 사육할 뿐만 아니라, 가축이 비교적 적은 지역에 몰려 있게 되므로 그것들을 돌본다든지 그 산물을 수집하는 데 필요한 노동도 그만큼 적어지기 때문이다. 그 지주는 양면에서 이득을 보게 된다. 즉 생산물의 증가에 의해서, 그리고 그 생산물로서 유지되어야 할 노동의 감소에 의해서 이익을 보게 되는 것이다.

지대는 비옥도는 물론 위치에 따라서도 달라진다.

토지의 지대는 그 생산물이 어떠하든지 그 비옥도에 따라서 다를 뿐만 아니라, 그 비옥도는 어떠하든지 그 위치에 따라서 다르기도 하다.[273] 도시 부근에 있는 토지는 농촌의 벽지에 있는 동등하게 비옥한 토지보다도 더 많은 지대를 가져다준다. 전자를 경작하는 데는 후자를 경작하는 것보다 더 많은 노동이 들지는 않더라도 먼 지방의 생산물을 시장에 보내는 데는 언제나 더 많은 노동이 들지 않을 수 없다. 그러므로 훨씬 다량의 노동이 이 생산물로써 유지되어야 하는 셈이다. 그리고 농업경영자의 이윤과 지주의 지대 두 가지 모두가 나오게 되는 그 잉여도 감소되지 않을 수 없다. 그러나 농촌의 먼 지방에서의 이윤율은 이미 설명한 바와 같이 대도시의 이웃에서보다도 일반적으로 더 높다. 그러므로 이 감소된 잉여 가운데에서보다 적은 몫이 지주에게 돌아가지 않으면 안 된다.

좋은 도로 등은 지대의 차이를 감소시킨다.

좋은 도로와 운하 및 항행 가능한 하천은 운송비를 감소시킴으로써 그 나라의 원격된 지방을 시와 이웃에 있는 지방과 거의 동등하게 해 준다. 이 때문에 그것들은 모든 개량 가운데에서도 최대의 것이 되어 있다. 그들은 언제나 그 나라에서도 가장 광대한 지역일 것이 틀림없는 원격지의 개발을 자극한다. 그들은 도시 근방에 있는 농촌의 독점을 파괴하므로 도시에 대해서도 유리하다. 그들은 도시의 이웃에 있는 농촌에 대해서까지도 유리하다. 그들은 옛 시장에 약간의 경쟁 상품을 도입하기도 하지만, 도시 근방의 농촌의 생산물에게 많은 새로

273 〔초판과 제2판에서는 이 문장은 다음과 같이 되어 있다. "토지의 지대는 그의 생산물이 어떠한 것이든, 그의 비옥도에 따라 다를 것이며, 또한, 그의 비옥도가 어떠한 것이든 그의 위치에 따라 달라진다."〕

운 시장을 열어 주기도 하는 것이다. 뿐만 아니라 독점은 훌륭한 경영의 대적인 바, 이 훌륭한 경영이란 자유롭고 보편적인 경쟁에 의하지 않고서는 결코 보편적으로 확립될 수 없는 것이며, 이 자유롭고 보편적인 경쟁은 모든 사람으로 하여금 자기 방위를 위해서도 그러한 경영에 의지하도록 강요하는 것이다. 런던 근교의 몇몇 주가 의회에 유료도로(turnpike roads)를 더 멀리 떨어진 주까지 연장하는 것을 반대하는 청원을 했던 것은 50년도 채 되지 않는다. 그들은 이렇게 멀리 떨어진 주들은 노동이 저렴하기 때문에, 자신들 주들보다도 더 싸게 그들의 목초와 곡물을 런던 시장에서 팔 수 있을 것이기 때문에, 자신들 주의 지대를 감소시킬 것이며, 자신들의 경작을 파멸시킬 것이라고 주장하는 것이다. 그러나 그 시기 이후 그들의 지대는 상승했으며, 그들의 경작도 개량되어 왔던 것이다.

곡물산지는 노동을 유지하고도 방목지보다 더 많은 식물을 공급한다.

보통 정도의 비옥도를 가진 곡물 논밭은 같은 면적의 최상의 방목지보다도 인간의 식물을 훨씬 더 많이 생산한다. 비록 그 경작은 훨씬 더 많은 노동을 필요로 하지만 종자를 회수하고 그 모든 노동력을 유지하고도 남는 잉여는 역시 훨씬 더 많기 때문이다. 그러므로 만일 1파운드의 수육이 1파운드의 빵 이상의 가치는 나가지 않는다고 가정한다면 곡물 논밭의 더욱 많은 이 잉여가 어디에서나 목장의 잉여보다 큰 가치를 가질 것이며, 농업경영자의 이윤과 지주의 지대 쌍방에 대한 보다 큰 자원을 구성할 것이다. 농업이 조방粗放하게 이루어지고 있었던 초기에 있어서는, 보편적으로 그러했던 것 같다.

초기에는 수육이 빵보다 더 값이 쌌다.

그러나 빵과 고기라는 이 두 가지 다른 종류의 식물의 상대적 가치는 농업의 시대를 달리함에 따라 대단히 달라진다. 농업이 조방하게 이루어졌던 초기에는 당시 그 나라의 대부분을 점하고 있던 경작되지 않은 황야는 모두 가축들을 위해 방치되어 있었다. 그곳에서는 빵보다도 고기가 더 많았으며, 따라서 빵은 가장 심한 경쟁이 있게 되는 식물이고 따라서 최대의 가격을 초래하는 식물이기도 했다. 우리들이 우요아Ulloa에게서 들은 바에 의하면 부에노스아이레스에서는, 40~50년 전에는 4레알real, 즉 영화 21펜스 반이 200~300마리의 소 떼에서 뽑힌 황소 한 마리의 보통 가격이었다고 한다.[274] 그는 빵의 가격에 관해서는 언급하지 않았는데 아마 그 이유는 그것에 관해서는 주목할 만한 것을 알지 못했기 때문일 것이다. 그는 말하기를 그곳에서는 황소 한 마리의 가격이 그것을 포획하는 노동의 가치 이상은 아니었다고 한다. 그러나 곡물은 어디에서나 많은 노동을 들이지 않고서는 생산될 수 없으며, 더구나 당시 유럽에서 포토시Potosí의 은광에 이르는 직통로였던 라플라타강을 끼고 있는 이 나라에서는 노동의 화폐 가격이 아주 쌀 리는 없었을 것이다. 그러나 경작이 이 나라의 대부분에 퍼지면 사정은 달라진다. 그때는, 고기의 가격은 빵의 가격보다 더 비싸게 된다.

그러나 그 후에 고기는 더 비싸게 되었다.

더욱이 경작이 확대됨으로써 경작되지 않은 황야는 고기에 대한 수요를 충족하기에는 불충분하게 된다. 경작된 토지의 대부분은 가축을 사육하고 살찌게 하는 데 사용되지 않을 수 없으며, 따라서 가축의 가격도 그것들을 돌봐 주는 데 필요한 노동뿐만 아니라 그러한 토지가 경작에 사용될 때, 지주와 농업경영자가 그것에서 끌어낼 수 있을 지대와 이윤까지도 지불하기에 족한 것이 되지 않으면 안 된다. 가장 경작되지 않은 황야에서 길러진 가축이라도 동일 시장에 보내오면 그 중량 또는 품질에 비례하여 가장 개량된 토지에서 사육된 가축과 동일한 가격으로 판매된다. 이러한 황지의 소유자들은 그것으로 이윤을 올리며, 그들의 토지의 지대를 그 가축의 가격에 비례하여 올린다. 스코틀랜드의 고지지방의 많

274 〔조지 주앙George Juan과 안토니오 드 우요아Antoine De Ulloa 저작의 불역, 즉 《Voyage historique de l'Amérique Méridionale fait par ordre du roi d'Espagne par Don George Juan……et par Don Antoine de Ulloa……》(1752), 제1권, 532면. 이 소설은 다음의 186면에서 거의 동일 어구로서 되풀이되어 있지만 거기에서는 "200~300마리" 대신 "300~400마리"로 되어 있다.〕

은 지역에서 고기가 귀리로 만든 빵에 비해서까지도 동등하게 값이 쌌거나 더 쌌던 것은 한 세기밖에 되지 않는다. 합방은 스코틀랜드의 고지지방의 가축에게 잉글랜드의 시장을 개방하여 주었다. 이 가축들의 보통의 가격은 현재에는 현 세기의 초기에 비해서 약 세 배로 올랐으며, 많은 고지 소유지의 지대는 같은 기간 중에 세네 배로 올라 버렸다. 현재에는 영국의 거의 모든 지방에서 최상의 고기 1파운드는 일반적으로 최상의 흰 빵 2파운드 이상의 가치가 나가며, 더구나 풍년에는 3~4파운드의 가치가 될 때도 있다.

방목지도 곡물의 논밭과 같을 만큼의 지대를 낳는다.

이리하여 개량이 진행됨에 따라 개량되지 않은 방목지의 지대와 이윤은 개량된 방목지의 지대와 이윤에 의해서 어느 정도까지 규제됨에 이르며, 이 후자의 지대와 이윤은 다시 곡물생산지의 지대와 이윤에 의하여 규정되는 것이다. 곡물은 해마다 수확되는 작물이다. 수육은 성숙하는 데 4~5년이나 소요되는 수확물이다. 그러므로 같은 1에이커의 토지는 곡물의 산출액보다도 훨씬 더 적은 양의 수육을 생산할 것이기 때문에, 그 양의 열등함은 그 가격의 우세함에 의해서 보상되지 않으면 안 된다. 만일 그 우세함이 그 보상을 충당하고도 남는다면 더 많은 곡물생산지가 방목지로 바뀔 것이며, 그리고 만일 그것이 보상할 만큼도 되지 않는다면 방목지로 바뀌어졌던 것의 일부분이 다시 곡물생산지로 환원될 것이다.

때로는 방목지의 지대가 더 클 때도 있다.

그러나 목초지의 지대 및 이윤과 곡물생산지의 그것들 사이의 이러한 균등, 다시 말하면 그 직접적인 생산물이 가축의 사료가 되는 토지의 지대 및 이윤과 그 직접의 생산물이 인간의 식물이 되는 토지의 지대 및 이윤 사이의 이러한 균등은 대국의 개량된 토지의 대부분을 통해서만이 일어난다는 것을 이해하지 않으면 안 된다. 어떤 특정의 지방적 사태에서는 전혀 사정이 달라서, 목초지의 지대 및 이윤은 곡물생산지에서 얻어질 수 있는 것보다 훨씬 더 우세한 것이다.

즉 대도시의 부근에서의 지대가 그러하다.

그리하여 대도시의 부근에서는 우유와 마초馬草에 대한 수요가 수육의 높은 가격과 더불어 목초의 가치를 곡물의 그것에 대한, 소위 자연적 비율 이상으로 인상시키는 원인이 되는 일이 흔히 있다. 이러한 지방적 이익이 원격된 여러 지방들에까지 전달될 수 없음은 명백하다.

또한, 인구가 조밀한 곡물수입국은 그 전 국토를 통해서 그러한데, 이는 네덜란드와 고대 이탈리아에서 그러했던 것과 같다.

특수한 여러 가지 사정이 어떤 국가들로 하여금 인구가 지나치게 조밀하게끔 만들어 그 나라의 전 영토가 대도시의 부근에 있는 토지처럼, 그들의 주민의 생활자료로서 필요한 목초와 곡물을 함께 생산하기에 충분하지 못하게 된 때도 있었다. 따라서 이러한 나라들의 토지는 주로 목초의 생산, 즉 비교적 부피가 큰 상품이며, 너무 먼 곳에서는 그렇게 쉽게 들여올 수 없는 상품의 생산에 사용되고, 대다수의 인민의 식물인 곡물은 주로 외국에서 수입되었던 것이다. 현재 네덜란드는 이러한 상태하에 있으며, 그리고 고대 이탈리아의 상당한 부분도 로마인의 번영기 동안 그러했던 것 같다. 노카토老Cato는 말하기를, 우리들이 키케로Cicero에게서 들은 바와 같이 사유지를 경영함에 있어서 제1위를 차지할 만한 가장 유리한 것은 가축을 잘 기르는 것이며, 과히 나쁘지 않게 기르는 것은 제2위요, 나쁘게 기르는 것은 제3위라고 했다. 그는 경작하는 것을 이윤과 이익이란 점에 있어서 제4위에 놓았을 뿐이다.[275] 사실 고대 이탈리아 가운데서도 로마를 이웃하고 있는 지방에서는 무상 또는 아주 저가격으로 인민에게 곡물이 분배되었으므로 경작은 대단히 저해되어 왔음이 틀림없다. 이 곡물은 정복된 여러 속

275 〔키케로Cicero, 《의무에 관하여De officiis》, 제2권, 마지막까지, 그리고 《Lectures》, 229면에 인용되어 있다.〕

주에서 보내온 것이었는데, 그 가운데 몇몇 주는 조세 대신에 생산물의 10분의 1을 지정가격, 즉 1펙당 약 6펜스로 공화국에 공급하도록 강요되었다. 이 곡물이 인민에게 분배되었던 이러한 저가격은 옛날에 로마의 영토였던 라티움Latium에서 로마의 시장에 보내올 수 있는 곡물의 가격을 필연적으로 떨어뜨렸을 것이 틀림없으며, 또한 이 나라에서의 곡물의 경작을 저해했을 것임에도 틀림없다.

그리고 울타리가 드물게 되어 있는 나라에서도 때때로 그러할 때가 있다.

또한 곡물을 주 생산물로 하고 있는 울타리가 되어 있지 않은 나라에서도 울타리로 잘 둘러싸인 한 구획의 목초지는 그 부근에 있는 어떠한 곡물 논밭보다도 비싸게 임대될 때가 흔히 있을 것이다. 이러한 목초지는 곡물의 경작에 사역되는 가축을 사육하는 데 편리하며, 이러한 경우 그의 높은 지대는 그 자체의 생산물의 가치로부터 정당하게 지불되는 것이 아니고, 그 목초지를 사용함으로써 경작되는 곡물 논밭의 생산물의 가치에서 지불되는 것이다. 만일 이웃의 토지가 완전히 울타리로 싸여지기라도 한다면 이 높은 지대는 떨어질지도 모른다. 스코틀랜드에서 울을 한 토지의 지대가 현재 높은 것은 울을 한 토지가 적기 때문인 것 같으며, 이런 토지의 부족이 없어지면 이렇게 높은 지대도 그 이상 계속되지 않을 것이다. 울을 한 토지의 이익은 곡물생산지보다도 방목지에서 더 크다. 울을 하는 것은 가축을 지키는 노동을 절약해 주며, 또한 이들 가축은 목동과 목견들이 그들을 불안하게 하지 않을 것 같을 때 더 잘 사료를 먹는 것이다.

대개는 곡물생산지의 지대가 방목지의 그것을 규정한다.

그러나 이런 종류의 지방적 이익이 없는 곳에서는 곡물 또는 그 밖에 인민의 일상의 식물성 식물을 생산하는 토지의 지대 및 이윤은 그것을 생산하는 데 알맞은 토지일 경우에는 방목지의 지대와 이윤을 필연적으로 규정하게 될 것이 틀림없다.

가축의 사육 방법이 개량되면, 빵에 비해서 고기의 값이 떨어진다.

순무·당근·양배추와 같은 인공적인 목초의 사용이라든지 동일 양의 토지로써 자연의 목초로서 기를 때보다 더 많은 가축을 사육할 수 있도록 이루어진 다른 제편법은 개량된 나라에 있어서의 수육의 가격이 빵의 가격보다 자연히 높은 것을 어느 정도 완화시킬 것이라고 기대해도 좋을 것이다. 사실 그러했던 것 같다. 즉 적어도 런던 시장에서의 고기의 가격은 빵의 가격에 비해서 전 세기의 초기보다도 현재 더 싸다는 것을 믿게 될 몇 가지 이유도 있다.

수육의 가격은 17세기의 초두에는 1763~1764년에 있어서보다 더 비쌌다.

《황태자 헨리의 생애The Life of Henry, Prince of Wales》의 부록에서 버치 박사Dr. Birch는 이 황태자가 보통 지불했던 고기의 가격에 관해서 설명한 바 있다. 그곳에서 무게 600파운드의 황소 한 마리의 사지四肢는 보통 9파운드 10실링 또는 대략 이쯤 먹혔다고 한다. 즉 중량 100파운드에 31실링 8펜스인 셈이다.[276] 황태자 헨리는 1612년 11월 6일에 19세로서 서거했다.[277]

1764년 3월에는 그 당시의 사료품의 높은 가격의 여러 원인에 관해서 의회의 조사가 있었다. 당시 이것과 동일한 목적으로 수집된 다른 증거 가운데에는 버지니아의 일상인에 의해서 증언되었던 것이 있는데, 그것에 의하면 그는 1763년 3월에 쇠고기를 100파운드당 24실링 내지 25실링으로 자기의 선박에 식료품으로서 실었는데 그는 이것을 보통의 가격이라고 생각했으며, 식료품이 고가였던 그 조사 년도에는 같은 종류 같은 분량의 쇠고기에 27실링을 지불했다[278]고 한다. 그러나 1764년의 이 높은 가격은 황태자 헨리가 지불했던 통상의 가격보다

276 〔토마스 버치Thomas Birch, 《황태자 헨리의 생애》(1760), 346면.〕

277 〔토마스 버치, 《황태자 헨리의 생애》(1760), 271면.〕

278 〔1764년 2월 8일 위원회 보고는 위에서 언급된 의회 조사와 관련된 조항의 고가 원인 조사를 위탁받는다.그러나 1764년 하원의 명령에 의해서 출간된 이 보고서의 제4절에는 버지니아 상인 케이펄 한베리 씨Mr. Capel Hanbury가 24실링 내지 25실링을 통상의 가격이라고 생각하고 있었다는 취지에 대한 확정적인 언명은 없다.〕

도 4실링 8펜스나 더 싼 것이다. 또 이런 원양항해를 위해 절이기 적합한 고기는 최상의 쇠고기뿐이란 것도 주의해야 한다.

황태자 헨리가 지불했던 가격은 조육과 정육을 모두 합한 전 체구의 중량의 파운드당 3과 5분의 4펜스가 되는 셈이다. 그리고 이 비율로써는 정육은 파운드당 4펜스 반 또는 5펜스 이하로서 소매될 수 없었던 셈이다.

1764년의 의회의 조사에서 증인들은 최상의 정육의 가격은 소비자에게는 1파운드에 4펜스 내지 4와 4분의 1펜스이고, 조육의 가격은 일반적으로 7파딩에서 2펜스 반 내지 2와 4분의 3펜스라고 진술했으며, 이 가격도 보통 3월에 판매되고 있었던 같은 종류의 고기보다 반 펜스 더 비싼 것이었다고 그들은 말했다.[279] 그런데 이러한 높은 가격마저도 우리가 흔히 황태자 헨리의 시대에 보통의 소비가격이었다고 생각하는 가격보다는 훨씬 더 싼 것이다.

이 반면 소맥은 값이 더 쌌다.

전前 세기의 처음 12년 동안에는 윈저 시장에서의 최상의 소맥의 평균가격은 9 윈체스터 부셸의 쿼터당 1파운드 18실링 3과 6분의 1펜스이었다.

그러나 1764년을 포함하여 그 이전의 12년간의 동시장의 동일 용적의 최상의 소맥의 평균가격은 2파운드 1실링 9펜스 반이었다.[280]

그러므로 전 세기의 처음 12년 동안에는 1764년도 포함해서 그 이전의 12년 동안보다도 소맥은 훨씬 더 값이 쌌으며, 고기는 훨씬 더 고가였던 것 같다.

곡물생산지 및 방목지의 지대와 이윤은 다른 모든 토지의 그것들을 규정한다.

모든 대국에서는 경작된 토지의 대부분이 인간의 식물 또는 가축의 사료를 생

279 〔위원회 보고의 제3절은 거의 축어적으로 설명한 것이다. 그 위원회는 다음과 같이 결의했다. 즉 "최근의 식료품의 높은 가격은 일부는 시장에 가져가는 도중에 가축을 매점하는 모든 사람을 유죄로 하여 처벌하기 위한 현행법에 결함이 있다는 것 때문에 일어났던 것이다."〕

280 〔이들 가격은 본 장의 끝에 있는 표에서 유래된 것이다.〕

산하는 데 사용되고 있다. 이들의 지대와 이윤은 다른 모든 경작된 토지의 지대와 이윤을 규정한다. 만일 어떤 특정의 생산물이 이러한 식물보다 더 적은 지대와 이윤을 낳는다면 그 토지는 곧 곡물 또는 목초의 생산으로 바뀌게 될 것이며, 만일 특정의 생산물이 이보다 많은 지대와 이윤을 가져다준다면 곡물 밭이나 목초지의 일부가 곧 그 생산으로 바뀔 것이다.

어떤 다른 종류의 지대와 이윤이 외관상으로 보다 많은 것은, 보다 많은 경비에 대한 이자에 지나지 않는다.

실제로 토지를 그들의 생산에 적합하게 하기 위해서 다액의 기본적인 개량비를 필요로 하든가, 또는 다액의 연간 경작비를 필요로 하는 생산물은 곡물 또는 목초보다도 전자의 경우에는 훨씬 많은 지대를 후자의 경우에는 보통 더 많은 이윤을 내는 것처럼 보인다. 그러나 이렇게 보다 더 많은 것이 다액의 경비에 대한 합리적인 이자 또는 보상보다 더 많아질 때는 거의 없을 것이다.

이를테면 홉 농장과 과수원이 그러하다.

홉 농장과 과수원 및 채소밭에서는 지주의 지대와 농업경영자의 이윤은 이와 같이 일반적으로 곡물생산지 또는 목초지에서보다도 더 많다. 그러나 그 토지를 이러한 상태로 만드는 데는 보다 많은 경비를 필요로 한다. 따라서 응당 보다 많은 지대가 지주에게 지불됨에 이른다. 더구나 그것은 더욱더 조심성 있고 숙련된 경영을 필요로 한다. 그러므로 보다 많은 이윤이 농업경영자에게 지불되게 됨은 당연하다. 그뿐만 아니라 적어도 홉 농장과 과수원에서는 그 수확이 더욱더 불안정하다. 그러므로 그 가격은 수시로 일어나는 모든 손실을 보상한 뒤에 보험의 이윤과 같은 어떤 것을 제공하지 않으면 안 된다.[281] 농원 주인들의 사정이 대체로 가난하고, 언제나 보통 정도밖에 되지 않음은 그들의 훌륭한 창의

281 〔특별한 위험이 있기 때문에 사람들이 이 사업에 착수하는 것을 주저할 경우에만 이럴 수가 있다. 그리고 앞의 112~113면에 의하면, 이렇게 되지는 않을 것이다.〕

가 지나치게 보답되지 못하고 있다는 사실을 우리들에게 일반적으로 납득이 가게 해 준다. 대단히 많은 부자들이 그들의 즐거운 농예를 오락으로 행하고 있으므로 이윤을 위해서 그것을 하는 사람들은 거의 이익을 보지 못하게 된다. 왜냐하면 마땅히 그들의 가장 큰 고객이 되어야 할 사람들이 그들의 가장 고가인 생산물 모두를 자급하고 있기 때문이라 하겠다.

채소밭도 그러하다.

이러한 개량에서 지주가 끌어내는 이익이 그 개량을 하는 데 든 기본경비를 보상하고 남을 만큼 많았던 때는 결코 없었던 것 같다. 고대의 농업에 있어서는 관개가 잘된 채소밭이 포도밭 다음으로 가장 가치 있는 생산물을 생산한다고 생각되었던 농장의 일부였던 것 같다. 그러나 약 2000년 전에 농업에 관해서 저술했으며, 농예의 아버지의 한 사람으로 존경을 받았던 데모크리토스Democritus는 채소밭에 울타리를 하는 사람들이 현명한 짓을 했다고는 생각하지 않았다. 그 이윤은 돌담의 비용을 메우지 못할 것이며, 벽돌(햇볕에 구워진 벽돌을 의미할 것이라고 나는 상상한다)도 비와 겨울의 폭풍우 때문에 붕괴되고 끊임없는 수리를 필요로 할 것이다라고 말했다. 데모크리토스의 이러한 판단을 전하고 있는 콜루멜라Columella는 그것을 논박하지는 않았으나[282] 가시덤불과 찔레 따위로 울타리를 하는 아주 간소한 방법을 제안했는데, 그는 말하기를 이러한 울타리는 오래가기도 하고 꿰뚫을 수도 없다는 것을 경험상으로 알게 되었다고 말하고 있다.[283] 그러나 이 방법은 데모크리토스 시대에는 일반적으로 알려져 있지 않았던 것 같다. 팔라디우스Palladius는 이미 바로Varro에 의해서 권고된 바 있었던 콜

282 〔가시덤불의 원어는 "brambles and briars"인데 초판에는 "thorns and briars"로 되어 있다.〕

283 〔콜루멜라Columella, 《농업에 관하여De re rustica》, 제11권, 제3장. 그런데 콜루멜라는 울타리를 추천하는 것에 관하여 다음과 같이 말하고 있다. 즉 "그리고 원정을 둘러싸는 이러한 방법은, 옛날 사람들에 의해서 충분히 인정되고 있었던 것이다(Et haec quidem claudendi horti ratio maxime est antiquis probata)."〕

루멜라의 의견을 채용했다.[284] 이러한 고대 개량가들의 판단에서 본다면 채소밭의 생산물은 엄청난 재배비와 관개비를 겨우 지불할 정도밖에 되지 않았던 것 같다. 왜냐하면 그만큼 태양에 가까운 나라에서는 오늘날에 있어서와 마찬가지로 당시에도 원내의 모든 묘상苗床에 급수될 수 있도록 물줄기를 다스리는 것이 옳다고 생각되었기 때문이다. 오늘날에 있어서는 유럽의 대부분의 지방을 통해서 채소밭은 콜루멜라에 의해서 추천되었던 것 이상으로 훌륭하게 울타리를 할 가치가 있는 것이라고 생각되고 있지는 않다. 영국과 그 밖의 북쪽에 있는 몇 나라에서는 비교적 좋은 과실은 울타리의 도움 없이는 완전하게 될 수 없다. 그러므로 이러한 나라에서는 과실의 가격은 그 생산에 불가결한 울타리의 건설비와 유지비를 지불하기에 충분한 것이어야 한다. 과수로 된 울타리가 흔히 채소밭을 둘러싸기도 하며, 그럼으로써 채소밭은 그 자체의 생산물로써는 결코 지불할 수 없을 울타리의 이익을 향수하는 것이다.

포도원도 그러하다.

적당하게 심어지고 완전하게 손질될 때 포도원은 농장 가운데에서도 가장 가치 있는 부분이라고 하는 것은 근대의 모든 포도주 생산국을 통하여 그러하듯이 고대 농업에 있어서도 틀림없는 정설이었던 것 같다. 그러나 새로운 포도원을 만든다는 것이 유리한 것인지 아닌지는, 우리들이 콜루멜라로부터 배운 바와 같이 고대 이탈리아의 영농가들 가운데 하나의 논쟁거리였다. 콜루멜라는 모든 신기한 재배법의 참된 애호자와 마찬가지로 포도원이 유리하다고 단정하고, 이윤과 경비를 비교함으로써 그것이 가장 유리한 개량이라는 것을 설명하려고 노력한 바 있다.[285] 그러나 새 사업 계획의 이윤과 경비를 이렇게 비교하는 것은, 대체

284 〔애덤 스미스의 장서 가운데 있는 《Scriptores rei rustica》의 게스네루스 판은(제임스 보너James Bonar, 《A Catalogue of the Library of Adam Smith》의 '게스네루스Gesnerus'의 항을 보라) 상기한 구절에 논평을 가하면서 바로Varro, 《농업에 관하여De re rustica》, 제1권, 제14장과 팔라디우스Palladius, 《De re rustica》, 제1권, 제34장에 있는 여러 견해를 인용하고 있다.〕

285 〔《De re rustica》, 제3권, 제3장.〕

로 아주 잘못이 많으며, 더구나 농업의 경우에는 다른 어떤 경우보다 더욱더 그러하다. 그러한 재배에 의하여 실제로 얻어지는 이득이 일반적으로 그가 상상했던 것만큼 컸다면 그것에 관한 논쟁이 있었을 리가 없는 것이다. 바로 이와 같은 점이 오늘날에 있어서도, 포도주를 산출하는 제국에서 빈번히 논쟁의 주제가 되고 있다. 실제로 농업에 관한 저술가들, 즉 집약경작의 애호가들과 장려자들은 콜루멜라에 동조하여 포도원이 유리하다고 단정할 생각이 있는 것 같다. 프랑스에서 오래된 포도원 소유자들이 새로운 포도원의 재배를 막으려고 열망하고 있음은, 곧 그 저술가들의 견해에 찬성하고 있다는 것이라고 생각되며, 현재로는 이러한 종류의 경작이 이 나라에서는 다른 어떠한 경작보다도 유리하다는 것을 경험했을 것이 틀림없는 사람들의 자각을 지적하는 것이라고 생각된다. 그러나 이와 동시에 그 사실은 또 하나의 견해, 즉 이러한 우월한 이윤은 현재 포도의 자유로운 재배를 억제하고 있는 법률들이 철폐되면, 그 이상 존속할 수 없다는 견해를 가리키고 있는 것이라고도 생각된다. 그 오래된 포도원의 소유자들은 1731년에 참의원의 칙령을 획득했는데, 이것은 새로운 포도원의 재식과 2년간 경작이 중지되고 있었던 낡은 포도원의 경신을 국왕의 특별한 허가가 없는 한 금지하고 있으며, 이 허가는 지사가 토지를 검토하여서 그 토지는 다른 어떠한 것의 재배도 불가능하다는 것을 증명해 주는 보고를 할 때에만 허가되도록 되어 있다. 이러한 칙령의 구실은 곡물 및 목초의 부족과 포도주의 과잉이었다. 그러나 이러한 과잉이 사실이었다면 칙령이 없었더라도 포도의 경작의 이윤을 곡물과 목초의 그것들에 대한 그들의 자연적 비율 이하로 떨어뜨림으로써, 새로운 포도원의 재식을 효과적으로 막았을 것이다. 포도원의 증가에 부르고뉴Bourgogne와 귀엔Guienne 및 상부 랑그도크(the Upper Langudoc)에서와 같이 토지가 곡물을 생산하는 데 적합한 포도주 생산 지방이 프랑스의 다른 어느 곳보다도 가장 주의깊게 곡물을 재배하고 있다. 전종의 경작에 사용되고 있는 수많은 일손이 후종의 생산물에 대한 손쉬운 시장을 제공해 줌으로써 반드시 그 후종의 경작을 장려한다. 그 생산물에 대하여 지불할 수 있는 사람들의 수를 감소시키는 것은, 곡물의 경작을 장려하는 방편으로는 확실히 가장 유망하지 못한 것이다. 그것은 마치 제조업을 저지함으로써 농업을 증진시키려는 정책과 같은 것이다.

그러므로 토지를 그들에 적합하게 만들기 위해서 비교적 다액의 기본적 개량비를 필요로 한다든지, 또는 해마다 비교적 많은 경작비를 필요로 하는 생산물의 지대와 이윤은 비록 곡물과 목초의 지대 및 이윤보다도 훨씬 많을 때가 종종 있지만 그들이 이러한 막대한 경비를 보상하는 데 지나지 않을 때는 사실상 보통의 수확물의 지대와 이윤에 의하여 규정되는 것이다.

특수한 생산물에 적합한 토지는 독점권을 갖는다.

어떤 특수한 생산물에 적합한 토지의 양이 그 유효수요를 충족시키기에는 너무나 적다고 하는 사실은 이따금 일어난다. 총생산물은 그것을 재배하여 시장에 보내기까지에 필요한 지대와 임금 및 이윤의 금액을 그들의 자연율, 즉 대부분의 다른 경작지에서 보통 지불되고 있는 비율에 따라서, 지불하기에 족한 것보다도 더 많은 금액을 서슴지 않고 내겠다는 사람들 사이에 처분될 수 있다. 개량과 경작에 든 전체 비용을 지불한 뒤에 남는 가격의 잉여 부분은 보통 이런 경우에는, 그리고 이런 경우에만 곡물 또는 목초에 있어서의 이와 같은 잉여분과 규칙적인 비율을 갖지 않게 되며, 그리고 거의 무한정으로 그것은 초과할 것이다. 더구나 이 초과분의 대부분은 자연히 그 지주의 지대로 귀속된다.

예를 들면 특수한 맛을 가진 포도주를 생산하는 토지라든지,

예를 들면 포도주의 지대 및 이윤과 곡물 및 목초의 지대 및 이윤 사이에 일어나는 통상적이고도 필연적인 비율은, 잘 부스러지고 자갈이 들어 있거나 또는 모래가 있는 어떠한 토양에서도 재배될 수 있으며, 그 강도와 건강에 좋다는 점 이외는 그것을 추천할 만한 아무것도 없는, 질 좋은 보통의 포도주만을 생산하는 포도원에 관해서만 일어나는 것이라고 생각되지 않으면 안 된다. 그 나라의 보통의 토지가 경쟁에 들어갈 수 있는 것은 이러한 포도원들 사이에만 있는 것이다. 왜냐하면 특유한 성질을 가지고 있는 포도원과는 경쟁이 될 수 없다는 것은 명백하기 때문이다.

포도는 어떠한 다른 과수보다도 토질의 차이에 더 많이 영향을 받는다. 그것은 어떤 토질에서 일종의 독특한 풍미를 갖게 되는데 이 풍미는 어떤 다른 토질로써는 어떠한 재배와 관리로도 똑같이 할 수 없는 것이라고 생각되고 있다. 이러한 풍미는 사실이든 또는 상상 속의 것이든 간에 극히 소수의 포도원의 생산물에만 특유할 때도 있다. 그것은 작은 지역의 대부분을 통해서 퍼져 있을 때도 있고, 또 때로는 상당히 큰 비장의 상당한 부분을 통해서 퍼져 있을 때도 있다. 시장에 보내어지는 이러한 포도주의 전량은 유효수요, 즉 이들을 제조하여 시장에 보내는 데 필요한 지대와 이윤 및 임금의 전액을 보통율 또는 보통의 포도원에서 지불되고 있는 비율에 따라서 쾌히 지불하려고 하는 사람들의 수요에 부족된다. 그러므로 그 전량은 그 비율보다 더 많이 지불하려는 사람들에게 팔릴 수 있으며, 따라서 그 가격[286]은 반드시 보통의 포도주의 가격보다도 더 올려지기 마련이다. 이 가격의 차이는 그 포도주의 유행성 또는 희소성이 사는 사람들의 경쟁을 증감하는 정도에 따라 커지기도 하고 작아지기도 한다. 그 차가 얼마가 되든지 간에 그 대부분은 지주의 지대로 돌아간다. 왜냐하면 이러한 포도원이 일반적으로 대부분의 다른 포도원보다 더 주의깊게 재배되고 있다 하더라도 그 포도주가 고가임은 이러한 주의깊은 재배의 결과라기보다도 오히려 원인인 것처럼 생각되기 때문이다. 그렇게 값나가는 생산물에 있어서는 태만에 의해서 일어나는 손실은 막대한 것이므로 가장 부주의한 사람까지도 주의를 하지 않을 수 없게 된다. 그러므로 이 고가의 일부분으로도 그 재배에 쓰여진 엄청난 노동의 임금과 그 노동을 가중시킨 엄청난 자재의 이윤을 지불하는 데 충분하다.

서인도의 설탕 식민지도 그러하다.

서인도 제도에 있어서 유럽 국민들이 소유하고 있는 설탕 식민지는 이들 귀중한

286 〔그 가격은 "그것들의 가격"이라고 초판에는 되어 있다.〕

포도원과 비교될 만하다. 그들의 총생산물은 유럽의 유효수요에 미치지 못하여, 그것을 가공해서 시장에 보내는 데 필요한 지대와 이윤 및 임금의 전액을 그것들이 보통 다른 어떠한 생산물에 의해서 지불되고 있는 그 비율에 따라서 지불하기에 충분한 것보다 더 많은 것을 서슴지 않고 내겠다는 사람들에게 팔릴 수 있다. 코친차이나에서는 가장 좋은 백설탕이 퀸틀quintal에 3피아스터piastre, 즉 우리 화폐의 약 13실링 6펜스로 팔린다고, 이곳에서 농업에 관한 아주 주의 깊은 관찰자인 푸아브르 씨Mr. Poivre[287]로부터 우리는 듣고 있다. 그곳에서 퀸틀이라고 하는 것은 파리파운드Paris pound로서 150파운드 내지 200파운드의 중량이고, 그 중간치로 하면 175파리파운드인데[288], 이것을 잉글랜드의 중량으로 환산하면 설탕 1헌드레드웨이트의 가격을 영화 약 8실링의 꼴로 만들고 있으며, 이는 우리 식민지에서 수입되는 황설탕 또는 흑설탕에 대하여 보통 지불되고 있는 가격의 4분의 1, 최상의 백설탕에 대하여 지불되고 있는 가격의 6분의 1도 되지 않는다. 코친차이나에서는 경작지의 대부분이 국민 대다수의 식물인 곡물과 쌀을 생산하는 데 사용되고 있다. 곡물과 쌀, 그리고 설탕의 각각의 가격은 그곳에서는 아마 자연율 또는 대부분의 경작지의 여러 가지 수확물에 자연적으로 일어나는 비율, 그리고 또한 지주와 농업경영자에게 기본적인 개량비와 연간 경작비가 보통 얼마이냐에 따라서, 가능한 한 근사하게 추정하여 보상해 주는 그러한 비율을 이루고 있을 것이다. 그러나 우리들의 설탕 식민지에서의 설탕의 가격은 유럽 또는 아메리카에서의 논 또는 곡물생산지의 생산물의 가격에 대하여 전혀 이러한 비율을 갖고 있지 않다. 보통 설탕 경작자는 럼주와 당밀로써 자기의 전 경작비를 지불하고 자기의 설탕은 모두 순이윤이 될 것이라고 기대하고

287 (《Voyages d'un Philosophe ou observations sur les maurset les arts des peuples de l'Afrique, de l'Asie, et de l'Amerique》(1768), 92~93면. 이 각주는 제2판에서 처음으로 나온다.)

288 (프랑스어의 원문은 코친차이나의 퀸틀은 "우리들의 중요 단위인 리브르로서 150, 200리브르에 상당한다"라고 하고 있는데 이것은 본문 가운데 있는 퀸틀의 의미가 있다고는 할 수 없는 것이다. 아마 150리브르는 중요 단위로서 잉글랜드의 1과 3분의 1파운드와 같은 것이다. 이것으로써는 잉글랜드의 1헌드레드웨이트의 설탕이 겨우 7실링의 가치에 지나지 않는다는 것이 된다.)

있다고들 한다. 나는 굳이 그것을 단언하려 들지는 않겠으나, 만일 그것이 사실이라면 마치 곡물을 재배하는 농업경영자가 왕겨와 밀짚으로써 자기의 경작비를 지불하고, 알곡은 모두 순이익이 될 것이라고 기대하는 것과 같다고 하겠다. 우리는 흔히 런던 기타의 상업도시에서 상인의 단체가 우리의 설탕 식민지에 있는 황무지를 구입하는 것을 보는데, 그들은 이러한 지방이 아주 멀리 떨어져 있고, 또 그런 곳에서는 사법제도의 결함에서 수익이 불확실한데도 불구하고, 토지관리인과 대리인을 사용하여 그 토지를 개량하고 경작함으로써 이윤을 얻으리라고 기대하고 있다. 아무도 스코틀랜드와 아일랜드의 가장 비옥한 토지에서는 비록 이들 나라의 사법제도가 비교적 엄격하기 때문에 보다 더 규칙적인 수익이 기대될 수 있지만 설령 식민지와 똑같은 방법으로 개량하고 경작하려고는 하지 않을 것이다.

또한, 정도는 덜하더라도 버지니아와 메릴랜드의 담배 재배지에서도 그러하다.
버지니아와 메릴랜드에서는 담배의 재배가 곡물의 재배보다도 더 유리한 것으로서 더 인기가 있다. 담배는 유럽의 대부분의 지방을 통해서 유리하게 재배될 수 있을 것이다. 그러나 유럽의 거의 어느 지방에서나 그것은 으뜸가는 과세의 대상이 되어 버렸으며, 이 식물이 재배되기에 이르는 지방의 여러 농장으로부터 조세를 징수한다는 것은, 담배를 수입함에 있어서 세관에서 그것을 징수하는 것보다 더 어렵다고 생각되었을 것이다. 이 때문에 담배의 재배는 유럽의 대부분의 지방을 통해서 가장 불합리하게도 금지되어 왔다.[289] 그리고 이 사실은

289 〔잉글랜드, 아일랜드 및 채널 제도(Channel Islands)에서 재배되고 있었던 담배는 찰스 2세 제12년 법률 제34호에 의해서 금지되었다. 이 법령의 전문은 상하 양원이 다음과 같은 것을 고려했다고 주장하고 있다. 즉 "아메리카에 있어서의 본 왕국의 식민지 및 재식지를 방위하고, 유지하고, 보전하며, 나아가서 그들에 대해서 모든 정당하고 가능한 장려를 베풀어 주는 것이 얼마나 중대한 관심사인가를 고려했다. 그리고 광대하고 중요한 영토와 나라들이 본 왕국의 왕실에 획득되고 부가되었다는 점에서 뿐 아니라, 대단히 많은 부분의 그 선박과 해원海員이 그곳에 사용되고, 또한 대량의 본국 상품과 제조품이 빠져 나가는 구멍인 동시에, 종래 오직 외국인으로부터 아주 고가로 수입되기 일쑤였던 몇 가지 중요한 상품의 공급을 받는

담배의 생산이 허용되는 여러 지방들에 대해서 반드시 일종의 독점권을 부여하고, 따라서 버지니아와 메릴랜드는 그것의 최대량을 생산함으로써 약간의 경쟁자가 있다 하더라도 이러한 독점의 이익 가운데에서 그들은 상당히 큰 몫을 차지하는 것이다. 그렇지만 담배의 재배는 설탕의 재배만큼 그렇게 유리하지는 않을 것 같다. 영국에 거주하는 상인들의 자본에 의하여 개량되고 경작된 담배 재배지에 관해서는 나는 결코 들은 바가 없으며, 우리의 담배 식민지는 우리들이 설탕 생산 제도에서 돌아오는 것을 재식자들에게서 흔히 보는 바와 같이, 그렇게 부유한 재식자를 한 사람도 본국으로 보내 주지는 않는다. 이러한 식민지에서 곡물의 경작보다도 담배의 경작을 더 좋아하고 있다는 것으로 미루어 본다면, 비록 담배에 대한 유럽의 유효수요가 완전히 충족되어 있지는 않은 것으로 생각되지만, 그것은 설탕에 대한 그것에 비한다면 거의 충족되어 있을지도 모른다. 그리고 비록 현재의 담배 가격은 그것을 제조하여 시장에 보내는 데 필요한 지대와 임금 및 이윤의 전액을, 이들이 보통 곡물생산지에서 지불되고 있는 비율로써 지불하기에 족하고도 남음이 있을 것이라 하더라도, 그것은 현재의 설탕 가격이 그러한 것처럼 그렇게 많지는 않을 것이 틀림없다. 따라서 우리들의 담배 재배자들은 프랑스에서의 오래된 포도원의 소유자들이 포도주의 과잉에 관해서 품고 있는 것과 똑같은 공포를 담배의 과잉에 관해서 가지고 있다. 그리하여 그들은 주의회의 법령에 의하여 6000주를 한도로 담배의 재배를 억제했던바, 이는 16세에서 60세까지의 모든 흑인에 대해 중량 10헌드레드웨이트의 담배를 산출한다고 생각되는 액수이다.[290] 그들은 이러한 흑인 한 사람은 이러한 분량의

다는 점에서도, 이 왕국의 힘과 복지가 그러한 식민지에 크게 의존하고 있다는 것도 고려했다. 그리고 담배는 이들 몇몇의 식민지의 주산물의 하나이므로, 그들의 복지와 생존 및 이 왕국의 항해업, 그리고 이 왕국의 상품의 그곳으로의 수출이 그들에게 의존함이 대단히 크다는 점도 고려했다. 그리고 이러한 지방에서 재배되는 담배가 끽연자에게 그렇게 좋지도 않고, 또 건강에도 이롭지 않으며, 그리고 그 재배에 의해서 폐하의 수입의 상당한 부분이 빼앗긴다는 것도 경험상 밝혀졌다는 점도 고려했다"라고 되어 있다. 이 금지는 조지 3세 제22년 법률 제73호에 의해서 스코틀랜드에도 확대되었다.〕

290 〔윌리엄 더글라스William Douglass, M.D., 《A Summary, Historical and Political, of

담배 외에도 옥수수 4에이커를 경영할 수 있다고 생각한다.[291] 우리들이 더글라스 박사Dr. Douglas로부터 들은 바에 의하면[292] (나는 그가 잘못 전해 들은 것이 아닌지 의문스럽지만) 그들은 시장이 재배 과잉이 되는 것을 막기 위해서 풍년에는 네덜란드인이 향료에 관하여 그렇게 한다고들 하는 것과 똑같은 방법으로, 흑인 한 사람에 대해 일정량의 담배를 태워 버리게 했다는 것이다. 담배의 현재의 가격을 유지하기 위해서 만일 이렇게 난폭한 방법이 필요하다면, 담배의 재배가 곡물의 재배 이상으로 올리는 우월한 이익은 아직은 모르지만 아마 오래 계속되지는 않을 것이다.

이리하여 식물을 생산하는 경작지의 지대가 나머지의 대부분의 지대를 규정한다.

이러한 방법으로 인간의 식물을 생산하는 경작지의 지대가 다른 대부분의 경작지의 지대를 규정하는 것이다. 이상 어떠한 특수한 생산물이라 하더라도 식물경작지의 지대 이하의 지대밖에 내지 못하고서는 오래갈 수는 없다. 왜냐하면 그 토지는 곧 다른 용도로 돌려질 것이기 때문이다. 그리고 만일 어떤 특수한 생산물이 보통 그 이상의 지대를 내어 준다면, 그것은 그 생산물에 적합한 토지의 양이 그의 유효수요를 충족시키는 데에는 너무나 적기 때문이라 하겠다.

그리고 유럽에서는 곡물생산지의 지대가 식물을 생산하는 다른 경작지의 지대를 규정한다.

유럽에서는 인간의 식물로서 직접 소요되는 주요한 토지 생산물은 곡물이다. 그

the First Planting, Progressive Improvements, and Present State of the British Settlements in North America》(1760), 제2권, 359~360, 373면.〕

291 〔윌리엄 더글라스, 《A Summary, Historical and Political, of the First Planting, Progressive Improvements, and Present State of the British Settlements in North America》(1760), 제2권, 374면. 그러나 "이러한 흑인 한 사람"이라는 어구는 "한 사람의 근면한 사람"으로 되어 있다.〕

292 〔더글라스, 《Summary》, 제2권, 372~373면. 이 주는 제2판에서 처음으로 나온다. 초판의 본문에는 "Douglas"라는 인명이 "Douglass"라고 되어 있다.〕

러므로 유럽에서는 특수한 위치에 있을 때를 제외하고는 곡물생산지의 지대가 다른 모든 경작지의 그것을 규정한다. 영국은 프랑스의 포도원이나 이탈리아의 올리브원을 부러워할 필요는 없다. 특수한 위치에 있는 경우를 제외하고는 이러한 것들의 가치는 곡물의 가치에 의해서 규정되는 것이며, 영국의 비옥도는 이들 두 나라 가운데 어느 나라의 그것보다 크게 열등한 것도 아닌 것이다.

만일 일상 식물이 보다 많은 잉여를 산출할 만한 것이라면 지대는 보다 높을 것이다.

만일 어떤 나라에서 국민이 대체로 좋아하는 식물성 식물이 어떤 식물에서 나오는데, 이 식물이 가장 흔한 토지에서 동일 또는 거의 동일한 경작으로서도, 가장 비옥한 토지에서 생산되는 곡물보다 훨씬 더 많이 생산되는 그러한 식물이라면, 지주의 지대, 즉 노임을 지불하고, 농업경영자의 자재를 그 보통의 이윤과 함께 회수하고 난 뒤에 지주에게 남게 될 식물의 잉여는 반드시 곡물의 경우에 비해서 훨씬 더 많을 것이다. 그 나라에서 노동이 보통 유지되는 비율이 어떻든 간에 이렇게 비교적 많은 잉여는 언제나 비교적 다량의 노동을 유지할 수 있을 것이며, 따라서 지주로 하여금 비교적 다량의 노동을 구매 또는 지배할 수 있게 할 것이다. 그의 지대의 실질가치, 다시 말하면 그의 실력과 권위, 즉 다른 사람들의 노동이 그에게 공급해 줄 수 있는 생활필수품 및 편의품에 대한 그의 지배력은 반드시 훨씬 더 커질 것이다.

예를 들면 쌀의 경우,

논은 가장 비옥한 곡물생산지보다도 훨씬 다량의 식물을 생산한다. 에이커당 연 2회에 걸쳐 각각 30부셸에서 60부셸까지의 통상적 수확을 올린다고 한다. 그러므로 비록 그 경작은 비교적 많은 노동을 필요로 하더라도, 그 모든 노동을 유지하고 난 뒤에 남는 잉여는 곡물생산지의 그것에 비해서 훨씬 더 크다. 따라서 쌀이 국민이 대체로 좋아하는 식물성 식물이며, 경작자들이 주로 쌀로써 부양되고 있는 쌀 생산국에서는 잡곡 생산국에서보다도 보다 큰 이 잉여 가운데에서보다 큰 몫이 지주에게 속할 것이다. 캐롤라이나에서는 영국의 다른 식민지들에 있어서와 마찬가지로 재식자는 일반적으로 농업경영자인 동시에 지주이며, 따라서 그곳에서는 지대가 이윤과 혼동되어 있어, 비록 그들의 논은 연 1회밖에 생산하지 않고 유럽의 관습이 유행하여, 쌀은 그곳에서 국민이 보통 좋아하는 식물이 아닌데도 불구하고, 쌀의 경작이 다른 곡물의 그것보다도 더 유리한 것으로 알려져 있다는 것이다.

좋은 논은 사계를 통해서 늪으로 되어 있고 더구나 한 계절 동안은 물로 덮여 있는 늪이다. 그것은 곡물 밭으로도, 목초지로도, 포도원으로도, 또는 인간에게 아주 유용한 다른 어떠한 식물의 생산에도 실은 부적당한 것이다. 따라서 그러한 목적에 적합한 토지는 쌀에는 적합하지 않다. 그러므로 쌀 생산국에서까지도 쌀 생산지의 지대가 쌀 생산에는 결코 돌려질 수 없는 다른 경작지의 지대를 규정할 수는 없는 것이다.

또는 감자의 경우가 그러하다.

감자밭에서 생산되는 식물은 논에서 생산되는 쌀보다 양에 있어서는 떨어지지 않으며, 밀밭에서 생산되는 것에 비하면 훨씬 더 뛰어나다. 1에이커의 토지에서의 감자 120헌드레드웨이트의 소산이 밀 200헌드레드웨이트의 소산에 비해 더 많이 생산됐다고 할 수는 없다. 사실 이들 두 가지 식물의 각각에서 수확되는 식물, 즉 고형자양분은 감자가 그 성질성 수분을 많이 가지고 있기 때문에, 그들의 중량에 비례하고 있지는 않다. 그러나 넉넉잡아 이 뿌리의 중량의 반이 수분이라고 하더라도, 그러한 1에이커의 감자밭은 역시 60헌드레드웨이트의 고형자양분을 생산하는 셈이며, 1에이커의 밀밭에서 생산되는 것의 세 배의 양이 되는 셈이다. 1에이커의 감자밭은 1에이커의 밀밭보다도 더 적은 비용으로써 경작된다. 일반적으로 밀의 파종에 앞서 하고 있는 휴경은 감자의 경우 언제나 행해지는 제초除草와 기타의 특수한 재배비를 상쇄하고도 남을 만한 비용인 것이다. 쌀 생산국에서의 쌀과 마찬가지로, 유럽의 어느 지방에서나 이 뿌리가 국민의 보통 좋아하는 식물이 되어서, 현재의 밀과 기타의 인간을 위한 곡류가 차지하고 있는 것과 똑같은 비율의 경작지를 차지하게끔 된다면, 동일 면적의 경작지는 현재보다 훨씬 더 많은 수의 인민을 부양할 것이며, 또한 노동자는 일반적으로 감자로써 양육되므로 경작에 사용된 모든 자재를 회수하고 모든 노동을 유지하고 난 뒤에 남을 잉여는 더욱더 클 것이다. 또한 이 잉여 가운데에서 더욱더 많은 몫이 지주에게 속하게 될 것이다. 인구는 증가할 것이며, 지대도 현재보다는 훨씬 상승할 것이다.

감자 생산에 적합한 토지는 다른 거의 모든 유용한 채소에도 적합하다. 만일 감자가 현재 곡물이 차지하고 있는 것과 같은 비율의 경작지를 차지한다면 곡물과 마찬가지로 다른 경작지의 대부분의 지대를 규정할 것이다.

밀은 아마 귀리보다는 더 좋은 식물일 것이지만 감자보다는 좋지 못하다.

내가 들어온 바에 의하면 랭커셔의 어떤 지방에서는 귀리로 만든 빵이 밀로 된 빵보다도 노동자들에게 더 영양 있는 식물이라고 주장되고 있으며, 그리고 또한 스코틀랜드에서도 똑같은 설이 지지되고 있다는 것도 나는 흔히 들어 왔다. 그러나 귀리로써 양육되는 스코틀랜드의 서민은 소맥제의 빵으로써 양육되는 잉글랜드의 동일 계급의 사람들만큼 일반적으로 강건하지도 않으며 잘 생기지도 못했다. 그들은 그렇게 잘 일하지도 않으며, 그렇게 건강해 보이지도 않는데 이 양국의 상류사회의 사람들 사이에는 이와 같은 차이가 없으므로, 경험이 스코틀랜드의 서민의 식물은 이웃인 잉글랜드의 동일 계급의 식물처럼 인체에 적합하지 않다는 것을 보여 주는 것 같다. 그러나 감자에 관해서는 사정이 다르다고 생각된다. 런던의 가마꾼·짐꾼·석탄하역부들과 매음에 의해서 생활하는 불행한 여인들은 아마 영국의 영토 안에서도 가장 힘센 사나이들이며 가장 아름다운 여인들이기는 하나 그들의 대부분은 일반적으로 이 뿌리(감자)로써 양육되는 아일랜드의 최하층의 계급 출신이라고들 한다. 다른 어떠한 식물도 그 자양성, 즉 인체의 건강에 특유한 적합성을 가지고 있는 점에 관하여는 감자만큼 결정적인 증거를 제공해 줄 수는 없다.

그러나 감자는 부패하기 쉽다.
감자를 1년 동안 보존하는 것은 어려우며, 더구나 곡물처럼 저장한다는 것은 불가능하다. 썩기 전에 팔지 못하지나 않을까 하는 불안이 그 재배를 저해하며, 그것이 또한 아마도 어떠한 대국에서도 감자가 빵처럼 모든 계급의 인민들의 식물성 주식이 되지 못하게 하는 주요한 장애로 되는 것 같다.

제2절 지대地代를 낳을 때도 있고, 낳지 않을 때도 있는 토지 생산물에 관하여

인간의 식물食物은 지주에게 언제나 그리고 반드시 약간의 지대를 제공해 주는 유일한 생산물인 것 같다. 다른 종류의 생산물은 여러 가지 사정에 따라서 어떤 때는 제공해 줄지도 모르며, 어떤 때는 제공해 주지 않을지도 모른다.

의주衣住의 재료는 처음에는 과잉이었던 것이 결국에는 지대를 낳게 되었다.
식물 다음으로는 의와 주가 인류의 2대 욕망이다.
토지는 그 원시의 거친 상태에서는 훨씬 많은 사람들에게 먹을 것을 낳아 주기보다는 오히려 의와 주의 재료를 제공할 수 있다. 개량된 상태에서 그것은 의주衣住의 재료를 공급할 수 있는 것보다 훨씬 더 많은 사람들을 먹일 수 있을 때가 있는데, 이는 적어도 사람들이 그러한 재료를 필요로 하고 또 그러한 재료에 대해서 기꺼이 지불을 하려고 하는 상태에서는 그러하다. 그러므로 전자의 상태에서는 이들 재료는 언제나 과잉이며, 이 때문에 가치가 거의 없거나, 전혀 없을 때도 흔히 있다. 후자의 경우에는 그 재료는 종종 부족되어 그 가치를 반드시 증가시킨다. 전자의 상태에서는 그것들의 대부분은 쓸모없는 것으로서 버려지며, 또한 사용된 것의 가격도 그것을 사용에 맞도록 하는 데 든 노동 및 비용과 똑같은 것이라고만 생각되고, 따라서 지주에게는 아무런 지대도 낳아 주지 않는다. 후자의 경우엔 그 재료는 모두 사용되고, 더구나 획득될 수 있는 것보다 더 많은 수요가 있을 때도 흔히 있다. 어떤 사람은 항상 그것들을 시장에 가져오는 비용을 지불하기에 족한 것 이상을 그들의 모든 부분에 대해 기꺼이 지불하려고 한다. 그리하여 그것들의 가격은 언제나 지주에게 약간의 지대를 낳아 줄 수 있다.

예를 들면 짐승의 가죽(생피)과 양모가 그러하다.

비교적 큰 짐승의 껍질은 의복의 최초의 재료였다. 그러므로 짐승의 살을 주식으로 하는 수렵민족과 유목민족들 사이에는 각 개인은 식물을 자급함으로써, 자기가 입을 수 있는 것보다 더 많은 의복의 재료를 자급하는 셈이다. 만일 외국상업이 없다면 그들 재료의 대부분은 무가치한 물건으로 버려졌을 것이다. 북아메리카의 수렵민족 사이에서는 그들의 나라가 유럽인에 의해서 발견되기 전의 실정이 바로 이러했을 것인데, 그들은 오늘날 그 잉여 생피를 유럽 사람들의 모포와 화기 및 브랜디와 교환하고 있는바, 이것이 그 생피에다 다소나마의 가치를 부여하는 것이라 하겠다. 내가 믿는 바로는, 알려진 세계의 현재의 상업 상태하에서는 가장 야만적인 국민들도 그들간에 토지재산권이 확립되어 있으면 이런 종류의 약간의 외국상업을 행하고 있으며, 그들의 토지가 생산은 하지만 국내에서는 가공도 소비도 될 수 없는 의복의 모든 재료에 대한 수요를 그들의 보다 부유한 이웃 국민들 사이에서 찾게 되는데, 이러한 수요는 그것들을 그들이 보다 부유한 이웃 국민[293]에게 보내는 데 드는 비용 이상으로 그것들의 가격을 올릴 만한 것이다. 따라서 그 가격은 지주에게 약간의 지대를 낳아 준다. 스코틀랜드의 고지지방의 가축의 대부분이 그들 자국의 언덕에서 소비되었을 시대에는 그 가죽의 수출이 그 나라의 상업의 가장 중요한 품목을 이루고 있었다. 그리고 그것과 교환된 것은 그 고지지방의 소유지의 지대에 약간의 추가분을 가져다주었다. 옛날에는 국내에서 소비도, 가공도 될 수 없었던 잉글랜

293 〔"그들보다 부유한 이웃 국민"은 초판에서는 "그쪽에"라고 되어 있다.〕

드의 양모는 당시 잉글랜드보다 더 부유하고, 더 부지런한 나라였던 플랑드르에서 그 시장을 발견했던 것이며, 그 가격은 그것을 생산한 토지의 지대를 약간 증가시켰다. 그 당시의 잉글랜드 또는 현재 스코틀랜드의 고지지방보다도 더 잘 경작되지도 않았으며, 외국상업도 전혀 갖고 있지 않았던 나라들에서는, 의복의 재료가 확실히 너무나 과잉이었을 것이므로, 그 대부분이 무용지물로 버려졌을 것이며, 그 가운데 어떠한 부분도 지주에게 지대를 낳아 줄 수는 없었을 것이다.

석재와 목재도 그러하다.

주택의 재료는 언제나 의복의 재료만큼 원거리에 운송될 수 없으며, 따라서 그렇게 쉽게 외국상업의 대상이 되지 않는다. 주택의 재료를 생산하는 나라에서 그 재료가 과잉일 때는 세계의 현재의 상업 상태 아래에서까지도 그것이 지주에게는 아무런 가치가 없는 것일 때가 흔히 일어난다. 런던의 이웃에 훌륭한 채석장이 있다면 상당한 지대를 낳을 것이다. 스코틀랜드와 웨일스의 많은 지방에서는 그것은 전혀 지대를 낳지 않는다. 무과수 건축 용재는 인구가 많고 경작이 잘 되는 나라에서는 아주 가치 있는 것이며, 그것을 생산하는 토지는 상당한 지대를 낳는다. 그러나 북아메리카의 많은 지방에서는 지주는 누구든지 그의 커다란 나무들의 대부분을 반출해 가는 사람이 있다면 그에게 크게 감사할 것이다. 스코틀랜드의 고지지방의 어떤 곳에서는 도로와 수로 운송이 없기 때문에 목재의 일부분에 지나지 않는 수피밖에 시장에 보내질 수 없다. 재목은 땅 위에서 썩도록 내버려져 있다. 주택의 재료가 이렇게 과잉일 때에는 사용되는 부분의 가치도 다만 그것을 사용하기에 알맞게 만드는 데 든 노동과 비용만큼의 가치밖에 되지 않는다. 그것은 지주에게 전혀 지대를 낳아 주지 않으며, 지주는 대체로 그것을 요구하는 정도의 수고를 하는 사람에게라면 누구에게나 그것의 사용은 허용하곤 한다. 그러나 보다 부유한 나라의 수요가 지주로 하여금 지대를 획득할 수 있게 해 준다. 런던의 도로 포장이 스코틀랜드의 해안에 있는 불모의 암산의 소유자들로 하여금 그 전에는 전혀 지대를 낳지 않았던 곳에서 지대를 얻을 수 있게 해 주었다. 노르웨이와 발트해 연안의 목재는 국내에서는 발견할 수 없었던 시장을 영국의 많은 지방에서 찾아내었으며, 그 때문에 그 소유자들에게 약간의 지대를 제공해 주고 있다.

인구는 식물에 의존한다.

나라의 인구는 그들의 생산물이 옷 입힐 수 있고 거주시킬 수 있는 사람의 수에 비례하여 많아지는 것이 아니고, 그들의 생산물로써 먹여 살릴 수 있는 사람의 수에 비례하여 많아진다. 식물이 마련되면 필요한 의복과 주거를 발견하는 것은 쉬운 일이다. 그러나 의주衣住는 손쉽게 얻을 수 있어도 식물을 찾아내는 것은 어려울 때가 종종 있을 것이다. 영국 영토의 어떤 지방에서까지도 소위 '한 채의 집'이라는 것은 한 사람의 하루 노동에 의해서 세워질 수 있을 것이다. 가장 단순한 부류의 의복인 짐승의 가죽을 손질하며 입을 수 있게 하는 데는 이보다 더 많은 노동을 필요로 한다. 그러나 그들도 크게 많은 노동을 필요로 하지는 않는다. 미개하고 야만적인 민족들 사이에서는 1년치 노동의 1퍼센트 또는 그보다 조금 더 많은 것이 그 인민의 대부분을 만족시킬 만한 의와 주를 공급하는 데 충분할 것이다. 나머지 99퍼센트는 모두 그들에게 식물을 공급하는 데 겨우 자랄 만한 것에 지나지 않을 때가 흔히 있다.

따라서 의주衣住의 재료에 대한 수요는 식물 획득이 더욱더 쉬워짐에 따라 증가된다.

그러나 토지의 개량과 경작에 의하여 한 가족의 노동이 두 가족에게 식물을 공급할 수 있을 때 그 사회의 반수의 사람들의 노동이 전 사회에 식물을 공급하는 데 충분하게 된다. 그러므로 그 나머지 반, 또는 적어도 그들 중의 대부분은 다른 물건을 마련하는 일, 다시 말하면 인류의 다른 욕망과 기호를 만족시키는 일에 종사할 수 있다. 의복과 주거 그리고 가구 및 소위 집기는 이러한 욕망과 기호의 주요한 대상이라 하겠다. 부자라고 해서 그의 가난한 이웃 사람보다 더 많은 식물을 소비하는 것은 아니다. 질적으로는 상당한 차이가 있을지도 모르며, 그것을 선택하고 조제하는 데는 보다 많은 노동과 기교를 필요로 할 것이지만, 그 양에 있어서는 거의 동일하다. 그러나 전자의 굉장한 저택과 거대한 양복장을 후자의 오두막집과 얼마 되지 않는 넝마 조각과 비교해 보면, 여러분들은 그들의 의복과 주거 및 가구 사이에는 질에 있어서와 거의 마찬가지로 양에도 큰 차이가 있다는 것을 느끼게 될 것이다. 식물에 대한 욕구는 모든 사람들의 위의 좁은 용량에 의해서 한정되어 있지만, 건물·의복·집기·가구라는 편의품과 장식품에 대한 욕구는 한정이 없으며, 일정한 한계도 없는 것 같다. 따라서 그들만으로는 다 소비할 수 없을 만큼 많은 식물을 지배하는 사람들은 언제나 그 잉여분을, 또는 같은 뜻이지만 그 잉여분의 가격을 이러한 다른 종류의 욕망을 만족시킬 만한 것과 쾌히 교환하려고 한다. 이 한정된 욕망을 만족시키고도 남는 것은 만족될 수 없으며, 또한 전혀 무제한하다고 생각되는 그러한 욕구를 즐기는 데 제공된다. 가난한 사람들은 식물을 얻기 위해서 부자들의 이러한 기호를 만족시켜 주려고 노력하고, 그것을 보다 더 확실하게 획득하기 위해서 그들의 노동을 더 값싸고 더 완전한 것으로 하려고 서로 경쟁한다. 직공의 수는 식물의 양의 증가, 즉 토지의 개량과 경작의 진전에 따라 증가한다. 그리고 그들의 직업은 성질상 극도로 세분화된 분업을 허락하므로, 그들이 가공할 수 있는 재료의 양은 그들의 수보다도 훨씬 더 큰 비율로 증가한다. 그리하여 인간의 발명에 의해서 건축, 의복, 집기, 또는 가구에 실용상으로나 또는 장식상으로 사용될 수 있는 모든 부류의 재료에 대한 수요, 즉 땅속 깊이 매장되어 있는 화석과 광물, 귀금속 및 보석에 대한 수요가 일어난다.

이리하여 식물은 그러한 재료에서 지대가 나오게 한다.

이렇게 하여 식물은 지대의 본원적 원천일 뿐만 아니라 토지 생산물 가운데에서 나중에 지대를 낳아 주는 모든 여타 부분인데, 이는 토지 생산물의 가치 가운데에서 지대를 낳아 주는 이 부분을 토지의 개량과 경작에 의한 식물생산의

노동의 개선을 통해 얻게 되는 것이다.[294]

그러나 그 경우에도 그들 재료가 반드시 지대를 낳아 준다고는 할 수 없는 것이다.

그러나 나중에 지대를 낳아 주는 토지 생산물의 다른 부분이라도 언제나 반드시 지대를 낳는다고는 할 수 없다. 개량되고 경작된 나라에서도 그러한 부분에 대한 수요가 그것들을 시장에 보내는 데 사용되지 않을 수 없는 노동에 지불을 하고, 또한 자재를 그의 통상의 이윤과 함께 회수하기에 충분한 것보다 더 큰 가격을 줄 만큼 된다고는 할 수 없다. 그 수요가 그렇게 될지 안 될지는 여러 가지 사정에 달려 있다.

이를테면 어떤 탄광은 너무나 불모의 것이어서 지대를 낳지 못한다.

이를테면 어떤 탄광이 얼마만큼의 지대를 낳을 수 있을지 없을지는, 부분적으로는 그의 비옥도에 의존하고, 또 부분적으로는 그의 위치에 의존하고 있다. 어떤 종류의 광산은 일정량의 노동에 의해 채굴될 수 있는 광물의 양이 같은 종류의 다른 광산들의 대부분에서 같은 양의 노동에 의해 채굴될 수 있는 것보다 더 많으냐, 더 적으냐에 따라 풍광 또는 빈광이라고 불릴 수 있다.

어떤 탄광은 유리한 위치에 있다 하더라도 불모성 때문에 가동될 수 없다. 그 생산물은 비용을 지불하지 못한다. 그러한 탄광은 이윤도 지대도 낳지 못한다.

그 생산물이 노동력[295]에 지불을 하고, 또 그것을 가동시키는 데 사용된 자재를 그 통상의 이윤과 함께 회수하기에 겨우 족할 만한 탄광도 있다. 그러한 탄광은 그 사업의 기업가에게는 다소나마 이윤을 낳아 주지만 지주에게는 전혀 지대를 낳아 주지 않는다. 그 자신이 그 사업의 기업가로서 그가 사용하는 자본의 통상 이윤을 획득하는 지주가 아니고서는 그 누구에 의해서도 그러한 탄광이 유리하

294 〔이것과 바로 그 앞의 두 문단은 《Lectures》, 157~161면에 있는 인류의 자연적 욕망에 관한 논문에 기초를 둔 것 같다. 《도덕감정론》(1759), 349면과 비교하라.〕

295 〔"노동"은 제5판에서는 "노동자"라고 오식되어 있다.〕

게 가동될 수 없다. 스코틀랜드의 많은 탄광은 이러한 방법으로 가동되고 있으며, 달리 가동될 수 없는 것이다. 지주는 약간이나마 지대를 지불하지 않는 한, 누구에게도 그것의 가동을 시키지 않을 것이고, 그 누구도 그 지대를 조금이나마 지불할 수도 없는 것이다.

또는, 너무 불리한 위치에 있을 때도 그러하다.

같은 나라에 있는 다른 탄광은 충분한 다산적이라 하더라도 그 위치 때문에 가동될 수 없는 것도 있다. 그 가동의 비용을 지불하기에 충분한 광물량이 통상의 또는 그 이하의 노동량에 의해서 그 광산에서 채굴될 수 있을 것이다. 그러나 주민이 희박하고 좋은 도로도 수운도 없는 내륙지방에서는 이러한 양이 판매될 수 없을 것이다.

석탄의 가격은 목재의 그것에 의하여 억압되고 있고,

석탄은 목재보다 덜 쾌적한 연료이며, 목재만큼 건강에 좋은 것도 아니라고들 한다. 따라서 석탄의 비용은 그 소비지에서는 대체로 목재의 비용보다도 약간 적을 것임에 틀림없다.

목재의 가격은 농업의 상태와 더불어 변동한다.

또한 목재의 가격은 가축의 가격과 거의 같은 방법으로 그리고 똑같은 이유 때문에, 농업의 상태와 더불어 변동한다. 농업이 거칠게 행해졌던 초기에는 모든 나라의 대부분은 수목으로 덮여 있어서 당시의 지주에게는 그것은 단순히 무가치한 것에 지나지 않으며 지주는 벌채할 사람이라면 누구에게나 그것을 기꺼이 주었을 것이다. 농업이 진보함에 따라 삼림의 일부분은 경작의 진보에 의하여 깨끗이 벌채되어 버리고 또 일부분은 가축의 수의 증가의 결과로서 쇠멸하게 된다. 가축은 전적으로 인간의 근로의 획득물인 곡물과 같은 비율로 증가하지는 않더라도 인간의 주의와 보호하에서 증식하며, 그리고 인간은 사료가 풍부한 계절에는 그것이 모자라는 계절에 가축을 사육할 수 있을 만큼을 저장한다. 그리고 전 년全年을 통해서 미개의 자연이 공급하는 것보다 더 많은 양의 사료를 가축에게 주고, 가축의 적을 절멸함으로써 가축이 자연의 모든 은혜를 향수할 수 있게 보호해 준다. 수많은 가축군이 제멋대로 숲속을 돌아다니도록 내버려 둘 때는, 늙은 나무를 파손하지는 않더라도 어린 나무의 성장을 방해하기 때문에, 1세기 또는 2세기가 경과하는 동안에 삼림 전체가 황폐해 버린다. 이리하여 목재의 부족이 그 가격을 올린다. 그 가격은 꽤 많은 지대를 낳는다. 따라서 지주는 과실이 생기지 않는 재목용의 수목을 기르는 데에 자기의 최상의 토지를 사용하는 것이 무엇보다도 유리하다는 것을 알게 될 때도 있는데, 이는 그 이윤이 크기 때문에 그 수익의 늦음을 보상할 때가 종종 있기 때문이다. 이러한 사태는 오늘날 영국의 여러 지방의 현상에 가까운 것이라고 생각된다. 그러한 지방에서는 나무를 심는 이윤이 곡물생산지 또는 목초지의 이윤과 동등하다는 것이 알려져 있다. 지주가 식수에서 얻는 이익은 어디에서나 적어도 상당한 기간 동안은 곡물생산지와 목초지가 그에게 낳아 줄 수 있을 지대를 넘을 수는 없다. 그리고 고도로 경작된 내륙지방에서는 그 이익은 이 지대보다 많이 모자라지는 않을 때가 많은 것이다. 사실 훌륭하게 개량된 나라의 해안지방에서 만일 석탄이 연료로서 편리하게 얻어질 수 있다면[296] 과실을 맺지 않는 건축용 목재를 국내에서 가꾸기보다는 비교적 경작이 덜 되는 외국으로부터 가지고 오는 것이 더 값이 싸게 먹힐 때도 있을 것이다. 최근 수년[297] 내에 건설된 에든버러의 새로운 시가에서는 아마도 한 조각의 스코틀랜드산 목재도 없을 것이다.

296 〔"만일 석탄이 연료로서 편리하게 얻어질 수 있다면"이 초판에서는 "만일 그 나라가 연료용의 석탄을 편리하게 얻을 수 있다면"으로 되어 있다.〕

297 〔노스 브리지North Bridge가 통행할 수 있게 된 것은 겨우 1772년의 일이었다. 1778년에는 프린스 스트리트Princes Street에 늘어선 건물은 상당히 연장되었으며, 세인트 앤드류 스퀘어St. Andrew Square와 그것에 연결된 시가들이 거의 완성되었다. 그 당시의 도면은 퀸 스트리트Queen Street와 프린스 스트리트 사이의 전 구획을 보여 주고 있다(휴고 아놋Hugo Arnot, 《The History of Edinburgh》(1779), 233, 315, 318~319면).〕

그러나 석탄을 생산하는 지방에서의 석탄은 어느 곳에서나 이 가격을 훨씬 하회하고 있다.

목재의 가격이 어떻든 간에 만일 석탄 가격이 비싸서 석탄불의 비용이 장작불의 비용과 거의 같게 될 그러한 것이라면 우리는 그 장소에서 그리고 그러한 사정하에서 석탄의 가격은 가능한 최고의 가격으로 올라가 있다는 것을 확신해도 좋을 것이다. 잉글랜드의 내륙지방의 어떤 곳에서는 그러한 것 같고 특히 옥스퍼드셔에서는 서민의 난롯불까지도 석탄과 나무를 혼용하는 것이 보통이다. 따라서 그곳에서는 이 두 가지 종류의 연료에 관한 비용의 차이도 그렇게 크지 않은 셈이다.

탄광 지방에서는 석탄의 가격이 어느 곳에서나 이 최고가격보다 훨씬 낮다. 만일 그렇지 못하면 석탄은 육지 또는 수로에 의한 원거리의 운송비를 감당할 수 없을 것이다. 팔릴 수 있는 것도 소량밖에 되지 않을 것이기 때문에, 탄광주들과 탄광 소유자들은 최저가격보다 조금 나은 가격으로 다량을 판매하는 것이 최고가격으로 소량을 판매하는 것보다 자신들의 이익이 더 낫다는 것을 알게 된다. 뿐만 아니라 가장 다산적인 탄광이 그 이웃의 다른 모든 탄광에서의 석탄 가격을 규정한다.[298] 그 탄광의 소유자와 기업가의 쌍방은 그들의 모든 이웃 사람들보다도 약간 싸게 매각함으로써, 전자는 더 많은 지대를, 후자는 더 많은 이윤을 얻을 수 있다는 것을 알게 된다. 그렇게 되면 그들의 이웃 사람들은 비록 그들이 그와 같이 싼 가격으로 팔 충분한 여유도 없거니와, 또 그 가격은 항상 그들의 지대와 그들의 이윤을 감축시키고, 때로는 전부 빼앗아 가지만, 그와 같은 가격으로 팔지 않을 수 없다. 어떤 탄광은 전혀 포기되어 버리고, 어떤 것은 지대를 낳을 수 없고, 다만 소유자에 의해서 가동될 수 있을 뿐이다.

298 〔뷰캐넌Buchanan(역의 《Wealth of Nations》, 제1권, 279면)은 현명하게도 이 구절에 다음과 같은 주석을 붙이고 있다. "석탄의 가격이 결정되는 것은 그 탄광이 아무리 다산적이라 하더라도 하나의 탄갱의 생산물에 의해서가 아니고, 가동될 수 있는 모든 탄갱의 생산물이 합성되어서 결정된다. 일정량의 석탄은 일정의 가격으로 소비될 수밖에 없을 것이다. 만일 가동될 수 있는 탄갱이 이 이상의 양을 생산한다면 그 가격은 하락할 것이며, 그 이상의 양을 생산한다면 그 가격은 오를 것이다."〕

가능한 최저가격은 오직 자재를 그 이윤과 함께 회수할 수밖에 없는 가격이다.

석탄이 어떤 상당한 기간에 걸쳐 팔릴 수 있는 최저가격은 다른 모든 상품의 그것과 마찬가지로 그것을 시장에 보내기까지 사용되지 않을 수 없는 자재를 그 이윤과 함께 회수하는 데 겨우 족할 만한 가격이다. 지주가 지대를 획득할 수 없고, 자기가 손수 그것을 가동시키든지, 아니면 그것을 아주 방치해 버릴 수밖에 없는 이러한 탄광에서는 석탄의 가격은 일반적으로 거의 이러한 가격에 가까울 것이 틀림없다.

지대가 석탄의 가격에서 차지하는 비율은, 그것이 다른 총생산물의 가격에서 차지하는 비율보다 더 적다.

석탄이 지대를 낳아 주는 곳에서까지도 지대가 석탄의 가격 가운데에서 차지하는 몫은 토지의 다른 대부분의 총생산물의 가격 가운데에서 그 지대가 차지하는 비율보다도 일반적으로 더 적다. 지상에 있는 소유지의 지대는 보통 그 총생산물의 3분의 1에 달하는 것이라고 생각되며, 그리고 그것은 대체로 수확의 수시적인 변동과는 관계없는 확정 지대이다. 탄광에 있어서는 총생산물의 5분의 1은 대단히 높은 지대이며, 10분의 1은 보통 지대이고, 더구나 그것이 확정 지대임은 결코 아니며, 생산고의 수시적인 변동에 의존하고 있다. 이러한 변동은 너무나 크기 때문에 토지재산의 소유권에 대한 가격으로서, 30년의 구매 연수가 적당하다고 생각되고 있는 나라에서는, 탄광의 구매에 대한 가격에 관해서는 10년의 구매 연수로도 충분하다고 생각되고 있다.

금속 광산의 위치가 탄광의 그것보다는 덜 중요하다.

소유자에 대한 광산의 가치는 그 비옥도에 의존하는 것과 같은 정도로 그 위치에도 의존하는 경우가 흔히 있다.[299] 금속 광산의 가치는 그 비옥도에 의존함이 더 많으며 그 위치에는 그렇게 의존하지 않는다. 귀금속일 때는 더욱 그러하지

299 〔초판에서는 "흔히 의존하고 있다"로 되어 있다.〕

만 비금속일 때도 광석에서 분리되면 대단히 가치 있는 것이 되므로, 일반적으로 아주 먼 거리의 육상수송과 가장 원거리의 해상수송의 경비를 부담할 수 있다. 그들의 시장은 광산의 이웃에 있는 나라들에 국한되지 않고, 전 세계에 확대되어 있다. 일본의 동은 유럽에 있어서 하나의 상품으로 되어 있으며,[300] 스페인의 철은 칠레와 페루에서 그러하다. 페루의 은은 유럽뿐만 아니라 유럽으로부터 중국에 이르기까지 그의 판로를 발견하고 있다.

이는 세계의 모든 지방으로부터 오는 금속들이 경쟁하기 때문이다.

웨스트모어랜드Westmorland 또는 슈롭셔Shropshire에서의 석탄의 가격은 뉴캐슬Newcastle에서의 석탄의 가격에 거의 영향을 미치지 않으며, 리옹Lyon 지방에서의 가격에는 전혀 영향을 미칠 수 없다. 그렇게 멀리 떨어진 탄광의 생산물은 결코 서로 경쟁에 돌입할 수 없다. 그러나 가장 멀리 떨어져 있는 금속 광산의 생산물은 흔히 경쟁할 수 있으며, 사실상 보통 경쟁을 하고 있다. 그러므로 귀금속의 가격은 더욱 그러하지만, 비금속의 가격까지도 세계에서 가장 다산적인 광산에서의 가격이 세계에 있는 다른 모든 광산에서의 그 가격에 다소나마 반드시 영향을 미치지 않을 수 없는 것이다. 일본에서의 동의 가격이 유럽에 있는 동산에서의 그 가격에 약간의 영향을 미칠 것이 틀림없다. 페루에서의 은의 가격, 다시 말하면, 은이 그곳에서 구매할 노동 또는 다른 재화의 양은 유럽의 은광에서뿐만 아니라 중국의 은광에서의 가격에 영향을 미칠 것이 틀림없다. 페루의 은광이 발견된 이래 유럽의 은광은 그 대부분이 포기되어 버렸다. 은의 가격이 너무나 떨어졌기 때문에 유럽의 은광의 생산물로써는 그것을 가동시키는 데 드는 경비를 이미 지불할 수 없게 되었다. 즉 경영에 소비된 의식주, 기타의 필수품을 이윤과 함께 회수할 수 없게 되어 버렸기 때문이다. 포토시의 광산이 발견된 이래의 쿠바와 산토도밍고의 광산에 관한 경우도 역시 이러했으며, 페루의 옛 광산에 관해서까지도 그러했다.

300 〔초판에서는 "유럽 상업에 있어서 1품목으로 되어 있으며"로 되어 있다.〕

그러므로 지대는 금속의 가격에 있어서는 작은 부분을 차지하고 있다.

그러므로 모든 광산에서의 모든 금속의 가격은 실제로 가동되고 있는 세계에서 가장 다산적인 광산에서의 가격에 의해서 어느 정도까지는 규정되기 때문에, 대부분의 광산에 있어서의 그 가격은 그것을 가동시키는 데 드는 경비를 지불할 정도 이상은 거의 될 수 없으며, 지주에게 아주 높은 지대를 낳아 준다는 것도 거의 불가능하다. 따라서 대부분의 광산의 지대는 비금속의 가격에 있어서도 얼마 되지 않는 몫을 차지하고 있음에 지나지 않으며 귀금속의 그것에 있어서는 더욱더 적은 몫을 차지하고 있는 데 지나지 않는 것 같다. 노동과 이윤이 양자의 대부분을 이루고 있다.

콘월과 스코틀랜드에서는, 납과 주석의 은광이 6분의 1을 지불한다.

주석 광산의 부감독인 목사 볼레이스 씨가 우리에게 말한 바와 같이, 세계에서 가장 다산적인 것으로 유명한 콘월의 주석 광산의 평균 지대는 총생산물의 6분의 1이라고 계산될 수 있을 것이다. 그는 말하기를 어떤 것은 이보다 조금 더 지불할 여유가 있으며, 어떤 것은 그 정도를 지불할 만한 여유도 없다[301]고 한다. 스코틀랜드의 몇몇 아주 다산적인 연(납) 광산의 지대도 역시 그 총생산물의 6분의 1이다.

페루의 은광은 일찍이 5분의 1을 지불했고, 현재에는 10분의 1밖에 지불하지 않고 있다.

페루의 은광에서는 대체로 그 소유자가 광산의 기업가에게 자기의 쇄광장碎鑛場에서 광석을 쇄광하고 자기에게 통상의 쇄광료, 즉 쇄광 대금을 지불해 줄 것 이외의 다른 사례를 강요하지 않는다고 프레지어Frezier와 우요아Ulloa는 우리들에게 말하고 있다.[302] 실제로 1736년까지 스페인 국왕의 조세는 표준 은標準銀의

301 〔윌리엄 블레이스William Borlase, 《The National History of Cornwall》(1758), 175면. 그러나 이곳에서는 지주가 6분의 1 이상을 받을 때도 있는 것에 관해서는 한 마디도 쓰여 있지 않다.〕

5분의 1에 달했으며, 이것은 당시까지 세계에서 가장 풍부한 것으로 알려져 있었던 페루의 은광의 대부분에 있어서의 실질적 지대라고 생각될 수 있었을 만한 것이다. 만일 조세가 없었다면, 이 5분의 1은 당연히 지주에게 속했을 것이며, 또한 당시 이 조세를 감당할 수 없었던 많은 광산도 가동되었을 것이다.[303] 콘월 공이 주석에 과한 조세는 그 가격의 5퍼센트, 즉 20분의 1 이상에 달하는 것이라고 간주되고 있으며,[304] 또한 그 할당률이 얼마이든 간에 만일 주석이 무세였다면, 이것 또한 당연히 그 광산의 소유자에게 속했을 것이다. 그러나 만일 여러분이 6분의 1에다 20분의 1을 가한다면 여러분은 콘월의 조석 광산의 전 평균 지대는 페루의 은광의 전 평균 지대에 대해서 13 대 12였다[305]는 것을 알게 될 것이다. 그러나 페루의 은광은, 현재에는 이렇게 싼 지대도 지불할 수 없으며, 1736년에는 은에 대한 조세가 5분의 1에서 10분의 1로 내렸다.[306] 은에 대한 이러한 조세마저도 주석에 대한 20분의 1의 조세에 비한다면 밀수에 대한 더 강한 유혹이 될 것이며, 또한 밀수는 부피가 큰 상품보다도 값비싼 상품의 밀수가

302 ("스스로 즐겨 노동하려고 하는 사람들은 광업자로부터 일할 광맥을 쉽게 얻으며, 그들이 그곳에서 얻은 것 가운데에서 국왕에의 조세와 쇄광장의 사용료를 광업자에게 지불한 나머지는 그들 자신의 소유가 되는데, 이 금액이 상당히 많아서 어떤 사람은 자기들을 위해서 광산에서 일해 줄 사람을 한 사람도 사용하지 않고서도 얻게 될 이윤으로 만족하고 있는 형편이다." Frezier, 《Voyage to the South Sea and along the Coasts of Chili and Peru in the Years 1712, 1713 and 1714, with a Postscript by Dr. Demund Halley》(1717), 109면.)

303 (초판에는 여기까지의 두 문장이 다음과 같이 되어 있다. 즉 "실로 스페인 국왕의 조세는 표준 은의 5분의 1에 달하고 있으며, 이는 세계에서 가장 풍부한 것으로 알려져 있었던 페루의 대부분의 은광에 있어서의 실질지대라고 생각될 수 있을 만한 것이다. 만일 조세가 없었다면 이 5분의 1은 당연히 지주에게 속할 것이며, 그리고 또한 이러한 조세를 감당할 수 없기 때문에 현재 가동될 수 없는 많은 광산이 가동될 수 있을 것이다.)

304 (볼레이스는 19만 954파운드 가치의 생산물에 대하여 1만 파운드 이상의 금액이 지불되었다고 기술했다. 조세는 1헌드레드웨이트당 4실링이었다. -《The Natural History of Cornwell》, 183면.)

305 (초판에는 "였다"가 "이다"로 되어 있다.)

306 (초판에는 이 문장은 포함되지 않고 그다음이 "또한 은에 대한 높은 과세는 주석에 대한 낮은 과세보다도 밀수에 대해 더 강한 유혹이 된다"라고 시작되고 있다.)

더 쉬울 것임에 틀림없다. 따라서 스페인 국왕의 조세는 시원찮게 지불되고 있다고들 하는데, 콘월 공의 그것은 충분히 지불되고 있다고 한다. 그러므로 지대는 세계에서 가장 다산적인 은 광산에 있어서의 은의 가격 중에서보다는 가장 다산적인 주석 광산에 있어서의 주석의 가격에서 훨씬 더 큰 부분을 차지하고 있다고 볼 수 있을 것이다. 이 상이한 광산을 가동시키는 데 사용된 자재를 그 통상의 이윤과 함께 회수한 뒤에 그 소유자에게 남는 잔여는 귀금속인 경우보다도 비금속의 경우가 더 큰 것 같다.

반면 이윤은 적다.

페루에서는 은광의 기업가들의 이윤도 보통 그렇게 크지 않다. 가장 존경할 만하고 견문이 넓은 같은 저자들이 우리에게 알려 주는 바에 의하면, 페루에서 어떤 사람이 새로운 광산의 가동에 착수할 때 그는 파산 또는 파멸될 운명에 처해진 사람으로 보이는 것이 보통이며, 따라서 모든 사람들은 그를 멀리하고 그를 피한다는 것이다.[307] 그곳에서의 광산업은 여기에서와 마찬가지로 일종의 복첨福籤이라고 생각되고 있는 것 같은데, 이 경우, 비록 그 경품이 때로는 엄청난 것이어서 많은 모험자들이 유혹되어 그렇게도 불리한 사업에 그의 전 재산을 내던지지만, 결국 경품이 공첨空籤의 손실을 다 보상하지는 못하는 것이다.

페루에서는 주권자의 이익을 위해 광업이 장려되고 있다.

그러나 주권자는 은광의 생산물에서 상당한 부분의 자기 수입을 염출해 내고

307 〔"어떤 사람이 광산을 채굴하려는 의도를 표명하면, 다른 사람들은 그를 가리켜 자신의 멸망을 자초하여 먼 앞날의, 더구나 의심스러운 희망을 위해서 확실한 파멸을 감행하는 엉뚱한 사람이라고 생각한다. 그들은 그의 의도를 돌리려고 노력하는데 그것에 성공하지 못하면, 그의 불행이 그들에게 옮겨 가기라도 하지 않을까 생각하는 것처럼 그를 피하면서 멀리 한다."—《Voyage historique de l'Amérique Méridionale fait par ordre Don George Juan……et par Don Antoine de Ulloa》(1752), 제1권, 379면. 이 소설은 키토에 관한 것이며, 그리고 각종의 사정은 페루 본국에서 유행되고 있는 것과 비교 대조되어 있다. 프레지어에 관해서는 역본 다음 면의 주 4를 보라.〕

있으므로 페루에서는 법률이 새로운 은광의 발견과 가동을 될 수 있는 대로 장려하고 있다. 새 은광을 발견한 사람은 누구나 자기가 광맥의 방향이라고 생각하는 쪽을 향해서 길이 246피트, 넓이는 그의 반의 지역을 구획하는 권리가 주어진다.[308] 그는 광산의 이 구역의 소유자가 되고, 지주에게는 아무런 사례도 지불하지 않고 그것을 가동시킬 수 있다. 콘월 공은 자기의 이익을 위해서 그의 오래된 공작령에 상기한 것과 같은 종류의 법규를 만들었다. 즉 울타리로 싸여지지 않은 황무지에서 주석광을 발견하는 사람은 누구나 일정 면적에다 그 경계를 지을 수 있는데, 이것은 광산의 경계획정이라고 불리고 있다. 그 경계획정자는 그 광산의 실제의 소유자가 되며, 토지소유자의 동의 없이 자기 스스로 그것을 가동하여도 좋으며, 그것을 타인에게 빌려주어도 좋지만 그것을 가동시킬 경우 극히 소액의 사례를 지주에게 지불하지 않으면 안 된다.[309] 이 두 법규의 어느 것에서나 사유재산권이라는 신성한 권리가 공공수입이라고 하는 상상 속의 이익 때문에 희생되는 것이다.

오늘날 페루의 금광은 지대로서 겨우 20분의 1을 지불하는 데 지나지 않는다.
페루에서는 새 금광의 발견과 가동에 대해서도 동일한 장려가 주어지며, 금의 경우에는 국왕의 조세는 그 표준 금속의 20분의 1밖에 되지 않는다. 그것은 은의 경우와 마찬가지로 한때 5분의 1이었고 그 뒤 10분의 1이 되었지만, 가동해보아도 이 두 가지 조세 가운데 그 최저율마저 부담할 수 없다는 것을 알게 되었다.[310] 그러나 같은 저자들인 프레지어와 우요아는 만일 은광에 의해서 재산을 이룬 사람을 발견하기가 드문 일이라면, 금광에 의해서 재산을 만든 사람을 찾

308 〔프레지어Frezier, 《Voyage》, 109면.〕

309 〔볼레이스Borlase, 《The Natural History of Cornwall》, 167, 175면. 만일 토지의 "경계가 획정"되면(경계획정은 "황무지 또는 공유지"에서만 행할 수 있었다) 그 지주는 겨우 15분의 1밖에 받지 못한다.〕

310 〔초판에는 이 문장은 "그것은 은의 경우와 마찬가지로 한때 5분의 1이었으나 가동시켜 보니 그것을 부담할 수 없다는 것을 알게 되었다"라고 되어 있다.〕

아내기란 훨씬 더 드문 일이다라고 말한다.[311] 이 20분의 1은 칠레와 페루의 대부분의 금광에서 지불되고 있는 전체 지대인 것 같다. 더구나 금은 은에 비해서 훨씬 더 밀수되기 쉬운 것이다. 그 이유는 금이 그 부피에 비해서 그 가치가 큰 금속이기 때문일 뿐만 아니라, 자연이 금을 산출하는 독특한 방법 때문이기도 하다. 은은 섞이지 않은 채로 발견되는 것은 극히 드물며, 대부분의 다른 금속처럼 대체로 어떤 다른 물체와 함께 광물화되어 있어, 그 물체에서 은을 분리할 경우 그 분리에 쓰인 비용을 지불할 만한 양을 분리해 낸다는 것은 아주 힘들고 지겨운 작업에 의하지 않고서는 불가능하며, 더욱이 이 작업은 이 목적을 위해서 세워진 작업장에서가 아니고는 잘 수행될 수 없는 것이므로 국왕의 관리들의 감시하에 놓여지게 마련이다. 이에 반해서 금은 거의 언제나 섞이지 않은 채로 발견된다. 금은 약간의 크기의 편괴로 발견될 때도 있고, 모래, 흙, 기타의 이질의 물체에 섞이어 작고 거의 감각할 수 없을 정도의 분자로서 발견될 때라도 아주 짧고 단순한 작업에 의하여 그것을 분리할 수 있으며, 그 작업은 어떠한 사택에서나 소량의 수은을 가진 사람이면 누구든지 할 수 있다. 따라서 만일 국왕의 조세가 은에 관해서 잘 징수되지 않는다면 금에 대해서는 아마 더욱 더 잘 징수되지 않기 쉽다. 그리고 금의 가격에 있어서의 지대의 부분은 은의 그것에 있어서의 그 부분에 비해서까지도 훨씬 더 적을 것이 틀림없다.

귀금속의 최저가격은 통상의 이윤과 함께 회수하지 않으면 안 된다.

귀금속이 팔릴 수 있는 최저가격, 다시 말하면 어느 상당한 기간 동안 귀금속과

311 〔"은광업자나 또는 다른 어떠한 금속광업자보다도 더 부유한 금속업자를 보기는 더욱 드물다."－프레지어, 《Voyage》, 108면. 프레지어에 있어서나 또는 우요아에 있어서나 본문에서 이들이 기술한 것으로 되어 있는 금속업자와 은광업자의 전망에 관한 어두운 견해를 이들이 나타냈다는 것을 지적할 만한 것은 전혀 없는 것 같다. 이 점에서도, 그리고 여기와 앞(169~170면)에서 이 양자의 저서명이 전혀 기재되지 않은 사실에서도 스미스가 기억 또는 혼합되어 버린 노트로부터 인용한 것이 아닌가 생각된다. 그가 프레지어를 우요아의 협력자 돈 조지 주앙Don George Juan과 혼동했다는 것은 있을 법하다. 그러나 앞의 149면과 다음의 186면에는 프레지어 없이 우요아만이 인용되었다.〕

교환될 수 있는 다른 재화의 최소량은 다른 모든 재화의 최저의 통상적인 가격을 결정하는 것과 똑같은 원리에 의해서 규정된다. 그것을 광산에서 시장에 보내기까지 보통 사용되지 않을 수 없는 자재와, 또한 그 때문에 보통 소비되지 않을 수 없는 의식주가 그것을 결정한다. 그것은 적어도 그러한 자재를 통상의 이윤과 함께 회수하는 데 족할 만한 것이어야 한다.

그러나 그것들의 최고가격은 그 금속들의 희소성에 의하여 결정된다.

그러나 귀금속의 최고가격은 이러한 금속 자체가 실제로 희소한가, 또는 풍부한가 하는 것 이외의 다른 어떤 사정에 의하여 필연적으로 결정된다고는 생각되지 않는다. 석탄의 가격은 목재의 그것에 의하여 결정되며, 석탄이 아무리 부족해도 그 가격이 목재의 가격을 넘을 만큼 인상될 수는 없지만 귀금속의 최고가격은 이와 같이 어떤 다른 상품의 가격에 의하여 결정되지는 않는다. 금의 희소성을 어느 정도까지 증대시켜 보라. 그러면 그 최소편도 다이아몬드 이상으로 귀중하게 될 것이며, 더 많은 양의 다른 재화와 교환되게 될 것이다.

귀금속에 대한 수요는 그 효용과 아름다움에서 생기며, 또한 그 아름답다는 장점은 희소성에 의해서 높아진다.

이들 금속에 대한 수요는 일부분은 그 효용에서 생기며, 또 일부분은 그 아름다움에서 생긴다. 여러분들이 철을 제외한다면 그것은 아마 다른 어떠한 금속보다도 더 유용할 것이다. 그것은 쉽게 녹슬지 않고, 잘 더럽지 않으므로 깨끗하게 보관되기는 쉽다. 그리고 이 때문에 식탁이나 부엌의 기구도 이것으로 만들어지면 더욱더 마음에 든다. 은으로 된 냄비는 연(납)이나 동(구리)이나 석(주석)으로 된 것보다 더 깨끗하며, 또한 이와 같은 성질이 있으니, 금으로 된 냄비는 은의 그것보다 역시 더 좋을 것이다. 그러나 그러한 금속의 주요한 장점은 그 아름다움에서 생기는 것이며, 이 아름다움이야말로 그 금속들을 의복과 가구의 장식에 특히 알맞게 한다. 어떠한 칠이나 물감도 도금처럼 훌륭한 빛깔을 낼 수는 없다. 그 금속의 아름답다는 장점은 그 희소성에 의해서 크게 높아진다. 대부분의 부자들에게 있어서 부의 으뜸가는 향락은 그 부를 과시하는 데 있는데, 이는 그들의 눈으로는 그들이 그들 이외의 그 누구도 가질 수 없는 부의 결정적인 표식을 가지고 있다고 생각될 때 가장 완전한 것이다. 그들의 눈으로는 어느 정도 유용하거나 또는 아름다운 어떤 물건의 장점은 그 희소성에 의해서, 다시 말하면 그것을 꽤 많이 수집하는 데는 대량의 노동을 필요로 하고, 그들 이외에는 누구도 그 노동에 지불을 감히 할 수 없다는 것에 의해서 크게 높아지는 셈이다. 그들은 이러한 물건을 그것보다 훨씬 더 아름답고, 훨씬 더 유용하나 비교적 흔한 물건보다도 더 비싼 값으로 기꺼이 구매하려고 한다. 효용과 아름다움, 희소성이라고 하는 이러한 성질은 그들 금속의 높은 가격의 본원적 기초이거나 또는 이러한 금속이 어디에서나 다량의 다른 재화와 교환될 수 있다는 것의 본원적인 기초인 것이다. 이 가치는 그 금속이 화폐로서 사용되는 것에 선행했던 것이며, 또한 그것과는 관계가 없었으며, 그러한 성질이 있었으므로 그러한 용도에 적합한 것이 되었다. 그러나 그 용도는 어떤 새로운 수요를 일으킴으로써, 그리고 그 밖의 방면에 사용될 수 있었을 양을 감소시킴으로써, 그 후에 이르러서는 그들 금속의 가치를 유지 또는 증가하는 데 기여했을지도 모른다.

보석에 대한 수요는 전적으로 그 아름다움에서만 생긴다. 그리고 이 아름다움은 그 희소성에 의하여 높아진다.

보석에 대한 수요는 그 아름다움에서만 생긴다. 그것은 장식 이외에는 효용이 없는 것이다. 그리고 그 아름답다는 장점은 그 희소성에 의하여 즉 광산에서 그것들을 획득하는 데 겪는 곤란과 비용에 의하여 크게 높아진다. 따라서 대부분의 경우 임금과 이윤이 그것들의 높은 가격의 거의 전부를 이루고 있다. 지대는 극히 적은 몫을 받을 따름이며, 전혀 몫을 받지 못할 경우도 흔히 있다. 즉 가장 다산적인 광산만이 꽤 많은 지대를 제공할 뿐이다. 보석상인 타베르니에Tavernier가 골콘다Golconda와 비지아푸르Visiapour의 다이아몬드 광산을 방문했을 때 들었던 바에 의하면, 그 나라의 주권자는 자기의 이익을 위하여 가동되었던 모든 광산을 가장 크고 가장 훌륭한 돌을 산출하고 있었던 광산만 남겨 놓고 전부 폐쇄하도록 명령했다는 것이다.[312] 그 밖의 광산은 그 소유자에게는 가동시킬 만한 가치가 없었던 것 같다.

귀금속 광산과 보석 광산의 지대는 그 상대적인 비옥도에 비례하며, 절대적인 비옥도에는 비례하지 않는다.

귀금속과 보석의 가격은 세계의 어느 곳에서나 세계에서 가장 다산적인 광산에서의 그것들의 가격에 의하여 규정되는 것이므로 어느 광산이든 그 소유자에게 제공할 수 있는 지대는 그 절대적인 비옥도가 아니라 그 상대적인 비옥도라고 불릴 만한 것, 즉 같은 종류의 다른 광산들에 대한 우월의 정도에 비례하는 것이다. 만일 포토시의 광산이 유럽의 광산들을 우월하고 있었던 정도로 포토시의 광산을 능가할 만한 새로운 광산이 발견된다면, 은의 가치는 떨어져서 포토시의 광산까지도 가동할 가치마저 없는 것이 되어 버릴는지도 모른다. 스페인령 서인도제도가 발견되기까지는 유럽에서 가장 다산적인 광산은 현재 페루에서 가장 풍부한 광산이 그 소유자에게 제공하고 있는 것과 같을 만큼 많은 지대를 제공하고 있었을 것이다. 은의 양은 훨씬 적었지만 그 양은 등량의 다른 재화와 교환되었을 것이며, 그 소유자의 몫도 그가 그것으로 등량의 노동 또는 상품을 구매 또는 지배할 수 있었을 만한 것이었을 것이다. 대중과 소유자에게 제공

312 〔존 필립스John Phillips(역), 《The Six Voyages of John Baptista Tavernier, a noble man of France now living, through Turkey onto Persia and the East Indies》(1678)에는 이러한 설명은 조금도 포함되어 있지 않은 것 같다. 그것은 아마 타베르니에의 다음과 같은 소견에 의한 것인지도 모른다. 즉 "쿨루르Coulour와 라올콘다Raolconda의 중간에 한 광산이 발견되었는데, 국왕은 그곳에서 어떤 사기가 행해졌다는 이유에서 다시 그것을 폐쇄시켰다. 왜냐하면 그곳에서 어떤 종류의 돌이 발견되었는데 그 돌은 외면이 이렇게 초록색이며, 아름답고, 투명하고, 외관은 다른 돌보다 더 아름다웠으나, 그것을 공장에 가지고 갔을 때는 조각조각으로 깨어져 버렸기 때문이다"라고 한 것이다(제2부, 138면). 제4판 및 제5판에는 여기의 "산출하고 있었던(yielded)"이 "yield"라고 오식되어 있다.〕

했던 실질적 수입인 생산물과 지대의 가치는 동일했을 것이다.

공급이 풍부하더라도 세계의 부에는 거의 부가하지 않을 것이다.

귀금속 또는 보석이 가장 풍부한 광산이라도 그것이 세계의 부에 부가할 수 있는 것은 얼마 되지 않을 것이다. 그 가치가 주로 희소성에서 나오게 되는 생산물은 반드시 풍부해지면 가치가 떨어진다. 한 벌의 은기, 그 밖의 의복과 가구의 하찮은 장식은 비교적 소량의 노동, 또는 비교적 소량의 상품으로써 구매될 수 있을 것이며, 세계가 그 풍부에서 꺼낼 수 있을 유일한 이익은 바로 이 점에 있는 셈이 될 것이다.

그러나 지상의 소유지인 경우에는 생산물도 지대도 절대적인 비옥도에 의하여 규정된다.

지상의 소유지에 관해서는 사정이 다르다. 그들이 생산물과 지대의 가치는 다 같이 그것들의 절대적인 비옥도에 비례하며, 그 상대적인 비옥도에는 비례하지 않는다. 일정량의 의식주를 생산하는 토지는 항상 일정 수의 인민에게 의식주를 공급할 수 있다. 그리고 지주의 몫이 얼마나 되든지 간에 그 몫은 항상 그러한 인민의 노동과 그 노동이 그에게 공급할 수 있는 상품들에 대한 그만큼의 지배권을 지주에게 줄 것이다. 가장 불모의 토지의 가치도 이웃에 있는 가장 다산적인 토지에 의하여 감소되지는 않는다. 그와는 반대로 그것 때문에 오히려 증가되는 것이 보통이다. 다산적인 토지에 의하여 부양되는 다수의 인민은 불모의 토지의 생산물의 많은 부분에 대하여 시장을 제공한다. 그리고 그러한 시장은 불모의 토지 자체의 생산물로써 부양할 수 있는 인민들 가운데에서는 결코 발견할 수 없었던 것인 셈이다.

풍부한 식물은 다른 생산물의 가격을 올린다.

식물을 생산하는 토지의 비옥도를 증진시키는 것은 무엇이든지 그 개량이 이루어지는 그 토지의 가치를 증가시킬 뿐만 아니라, 많은 다른 토지의 생산물에 대한 새로운 수요를 창조함으로써 그러한 토지의 가치를 증가시키는 데도 역시 기여한다. 토지개량의 결과로 일어나는 풍부한 식물, 즉 많은 인민이 자신들 스스로 소비할 수 있는 것을 넘어서 자유로 처분할 수 있는 것을 가질 만한 충분한 식물은, 귀금속과 보석은 물론 의복과 주거, 가구 및 집기라고 하는 다른 모든 편의품과 장식품에 대한 수요의 1대 원인이다. 식물은 세계의 부의 주요부분을 구성할 뿐만 아니라, 많은 다른 부류의 부에 그 가치의 주요부분을 부여하는 것도 식물의 풍부라 하겠다. 쿠바와 산토도밍고의 가난한 주민들이 스페인인에 의하여 처음으로 발견되었을 때, 그들은 그들의 모발과 의복의 다른 부분에 장식으로서 작은 조각을 우리들이 보통보다는 조금 더 아름다운 어떤 자갈을 평가할 정도밖에 그들에게는 느껴지지 않았던 것이며, 그것은 주워 둘 만한 가치는 있는 것이지만 누군가가 달라고 청하면 거절할 만큼 가치 있는 것은 아니라고 생각하고 있었던 것 같다. 그들은 새로 온 손님이 청하기만 하면 대번에 주었으며, 그리고는 그들이 아주 값진 선물을 했다고 생각하는 것 같지도 않았다. 스페인인이 그것을 획득하려고 광분하고 있는 것을 보고 그들은 깜짝 놀랐다. 그리고 그들 사이에는 대단히 부족했던 식물을, 다수의 인민이 처분하고 남을 만큼 가지고 있어서 극히 소량의 그러한 번쩍거리는 값싼 물건과 몇 년 동안이나 가족 모두를 부양할 수 있을 만큼 많은 식물을 서슴지 않고 교환하려고 하는 나라가 어딘가에 있을 수 있으리라고는 꿈에도 생각해 보지도 못했던 것이다. 만일 그들이 이것을 이해할 수 있게 되었다면 스페인인의 열광도 그들을 놀라게 하지는 않았을 것이다.

제3절 항상 지대를 낳는 부류의 생산물과 어떤 때는 지대를 낳아 주고, 어떤 때는 낳지 않는 부류의 생산물 각 가치 사이의 비율 변동에 관하여

전반적인 진보의 과정은 식물 이외의 생산물을 비싸게 한다.

개량과 경작이 증진하면 그 결과 식물이 점점 풍부해지고, 이 사실은 또한 식물 이외의 실용 또는 장식에 충용되는 토지 생산물의 모든 부분에 대한 수요를 필연적으로 증가시킨다. 따라서 개량이 이루어지는 전 과정에 있어서는 그러한 두 가지 다른 부류의 생산물의 상대적인 가치(comparative value)에는 유일한 변동밖에 있을 수 없다는 것이 예상될 수 있을 것이다. 어떤 때는 지대를 낳고 어떤 때는 낳지 않는 부류의 생산물의 가치는 항상 약간의 지대를 낳는 그것에 비례하여 끊임없이 상승해야 하는 셈이다. 기술과 산업이 진보함에 따라 의주衣住의 재료, 대지에서 얻어지는 유용한 화석과 광물, 귀금속과 보석은 점차 그 수요가 많아지게 되고, 점점 더 다량의 식물과 교환되는 셈이 된다. 바꾸어 말하면 점점 더 비싸게 되는 셈이다. 따라서 대부분의 경우 대부분의 이러한 사물에 관하여 사실이었으며, 만일 특수한 우연사가 어떤 경우에 이 가운데 어떤 것의 공급을 이것에 대한 수요보다 훨씬 더 큰 비율로 증가시키지 않았다면, 이상의 사실은 모든 경우 모든 사물에 관해서 사실이었을 것이다.

중단되는 것도 있으니, 이를테면 다산적인 새로운 광산이 발견되었을 때의 은의 경우가 그러하다.

예를 들어 사암과 석회암과 같은 채석장(free-stone quarry)의 가치는 그 주변 지방의 개량과 인구가 증진하면 할수록 반드시 증가할 것이다. 만일 그 채석장이 그 이웃에서 유일한 것일 경우에는 특히 그러할 것이다. 그러나 은광의 가치는 비록 그 주변 천 마일 이내에 또 하나의 다른 은광이 없다 하더라도, 반드시 그것이 위치하고 있는 나라의 개량과 함께 증가한다고는 할 수 없을 것이다. 사암과 석회암 같은 것의 채석장의 생산물에 대한 시장은 그 주변 수 마일 이상으로 뻗치는 일은 좀처럼 있을 수 없다. 그리고 그 수요도 대체로 그 소지역의 개량과 인구에 비례하지 않을 수 없다. 그러나 은광의 생산물에 대한 시장은 기지의 전세계에 뻗쳐 있을 것이다. 그러므로 세계가 전반적으로 개량되고 인구가 증가하지 않는 한, 비록 은광의 이웃에 일대국이 개량되더라도 그것 때문에 은에 대한 수요는 전혀 증가하지는 않을 것이다. 비록 세계가 전반적으로 개량되고 있다 하더라도 만일 그 개량의 과정에서 기지의 어떠한 것보다 더 다산적인 새로운 은광이 발견되기라도 한다면, 은에 대한 수요는 반드시 증가할 것이지만 공급도 또한 훨씬 더 큰 비율로 증가할 것이므로, 그 금속의 실질가격은 점차 하락할 것이다. 즉 어떤 일정량의 은, 이를테면 중량 1파운드는 점점 더 소량의 노동밖에 구매 또는 지배하지 못하게 될 것이다. 다시 말하면 그것은 노동자의 생활자료의 주요부분인 곡물의 점점 더 소량과 교환될 것이다.

은에 대한 큰 시장은 세계에서도 상업적이고 문명화된 부분이다.

은은 개량의 전반적인 진행과정에 있어서는 더 비싸게 되어 갈 것이다.

만일 개량이 전반적으로 진보함으로써 이 시장의 수요가 증가함과 동시에 공급이 그것과 동일한 비율로 증가하지 않는다면 은의 가치는 곡물의 그것에 비하여 점차로 상승할 것이다. 어떤 주어진 양의 은은 점점 더 다량의 곡물과 교환될 것이다. 즉 바꾸어 말하면, 곡물의 평균화폐가격은 점차로 더 싸게 될 것이다.

만일 어떤 우연사가 일어나 다년간 그 공급을 증가시킨다면 더 싸게 될지도 모른다.

이와 반대로 어떤 우연사에 의하여 다년간 공급이 수요보다 더 큰 비율로 증가하면 그 금속은 점차로 더 싸게 될 것이다. 바꾸어 말하면 곡물의 평균화폐가격은 모든 개량에도 불구하고 점차로 더 비싸게 될 것이다.

또한 수요와 공급이 동등하게 증가하면 정체한 그대로 있을지 모른다.

그러나 또 한편으로 만일 그 금속의 공급이 수요와 거의 동일한 비율로 증가한다면 그것은 계속 거의 동량의 곡물을 구매하든지 또는 교환될 것이다. 그리고 곡물의 평균화폐가격은 모든 개량에도 불구하고 계속 거의 동일할 것이다.

이상의 세 가지 사태는 과거 400년 동안 일어나고 있었다.

가능한 모든 조합(combinations)은 이상 세 가지로서 다 되는 것 같다. 만일 우리가 프랑스와 영국 쌍방에서 일어났던 것으로 판단해도 좋다면 이 세 가지 다른 조합의 각각은 현재 이전의 4세기를 통하여 유럽 시장에서, 더구나 내가 여기에서 기술한 것과 거의 동일한 순서로 일어났던 것이라고 생각되는 것이다.[313]

1. 과거 4세기 동안에 있었던 은의 가치의 변동에 관한 여론

제1기

1350년에서 1570년까지 은은 점차 하락했다.

1350년과 그 이전 얼마 동안 잉글랜드에서의 소맥 1쿼터의 평균가격은 타워형으로 은 4온스 이하로는 평가되지 않았던 것 같으며, 이것은 우리의 현재의 화폐로 약 20실링과 같은 것이 되어 버린 것 같다. 그런데 소맥은 그 후 점차로 가격의 하락을 보아 은 2온스, 즉 현재의 우리의 화폐로 약 10실링으로 된 것같이 생각된다. 우리가 알고 있는 그 가격은 16세기 초에 있어 소맥의 평가가격이며, 1570년경까지 계속 그 가격으로 평가되고 있었던 것 같다.[314]

1350년에는 소맥은 1쿼터에 은 4온스였다.

에드워드 3세의 제25년에 해당하는 1350년에는 소위 노동자조례(The statute of labourers)라고 불리는 것이 제정되었다. 이 조례는 그 전문에서 마스터들에게 그들의 임금을 올려 달라고 애쓰던 사용인들의 건방짐을 크게 개탄하고 있다.[315]

313 〔"생각된다(seem)"는 초판에는 "seems"라고 되어 있다.〕

314 〔이러한 진술에 관한 증거는 본 장의 끝에 있는 표의 숫자와는 일치하지 않으나 이하 11개의 문단에 나와 있다.〕

315 〔이것은 1349년의 법령에 관하여 말하는 것이다. 그 법령은 임금이 에드워드 3세 제20년과 그 5~6년 전(즉 1347년 또는 1348년에서 1353년까지)의 수준으로 계속되어야 할 것을 명했던 것이다. 이 법령이 통과된 이유로는 "게으르고, 악역 후에는 부당한 고임금을 받지 않고서는 기꺼이 봉사하려고 하지 않는 사용인들의 악의에 대항하기" 위한 것이었으며, 신규정을 설정한 이유를 다음과 같이 들고 있다. 즉 "당의회에서 서민의 청원에 의하여 이미 국왕도 이해되는

따라서 그 조례는 영후 모든 사용인과 노동자는 그들이 현 국왕의 치세 제20년 및 그 이전 4년 동안에[316] 받기로 습관이 되어 있었던 것과 같은 임금 및 급여(급여는 당시 의복뿐만 아니라 식료품도 의미하고 있었다)로 만족해야 한다는 것, 그리고 이 때문에 그들의 급여로서의 소맥은 어디에서나 1부셸에 10펜스 이상으로 평가되어서는 안 된다는 것, 그리고 그들에게 소맥으로 지급하느냐 화폐로 지급하느냐의 선택은 항상 마스터의 자유이어야 한다는 것을 명하고 있다. 따라서 1부셸에 10펜스라는 것이 에드워드 3세 제25년에 소맥의 극히 온당한 가격이라고 간주되었던 셈이다. 그것도 사용인들에게 식료품이라고 하는 통상의 급여 대신에 소맥을 받도록 강요하기 위해서는 특별한 조례를 필요로 했기 때문이며, 그 10년 전, 즉 그 조례에 지시되어 있는 최초의 기한인 같은 왕의 치세 제16년에는 그 가격은 합리적인 것이라고 생각되고 있었다. 그러나 에드워드 3세 제16년에는 10펜스가 타워형衡으로 은 약 반 온스를 함유하고 있었으며, 현재의 우리 화폐로서는 거의 반 크라운과 같은 것이었다.[317] 따라서 타워형으로 은 4온스는 당시의 화폐 6실링 8펜스와 같은 것이며, 현재의 그것의 거의 20실링과 같은 것인데, 이것이 8부셸로서 1쿼터인 소맥의 온당한 가격이라고 간주되고 있음이 틀림없다.

이 세기의 초두에도 그 이하는 아니었다.

이 조례는 당시 곡류의 온당한 가격이라고 생각되었던 것에 관한 역사가와 다른 저술가가 일반적으로 기록하여 온 어떤 특정한 해의 가격보다도 확실히 더 훌

바와 같이 위에서 말한 사용인들은 위의 명령을 고려하지 않고, 그들의 안락과 이상한 탐욕 때문에 에드워드 3세 제20년 및 그 이전에 받고 있었던 급여와 임금의 두 배 또는 세 배를 받지 않는 한 귀인들과 그 밖의 사람들에 대한 봉사에서 손을 떼고 있다. 그 때문에 귀인들은 대손해를 입고 있으며, 빈곤에서의 구제를 기원하고 있는 위의 서민 모두가 빈곤화하고 있다"라고.〕

316 〔즉 치세 제20년 이전의 4년간을 말한다.〕

317 〔여기와 다른 곳에 나와 있는 옛날 화폐의 18세기의 본위本位에의 환산은 아마 마틴 포크스Martin Folkes, 《A Table of English Silver Coins from the Norman Conquest to the Present Time》(1745), 142면의 표에 의한 것이겠다.〕

륭한 증거이다. 역사가와 다른 저술가가 일반적으로 가격을 기록하는 것은 그것이 이상하게 비싸거나 싸기 때문이며, 따라서 그러한 기록을 근거로 하여 통상의 가격이 얼마가 되었을 것이라는 것을 판단하기는 곤란하다.[318] 뿐만 아니라 14세기의 초두와 그 이전 얼마 동안 소맥의 보통의 가격이 1쿼터에 은 4온스 이하는 아니었으며, 다른 곡류의 그것도 이에 비례하고 있었다는 것을 믿을 만한 다른 이유도 있다.

1309년 캔터베리의 성 아우구스티누스 수도원의 부원장이었던 랄프 드 본Ralph de Born 씨는 자기의 취임식날에 잔치를 베풀었는데, 이 잔치의 음식의 차림표뿐만 아니라 수많은 개개의 물품의 가격을 윌리엄 손Willianm Thorn이 보존하고 있다. 그 잔치에서 소비되었던 것은 다음과 같다. 즉 첫째, 소맥 53쿼터, 그 가격은 19파운드 즉 1쿼터에 7실링 2펜스, 현재의 우리 화폐로 약 21실링 6펜스와 같다. 둘째로 맥아 58쿼터, 그 가격은 17파운드 10실링, 즉 1쿼터에 6실링, 현재의 우리의 화폐로 약 18실링과 같은 것이다. 셋째로 연맥 20쿼터, 이 가격은 4파운드, 즉 1쿼터에 4실링, 즉 현재의 우리 화폐로 약 12실링과 같은 것이다.[319] 여기에서의 맥아와 연맥의 가격은 소맥의 가격에 대한 것들의 통상의 비율보다도 더 높은 것 같다.

이들 가격은 이상하게 비싸거나 싸다는 것 때문에 기록되었던 것은 아니고, 그 장대함으로 유명했던 한 잔치에서 소비되었던 다량의 곡류에 대하여 실제로 지불되었던 가격으로서 우연히 기록된 것에 지나지 않은 것이다.

그 이전 얼마 동안도 그러했다.

1262년인 헨리 3세 제51년에는 빵과 맥주에 관한 공정가격령(The Assize of Bread and Ale)[320]이라고 하는 옛 조례가 부활되었다. 왕은 그 전문에서 이 조례는 한때

318 〔예를 들면 본 장의 끝에 있는 표 가운데 플릿우드의 가격.〕

319 〔윌리엄 플릿우드, 《Chronicon Preciosum》(1707), 83~85면.〕

320 〔헨리 3세 제51년은 1266년 10월 28일에서 1267년 10월 27일까지이므로 여기에서 1262년

잉글랜드의 왕이었던 자기의 선조의 시대에 만들어졌던 것이라고 말하고 있다. 따라서 그것은 적어도 그의 조부 헨리 2세의 시대만큼 오래된 것일지도 모르며, 노르만의 정복시대만큼이나 오래된 것일지도 모른다. 그 조례는 빵의 가격을 그때그때의 소맥의 가격에 비례하도록 규정하고, 소맥의 가격은 1쿼터에 당시의 화폐로 1실링에서 20실링까지로 하고 있다. 그러나 이런 종류의 조례는 중간가격(the middle price)으로부터의 모든 일탈을 경계, 즉 가격이 그 이하가 되거나 그 이상이 되는 것을 함께 경계하여 일반적으로 그러한 규정을 만들었다고 생각된다. 그러므로 타워형으로 은 6온스를 함유하고 10실링, 즉 현재의 우리 화폐로 약 30실링에 상당하는 당시의 10실링은 이 가정에 의하면 이 조례가 최초로 제정되었을 때, 소맥 1쿼터의 중간가격이라고 생각되었음이 틀림없다. 그리고 헨리 3세의 제51년까지 계속 그러했음이 틀림없다. 따라서 우리는 그 중간가격은 이 조례가 규정하는 빵의 최고가격의 3분의 1 이하, 즉 타워형으로 은 4온스를 함유하는 당시의 화폐 6실링 8펜스 이하는 아니었다고 상정하여도 심히 틀리지는[321] 않을 것이다.

그러므로 이러한 여러 가지 사실에서 14세기의 거의 중엽과 그 이전, 꽤 오랫동안 소맥 1쿼터의 평균적 또는 통상적인 가격이 타워형으로 은 4온스 이하라고 생각되지는 않았다는 결론을 내리더라도 그것에는 다소의 이유가 있었던 것 같다.

그때부터 그것은 점차로 내려서 16세기 초두에는 2온스가 되었으며, 1570년까지 그대로였다.

14세기 중엽경부터 16세기의 초두까지 합리적이며 온당하다고 생각되고 있었

이라고 되어 있는 것은 틀린 것이다. 그러나 출간된 조례집 가운데 이 조례가 헨리 3세 제51년의 것이라고 하고 있는 것은 충분한 전거가 있었던 것 같지는 않다. 《Statutes of the Realm》, 제1권, 199면의 주를 보라.〕

321 〔"심히 틀린"은 초판에는 "아주 심히 틀린"이라고 되어 있다.〕

던 가격, 즉 소맥의 통상적 또는 평균적인 가격은 점차로 가격의 약 반으로 떨어져서 마침내 타워형으로 은 약 2온스, 즉 현재의 우리 화폐로 약 10실링과 같은 가격에까지 떨어졌던 것 같다. 소맥은 1570년경까지 계속 이 가격으로 평가되고 있었다.

1512년에 작성된 제5대 노섬벌랜드 백작 헨리 가계부에는 소맥에 관하여 두 가지 다른 평가가 있다. 그 하나는 그것을 1쿼터에 6실링 8펜스라고 산정하고, 다른 하나는 그것을 겨우 5실링 8펜스라고 산정하고 있다.[322] 1512년에는 6실링 8펜스는 타워형으로 은 2온스밖에 함유하고 있지 않았으며, 현재의 우리 화폐로 약 10실링과 같은 것이었다.

에드워드 3세 제25년부터 엘리자베스 치세의 초두에 걸쳐 200년 남짓한 동안 여러 가지 조례에 나타나 있는 것으로는 계속 6실링 8펜스가 소맥의 소위 온당하고 합리적인 가격, 즉 그 통상적이며 평균적인 가격이라고 생각되고 있었다. 그러나 그 명목금액에 함유되어 있는 은의 양은 이 기간을 통하여 주화에 어떤 변경이 있었던 결과 끊임없이 감소되고 있었다. 그러나 은의 가치의 증가가 같은 명목금액에 함유되어 있는 은의 양의 감소를 충분히 메워 줄 만했던 것 같으므로 입법부는 이러한 사정을 주목할 만한 가치가 있는 것이라고 생각하지 않았다.

그리하여 1436년에는 소맥의 가격이 6실링 8펜스까지 저락했을 때는 무면허로 수출해도 좋다는 것이 제정되었다.[323] 그리고 1463년에는 소맥의 가격이 1쿼터에 6실링 8펜스를 넘지 않는다면 전혀 소맥을 수입해서는 안 된다는 것이 제정

322 〔《The Regulations and Establishment of the Houshold of Henry Algernon Percy, the fifth Earl of Northumberland, at his castles of Wresill and Lekinfield in Yorkshire begun anno domini MDXII》(1770), 2, 4면. 그러나 실제로 두 가지 평가가 있었던 것은 아니다. 이 책의 4면에 있는 "5실링 8펜스(vs. viijd)가 6실링 8펜스(vis. viijd)의 오식이거나 오인에 지나지 않는다는 것은 명백한 것 같다. 왜냐하면 118쿼터 2부셸이 39파운드 8실링 4펜스"라고 계산되어 있기 때문이다.〕

323 〔헨리 6세 제15년 법률 제2호.〕

되었다.[324] 즉 입법부는 가격이 대단히 낮을 때는 수출에 번거로움이 전혀 있을 수 없으나, 그것이 상승할 때는 수입을 허가하는 것이 신중한 처사라고 생각했던 것이다. 따라서 현재의 우리 화폐로 13실링 4펜스와 거의 같은 양의 은을 함유하는 6실링 8펜스라는 것(현재의 우리 화폐의 함유 은량은 에드워드 3세의 시대에 동일 명목금액에 함유되어 있었던 것보다 3분의 1 적다)이 당시 소맥의 소위 온당하고 합리적인 가격이라고 생각되고 있다.

1554년에는 필리페와 메리 치세 제1, 2년의 법률[325]에 의하여, 그리고 1558년에는 엘리자베스 치세 제1년의 법률[326]에 의하여 소맥의 수출은 마찬가지로 1쿼터의 가격이 6실링 8펜스를 넘으면 언제든지 금지되었으며, 당시 이 함유 은량은 현재의 같은 명목금액의 그것보다도 2펜스 정도밖에 적지 않았다. 그러나 소맥의 가격이 이렇게 심히 저하할 때까지 그 수출을 억제해 두는 것은 실은 전혀 그것을 금지하는 것이나 마찬가지라는 것을 얼마 되지 않아 알게 되었다. 그리하여 1562년에는 엘리자베스 치세 제5년의 법률[327]에 의하여 소맥은 가격이 1쿼터에 10실링을 넘지 않는다면 언제든지 일정 항으로부터 수출할 수 있도록 허가했는데, 그 함유 은량은 현재의 같은 명목금액의 그것과 거의 동일했다. 따라서 당시 이 가격은 소맥의 소위 온당하고 합리적인 가격이라고 생각되고 있었다. 그리고 그것은 1512년의 노섬벌랜드의 가계부의 평가와 거의 일치하고 있다.

프랑스에서도 이와 같은 하락이 관찰되어 있다.

프랑스에서도 마찬가지로 15세기의 말엽과 16세기의 초두에 있어서 곡류의 평

324 〔에드워드 4세 제3년 법률 제2호.〕

325 〔필리페와 메리 치세 제1, 2년 법률 제5호 제7조. 그러나 수출의 면허는 이 법령에 의하여 인정된다.〕

326 〔엘리자베스 치세 제1년 법령 제11호 제11조. 그러나 이 법령은 세관이 존재하지 않는 곳으로부터의 수출을 방지할 의도에서 단순히 부분적으로 노퍽Norfolk 및 서퍽Suffolk을 제외하고 있을 뿐이다.〕

327 〔엘리자베스 치세 제5년 법률 제5호 제17조.〕

균가격이 이에 선행하는 두 세기보다 훨씬 더 낮았다는 것은 뒤프레 드 생 모르 씨Mr. Duprè de St. Maur[328]와 《곡물정책론the Essay on the police of grain》[329]의 품위 있는 저자에 의하여 관찰되어 왔다. 그 가격은 동기에 유럽의 대부분을 통하여 아마 똑같이 떨어졌을 것이다.

그것은 은에 대한 수요의 증가, 또는 공급의 감소에 의한 것이었을 것이다.

은의 가치가 곡물의 그것에 비하여 이렇게 상승한 것은 사회가 개선되고 경작이 증진된 결과, 그 금속에 대한 수요가 증가했는데 공급이 그동안 계속 그전과 같았다는 것에 전적으로 기인했거나, 또는 수요는 계속 그전과 같았는데 당시 세계적으로 알려져 있었던 광산들의 대부분이 상당히 고갈되어 버린 결과, 그것들의 가동비가 크게 증가되었기 때문에 공급이 점차 감소해 갔다는 것에 전적으로 기인되었거나, 또는 이 두 가지 사정 가운데 어느 정도는 전자에, 또 어느 정도는 후자에 기인되었을 것이다. 15세기 말엽과 16세기의 초두에는 유럽의 대부분이 그 이전의 몇 세대보다도 더 안정된 정치 형태에 접근해 가고 있었다. 공안이 증대하면 자연히 산업과 개선이 증진하고 귀금속에 대한 수요도 다른 모든 사치품과 장식품에 대한 수요도 부의 증가와 더불어 자연히 증진할 것이다. 연간 생산물이 증대하면 할수록 그것을 유통시키기 위하여 점점 다량의 주화가 필요하게 될 것이며, 부자의 수가 많아지면 많아질수록 점점 다량의 은기, 그 밖의 은의 장식품이 필요하게 될 것이다. 당시 유럽의 시장에 은을 공급하고 있었던 광산들의 대부분이 심히 고갈되어 있었기 때문에 그것들의 가동비가 점점 증

328 〔그의 《Recherches sur la valeur des Monnoies et sur les prix des grains avant et apres le concile de Francfort》(1762)에도, 그리고 그의 《Essai sur les Monnoies, ou reflexions sur le rapport entre l'argent et les denrees》(1746)에도 여기에 나온 언급에 대하여 명백하게 정당화했다고 할 만한 곳이 하나도 없다.〕

329 〔1446년에서 1515년까지 "소맥의 가격은 그 이전의 여러 세기에 있어서의 그것보다 훨씬 낮았다."-클로드 자크 허버트Claude-Jacques Herbert, 《Essai sur la police generale des grains sur leur prix et sur les effets de l'agriculture》(1755), 259~260면.〕

가하게 되었다는 것을 상상하는 것도 자연적이라 하겠다. 그러한 광산들은 로마인의 시대로부터 가동되어 왔었던 것도 많은 것이다.

그럼에도 대부분의 저술가는 은의 가치는 계속 하락했다고 생각하여 왔다.

그런데 옛 시대의 상품들의 가격에 관하여 저술한 사람들의 대부분은 노르만의 정복에서부터, 아마 카이사르의 침입에서부터 아메리카의 광산들의 발견에 이르기까지 은의 가치는 부단히 감소했다고 하는 견해를 가지고 있다. 그들이 이러한 견해를 가지게 된 것은 일부는 그들이 곡물과 그 밖의 토지 총생산물의 어떤 것의 가격을 관찰하는 기회를 가졌기 때문이며, 또 일부는 은의 양은 모든 나라에서 부의 증가와 더불어 자연히 증가하므로 그 가치는 그 양의 증가와 함께 감소한다고 하는 속된 관념을 가지고 있었기 때문인 듯하다.

곡물의 가격을 관찰함에 있어서 그들은 오해로 이끌었던 것은 다음 여러 사정에 의한다.

그들이 곡물의 가격을 관찰할 경우에 세 가지 다른 사정이 종종 그들을 오해로 이끌어 갔던 것 같다.

즉 (1) 환산가격을 시장가격과 혼동했다는 것.

첫째, 옛 시대에는 거의 모든 지대는 현물로, 즉 일정량의 곡물·가축·가금 등으로 지불되었다. 그러나 지주는 그가 차지인으로부터 연간지불을 현물로 요구하거나, 또는 그 대신에 일정액의 화폐를 요구하거나 그것은 그의 자유이어야 한다는 것을 약정의 조건으로 할 때가 종종 있었다.[330] 이렇게 해서 어떤 일정액의 화폐 대신에 지불되는 현물의 가격은 스코틀랜드에서는 환산가격(conversion

330 〔이 문장은 초판에서는 다음과 같이 되어 있다. "그러나 지주가 차지인과 약정을 다음과 같이 맺는 일이 종종 있었다. 즉 지주가 연간지불을 현물로 요구하든지 또는 그 대신 일정액의 화폐로 요구하든지 그건 지주의 자유로 한다는 것이었다."〕

price)이라고 부르고 있다. 실물을 받거나 또는 그 가격을 받거나 그 선택은 항상 지주의 자유이므로 차지인의 안전을 위해서는 환산가격이 평균 시장가격을 넘는 것보다 오히려 그 이하이어야 할 필요가 있다. 따라서 많은 지방에서는 환산가격이 평균 시장가격의 반을 훨씬 넘지 않는다. 스코틀랜드의 대부분을 통하여 이러한 관습은 가금에 관해서 아직도 존속하고 있으며, 어떤 지방에서는 가축에 관해서 존속하고 있다. 만일 공정곡가(public fiars)라는 제도가 그 관습을 폐지시키지 않았더라면 그것은 아마 곡물에 관해서도 역시 존속하고 있었을 것이다. 공정곡가라고 하는 것은 순회재판(assize)의 판결에 따라 행해지는 모든 곡류의 평균가격의 연간 평가이며, 이 평가는 모든 각 주마다의 실제의 시장가격에 따라 모든 종류 및 모든 품질의 곡류의 평균가격에 관하여 행해지는 것이다. 이 제도는 어떤 일정한 확정적인 가격이라기보다 오히려 해마다 공정가격으로 정해지곤 했던 것에 의하여[331] 곡물지대가 소위 환산되도록 하고, 이것은 또한 차지인을 위해서는 충분히 안전하고 또 지주에게는 훨씬 더 편리한 것이다. 그러나 옛날의 곡물 가격을 수집한 저자들은 스코틀랜드에서 환산가격이라고 불리고 있었던 것을 종종 실제의 시장가격으로 오인했던 것 같다. 플릿우드는 어떤 기회에 자기가 이러한 오류를 범했다는 것을 시인한 바 있다. 그러나 그는 어떤 특별한 목적을 위해서 자기의 책을 썼으므로 이 환산가격을 15회나 전사轉寫할 때까지 이를 시인하는 것이 적당하다고 생각하지 않았던 것이다.[332] 그 가격은 소맥 1쿼터에 8실링이다. 이 금액은, 1423년, 즉 그가 그 전사를 시작한 그 연도에는 현재의 우리 화폐의 16실링과 같은 양의 은을 함유하고 있었다. 그러나 1562년, 즉 그가 그 전사를 끝마친 연도에는 그것은 현재의 같은 명목금액이 함유하고

331 〔이 구절은 초판에는 "오히려 각 연年의 공정가격에 의하여"라고 되어 있다.〕

332 〔《Chronicon Preciosum》(1707), 121~122면. 플릿우드는 "오류"를 "시인"하고 있는 것이 아니라, 다만 그 가격은 시장가격은 아니었지만 그것은 지주와 차지인 사이에 "충분히 합의가 되어 있었던 것"일 것이다라고 말하고 있을 뿐이다. 플릿우드의 "특별한 목적"이라고 하는 것은 급비생의 자격을 얻기 위해 사람이란 고의로 자기의 소득을 그 실액보다 훨씬 적은 것이라고 선서할 수 있다는 것은 증명한다는 것이었다.〕

있는 것과 동량의 은을 함유하고 있는 데 지나지 않았다.

(2) 옛날의 공정가격에 관한 조례를 아무렇게나 전사했다는 것.

둘째로 그들은 옛날의 공정가격에 관한 조례가 때로는 게으른 복사자에 의하여 아무렇게나 전사되거나 또는 입법하에 의하여 실제로 아무렇게나 작성되기도 했기 때문에 이러한 오해에 이르게 되었다.

옛날의 공정가격에 관한 조례는 언제나 소맥과 대맥의 가격이 최저일 때 빵 및 맥주의 가격은 얼마이어야 할 것인지를 먼저 결정해 놓고 그다음에 그러한 두 종의 곡류가 이 최저가격 이상으로 점차 상승해 가는 데 응하여 빵과 맥주의 가격이 얼마이어야 한다는 것을 차츰 결정해 갔던 것 같다. 그러나 그러한 조례의 전사자들은 종종 최초의 3~4의 최저가격에 관한 규정까지만을 옮기면 그것으로 충분하다고 생각하고 있었던 것 같으며, 이리하여 그들은 그들 자신의 노동을 절약했고, 또한 이로써 그보다 더 높은 모든 가격에서도 관측되어야 하는 비율을 설명하는 데 충분하다고 판단하고 있었다고 나는 상상하고 있다.

그리하여 헨리 3세 제51년의 빵 및 맥주에 관한 공정가격령에서는 소맥의 가격이 당시의 화폐로 1쿼터에 1실링에서 20실링까지 여러 가지 가격이 되는 데 따라 빵의 가격이 규정되었다. 그러나 러프헤드 씨Mr. Ruffhead 판版의 조례집 이전의 여러 가지 판본 모두가 그 인쇄의 대본으로 삼았던 수사본手寫本에서는 복사자들이 12실링을 넘는 가격에 관한 이런 규정을 전혀 전사하지 않았다.[333] 그리하여 몇몇 저술가는 이러한 잘못된 전사 때문에 오해하게 되었으므로 극히 자연스럽게 1쿼터에 6실링이라고 하는 중간가격, 즉 현재 우리의 화폐로 약 18실링과 같은 것이 당시의 소맥의 통상적 또는 평균적 가격이었다고 결론을 내렸던 것이다.

또는 그러한 조례를 오해했다는 것.

333 〔이러한 진술은 너무 지나친 것이다. 《Statutes of the Realm》, 제1권, xxiv면을 보라. 러프헤드 판版이 공간되기 시작한 것은 1762년이다.〕

이와 거의 동일한 시기에 제정된 사형수 호송차와 칼[334](Tumbrel and Pillory, 옛날의 형틀)에 관한 조례에는 맥주의 가격은 대맥의 가격이 1쿼터에 2실링에서 4실링 사이에 매 6펜스 상승할 때마다 규정되어 있다. 그러나 그 4실링이라는 것은 당시 대맥이 흔히 상승할 수 있었던 최고의 가격이라고 생각되고 있었던 것은 아니다. 그리고 또한 이러한 가격들은 고저 어느 것이나 다른 모든 가격에서도 관측되어야 할 비율을 예시하는 것에 지나지 않았다는 것은 우리는 그 조례의 마지막에 나오는 "et sic deinceps crescetur vel diminuetur per sex denarios"라고 하는 말에서 추측할 수 있다. 표현은 아주 아무렇게나 된 것이지만 그 뜻은 아주 분명한 것인즉 맥주의 가격은 이렇게 "대맥의 가격이 6펜스 등락하는 데 따라" 증감되어야 한다는 것이다. 이 조례는 작성함에 있어서 입법부 자신도 복사자들이 다른 조례를 전사할 경우와 마찬가지로 부주의했던 것 같다.

오래된 스코틀랜드의 법률서인 《왕위의 존엄The Regiam Majestatem》의 옛날의 수사본 가운데는 공정가격에 관한 조례가 있다. 그 가운데는 빵의 가격은 소맥의 가격이 잉글랜드의 약 반 쿼터와 같은 스코틀랜드의 1볼boll당 10펜스에서 3실링까지 여러 가지 가격이 되는 데 따라 규정되어 있다. 스코틀랜드의 3실링은 이 공정가격에 제정되었다고 생각되는 시대에는 현재 우리의 화폐로 약 9실링 스털링과 같았다. 러디만 씨Mr. Ruddiman[335]는 이것에서 3실링이라는 것이 당시의 소맥이 상승한 최고의 가격이었으며 10펜스 또는 1실링 또는 기껏해야 2실링이라는 것이 통상의 가격이었다고 결론을 짓고 있는 것 같다.[336] 그러나 그 수사본을 찾아 보면 이러한 모든 가격은 소맥과 빵의 각각의 가격 사이에 관측되어야 하는 비율을 예시하기 위하여 기재되는 데 지나지 않은 것이라고 하는 것

334 〔Judicium Pillorie, 시기불확실. 단 헨리 3세 제51년 법률 제6호라고 하고 있다.〕

335 〔"Ruddiman"은 초판과 제2판에는 "Rudiman"이라고 되어 있다.〕

336 《An Introduction to Mr. James Anderson's Diplomata Scotiae》을 보라. 〔《Selectus diplomatum et numismatum Scotiae thesaurus》(1739), 82면과 그 번역에서는 토마스 러디먼Thomas Ruddiman, 《An Introduction to Mr. James Anderson's Diplomata Scotiae》(Edinburgh, 1773), 170, 174, 228면. 이 주는 제2판에서 처음으로 나온다.〕

이 명백해진다. 그 조례의 마지막에 나오는 말은 "reliqua judicabis secundum præscripta habendo respectum ad pretium bladi"이다. 즉 나머지 경우에는 상기한 것에 따라 곡물의 가격을 참작하여 판단할 것이라는 것이다.[337]

그리고 (3) 지나치게 낮은 가격을 너무 중요시했던 것이 그것이다.

셋째로 그들은 또한 아주 옛날에 소맥이 이따금 팔리고 있었던 극히 낮은 가격으로 인해 오해하게 되었던 것 같다. 더욱이 당시의 최저가격은 후대의 그것보다 훨씬 낮았으므로 그 통상의 가격도 역시 훨씬 낮았음이 틀림없다고 생각했던 것 같다. 그러나 그들은 그러한 옛날에는 그 최저가격이 후대에서 알려져 있는 어떠한 가격보다 더 낮았던 것과 마찬가지로 그 최고가격 역시 후대의 그것보다 훨씬 높았다는 것을 발견할 수 있었을 것이다. 그리하여 플릿우드는 1270년에 관해서는 소맥 1쿼터에 관하여 두 가지 가격을 우리들에게 들려주고 있다.[338] 즉 그 하나는 당시의 화폐로서 4파운드 16실링, 즉 현재의 우리의 화폐로 14파운드 8실링과 같은 것이다. 또 하나는 6파운드 8실링, 즉 현재 우리의 화폐로 19파운드 4실링과 같은 것이다. 15세기 말엽 또는 16세기의 초두에는 이렇게 엄청난 가격에 가까운 것은 전혀 찾아볼 수 없다. 곡물의 가격이란 어떠한 시대에도 변동[339]하기 쉬운 것이지만, 모든 상업과 교통이 중단되어 있기 때문에 일국의 어떤 지방의 풍부로써 다른 지방의 부족을 구제할 수 없게 되는 그러한 불온하고 무질서한 사회에서는 가장 변동하기 쉬운 것이

337 〔그 수사본은 Alexander Foulis MS.인 것 같으며, 그것은 현재 에든버러의 변호사도서관(25.4.10. in the Edinburgh Advocates' Library, No. viii. of the MSS.)에 있으며, 《Acts of the Parliaments of Scotland》, 제1권에 씌어져 있다. 정확한 말은 "나머지 경우는 명령에 따라 규정을 참작하고 곡물의 가격을 증가하여 판단해야 한다는 각서(Memorandum quod reliqua judicabis secundum praedicta habendo respectum ad praescripta bladi precium duplicando)"이다.〕

338 〔《Chronicon Preciosum》, 78면. 여기에서 플릿우드는 《Antiq Britan. in Vita Joh. Pecham》의 저자가 "식료품이 대단히 부족했기 때문에 양친은 그들 자신의 아이들을 먹었다"라고 말하고 있는 것을 인용하고 있다.〕

339 〔"변동"은 초판에서 제3판까지 "제諸 변동"이라고 되어 있다.〕

다. 12세기의 거의 중엽에서 15세기 말엽까지의 잉글랜드를 지배했던 플랜태저넷 왕조의 치하에서의 무질서했던 잉글랜드에서는 어떤 지역은 곡물이 풍부한 데 반하여 그곳에서 그리 멀리 떨어져 있지 않은 다른 지역은 계절의 사고 또는 어떤 이웃 영주의 습격에 의하여 수확물이 못쓰게 되어 버려서, 기근의 심한 공포를 경험하는 수도 있었다. 더욱이 만일 어떤 적대적인 영주의 토지가 그 지역들 사이에 개재하고 있다면 전자는 후자에 대하여 최소한도의 원조마저 하여 줄 수 없었을 것이다. 15세기의 후반에서 16세기 전체를 통하여 잉글랜드를 지배했던 튜더 왕조의 활기 있는 통치하에서는 감히 공안을 어지럽힐 만큼 강력한 영주는 한 사람도 없었다.

본 장의 마지막에 나오는 숫자는 이상의 설명을 확증하고 있다.

독자는 본 장의 마지막에 플릿우드가 수집한 모든 소맥 가격을 현재의 우리의 화폐로 환산하여 양단의 기간을 포함한 1202년부터 1597년까지 연대순으로 12개년씩 7개로 구분하여 정리하여 둔 것을 발견할 것이다. 또한 독자는 그 각 부분의 끝에 해당 부분을 이루고 있는 12개년의 평균가격을 볼 수 있을 것이다. 그 긴 기간 가운데 플릿우드가 수집할 수 있었던 것은 겨우 80개년분에 관한 것에 지나지 않으며, 최후의 12개년을 메우기 위해서는 4개년분이 부족되고 있다. 그러므로 나는 이튼 칼리지Eton College의 기록에서의 가격을 추가해 두었다. 내가 추가한 것은 이것뿐이다. 독자는 13세기 초기에서 16세기 중엽 이후에 이르기까지 각 12개년의 평균가격이 점차로 저하하고 16세기 말엽에 가까워지면 그것은 다시 상승하기 시작하는 것을 볼 것이다. 실제로 플릿우드가 수집할 수 있었던 것은 주로 이상하게 비쌌든지 쌌기 때문에 주목을 끌었던 가격이었던 것 같다. 그리고 나도 그러한 가격에서 어떤 대단히 확실한 결론이 나올 수 있다고 주장하는 것은 아니다. 그러나 그러한 가격이 적어도 어떤 것을 증명하고 있다면 그것은 내가 발견하려고 노력하여 왔던 것을 확증해 주는 것에 지나지 않는다. 그러나 플릿우드 자신은 대부분의 저술가들과 마찬가지로 그 전체 기간을 통하여 은이 점차로 풍부하게 된 결과 그 가격이 끊임없이 감소했다고 믿고 있었던 것 같다.[340] 그러나 그 자신이 수집한 곡물의 가격은 확실히 이 견해와 일치하지 않는다. 그것들은 뒤프레 드 생 모르 씨의 그것과 내가 설명하려고 노력하여 왔던 것과 완전히 일치하고 있다. 사교 플릿우드와 뒤프레 드 생 모르 씨는 최대의 근면과 성실을 다하여 옛날의 여러 물건의 가격을 수집했다고 생각되는 두 명의 저자이다. 그들의 견해가 대단히 상이할지라도 그들이 수집한 사실이 적어도 곡물의 가격에 관한 한에 있어서는 그렇게도 정확하게 일치하고 있다는 것은 약간 이상하다고 하겠다.

어떤 때는 은의 가치가 가축과 가금 등으로 측정되기도 했다. 그러나 이러한 것들의 저가격은 그것들이 싸다는 것을 나타내는 것이지 은의 고가를 나타내지는 않는 것이다. 그러나 가장 현명한 저술가들이 그러한 아득한 옛날에 있어서의 은의 가치가 컸다고 추론했던 것은 곡물의 가격이 저렴했기 때문에라기보다는 오히려 토지 총생산물의 어떤 다른 부분이 저렴했기 때문이다. 곡물은 일종의 제조품이므로 그러한 미개 시대에는 다른 상품들의 대부분에 비하여 훨씬 더 고가였다고 일컬어지고 있다. 그리고 나는 이것을 곡물이 가축과 가금, 모든 종류의 사냥 포획물 등과 같이 제조되지 않은 상품의 대부분보다 훨씬 고가였다는 뜻이라고 생각된다. 빈곤하고 미개적인 그러한 시대에 이러한 상품이 곡물보다 훨씬 쌌다는 것은 틀림없는 사실이다. 그러나 이 싼값은 은이 고가였던 결과는 아니고 그러한 상품의 가치가 낮았던 결과이다. 즉 은은 가장 부유하고 개선된 시대에 있어서보다 이러한 시대에 더 많은 노동을 구매 또는 대표했을 것이기 때문이[341] 아니고, 그러한 상품이 훨씬 소량의 노동밖에 구매 또는 대표하고 있지 못했을 것이기 때문이다. 은은 확실히 유럽에서보다는 스페인령 아메리카에서

340 〔이것은 플릿우드가 가격의 파동에 주의를 하지 않고 있다는 사실에서 나온 추정에 지나지 않는 것 같다.〕

341 〔여기와 두 줄 위의 "because"는 초판에서는 "that"으로 되어 있다.〕

더 싼 것이 틀림없다. 즉 해륙의 장도에 걸친 운송비, 선임 및 보험료를 들여서 가져오게 되는 나라에서보다 그것이 생산되는 나라에서 더 싼값임이 틀림없다. 그러나 우요아가 말하고 있는 것은 부에노스아이레스에서는 영화로 21펜스 반이 300~400마리의 우군에서 뽑힌 황소 한 마리의 가격이었던 것은 그렇게 멀지 않은 이전이었다고 한다.[342] 바이런 씨Mr. Byron가 우리에게 들려준 바에 의하면 칠레의 수도에서는 좋은 말 한 필의 가격이 16실링이었다는 것이다.[343] 자연적으로는 다산적이지만 그 대부분이 전혀 경작되어 있지 않은 나라에서는 가축과 가금 및 모든 종류의 사냥 포획물 등은 극히 소량의 노동으로 획득될 수 있으므로, 그것들은 아주 소량의 노동밖에 구매 또는 지배하지 못할 것이다. 그것들이 팔리는 화폐가격이 낮다는 것은 그곳에서의 은의 실질가치가 대단히 높다는 것의 증거는 아니고 그러한 상품의 실질가치가 대단히 낮다는 것의 증거이다.

왜냐하면 노동만이 실질적 척도이기 때문이다.

은에 관해서나 그 밖의 다른 모든 상품에 관한 가치의 실질적 척도는 노동이고 어떤 특정 상품 또는 일련의 상품이 아니라는 것은 상기해 두지 않으면 안 되는 것이다.

가축과 가금 등은 대가가 달라짐에 따라 대단히 다른 노동량에 의하여 생산된다.

그러나 거의 황폐해 있거나 또는 주민이 희박하든지 하는 나라에서는 가축과 가금 및 모든 종류의 사냥 포획물 등은 자연의 자발적인 생산물이므로 자연은 종종 주민의 소비가 필요로 하는 양보다 훨씬 더 많은 양을 생산한다. 이러한

342 〔《Voyage historique de l'Amérique Méridionale》, 제1권, 552면, 그러나 여기에서의 가축의 마릿수는 스미스가 앞의 149면에서 올바르게 인용하고 있듯이 200~300마리이다.〕

343 〔《Narrative of the Hon. John Byron, containing an account of the Great Distresses suffered by himself and his companions on the Coast of Patagonia from 1740 to 1746. 1768》. 212, 220면.〕

사태에서는 공급은 보통 수요를 초과한다. 따라서 사회 상태가 달라지고, 그 개량의 단계가 달라짐에 따라 그러한 물품은 대단히 다른 노동량을 대표할 것이며 또는 대단히 다른 노동량과 등가가 될 것이다.

그 반면 곡물을 생산하는 노동량은 전혀 변동하지 않는다.

모든 사회 상태에서 그리고 개량의 모든 단계에서 곡물은 인간의 노동의 생산물이다. 그러나 모든 부류의 근로의 평균생산물은 항상 다소나마 정확하게 평균 소비에 맞추어진다. 그리고 평균 공급은 평균 수요에 맞추어진다. 뿐만 아니라 사회개량의 각가지 다른 단계에 있어서 토양과 기후가 동일하면 등량의 곡물의 생산은 평균적으로는 거의 등량의 노동, 또는 같은 뜻이 되겠지만, 거의 등량의 노동의 가격을 필요로 할 것이다. 왜냐하면 경작 상태의 개량에 수반되는[344] 노동의 생산력의 끊임없는 증진은 농업의 주요 용구인 가축의 가격의 부단한 증대에 의하여 다소는 상쇄되기 때문이다. 그러므로 우리는 이상의 모든 이유에서 모든 사회 상태, 그리고 개량의 모든 단계에서 등량의 곡물은 토지의 다른 어떤 등량의 총생산물보다 더 근사적으로 등량의 노동을 대표하든지, 또는 그것과 등가가 될 것이라는 것을 안심하고 확신하여도 좋을 것이다. 따라서 이미 말한 바 있거니와 부와 개선의 모든 단계에서 곡물은 다른 어떤 상품 또는 일련의 상품들보다도 더 정확한 가치의 척도이다. 그러므로 우리들이 그러한 모든 각가지 단계에 있어서의 은의 실질가치를 판단하려면 그것을 곡물과 비교하는 것이 다른 어떤 상품 또는 일련의 상품들과 비교하는 것보다 더 잘 판단할 수 있다.

또한 곡물은 노동의 화폐가격을 규정한다.

뿐만 아니라 곡물이나 또는 일반적으로 국민이 좋아하는 그 밖의 어떠한 식물성 식물도 모든 문명국에 있어서의 노동자의 생활자료의 주요부분을 이루고 있다. 농업이 확장되는 결과로서 모든 나라의 토지는 동물성 식물보다 훨씬 다량의 식

344 〔"개량에 수반되는(improving)"은 제5판에는 "improved"라고 오식되어 있다.〕

물성 식물을 생산하고, 노동자는 어느 곳에서나 주로 건강에 좋은 식물, 즉 가장 값싸고 가장 풍부한 식물로써 생활한다. 가장 번영하고 있는 나라, 즉 노동에 가장 비싼 보수가 주어지고 있는 나라들을 제외하면 수육은 노동자의 생활자료의 하찮은 부분을 이루고 있는 데 지나지 않는다. 가금은 더욱더 작은 부분을 이루고 있으며 사냥 포획물은 어떠한 부분도 이루고 있지 않다. 프랑스에서는, 그리고 프랑스에서보다 노동이 좀 더 나은 보수를 받고 있는 스코틀랜드에서까지도 노동하는 빈민이 수육을 먹는다는 것은 휴일이나 그 밖의 다른 특별한 기회가 아니고서는 좀처럼 있을 수 없다. 그러므로 노동의 화폐가격은 수육 그 밖의 토지 총생산물의 평균화폐가격보다 노동자의 생활자료인 곡물의 그것에 훨씬 더 많이 의존하고 있다. 따라서 금은의 실질가격, 즉 이것들이 구매 또는 지배할 수 있는 노동의 실제의 양은 수육 그 밖의 토지 총생산물의 양보다도 그것들이 구매 또는 지배할 수 있는 곡물의 양에 훨씬 더 많이 의존하고 있다.

또한 저자들은 은의 가치는 이의 양이 증가함에 따라 하락한다는 관념에 의하여서도 오해하게 되었다.

그러나 그렇게도 많은 총명한 저자들이 곡물 또는 그 밖의 상품들의 가격에 관하여 그렇게도 등한한 관찰을 했지만 그와 동시에 만일 그들이 모든 나라에 있어서의 은의 양은 부의 증가와 함께 자연히 증가하듯이 그 가치도 그 양의 증가와 함께 감소한다고 하는 통속적인 관념에 영향되지 않았다면 아마 그러한 관찰이 그들을 오해로 이끌지는 않았을 것이다.[345] 그러나 바로 이 관념이 전혀 근거 없는 것이라고 생각된다.

어떤 나라에서의 귀금속의 양은 다음 두 가지 다른 원인에 의하여 증가할 것이다. 즉 첫째, 그것을 공급하는 광산들의 산출고의 증가, 둘째 국민의 연간 노동의 생산물의 증가에 의한 국민의 양의 증가가 그것이다. 이러한 원인 가운데 전

345 〔초판에는 "그와 동시에"가 없고 "통속적인 관념에 영향되지 않았다면"이 "통속적인 관념에 동조하지 않았다면"이라고 되어 있다.〕

자는 틀림없이 귀금속의 가치의 감소와 필연적으로 연결되어 있지만 후자는 그렇지 않다.

광산들이 더 풍부해짐으로써 생기는 양의 증가는 가치의 감소와 연결되어 있다.
더 풍부한 광산들이 발견되면 점점 더 다량의 귀금속이 시장에 보내진다. 그리고 이것과 교환되어야 할 생활필수품 및 편의품의 양은 여전히 동일하므로 등량의 금속은 비교적 소량의 상품들과 교환되지 않을 수 없다. 따라서 어떤 나라에서의 귀금속의 양의 증가가 광산들의 증가된 산출고에서 생기는 한, 그 증가는 그 가치의 약간의 감소와 필연적으로 관련되어 있다.

그 양의 증가가 국부의 증가에서 결과된 때에는 그렇지는 않다.
이와 반대로 어떤 나라의 부가 증가하여 그 노동의 연간 생산물이 차츰차츰 더 많아지면 더 많은 양의 상품을 유통시키기 위하여 점점 더 다량의 주화가 필요하게 된다. 더욱이 국민은 그렇게 할 만한 여유가 있으므로, 즉 다량의 주화와 교환할 만한 더 많은 상품을 가지고 있으므로 자연히 점점 더 많은 금기와 은기를 구매할 것이다. 그들의 주화의 양은 필요상 증가할 것이고 그들의 금기와 은기의 양도 허영과 허식에 의하여 또는 같은 이유에서 훌륭한 조상과 회화, 그리고 다른 모든 사치품과 골동품도 그들 사이에는 증가하기 마련일 것이다. 그러나 조각가나 화가가 부와 번영의 시기에 있어서는 빈곤과 곤란의 시기에 있어서보다도 더욱 적은 보수를 받으리라고는 믿어지지 않는 것과 같이 금은이 부와 번영의 시기에 더 못하게 지불받게 될 것 같지는 않은 것이다.

금와 은은 부국에서 더 비싸다. 이것은 생활자료의 가치에 관하여 중국을 유럽과 비교하고, 또 스코틀랜드를 잉글랜드와 비교해 보면 알게 될 것이다.
금은의 가격은, 더 풍부한 광산들이 우연히 발견되어 그것이 그 가격을 낮게 해 두지 않는 한, 각국의 부와 함께 자연히 상승하므로 광산들의 상태는 어떻든지 간에 어떠한 시대에도 자연적으로 빈국에서보다는 부국에서 더 비싸다. 다른 모든 상품과 마찬가지로 금은도 자연히 가장 좋은 값이 지불될 만한 시장을 찾게 된다. 그리고 모든 물건에 가장 좋은 가격이 지불되는 것은 그렇게 할 수 있을 만한 여유가 가장 많은 나라에서이다. 기억해 두어야 할 것은, 노동은 모든 것에 대하여 지불되는 궁극적인 가격이라는 것이다. 그리고 노동에 평등하게 보수가 잘 지불되고 있는 나라에서는 노동의 화폐가격은 노동자의 생활자료의 그것에 비례할 것이다. 그러나 금은은 자연적으로 빈국에서보다 부국에서, 즉 생활자료가 변변치 않게 공급되는 나라에서보다 그것이 충만해 있는 나라에서, 훨씬 더 다량의 생활자료와 교환될 것이다. 만일 그러한 두 나라가 대단히 멀리 떨어져 있다면 그 차이는 아마 대단히 클 것이다. 왜냐하면 물론 귀금속은 자연적으로 불리한 시장으로부터 유리한 시장으로 이동한다고는 하지만 양국에서의 그 가격을 거의 동일 수준에 올릴 만한 양을 운송하는 것은 곤란할 것이기 때문이다. 만일 양국이 가까우면 그 차이는 비교적 작을 것이다. 그리고 때에 따라서는 거의 느낄 수 없을 정도일 것이다. 이런 경우엔 운송이 쉬울 것이기 때문이다. 중국은 유럽의 어떤 지방보다 훨씬 더 부유한 나라이며, 중국과 유럽에서의 생활자료의 가격의 차이는 대단히 크다. 중국에서의 쌀은 유럽의 어느 곳에서의 소맥보다 훨씬 더 싸다. 잉글랜드는 스코틀랜드보다 훨씬 더 부유한 나라이지만 그들 두 나라에 있어서의 곡물의 화폐가격의 차이는 중국과 유럽의 경우에 비하면 훨씬 작으며 겨우 느낄까 말까 할 정도이다. 스코틀랜드의 곡물은 그 수량, 즉 용적에 비하면 잉글랜드의 것보다 일반적으로 훨씬 더 싼 것처럼 보이지만, 그 품질에 비해서는 그것은 확실히 약간 더 비싸다. 스코틀랜드는 거의 매년 잉글랜드로부터 대단히 다량의 공급을 받고 있다. 그리고 모든 상품은 이것을 보내 오는 나라에서보다 받아들이는 나라에서 약간 더 비싼 것이 보통일 수밖에 없다. 그러므로 잉글랜드의 곡물은 잉글랜드에서보다 스코틀랜드에서 더 비쌀 것은 틀림없으나 그 품질에 비해서는, 즉 그것으로 만들어지는 밀가루나 거친 가루의 양과 품질에 비해서는 잉글랜드의 곡물은 이것과 경쟁하여 시장에 나오는 스코틀랜드의 곡물보다 그곳에서 더 비싸게 팔릴 수 없는 것이 보통이다.
중국과 유럽 간의 노동의 화폐가격의 차이는 생활자료의 화폐가격의 차이보다 훨씬 더 크다. 왜냐하면 중국은 정지적인 상태에 있다고 생각되는 반면 유럽의 대부분은 진보하고 있는 상태에 있기 때문에 노동의 실질적 보수가 중국에서보다 유럽에서 더 높기 때문이다. 노동의 화폐가격은 잉글랜드에서보다 스코틀랜드에서 더 낮다. 왜냐하면 노동의 실질적 보수가 훨씬 낮기 때문이다. 즉 스코틀랜드는 더 큰 부를 위해 전진하고 있지만 그 전진은 잉글랜드보다는 훨씬 느린 것이다. 스코틀랜드로부터의 이민은 자주 있으나 잉글랜드로부터의 그것이 드물다는 것은 이 양국에 있어서의 노동에 대한 수요에 대단한 차이가 있다는 것을 충분히 증명하고 있다.[346] 각 국민에 있어서의 노동의 실질적 보수의 비율은 그들의 현실의 빈부에 의하지 않고 그 진보와 정체 또는 쇠퇴의 상태에 의하여 자연히 규정된다는 것은 기억해 두어야 할 것이다.

금은은 가장 가난한 국민들 사이에서 가장 값싸다.
금은은 가장 부유한 국민들 사이에서 자연히 최대의 가치를 갖듯이 가장 가난한 국민들 사이에서는 자연히 최소의 가치를 갖는다. 모든 국민들 가운데 가장 가난한 야만인들 사이에서는 그것들은 조금도 가치가 없는 것이다.

곡물이 도시에서 비교적 비싸다는 사실은 그곳에서 은이 싸기 때문이 아니라 곡물이 실질적으로 비싸기 때문인데,
대도시에서는 곡물은 그 나라의 원격된 지방에서보다 항상 더 비싸다. 그러나 이것은 은이 실질적으로 싸다는 것의 결과는 아니고 곡물이 실질적으로 비싸다는 결과이다. 은을 대도시에 가지고 가는 데에는 그것을 그 나라의 원격된 지방에 가지고 가는 것보다 적은 노동이 드는 것은 아니지만 곡물을 가지고 가는 데에는 훨씬 더 많은 노동이 든다.

346 〔이 문구는 초판에는 없다.〕

이는 네덜란드와 제노바 등에 있어서도 사실이다.

네덜란드와 제노바 지방과 같은 약간의 대단히 부유한 상업국에서는 곡물은 이것이 대도시에서 비싸다는 것과 동일한 이유에서 비싸다. 그러한 나라들은 그들의 주민을 부양하기에 족할 만큼의 것을 생산하지 않는다. 그들은 공장과 제조업자의 근면과 숙련에 있어서, 노동을 촉진하고 단축할 수 있는 모든 부류의 기계에 있어서, 선박에 있어서 그리고 운수와 상업에 관한 모든 용구와 수단에 있어서 부유하지만 곡물에 있어서는 가난하다. 즉 그것을 먼 나라로부터 들여오지 않을 수 없으므로 그 가격을 증가시켜서 그러한 나라로부터의 운송에 대한 지불을 하지 않으면 안 된다. 은을 암스테르담에 가지고 가는 데에는 단치히 Dantzick에 가지고 가는 것보다 적은 노동이 드는 것은 아니지만 곡물을 가지고 갈 경우엔 암스테르담에 가지고 가는 편이 훨씬 많은 노동이 든다. 은에 관한 실질적인 비용은 두 곳 모두가 거의 동일하겠지만 곡물에 관한 것은 대단히 큰 차이가 있다. 그 주민의 수는 모두 동일한 그대로인데 네덜란드 또는 제노바 지방의 실질적인 풍부를 감소시켜 보라. 다시 말해서 먼 나라들로부터 들여오는 그들의 자급력을 감소시켜 보라. 그러면 곡물의 가격은 그 감쇠의 원인 또는 결과로서 반드시 따라 일어나는 은량의 감소와 함께 하락하기는커녕 오히려 일종의 기근가격(price of a famine)까지 상승할 것이다. 필수품이 모자랄 때에는 우리는 없어도 될 물건들을 내놓지 않으면 안 된다. 이러한 없어도 될 물건의 가치는 풍부와 번영의 시기에 상승하듯이 빈곤과 고뇌의 시기에 하락하는 것이다. 필수품에 관해서는 사정이 다르다. 필수품의 실질가격, 즉 이것들이 구매 또는 지배할 수 있는 노동량은 빈곤과 고뇌의 시기에 상승하고 풍부와 번영의 시기에 하락한다. 그런데 이는 항상 대단히 풍부한 시기라고 하겠다. 왜냐하면 그렇지 않다면 그것은 풍부와 번영의 시기라고 할 수 없을 것이기 때문이다. 곡물은 필수품이지만 은은 사치품에 지나지 않는 것이다.

그러므로 부의 증가에 기인한 은의 증가는 전혀 그 가치를 감소시킬 수 없었던 셈이다.

그러므로 14세기의 중엽에서 15세기 중엽에 이르기까지의 기간을 통하여 부와 개선의 증진에서 생겼던 귀금속의 양의 증가가 어떠했든지 간에 그것은 영국에서도 유럽의 다른 어떤 지방에서도 귀금속의 가치를 떨어뜨리는 경향을 가질 수는 없었던 셈이다. 따라서 옛날의 물가를 수집한 사람들이 곡물 또는 다른 상품들의 가격에 관하여 행했던 관찰에서 이 기간 동안에 있어서의 은의 가치의 감소를 추론한 것이 타당하지 못했다면 그들이 부와 개선의 증진을 상정하고 그것에서 은의 가치의 감소를 추론하는 것은 더욱더 타당하지 못했을 것이다.

제2기

제2기에 관해서는 의문의 여지가 없다.

그러나 이상의 제1기 동안의 은의 가치의 추이에 관한 식자들의 견해가 아무리 가지각색이었을지라도 제2기 동안의 그것에 관해서는 그들의 의견은 일치하고 있다.

은은 하락하여 곡물 1쿼터가 은 6온스 또는 8온스의 가치밖에 나가지 않게 되었다.

1570년경부터 1640년경에 이르기까지 약 70년의 기간 동안 은의 가치가 곡물의 그것 사이의 비율의 변동은 아주 반대되는 과정을 밟았다. 은은 그 실질가치에 있어서 하락했다. 다시 말해서 종래보다 적은 양의 노동과 교환되게 된 셈이며, 곡물은 그 명목가치가 상승하여 1쿼터에 은 약 2온스, 즉 현재의 우리의 화폐로 약 10실링으로 팔리는 대신에 1쿼터에 6온스 내지 8온스, 즉 현재의 우리의 화폐로 약 30내지 40실링으로 팔리게 되었다.

이것은 아메리카의 풍부한 광산들의 발견에 기인한 것이었다.

아메리카의 풍부한 광산들의 발견이 곡물의 가치에 비하여 은의 가치가 이렇게 하락한 것의 유일한 원인이었던 것 같다. 그러므로 모든 사람은 그것을 다 같이 마찬가지로 설명하고 있으며 사실에 관해서도 그 원인에 관해서도 논쟁은 전혀 없었다. 유럽의 대부분은 이 기간을 통하여 산업에 있어서도 개량에 있어서도 전진해 가고 있었으며, 그 결과 은에 대한 수요는 증가하고 있었음이 틀림없다. 그러나 공급의 증가는 수요의 그것을 대단히 초과했으므로 그 금속의 가치는 상당히 하락했던 것 같다. 아메리카의 광산들의 발견이 잉글랜드의 물품의 가격에 현저한 영향을 미쳤던 것은 포토시의 광산들까지도 20년이나 전에 발견되어 있었음에도 불구하고 1570년 이후의 일이었던 것 같다는 것은 주의해야 할 것이다.[347]

소맥은 윈저 시장에서 등귀했다.

이튼 칼리지의 기록에서 본다면 양단兩端의 해를 포함한 1595년부터 1620년까지의 윈저 시장에서 9부셸이 1쿼터인 최상의 소맥의 평균가격은 2파운드 1실링 6펜스 13분의 9였던 것 같다. 이 금액에서 단수를 무시하고 9분의 1, 즉 4실링 7펜스 3분의 1을 빼면 8부셸인 1쿼터의 가격은 1파운드 16실링 10펜스 3분의 2였던 것이 된다. 그리고 이 금액에서 역시 단수를 무시하고 9분의 1, 즉 4실링 1펜스 9분의 1을 최상의 소맥 가격과 중위中位의 소맥 가격과의 차이로서 공제하면 중위의 소맥 가격[348]은 약 1파운드 12실링 8펜스 9분의 8, 즉 은 약 6온스 3분의 1이었다는 것이 된다.

양단의 해를 포함한 1612년에서 1636년까지 동일한 시장에서 동일한 용적의 최상의 소맥의 평균가격은 위에서와 같은 기록에서 보면 2파운드 10실링이었던 것 같다. 이 금액에서 앞에 말한 경우에서와 같은 공제를 하면 8부셸들이 1쿼터당

347 〔포토시의 광산들이 발견된 것은 1545년이다. 초판에는 "20년이나 이전"이 아니고 "30년이나 이전"이라고 되어 있다. 그것은 제2판의 정오표에서 정정되어 있다.〕

348 〔이 9분의 1을 뺀다는 것은 찰스 스미스Charles Smith, 《Three Tracts on the Corn Trade and Corn Laws》, 제2판(1766), 104면에서 권장되어 있다. 왜냐하면 "빵을 만드는 데 알맞은 모든 밀가루를 한데 섞으면 그 가치는 최상의 소맥 가격의 9분의 8이 된다는 것이 알려져 있다"라는 것 때문이다.〕

중위의 소맥의 평균가격은 1파운드 19실링 6펜스, 즉 은 약 7온스 3분의 2였다는 것이 된다.

제3기

아메리카의 광산들의 발견의 영향은 1636년경에 완료했다.

1630년과 1640년과의 중간인 1636년경에 아메리카의 광산들의 발견이 은의 가치의 감소에 미친 영향은 완료된 것 같으며 그 금속의 가치는 곡물의 그것에 비해서 이 시기의 그것 이하로는 거의 하락하지 않았던 것 같다. 은의 가치는 금세기를 통하여 약간 상승한 것 같으며 아마 전前세기 말엽의 조금 전부터 이미 상승하기 시작했을 것이다.

1637년부터 1700년까지 윈저의 소맥은 아주 조금밖에 상승하지 않았다.

양단의 해를 포함하여 1637년부터 1700년까지, 즉 전 세기의 마지막 64년 동안 윈저 시장에서 9부셸들이 1쿼터의 최상의 소맥의 평균가격은 위에서 본 바와 같은 기록에서 본다면 2파운드 11실링 3분의 1펜스였던 것 같으며, 이것은 그 이전의 16년간보다 1실링 3분의 1펜스 더 비싼 데 지나지 않는 것이다. 그러나 이 64년이 지나는 동안에 두 가지 사건이 일어나서 그렇지 않았을 경우 계절의 추이에서 일어났을 만한 것보다 훨씬 심한 곡물의 부족을 초래했음이 틀림없으며, 따라서 또한 이 두 사건은 은의 가치가 더 감소되었다는 것을 생각할 것도 없이 왜 가격이 이러한 정도로 적게 상승했는가를 설명하고도 남음이 있을 것이다.

그 원인은 내란 때문이다.

이 사건들의 첫째 것은 내란이었으며 이것은 경작을 저해하고 상업을 중단시킴으로써 그렇지 않았을 경우 계절의 추이에서 일어났을 것보다 훨씬 더 곡물의 가격을 올렸음이 틀림없다. 내란은 왕국의 모든 시장에 대하여 다소간 이러한 영향을 미쳤을 것인데 가장 먼 곳으로부터 공급을 받지 않을 수 없는 런던 근처의 시장에서는 그 영향이 특히 심했다. 그러므로 1648년에서는 윈저 시장에서 9부셸들이 1쿼터인 최상의 소맥의 가격은 위에서와 같은 기록에서 보면 4파운드 5실링이었으며 1649년에는 4파운드였던 것 같다. 그 2개년의 가격이 2파운드 10실링(1637년 이전 16개년의 평균가격)을 넘는 초과액은 3파운드 5실링이다. 이것을 전 세기의 마지막 64개년에 분할해 보면 이것만으로도 그 기간에 일어났다고 생각되는 가격의 그렇게도 적은 상승에 대한 아주 근사한 설명이 될 것이다. 그러나 이들이 최고가격이긴 하지만 내란에 의하여 야기되었던 것 같은 유일한 최고가격은 결코 아닌 것이다.

곡물 수출에 장려금이 주어졌다는 것,

제2의 사건은 1688년에 수여된 곡물 수출장려금이었다.[349] 그 장려금은 경작을 장려함으로써 오랜 세월이 지나면 국내시장에서의 곡물을 장려금이 없을 경우 그곳에 이루어졌을 것보다 훨씬 풍부하게 하고, 따라서 훨씬 더 싸게 할 것이라고 많은 사람들은 생각해 왔다. 나는 장려금이 어떤 시대에 어느 정도까지 이러한 효과를 낼 수 있을 것인지를 뒤에 가서 검토할 것이다. 여기에서는 1688년과 1700년 사이에는 이러한 영향을 일으킬 만한 시간적 여유가 없었다는 것만을 말해 두기로 한다.[350] 이 짧은 기간 동안 그 유일한 영향은 매년의 잉여생

349 〔윌리엄과 메리 치세 제1년 법률 제12호, 즉 "곡물 수출장려법"에 의하여 수여된 것인데, 이 법률의 전문은 다음과 같이 주장하고 있다. 즉 "소맥과 그 밖의 곡류의 가격이 본 왕국에서 낮을 때는 그것을 외지에 수출하는 것이 토지소유자뿐만 아니라 본 왕국의 산업 일반에도 유리하다는 것은 경험상 알려진 것이다"라고 한 것이다. 그 법률은 어떤 권구에서 1윈체스터 쿼터Winchester quarter당 맥아 및 대맥이 24실링, 라이맥이 32실링, 소맥이 48실링을 넘지 않을 때는 적어도 승무원의 3분의 2가 잉글랜드인과 잉글랜드 선박으로, 이러한 곡류를 수출하는 자는 누구나 매 쿼터마다 대맥(보리) 또는 맥아는 2실링 6펜스, 라이맥(호밀)은 3실링 6펜스, 소맥(밀)은 5실링을 세관에서 받아야 한다고 규정하고 있다.〕

350 〔"나는"에서 여기까지의 두 문장은 초판에는 단순히 이렇게 되어 있다. 즉 "그러나 1688년과 1700년 사이에 이러한 영향을 일으킬 만한 시간적 여유가 전혀 없었다."
본판에 "it had not time to produce any such effect"는 초판에서는 "it had no time to produce this effect"라고 되어 있다.〕

산물의 수출은 장려함으로써, 그리고 나아가서는 어떤 해의 풍작으로 다른 해의 흉작을 메우지 못하게 함으로써, 국내시장에서의 가격을 올린다는 것이었음이 틀림없을 것이다. 양단의 해를 포함한 1693년부터 1699년까지의 잉글랜드를 휩쓴 곡물 부족은 틀림없이 주로 좋지 못한 계절에 기인된 것이며, 따라서 유럽의 상당히 넓은 분을 통해 퍼졌던 것이지만 약간은 장려금에 의하여 높여졌음이 틀림없다. 그러므로 1699년에는 향후 9개월 동안 그 이상의 곡물의 수출이 금지되었다.[351]

그리고 또 주화의 도삭盜削과 마손磨損 때문이었다.

위와 동일한 기간에 제3의 사건이 일어났는데, 이는 곡물의 부족 또는 그것에 보통 지불되고 있었던 은의 실제량의 증가를 다 같이 일으킬 수는 없었지만, 그 명목금액을 올렸음이 틀림없는 것이라 하겠다. 이 사건이란 도삭과 마손(Clipping and wearing)에 의한 은화의 대대적인 조악화(debasement)[352]였다. 이 폐해는 찰스 2세의 치세에 시작되어 1695년에 이르기까지 끊임없이 증대해 갔는데, 이 당시에는, 라운즈 씨Mr. Lowndes가 알려 주는 바에 의하면, 유통은화는 평균해서 그

351 〔윌리엄 3세 제10년 법률 제3호라는 법령은 1699년 2월 10부터 1년간의 수출을 금지하고 있다. 스미스가 "9개월"이라고 한 것은 잘못된 것으로서 이것은 아마 찰스 스미스C. Smith, 《Three Tracts on the Corn Trade and Corn Laws》, 9면을 오독했기 때문일 것이다. 여기에는 소맥이 "1698년까지 계속 고가이므로 수출은 1년간 금지되고, 장려금은 그 후 9개월간 중지되었다"라고 쓰여 있다. (같은 책 44, 119면과 비교하라.) 사실 장려금이 중지된 것은 윌리엄 3세 제11~12년 법률 제1호에 의한 것이었고, 그것은 1699년 2월 9일부터 1700년 9월 29일까지로서 7개월 반 남짓한 것이다. 윌리엄 3세 제11~12년 법률 제1호는 다음과 같이 주장하고 있다. 즉 수출장려금을 수여한 법령은 "최고의 지혜와 신중을 기초로 하고 있는 것으로서, 경작을 최대한으로 장려함으로써 국민의 이익과 우위를 위하여 최대의 성공을 거두었던 것이지만 지금 이것을 중지하는 유일한 이유는 '많은 사람들이 상기한 장려금에 의하여 사리사욕을 채우려는 데 자극되어 해외 각지에 과도로 수출하게 되면 본 왕국에서는 곡물의 현재의 재고량은 인민이 국내에서 소비하고 공급하는 데 부족하게 될 것이라고 생각되지 때문이다'라고 하고 있다."-《Statutes of the Realm》, 제7권, 544면.〕

352 〔"조악화(debasement)"는 초판에는 "마멸(degradation)"이라고 되어 있다.〕

표준 가치보다 25퍼센트 가까이 떨어지고 있었다.[353] 그러나 각 상품의 시장가격을 이루고 있는 명목금액은 표준에 따라 당연히 함유되어야 할 은량에 의한다기보다, 오히려 현실로 은화에 함유되어 있음이 경험상 알려져 있는 은량에 의하여 필연적으로 규정된다. 따라서 이 명목금액은 도삭과 마손에 의하여 주화가 심히 조악화될[354] 때에는 그것이 표준 가치에 가까울 때보다 필연적으로 높아진다.

당시에는 그러한 도삭과 마손은 현 세기보다 훨씬 더 심했다. 더욱이 장려금은 장기간 존속하고 있었기 때문에 그 영향은 곡물 가격을 어느 정도 떨어뜨리는 데 충분했다. 금세기를 통하여 은화는 어떤 시기에도 현재만큼 그 표준 중량에 미치지 못하지는 않았다. 그러나 은화는 아주 심히 훼손(defaced)되어 있었지만 그 가치는 그것과 교환되는 금화의 가치에 의하여 유지되어 왔다. 왜냐하면 최근의 개주 이전에는 금화도 또한 상당히 훼손되어 있었지만 은화보다는 덜했기 때문이다. 이에 반하여 1695년에는 은화의 가치가 금화에 의하여 유지되지는 않았다. 당시 1기니화는 마손되고 도삭된 은화 30실링과 보통 교환되고 있었다.[355] 최근의 금화의 개주 이전에는 은지금의 가격이 1온스에 5실링 7펜스보다 높았던 적은 좀처럼 없었으며, 이것은 조폐가격보다 5펜스 더 높은 데 지나지 않은 것이다. 그러나 1695년에는 은지금의 보통의 가격은 1온스에 6실링 5펜스[356]였으며, 이것은 조폐가격보다 15펜스나 높은 것이다. 따라서 최근의 금화 개주 이전일지

353 〔라운즈 씨는 자저의 《Report Containing and Essay for the Amendment of the Silver Coins》(1695), 107면에서 말하기를 "보통 유통하고 있는 화폐는 2분의 1 가까이 줄어 있다. 22 대 10의 비율보다 약간 더 많이 줄어져 있다"라고 한다. 그러나 앞글 한 본문에는 다음 문단에서와 같이 은지금의 가격에 의하여 나타내어지는 통속적인 평가가 용인되어 있다.〕

354 〔"조악화된(debased)"은 초판에는 "마멸된(defased)"이라고 되어 있다.〕

355 〔윌리엄 론디스William Lowndes, 《A Report Containing on Essay for the Amendment of the Silver Coins》, 88면.〕

356 론디스, 《A Report Containing on Essay for the Amendment of the Silver Coins》, 68면. 〔이 주는 제2판에 처음 나온다.〕

라도 금화나 은화나 모두 은지금에 비하면 그 표준가격에 모자라는 것이 8퍼센트 이상이나 된다고는 생각되지 않았다. 이와 반대로 1695년에는 그 가치보다 거의 25퍼센트나 모자란다고 생각되고 있었다. 금세기의 초두, 즉 윌리엄 왕 시대의 대개주 직후에는 유통은화의 대부분은 현재보다 훨씬 더 표준 중량에 가까웠음이 틀림없다. 또한 금세기를 통하여 내란과 같이 경작을 저해하고 이 나라의 국내상업을 중단시킬 만한 사회적 대재난은 전혀 없었다. 그리고 금세기의 대부분을 통하여 실시되었던 장려금은 이것이 없었을 경우 경작의 실상에서 기대될 만한 것 이상으로 곡물의 가격을 항상 약간 올렸음이 틀림없을지라도[357] 역시 금세기를 통하여 장려금은, 보통 이것 탓으로 돌려 왔던 모든 좋은 영향, 즉 경작을 장려한다든지 이로 인해 국내시장에서의 곡물의 양을 증가시킨다고 하는 좋은 영향을 미칠 만한 충분한 시간적 여유를 가졌으므로 내가 뒤에 가서 설명하고 검토하려고 하는 한 체계의 원리에서 본다면, 그 장려금은 한편으로는 그 상품의 가격을 올리는 역할을 한 것과 마찬가지로, 또 한편으로는 그것을 내리는 역할도 다소는 한 것이라고 생각될 것이다. 그것은 많은 사람들에게는 더 많이 도움이 되었다고 생각되고 있다.[358] 따라서 금세기의 처음의 64년간에는 윈저 시장에서의 최상의 소맥의 평균가격은 이튼 칼리지의 기록에 의하면 9부셸들이 1쿼터당 2파운드 0실링 6펜스 32분의 19펜스였던 것 같으며, 이것은 전 세기의 마지막 64년간보다 약 10실링 6펜스, 즉 25퍼센트[359] 이상이나 더 싼 것이며, 또 1636년에 선행하는 16년간, 즉 아메리카의 풍부한 광산들의 발견이 전면적인 영향을 미쳤다고 생각되는 기간보다 약 9실링 6펜스나

357 〔그 뜻은 "일정한 면적과 경작의 정도가 주어진 것이면 장려금은 곡물의 가격을 올릴 것이다"라는 뜻이다.〕

358 〔초판에는 "……더 많이 도움이 되었다고 생각되고 있으며, 나는 뒤에 가서 이러한 생각을 검토할 것이다"라고 되어 있다.〕

359 〔이 25퍼센트라는 것은 2파운드 11실링 0펜스 2분의 1에 대하여 계산된 것이 아니고, 잘못되어 2파운드 0실링 6펜스 32분의 19에 대하여 계산하여 나온 숫자이다. 가격의 하락은 실제에는 21퍼센트보다 적은 것이다.〕

더 싼 것이며, 그리고 1620년에 선행하는 26년간, 즉 그 발견이 전면적인 영향을 아직 충분히 미치지는 못했다고 생각되는 기간보다 약 1실링이나 더 싼 것이다. 이 계산에 의하면 금세기의 처음 64년간에 있어서의 중위의 소맥의 평균가격은 8부셸들이 1쿼터당 약 32실링었다는 것이 된다.

은은 금세기의 초두 이래 약간 상승하여 왔으며, 그 상승이 이미 그 이전에 시작되어 있었다.

그러므로 은의 가치는 금세기를 통하여 곡물의 그것에 비하여 약간 상승한 것 같다. 그리고 그 상승은 아마 전前세기의 말엽의 약간 이전에 이미 시작되어 있었던 것이다.

1687년에는 윈저 시장에서의 최상의 소맥의 가격은 9부셸들이 1쿼터당 1파운드 5실링 2펜스였으며, 이것은 1595년 이래의 최저의 가격이었다.

킹 씨의 계산에 의하여 밝혀져 있는 바와 같다.

이런 종류의 문제에 관하여 정통한 것으로 유명한 사람인 그레고리 킹 씨Mr. Gregory King는 1688년에 적당한 풍년에 소맥의 평균가격을 그 생산자 측으로서는 1부셸 당 3실링 6펜스, 즉 1쿼터당 28실링이라고 평가했다.[360] 생산자가격이라는 것은 때로는 소위 계약가격, 즉 농업경영자가 일정 연한 동안 일정량의 곡

360 〔이 연도는 찰스 대버넌트Charles Davenant, 《Essay upon the Probable Means of Making a People Gainers in the Balance of Trade》(1699), 22면과 찰스 휘트워스Charles Whitworth(편), 《The Political and Commercial Works》(1771), 제2권, 184면의 표 D의 표제에서 따온 것이다. 조지 찰머스, 《An Estimate of the Comparative Strength of Great Britain》(1802), 429면의 그레고리 킹Gregory King, Esq.과 런던의 왕실 기업인 College of Arms의 영어책임자 Lancaster Herald of Arms의 《Natural and Political Observations and Conclusions upon the State and Condition of England》를 비교하라. 대버넌트, 《the Balance of Trade》, 71~72면과 찰스 휘트워스(편), 《The Political and Commercial Works》, 제2권, 217면에서, 대버넌트는 말하기를 "이 가치는 곡물이 자라는 장소에서의 가치인데, 이 가치는 최종 소비자에 수송되면, 적어도 4분의 1은 증가한다"라고 한다.〕

물을 상인에게 넘겨줄 것을 계약할 때의 가격과 같은 것이라고 나는 알고 있다. 이런 종류의 계약은 농업경영자로 하여금 시장 거래를 하는 비용과 수고를 덜어주는 것이므로 계약가격은 평균 시장가격이라고 생각되고 있는 것보다 일반적으로 더 낮다. 킹 씨는 1쿼터에 28실링이라는 것이, 당시 보통의 풍년에 있어서의 통상의 계약가격이라고 판단했던 것이다. 내가 확인한 바로는[361] 최근의 이상하게 불량한 계절로 말미암아 일어났던 식량 부족 이전에는, 이것이 모든 보통의 연도에 있어서의 통상의 계약가격이었다.

1688년에는 곡물의 수출에 대한 의회의 장려금이 교부되었다. 당시 입법부에서 현재보다 더 많은 비중을 차지하고 있었던 지방의원들(country gentlemen)은 곡물의 화폐가격이 하락하고 있다는 것을 깨달았던 것이다. 그 장려금은 찰스 1세와 2세의 시대에 곡물이 흔히 팔리곤 했던 높은 가격에까지 그 가격을 인위적으로 올리기 위한 편법이었다. 그러므로 그것은 소맥이 1쿼터당 48실링이라는 높은 가격이 될 때까지, 즉 킹 씨가 바로 그 해에 보통의 풍작의 시기에 있어서의 생산자가격이라고 평가했던 가격보다 20실링, 즉 7분의 5나 더 비싸게 될 때까지 교부되어야 했던 것이다. 만일 그의 계산이 보편적인 명성에 부끄러움이 없을 만한 가치나마 가지고 있는 것이라면 1쿼터에 48실링이라는 가격은 당시로서는, 이상한 흉년의 경우라면 몰라도 장려금과 같은 편법이 아니고서는 결코 기대될 수 없었던 가격이었다. 그러나 윌리엄 왕의 정부는 당시 기초도 완전히 자리잡히지 않았으며, 바로 이 시기에 그 정부는 매년 지조의 창설을 지방의원들에게 간청하고 있었으니, 그들에게는 어떠한 것도 거절하지 못할 사정에 처해 있었다.

따라서 은의 가치는 곡물의 가치에 비해, 이미 전 세기의 말엽 조금 전부터 상승하고 있었던 것 같다. 그리고 비록 장려금의 필연적인 작용이 그렇지 않았을 경우 실제 경작의 상태에서 올랐을 만한 은의 가치의 현저한 상승을 저지하기는 했지만, 금세기의 대부분을 통해서 은의 가치는 계속 상승되어 왔던 것으로 생각된다.

361 〔초판에는 이 삽입구가 없다.〕

경작의 확대에 대한 그의 영향은 별문제로 하고도, 장려금은 풍년 때나 흉년 때나 다 같이 곡물의 가격을 올린다.

풍년에는 장려금이 비상한 수출을 일으킴으로써, 곡물의 가격을 그것이 없었을 경우, 이들 풍년에 있었을 가격 이상으로 올린다. 가장 풍작인 연도에 있어서까지도, 곡물의 가격을 유지함으로써 경작을 장려한다는 것은, 그 제도의 공인된 목적이었다.

사실 대흉년에는 장려금은 대체로 중지되었다. 그러나 그것은 많은 이들 흉년의 가격에 대해서까지도[362] 약간의 영향을 미쳤던 것이 틀림없다. 그것은 풍년에 비상의 수출을 일으킴으로써, 흔히 어떤 해의 풍작으로 다른 해의 흉작을 보상하는 것을 방해하기 때문이다.

따라서 풍흉 어느 해에도, 장려금은 실제의 경작 상태에서 자연적으로 존재하게 될 가격 이상으로 곡물의 가격을 올린다. 그러므로, 금세기의 처음 64년간을 통하여, 만일, 평균가격이 전 세기의 마지막 64년간의 경우보다 더 낮았다면 동일한 경작의 상태에서 장려금의 이러한 작용이 없었을 경우의 평균가격은 훨씬 더 낮았을 것이 틀림없는 것이다.

그것은 경작을 확장했다(따라서 가격을 떨어뜨렸다)고 한다. 그러나 은의 가치의 상승이 잉글랜드에 특유한 것은 아니었다.

그러나 장려금이 없었다면 경작의 상태가 동일하지는 않았을 것이라고 말하는 사람이 있을지 모른다. 이 제도가 이 나라의 농업에 어떠한 영향을 미쳤을 것인가에 대해서는 나는 앞으로, 특히 장려금을 다루게 될 때, 설명하고자 노력하겠다. 나는, 현재로서는 다만 은의 가치가 곡물의 그것에 비해서 이렇게 상승한 것은 잉글랜드에만 특유했던 것은 아니었다는 것을 말해 둘 뿐이다. 이러한 상승은 같은 기간 동안 거의 같은 비율로 프랑스에서도 일어났다는 것은, 3인의 아주 성실하고 부지런하고 노력하는 곡물 가격의 수집가, 즉 뒤프레 드 생 모르

362 〔제5판에는 틀림없이 오식 때문에 "까지도"가 없다.〕

씨, 메상스 씨 및 곡물정책론의 저자에 의하여 설명된 바 있었다.[363] 그러나 프랑스에서는 곡물의 수출을 1764년까지 법률에 의해서 금지되어 있었다. 그리고 이 금지에도 불구하고, 어느 나라에서 일어났던 것과 똑같은 가격의 감소가, 다른 나라에 있어서는 비상의 수출 장려 때문에 일어났다고 상상하기에는 약간 곤란하다.

이 변화는 곡물 가격의 하락이라기보다. 오히려 은 가격의 등귀라고 간주되어야 할 것이다.

곡물의 평균화폐가격의 이러한 변동을 곡물의 실질적 평균가격이 약간 하락한 결과라고 생각하는 것보다는, 오히려 유럽 시장에서의 은의 실질적 가치가 점차로 조금 상승한 결과라고 생각하는 편이 더 적절할 것이다. 이미 설명한 바 있거니와, 곡물은 장기간에 걸쳐 보면, 은 또는 다른 어떠한 상품보다도 더욱 정확한 가치의 척도이다. 아메리카의 풍부한 광산들의 발견 후, 곡물은 그 이전의 화폐가격의 세 배 또는 네 배로 상승했다. 이 변화는 대체로 곡물의 실질가치의 상승의 탓이 아니고, 은의 실질가치의 하락의 탓으로 돌려졌다. 따라서 만일 금세기의 처음의 64년 동안 곡물의 평균화폐가격이 전세기의 대부분을 통해 있었던 가격보다 약간 하락했다면, 우리는 마찬가지로 이 변화를, 곡물의 실질가치의 약간의 하락에 돌리지 않고, 유럽 시장에서의 은의 실질가치의 약간의 상승의 탓으로 돌려야 할 것이다.

최근의 곡물의 높은 가격은 단순히 불리한 계절의 결과에 지나지 않는다.

사실, 지난 10 내지 12년 동안 곡물 가격이 높았으므로, 은의 실질가치가 유럽

363 〔뒤프레 드 생 모르와 《Essay》에 관한 참고와 문단의 전체의 소론은 메상스Messance, 《Recherches sur la population de generalites d'Auvergne, etc.》, 281면에서 나온 것이다. 메상스의 인용은 니콜라스 프랑수아 뒤프레 드 생 모르Nicolas-François Dupre de Saint-Maur, 《Essai sur les Monnoies》(1746), 68면과 클라우드 자크 허버트Claude-Jacques Herbert, 《Essai sur la police générale des grains》(1755), ix와 77, 189면에서 나온 것이다.〕

시장에서 아직도 계속 하락하고 있지나 않나 하는 의아심을 일으켰다. 그러나 곡물의 이러한 높은 가격은 지나치게 불리한 계절의 결과였다는 것이 명백한 것 같다. 따라서 영구적인 것이라고 생각되어서는 안 되며, 과도적이며 우연적인 사건으로 간주되어야 할 것이다. 지난 10년 내지 12년간의 계절은 유럽의 대부분을 통하여 형편없었으며 그리고 네덜란드의 무질서한 상태는 식료품이 고가인 해에, 이 나라의 시장에서 공급을 받아 왔던 모든 나라에서의 식량 부족을 심히 증대시켰다. 나쁜 계절이 그렇게도 오래 계속되었다는 것은 아주 흔한 일은 아니지만 결코 보기 드문 일도 아니다. 그리고 옛날의 곡물 가격의 역사에 대하여 깊이 연구한 사람이라면 누구나 같은 종류의 몇 가지 다른 실례를 생각해 내는 데 당황하지 않을 것이다. 뿐만 아니라, 비상한 흉년 10년은 비상한 풍년 10년보다 더 놀라운 것도 아니다. 양단의 해를 포함한 1741년부터 1750년까지의 곡물의 저가격은 바로 지난 8년 내지 10년 동안의 고가격과 극히 좋은 대조를 이루고 있다고 해도 좋을 것이다. 1741년부터 1750년까지, 윈저 시장에서 최상의 소맥 9부셸들이 1쿼터의 평균가격은 이튼 칼리지의 기록에 의하면 겨우 1파운드 13실링 9펜스 5분의 4였던 것 같다. 이것은 금세기의 처음 64년간의 평균가격보다 거의 6실링 3펜스나 모자라는 것이다. 이 기록에 의하면 이 10년 동안 중위의 소맥으로 8부셸들이 1쿼터의 평균가격은 겨우 1파운드 6실링 8펜스에 지나지 않았던 것이 된다.[364]

장려금은 1741년과 1750년간의 가격을 유지했다.

그러나 1741년과 1750년 사이에, 장려금은 곡물 가격이 국내시장에서 자연적으로 하락했을 정도로 그렇게 심하게 하락하는 것을 막았던 것은 틀림없다. 이 10년 동안에 수출된 모든 종류의 곡물의 양은 세관의 장부에 나타나 있는데, 802

364 〔이 숫자는 찰스 스미스 《Three Tracts on the Corn Trade》(1766), 104면에 의해서 추천되고 있는 것과 같이, 대형의 윈저 용적에 대하여 그 9분의 1을 빼고, 그 나머지에서 최상의 소맥과 중위의 것과의 차로서 또 9분의 1을 뺌으로써 얻어진 것이다.〕

만 9156쿼터 1부셸 정도에 달했다. 이것에 대하여 지불된 장려금은 151만 4962파운드 17실링 4펜스 2분의 1에 달했다.[365] 그래서 1749년, 당시의 수상 펠람 씨 Mr. Pelham는 하원에서 지난 3년[366] 동안 곡물 수출에 대하여 지불된 장려금이 너무 지나친 금액이었다고 진술했다. 그는 이러한 진술을 할 만한 충분한 이유가 있었으며, 그다음 해였다면 더욱더 좋은 이유를 가질 수 있었을 것이다. 즉 지불된 장려금은 그 1년 동안만에도 32만 4176파운드 10실링 6펜스 정도에 달했던 것이다.[367] 이러한 강제적인 수출은 이것이 없었을 경우 국내시장에서 존재했을 곡물 가격 이상으로, 얼마나 많이 그것을 등귀시켰는가 하는 것은 말할 필요도 없을 것이다.

1750년의 실제적인 변화는 계절의 우연한 변화에 기인한 것이다.

365 이 수행 후에 스미스가 주기하고 있는 《제3논문Tract 3d》에는, 각 연도에 수출된 각종 곡물의 수량만 나와 있다(같은 책 110~111면). 그러므로 만일 본문 중의 숫자가 이것에서 산출된 것이라면, 그것은 다소 힘드는 계산에 의해서 획득된 것이 틀림없다. 상세한 것은 다음과 같다.

	수출고		장려금지불액
	쿼터	부셸	
소맥	3,784,524	1	£946,131 0 $7\frac{1}{2}$
라이맥	765,056	6	133,884 18 $7\frac{1}{2}$
대맥 · 맥아 · 연맥	3,479,575	2	434,946 18 $1\frac{1}{2}$
	8,029,156	1	£1,514,962 17 $4\frac{1}{2}$

366 〔이 "년年"은 확실히 "월月"의 잘못이다. "곡물이 너무 과잉이므로, 최근에 믿을 수 없을 만한 수량이 수출되었다. 만일 그것이 우리들의 세관의 장부에 나타나지 않았다면 나는 수출되었던 수량을 기술하기를 꺼려할 것이다. 그러나 그 장부에 의하면 최근 3개월간에 수출된 곡물에 대한 장려금으로서 22만 파운드 이상이 지불되었다." - 《Parliamentary History》(한사드 Hansard)(의회 의사록), 제14권, 589면.〕

367 《Three Tracts on the Corn Trade》, 《제3논문Tract 3d》을 보라. 〔이 주는 제2판에서 처음 나왔다. 1750년의 수출고는 찰스 스미스C. Smith, 《Three Tracts ont the Corn Trade》(1766), 《제3논문》에, 소맥 94만 7602쿼터 1부셸, 라이맥 9만 9049쿼터 3부셸, 소맥 · 맥아 · 연맥 55만 9538쿼터 5부셸이라고 나와 있다. 이 수량에 대한 장려금만도 32만 4176파운드 10실링이었을 것이다.〕

독자는 본 장의 부록으로 되어 있는 기록의 마지막에 다른 것과 떨어져 있는 10년간에 관한 특별한 기록을 보게 될 것이다. 그리고 독자는, 그것에 선행하는 10년간의 특별 기록도 또한 그곳에서 볼 것이며, 그 10년의 평균은 대단히 심하지는 않더라도, 금세기의 처음 64년간의 총 평균에 비한다면 역시 낮은 편이다. 그러나 1740년은 비상한 흉년이었다. 1750년에 선행하는 20년은 1770년에 선행하는 20년과는 대단히 좋은 대조를 이루고 있는 셈이다. 식료품이 비쌌던 1, 2년이 개재되어 있음에도 불구하고, 전자가 그 세기의 총 평균보다 훨씬 낮았던 것처럼, 후자는 식료품이 쌌던 1, 2년 이를테면 1759년이 개재되어 있음에도, 그 세기의 총 평균을 훨씬 상회했던 것이며, 만일 전자가 총평균을 하회했던 정도가, 후자가 그것을 상회했던 정도만큼 되지 않았다면, 우리는 그것을 장려금의 탓이라고 하지 않으면 안 될 것이다. 그 변화는 너무나 돌발적이었기 때문에, 언제나 완만하고 점진적인 은의 가치의 변화에 그 탓을 돌릴 수는 없으리라는 것은 명백하다. 결과가 돌발적이라는 것은, 돌발적으로 작용할 수 있는 원인, 즉 계절의 우연한 변화에 의해서만이 설명될 수 있다.

노동력의 가격의 상승은 노동력에 대한 수요의 증가에 기인한 것이며, 은의 감소에 기인한 것은 아니다.

사실 영국에 있어서의 노동력의 화폐가치는 금세기를 통하여 상승했다. 그러나 이것은 유럽 시장에서의 은의 가치가 감소했다는 결과라기보다는, 오히려 영국의 거의 전반에 걸친 대번영에서 생긴, 이 나라의 노동에 대한 수요의 증가의 결과인 것 같다. 영국처럼 그렇게 번영하고 있지 못한 나라인 프랑스에서는 노동의 화폐가격이 전 세기의 중엽 이래, 곡물의 평균화폐가격과 함께 점차 떨어졌다는 것이 관찰되어 왔다. 그곳에서는 전 세기에서나, 금세기에 있어서나, 보통노동자의 날품삯은 아주 균일하게 소맥 1세티에septier의 평균가격의 약 20분의 1이었다고 하는데, 이 1세티에란 4윈체스터 부셸Winchester bushel을 조금 넘는 것을 포함하는 용적이다. 이미 설명했지만, 영국에서의 노동의 실질적 보수, 즉 노동자에게 주어지는 생활필수품과 편의품의 실제의 양[368]은, 금세기를 통하여 상당히 증가했다. 그 화폐가격의 상승은 유럽의 일반 시장에서 은의 가치가 감소했다는 것의 결과가 아니라, 그 나라 특유의 행복한 여러 사정 때문에, 영국이라는 특정의 시장에서 노동의 실질가격이 상승한 결과였다고 생각된다.

금은 광산의 지대 및 이윤의 감퇴는,

아메리카가 발견된 후 얼마 동안은 은은 계속 그전의 가격으로, 또는 그전의 가격에서 그렇게 떨어지지 않은 가격으로 판매되었을 것이다. 그러니 광업의 이윤은 얼마 동안 대단히 컸었을 것이며, 그 자연율을 훨씬 넘었을 것이다. 그러나 그 금속을 유럽으로 수입한 사람들은 얼마 되지 않아 연간 금 수입량이 이러한 높은 가격으로 처분될 수는 없다는 것을 발견했을 것이다. 은은 점점 더 소량의 재화와 교환되게끔 되어 갔을 것이다. 그 가격은 점점 더 하락하여 마침내 그 자연가격, 다시 말하면 은을 광산에서 시장에 보내는 데 지불되지 않으면 안 될 노동력의 임금, 자재의 이윤 및 토지의 지대를, 그들의 자연율에 따라 지불하기에 꼭 맞는 가격에까지 하락했을 것이다. 이미 설명된 바 있거니와 페루의 대부분의 은광에서는 총생산물의 10분의 1[369]에 달하는 스페인 왕의 조세가 토지의 전 지대를 먹어 버리고 있다. 이 조세는 처음에는 반이었는데, 그 후 곧 3분의 1로 하락했고, 그 뒤에 5분의 1로, 마침내는 10분의 1로 떨어졌으며, 이 비율은 아직 계속되고 있다.[370] 페루의 대부분의 은광에서는 이것이 기업가의 자재를 그 통상의 이윤과 함께 회수한 뒤에 남는 것의 전부인 것 같다. 그리고 한때 그렇게도 높았던 이 이윤도 이제는 겨우 가동을 계속할 정도로 낮은 것이라는 것은 일반적으로 시인되고 있는 것 같다.

368 〔"양(quantities)"은 초판에서는 "quantity"로 되어 있는데, 초판의 것이 오히려 옳은 것 같다.〕

369 〔"10분의 1"은 초판에는 "5분의 1"로 되어 있다.〕

370 〔초판에서는 "그 후 곧 3분의 1로……계속되고 있다"가 "그 후 얼마 안 되어 3분의 1로 하락하고, 그 뒤 5분의 1로 되었고, 이 비율이 아직 계속되고 있다"라고 되어 있다.〕

스페인 국왕의 조세는 1504년,[371] 즉 포토시의 광산들이 발견된 연대인 1545년의 41년 전에는[372] 등록된 은의 5분의 1로 줄어졌다. 그 후 90년[373] 동안, 즉 1636년이 되기까지 아메리카에서 가장 다산적인 이 광산들은 스페인 국왕에게 이 조세를 계속 지불하면서 유럽 시장에서의 은의 가치를 하락시킬 수 있는 최저한도까지 인하시킬 만한 충분한 시간적 여유를 가졌던 셈이다. 90년[374]이란, 독점이 전혀 없는 상품을 그의 자연가격, 즉 특정의 조세를 지불하면서 상당한 기간 동안 줄곧 계속 판매될 수 있는 최저가격에까지 떨어뜨리기에 족할 만한 세월인 것이다.

시장이 점차 확대됨에 따라 제지되었다.

유럽시장에서의 은의 가격은 더 낮게 떨어졌을는지 모른다. 따라서, 은에 대한 조세를 1736년에 있었던 것처럼 10분의 1까지 줄였을 뿐만 아니라, 금에 대해서와 마찬가지로 20분의 1로 줄이거나,[375] 아니면 현재 가동 중인 아메리카의 광산들의 대부분을 가동시킬 것을 포기하는 것이 필요하게 되었을지도 모른다. 그러나 은에 대한 수요가 점차 증가했다는 것, 즉 아메리카의 은광의 생산물에 대한 시장이 점차 확대해 갔다는 것이, 아마 이상과 같은 사태의 발생을 저지했던 원인이며, 유럽 시장에서 은의 가치를 유지했을 뿐만 아니라, 오히려, 그것을 대략 전 세기의 중엽에 있었던 것보다도 약간 더 높이 올리기까지 했던 원인이기도 하다.

371 Solorzano, 제2권, 〔Solorzano-Pereira, 《De Indiarum Jure》(Madrid, 1777), 제5권, 제1장, 제22~23항과 제2권, 883면, 세로단 2. 초판에는 이 주가 없다.〕

372 〔"1545년의 41년 전에"는 초판에는 "1535년의 31년 전에"로 되어 있다. 1545년이라는 연차는 Solorzano, 《De Indiarum Jure》(Madrid, 1777), 제2권, 882면, 세로단 2에 나와 있다.〕

373 〔"90년"은 초판에는 "1세기"라고 되어 있다.〕

374 〔"90년"이 초판에는 "100년"이라고 되어 있다.〕

375 〔초판에는 "줄이다" 대신 "더 낮게"라고 되어 있다. 그리고 "은에 대한 조세를"에서 여기까지가, "은에 대한 조세를 금에 대한 것과 같이 저하시키든지"라고 되어 있다.〕

아메리카가 처음으로 발견된 이래 그 은광의 생산물에 대한 시장은 점차 더 넓어져 갔다.

즉 (1) 유럽에서의 시장의 확대.

첫째, 유럽의 시장은 점점 더 확대되어 왔다. 아메리카의 발견 이래 유럽의 대부분은 상당히 개선되었다. 잉글랜드·네덜란드·프랑스·독일·스웨덴·덴마크·러시아까지도, 농업과 제조업에서 다 같이 모두 상당히 전진했다. 이탈리아도 퇴보했던 것 같지는 않다. 이탈리아의 몰락은 페루의 정복 이전이었다. 그때 이후 이탈리아는 오히려 약간 회복된 것 같다. 스페인과 포르투갈은 사실상 퇴보한 것같이 생각된다. 그러나 포르투갈은 유럽의 극히 작은 부분에 지나지 않으며, 또한 스페인의 기울어짐도 아마 일반적으로 상상되고 있는 것처럼 그렇게 대단한 것은 아닐 것이다. 16세기 초두, 스페인은 그 당시 이래 많이 개선된 프랑스에 비해서까지도 대단히 가난한 나라였다. 이 양국을 이따금 여행했던 황제 카를 5세가 프랑스에는 모든 것이 윤택한데, 스페인에서는 모든 것이 결핍되어 있다고 한 것은 유명한 논평이다. 유럽의 농업과 제조업의 증대하는 생산물은 결국 그것을 유통시키기 위해서 은화의 양을 점차적인 증가를 필요로 했을 것이 틀림없을 것이며, 부유한 개인의 수의 증가 역시, 그들의 은기와 기타 은제 장식품의 양의 증가를 필요로 했을 것이 틀림없다.

(2) 아메리카 자체에서의 시장의 확대,

둘째, 아메리카도 그 자신이 자기의 은광의 생산물에 대한 하나의 새로운 시장인 셈이다. 그리고 농업과 공업 및 인구의 증진이 유럽의 가장 성대한 제국의 그것보다도 훨씬 더 신속하므로, 그 수요도 훨씬 더 신속하게 증가되지 않을 수 없다. 잉글랜드의 식민지들은 전혀 새로운 시장으로서 그것은 일부분은 주화를 위하여, 또 일부분은 은기를 위하여 종래 수요가 전혀 없었던 일대 대륙을 통하여 부단히 증가하는 은의 공급을 필요로 하고 있다. 스페인과 포르투갈의 식민지의 대부분도 역시 전혀 새로운 시장이다. 뉴그라나다New Granada·유카탄·파라과이·브라질에는, 유럽인에게 발견되기 전까지는 공예도 농업도 갖고 있지 않았던 야만민족이 살고 있었다. 현재에는 이 양자가 상당한 정도로 그들 모두에게 도입되어 있다. 비록 전혀 새로운 시장이라고 볼 수는 없지만, 멕시코와 페루까지도 이전보다는 확실히 훨씬 더 광대한 시장이다. 고대의 이러한 제국의 훌륭한 상태에 관하여 발표된 놀라운 이야기들이 있음에도 불구하고, 냉정한 판단을 가지고, 이러한 나라들의 최초의 발견과 정복의 역사를 읽는 사람이면 누구나, 공예·농업·상업에 관해서는 그 민족들이 현재의 우크라이나의 타타르인보다도 훨씬 무지했다는 것을 확실히 알게 될 것이다. 이 양국 중에서 비교적 문명화된 국민인 페루인까지도 비록 금은을 장식품으로는 사용했지만, 어떠한 종류의 주화도 갖고 있지는 않았다. 그들의 전全 상업은 물물교환으로 행해졌으며, 따라서 그들에게는 분업이란 것은 거의 없었다. 자신들의 가구, 자신들의 의복과 신발 및 농업 용구를 만들지 않으면 안 되었다. 그들 가운데 소수의 공장들은 모두, 군주·귀족·승려에 의해서 부양되어 왔다고들 하며, 그들은 아마 이들의 하인 또는 노예였을 것이다. 멕시코와 페루의 모든 옛 공예는 단 하나의 제품도 유럽에 제공한 일이 없었다. 스페인의 군대는 500명을 넘는 때가 거의 없었으며, 그 반수도 달하지 못했을 때가 많았지만, 거의 모든 곳에서 그 생활자료를 조달하는 데 대단한 곤란을 겪었다. 그 군대는 당시 아주 인구가 조밀하고 경작이 잘 되어 있다고 알려져 있는 그러한 제국의 어디에 가나, 가는 곳마다 기근을 일으켰다고 하는데, 이것만으로도, 이 인구의 조밀과 고도의 경작이라고 하는 것은, 대부분이 터무니없는 것이라는 것을 충분히 증명해 주는 것이다. 스페인의 식민지들은 잉글랜드의 식민지들보다도 농업 개선 및 인구에 관하여 여러모로 불리한 정부하에 있다. 그럼에도 불구하고 스페인의 식민지들는, 이 모든 면에 있어서, 유럽의 어떠한 나라보다도 훨씬 더 신속하게 전진하고 있는 것 같다. 비옥한 토질, 양호한 기후, 그리고 토지가 많고 싸다는 것은, 모든 새 식민지에 공통한 사정인데, 이것은 내정상內政上의 많은 결함을 메울 만큼 큰 이익이라고 생각된다. 1713년에 페루를 방문했던 프레지에는, 리마Lima에는 2만 5000 내지 2만 8000의 주민이 있다고 했다.[376] 1740년과 1746년 사이에 같은 나라에 체재했던 우요아는 리마에는 5만 이상의 주민이 있다고 한다.[377] 칠레와 페루에 있는 다른 몇 개 주요 도시의 인구밀도에 관한 그들 두 사람의 계산에서도 거의 이와 같은 차이가 있다.[378] 어느 것이나 다 좋은 정보라는 것을 의심할 만한 이유는 없는 것 같으므로, 이 차이는 잉글랜드의 식민지들에 거의 뒤떨어지지 않은 인구증가가 있었다는 것을 표시해 주는 셈이다. 따라서, 아메리카는 그 자신의 은광의 생산물에 대한 새로운 시장이며 그 수요는 유럽에서 가장 성대한 나라의 그것보다 더 신속하게 증가하고 있음이 틀림없다고 하겠다.

그리고 (3) 동인도에 있어서의 시장의 확대 등인데,

셋째로, 동인도는 아메리카의 은광의 생산물을 위한 또 하나의 시장이며, 또한 이러한 은광들이 처음 발견되었을 때부터, 끊임없이 점점 더 많은 양의 은을 흡수하여 왔던 시장이기도 하다. 그때 이래 아카풀코의 선박(Acapulco ships)[379]에 의하여 운행되는 아메리카와 동인도와의 직접무역은 부단히 증대해 왔으며, 또한 유럽을 경유하는 간접교역은 훨씬 더 큰 비율로 증진하고 있었다. 16세기를 통하여, 동인도와 정규의 무역을 했던 유일한 유럽 국민은 포르투갈인이었

376 〔《Voyage to the South Sea》, 218면. 그러나 그 수는 2만 5000 내지 3만으로 되어 있다.〕

377 〔《Voyage Historique》, 제1권, 443, 445면. 스페인 계통이 1만 6000 내지 1만 7000, 인디언과 혼혈아는 비교적 소수로서, 인구의 대부분은 흑인과 흑인 혼혈아이다.〕

378 〔예를 들어, 산티아고와 카야오에 관해서는, 프레지어Frezier, 《Voyage》, 102, 202면과 주앙과 우요아Juan&Ulloa, 《Voyage Historique de L'Amerique Meridionale》, 제1권, 468면과 제2권, 49면.〕

379 〔본래는 한 척, 그리고 1720년 이후에 두 척의 배가 멕시코의 아카풀코와 필리핀 군도the Philippines 사이를 항행하도록 허용되었다. 이 무역에 적용된 법규에 관해서는 경제학자인 Gerónimo de Uztariz, 《The Theory and Practice of Commerce and Maritime Affairs》(1751), 존 키팩스John Kippax(역), 제1권, 206~208면을 보라.〕

다. 그 세기의 말년에 네덜란드인이 이 독점을 잠식하기 시작했고, 몇 년 안 되어 포르투갈인을 인도에 있어서의 그 주요 식민지로부터 축출해 버렸다. 전前세기의 대부분을 통하여, 양 국민은 동인도무역의 최대 부분을 그들 간에 나누어 가졌으며, 그리고 네덜란드인의 무역은 포르투갈인의 무역이 쇠퇴한 것보다 더 큰 비율로 부단히 증진하고 있다. 잉글랜드인과 프랑스인도 전 세기에는 인도와 약간의 무역을 하고 있었으나, 그것이 크게 증진된 것은 금세기에 들어서였다. 스웨덴인과 덴마크인의 동인도무역은 금세기에 들어와서 시작되었다. 모스크바인까지 현재는 육로로 시베리아와 타타르를 지나 북경에 달하는 일종의 수상에 의하여 중국과 정규의 무역을 하고 있다. 이러한 모든 국민의 동인도무역은 최근의 전쟁에 의하여 거의 절멸되어 버린 프랑스인의 그것을 제외하고는 거의 끊임없이 증진하고 있다. 유럽에서의 동인도의 재화의 소비의 증가는 이들 모든 국민에게 그들의 일감을 점점 증가하도록 해 줄 만큼 큰 것이라고 생각된다. 예를 들면 차는 전 세기의 중엽 이전의 유럽에서는 아주 조금밖에 사용되지 않았던 일종의 약이었다. 현재에는 그들의 자국민들이 사용하기 위하여 잉글랜드의 동인도회사에 의해서 매년 수입되는 차의 값은 1년에 150만 파운드 이상에 달한다. 이것까지도 불충분해서, 더 다량의 차가 네덜란드의 각 항에서, 스웨덴의 예테보리Gottenburg에서, 그리고 프랑스의 동인도회사가 번영하고 있었던 동안에는 프랑스의 해안에서도, 끊임없이 그 나라에 밀수입되고 있었다. 중국의 도기와 몰루카 제도의 향료와 더불어, 벵골의 피륙, 그 밖의 수많은 물품의 소비도 거의 같은 비율로 증가했다. 따라서 동인도무역에 종사하는 모든 유럽 선박의 톤수는 전 세기의 어떤 시간에도 아마 잉글랜드의 동인도회사가 최근에 행한 선박의 감축[380] 이전의 그 소유 톤수를 넘지는 않았을 것이다.

380 ("대형전함의 건조에 적합한 목재의 대소비를 막기 위하여, 동인도회사는 그 사용 선박들이 4만 5000톤 이하로 감축될 때까지, 새로운 선박을 건조하거나 또는 그들의 사역을 위해서 타인에게 이를 건조시킨다든가 하는 것을 금지당했으며, 또는 1772년 3월 18일 이후에 건조된 선박을 사용하는 것도 금지당했다. 그러나 이는 그 회사가 인도 또는 식민지들에서 어떠한 배를 건조하거나 자유였으며, 인도 또는 식민지들에서 건조된 배를 용선傭船하는 것도 자유로 되어 있

동인도에서의 금은의 가치는 유럽에서보다 더 높았으며, 아직도 그러하다.

그러나 동인도 특히 중국과 인도스탄에서는 귀금속의 가치가 유럽인이 처음 이 나라들과 무역을 개시했을 때는, 유럽에서보다 훨씬 더 높았으며, 또한 현재도 계속 그러하다. 일반적으로 이모작, 때로는 삼모작을 하는, 더구나 매회의 수확고가 소맥의 보통의 수확군보다 더 많은 쌀 생산국에서는 동일 면적의 어떠한 곡물 생산국보다도 식물이 훨씬 더 풍부할 것이 틀림없다. 따라서 이러한 나라들은 인구도 훨씬 조밀하다. 또한 이런 나라의 부자는 자신들이 소비할 수 있는 이상의 식물을 가지고 있으므로, 다른 인민의 다량의 노동을 구매하는 수단을 가지고 있는 셈이다. 따라서 모든 기록을 보더라도, 중국 또는 인도스탄에 있어서의 고관의 종자들은 유럽에서 가장 부유한 신민의 그것보다도 훨씬 더 다수였으며, 더 훌륭하다는 것이다. 그들이 자유롭게 처분할 수 있는 과잉의 식물이야말로, 자연히 아주 소량밖에 제공하지 않는 특이하고 희소한 모든 생산물, 즉 부자의 경쟁의 큰 대상물인 귀금속과 보석같은 것의 대가로써, 그들로 하여금 비교적 많은 양을 줄 수 있게 해 주는 것이다. 그러므로 비록 인도의 시장을 충족했던 광산들이 유럽 시장을 충족했던 광산과 마찬가지로 풍광이었다 하더라도, 이러한 상품은 자연 유럽에서보다도 인도에서 더 다량의 식물과 교환되었을 것이다. 그러나 인도 시장에 귀금속을 공급했던 광산들은 유럽 시장에 그것을 공급한 광산들보다도 덜 풍광이었던 것 같으며 인도 시장에 보석을 공급했던 광산들은 유럽 시장에 그것을 공급한 광산들보다도 더 풍광이었던 것 같다. 따라서 인도에서는[381] 귀금속이 자연 유럽에서보다 약간 다량의 보석과 교환되었을 것이며, 또한 훨씬 다량의 식물과 교환되었을 것이다. 모든 사치품 가운데 제일로 꼽히는 것인 다이아몬드의 화폐가격은, 전자의 나라에서는 후자의 나라에서보다도 약간 낮았을 것이며, 모든 생활필수품 가운데 으뜸이 되는 식물

다. 조지 3세 제12년 법률 제54호"—데이빗 맥퍼슨David Macpherson, 《Annals of Commerce, Manufactures, Fisheries, and Navigation》(1805), ad 1772, 제3권, 521~522면.〕

381 〔"인도에서는"이 초판에는 "자연"의 뒤에 있다.〕

의 화폐가격은 대단히 더 낮았을 것이다. 그러나 이미 설명한 바와 같이 인도의 2대 시장인 중국과 인도스탄에서는 노동의 실질가격, 즉 노동자에게 주어지는 생활필수품의 실제의 양이 유럽의 대부분을 통해서보다도 더 낮다. 그곳에서의 노동자의 임금은 소량의 식물밖에 구매할 수 없을 것이며, 식물의 화폐가격이, 인도에서는 유럽에서보다 훨씬 더 낮으므로 그곳에서의 노동의 화폐가격은 이중의 이유, 즉 그것이 구매할 식물이 소량이라는 것과, 더구나 그 식물이 저가격이라고 하는 쌍방의 이유에 의하여 유럽에서보다 낮은 것이다. 그러나 기술과 근면이 동등한 제국에서는 대부분의 제조품의 화폐가격은, 노동의 화폐가격에 비례할 것이며, 또한 중국과 인도스탄의 제조 기술과 근면은 유럽의 어떤 지방보다도 뒤떨어져 있기는 하지만 아주 뒤떨어져 있는 것 같지는 않다. 그러므로 대부분의 제조품의 화폐가격은 자연 유럽의 어느 곳에서보다 이러한 대제국에서 훨씬 더 낮을 것이다. 더욱이 유럽의 대부분을 통하여 육상 운송비는 대부분의 제조품의 실질가격과 명목가격의 쌍방을 대단히 증대시키고 있다. 그러므로 육상 운송은 처음에 시장에 원료를 가지고 가고 그리고 나서 완제품을 그렇게 하는데도, 비교적 많은 노동이, 따라서 비교적 많은 화폐가 든다. 중국과 인도스탄에서는 내륙 항행의 범위와 다양성이 이러한 노동과, 따라서 이러한 화폐의 대부분을 절약시키고, 또 그렇게 함으로써 그들의 대부분의 제조품의 실질가격과 명목가격의 쌍방을 더욱더 낮게 해 준다. 이상의 모든 이유 때문에 귀금속은 유럽에서 인도로 가지고 가는 것이 언제나 엄청나게 유리했던 상품이며, 아직도 계속 그러한 상품이다. 인도에서 귀금속보다 더 나은 가격을 받을 상품, 다시 말하면 귀금속이 유럽에서 치르게 하는 노동과 상품의 양에 비하여 인도에서 더 다량의 노동과 상품을 구매 또는 지배할 그런 상품이라고 할 만한 것은 거의 없다. 또한 그곳에 금보다도 은을 가지고 가는 것이 더 유리하다. 왜냐하면, 중국과 인도의 다른 시장의 대부분에서는, 순은과 순금의 비율은 10 대 1 또는 많아야 12 대 1이다.[382] 그런데 유럽에서는 그것이 14 또는 15 대 1이

382 〔이곳과 2행 뒤의 "또는 많아야 12 대 1"은 초판에서는 빠져 있다.〕

기 때문이다. 중국과 인도의 다른 대부분의 시장에서는 10온스 또는 많아야 12온스의 은이 1온스의 금을 구매할 것인데, 유럽에서는 그것이 14온스 내지 15온스의 은을 필요로 한다. 그러므로 인도로 향해 항행하는 유럽선의 대부분의 화물 가운데서, 대체로 은이 가장 귀중한 물품 중의 하나였다.[383] 마닐라를 향해 항해하는 아카풀코선船에서도 그것은 가장 귀중한 물품이다. 이렇게 하여 신대륙의 은은 구대륙의 양끝 사이의 상업이 행해지게끔 하는 주요 상품 중의 하나[384]인 것 같다. 그리고 세계의 이들 원격지방이 서로 연결되어 있는 것도 대부분은[385] 이 은 때문이라고 하겠다.

은은 식기와 주화의 증가뿐만 아니라 그것의 손모損耗를 위해서도 공급되지 않으면 안 된다.

이렇게 대단히 광대한 시장을 충족하기 위해서, 해마다 은광으로부터 보내오는 은의 양은 모든 번영하고 있는 제국에서 필요로 하고 있는 주화와 식기의 계속적인 증가를 유지하기에 족할 뿐만 아니라, 그 금속이 사용되고 있는 모든 나라에서 일어나고 있는 은의 끊임없는 손모와 소비를 보충하는 데 족할 만한 것이어야 한다.

손모는 상당한 것이다.

귀금속이 주화로서는 마손에 의하여, 식기로서는 마손과 청소에 의하여 계속

383 〔아이작 뉴턴Isaac Newton은 그의 《Representation to the Lords of the Treasury》(1717)(이것은 다음 면에 인용되어 있는 《Universal Merchant》에서 번각되어 있다)에서 이 비율은 중국과 일본에서 9 내지 10 대 1이고, 인도에서는 12 대 1인데, 이 때문에 전 유럽으로부터 은을 빼앗아간다라고 말하고 있다. 매건스Magens는 이 문장에 대한 주 가운데서(《Universal Merchant》, 90면), 1732년까지는 중국으로부터 금을 가지고 돌아오기 위해서 대단히 많은 양의 은이 그곳에 갔기 때문에, 중국에서 금의 가격이 상승하여, 그 결과 그곳에 은을 보내는 것은 벌써 유리하지 않게 되어 버렸다고 말하고 있다.〕

384 〔"주요 상품 중의 하나"는 초판에는 "주요 상품"으로 되어 있다.〕

385 〔"대부분"은, 초판에는 "주로"로 되어 있다.〕

소비되는 것은 극히 현저하며, 또한 이렇게 광대한 용도를 가진 상품들의 경우에는, 그것만으로도 해마다 대단히 많은 공급을 필요로 할 것이다. 어떤 특정의 제조업에 있어서, 이러한 금속의 소비는 전체로서는 아마 이 점진적인 소비보다 더 크지 않겠지만, 훨씬 더 신속하므로 훨씬 더 현저한 것이다. 버밍엄의 제조업에서만 해마다 금은의 도금과 피금에 사용되어, 그 때문에 이후 영구히 이러한 금속의 형상으로서 나타나는 자격을 잃어버리는 금은의 양은 5만 파운드스털링 이상에 달한다고 한다. 여기에서 우리는 세계의 온갖 지방에서 버밍엄의 그것과 같은 종류의 제조업이나 또는 레이스, 자수, 금은계의 직물, 책의 금박, 가구 등에 매년 소비되는 것이 얼마나 많은 금액이 되지 않을 수 없는가 하는 것을 어느 정도 생각할 수 있을 것이다. 또한 이러한 금속을 어떤 지방에서 다른 지방에 육로와 해로에 의하여 운송할 때, 해마다 손실되는 것도 상당한 양일 것이 틀림없다. 그 밖에도, 아시아의 대부분의 통치 지역에 있어서는 재보를 땅속 깊이 감추는 것이 거의 보편적인 풍습으로 되어 있어, 이는 흔히 그것을 감추는 사람과 함께 사멸하여 그 사실에 관한 지식도 사라져 버린다. 이 때문에도 꽤 많은 양의 손실을 일으키지 않을 수 없는 것이다.

600만 파운드의 금은이 카디스와 리스본으로부터 수입되고 있는바,

카디스Cadiz와 리스본의 쌍방에서 수입되는 금은의 양은 (등록되는 것은 물론, 밀수된 것으로 상상될 수 있는 것까지 포함해서) 최량의 기록에 따르면 연액 약 600만 파운드스털링에 달한다.

이는 매건스에 의해서도 설명되었으며,

매건스 씨[386]에 의하면, 양단의 해를 포함한 1748년부터 1753년까지의 6개년

386 《Universal Merchant》에 대한 보유의 15와 16면. 이 보유는 1756년, 즉 이 책이 출판된 3년 후까지는 인쇄되지 않았으며, 본서는 결코 재판되지 않았다. 따라서 이 보유가 붙여진 부수는 얼마 되지 않는다. 그것은 본서에 있는 몇몇 오류를 정정하고 있다. 〔이 주는 제2판에서 처음 나온다. 상술의 저자의 표제는, N. M(니콜라스 매건스Nicolas Magens), 《Farther

을 평균해서 해마다 스페인에 수입된 귀금속과 양단의 해를 포함한 1747년에서 1753년까지의 7개년을 평균해서[387] 연년 포르투갈에 수입된 귀금속은 은으로 중량 110만 1107파운드, 금으로 중량 4만 9940파운드에 달했다. 은은 1트로이파운드[388]당 62실링으로 치면, 영화로서 341만 3431파운드 10실링에 달한다. 금은 1트로이파운드당 44기니 반이라고 치면, 영화로서 233만 3446파운드 14실링에 달한다. 양자를 합하면 영화 574만 6878파운드 4실링이 된다. 등록된 수입고는 정확하다는 것을 그는 보증하고 있다. 그는 금은이 흘러나오는 특정의 장소와 등기부에 의해 이들 각 장소가 제공하는 각 금속의 특정의 수량에 관한 상세한 설명을 우리들에게 해 주고 있다. 뿐만 아니라 밀수되었으리라고 그가 상상하는 각 금속의 양에 관해서도 참작을 하고 있다. 이 현명한 상인의 위대한 경험은, 자기의 소견을 상당히 무게있는 것으로 만들어 주고 있다.

레이날Raynal과,

능변이며, 때로는 여러 사정에 밝은, 《두 인도에 있어서의 유럽인의 정주의 철학적, 정치적 역사》의 저자에 의하면, 매년 스페인으로 수입된, 등록된 금은은 양

Explanations of some particular subjects relating to Trade, Coin, and Exchanges, contained in the Universal Merchant》(1756)이다. 이 저자의 1면에서 N. M은 "호슬리 씨 Mr. Horsley가 The Universal Merchant라고 하는 너무 으리으리한 표제를 붙여 출판한" 책의 저자는 자기라고 주장하고 있다. 《The Universal Merchant》(1753)의 헌사에서 편집자인 윌리엄 호슬리William Horsley는 본서의 저자는 "태생은 외국인이지만 그 이해관계로는 잉글랜드인이다"라고 말하고 있다. 제임스 스튜어트 경은 그 저자를 매건스 씨라고 부르고 있으며, 이 사람은 오랫동안 잉글랜드에 살았으며, 독일어로 Universal Merchant를 썼는데, 그것이 번역된 것이 본서다라고 하고 있다(《Inquiry into Principles of Political Economy》(1767), 제2권, 158, 292면). 《젠틀맨스 매거진Gentleman's Magazine》 지의 1764년 8월호의 398면의 사망 기사 가운데, 1764년 8월 18일부로 "니콜라스 매건스 씨Nicholas Magens Esq.는 10만 파운드의 가치가 나가는 상인"이라는 것이 나와 있다.〕

387 〔이 두 기간은 실제로는 1748년 4월에서 1753년 4월까지의 5개년과 1747년 1월에서 1753년 1월까지의 6개년이다. 그러나 이 두 평균치는, 매건스에서 따온 것이므로 모두 틀림없다.〕

388 〔이 10실링은 14실링이어야 한다. 그리고 2행 뒤의 14실링은 10실링이 되어야 할 것이다.〕

단의 해를 포함하여 1754년에서 1764년까지의 11개년의 평균에서, 10리알real을 1 피아스터라고 하면, 1398만 4185피아스터 4분의 3[389]에 달했다. 그러나 밀수된 것도 있을 것이기 때문에, 연간 총수입액은 1700만 피아스터에 달했을지도 모른다고 그는 상정하고 있는데, 1피아스터당 4실링 6펜스라고 하면, 그 금액은 영화 382만 5000파운드와 같다. 뿐만 아니라, 그는 금은이 흘러나오는 특정의 지방과 등록에 따라서 그들 각지가 제공하는 각 금속의 특정의 수량에 관해서도 상세하게 설명하고 있다.[390] 그는 또한 우리들에게 만일 우리가 브라질로부터 리스본으로 매년 수입되는 금의 양은, 표준 금속의 5분의 1이라고 생각되는 포르투갈 국왕에게 납입된 조세액에서 판단한다면, 우리는 그것을 1800만 크루자두cruzado, 즉 프랑스의 리브르livre로서는, 영화로 200만 파운드와 같은 금액인 4500만 리브르라고 평가하여도 좋을 것이라는 것도 보고하고 있다. 그러나 밀수된 것도 있었을 것이기 때문에, 우리는 그 금액에다 8분의 1, 즉 영화 25만 파운드를 가해도 좋을 것이며, 따라서 전체로서는 영화 225만 파운드가 될 것이라고 말하고 있다.[391] 그러므로 이 계산에 의하면 스페인과 포르투갈 양국에 들어오는 귀금속의 연간 총수입액은 영화로써 약 607만 5000파운드에 달하는 것이다.

그 밖의 저자들에 의하여도 밝혀졌던 것이다.

비록, 수고이기는 하지만[392] 아주 인정받고 있는 몇몇 다른 기록은, 때로는 다소 과부족은 있으나 이 연간 총수입액을 영화로 평균 약 600만 파운드로 잡는 데 일치하고 있다는 것을 나는 확인했다.

389 〔제2판 이후의 판에서는, "1398만 4185. 5분의 3"이라고 오식되어 있다.〕

390 〔기욤 토마스 프랑수아 레이날Guillaume Thomas François Raynal, 《Histoire Philosophique et Politique des etablis semens et du commerce des Europeens dans les deux Indes》(암스테르담Amsterdam, 1773), 제3권, 310면.〕

391 〔레이날, 《Histoire Philosophique》(암스테르담, 1773), 제3권, 385면.〕

392 〔초판에는 "비록 수고이기는 하지만"이 없다.〕

이것이 연간 공급의 전부는 아니지만 그 대부분이기는 하다.

실제로 카디스와 리스본에 들어오는 귀금속의 연간 수입액은 아메리카의 광산들의 연간 총생산액과 같은 것은 아니다. 일부분은 아카풀코선으로 해마다 마닐라에 보내지고, 또 일부는 스페인의 식민지들이, 다른 유럽 국민들의 식민지들과 행하고 있는 밀매매에 사용되고 있고, 또 일부분은 틀림없이 그 나라에 남아 있다. 그뿐 아니라 아메리카의 광산들이 세계에 있는 유일한 금은광만은 아니다. 그러나 아메리카의 광산들은 단연 최대의 풍광이기도 하다. 아메리카의 광산들에 비한다면, 다른 모든 기지의 광산의 생산액은 하찮은 것이라는 것쯤은 인정되어 있으며, 아메리카의 광산들의 생산액의 거의 대부분은 카디스와 리스본에 연년 수입되고 있다는 것도 역시 인정되어 있다. 그러나 1년에 5만 파운드라는 비율인 버밍엄의 소비만도 1년에 600만 파운드의 비율인 이 연간 수입액의 120분의 1과 같은 것이다. 그러므로 금은을 사용하는 세계의 여러 나라 전체에서 이러한 금속의 연간 총소비액은 아마 연간 총생산액과 거의 같을지도 모른다. 그 나머지는 모든 번성하고 있는 나라들의 증가하는 수요를 충족시키는 데 족할 만한 것밖에 되지 않을 것이다. 그것은 유럽 시장에서 이들 금속의 가격을 약간 올릴 정도로 이러한 수요를 메우기에 부족하기까지 했을지도 모른다.

놋쇠와 철이 증가하여도, 우리는 그 가치가 하락한다고 기대하지는 않는다. 그렇다면 금은에 관해서는 왜 그런 기대를 할 것인가?

연년 광산에서 시장으로 보내지는 놋쇠와 쇠의 양은 금은의 양보다는 전혀 비교되지 않을 만큼 많다. 그러나 이 때문에 우리는 이러한 비금속이 수요를 넘을 만큼 증대할 것 같거나, 또는 점점 값이 싸질 것 같다고 상상하지는 않는다. 그렇다면 왜 우리는 귀금속이 그렇게 될 것 같다고 상상해야 하는가? 실로 비금속은 귀금속보다 더 단단하기는 하지만, 훨씬 더 경도가 높은 용도에 사용되고, 더구나 그 가치는 더 적은 것이므로, 그 보존에도 주의를 그렇게 많이 하지 않아도 된다. 그러나 귀금속은 반드시 비금속 이상으로 불멸의 것이라고 할 수 없으며, 아주 여러 가지 점으로 분실되고, 손모되고, 소비되기 쉬운 것이다.

금속 특히 금은은 내구성이 있기 때문에 그 가치에는 해마다 변동이 거의 없다.

모든 금속의 가격은 비록 완만하고 점진적으로 변동하기는 쉽지만, 다른 토지 총생산물의 거의 대부분처럼 그렇게 해마다 변동하지는 않는다. 그리고 귀금속의 가격은 비금속의 그것보다도 돌발적인 변동을 겪는 일이 더 적다. 금속의 내구성이야말로 가격의 이 이상적인 견실성의 기초인 것이다. 작년에 시장에 보내 온 곡물은 그 전부 또는 거의 전부가 금년이 다 가기 훨씬 전에 소비되어 버릴 것이다. 그러나 200~300년이나 이전에 광산에서 보내졌던 철의 어떤 부분은 아직도 사용되고 있을 것이며, 아마 2000~3000년이나 이전에 그곳에서 보내온 금은의 어떤 부분도 아직 사용되고 있을지도 모른다. 여러 연도마다 세계의 소비를 충족해야 할 곡물의 상이되는 양은 언제나 거의 이러한 각가지 연도의 당해 생산고에 비례할 것이다. 그러나 상이한 2년도에 사용될 수 있는 철의 상이한 양의 비율은 이 양 년도에 있어서의 철광산의 생산고에 있을 우연적인 차이에 의하여서는 아주 적은 영향을 받을 뿐일 것이다. 더구나 금의 양 사이의 비율은 금광의 생산고에 있는 이러한 차이에 의해서는 더욱더 적은 영향밖에 받지 않을 것이다. 그러므로, 비록 대부분의 금속 광산의 생산고는 대부분의 곡물 생산지의 그것보다 연간 변동이 훨씬 더 크다 하더라도, 이들 변동이 전자의 종류의 상품가격에 미치는 영향은 후자의 그것에 미치는 영향과 동일하지는 않다.

2. 금과 은의 각각의 가치 사이에 있는 비율의 변동

아메리카의 광산들의 발견 이후 은은 금에 비하여 하락했다.

아메리카의 광산들이 발견되기 이전에 순금의 순은에 대한 가치는, 유럽의 여러 조폐국에서 1 대 10 또는 1 대 12의 비율로서 규정되었으니, 즉 1온스의 순금은 10온스에서 12온스의 순은의 가치와 같은 것이라고 상정되었던 것이다. 전세기의 중엽 경에, 이 비율이 1 대 14 내지 1 대 15로 규정되게끔 되었으니, 다시 말하면 순금 1온스는 순은 14온스 내지 15온스의 가치의 것이라고 상정되게 되었다. 금은 그 명목가치에 있어서, 즉 이것과 교환으로 주어지는 은의 양에 있어서는 상승했다. 그런데 두 금속은 그들의 실질가치에 있어서, 즉 이들이 구매할 수 있는 노동의 양에 있어서는 하락했다. 그렇지만 은은 금보다 더 하락했다. 아메리카의 금광과 은광이 모두 그 비옥도에 있어서는 일찍이 알려졌던 모든 광산을 능가했지만, 은광의 다산적임은, 비례적으로는 금광의 그것보다 훨씬 더 컸던 것 같다.

그것은 동인도에서는 더 높다.

유럽으로부터 인도에 해마다 운반되는 다량의 은은 잉글랜드의 여러 식민지 가운데 어떤 곳에서의 이 금속의 가치를 금에 비하여 점차 하락시켰다. 캘커타의 조폐국에서는, 유럽에서와 마찬가지로 순금 1온스는 순은 15온스의 가치가 있는 것으로 상정되어 있다. 그 조폐국에서는 금이 벵골 시장에서 가지고 있는 가치에 비해, 너무 높은 비율로 된 것 같다. 중국에서는 은에 대한 금의 비율이 아직도 계속 1 대 10 또는 1 대 12이다.[393] 일본에서는 1 대 8이라고들 한다.[394]

매건스는 가치의 비율이 양의 비율과 동일하지 않으면 안 된다고 생각하고 있는 것 같지만,

매건스 씨의 계산에 의하면 해마다 유럽에 수입되는 금은의 양간의 비율은 1 대 22에 가까운 것이다.[395] 즉 금이 1온스 수입되는 데 대하여 은은 22온스 남짓한 수입이 있는 셈이다. 동인도에 매년 보내지는 다량의 은은 유럽에 남아 있는 이러한 금속의 양을 감소시켜서, 그것들의 양의 비율을 그 가치의 비율인 1 대 14

393 〔초판에는 "또는 1 대 12"가 없다.〕

394 〔캔틸런은 중국에서는 1 대 10, 일본에서는 1 대 8이라고 하고 있다. 《Essai》, 365면.〕

395 〔매건스Magens, 《Farther Explanations》, 16면에 나와 있는 정확한 숫자는, 1 대 22와 10분의 1이다.〕

내지 1 대 15로 했다고 그는 생각하고 있다. 그는 이 금속들의 가치 간의 비율은 반드시 그 양의 비율과 동일해야 되며, 따라서 만일 은의 이와 같은 다량의 수출이 없었다면 이 비율은 1 대 22가 될 것이라고 생각하고 있는 것 같다.[396]

그러나 이것은 불합리하다.

그러나 두 상품의 각각의 가치 간의 통상의 비율은 반드시 보통 시장에 있는 이 상품들의 양 사이의 비와 동일한 것은 아니다. 한 마리에 10기니라고 산정되는 황소의 가격은 한 마리에 3실링 6펜스로 산정되는 새끼 양의 가격의 약 60배이다. 그러나 이것에서 보통 시장에는 황소 한 마리에 대하여 60마리의 새끼 양이 있다고 추론한다는 것은 불합리할 것이다. 그리고 이와 꼭 마찬가지로 1온스의 금이 14온스 내지 15온스의 은을 구매할 것이기 때문에, 보통 시장에는 1온스의 금에 대해서 겨우 14온스 내지 15온스의 은밖에 없다고 추론한다는 것도 또한 우스꽝스러운 것이다.

어떤 값싼 상품의 전량은 어떤 값비싼 상품의 전량全量보다도 가치가 더 많이 나가는데 이것은 금은에 관하여도 사실이다.

보통 시장에 있는 은의 양이 금의 양에 대한 비율은 일정량의 금의 가치가 동량의 은의 가치에 대해 가지는 비율보다 훨씬 더 큰 것일지도 모른다. 시장에 보내지는 값싼 상품의 전량은 값비싼 상품의 전량보다도 더 양적으로 많을 뿐 아니라, 그 가치도 훨씬 더 큰 것이 보통이다. 해마다 시장에 나가는 빵의 전량은 수육의 전량보다 더 많을 뿐 아니라, 그 가치도 훨씬 더 크며, 수육의 전량은 가금家禽의 전량보다 그러하고, 또 가금의 전량은 야조野鳥의 전량보다 그러하다. 값싼 상품에 대해서는 값비싼 상품보다도 훨씬 많은 구매자가 있기 때문에, 보통 훨씬 많은 양이, 처분될 수 있을 뿐 아니라, 더 많은 가치가 처분되는 것이다. 따라서 값싼 상품의 전량이 값비싼 상품의 전량에 대하여 가지는 비율은 비싼 상

396 〔매건스, 《Farther Explanations》, 17면.〕

품의 일정량의 가치가 같은 양의 값싼 상품의 가치에 대하여 가지는 비율보다 보통 클 것이 틀림없다. 우리가 귀금속류를 서로 비교해 볼 때, 은은 싼 것이고, 금은 비싼 상품이다. 따라서 우리는 의당 시장에는 언제나 금보다 더 많은 은이 있을 뿐만 아니라, 그 가치도 금보다 크다는 것을 예기하지 않으면 안 된다. 금은을 아주 조금밖에 갖고 있지 않은 어떤 사람에게, 그 사람 자신의 은기와 금기를 비교시켜 보라. 그러면, 그는 아마 그 양에 있어서뿐만 아니라 그 가치에 있어서도 전자가 후자를 크게 능가하고 있다는 것을 발견할 것이다. 그뿐 아니라 은기는 많이 가지고 있으면서 금기를 전혀 갖고 있지 않은 사람도 많이 있다. 그리고 또 금기를 가지고 있는 사람들일지라도, 그것은 대체로 시계 케이스, 담뱃갑, 그리고 자질구레한 장신구에 국한된 것이며, 그 전체를 합한 것이라도 큰 가치가 되는 일은 거의 없다. 사실 영국의 주화에 있어서는, 금화의 가치는 크게 우세하지만, 모든 나라의 주화가 그런 것은 아니다. 어떤 나라의 주화에 있어서는, 두 금속의 가치는 거의 같다. 잉글랜드와의 합방 이전의 스코틀랜드의 주화에 있어선 조폐국의 기록에 의하여 나타난 바와 같이, 그 정도는 미미한 것이었으나,[397] 금이 아주 조금 우위를 차지하고 있었다. 많은 나라들의 주화에 있어선 은이 우세하다. 프랑스에서는 최대의 금액은 보통 이 금속으로 지불된다. 그리고 그곳에서는 호주머니에 넣고 다니기에 필요할 정도 이상으로 금을 얻기는 어렵다. 그러나 모든 나라에서 은기의 가치가 금기의 그것보다 우세하고 있다는 사실은 몇몇 나라에서만 금화가 은화에 대하여 우위를 차지하고 있는 사실을 상쇄하고도 남음이 있을 것이다.

397 《Anderson's Diplomata, &c. Scotiæ》에 붙인 러디만Ruddiman의 서문을 보라. [《Selectus Diplomatum et numismatum thesaurus》, 84~85면. 그 역서로는 175~176면이다. 그러나 금이 우위를 차지한다는 소설은 1602년 12월 16일에서 1606년 7월 19일까지와 1611년 9월 20일부터 1613년 4월 14일까지의 기간에 주조된 금화의 가치가 동일 기간에 주조된 은화의 그것보다 컸다는 사실에만 근거를 둔 것인데, 이 사실이 당시 존재하고 있었던 주화의 전량의 비율에 관해서는 아무런 것도 설명해 주지 않는다. 이 소설은 다음의 280면에서도 되풀이되어 있다. 이 주는 제2판에서 처음 나온다.]

금은 은보다 가능한 최저가격에 더 접근해 있다.

비록 말의 어떤 의미로는, 은은 언제나 금보다 훨씬 더 값이 쌌으며, 아마도 언제나 그럴 것이지만, 그러나 또 다른 의미로는, 금은 스페인 시장의[398] 현상에서 본다면 은보다 약간 싸다고 할 수 있을 것이다. 어떤 상품이 비싸다거나 또는 싸다고 할 수 있는 것은 그 통상의 가격의 절대적인 대소에 따라서일 뿐만 아니라, 그 가격이 어떤 상당한 기간에 걸쳐 그 상품을 시장에 보낼 수 있는 최저의 가격을 상회하는 정도의 다소에 따라서도 말할 수 있을 것이다. 이 최저가격은 그 상품을 그곳에 보내는 데 사용되지 않을 수 없는 자재를 온당한 이윤과 함께 간신히 회수할 만한 가격인 것이다. 그것은 지주에게는 아무것도 제공해 주지 않는 가격이며, 지대는 그 가격의 어떤 구성 부분도 되지 못하며, 그 전부가 임금과 이윤으로 나뉘어지는 가격이라고 하겠다. 그런데 스페인 시장[399]의 현상으로는, 금이 은보다 약간 더 이 최저가격에 접근하고 있음이 확실하다. 금에 대한 스페인 국왕의 조세는 겨우 표준 금속의 20분의 1, 즉 5퍼센트에 지나지 않는데, 반면 은에 대한 그의 조세는 그의 10분의 1, 즉 10퍼센트[400]에 달하고 있다. 또한 이미 설명했지만 이러한 조세 가운데는, 스페인령 아메리카의 대부분의 금광과 은광의 전 지대가 들어 있는 셈이고, 더구나 금에 대한 조세가 은에 대한 그것보다도 그 납부 상태가 훨씬 불량하다. 또한 금광의 기업가들이 재산을 만드는 경우는 훨씬 더 드물기 때문에, 그들의 이윤은 일반적으로 은광의 기업가들의 그것보다 훨씬 더 온당한 것임이 틀림없다. 따라서 스페인의 금의 성격은, 지대와 이윤의 변동을 아주 적게 제공하므로, 스페인 시장[401]에서는 스페인의 은의 가격보다도, 그것을 그곳에 보낼 수 있는 최저가격에 약간 더 접근하고 있음이 틀림없다. 모든 비용을 계산해 보면, 전자의 금속의 전량은 스페인 시장에서

398 ("스페인" 시장은 초판에는 "유럽" 시장으로 되어 있다.)

399 ("스페인" 시장은 초판에는 "유럽" 시장으로 되어 있다.)

400 ("그의 10분의 1, 즉 10퍼센트"는 초판에는 "그의 5분의 1, 즉 20퍼센트"로 되어 있다.)

401 (초판에는 "스페인" 시장이 "유럽" 시장으로 되어 있다.)

는[402] 아마 후자의 금속의 전량만큼 유리하게 처분될 수 없는 것같이 생각될 것이다. 사실[403] 브라질의 금에 대한 포르투갈 국왕의 조세는 멕시코와 페루의 은에 대한 스페인 국왕의 옛날 조세[404]와 동일하다. 즉 표준 금속의 5분의 1이다. 따라서 아메리카산 금의 전량이 아메리카산 은의 전량보다도 유럽의 전全 시장에 그것을 보낼 수 있는 최저가격에 더 가까운 가격으로 보내지고 있는지 아닌지는 불확실할는지도 모른다.[405]

다이아몬드는 더 접근하고 있다.

다이아몬드와 그 밖의 보석류의 가격은 아마도 금의 가격에 비해서까지도, 그것을 시장에 보낼 수 있는 최저가격에 훨씬 더 접근해 있을 것이다.[406]

스페인령 아메리카에서는 은에 대한 조세를 좀 더 내릴 필요가 있을 것이다.

은에 대한 과세는 단순한 사치품 및 없어도 될 물품과 같은 가장 적당한 과세물

402 〔초판에는 "스페인 시장에서는"이 없고 "아마……"가 "전자의 금속의 전량"의 앞에 있다. 그리고 초판에는 "모든 비용을……생각될 것이다"라고 하는 문장 전체가 이 문단의 끝에 와 있다.〕

403 〔"사실"이 초판에서는 "포르투갈 국왕의 조세는"의 뒤에 있다.〕

404 〔"옛날의 조세"는, 초판에서는 "그것"으로 되어 있다.〕

405 〔이 문장은 초판에는 다음과 같이 되어 있다. "그러나 아메리카의 금의 전량이 아메리카의 은의 전량을 유럽의 시장에 보낼 수 있는 것보다 최저가격에 더 접근한 가격으로 그곳에 보내지고 있다는 것은 역시 사실일 것이 틀림없다."〕

406 〔초판에서는, 이 뒤에 또 하나의 문단을 넣어 두었다. 즉 "만일 스페인 국왕이 은에 대한 자기의 조세를 포기한다 하더라도, 그 때문에 유럽 시장에서 이 금속의 가격이 즉시 하락하지는 않을 것이다. 그곳에 보내 오는 양이 종전과 동일한 은, 그것은 역시 계속 동일한 가격으로 팔릴 것이다. 이러한 변화의 제1의, 그리고 직접의 영향은, 광산의 기업가가 이때까지 국왕에게 납부했던 모든 이득을 차지하므로, 광업의 이윤을 증가시킨다는 것일 것이다. 이러한 대이윤은, 곧 수많은 사람들로 하여금 새 광산을 가동시키도록 유혹할 것이다. 현재 이 조세를 감당할 수 없기 때문에 가동될 수 없는 많은 광산이 가동될 것이다. 그러면 시장에 나오는 은의 양도 몇 년 되지 않아서 너무 많이 증가되어, 그 가격을 현재의 표준보다 약 5분의 1 이하로 떨어뜨릴 것이다. 은의 가치의 이러한 감축은 광업의 이윤을 다시 그들의 현재의 비율만큼으로 내릴 것이다."〕

의 하나에 부과되는 과세이고 또 대단히 귀중한 수입을 낳아 주는 과세이므로 조세의 어떠한 부분도, 그것이 지불될 수 있는 한, 포기되리라는 것은 있을 법하지 않지만, 그러나 1736년에 그것을 5분의 1에서 10분의 1로 내릴 것을 필요로 했던 것과 같은 사정, 즉 그 지불이 불가능하다는 바로 그 사정은, 이것이 금에 대한 조세를 20분의 1로 내릴 필요가 있게끔 만들었던 것과 마찬가지로, 때가 되면, 그것은 더욱더 내릴 필요가 있게끔 만들지도 모른다.[407] 스페인령 아메리카의 은광들이, 다른 모든 광산과 마찬가지로, 가동하기 위해서는 보다 깊이 들어가야 되며, 또한 심부에 배수와 환기를 하는 데는 비용이 더 많이 들기 때문에, 점차 그 가동비가 증가한다고 하는 사실은, 이러한 광산의 상태를 조사한 일이 있는 사람들에 의해 시인되고 있다.

은의 생산비의 증가는 그 가격의 증대 또는 그것에 대한 조세의 인하 또는 이 변동 가운데 어느 한 가지를 초래하지 않을 수 없다.

이들 원인은 은이 점점 부족되어 간다는 것과 같은 것인 바(왜냐하면, 어떤 상품은 그 일정량을 수집하는 것이 점차 곤란해지고, 비용이 들면 들수록 그것이 점점 부족해진다고 할 수 있기 때문이다), 이들은 조만간 다음과 같은 세 가지 결과 가운데 어느 하나를 발생시키지 않을 수 없다. 즉, 비용의 증가는 첫째, 그 금속 가격의 비례적인 증대에 의해 모두 메워지거나, 또는 둘째, 은에 대한 조세의 비례적인 경감에 의해 모두 보상되거나, 아니면 셋째로, 일부분은 이 두 가지 편법 가운데 전자에 의해, 또 일부분은 후자에 의해서 보상되지 않으면 안된다. 이 제3의 결과가 가능성이 아주 많다. 금에 대한 조세가 크게 경감되었음에도 불구하고, 금의 가격은 은의 가격에 비례하여 상승했던 것같이, 은에 대한

407 〔초판에는 이 문단의 처음부터 여기까지가 다음과 같이 되어 있다. "사실, 그렇게 중요한 수입을 낳아 주고, 더구나 가장 적당한 과세대상의 하나에 과해지는 조세 가운데 얼마만큼이 포기되리라는 것은 이를 지불하는 것이 가능한 한, 있을 법하지는 않다. 그러나 그 지불이 불가능하다는 것은, 그것이 금에 대한 조세를 경감시킬 필요가 있게끔 만들었던 것과 똑같이, 때가 오면, 그것을 경감시킬 필요가 있게끔 만들 것이다."〕

조세가 똑같이 내려져도, 은의 가격은 노동 및 상품들에 비례하여 상승할지도 모른다.

과거에 있었던 조세의 경감은 그러지 않았을 경우에 비하여 은을 적어도 10퍼센트 하락시켰다.

그러나 조세의 이러한 연속적인 경감은 비록 유럽 시장에서의 은의 가치의 상승을 전적으로 제지할 수는 없지만, 다소나마 그것을 늦출 것임에 틀림없다. 이러한 경감의 결과로서 옛 세금을 지불할 여유가 없어서 전에 가동할 수 없었던 많은 광산이 가동될 것이다. 그리고 해마다 시장에 보내지는 은의 양도 언제나 약간 더 많아질 것이 틀림없다. 따라서 주어진 양의 가치도 이렇게 되지 않았을 때보다는 약간 감소될 것이다. 1736년에 있었던 경감의 결과 유럽 시장에서의 은의 가치는 비록 오늘날에 있어서도 그 경감 이전보다 낮지는 않지만 스페인의 궁정이 계속 옛 세금을 강요했다고 가정할 경우에 비하여, 아마 적어도 10퍼센트나 낮을 것이다.[408]

은은 금세기에 들어와 조금 오른 것 같다.

이상에서 주장되어 온 여러 사실과 논의는 나로 하여금 이러한 경감이 있음에도 불구하고 유럽 시장에서 은의 가치가 금세기를 통해 약간 상승하기 시작했다는 것을 믿게끔, 또는 좀 더 정확히 말해서 의심 내지는 추측하게끔 하는데, 그 이유는 내가 이 문제에 관하여 가질 수 있는 최상의 견해라고 확신이라는 이름이 붙여질 만한 가치는 거의 없을 것이기 때문이다. 실제로 어느 정도의 상승이 있었다고 가정하더라도, 여태까지는[409] 극히 적은 것이었으므로, 종래 논의되어

408 〔이 문단은 제2판에서 처음 나온다.〕

409 〔초판에는 이 문단의 처음부터 여기까지가 다음과 같이 되어 있다. 즉 "이상에서 주장된 여러 사실과 의론은 나로 하여금 이 세 가지 결과 가운데 첫째 것이 이미 일어나기 시작했다는 것, 즉 유럽 시장에서의 은의 가치는 금세기를 통해서 약간 상승하기 시작했다는 것을 믿게끔 하고 있다. 사실상 이제까지 확실히 구매가 있었던 것이다."〕

왔음에도, 많은 사람들에게는 이러한 일이 실제로 일어났었는지 아닌지, 오히려 이와 반대의 결과가 일어났는지 아닌지, 즉 유럽 시장에서 은의 가치가 아직도 계속 하락하고 있는지 아닌지는 불확실하다고 생각될 것이다.

연간 소비는 결국 연간 수입과 맞먹지 않으면 안 되며,

그러나 주의하지 않으면 안 될 것은, 금은의 연간 수입이 얼마만 한 것이라고 상상되든지 간에 반드시 이러한 금속의 연간 소비가 연간 수입과 맞먹게 될 일정 기간이 있어야 한다는 것이다. 금은의 소비는 그 양의 증가와 더불어, 아니 오히려 더 큰 비율로 증가할 것이 틀림없다. 그들의 양의 증가와 더불어 그들의 가치도 감소된다. 그것들은 보다 많이 사용되며 조심은 덜하게 된다. 따라서 그들의 소비는 그들의 양보다도 더 큰 비율로 증가한다. 그러므로 이렇게 하여 연간 수입과 같아질 것이 틀림없다. 단 수입이 끊임없이 증가되지 않는다는 조건이 필요하다. 현재로서는 이러한 사실이 있다고는 생각되지 않는다.

또한 그렇게 되면, 소비는 수입의 변화에 순응할 것이다.

만일 연간 소비가 연간 수입과 동등하게 되었을 때, 연간 수입이 점차 감소된다면, 연간 소비는 얼마 동안 연간 수입을 초과할 것이다. 이러한 금속의 양은 점진적으로 감소할 것이며, 그 가치는 점진적으로 상승하여, 마침내 연간 수입은 다시 정체하게 되고, 연간 소비도 점진적으로 연간 수입이 감당할 수 있을 정도에 순응하게 될 것이다.[410]

3. 은의 가치가 아직도 계속 내리고 있지 않은가 하는 의심의 근거

금은은 양적으로 증가해 가고 있으며, 더구나 어떤 부류의 총생산물의 가격이 등귀하고 있다는 이유에서, 아직도 하락하고 있다고 생각되고 있다.

유럽의 부의 증가와 그리고 귀금속의 양이 부의 증가와 더불어 자연히 증가하므

410 〔이 최후의 두 문장은 〈증보 및 정정〉에 부가되고 제3판에 있어서는 본문에 삽입된 것이다.〕

로, 귀금속의 양이 증가함에 따라 그들의 가치는 감소한다고 하는 통속적인 관념은, 많은 사람들로 하여금 유럽 시장에서 귀금속의 가치가 아직도 계속 하락하고 있다는 것을 아마[411] 믿게끔 할 것이다. 더구나 토지의 총생산물의 대부분의 가격이 점차 증대하고 있다는 사실은,[412] 그들의 이러한 관념을 더욱 굳게 해 줄 것이다.

금속류의 증가가 그들의 가치를 감소시킬 필요는 없다는 것은 이미 설명해 두었다.

귀금속의 양에 있어서의 그와 같은 증가[413]는 어떠한 나라[414]에 있어서도 부의 증가에서 생기는 것으로서, 이것이 귀금속의 가치를 감소시키는 경향을 전혀 갖고 있지 않다는 것은, 이미 내가 밝히려고 노력한 바 있다. 금과 은이 자연적으로 부국에 몰리는 것은, 모든 종류의 사치품과 진기품이 그곳에 몰리는 것과 똑같은 이유 때문이다. 다시 말하면 가난한 나라에서보다, 그곳에서 더 값이 싸기 때문이 아니고, 더 비싸기 때문에, 즉 그런 것에 대해서 더 나은 값이 주어지기 때문이라 하겠다. 그런 물품들을 유치하는 것은 가격의 우월이며, 그 우월성이 없어지면 곧 그것들은 그곳에 오지 않게 될 것이다.

그리고 가축 등의 가격 등귀는 이것들의 실질가격의 상승 때문인 것이며 은의 하락 때문인 것은 아니다.

곡물과 그리고 인간의 근로에 의하여만 지배되는 다른 채소를 제외하면, 다른 모든 부류의 총생산물, 즉 모든 종류의 가축과 가금 및 땅속의 유용한 화석류와 광물류 등은 사회의 부와 개량의 진보에 따라 자연 더 비싸게 되어 간다는 것은 이미 내가 설명하려고 노력해 온 바이다. 따라서 이러한 상품들이 종래보다도 더 많은 양의 은과 교환되도록 된다 하더라도, 그것에서부터, 은이 실질적

411 〔초판에는 “may perhaps” 대신 “may besides”로 되어 있다.〕

412 〔초판에는 “perhaps”가 여기에 있다.〕

413 〔초판에는 “That the increase of”로 되어 있다.〕

414 〔초판에는 “which arises”가 “any country” 다음에 있다.〕

으로 싸졌다거나 또는 이전보다도 더 소량의 노동밖에 구매하지 못할 것이라는 결과가 되지는 않을 것이며, 그러한 상품들이 실질적으로 비싸졌다거나 또는 이전보다도 더 다량의 노동을 구매할 것이라는 결과가 될 것이다. 개량이 진행됨에 따라 상승하는 것은 그러한 상품의 명목가격뿐만 아니라 실질가격도 상승한다. 그것들의 명목가격의 상승은 은의 가치가 저락한 결과가 아니고, 그것들의 실질가격이 상승한 결과인 것이다.

4. 개량의 진보가 세 부류의 총생산물에 미치는 여러 가지 영향

세 부류의 총생산물의 실질가격은 개량의 진보에 따라 상승한다.

이러한 상이한 부류의 총생산물은 세 가지 종류로 분류될 수 있다. 첫째 것은 인간의 근로의 힘으로써는 전혀 증식할 수 없는 것들을 포함하고 있다. 둘째 것은 수요에 비례하여 증식될 수 있다. 셋째 것은 근로의 효력이 한도가 있든가, 또는 그 효력이 불확실한 것이라 하겠다. 부와 개량이 진보함에 따라 첫째 것의 실질가격은 어떤 터무니없는 정도까지라도 상승할 수 있을 것이며, 어떤 뚜렷한 한도는 없는 것 같다. 둘째 것의 실질가격은 비록 크게 상승할 수 있다 하더라도 그것에는 어떤 일정한 한도가 있어서, 어떤 상당한 기간 동안 줄곧 그 한도를 훨씬 넘을 수는 없다. 셋째 것의 실질가격은 비록 그 자연적 경향은 개량의 진보에 따라 상승하게 되어 있지만 개량의 정도가 동일하면 이 부류의 총생산물의 증식에 있어서 여러 가지 우연사가 인간의 근로의 노력을 어느 정도 성공시켜 주느냐에 따라서, 때에 따라서는 하락하기까지 할 것이며, 때에 따라서는 계속 동일하고, 때에 따라서는 다소 상승할 수도 있을 것이다.

제1부류

(1) 이를 테면 사냥 포획물과 같이 인간의 근로에 의하여 증식될 수 없는 부류.

그 가격이 개량의 진보에 따라 상승하는 제1부류의 총생산물은 인간 근로의 힘으로는 거의 전혀 증식할 수 없는 것이다. 그것은 자연히 일정량으로만 생산하는 것이며, 더구나 그 성질상 대단히 부패하기 쉬우므로 여러 상이한 계절의 생산물을 한데 축적할 수 없는 것이기도 하다. 희귀한 새와 생선의 대부분, 많은 부류의 사냥 포획물, 거의 대부분의 야조, 특히 모든 철새들, 그 밖의 많은 것들이 이것에 속한다. 부와 그리고 이것에 따르는 사치가 증가되면, 이들에 대한 수요도 함께 증가하기 쉽다. 그리고 인간 근로의 어떠한 노력도 이 수요의 증가 이전의 정도를 훨씬 넘게 공급을 증가할 수는 없을 것이다. 그러므로 이러한 상품의 양은 동일한 그대로이거나 또는 거의 동일한 그대로인 데 반해 그것들을 구매하려는 경쟁은 계속 증가되고 있으므로, 그 가격이 터무니없을 정도까지라도 상승할 것이며, 더구나 어떠한 일정한 한도에 의해 제한을 받는 것 같지 않다. 가령 누른도요(山鷸, 도요새)가 한 마리에 20기니로 팔릴 만큼 유행하게 된 경우, 인간의 근면이 어떠한 노력을 다한다 해도 시장에 보내오는 이 새의 수를 현재보다 훨씬 더 많이 증가시킬 수는 없을 것이다. 로마인이 그 최성기에, 희귀한 새와 물고기에 대해서 지불했던 높은 가격은 이렇게 하여 쉽게 설명이 될 것이다. 이러한 높은 가격은 그 당시의 은의 가격이 낮았다는 결과는 아니고, 인간의 근로에 의하여 마음대로 증식할 수 없을 만큼 드물고 진기한 것의 가치가 높았다는 결과였던 것이다. 로마에서는 은의 실질가치가 그 공화국의 몰락의 전후 얼마 동안 현재의 유럽의 대부분을 통한 그 가격보다 더 높았다. 약 6펜스 스털링과 같은 3세 세스테르티우스sestertii가 그 공화국이, 시칠리아의 10분의 1 세인 소맥 1모디우스modius, 즉 1펙peck에 대하여 지불했던 가격이었다. 그러나 이 가격은 평균 시장가격보다 낮았던 것 같으며, 이러한 비율로 그들의 소맥을 내어 주어야 하는 의무는 시칠리아의 농업경영자에 대한 일종의 조세라고 생각되었기 때문이다. 따라서 로마인이 10분의 1세라고 정액된 소맥보다 더 많은 곡물을 주문할 필요가 생겼을 때는, 그들은 그 펜스의 비율로 지불한다는 부대 안건을 붙일 의무를 지고 있었다.[415] 그리고 이것이 온당

415 〔키케로Cicero, 《In Verrem》, 소송 2(Act. Ⅱ), 제3항, 기원전 70년이 그 전거이다.〕 *시칠리아

하고 합리적인 가격, 다시 말하면 당시의 통상적 또는 평균적인 계약가격이라고 간주되고 있었던 것 같으며, 1쿼터에 약21실링과 같은 것이다. 최근의 흉년 이전에는 잉글랜드 소맥의 통상의 계약가격은 1쿼터에 28실링이었다. 그리고 일반적으로 품질에 있어서는 시칠리산의 소맥보다 못한 것이고, 유럽 시장에서는 그보다 더 싸게 팔리고 있었다. 따라서 이러한 옛날에 은의 가치는 현재의 그 가치에 비한다면, 3 대 4의 역비례였음이 틀림없다. 즉 당시의 은 3온스는 현재의 은 4온스가 구매하는 것과 같은 양의 노동과 상품을 구매하고 있었을 것이다. 그러므로 우리가 플리니우스Pliny의 저자에 있어서 세이우스Seius[416]는 여제 아그리피나Agrippina에게 바치는 선물로서 한 마리의 흰 나이팅게일을 현재의 우리 화폐의 약 50파운드와 같은 금액인 6000세스테르티우스라는 값으로 구매하든지, 또 아시니우스 켈레루스Asinius Celer[417]가 한 마리의 홍어를 현재의 우리화폐의 66파운드 13실링 4펜스와 같은 금액인 8000세스테르티우스라는 가격으로 구매했다는 것을 읽을 때, 이렇게 터무니없는 가격에 우리가 아무리 깜짝 놀란다 하더라도, 그 가격은 우리들에게는 그것이 실제로 있었던 것보다 약 3분의 1이나 적은 것으로 보이기 쉽다. 그것들의 실질가격, 즉 그것들과 교환으로 주어졌던 노동과 생활자료의 양은 현재 그것들의 명목가치가 우리들에게 표현하곤 하는 양보다도 약 3분의 1이나 더 많았던 것이다. 즉 세이우스가 그 나이팅게일의 대가로서 주었던 것은, 현재 66파운드 13실링 4펜스가 구매하게 될 양과 같은 노동 및 생활자료에 대한 지배권이었다. 그리고 아시니우스 켈레루스는 그 홍어의 대가로서 88파운드 17실링 9펜스 3분의 1로 구매하게 될 양과

의 총재 가이우스 베르레스Galius Verres의 부패와 부당한 재판에서 키케로가 한 일련의 연설이 있다.

416 제10권, 제29항. ("나는 아직 본 일도 없는 한 마리의 새를 알고 있는데, 그 새는 황제 클라우디우스의 비妃 아그리피나에 대한 선물로 바치기 위하여, 6000세스테르티로서 가져온 것이다(Scio sestertiis sex candidam alioquin, quod est prope inusitatum, venisse, quae Agrippinae Claudii principis conjugi dono daretur)." 여기에 "Seius"라는 고유명사를 쓴 것은 이 문장의 처음에 있는 "Scio(나는 안다)"라는 의미의 동사를 잘못 읽은 결과인 것 같다.)

417 제9권, 제17항. (이것과 바로 앞의 주는 제2판에 처음 나옴.)

같은 양에 대한 지배권을 주었던 것이다. 이렇게 터무니없는 높은 가격을 일으켰던 것은 은이 그만큼 풍부했기 때문이라기보다는 오히려 이들 로마인들이 그들 자신의 사용에 필요했던 것 이상으로 자유롭게 처분할 수 있었던 노동 및 생활자료가 풍부했기 때문이라 하겠다. 그들이 자유롭게 처분할 수 있었던 은의 양은, 현재의 같은 양의 노동 및 생활자료에 대한 지배권이 조달하는 은의 양보다도 훨씬 더 적었던 것이다.

제2부류

⑵ 마음대로 증가시킬 수 있는 부류, 이를테면 가축과 가금.

그 가격이 개량의 진보에따라 상승하는 제2부류의 총생산물은 인간의 근로가 그 수요에 비례해서 증식시킬 수 있다. 그것은 대단히 유용한 식물 및 동물로써 구성되는데, 이는 미경작의 나라에서는 자연이 남을 만큼 풍부하게 생산해 주기 때문에 거의 가치가 없거나 또는 전혀 가치를 갖지 않으며, 경작이 진보됨에 따라 더 유리한 생산물에 강제적으로 그 자리를 물려주게 되는 그러한 것들이다. 개량의 진보가 행해지는 긴 기간을 통하여 이들의 양은 끊임없이 감소되어 가고 있는데, 반면 그것들에 대한 수요는 계속 증가하고 있다. 그러므로 그것들의 실질가치, 즉 그것들이 구매 또는 지배할 노동의 실제의 양은 점차 상승하여, 마침내는 그것이 인간의 근로가 가장 다산적이고, 가장 잘 경작된 토지에서 생산할 수 있는 다른 어떠한 것에 못지않게 그것들을 유리한 생산물로 만들 만큼 높아지는 것이다. 그들의 실질가치가 일단 이 정도까지 높아졌을 때, 그 이상 더 높아질 수는 없다. 만일 그렇게 되면, 그 양을 증가시키기 위해서, 곧 더 많은 토지와 더 많은 근로가 사용될 것이기 때문이다.

가축을 위한 사료를 생산하는 것이 유리하게 되면 가축의 가격은 그 이상 높아질 수 없다.

예를 들어 가축의 가격이 너무 상승하여, 그 사료를 생산하기 위하여 토지를 경작하는 것이 인간이 식물을 생산하기 위해 그렇게 하는 것과 같을 정도로 유리하게 되면, 가축의 가격은 아마 그 이상 더 올라가지 못한다. 만일 올라가면 더 많은 곡물생산지가 방목지로 돌려질 것이다. 경작의 확장은 야생의 목초량을 감소시킴으로써, 그 나라가 노동 또는 경작에 의하지 않고 자연적으로 생산되는 수육의 양을 감소시키고, 그 반면 수육과 교환으로 주어질 곡물 또는 같은 말이지만 그 곡물의 가격을 가지고 있는 사람들의 수를 증가시킴으로써 수육에 대한 수요를 증가시킨다. 그러므로 수육의 가격, 즉 가축의 가격은 점차 상승하여, 마침내 가장 다산적이며 가장 잘 경작된 토지를 가축을 위한 사료의 생산에 사용하는 것이 곡물의 생산에 사용하는 것과 같이 유리하게 될 정도로 높아진다. 그러나 가축의 가격을 이런 높이까지 올릴 만큼 경작이 확장되는 것은, 개량이 진행된 뒤의 일이 아닐 수 없는 것이다. 그리고 그 나라가 조금이라도 전진하고 있는 한 가축의 가격은 이러한 높이에 달할 때까지 상승할 것이 틀림없다. 아마 유럽에서는 가축의 가격이 아직 이 높이에 달하지 않은 지방도 더러 있을 것이다. 합방 이전의 스코틀랜드에서 그것이 이 높이에 달한 지방은 아무 데도 없었다. 만일 이 나라 가축의 판로가 항상 국내시장에만 국한되어 있었다면, 스코틀랜드에서는 가축의 사육 이외의 목적에 적용될 수 없는 토지의 면적이 다른 여러 목적에 충용될 수 있는 것에 비해서 너무나 클 것이므로 가축을 사육하기 위해서 토지를 경작하는 것이 유리하도록 할 만큼 그렇게 그 가격이 상승할 수는 거의 없었을 것이다. 잉글랜드에선 이미 설명한 바와 같이 가축가격이 런던 근교에서는 전前세기의 초두에 이런 높이에 달해 있었던 것 같다. 그러나 더 먼 지방은 대체로, 그렇게 되었던 것은 훨씬 뒤의 일이었다고 생각된다. 이들 지방의 어떤 곳에서는, 아직도 그렇게 되어 있지 않을지도 모른다. 그러나 총생산물의 이 제2부류를 구성하고 있는 모든 여러 가지 물건(substances) 중에서 개량의 전진에 따라 그 가격이 제일 먼저 이 높이에까지 상승하는 것은 아마 가축일 것이다.

완전한 경작을 확보하기 위해서는, 가축의 가격이 이 높이에까지 달하지 않으면 안 된다.

사실 가축의 가격이 이 높이에 달할 때까지는, 최고도의 경작을 할 수 있는 토지마저도 그 대부분이 완전히 경작될 수 있다는 것은 거의 불가능하다고 생각된다. 또한 어떤 도시로부터 너무 멀리 떨어져 있어, 그곳에서 비료를 운반해 올 수 없는 모든 농장에서는, 즉 모든 광대한 나라의 거의 대부분의 농장에서는 잘 경작된 토지의 면적은 그 농장 자체가 생산할 수 있는 비료의 양에 비례하지 않을 수 없으며, 또한 이는 다시 그곳에서 사양되는 가축의 수에 비례하지 않을 수 없다. 토지는 가축을 토지에서 방목하든지, 또는 가축을 축사에서 사육하여 그 똥거름을 축사로부터 그 땅에 운반해 감으로써 시비施肥된다. 그런데 가축의 가격이 경작지의 지대와 이윤을 지불하기에 족할 만한 것이 아닌 한, 농업경영자는 가축을 방목할 여유는 없다. 그리고 축사에서 사육할 여유는 더욱더 없다. 가축이 축사에서 사육될 수 있는 것은 개량되고 경작된 토지의 생산물로서 기를 때뿐이다. 왜냐하면 황폐하고 경작되지 않은 토지의 근소하고 흩어져 있는 생산물을 수집하는 것은 너무 많은 노동을 필요로 할 것이며, 너무 비용이 많이 들 것이기 때문이다. 그러므로 그곳에 가축이 방목되고 있을 때라도, 만일 가축의 가격이 개량되고 경작된 토지의 생산물에 대한 지출을 할 만큼 족할 만한 것이 못 된다고 하면, 그러한 가격은 그 생산물이 상당히 많은 추가적 노동을 들여서 수집되어야 하고, 또 축사에 있는 가축들에게 운반되어야 할 때는 그 생산물에 대한 지불을 하기에는 더욱더 모자랄 것이다. 그러므로 이러한 사정하에서는, 경작을 위해 필요로 하고 있는 것보다 더 많은 가축을 축사에서 사육하여 이윤을 올릴 수는 없다. 그러나 이것만으로는 그들이 경작할 수 있는 모든 토지를 항상 양호한 상태에 놓여 있게 하는 데, 충분한 비료를 마련할 수는 결코 없다. 그 가축들이 제공해 주는 것은 전체 농장에 대하여 불충분하기 때문에 자연 그것은 가장 유리하게 가장 편리하게 적용될 수 있는 토지, 즉 가장 가까운 토지를 위하여 보류될 것이다. 그러므로 이러한 토지는 언제나 좋은 상태를 유지하고 있을 것이며, 경작에 적합한 상태를 지니고 있을 것이다. 나머지 토지는 그 대부분이 황폐된 그대로 버려져서, 그곳에서는 몇 마리의 낙오한, 반 아사 상태의 가축을 살려 두는 데 겨우 맞을 만큼 빈약한 목초 이외에는 거의 아무것도 생산하지 못할 것이다. 그런 농장은 그 완전한 경작을 위하여 필요로 하는 것에 비추어 가축이 훨씬 부족하지만, 그 현실의 생산물에 비추어서는 가축 과잉이 될 때가 대단히 많다. 그러나 이러한 황지의 일부는 이런 비참한 방법으로 6~7년간이나 방목된 뒤에는 경작될 것이다. 이 땅이 생산을 한다 할 때는, 아마 나쁜 귀리 또는 어떤 다른 조악한 곡류의 빈약한 수확을 보게 될 것이다. 그리고 나면 지력도 완전히 소모되어 버리고, 또 전처럼 휴경지로서 방목될 것이 틀림없다. 그리고 다음 차례로 다른 일부가 경작되어서, 똑같이 지력이 소모되고, 다시 휴경지로서 방목하게 된다. 합방 이전에 스코틀랜드의 저지방의 전부를 통한 일반적 경영방식이 이러했다. 항상 잘 시비되고 좋은 상태로 보존되었던 토지는 전체 농장의 3분의 1, 또는 4분의 1을 거의 넘지 못했으며, 때로는 그 5분의 1, 또는 6분의 1에 달하지 못할 때도 있었다. 그 나머지는 전혀 시비되지 않았으나, 그럼에도 불구하고 그 일정 부분은 차례차례 규칙적으로 경작되고 소모되었다. 이러한 경영방식하에서는 스코틀랜드의 토지 중 경작이 잘 될 수 있는 부분마저도 그것이 생산할 수 있는 능력에 비하여 조금밖에 생산할 수 없었을 것은 명백하다. 그러나 이러한 방식이 아무리 불리한 것처럼 보인다 하더라도 합방 이전의 가축의 저가격은 그것을 거의 불가피한 것으로 만들었던 것 같다. 만일 가축의 가격이 크게 상승했음에도 불구하고, 아직 그 경영방식이 계속 그 나라의 상당한 부분을 통하여 유행한다면, 그것은 모든 지방에 있어서의 무지와 구습에의 애착에 기인한 것이 틀림없지만, 대부분의 지방에서는 그것을 사태의 자연적인 추세라는 것이 있어서 좋은 방식의 즉시 또는 급속히 확립하지 못하게 하고 있는 불가피한 장해에 기인되고 있다. 그 첫째는 차지인 등의 빈곤, 즉 더 많은 가축을 사양하는 것을 유리한 것으로 해 주는 바로 그 가격의 상승이, 마찬가지로, 그들이 가축을 획득하는 것을 더 곤란하게 만들고 있기 때문에, 그들이 그들의 토지를 더 완전하게 경작하는 데 족할 만큼의 가축 수를 획득하는 시간적 여유를 가지지 못했다는 것, 그리고 둘째는 비록 그들이 그런 가축을 획득할 수 있다 하더라도, 그들이 그들의 토지를 더 많은 수의 가축의 사양에 적합한 상태로 만들 만한 시간적 여유가 없다는 것이다. 가축의 증가와 토지의 개량이란 두 가지 일은 병진되어야 하는 것이며, 어떠한 곳에서도 그 하나가 다른 하나를 훨씬 앞서 뛰어갈 수 없는 것이다. 가축이 조금이라도 증가하지 않고서는 토지의 개량은 거의 있을 수 없다. 그러나 토지가 상당히 개량된 결과가 아니고서는 가축의 상당한 증가도 있을 수 없다. 그렇지 않은 한 토지는 가축을 유지할 수 없을 것이기 때문이다. 보다 좋은 방식의 확립에 대한 이러한 자연적 장해는 오랫동안의 절검과 근면에 의하지 않고서는 제거될 수 없으며, 점차 낡아져 가고 있는 옛 방식이 그 나라의 모든 지방을 통하여 완전히 폐지될 수 있을 때까지는, 아마 반세기 또는 1세기 이상이 경과되지 않으면 안 될 것이다. 그런데 스코틀랜드가 잉글랜드와의 합방에서 얻은 모든 상업상의 이익 가운데서도[418] 가축의 가격의 이러한 상승이 아마 그 최대의 것이라고 하겠다. 그것은 고지지방의 모든 소유지의 가치를 올렸을 뿐만 아니라, 또한 아마도 저지지방의 개량의 주요 원인이었을 것이다.

그러니 새 식민지의 경작 상태는 보잘 것 없다.

모든 새 신민지에서는 다년간 가축의 사육 이외의 목적으로는 적용될 수 없는 황지荒地가 대단히 많으므로, 가축은 얼마 되지 않아 극도로 풍부해진다. 그리고 모든 것의 값이 아주 싸다는 것은 그것이 크게 풍부하다는 필연적인 결과이다. 아메리카에 있는 유럽 식민지의 모든 가축은 본래 유럽에서 가지고 왔던 것이지만, 그것들이 얼마 안 되어 그렇게 많이 증식하여, 그 가치도 아주 적어졌으므로, 말까지도 숲속에 야생적으로 뛰어다니게 해 두었으며, 어떠한 소유자도, 그들의 권리를 주장할 만한 가치가 있는 것이라고 생각하지 않았다. 경작지의 생산물로서 가축을 사육하는 것이 유리하게 될 수 있을 때까지는, 그러한

418 〔이 원문은 "of all the Commercial advantage"인데 초판에서 제3판까지는 "the"가 없다.〕

식민지지植民地地가 최초로 건설된 지 긴 시일이 지난 뒤였을 것이다. 따라서 스코틀랜드에서와 같은 원인, 즉 비료의 부족 및 경작에 사용되는 자재와 경작될 것으로 예정된 토지와의 불균형은 스코틀랜드의 그렇게 많은 지방에서 아직도 계속 행해지고 있는 것과 별 다르지도 않은 영업방식을 그곳에 도입시킬 것이다. 스웨덴의 여행가 칼름 씨Mr. Kalm가 1749년에 보았던 북아메리카에 있는 잉글랜드 식민지 가운데 몇몇의 영농을 설명할 때 그는 농업의 모든 부문에 그렇게 잘 숙달한 잉글랜드 국민의 특성을 그곳에서 발견하기는 곤란했다고 말하고 있다. 그는 말하기를, 그들은 곡물생산지를 위한 비료를 거의 만들지 않고, 한 구획의 토지가 계속적인 수확에 의하여 지력이 다 소모되어 버리면, 그들은 또 다른 구획의 신선한 토지를 개간하여 경작하고, 그것이 또 다 소모되면, 제3의 구획으로 나아간다. 그들의 가축은 숲과 다른 미경작지를 돌아다니도록 버려두어져 있는데, 그곳에서 가축들은 반아사 상태에 있다. 왜냐하면 거의 모든 1년초一年草는 개화하여 종자를 떨어뜨릴 겨를도 없는 이른 봄에 베어 버림으로써 오래 이전에 근절되어 있기 때문이다.[419] 1년초는 북아메리카의 그 지방에서는 최량의 야생의 목초인 것 같다. 그리고 유럽인이 처음 그곳에 정주했을 때는 그 1년초들은 보통 아주 무성하고, 3~4피트의 높이만큼 자랐던 것이다. 칼름 씨가 저술했을 당시에는 한 마리의 황소마저 사양할 수 없었던 한 구획의 토지가 이전에는 네 마리나 사양했을 것이며, 더구나 그 한 마리 한 마리에서 이 당시의 한 마리분의 우유양의 네 배를 얻었을 것이라는 것을, 그는 확신하고 있었다. 그의 의견으로서는, 목초의 결함이 가축의 퇴폐를 일으켰으며, 가축들은

419 페르 칼름Peter Kalm, 《Travels into North America》, 제1권, 343~344면. 〔스웨덴령 핀란드의 아오보 대학의 경제학 교수이자 스웨덴 제국학사원帝國學士院의 회원인 페르 칼름Peter Kalm의 《Travels into North America, containing its natural history and a circumstantial account of its Plantations and Agriculture in general, with the civil, ecclesiastical and commercial state of the country, the manners of the inhabitants and several curious and important remarks on various subjects》, 요한 라인홀트 포스터John Reinhold Forster(역), 제3권, 1770년. 스미스의 이 주는 제2판에서 처음 나온다.〕

대대로 뚜렷하게 퇴화해 갔다는 것이다. 그 가축들은 아마도 30~40년 전의 스코틀랜드 전역에서 공통했던 발육이 저해당한 왜소한 가축과 비슷하지 않을 수 없었을 것이다. 그리고 스코틀랜드의 이러한 가축은 저지지방의 대부분을 통하여 많이 개량되고 있으며, 이것도 약간의 지방에서는 편법으로서 사용된 품종의 개량이라는 것에 의해서라기보다는, 오히려 충분히 사료를 준다는 방법에 의하여 개량되었던 것이다.

가축은 제2부류의 총생산물 가운데서, 경작을 확보하는 데 필요한 가격을 가져오게 하는 최초의 것이다.

따라서 가축이 가축을 사육하기 위하여 토지를 경작하는 것을 유리한 것으로 만들 만한 가격을 가져올 수 있기까지는, 장구한 문명의 진보가 있는 후가 아니면 안 되지만, 그래도 가축은 이 제2부류의 총생산물을 구성하는 여러 부분 가운데서, 아마 이러한 가격을 가져올 최초의 것이다. 왜냐하면 가축이 그러한 가격을 가져올 때까지는, 발전이 유럽의 많은 지방에서 이미 도달한 정도의 완성에까지, 가까워질 수 있으리라는 것은 불가능한 것이라고 생각되기 때문이다.

사슴 고기는 그 마지막 것이라 하겠으며,

가축이 이러한 가격을 가져오는 부류의 총생산물 가운데 그 최초의 부분이듯이, 사슴 고기는 그 가운데서 최후의 부분이다. 영국에서는 사슴 고기의 가격이 아무리 엄청나게 비싸게 보인다 하더라도, 사슴을 사육한 경험이 있는 모든 사람에게 잘 알려져 있는 것과 같이, 사슴 수렵장의 경비를 메우기에는 거의 불충분한 것이다. 만일 그렇지 않다면, 지빠귀(Turdi, 티티새)라고 불리는 작은 새들의 사육이 고대 로마인들 간에 그러했던 것과 같이 사슴의 사육이 보통, 농예의 1항목이 될 것이다. 바로와 콜루멜라는 그것이 가장 유리한 항목이었다고 확언하고 있다.[420] 프랑스의 어떤 지방에서는 여위어서 이 나라에 돌아오는 철새인 멧

420 〔바로Varro, 《농업론De re rustica》, 제3권, 제2장과 콜루멜라Columella, 《De re rustica》, 제8

새 무리(ortolans)를 살찌게 하는 것도 유리하다고들 한다. 만일 사슴 고기가 계속 유행하고 영국의 부와 사치가 과거 얼마 동안 증가했던 것과 마찬가지로 증가한다면 그 가격은 현재보다도 더욱더 높이 상승할 것은 확실하다.

그 밖의 것들은 양자의 중간에 있는 셈이다.

개량이 진보함에 따라 가축과 같이 필요한 물품의 가격이 그러한 높이에까지 이르게 되는 기간과 사슴 고기와 같이 없어도 될 물품의 가격이 그 높이에 이르게 되는 기간과의 사이에는 상당히 긴 간격이 있으며 이 간격을 통하여 많은 다른 총생산물은 여러 가지 사정에 응하여 어떤 것은 비교적 빨리, 어떤 것은 비교적 늦게 그러한 최고가격에 점차 도달하는 것이다.

가금도 그러하다.

이리하여 어떠한 농장에서도 헛간이나 축사의 폐물이 일정 수의 가금을 이렇게 하지 않을 경우에 버려지게 될 먹이로써 사육되므로 단순한 폐물 이용에 지나지 않는다. 그리고 그것들은 농업경영자에게는 거의 비용이 먹히지 않으므로 농업경영자는 그것들을 아주 싸게 팔 수 있다. 농업경영자가 획득하는 거의 전부가 순이득이며, 그것의 가격이 아무리 낮다 하더라도 그로 하여금 이만한 수를 기를 마음이 내키지 않게 할 만큼 그렇게 낮을 수는 없는 것이다. 그러나 경작이 충분히 되어 있지 않고, 따라서 주민이 희박한 나라에서는 이렇게 비용을 들이지 않고 사양되는 가금이 전 수요를 완전히 충족시킬 때가 가끔 있다. 따라서 이러한 사태에서는 가금은 수육 또는 다른 부류의 동물 생산물과 마찬가지로 값이 쌀 때도 가끔 있다. 그렇지만 농장이 이렇게 경비를 들이지 않고 사양하는 가금의 전량은 반드시 그곳에서 길러지는 수육의 전량보다 언제나 훨씬 적지 않을 수 없다. 그리고 부와 사치의 시대에는 그 진가가 거의 똑같을 때 한해서 희소한 것은 흔한 것보다 사람들에게 더욱더 환영된다. 그러므로 개량과 경

권, 제10장, 끝까지. 콜루멜라의 것에서는 바로Varro가 인용되어 있다.)

작의 결과로서 부와 사치가 증가됨에 따라 가금의 가격은 점차 수육의 가격 이상으로 상승하여 마침내 가금을 사육하기 위하여 토지를 경작하는 것이 유리하게 될 만큼 높아진다. 일단 이 높이에까지 달하게 되면 그 이상 더 올라갈 수 없다. 프랑스의 몇몇 지방에서는 가금의 사육이 농촌 경제의 아주 중요한 사항이라고 생각되고 있으며, 또한 이는 농업경영자들로 하여금 이 목적을 위하여 상당한 양의 인도 옥수수와 메밀을 생산하도록 격려할 만큼 유리한 것이다. 그곳에서는 중류의 농업경영자는 자기의 마당에 400마리의 닭을 가지고 있을 때도 있다. 잉글랜드에서는 가금의 사육이 일반적으로 아직도 그렇게 중요한 항목이라고 생각되고 있지는 않는 것 같다. 그러나 잉글랜드가 프랑스로부터 상당한 공급을 받고 있는 것을 본다면 가금이 프랑스에서보다 잉글랜드에서 더 비싼 것은 확실하다. 개량이 진보함에 따라 모든 특정 부류의 동물성 식물이 가장 비싸게 되는 그 시기는 자연히 그것을 생산하기 위하여 토지 경작을 일반적으로 실시하는 바로 직전의 시기임이 틀림없다. 이러한 실시가 일반화되기 전 얼마 동안 부족은 반드시 그 가격을 올린다. 그것이 일반화되면 새로운 사육 방법들이 나와서 농업경영자로 하여금 동일 면적의 토지 위에서 이러한 특정 부류의 동물성 식물을 훨씬 더 많이 생산할 수 있게 해 준다. 풍부하다는 것은 농업경영자로 하여금 더 싸게 팔지 않을 수 없게 할 뿐만 아니라 이러한 개량의 결과로써 그는 더 싸게 팔 여유도 있게 된다. 만일 그렇게 할 여유가 없다면 그러한 풍부는 오래 계속되지 못할 것이다. 클로버·순무·당근·양배추 등의 도입이 런던 시장에서의 수육의 보통의 가격을 전前세기의 초두 무렵의 가격 이하로 약간이나마 떨어뜨리는 데 이바지했던 것도 이러한 방법으로 했던 것 같다.

돼지와,

오물 속에서 그 먹이를 찾고 다른 모든 유용有用 동물이 먹지 않는 것을 얼마든지 욕심내어 먹어 치우는 돼지는 가금과 마찬가지로 본래는 일종의 폐물 이용으로 사육된 것이다. 이렇게 거의 전혀 비용을 들이지 않고 사양될 수 있는 동물의 수가 수요를 충족시키기에 충분할 동안은 이런 부류의 수육은 다른 어떤 것보다 훨씬 더 싼값으로 시장에 나온다. 그러나 그 수요가 이런 양을 충족시킬 수 있는 것을 넘어서 상승할 때는, 즉 다른 가금을 사육하고 비육하는 것과 마찬가지로 돼지를 사육하고 비육할 목적으로 식물을 생산할 필요가 있게 될 때 그 가격은 반드시 상승하며, 그리고 그 나라의 자연과 그 농업의 상태가 돼지의 사육을 다른 가금의 그것보다 더 비싸게 먹히게 하거나 또는 덜 들게 해 주는 그 정도에 응하여 그 가격은 다른 수육의 그것보다 비례적으로 더 높기도 하고 더 낮아지기도 한다. 뷔퐁 씨에 의하면 프랑스에서는 돼지[421]고기의 가격이 쇠고기의 가격과 거의 같다. 영국의 대부분의 지방에서는 현재 그것이 쇠고기 가격보다 약간 높다.

영국에서 돼지와 가금의 가격이 크게 상승한 것은 농업노동자와 그 밖의 소규모의 토지 점유자의 수가 감소한 것에 그 탓을 돌려 왔는데, 이것은 유럽의 모든 지방에서의 개량과 보다 나은 경작의 직접적인 선구자가 되어 주었던 사건이기도 하지만, 동시에 이러한 물품의 가격을 이렇지 않았을 경우에 올라갔을 것보다 약간 빨리 그리고 약간 급속히 올리는 데 이바지했던 것이기도 하다. 아무리 가난한 가정이라도 아무런 경비도 들이지 않고 한 마리의 고양이 또는 개를 기를 수는 흔히 있듯이 가장 가난한 토지점유자도 보통 몇 마리의 가금 또는 한 마리의 암돼지와 몇 마리의 새끼 돼지를 아주 적은 경비로써 기를 수 있다. 그들 자신의 식탁의 찌꺼기, 그들의 유장·탈지유·버터·밀크는 이러한 짐승들에게 그 사료의 일부를 공급하며, 또 짐승들은 그 나머지 사료를 이웃에 있는 밭에서 아무에게도 눈에 띌 만한 손해를 입히지 않고 찾아낸다. 따라서 소 점유자의 수의 감소에 의해서 이렇게 거의 또는 전혀 경비를 들이지 않고 생산되는 이 부류의 식료품의 양은 확실히 크게 감소되었을 것이 틀림없다. 그리고 그 결과 그 가격도 그렇지 않았을 경우 올랐을 것보다 더 빨리 더 급속히 상승되었을 것도 틀림없다. 그러나 개량이 진보함에 따라, 조만간 여하튼 그 가격은 상승할 수 있는

421 〔《Histoire Naturelle》 제5권(1755), 122면.〕

최고의 가격, 다시 말해서 다른 경작지의 대부분에서 지불되고 있는 것과 똑같이 이러한 동물에게 사료를 공급할 토지를 경작하는 노동 및 비용을 지불할 만한 가격에까지 상승했을 것이 틀림없다는 것이다.

우유 · 버터 · 치즈도 그러하다.

낙농업은 돼지와 가금의 사육과 마찬가지로 본래는 폐물 이용으로서 영위되었던 것이다. 반드시 농장에서 길러지는 가축은 유축의 사양을 위해서나 또는 농업경영자의 가족의 소비를 위해 필요한 양보다 더 많은 우유를 만들어 준다. 그리고 그 산유량은 특정의 한 계절에 가장 많다. 그런데 모든 토지 생산물 가운데 우유만큼 부패하기 쉬운 것은 없을 것이다. 그것이 가장 풍부한 따뜻한 계절에는 24시간 보존되는 일이 거의 없다. 농업경영자는 그것을 생버터로 만듦으로써 그 작은 부분을 일주일 동안 저장하고 소금을 넣은 버터로 만들어서는 1년 동안 저장한다. 그리고 그것으로 치즈를 만들어 그의 훨씬 더 큰 부분을 수년 간 저장하고 있다. 이 모든 것 가운데 일부분은 그 자신의 가족을 위하여 보존되고 그 나머지는 시장에 방출되어 될 수 있는 대로 제일 좋은 가격을 얻고자 한다. 그리고 그 가격은 농업경영자로 하여금 자기의 가족이 사용하고 남는 것을 모두 시장에 보내고 싶어 하지 않을 정도로 할 만큼 그렇게 낮을 수는 없다. 실제로 그 가격이 너무 낮으면 그는 자기의 착유장搾乳場을 극히 소홀히 하고 불리한 방법으로 관리하기 쉽게 될 것이며, 그것을 위해 특별한 방이나 건물을 가질 만한 가치가 있다고 생각하지 않을 것이며, 다만 자기 자신의 부엌의 연기, 오물 및 더러운 속에서 그 일이 이루어지도록 내버려 둘 것이다. 이것은 마치 30~40년 전 스코틀랜드에서의 거의 모든 농업경영자의 착유장의 실정과 같다고 하겠다. 그리고 아직도 많은 사람들이 이러한 실정에 놓여 있다. 수육의 가격을 점차 올리는 바로 그 원인들, 즉 수요의 증가, 그리고 그 나라가 개량된 결과, 거의 전혀 비용을 들이지 않고 사육될 수 있는 짐승의 수가 감소됨은 위와 똑같은 방식으로 수육의 가격, 즉 가축의 사육비와 자연히 연결되는 착유장의 생산물의 가격을 올리는 것이다. 가격의 증대는 더 많은 노동과 더 많은 주의와 청결에 대한 지불을 감당한다. 낙농은 농업경영자의 주목을 점점 더 끌 만한 가치가 있는 것으로 되어 가고, 그 생산물의 품질도 점차 개선된다. 그리하여 그 가격은 마침내 높아져서 가장 다산적이고 가장 잘 경작된 토지 가운데 일부분이 낙농만을 위해서 가축을 사육하는 데 사용될 만한 가치가 있게 된다. 그리고 그것이 이 높이에 달하고 나면 그것은 그 이상 더 높아질 수 없다. 만일 그렇게 된다면 더 많은 토지가 곧 이 목적으로 돌려질 것이다. 그 가격은 잉글랜드의 대부분의 지방을 통하여 이러한 높이에까지 달한 것 같으며, 그런 곳에서는 많은 토지가 보통 이렇게 사용되고 있다. 스코틀랜드에서는 소수의 꽤 큰 도시의 부근을 제외하면 가격이 이러한 높이에까지 달한 곳은 아직 아무 데도 없는 것 같으며, 그곳에서는 보통의 농업경영자는 단지 낙농이라는 목적으로 가축 사료를 생산하는 데 좋은 토지를 많이 사용하지는 않기 때문이다. 그 생산물의 가격은 비록 지난 몇 년 동안에 꽤 많이 올랐지만 양전良田을 그것에 사용하기에는 아직도 너무 낮은 것이다. 사실 잉글랜드의 낙농의 생산물과 비교해 볼 때 스코틀랜드의 그것의 품질이 뒤떨어진 것은 가격이 그만큼 싼 것과 똑같을 정도라 하겠다. 그러나 품질이 이렇게 못하다는 것은 가격이 낮다는 것의 원인이라기보다 오히려 그 결과인 것 같다. 비록 품질이 훨씬 더 좋았다 하더라도 시장에 보내지는 것의 대부분은 그 나라의 현 사정하에서는 훨씬 더 좋은 가격으로 처분될 수 없다고 생각되며, 또한 현재의 가격도 훨씬 더 좋은 품질의 것을 생산하는 데 필요한 토지와 노동의 경비를 지불하지 못할 것 같다. 잉글랜드의 대부분을 통하여 그 가격이 우월함에도 불구하고 낙농이 농업의 2대 대상인 곡물 생산과 가축의 비육보다 더 유리한 토지의 사용법이라고 생각되고 있지는 않다. 그러므로 스코틀랜드의 대부분을 통하여 아직 그것이 잉글랜드에서처럼 그렇게 유리할 리는 없다.

가격의 상승은 양호한 경작을 위해 필요한 것이므로 만족할 만한 것이라고 보아야 한다.

어떤 나라의 토지라도 인간의 근로에 의하여 그 위에서 생산되지 않을 수 없는 모든 생산물의 가격이 일단 완전한 개량과 경작의 경비를 지불할 정도로 높아질 때까지는 완전히 경작될 수도 개량될 수도 없다는 것은 명백하다. 이렇게 되기 위하여 각 특정 생산물의 가격은 첫째 양호한 곡물생산지의 지대를 지불하기에 족할 만한 것이어야 한다. 왜냐하면 이것이 다른 경지의 대부분의 지대를 규정하기 때문이다. 둘째로 그것은 농업경영자의 노동과 비용을 보통 좋은 곡물생산지에서 지불되고 있는 것과 똑같이 지불하기에 족할 만한 것이어야 한다. 바꾸어 말한다면 그가 그것에 사용하는 자재를 그 통상의 이윤과 함께 회수할 수 있을 만한 것이어야 한다. 각 특정 생산물의 가격의 이러한 상승은 확실히 그 생산을 위하여 예정되어 있는 토지의 개량과 경작에 선행하지 않으면 안 된다. 이득이야말로 모든 개량의 목적이며 그의 필연의 귀결이 반드시 손실이 됨에 틀림없다고 하는 것과 같은 개량은 개량이라는 이름을 붙일 만한 가치는 없는 것이다. 그런데 가격이 경비를 결코 메울 수 없는 생산물을 위하여 토지를 개량하면 손실은 그 필연적인 결과임이 틀림없다. 만일 그 나라의 완전한 개량과 경작이 무엇보다도 확실하게 그러하듯이 모든 공공이익 가운데 최대의 것이라면 이런 모든 각가지 부류의 총생산물의 가격이 이렇게 상승한 것은 공공의 재난이라고 생각되기는커녕 모든 공공의 이익 가운데 최대의 것을 위하여 필요한 선구자요 수행자라고 간주되어야 마땅한 것이다.

그것은 은의 하락에 기인한 것이 아니고 생산물의 실질가격의 상승 때문이다.

또한 이러한 여러 가지 부류의 총생산물 모두의 명목가격 또는 화폐가격의 이러한 상승은 은의 가치가 저락된 결과는 아니며, 그러한 총생산물의 실질가격이 상승된 결과이다. 그러한 총생산물들은 이전보다도 더 많은 양에 해당하는 은의 가치를 갖게 되었을 뿐만 아니라 더 많은 양의 노동과 생활자료의 가치를 지니게 된 것이다. 그것들을 시장에 보내는 데는 더 많은 양의 노동과 생활자료가

들 것이므로 그것들이 시장에 나오게 되면 전보다 더 많은 양의 노동과 생활자료를 대표하든지 또는 그런 것과 등가가 되는 것이다.

제3부류

(3) 이는 근로의 효력이 한도가 있거나 또는 불확실한 부류이다.

개량의 진보에 따라 그 가격이 자연 상승하는 제3의 그리고 마지막 부류의 총생산물은 그 양을 증가시킬 경우 인간의 근로의 효력에 한도가 있거나 불확실한 것이다. 그러므로 그 부류의 총생산물의 실질가격은 비록 개량의 진보에 따라 자연적으로 상승하는 경향이 있기는 하지만 여러 가지 우연사가 그 양을 증가시키는 경우, 인간 근로의 노력을 어느 정도 성공시키느냐에 따라 때로는 혹시 하락하기까지 할 것이며, 때로는 개량의 여러 가지 시기를 통하여 계속 동일하기도 할 것이며, 때에 따라서는 혹시 그 시기에 상승하기도 할 것이다.

예를 들면 양모와 수피가 그것인데 이것은 다른 부류의 생산물의 부속물이다.

어떤 부류의 총생산물 가운데는 자연이 그것을 다른 부류의 총생산물의 부속물로 만들어 버리는 것이 있는데, 그 결과 어떤 나라가 산출할 수 있는 어느 하나의 양은 반드시 다른 것의 양에 의하여 한정된다. 예를 들면 어떤 나라가 산출할 수 있는 양모 또는 생피의 양은 반드시 그 나라에서 유지되는 대소의 가축수에 의하여 한정된다. 또한 그 나라의 개량의 상태와 그 나라의 농업의 성질이 반드시 이 수를 결정한다.

옛날에는 양모와 수피에 대하여 수육보다 더 큰 시장이 개방되어 있었다.

개량의 진보에 따라 수육의 가격을 점차 올리는 바로 그 원인이 양모와 생피의 가격에도 동일한 영향을 미쳐서 그 가격을 수육의 가격과 거의 동일한 비율로 올릴 것이라고 생각하는 사람이 있을지도 모른다. 만일 개량이 졸렬했던 초기에 후자의 상품들의 시장이 전자의 상품들의 시장과 같을 정도로 좁은 범위 내에 국한되어 있었다면 그렇게 될 수도 있을 것이다. 그러나 그들 상품의 각각의 시장의 크기는 보통 대단히 다르다.

수육의 시장은 거의 어디에서나 그것을 생산하는 나라에 국한되어 있다. 실은 아일랜드와 영국령 아메리카의 어떤 지방은 소금에 절인 식료품으로 상당한 무역을 하고 있지만 상업 세계에서 이러한 무역을 하고 있는 나라, 즉 자국산의 수육의 상당히 많은 부분을 다른 나라에 수출하는 나라는 이 두 나라뿐이라고 나는 믿고 있다.

이와 반대로 양모와 생피의 시장은 개량이 졸렬했던 초기에도 그 생산국에 국한되는 경우는 극히 드물다. 양모는 전혀 아무런 손질 없이 또 생피는 아주 적은 손질만으로 먼 나라에 쉽게 수출될 수 있다. 그리고 그것들은 많은 제조업의 원료이므로 비록 그것을 생산하는 나라의 산업이 그것의 수요를 일으키지 못할지 모르지만 다른 나라들의 산업은 그것들에 대한 수요를 일으킬 것이다.

인구가 희박한 나라에서는 양모와 수피는 그 동체에 비해서는 더욱 가치가 있다.

경작이 잘 되어 있지 않고 따라서 인구가 희박한 나라에서는 양모와 수피의 가격은 개량과 인구증가가 한층 더 진행되어 수육에 대한 수요가 더 많은 나라들에서보다도 언제나 짐승 전체의 가격에 대해서 훨씬 더 큰 비율을 가지고 있다. 흄 씨가 설명하기를 색슨 시대에는 한 마리분의 양모는 한 마리의 양 전체의 5분의 2로 평가되었다. 그리고 이것은 현재의 평가비율보다 훨씬 많은 것이라고 하고 있다.[422] 내가 확신하고 있는 바로는 스페인의 어떤 지방에서는 그 양모와 수지만을 위하여 양이 도살되는 일이 흔히 있었다는 것이다. 그 몸통은 땅에 버려진 채 부패하거나 맹수와 맹금에 의하여 먹히게 버려지는 수가 흔히 있다는 것이다. 만일 이런 것이 스페인에서까지도 이따금 일어난다면 칠레, 부에노스아이레스[423] 및 스페인령 아메리카의 많은 다른 지방에서는 거의 끊임없이 일어

422 〔《History》(1773년도 판), 제1권, 226면.〕

423 〔주앙&우요아Jaun and Ulloa, 《Voyage Historique》, 제2판, 총서 제1집, 제1권, 제5장, 552면.〕

나고 있다고 보아야 한다. 그곳에서는 그 수피와 수지만을 위하여 뿔 달린 가축이 거의 끊임없이 도살되고 있다. 이런 것은 에스파뇰라섬에서도 이 섬에 해적(Buccaneers)이 출몰하고 있었던 동안과 프랑스의 재식지(현재에는 이 섬의 거의 전 서반부의 해안에 퍼져 있는)의 식민, 개량 및 인구조밀이 아직도 그 나라의 동해안뿐만 아니라 그 내륙지방과 산악지방의 전부를 소유하고 있는 스페인인의 가축에 약간의 가치를 주게 되기 이전까지는 거의 끊임없이 일어나곤 했다.

개량의 진보에 따라 그 동체胴體만큼 등귀하지는 않을 것이지만 양모와 수피가 등귀했다.

비록 개량이 진보되고 인구가 증가함에 따라 짐승 등귀의 가격은 반드시 상승하겠지만 이러한 상승에 의하여 더 영향을 받기 쉬운 것은 양모와 수피의 가격보다도 동체의 가격이다. 동체의 시장은 미개상태의 사회에서는 항상 그 산출국에 국한되어 있으므로 반드시 그 나라의 개량과 인구에 비례하여 확장되지 않을 수 없다. 그러나 양모와 수피의 시장은 야만국의 것일지라도 종종 전체 상업 세계로 확대되고 있지만 위와 같은 비율로 확대되는 것은 극히 드물다. 전체 상업 세계의 상태가 어떤 특정국의 개량에 의하여 크게 영향을 받을 수는 거의 없으며, 이러한 상품의 시장은 그러한 개량이 있은 뒤에도 그 이전과 동일 또는 거의 동일한 그대로일지도 모른다. 그런데 이러한 상품의 시장은 사물의 자연적인 사태에서는 전체로서는 오히려 이러한 개량의 결과로서 약간 넓혀져야 한다. 특히 이러한 상품을 원료로 사용하는 제조업이 그 나라에서 번성하게 되기라도 한다면 그 시장은 비록 크게 확대될 수는 없을지라도 적어도 그 이전에 비하여 그 원산지에 훨씬 더 가까워지게 될 것이다. 그리고 이러한 원료의 가격은 적어도 보통 그것을 먼 나라에 수송하는 데 소요된 경비만큼은 증가될 것이다. 따라서 그 가격은 수육의 그것과 동일한 비율로 상승하지 않을는지 모르지만 그것은 자연 다소나마 올랐으면 올랐지 하락할 리가 없다는 것은 확실하다.

그런데 잉글랜드에서는 양모가 1339년 이래 하락했다.

그러나 잉글랜드에서는 그 모직물 제조업이 번영 상태에 있었음에도 불구하고 잉글랜드의 양모의 가격은 에드워드 3세 이래 상당히 많이 하락했다. 그 군주의 치세 동안 (즉 14세기 중엽, 즉 1339년경) 잉글랜드의 양모 1토드tod, 즉 28파운드의 온당하고 합리적인 가격이라고 간주되었던 것은 당시의 화폐로서 10실링 이하가 아니었다는 것을 입증하는 믿을 만한 기록은 얼마든지 있다.[424] 당시의 10실링은 1온스에 20펜스의 비율로서 타워형으로 6온스를 함유하고 있으며, 현재의 우리 화폐로서는 약 30실링과 같은 것이다. 오늘날에는 1토드에 12실링이라는 것이 잉글랜드의 썩 좋은 양모의 온당한 가격이라고 간주되고 있다. 따라서 에드워드 3세 시대의 양모의 화폐가격은 현재의 화폐가격에 대해서 10 대 7이었던 셈이다. 그 실질가격의 우월성은 더욱더 컸다. 1쿼터에 6실링 8펜스의 비율로서는 10실링이란 것은 그 옛날의 소맥 12부셸의 가격이었다. 1쿼터에 28실링의 비율로 본다면 12실링은 오늘날에는 겨우 소맥 6부셸의 가격이다. 그러므로 옛날과 오늘날과의 실질가격 사이의 비율은 12 대 6, 즉 2 대 1이다. 그 옛날에는 1토드의 양모가 현재의 그것이 구매하는 양의 두 배량의 생활자료를 구매했을 것이다. 보수가 동일했다면 두 배의 노동량을 구매했던 셈이 된다.

이것은 인위적인 제규칙에 의하여 야기되었던 것이다.

양모의 실질가격과 명목가격에 있어서의 이러한 저락은 사물의 자연적 전개의 결과로서 일어날 수는 결코 없었을 것이다. 따라서 그것은 폭력과 술책의 결과였다고 하겠다. 즉 첫째, 잉글랜드로부터의 양모 수출의 절대적 금지[425]이며, 둘

424 〔존 스미스John Smith, 《Memoirs of Wool》, 제1권, 제5~7장을 보라. 또한 제2권, 제176장을 보라. 초판에서는 이 저작의 권수와 장수는 나와 있지 않다. 이 저작은 존 스미스, 《Chronicon Rusticum-Commerciale, or Memoirs of Wool, etc.》이며, 1747년에 공간되었다.〕

425 〔존 스미스, 《Memoirs of Wool》, 제1권, 159, 170, 182면을 보라.〕

째 스페인으로부터[426] 그것을 무세로 수입하는 것을 허가한 것, 셋째로 그것을 아일랜드로부터는 잉글랜드 이외의 어떤 타국으로도 수출하는 것을 금지한 것이다. 이러한 규제의 결과로서 잉글랜드 양모의 시장은 잉글랜드의 진보와 결과로서 다소나마 넓혀지기는커녕 오히려 국내시장에 국한되어 버렸다. 더욱이 국내시장에서는 다른 몇 개국의 양모[427]가 이것과 경쟁하러 오도록 허용되어 있었으며, 또한 그곳에는 아일랜드의 양모가 잉글랜드의 그것과 경쟁하도록 강제되었던 것이다. 잉글랜드의 모직물 제조업도 또한 정의와 공정한 거래에 양립하는 한 최대한도로 저해되고 있었으므로 아일랜드인은 자국의 양모의 일부분만을 국내에서 가공할 수밖에 없었으며, 따라서 그 대부분을 그들에게 허용된 유일한 시장인 영국에 보내지 않을 수 없었다.

현재의 수피의 실질가격은 15세기에 있어서보다 약간 낮다.

나는 옛날의 수피의 가격에 관해서는 그렇게 믿을 만한 기록을 찾아낼 수 없었다. 양모는 보통 국왕에 대한 일정의 상납금(subsidy)으로서 지불되었다. 그래서 그 상납금으로서의 평가는 적어도 어느 정도까지는 그 통상의 가격이 어떤 것이었는가를 확증해 주고 있다. 그런데 생피에 관해서는 사정이 달랐던 것 같다. 그러나 플릿우드는 옥스퍼드의 버세스터Burcester의 수도원 부원장과 그의 교포의 한 회원과의 사이에 교환된 1425년의 어떤 보고서를 기초로 해서 적어도 그 특정의 경우에 정해졌던 바와 같은 생피의 가격을 우리들에게 제시하고 있다. 즉 황소 다섯 마리의 가죽이 12실링이고 암소 다섯 마리의 가죽은 7실링 3펜스, 두 살짜리의 양 가죽 36장이 9실링, 송아지 가죽 16장이 2실링이라는 것이 그것이다.[428] 1425년의 12실링은 현재의 우리 화폐로서는 24실링과 거의 같은 양

426 〔"스페인으로부터"는 초판과 제2판에서는 "다른 모든 나라로부터"라고 되어 있다.〕

427 〔"다른 몇 개국의 양모"는 초판과 제2판에서는 "다른 모든 나라의 양모"로 되어 있다.〕

428 〔1707년 역의 《Chronicon Preciosum》, 100면, 플릿우드의 이 부분은 케넷Kennet, 《Par. Ant.》에서 인용된 것이다. 버세스터는 근대의 비스터Bicester이다.〕

의 은을 함유하고 있었다. 그러므로 황소 한 마리의 가죽은 이 계산에서 현존의 우리 화폐의 4실링 5분의 4를 함유하고 있는 것과 같은 양의 은과 같은 것으로 평가되고 있었다. 그 명목가격은 현재보다 훨씬 낮았다. 그러나 1쿼터당 6실링 8펜스라는 비율로써 따져 본다면 12실링은 그 당시에는 소맥 14부셸 5분의 4를 구매했을 것이다. 그리고 이만큼의 소맥이 1부셸 당 3실링 6펜스라면 현재에는 51실링 4펜스나 먹히는 것이다. 그러므로 황소 한 마리의 가죽은 당시에는 현재 10실링 3펜스로 구매하고 있는 만큼의 곡물을 구매했을 것이다. 그 실질가격은 현재의 우리 화폐의 10실링 3펜스와 같은 것이었다. 이러한 옛날에는 가축을 겨울의 대부분을 통하여 반아사 상태에 놓여 있었으므로 우리는 그것이 아주 대형의 것이었다고는 생각할 수 없다. 1스톤stone이 16파운드인 상형으로 4스톤의 중량이 나가는 황소 가죽 한 장은 현재에는 그리 나쁜 것으로는 생각되지 않는다. 그리고 그러한 옛날에는 그것은 아마 썩 좋은 것이라고 생각되었을 것이다. 그러나 내가 현재(1773년 2월) 보통의 가격인 것으로 알고 있는 1스톤당當 반 크라운이라는 시세를 본다면 그러한 가죽 한 장은 현재에는 겨우 10실링밖에 먹히지 않는 셈이다. 그러므로 비록 그 명목가격은 현재의 것이 옛날의 그것보다 더 비싸지만 그 실질가격, 즉 그것이 구매 또는 지배할 생활자료의 실제의 양은 오히려 현재의 것이 약간 낮다. 암소 가죽의 가격은 상기 보고서에 기재되어 있는 바와 같이 황소 가죽의 가격에 대해서 거의 보통의 비율로 되어 있다. 양의 가죽의 가격은 이보다 훨씬 더 높다. 그 가죽은 아마 양모가 붙어 있는 채로 팔리고 있었을 것이다. 송아지 가죽의 가격은 이와 반대로 그것보다 많이 낮다고 하겠다. 가축의 가격이 아주 낮은 나라에서는 가축 수를 유지할 목적으로 사양되지 않는 송아지는 대체로 아주 어릴 때 도살된다. 이를테면 20~30년 전의 스코틀랜드의 실정이 이러했다. 그렇게 하는 것은 우유를 절약하기 위한 것이고 그 우유로써 송아지를 기르더라도 송아지의 가격이 우유값을 메우지 못할 것이기 때문이다. 따라서 송아지 가죽은 보통 별로 유익한 것이 못 된다.

그들의 평균가격은 금세기를 통해서는 더 높은 것 같다. 수피는 양모만큼 그렇게 쉽게 운송될 수는 없으며, 또한 제초업자는 직물업자만큼 그렇게 많은 혜택을 받지 못했다.

생피의 가격은 현재가 수년 전보다도 훨씬 더 낮은데 그 이유는 물개의 모피에 대한 세가 철폐되었다는 것, 그리고 1769년에 아일랜드와 식민지들로부터 생피의 무세수입無稅輸入이 기한부로 허가되었다는 것이[429]라 하겠다. 금세기 전체를 평균해 보면 그 실질가격은 아마 그것이 그러한 옛날에 있었던 것보다 약간 더 높을 것이다. 그 상품의 성질상 그것은 양모처럼 먼 시장에 운송되기에는 그렇게 적합한 것이 못 된다. 그것을 보존하면 양모 이상으로 손해를 본다. 소금에 절인 가죽은 신선한 것보다 질도 못하며 더 싼값으로 팔린다. 이러한 사정이 생피를 정제하지 않고 그것들을 수출하지 않으면 안 될 나라에서 생산될 생피의 가격을 떨어뜨리고 생피를 정제하는 나라에서 생산된 생피의 가격을 상대적으로 올리는 경향을 가지고 있을 것이 틀림없다. 그러한 사정은 미개국에서의 그것들의 가격을 떨어뜨리고 진보되고 제조업이 발달된 나라에서의 그 가격을 올리는 경향도 다소 가지고 있을 것임에 틀림없다. 따라서 그것은 옛날에는 생피의 가격을 떨어뜨리고 근대에는 그것을 올리는 경향을 다소 가지고 있었다고 하겠다. 그뿐 아니라 국가 사회의 안전이 자신들의 특정한 제조업의 번영에 의존하고 있다는 것을 국민의 지혜로 하여금 깨닫게 하는 점에 있어서는 가죽을 무두질하는 사람들이 직물완성공만큼 충분히 성공하지는 못했다. 따라서 가죽 무두질하는 사람은 직물완성공보다 훨씬 대우를 못 받았다. 실은 생피의 수출이 금지되어 있었고, 그리고 수출은 불법 방해 행위(nuisance)라고 선언되었다.[430] 그러

429 〔조지 3세 제9년 법률 제39호는 5년간 발효되었으며, 조지 3세 제14년 법률 제86호 및 조지 3세 제21년 법률 제29호에 의하여 계속되었다.〕

430 〔엘리자베스 제5년 법률 제22호, 엘리자베스 제8년 법률 제14호, 엘리자베스 제18년 법률 제9호, 찰스 2세 제13, 14년 법률 제7호에 의한다. 이 마지막 법률은 "공공 일반의 불법 방해 행위(common and public nuisance)"라는 말을 사용하고 있다. 윌리엄 블랙스톤William Blackstone, 《영국법 주해Commentaries on the Laws of England》, 제4권, 167~169면을 보라.〕

나 외국으로부터의 수입에는 과세하고 있었으며,[431] 이 세는 아일랜드와 식민지들로부터 오는 것에 관해서는(겨우 5개년이라는 기한부로) 철폐되기는 했지만 아일랜드가 그 잉여의 생피, 즉 국내에서 정제되지 않은 것들의 판매를 위해서는 영국의 시장에만 국한되어 있었던 것은 아니다. 보통 가축의 수피는 식민지들이 그 모국 이외의 어느 나라에도 보낼 수 없는 상품들 가운데 열거되어 있는데, 그것도 겨우 최근 수년 내의 일이었다. 또한 아일랜드의 상업이 이런 경우에 영국의 제조업을 지원하기 위하여 억압당한 일도 여태까지는 없었다.

개량된 나라에서의 양모와 수피의 가격을 떨어뜨리니 규제들은 식용육食用肉의 값을 올린다. 그러나 개량되지 않은 나라에서는 그렇지 않다.

양모나 생피의 가격을 그것이 자연히 그렇게 되었을 정도 이하로 하락시키는 경향이 있는 규제라면 어떤 것이든지 개량되고 경작된 나라에서는 반드시 수육의 가격을 약간이나마 올리는 경향을 가지게 된다. 개량되고 경작된 토지에서 사육되고 있는 대소가축의 가격은 그 개량되고 경작된 토지에서 지주가 당연히 기대하는 지대와 농업경영자가 당연히 기대하는 이윤을 지불하기에 족한 것이어야 한다. 만일 그것이 그렇지 못하면 그들은 곧 가축의 사육을 그만둘 것이다. 그러므로 이 가격 가운데 어떤 부분이라도 양모와 수피로써 지불되지 않는 부분은 그 죽은 몸통에 의하여 지불되지 않으면 안 된다. 전자에 대하여 지불되는 것이 적으면 적을수록 그만큼 많이 후자에 대하여 지불되어야 된다. 지주와 농업경영자에게는 그 가격이 모두 지불되기만 하면 그것이 그 짐승의 여러 가지 부분에 어떻게 배분되든지 상관없는 것이다. 그러므로 개량되고 경작된 나라에서는 지주와 농업경영자로서의 그들의 이해가 이러한 규제에 의하여 크게 영향을 받을 리는 없다. 비록 소비자로서의 그들의 이해는 식료품 가격의 상승에 의하여 영향을 받을 것이지만,[432] 그런데 대부분의 토지가 가축의 사육

431 〔앤 제9년 법률 제11호〕

432 〔이 문단의 처음부터 여기까지의 문장은 다음의 제2권 151면에서 그 전문이 인용되어 있다.〕

이외의 목적에는 충용될 수 없고 양모와 수피가 이러한 가축의 가치의 주요부분을 이루고 있는, 개량도 경작도 되어 있지 않은 나라에서는 사정이 전혀 다르다. 이러한 경우에는 지주와 농업경영자로서의 그들의 이해는 그러한 규제에 의하여 심각한 영향을 받게 되고 소비자로서의 그들의 이해는 아주 조금밖에 영향을 받지 않을 것이다. 이 경우 양모와 수피의 가격의 하락은 몸통의 가격을 올리지 않을 것이다. 왜냐하면 그 나라의 토지의 대부분이 가축의 사육 이외의 목적으로는 적용할 수 없는 것이므로 여전히 동일 수의 가축이 사육될 것이기 때문이다. 여전히 같은 양의 수육이 시장에 나올 것이다. 그런데 그것에 대한 수요는 이전보다 크지도 않을 것이다. 그러므로 그 가격은 이전과 동일하기 마련이다. 가축의 전체 가격은 하락하겠고 또 그와 더불어 가축을 생산물로 하는 모든 토지, 다시 말하면 그 나라의 대부분의 토지의 지대와 이윤도 하락할 것이다. 일반적으로 대단히 그릇되게도 에드워드 3세에게 그 탓을 돌리고 있는 양모 수출의 영구적 금지[433]는 그 나라의 당시의 여러 사정으로서는 잘도 고안해 냈다고 느껴질 만큼 지극히 파괴적인 규제였었다. 그것은 그 왕국의 대부분의 토지의 실질가치를 저하시켰을 뿐만 아니라 가장 중요한 종류의 소가축의 가격까지 저하시킴으로써 그 왕국의 그 후의 개량의 속도를 아주 늦추어 버렸을 것이다.

합방은 스코틀랜드의 양모의 가격을 떨어뜨렸다. 그 반면 스코틀랜드의 식용육의 가격을 올렸다.

잉글랜드와의 합방의 결과 스코틀랜드의 양모의 가격은 상당히 하락했는데 이는 이 합방에 의하여 스코틀랜드의 양모가 유럽의 대시장에서 배제되었고, 영국이라는 좁은 시장에 국한되었기 때문이다. 만일 수육의 가격 상승이 양모의

433 〔존 스미스John Smith, 《Memoirs of Wool》, 제1권, 25면은 "달리 규정되기까지는 본 왕국의 양모를 조금이라고 국외에 반출하는 것은 중죄에 처해진다"라고 한 것은 영구적 금지라는 뜻을 가지고 있는 것은 아니라고 설명하고 있다.〕

가격 하락을 완전히 메울 수 없었더라면 주로 양산羊產 지방인 스코틀랜드의 남부 지방의 대부분의 토지의 가치는 이 사건에 의하여 극히 심각한 영향을 받았을 것이다.

양모와 수피를 증가시키는 데 있어서 인간의 근로의 효력에는 한도가 있으며 또 불확실하기도 하다.

양모나 생피의 양을 증가시키는 데 있어서 인간의 근로의 효력에는 근로가 발휘되는 나라의 생산물에 의존하고 있는 한 한도가 있으며, 또한 그 효력은 그것이 다른 나라들의 생산물에 의존하고 있는 한 불확실하다. 그리고 이 후자의 경우는 다른 나라들이 생산하는 양에 의존하기보다는 오히려 그 다른 나라들이 정제하지 않는 양에 더 의존하고 있다. 그리고 그런 나라들이 이 부류의 총생산물의 수출에 대하여 과課하는 것을 적당 또는 부적당하다고 생각하는 제한에 의존하고 있다. 이들 사정은 국내의 근로와는 전혀 관련성이 없으므로 반드시 근로의 효력의 효과를 다소나마 불확실한 것으로 만든다. 따라서 이 부류의 총생산물의 증식에 있어서는 인간의 근로의 효력은 한정될 뿐만 아니라 불확실하다.

어류에 관해서도 똑같은 것이 사실이다. 어류는 개량의 진보에 따라 자연히 등귀된다.

또 하나의 극히 중요한 부류의 총생산물, 즉 시장에 보내오는 어류의 양을 증가시키는 데에도 마찬가지로 한도가 있으며, 불확실하다. 그것은 그 나라의 지방적 위치에 의하여, 그 나라의 여러 지방이 바다와 가까우냐 또는 멀리 떨어져 있느냐에 의하여, 그 나라의 호수와 하천의 수에 의하여. 그리고 이러한 바다·호수·하천이 이 부류의 총생산물에 관해서 다산적인가 또는 불임의 것인가에 의하여서 한정된다. 인구가 증가하고 그 나라의 토지와 노동의 연생산물이 점점 증대함에 따라 어류의 구매자는 더 많아진다. 뿐만 아니라 이러한 구매자는 그것으로 생선을 살 수 있는 다량의 여러 가지 다른 재화를 가지고 있다. 같은 뜻이지만 다량의 여러 가지 다른 재화의 값을 가지고 있다. 그러나 그 크고 확장된 시장을 충족하는 것은 좁고 국한된 시장을 충족하는 데 필요했던 노동보다 더 큰 비율의 노동량을 사용하지 않고서는 일반적으로 불가능할 것이다. 겨우 천 톤의 생선만을 필요로 했던 시장이 매년 만 톤의 어류를 필요로 하게 되었다면 이 시장은 그 이전에 그것을 충족하는 데 족했던 노동량의 10배 이상을 사용하지 않고서는 거의 충족될 수 없다. 어류는 대체로 훨씬 더 먼 곳에서 구해지므로 전보다 더 큰 선박이 사용되지 않으면 안 된다. 그리고 더 경비가 많이 드는 모든 종류의 기계가 사용되어야 한다. 그러므로 이 상품의 실질가격은 개량의 진보에 따라 자연 상승한다. 내가 믿고 있는 바는 모든 나라의 실정이 여하튼 다소나마 이러했다는 것이다.

어획의 성공과 개량의 상태와의 관계는 불확실하다.

어떤 특정일의 어획의 성공은 아주 불확실한 문제이기는 하지만 그 나라의 지방적 위치가 가정되면 일정량의 어류를 시장에 보내는 데 있어서 근로의 일반적 효력은 1년 또는 수년을 통틀어 쳐 보면 충분히 확실한 것이라고 생각될 것이며 사실 틀림없이 그러하다. 그러나 그 근로의 효력은 그 나라의 부와 산업의 상태보다도 그 나라의 지방적 위치에 더 많이 의존하고 있으므로 이 때문에 그 효력은 여러 나라에서 그 개량의 시기는 다르더라도 동일할 수도 있고 시기가 동일한데도 그 효력은 대단히 다를 수가 있으므로 그것과 개량의 상태와의 관계는 불확실하다. 그리고 내가 여기에서 논하고 있는 것은 바로 이러한 부류의 불확실성에 관한 것이라 하겠다.

광물의 증가에 있어서는 그 효력은 한정되어 있지는 않으나 불확실하다.

땅의 밑바닥에서 채굴되어 나오는 여러 가지 광물과 금속의 양, 특히 귀금속과 보석의 양을 증가시키는 데 있어서 인간의 근로의 효력에는 한도는 없으나 전혀 불확실한 것이라고 생각된다.

어떤 나라의 귀금속의 양은 그 나라의 구매력과 광산의 비옥도에 의존하고 있다.

어떤 나라에 존재하는 귀금속의 양은 말하자면 그 나라의 광산들이 풍광이냐 빈광이냐 하는 것과 같은 지방적 위치에 있어서의 사정에 의하여 한정되지는 않는다. 이러한 금속은 전혀 광산을 갖고 있지 않은 나라에서 풍부하게 존재하는 수도 흔히 있다. 모든 특정국에 있어서의 그 금속들의 양은 두 가지 상이한 사정에 의존하고 있는 것이라고 생각된다. 첫째, 그것은 그 나라의 구매력, 그 나라의 산업의 상태 및 그 나라의 토지와 노동의 연간 생산물에 의존하고 있다. 이러한 사정의 결과로서 그 나라는 자국이나 다른 제국의 광산으로부터 금은과 같은 사치물을 파내든지 혹은 구매하는 데 다량 또는 소량의 노동 및 생활자료를 사용할 수 있다. 또 둘째로는 어떤 특정한 시기에 이들 금속을 상업 세계에 공급할 수 있게 되는 광산들이 풍광이냐 빈광이냐에 의존하고 있다. 광산들에서 가장 멀리 떨어져 있는 제국에서의 이러한 금속의 양까지도 이러한 비옥도와 불임성에 의하여 다소는 영향을 받지 않을 수 없다. 그것은 이러한 금속의 운송이 쉽고 값이 싸다는 것과 그 용적이 적은데 그 가치가 크다는 것 때문이라 하겠다. 중국과 인도스탄에서의 이러한 금속의 양은 아메리카의 광산들이 풍광이라는 것에 의하여 다소 영향을 받아 왔을 것이 틀림없다.

귀금속의 양이 전자의 사정에 의존하고 있는 한 그 실질가격은 개량의 진보에 따라 상승하기 쉽다.

어떤 특정국에 있는 귀금속의 양이 이 두 가지 사정 가운데 전자(구매력)에 의존하고 있는 한, 그들의 실질가격은 다른 모든 사치품과 여분품의 그것과 마찬가지로 그 나라의 부와 개량에 따라 상승하고 그 나라의 빈곤과 부진과 더불어 하락하기 쉽다. 유휴의 노동과 생활자료를 많이 가지고 있는 나라들은 그런 것을 조금밖에 갖고 있지 않은 나라들보다도 더 많은 양의 노동과 생활자료를 들여서 이러한 금속의 어떤 일정량을 구매할 여유가 있다.

그것이 후자의 사정에 의존하고 있는 한, 실질가격은 광산들의 비옥도와 함께 변동할 것이다.

어떤 특정국에 있는 귀금속의 양이 이상의 두 가지 사정 가운데 후자(상업 세계를 충족하게 될 광산들의 부 또는 빈)에 의존하는 한, 그들의 실질가격, 즉 그것들이 구매하고 또 그것들과 교환될 노동 및 생활자료의 실제의 양은 틀림없이 그러한 광산들이 풍광인 데 비례해서 다소 떨어지고 또는 광산이 빈광인 데 비례해서 상승할 것이다.

그것은 산업의 상태와는 전혀 관계가 없다.

그런데 어떤 특정 시기에 때마침 상업 세계를 충족하게 되는 광산들이 풍광인가 빈광인가 하는 것은 어떤 특정국의 산업의 상태와는 명백히 아무런 관계를 갖고 있지 않은 사정이라고 하겠다. 그것은 세계 일반의 사업의 상태와도 그렇게 필연적인 관계를 갖고 있지는 않은 것 같다. 실로 기술과 상업은 점차 지구의 점점 더 큰 부분에 퍼져 가므로 새 광산의 탐색이 더 광대한 지표에 확대된다면 좁은 범위에 국한되어 있었을 때보다도 약간이나마 더 좋은 기회를 얻을지도 모른다. 그러나 새 광산의 발견은 옛 광산들이 점차 다 고갈되기에 이르는 것과 같이 최대로 불확실한 문제이며, 인간의 어떠한 숙련과 근면도 보증할 수 없는 문제이기도 하다. 모든 징후는 확실치 않으며 새 광산이라고 하는 것은 현실적으로 발견되어 가동을 시켜야만 비로소 그 진가 또는 그것의 실재實在까지도 증명될 수 있는 것이라고 인정되고 있다. 이러한 탐색에는 인간의 근로가 성공을 거둘 것인지 또는 실망을 당할 것인지의 가능성에는 일정의 한계가 없다고 생각된다. 1~2세기가 경과하는 동안 기지의 어떤 것보다 더 다산적인 새 광산이 발견될지도 모른다는 가능성도 있고, 또한 이와 똑같은 정도로 가능성이 있는 것은 그때 가장 다산적이라고 알려졌던 광산이 아메리카의 광산들의 발견 이전에 가동되고 있었던 광산보다도 더 불임의 것으로 되어 버릴지도 모른다는 것이다. 이러한 두 가지 사건 가운데 전자가 일어날지 후자가 일어날 것인지의 문제는 세계의 실질적 부와 번영에 대해서, 즉 인류의 토지 및 노동의 연간 생산물의 실질가치에 대해서는 조금도 중요하지 않은 것이다. 그의 명목가치, 즉 이 연간 생산물이 표현 또는 대표될 수 있는 금은의 양은 대단히 서로 다를 것이 틀림없다. 그러나 그의 실질가치, 즉 그것이 구매 또는 지배할 수 있는 노동의 실제의 양은 정확하게 동일하다. 전자의 경우 1실링은 겨우 현재의 1페니가 대표할 수 있는 것과 똑같은 노동밖에 대표하지 않을 수도 있으며, 후자의 경우 1페니는 현재의 1실링이 그렇게 하고 있는 것과 같은 만큼의 노동을 대표할는지도 모른다. 그러나 전자의 경우 자기의 호주머니 속에 1실링을 가지고 있는 사람은 현재 1페니를 가지고 있는 사람보다 더 부유하지는 않았을 것이며, 후자의 경우 1페니밖에 안 가지고 있었던 사람도 현재 1실링을 가지고 있는 사람과 똑같이 부유할 것이다. 금은의 식기가 풍부하고 값싸다는 사실은 세계가 전자의 사건에서 끌어낼 수 있었던 유일한 이익이며, 그리고 이러한 사치품이 비싸고 부족하다는 것은 세계가 후자의 사건에 의해서 당하게 될 유일한 불편일 것이다.

5. 은의 가치의 변동에 관한 여론의 결론

귀금속의 가치가 높다는 것이 빈곤과 미개의 증거는 아니다.

옛날 물품들의 화폐가격을 수집한 대부분의 저술가는 곡물과 재화 일반의 화폐가격이 싸다는 것을, 달리 말하면 금과 은의 가치가 높다는 것을, 이러한 금속의 부족뿐만 아니라 이런 일이 있었던 시대에 그 나라가 빈곤하고 미개했다는 것의 증거인 양 생각했던 것 같다. 이러한 관념은 국민적 부가 금과 은의 풍부에 존재하고 국민적 빈곤이 금과 은의 부족에 있다고 주장하는 경제학의 체계와 관계가 있다. 나는 이 체계에 관해서 본 연구의 제4편에서 장황하게 설명하고 검토하려고 노력할 것이다. 지금은 다만 귀금속의 가치가 높다는 것은 이러한 일이 있었던 시대에 어떤 특정의 나라가 빈곤하거나 또는 미개했다는 증거가 아니라는 것만을 말해 둘 뿐이다. 그것은 그 당시에 때마침 상업 세계를 충족하고 있었던 광산들이 불임이었다는 것의 증거에 지나지 않는다. 가난한 나라는 부국보다도 더 많은 금은을 구매할 여유도 없으며 금은에 대해서 더 비싸게 지불할 여유도 없다. 그러므로 이러한 금속의 가치는 부국에 있어서보다 빈국에서 더 높다는 것은 있을 법하지도 않다. 유럽의 어느 지방보다도 훨씬 더 부유한 나라인 중국에서는 귀금속의 가치는 유럽의 어떠한 지방에서보다 훨씬 더 높다. 실로 유럽의 부는 아메리카의 광산들의 발견 이래 크게 증가하여 왔는데 금은의 가치는 점차 감소되었다. 그러나 그들의 가치의 이러한 감소는 유럽의 실질적 부, 즉 그의 토지 및 노동의 연간 생산물의 증가에 기인한 것이 아니고 종래에 알려져 있었던 어떤 것보다 더 풍부한 광산들이 우연히 발견되었다는 것에 기인되었던 것이다. 유럽의 금은의 양의 증가와 그의 제조업 및 농업의 증진은 거의 동시에 일어나기는 했지만, 대단히 다른 원인에 의하여 일어났던 두 가지 사건인데, 서로서로 자연적인 관련을 전혀 갖고 있지 않은 두 개의 사건이기도 하다. 전자는 단순한 우연에서 생겼으며, 그것에는 신중이나 정책은 전혀 관여하지 않았으며 할 수도 없었다. 후자는 봉건제도의 붕괴와, 그리고 산업이 그 자신의 노동의 열매를 향수할 수 있도록 해 주는 약간의 관대한 보증, 즉 산업이 필요로 하는 유일한 장려를 산업에 준 정부의 수립으로부터 발생했던 것이다. 봉건제도가 아직도 계속 행해지고 있는 네덜란드는 오늘날에도 아메리카의 발견 이전에 그러했던 것과 똑같이 거지 같은 나라이다. 그러나 네덜란드에서도 곡물의 화폐가격이 올랐으며 귀금속의 실질가치가 하락했던 것은 유럽의 다른 여러 지방들에 있어서와 마찬가지였다. 그러므로 귀금속의 양은 그곳에서도 다른 지역에서와 마찬가지로 증가했으며, 더구나 그 토지 및 노동의 연간 생산물과 거의 동일한 비율로 증가했을 것이 틀림없다. 그렇지만 이들 금속의 이러한 증가는 그 나라의 연간 생산물을 증가시켰다고 생각되지 않으며, 또 그 나라의 제조업과 농업을 개량하지도 않았으며, 그 주민의 사정을 호전시키지도 않았던 것으로 생각된다. 스페인과 포르투갈은 광산들을 소유하는 나라들이기는 하나 네덜란드 다음으로 유럽에서 아마 가장 빈털터리의 두 개의 나라이다. 그러나 귀금속의 가치는 스페인과 포르투갈에서는 유럽의 다른 어떤 지방에서보다 더 낮음이 틀림없다. 그 금속들은 이 양국으로부터 유럽의 다른 모든 지방에 운임과 보험료뿐만 아니라 밀수의 비용마저 짊어지고 들어오기 때문이다. 그리고 밀수는 이러한 금속의 수출이 금지되어 있거나 또는 과세되고 있었기 때문이다. 따라서 토지 및 노동의 연간 생산물과의 비율에 있어서는 이 양국의 귀금속의 양은 유럽의 어느 다른 지방보다도 훨씬 더 클 것이 틀림없다. 그러나 이 양국은 유럽의 대부분의 지방보다도 더 가난하다. 스페인과 포르투갈에서는 봉건제도가 폐지되었지만 그것이 훨씬 더 좋은 제도에 의하여 계승되지는 못했다.

따라서 금은의 가치가 낮다는 것이 그 나라의 부와 번영의 상태의 증거는 아닌 것과 마찬가지로 이러한 금속의 가치가 높다는 것, 즉 재화 일반 또는 특히 곡물의 화폐가격이 낮다는 것이 그 나라의 빈곤과 미개의 증거는 아니다.

그러나 가축과 가금, 사냥 포획 등의 가격이 낮다는 것은 빈곤 또는 미개의 증거이다.

그러나 비록 재화 일반 또는 특히 곡물의 화폐가격이 낮다는 것이 그 시대의 빈곤과 미개의 증거는 전혀 되지 않더라도 가축과 가금 및 모든 종류의 사냥 포획 등[434]과 같은 어떤 특정 부류의 재화의 화폐가격이 곡물의 그것에 비하여 낮다는 것은 하나의 가장 결정적인 증거라 하겠다. 그것은 첫째 이러한 특정 부류의 재화가 곡물에 비하여 대단히 풍부하고 따라서 그것들이 점하고 있는 토지의 면적이 곡물에 의하여 점해지고 있는 것에 비하여 크다는 것을 증명해 준다. 또한 둘째로 이러한 토지의 가치가 곡물생산지의 그것에 비하여 낮고 따라서 그 나라의 대부분의 토지가 경작도 개량도 되지 않은 상태에 있다는 것을 명백하게 증명해 준다. 그것은 또한 그 나라의 자재 및 인구가 그 영토의 크기에 대해서 문명제국에서 보통 차지하고 있는 것과 같은 비율을 갖고 있지 않다는 것, 그리고 그 시대에 그 나라의 사회는 아직 유년기에 있다는 것을 명백히 증명하고 있다. 재화 일반이나 특히 곡물의 화폐가격이 높다거나 또는 낮다는 것에서 그

434 〔초판에는 "등"이 없다.〕

당시 때마침 상업 세계에 금은을 공급하고 있었던 광산들이 풍광이었던가 또는 빈광이었던가를 추론할 수 있을 뿐이며, 그 나라가 부유했던가 또는 가난했던가를 추론할 수는 없다. 그러나 어떤 부류의 재화의 화폐가격이 다른 부류의 재화의 그것에 대하여 가지는 비율의 고저를 보면 우리는 거의 확실에 가까운 정도의 확률로써 그 나라가 부유했는지 또는 가난했는지를, 그리고 그 나라의 토지의 대부분이 개량되었는지 개량되지 않았는지를, 그리고 그 나라가 다소나마 미개상태에 있었는지 또는 다소 문명한 상태에 있었는지를 추론할 수 있다.

전적으로 은의 가치의 저락에만 기인한 가격의 상승은 모든 재화에 균등하게 영향을 미칠 것이다. 그러나 곡물은 다른 식료품보다 훨씬 적게 올랐다.

전적으로 은의 가치의 저락에서만 생긴 재화의 화폐가격의 상승은 모든 부류의 재화에 균등하게 영향을 미칠 것이다. 그리고 은이 그 가치를 3분의 1, 또는 4분의 1, 또는 5분의 1을 잃게 되곤 하는 데 따라서[435] 재화의 가격을 보편적으로 3분의 1, 또는 4분의 1, 또는 5분의 1만큼 더 높이 올릴 것이다. 그러나 그렇게도 많은 추론과 대화의 주제가 되었던 식료품의 가격의 상승은 모든 부류의 식료품에 균등하게 영향을 미치지 않는다. 금세기를 통하여 평균해 보면 곡물의 가격이 다른 약간의 부류의 식료품의 그것보다도 훨씬 적게 올랐다는 것은 그 상승을 은의 가치의 저락 때문이라고 하는 사람들에 의하여서까지 시인되어 있다. 그러므로 이러한 다른 부류의 식료품의 가격의 상승이 전적으로 은의 가치의 저락에만 기인할 리는 없는 것이다. 약간의 다른 원인이 고려되어야 하며, 위에서 지정되었던 여러 원인은 아마 은의 가치의 저락을 상정하는 따위의 수단에 의지하지 않고서도 이러한 특정 부류의 식료품의 가격이 곡물의 그것에 비해서 실제로 상승했다고 하는 이유를 충분히 설명해 줄 것이다.

435 〔이 산술은 약간 틀려 있다. 그것은 "종래의 은의 가치의 4분의 1, 또는 5분의 1, 또는 6분의 1을 잃게 되곤"이라고 되어야 한다.〕

실제로 1701~1764년까지가 1637~1700년까지보다도 약간 더 낮았다.

곡물 그 자체의 가격은 금세기의 첫 64년 동안 및 최근 비상하게 불순한 계절의 진행이 있기 이전에는, 전前세기의 64년을 통하여서보다 약간 더 낮았다. 이 사실은 윈저 시장의 기록에 의해서뿐만 아니라 스코틀랜드의 제군의 공정가격에 의해서도, 그리고 메상스 씨[436]와 뒤프레 드 생 모르 씨[437]가 근면과 성실을 다해서 수집했던 프랑스의 몇몇 시장의 기록에 의하여서도 입증된다. 이 증거는 그 성질상 확인하는 것이 대단히 곤란한 사항에 관하여 우리들이 기대할 수 있었던 것보다 더 완전한 것이다.

반면 최근의 그 높은 가격은 오직 불순한 계절에 기인되었던 것이다.

최근 10년 내지 12년 동안의 곡물의 높은 가격에 관해서는 은의 가치의 저락을 상정하지 않고서 불순한 계절만으로서도 충분히 설명될 수 있다.

그러므로 은의 가치가 끊임없이 떨어져 가고 있다는 견해는 곡물의 가격 또는 그 밖의 식료품의 가격에 관해서 행하여진 어떤 훌륭한 관찰을 기초로 하고 있지는 않은 것이라고 생각된다.

물가의 상승과 은의 가치의 하락을 구별하는 것도 소용없는 것은 아니다.

여기에 제공되었던 기록에 따라서까지도 같은 양의 은이 현재 구매할 수 있는 몇몇 부류의 식료품의 양은 전 세기의 어떤 시기에 있어서 구매할 수 있었던 양보다도 훨씬 더 적을 것이라고 말하는 사람도 있을 것이다. 그리고 이러한 변화가 그들 재화의 가치의 상승 때문인 것인지 아니면 은의 가치의 하락에 기인한 것인지를 확인하는 것은 일정량의 은 또는 일정의 고정된 화폐 수입만을 가지고 시장에 가는 사람에게는 아무런 도움도 되지 않는 헛되고 쓸모없는 구별에 지나

436 〔《Recherches sur la Population》, 293~304면.〕

437 〔《Essai sur les monnoies ou reflexions sur le rapport entre l'argent et les denrese》(1746), 특히 이 가운데 〈Variations dans les prix〉의 181면.〕

지 않는다고 할는지 모른다. 물론 나는 이러한 구별을 알고 있는 사람은 더 싸게 구매할 수 있으리라고 주장하지는 않는다. 그러나 그렇다고 해서 이러한 구별이 전혀 쓸데없는 것이라고는 할 수 없다.

그것은 일국의 번영에 관한 간편한 증거를 제공할 것이다.

그것은 일국의 번영 상태에 관하여 간편한 증거를 제공함으로써 다소는 공공사회에 소용이 될 것이다. 만일 어떤 부류의 식료품 가격의 상승이 전적으로 은의 가치의 하락에 기인된 것이라면 그것은 아메리카의 광산들의 비옥도 이외에는 아무것도 추론되어 나올 수 없는 사정에 기인한 것이겠다. 이러한 사정이 있는데도 불구하고 일국의 실질적 부, 즉 토지 및 노동의 연간 생산물은 포르투갈과 네덜란드에 있어서와 마찬가지로 점차 감퇴해 가거나 또는 유럽의 다른 대부분의 지방에서와 마찬가지로 점차 증진하거나 할 것이다. 그러나 만일 어떤 부류의 식료품의 가격의 이러한 상승이 그들을 생산하는 토지의 실질가치의 상승, 즉 그의 비옥도의 증진에 기인한 것이라면, 다시 말해서 개량의 확대와 양호한 경작의 결과로서 그 토지가 곡물의 생산에 적합하게 되었다는 것에 기인한 것이라면 그것은 그 나라의 번영과 진보의 상태를 가장 명료하게 표시하는 사정에 기인한 것이라 하겠다. 토지는 모든 광대한 나라들의 부 가운데 아주 최대의 가장 중요한 그리고 가장 내구적인 부분을 구성하고 있다. 그의 부 가운데서 최대의 가장 중요한, 가장 내구적인 부분의 가치의 증가에 관하여 그렇게도 결정적인 증거를 가지고 있다면, 그것은 그 공공사회에 다소나마 소용이 될 것은 확실하며, 아니면 적어도 그 공공사회에 다소의 만족을 줄 수는 있을 것이다.

그 나라의 하급 사용인들의 임금을 규제하는 데도 소용이 될 것이다.

또한 이는 공공사회가 그의 하급 사용인들 가운데 어떤 사람의 금전적 보수를 규제하는 데도 약간 소용이 될 것이다. 만일 어떤 부류의 식료품 가격의 이러한 상승이 은의 가치의 하락에 기인한 것이라면 그들의 금전적 보수는 그것이 종래 과대한 것이 아니었다면, 이 하락의 정도에 비례하여 증가되어야 할 것은 확실하다. 만일 그것이 증가되지 않는다면 그들의 실질적 보수는 명백히 그만큼 감소할 것이다. 그러나 만일 가격의 이러한 상승이 이러한 식료품을 생산하는 토지의 개량된 비옥도의 결과로서의 가치의 증가에 기인한 것이라면 어떤 비율로 어떤 금전적 보수가 증가되어야 할 것인지 또는 도대체 그것이 증가되어야 할 것인지 아닌지를 판단하는 것은 훨씬 더 까다로운 문제가 된다. 개량과 경작의 확대는 곡물의 가격에 비해 모든 종류의 동물성 식물의 가격을 다소나마 반드시 올리듯이 모든 부류의 식물성 식물의 가격을 반드시 저하시킨다고 나는 믿고 있다. 그것은 동물성 식물의 가격을 올린다. 왜냐하면 그것을 생산하는 토지의 대부분이 곡물 생산에 적합하도록 되어 있으므로 지주와 농업경영자에게 곡물생산지의 지대와 이윤을 제공해 주지 않으면 안 되기 때문이다. 그것이 식물성 식물의 가격을 저하시키는 것은 토지의 비옥도를 증대시킴으로써 그 풍부를 증대시키기 때문이다. 게다가 농업에 관한 개량은 곡물보다도 더 적은 토지와 많지 않은 노동을 필요로 함으로써 곡물보다 훨씬 싸게 시장에 나오는 많은 부류의 식물성 식물을 도입한다. 이를테면 감자와 옥수수, 즉 '인디언 콘Indian corn'이라고 불리는 것이 그러한 것인데 이 두 가지는 유럽의 농업이, 아니 유럽 그 자체가 그의 상업과 항해업의 위대한 확장에서 획득했던 두 개의 가장 중요한 개량인 셈이다. 뿐만 아니라 농업이 졸렬하게 행해졌던 상태에서는 채소밭에만 한정되어 있었으며, 더욱이 삽으로만 재배되고 있었던 많은 부류의 식물성 식물도 개량된 상태에서는 보통의 밭에 도입되어 쟁기로써 재배되게 된다. 순무·당근·양배추 등이 그것이다. 그러므로 만일 개량의 진보에 따라 어떤 종류의 식물의 실질가격이 필연적으로 상승하면 또 다른 종류의 식물의 그것은 반드시 하락한다. 그리고 전자의 상승이 후자의 하락에 의하여 어느 정도 메워질 수 있는지를 판단하는 것은 비교적 어려운 문제가 된다. 수육의 실질가격이 일단 이 높이(아마 돈육을 제외하면 모든 부류에 관해서 벌써 1세기나 이전에 잉글랜드의 대부분에서 이렇게 되어 있었던 것 같은)에 달하면 그 후 어떤 다른 부류의 동물성 식물이 때마침 상승하여도 이것이 하층계급의 인민의 생활 상태에는 그렇게 영향을 미칠 수는 없다. 잉글랜드의 대부분에 걸친 빈민의 생활상태가 가금, 어류, 야조, 또는 사슴 고기의 가격의 상승에 의하여 고통을 겪는 정도는 확실히 그들이 감자의 가격 하락에 의하여 구제되어야 할 만큼 그렇게 심할 리는 없는 것이다.

빈민은 곡물 이외의 총생산물의 자연적 등귀에 의하여 곤궁해지는 것보다 약간의 제조품의 인위적 상승에 의하여 더 곤궁을 당한다.

현재와 같은 흉작의 계절에는 곡물의 높은 가격이 빈민을 괴롭힐 것은 틀림없다. 그러나 곡물이 통상적 또는 평균적 가격에 있는 온당한 풍작의 시기에는 어떤 다른 부류의 총생산물의 가격이 자연히 상승하여도 그들에게는 큰 영향을 미칠 수 없다. 아마 그들은 이를테면 소금·비누·가죽·양초·맥아(엿기름)·맥주·에일ale 등과 같은 약간의 제조품의 가격에 대한 과세에 의하여 일어났던 인위적 가격 상승 때문에 더 괴로워한다.

6. 개량의 진보가 제조품의 실질가격에 미치는 효과

그러나 개량의 자연적 효과는 제조품의 가격을 감소시키는 것이다.

그렇지만 거의 모든 제조품의 실질가격을 점차 감소시키는 것은 개량의 자연적 효과이다. 제조업의 제품의 실질가격도 아마 모든 제품에 있어서 예외 없이 감소할 것이다. 보다 좋은 기계, 보다 나은 기교와 작업의 보다 적절한 분할 및 배분은 모두 개량의 자연적 효과이며, 이 때문에 어떤 특정한 일을 수행하는 데는 보다 적은 양의 노동을 필요로 하게 된다. 그리고 사회환경이 번영하는 결과로서 노동의 실질가격이 상당히 많이 상승한다 하더라도 그 양의 대대적인 감소는 일반적으로 그 가격에서 일어날 수 있는 최대의 상승을 메우고도 훨씬 더 남음이 있을 것이다.

몇몇 제조품에 있어서는 원료가격의 상승이 작업상의 개선을 상쇄한다.

실로 원료의 실질가격의 필연적인 상승이 작업상의 개선에 의하여 작업 수행에서 생길 수 있는 모든 이익을 메우고도 남음이 있을 만한 상수의 제품도 있다. 목수와 소목장이의 일, 그리고 조잡한 부류의 캐비닛 제조업에서는 토지의 개량의 결과로서 과실이 달리지 않는 재목의 실질가격의 필연적인 상승이 최량의 기계, 최대의 기교 및 작업의 가장 적절한 분할 및 배분에서 나올 수 있는 모든 이익을 메우고도 남음이 있을 것이다.

다른 경우에는 가격이 상당히 하락한다.

그러나 원료의 실질가격이 전혀 상승하지 않거나 또는 상승하더라도 그렇게 심히 상승하지 않는 모든 경우에는 제조품의 실질가격은 상당히 많이 떨어진다.

1600년 이래 이 사실은 비금속으로 만들어진 제품에서 가장 현저했다.

금세기와 전前세기를 통하여 이러한 가격의 감소는 그 원료가 비금속인 제조품에서 가장 현저했다. 전 세기의 중엽경에 20파운드로써 살 수 있었던 것보다 더 좋은 기계의 회중시계가 현재에는 20실링으로 얻을 수 있을 것이다. 칼 장수와 자물쇠 제조공의 제품, 비금속으로 만들어지는 모든 장난감,[438] 버밍엄제와 셰필드제라는 이름으로 보통 알려져 있는 모든 재화에 관하여도 동일 기간에 비록 회중시계에서처럼 그렇게 심하지는 않더라도 그 가격의 대격감이 있었다. 그러나 이것은 유럽의 모든 다른 지방의 직공들을 깜짝 놀라게 하는 데 충분했으니, 즉 그들은 많은 경우 두 배의 가격, 아니 세 배의 가격으로써도 그것에 필적하는 좋은 품질의 제품을 생산할 수 없다는 것을 자인하고 있다. 비금속을 원료로 하는 것들보다 분업이 더 행해질 수 있거나 또는 사용되는 기계가 훨씬 더 개량

438 〔《Lectures》, 159, 164면.〕

될 수 있는 제조업이란 아마도 없을 것이다.

동기간에 직물은 크게 하락하지 않았다.

직물 제조업에 있어서는 그렇게 현저한 가격의 저락은 없었다. 내가 확신하는 바로는 이와 반대로 최상품의 직물의 가격은 지금까지 지난 25년 내지 30년을 통하여 그 품질에 비례하여 약간 상승했으며, 그것은 전적으로 스페인의 양모로써 되어 있는 원료의 가격이 꽤 상승한 것에 기인한 것이라고들 했다. 실은 전적으로 잉글랜드의 양모로써 만들어지는 요크셔의 직물의 가격은 금세기를 통하여 그 품질에 비하여 많이 하락했다고 한다. 그러나 품질이라는 것은 의론의 여지가 대단히 많은 문제이므로 이런 종류의 모든 정보를 나는 어느 정도 불확실한 것이라고 본다. 현재에도 직물 제조업에 있어서는 1세기 전과 거의 동일하며, 사용된 기계도 그렇게 다르지 않다. 그러나 이상의 두 가지 경우에는 가격의 약간의 감소를 일으켰을 만한 약간의 개선이 있었을 것이다.

15세기 이후는 극히 심하게 하락했다.

그러나[439] 만일 우리가 현재에 있어서의 이러한 제품의 가격을 훨씬 먼 옛 시대, 다시 말하면 현재보다는 노동이 훨씬 덜 세분되었고 사용되는 기계도 훨씬 불완전했던 15세기 말엽경에 있었던 것과 비교해 보면 이 저락은 훨씬 더 현저하고 부정하기 어려운 것이라고 여겨질 것이다.

상품의 직물은 1487년의 가격의 3분의 1 이하로 하락했다.

헨리 7세 제4년에 해당하는 1487년에는 "최상품의 붉은 색의 천 또는 다른 최상품으로 손질된 염색포를 광폭 1야드에 16실링 이상으로 소매하는 사람은 누구나 그 매상 1야드마다 40실링의 벌금을 물게 한다"라는 것이 제정되었다. 그러므로 현재 우리의 화폐로서 24실링과 같은 양의 은을 함유하고 있는 16실링

439 〔초판에는 "그러나"가 없다.〕

이라는 것이 그 당시에는 최상품의 직물 1야드의 가격으로서는 부당하다고 생각되지는 않았다. 그리고 이 법률은 일종의 사치단속령이므로 이러한 직물이 통상 그것보다 약간 비싸게 팔리고 있었다는 것도 있을 법한 일이다. 1야드에 대하여 1기니는 현재의 최고가격이라고 보아도 좋다. 따라서 오늘날의 직물의 품질이 훨씬 뛰어나 있음은 확실하나, 비록 그것이 동일하다는 가정을 한다 하더라도 최상품의 직물의 화폐가격은 15세기의 말엽 이래 상당히 내린 것같이 보인다. 그러나 그의 실질가격은 훨씬 더 내렸다. 당시와 훨씬 후에도 6실링 8펜스가 소맥 1쿼터의 평균가격이라고 간주되고 있었다. 그러므로 16실링이라면 소맥 2쿼터 3부셸 남짓한 가격이었다. 오늘날의 소맥 1쿼터를 28실링이라고 평가하면 당시의 상품의 직물 1야드의 실질가격은 현재의 우리 화폐로서는 적어도 3파운드 6실링 6펜스와 같은 것이었음이 틀림없다. 당시 그것을 구매한 사람은 오늘날이 전액으로 구매할 수 있는 것과 같은 양의 노동 및 생활자료에 대한 지배권을 떼어 주었을 것이 틀림없다.

조잡한 직물은 1463년의 가격의 2분의 1 이하로 하락했다.

조잡한 제품의 실질가격의 저락도 상당한 것이었지만 상품의 그것에서처럼 그렇게 심하지는 않았다.

에드워드 4세 제3년에 해당하는 1463년에는 "영농에 종사하는 어떠한 사용인도, 어떠한 보통노동자도, 도시 또는 자치도시 외에서 거주하는 어떠한 공장의 사용인도 광폭 1야드에 2실링 이상의 직물을 의복에 사용하거나 입어서는 안 된다"라는 것이 제정되었다.[440] 에드워드 4세 제3년의 2실링은 현재의 우리 화폐로 4실링과 거의 같은 양의 은을 함유하고 있었다. 그러나 지금 1야드에 4실링으로 팔리고 있는 요크셔의 직물이 당시의 가장 가난한 계급의 보통 사용인들의 착용물로서 제조되었던 어떠한 직물보다 훨씬 훌륭한 것이다. 따라서 그들의 의복의 화폐가격까지도 그 품질에 비하여 그러한 옛날에 있었던 것보다 현재에는 약

440 〔법률 제5호, 이 법령 및 헨리 7세 제4년 법률 제8호에서의 인용은 축어적인 것은 아니다.〕

간 더 쌀 것이다. 그 실질가격은 확실히 현재가 훨씬 더 싸다. 당시 10펜스는 소맥 1부셸의 온당하고 합리적인 가격이라고 생각되고 있었다. 그러므로 2실링은 소맥 2부셸 2펙에 가까운 가격이었으며, 현재에 이만큼의 소맥은 1부셸 당 3실링 6펜스라고 하면 8실링 9펜스의 가치가 나갔을 것이다. 가난한 사용인은 이러한 직물 1야드의 대가로서 현재의 8실링 9펜스가 구매하는 것과 같은 양의 생활자료에 대한 구매력을 떼어 주지 않으면 안 되었던 것이다. 이 법률도 역시 빈민의 사치와 방종을 억제하는 일종의 사치금지법이다. 그러므로 그들의 의복은 보통 이보다 훨씬 더 비용이 들었던 셈이다.

긴 양말도 1463년 이래 상당히 하락했다.

이와 동일한 계급의 인민은 동일 법률에 의하여 한 켤레에 그 가격이 현재의 우리 화폐로서 28펜스에 해당하는 14펜스를 넘는 긴 양말(hose)을 신는 것이 금지되었다. 그러나 14펜스라면 당시에는 소맥 1부셸당 2펙에 가까운 가격이었으니, 현재 이만큼의 소맥이 1부셸에 3실링 6펜스라면, 5실링 3펜스가 들었을 것이다. 우리는 오늘날 이 가격을 가장 가난한 최하층계급의 한 사용인의 양말 한 켤레의 가격으로서는 너무 높다고 생각하지 않을 수 없을 것이다. 그럼에도 불구하고 당시 그 사용인은 그것에 대하여 실질적으로는 이 가격과 같은 것을 지불하고 있었던 것이 틀림없다.

당시 긴 양말은 보통의 직물로 만들어졌다.

에드워드 4세 때는 양말 뜨는 기술은 유럽의 어느 지방에도 아마 알려지지 않았던 것 같다. 그들의 긴 양말은 보통의 직물로써 만들어졌으며, 이것이 그것의 높은 가격의 원인이었을지도 모른다. 잉글랜드에서 떠서 만든 양말을 신었던 최초의 인물은 엘리자베스 여왕이었다고 한다. 그녀는 스페인 대사로부터 선물로서 받았던 것이다.[441]

441 〔하우엘 박사Dr. Howell는 그의 저, 《History of the World》, 제2권, 222면에서 다음과 같이

직물을 만드는 기계는 많이 개선되었다.

조잡한 모직물에 있어서나 상품의 모직물에 있어서나 사용된 기계는 당시에 있어서는 현재의 그것에 비하여 훨씬 불안전한 것이었다. 그 이후 이 기계에 세 가지의 극히 중요한 개선을 겪었으며, 그 밖에도 다수의 비교적 적은 개선이 있었는데 그 수와 중요성을 확인하기는 곤란할 것이다. 그 세 가지 중요한 개선이란 첫째 방차(spinning-wheel) 대신에 실감는 대(rock)와 방추(spindle)로 바꾼 것, 이것으로 동량의 노동이 두 배 이상의 일을 할 수 있게 되었다. 둘째, 소모사와 방모사의 감는 일, 즉 씨날을 베틀에 걸기 전에 적당하게 간추리는 노동을 훨씬 더 촉진하고 단축하는 몇 가지 극히 독창적인 기계가 사용되게 된 것이며, 이 작업은 이러한 기계가 발명되기까지는 극히 지루하고 귀찮은 일이었음이 틀림없다. 셋째, 직물을 두껍게 하기 위하여 이것을 물속에서 밟는 대신에 축융기를 사용하는 것이다. 16세기 초두와 같은 옛날에는 잉글랜드에서는 어떤 종류의 풍차도 수차水車도 알려지지 않았으며, 내가 알고 있는 한 알프스 이북의 유럽의 다른 어떤 지방에서도 알려져 있지 않았었다. 이것들은 이보다 조금 전에 이탈리아에 도입되었던 것이다.

말하고 있다. "엘리자베스 여왕은 그녀의 치세 제3년에 자기의 단골 견사상絹紗商 뭉타그 부인Mrs. Mountague으로부터 떠서 만든 검은 색의 견사 양말 한 켤레를 선물받았다. 그 후 여왕은 직물로 만든 양말을 결코 신지 않았다." 이 고명한 저자는 덧붙여 말하기를, "그 호화판이고 사치스러운 헨리 8세라는 군주도 마침 우연히 스페인으로부터 한 켤레의 견사 양말이 왔을 때를 제외하고는 보통 직물로 된 긴 양말을 신었었다. 스페인에서는 일찍부터 견사가 풍부했던 것이다. 그의 아들 국왕 에드워드 6세는 자기의 단골상인 토마스 그레샴 경Sir. Thomas Gresham으로부터 스페인제의 긴 견사 양말 한 켤레를 선물받았다. 그리고 그 선물은 당시 대단한 주목을 끌었다"라고 했다. 이리하여 떠서 만든 견사 양말의 발명이 본래는 스페인으로부터 왔다는 것은 확실하다. 다른 사람들은 말하기를, 런던 브릿지의 1도제 윌리엄 라이더William Rider라는 사람이 어떤 이탈리아 상인의 집에서 만투아에서 왔다고 하는 한 켤레의 소모사로 뜬 양말을 보고 그것과 똑같은 것을 대단한 솜씨로 만들어 그것을 그는 1564년 펨브로크Pembroke의 윌리엄 백작William Earl에게 선물했는데 이것이 잉글랜드에서 신겨졌던, 이런 종류의 것으로는 최초의 것이었다고 한다. -아담 앤더슨Adam Anderson, 《An Historical and Chronological Deduction of the Origin of Commerce》(1764), ad 1561.)

이 사실이 가격의 하락을 설명하고 있다.
이들 사정의 고찰은 왜 조잡한 제품의 실질가격과 섬세한 제품의 실질가격이 다 같이 현재보다도 옛날에 더 비쌌는지를 어느 정도까지 우리들에게 설명해 줄 것이다. 그것은 재화를 시장에 보내는 데는 보다 더 많은 양의 노동이 들었기 때문이다. 그러므로 재화가 그곳에 보내졌을 때는 보다 다량의 노동의 가격으로 구매되거나 또는 그것과 교환되었을 것이 틀림없다.

조잡한 제조업은 가내수공업이었으나 정교한 제조업은 플랑드르에서 그것을 생업으로 하고 있는 사람들에 의하여 영위되고 있었으며 제품은 관세를 부담하지 않으면 안 되었다.
이러한 옛날에 잉글랜드에서 행해진 조잡한 제조업은 아마도 기술과 제조업이 그 유년기에 있는 제국에서 언제나 그러했던 것과 같은 방법으로 경영되었을 것이다. 즉 그것은 하나의 가내수공업이었으며, 그 작업의 각가지 모든 부분은 거의 모든 세대의 모든 성원들에 의하여 수시로 행해졌다. 더구나 이때만의 그들의 일이 되고 그들의 누구도 그 생활자료의 대부분을 염출해 내는 주요한 직업이 되지는 않았다. 이렇게 해서 이루어진 제작품은 그것이 직공의 생활자료의 주요 또는 유일한 자원이 되는 제작품보다 언제나 훨씬 더 싸게 시장에 나간다는 것은 이미 설명한 바 있다. 또 한편 정교한 제조업은 이러한 시대의 잉글랜드에서는 경영되지 않았고 플랑드르라는 더 부유한 상업국에서 경영되고 있었으며, 그 당시에는 현재와 마찬가지로 그 생활자료의 전부 또는 주요부분을 그것에서 염출해 내고 있는 사람들에 의하여 수행되고 있었던 것 같다. 뿐만 아니라 그것은 외국 제품이었으므로 약간의 세금, 즉 적어도 톤세(tonnage)와 파운드세(poundage)라고 하는 옛날의 관세를 국왕에게 지불하지 않으면 안 되었다. 실은 이 세금은 대단히 다액의 것은 아니었던 것 같다. 당시의 유럽의 정책은 높은 세금으로써 외국 제품의 수입을 억제하려는 것은 아니었고, 오히려 상인들이 고귀한 사람들이 원하고 있는 것이지만 자국의 산업이 그들에게 제공해 줄 수 없는 편의품과 사치품을 될 수 있는 대로 싼값으로 공급할 수 있게 하기 위하여 그 수입을 장려하는 것이었다.

이 사실은 이러한 시대에 왜 조잡한 제품이 섬세한 제품에 비하여 저가격이었던가 하는 이유를 설명하고 있다.

이러한 사정의 고찰은 왜 이러한 옛날에 가공되지 않은 제품의 실질가격이 섬세한 제품에 비하여 오늘날에 있어서보다 그렇게 쌌던가의 이유를 어느 정도까지는 설명해 줄 것이다.

본 장의 결론

사회사정의 모든 개선은 지대를 올린다.

나는 대단히 긴 본 장의 결론을 내리면서 사회사정의 모든 개선은 직접 또는 간접으로 토지의 실질적 지대를 올리고 지주의 실질적 부를 증가시키는 경향이 있다는 것, 즉 다른 사람들의 노동 또는 노동의 생산물에 대한 지주의 구매력을 증가시키는 경향이 있다는 것을 말해 두기로 한다.[442]

개량과 경작의 확장은 직접적으로 그것을 올린다.

개량과 경작의 확장은 직접적으로 그것을 올리는 경향이 있다. 생산물 가운데 지주의 몫은 생산물의 증가와 함께 필연적으로 증가한다.

가축 등의 가격의 상승도 그러하다.

토지의 원생산물 가운데 처음에는 확장된 개량 및 경작의 결과였던 것이, 그 후에는 개량과 경작을 더 확장시키는 원인이 되는 여러 부분의 실질가격의 상승,

442 〔"나는 이 대단히 긴 장의 결론을 내리면서……는 것을 말해 두기로 한다"라는 말은 제10장의 마지막에도 나오는데 그 경우에는 "대단히"가 없다.〕

예를 들어 가축의 가격의 상승도 토지의 지대를 직접적으로, 더욱이 훨씬 더 큰 비율로 올리는 경향이 있다. 지주의 몫의 실질가치, 즉 다른 사람들의 노동에 대한 그의 실질적 지배력이 생산물의 실질가치와 더불어 상승할 뿐만 아니라, 원생산물에 대한 그의 몫의 비율도 그것과 함께 상승한다. 그 생산물은 그의 실질가격이 상승한 뒤에도 그것을 수집하는 데 종전보다 많은 노동을 필요로 하지는 않는다. 그러므로 노동을 사용하는 재화를 통상의 이윤과 함께 회수하는 데는 훨씬 적은 비율의 생산물로써 충분할 것이다. 그 결과 훨씬 많은 비율의 몫이 지주에게 속하지 않을 수 없다.[443]

제조품의 가격을 내리는 개선은 간접적으로 그것을 올린다.

여러 제품의 실질가격을 직접 낮추는 경향이 있는 노동의 생산력에 있어서의 모든 개선은 토지의 실질적 지대를 간접적으로 올리는 경향이 있다. 지주는 자기의 원생산물 가운데서 자기 자신의 소비를 넘어서 남는 부분을, 또는 같은 것이 되지만, 그 부분의 가격을 제조된 생산물과 교환한다. 후자의 실질가격을 낮게 하는 것은 무엇이든지 전자의 그것을 올린다. 그 때문에 동량의 전자가 훨씬 다량의 후자와 등가가 된다. 그리고 지주는 자기가 필요로 하는 편의품, 장식품 또는 사치품을 훨씬 다량으로 구매할 수 있게 된다.

사용된 유용노동량의 모든 증가도 그러하다.

사회의 실질적 부의 모든 증가, 즉 그곳에서 사용된 유용노동의 양의 모든 증가는 토지의 실질적 지대를 간접적으로 올리는 경향이 있다. 이 노동의 어떤 일정 비율은 자연히 토지에 돌아간다. 더 많은 수의 인간과 가축이 그 경작에 사용되고 생산물은 이렇게 해서 그것을 생산하는 데 사용되는 자재의 증가와 함께 증가하고, 또 지대는 그 생산물과 함께 증가한다.

443 〔이와 반대되는 것이 다음의 317면에 나와 있다.〕

이와 반대되는 여러 사정은 지대를 저하시킨다.

다른 한편 이와 반대되는 여러 사정, 즉 경작 및 개량의 등한, 토지의 원생산물의 어떤 부분의 실질가격의 하락, 제조 기술 및 산업의 쇠퇴 때문에 일어나는 제조품의 실질가격의 상승, 사회의 실질적 부의 감쇠, 이 모든 것은 토지의 실질적 지대를 저하시키며, 지주의 실질적 부를 감소시키고 다른 사람들의 노동 또는 노동의 생산물에 대한 지주의 구매력을 감소시키는 경향이 있다.

생산물에는 세 부분이 있으며, 사회에는 기본적인 세 계급이 있다.

모든 나라의 토지 및 노동의 연간 총생산물, 또는 같은 것이 되지만, 그 연간 생산물의 전全 가격은 이미 설명한 바와 같이 자연히 지대와 노동의 임금과 자재의 이윤이라는 세 부분으로 분할된다. 그리고 그것은 인민의 상이한 세 계급, 즉 지대로 생활하는 사람들, 임금으로 생활하는 사람들, 이윤으로 생활하는 사람들의 수입을 구성하고 있다. 이들은 모든 문명사회의 3대의 기본적 구성계급으로, 모든 다른 계급의 수입은 궁극적으로는 이 세 가지 계급의 수입에서 나온다.

토지소유자의 이해는 사회의 일반적 이해와 불가분으로 연결되어 있다.

이 3대 계급 가운데 첫째 것의 이해는 방금 설명했던 것에서 드러난 것처럼 사회의 일반적 이해와 긴밀히 그리고 분리할 수 없는 관계를 가지고 있다. 전자를 촉진 또는 저해하는 것은 무엇이든지 반드시 후자를 촉진 또는 저해한다. 공공사회가 상업 또는 행정에 관한 어떤 규제를 심의할 때 토지소유자들은 적어도 그들 자신의 계급의 이해에 관하여 상당히 많은 지식을 가지고 있는 한 자신들의 특정 계급의 이익을 촉진할 목적에서 벗어나게 공공사회를 오도할 리는 없다. 사실 그들은 이 상당한 지식을 결여하고 있을 때가 너무나 많다. 그들은 그 세 계급 가운데 그들 자신의 수입이 아무런 노동도 주의도 들지 않으며 말하자면 저절로, 그리고 그들 자신의 계획 또는 기도와는 아무런 관계도 없이 그들에게 굴러들어 가는 유일한 계급이다. 그들의 지위가 안락하고 안전하다는 것의 자연적 결과인 게으름은 너무나 종종 그들을 무지하게 만들 뿐만 아니라 공공사회의 규칙의 결과를 예견하고 이해하는 데 필요한 정신적 노력을 다하는 것에도 무능하게 해 버린다.

임금으로 생활하는 사람들의 이해도 역시 그러하다.

임금으로 생활하는 사람들의 이해관계, 즉 제2계급의 그것도 첫째 계급의 그것과 마찬가지로 엄밀히 사회의 이해관계와 연결되어 있다. 이미 설명한 바 있거니와 노동자의 임금은 노동에 대한 수요가 부단히 상승하고 있을 때, 또는 사용되는 양이 매년 상당히 증가하고 있을 때만큼 높을 때는 없는 것이다. 사회의 이러한 실질적 부가 정체되면 곧 그의 임금은 그의 가족을 양육하거나 또는 노동자라는 종족을 존속시키는 데 겨우 족할 만한 것으로 환원된다. 사회가 쇠퇴할 때는 이보다 더 낮게 떨어지기까지 한다. 토지소유자 계급은 아마 노동자의 그것보다도 사회의 번영에 의하여 더 많은 이득을 볼 것이지만 노동자 계급만큼 쇠퇴에 의하여 참혹하게 고통을 받는 것은 없다. 그러나 비록 노동자의 이해관계가 사회의 그것과 엄밀히 연결되어 있다 하더라도 그는 그 이해관계를 알아차리지도 못하며, 자기 자신의 이해관계와 연결되어 있다는 것을 이해할 수도 없다. 그의 생활상태는 그가 그것에 필요한 정보를 얻을 만큼 시간의 여유를 주지 않으며, 그의 교육과 습관이 그로 하여금 비록 그가 그러한 정보를 완전히 얻었다 하더라도, 올바른 판단을 내리는 데 적합하도록 해 주지 않는 것이 보통이다. 따라서 공공사회의 심의에서는 그의 의견이 거의 반영되지도 않으며 거의 주목을 끌지도 못한다. 다만 어떤 특정의 경우, 즉 그의 외침이 그의 고용주에 의하여 그를 위해서가 아니라, 그 고용주 자신의 특정의 목적을 위하여 고무되고 선동되고 지지되는 경우는 예외이다.

이윤으로 생활하는 사람들의 이해는 사회의 일반적 이해와는 상술한 것과 같은 관련을 갖고 있지 않다.

그의 고용주들은 제3의 계급, 즉 이윤으로 생활하는 사람들의 그것을 구성하고 있다. 모든 사회의 유용노동의 대부분을 활동시키는 것은 이윤을 얻기 위하여 사용되는 자재이다. 자재의 사용자들의 계획과 기도가 노동의 가장 중요한 여러 활동들을 모두 규정하고 지휘한다. 그리고 이윤은 모든 이들의 계획과 기도에 의해 꾀해진 목적이다. 그러나 이윤율은 지대와 임금처럼 사회의 번영과 함께 상승하거나 그 쇠퇴와 함께 하락하지는 않는다. 이와 반대로 그것은 자연히 부국에서는 낮고 빈국에서는 높다. 그리고 그것은 가장 급속히 파멸해 가고 있는 나라에서는 언제나 가장 높다. 따라서 이 제3의 계급의 이해는 사회의 일반적 이해에 있어 다른 두 계급의 이해와 관련을 갖고 있지는 아니하다. 상인과 마스터 제조업자들이 이 계급 가운데서 보통 최대의 자본을 사용하고 그들의 부에 의하여 사회적 존경의 최대의 몫을 그들 자신에게 모으는 두 개 부류의 사람들이다. 그들은 그들의 전全 생애를 통하여 계획과 기도에 종사하고 있으므로 그들은 대부분의 농촌 신사보다 예민한 이해력을 가지고 있을 때가 흔히 있다. 그러나 그들의 사려는 보통 사회의 이해에 관하여서보다는 그들 자신의 특정 업무 분야의 그것에 관하여 훈련되어 있으므로 그들의 판단은 가장 공평무사하게(모든 경우에 그러하지는 않았지만) 이루어졌다 하더라도 이러한 두 가지 목적 가운데 후자에 관하여서보다는 전자에 관해서 훨씬 더 의존하고 있다. 농촌 신사들보다 그들이 우수한 점은, 그들이 공공사회의 이해에 관한 지식을 가지고 있다는 것이라기보다는 오히려 농촌 신사들이 자기의 이해에 관하여 가지고 있는 이상의 지식을 그들 자신의 이해에 관하여 가지고 있다는 점에 있다. 그들은 흔히 농촌 신사들의 관대를 이용했으며, 그를 설득하여 지방 신사의 이익이 아닌 그들 자신의 이익만이 공공사회의 이익이라고 하는 극히 단순하고 정직한 신념에서 그 자신의 이익과 공공사회의 그것을 다 같이 포기시켰던 것도 그들 자신의 이익에 관한 이러한 뛰어난 지식을 가지고 있었기 때문이다. 그러나 어떤 특정부문의 상업 또는 제조업에 관한 상인들의 이해는 항상 어떤 점에 있어서는 공공사회의 그것과는 다르며, 그것에 반하기까지 한다. 시장을 확대하여 경쟁을 제한하는 것은 언제나 상인들의 이익이다. 시장을 확대하는 것은 가끔 공공사회의 이익과 충분히 일치할 수 있지만 경쟁을 제한하는 것은 언제나 그것에 반하지 않을 수 없으며, 상인들로 하여금 자신들의 이윤을 자연적으로 올라가게 되는 것보다 더 올리게 함으로써 그들 자신의 이익을 위하여 나머지 동포 시민들에게 불합리한 조세를 부과할 수 있게 하는 데 도움이 될 수 있을 뿐이다. 이러한 계급에서 나오는 상업에 관한 어떤 새로운 법률 또는 규제의 제안은 언제나 조심스럽게 귀를 기울여야 할 것이며, 그것을 채택하는 데도 가장 조심성 있을 뿐만 아니라 가장 의심 많은 주의를 기울여 장기간 그리고 신중하게 검토한 뒤에 하지 않으면 안 된다. 이러한 제안은 그 이해가 공공사회의 그것과 결코 정확하게 동일하지 않은 사람들, 그리고 일반적으로 공중을 속으로 억압하기까지 하는 것을 이익으로 하고 있는 사람들의 계급에서 나온 것이기 때문이다.

12개년	각 연도의 소맥 1쿼터 가격[444]			동년의 여러 가지 가격의 평균			현재의 화폐로 환산한 각년의 평균가격[445]		
	£.	s.	d.	£.	s.	d.	£.	s.	d.
1202	–	12	–	–	–	–	1	16	–
	–	12	–						
1205	–	13	4	–	13	5	2	–	3
	–	15	–						
1223	–	12	–	–	–	–	1	16	–
1237	–	3	4	–	–	–	–	10	–
1243	–	2	–	–	–	–	–	6	–
1244	–	2	–	–	–	–	–	6	–
1246	–	16	–	–	–	–	2	8	–
1247	–	13	4	–	–	–	2	–	–
1257	1	4	–	–	–	–	3	12	–
	1	–	–						
1258	–	15	–	–	17	–	2	11	–
	–	16	–						
1270	4	16	–	5	12	–	16	16	–
	6	8	–						
1286	–	2	8	–	9	4	1	8	–
	–	16	–						
						합계	35	9	3
						평균가격	2	19	$1\frac{1}{4}$

444 〔1202년부터 1597년까지의 가격은 플릿우드(《Chronicon Preciosum》(1707), 77~124면)에서, 그리고 1598년에서 1601년까지의 가격은 이튼 칼리지의 기록에서 각각 수집된 것이다. 그리고 후자의 숫자는 윈저 쿼터Windsor quarter의 용적이나 소맥의 품질을 고려하여 환산된 것은 아니며, 따라서 다음 표의 숫자와 일치한다. 그 표의 숫자에 관해서는 그 주를 보라.〕

445 〔옛날의 화폐를 18세기 본위로 환산할 경우에는 마틴 포크스Martin Folkes(《Table of English Silver Coins》(1745), 142면)에 따랐던 것 같다. 근사로 표시하는 것을 목적으로 하고 있다. (예를 들면 3이라는 계수는 2.906 대신의 역할을 하기도 하고, 2.871 대신의 역할을 하기도 한다.) 따라서 오류는 반드시 한결같지 않고, 이를테면 1464년에서 1497년 사이의 금액의 어떤 것은 근사수 $1\frac{1}{2}$ 을 곱하여 나왔던 것인데, 다른 것들은 정확하게 1.55를 곱하여 나왔던 것이다.〕

446 〔이것은 2실링 $7\frac{1}{4}$ 이었어야 할 것이다. 1287년의 3실링 4펜스가 잘못 가산되어 버렸기 때문에 생긴 오류임이 명백하다.〕

447 〔각판 모두가 본문 그대로이다. "$\frac{1}{2}$"로 해 버리는 것보다 이렇게 두는 것이 미숙한 눈에는 이

12개년	각 연도의 소맥 1쿼터 가격			동년의 여러 가지 가격의 평균			현재의 화폐로 환산한 각년의 평균가격		
	£.	s.	d.	£.	s.	d.	£.	s.	d.
1287	–	3	4	–	–	–	–	10	–
	–	–	8						
	–	1	–						
	–	1	4						
1288	–	1	6	–	3	$\frac{1}{4}$[446]	–	9	$\frac{3}{4}$
	–	1	8						
	–	2	–						
	–	3	4						
	–	9	4						
	–	12	–						
	–	6	–						
1289	–	2	–	–	10	$1\frac{2}{4}$	1	10	$4\frac{2}{4}$[447]
	–	10	8						
	1	–	–						
1290	–	16	–[448]	–	–	–	2	8	–
1294	–	16	–	–	–	–	2	8	–
1302	–	4	–	–	–	–	–	12	–
1309	–	7	2	–	–	–	1	1	6
1315	1	–	–	–	–	–	3	–	–
	1	–	–						
1316	1	10	–	1	10	6	4	11	6
	1	12	–						
	2	–	–						
	2	4	–						
	–	14	–						
1317	2	13	–[449]	1	19	6	5	18	6
	4	–	–						
	–	6	8						
1336	–	2	–	–	–	–	–	6	–
1338	–	3	4	–	–	–	–	10	–
						합계	23	4	$11\frac{1}{4}$
						평균가격	1	18	8

해하기 더 편리하기 때문이다.〕

448〔"그리고 어떤 때는 나이턴(H. Knighton)이 말하는 것처럼 20실링이었다."－플릿우드, 《Chronicon Preciosum》, 82면.〕

449〔잘못 옮겨 써진 것이다. 플릿우드, 《Chronicon Preciosum》, 92면에는 £2 13s. 4d.라고 되어 있다.〕

12개년	각 연도의 소맥 1쿼터 가격			동년의 여러 가지 가격의 평균			현재의 화폐로 환산한 각년의 평균가격		
	£.	s.	d.	£.	s.	d.	£.	s.	d.
1339	–	9	–	–	–	–	1	7	–
1349	–	2	–	–	–	–	–	5	2
1359	1	6	8	–	–	–	3	2	2
1361	–	2	–	–	–	–	–	4	8
1363	–	15	–	–	–	–	1	15	–
1369	1 1	– 4	– –	1	2	–	2	9	4[450]
1379	–	4	–	–	–	–	–	9	4
1387	–	2	–	–	–	–	–	4	8
1390	– – –	13 14 16	4 – –	–	14	5	1	13	7
1401	–	16	–	–	–	–	1	17	4
1407	– –	4 3	$4\frac{1}{4}$[451] 4	–	3	10	–	8	11
1416	–	16	–	–	–	–	1	12	–
						합계	15	9	4
						평균가격	1	5	$9\frac{1}{3}$
	£.	s.	d.	£.	s.	d.	£.	s.	d.
1423	–	8	–	–	–	–	–	16	–
1425	–	4	–	–	–	–	–	8	–
1434	1	6	8	–	–	–	2	13	4
1435	–	5	4	–	–	–	–	10	8
1439	1 1	– 6	– 8	1	3	4	2	6	8
1440	1	4	–	–	–	–	2	8	–
1444	– –	4 4	4 –	–	4	2	–	8	4
1445	–	4	6	–	–	–	–	9	–
1447	–	8	–	–	–	–	–	16	–
1448	–	6	8	–	–	–	–	13	4
1449	–	5	–	–	–	–	–	10	–
1451	–	8	–	–	–	–	–	16	–
						합계	12	15	4
						평균가격	1	1	$3\frac{1}{2}$

450 〔명백히 £2 11s. 4d.의 잘못된 것이다.〕

12개년	각 연도의 소맥 1쿼터 가격			동년의 여러 가지 가격의 평균			현재의 화폐로 환산한 각년의 평균가격		
	£.	s.	d.	£.	s.	d.	£.	s.	d.
1453	–	5	4	–	–	–	–	10	8
1455	–	1	2	–	–	–	–	2	4
1457	–	7	8	–	–	–	–	15	4
1459	–	5	–	–	–	–	–	10	–
1460	–	8	–	–	–	–	–	16	–
1463	–	2	–	–	1	10	–	3	8
	–	1	8						
1464	–	6	8	–	–	–	–	10	–
1486	1	4	–	–	–	–	1	17	–
1491	–	14	8	–	–	–	1	2	–
1494	–	4	–	–	–	–	–	6	–
1495	–	3	4	–	–	–	–	5	–
1497	1	–	–	–	–	–	1	11	–
						합계	8	9	–
						평균가격	–	14	1
	£.	s.	d.	£.	s.	d.	£.	s.	d.
1499	–	4	–	–	–	–	–	6	–
1504	–	5	8	–	–	–	–	8	6
1521	1	–	–	–	–	–	1	10	–
1551	–	8	–	–	–	–	–	2	–
1553	–	8	–	–	–	–	–	8	–
1554	–	8	–	–	–	–	–	8	–
1555	–	8	–	–	–	–	–	8	–
1556	–	8	–	–	–	–	–	8	–
1557	–	4	–	–	17	$8\frac{1}{2}$[452]	–	17	$8\frac{1}{2}$
	–	5	–						
	–	8	–						
	2	13	4						
1558	–	8	–	–	–	–	–	8	–
1559	–	8	–	–	–	–	–	8	–
1560	–	8	–	–	–	–	–	8	–
						합계	6	0	$2\frac{1}{2}$
						평균가격	–	10	$0\frac{5}{12}$[453]

451 〔캐넌 판의 숫자는 $4\frac{3}{4}$의 오식이라 한다.〕

12개년	각 연도의 소맥 1쿼터 가격			동년의 여러 가지 가격의 평균			현재의 화폐로 환산한 각년의 평균가격		
	£.	s.	d.	£.	s.	d.	£.	s.	d.
1561	–	8	–	–	–	–	–	8	–
1562	–	8	–	–	–	–	–	8	–
1574	{ 2	16	– }	2	–	–	2	–	–
	1	4	–						
1587	3	4	–	–	–	–	3	4	–
1594	2	16	–	–	–	–	2	16	–
1595	2	13	–[454]	–	–	–	2	13	–
1596	4	–	–	–	–	–	4	–	–
1597	{ 5	4	– }	4	12	–	4	12	–
	4	–	–						
1598	2	16	8	–	–	–	2	16	8
1599	1	19	2	–	–	–	1	19	2
1600	1	17	8	–	–	–	1	17	8
1601	1	14	10[455]	–	–	–	1	14	10
						합계	28	9	4
						평균가격	2	7	$5\frac{1}{3}$[456]

윈저 시장에서 9부셸들이 1쿼터당 최상, 즉 최고치의 소맥의 가격. 양단의 해를 포함한 1595년에서 1764년까지의 성모의 일(Lady Day)과 미카엘제(Michaelmas)의 것이며, 각년의 가격은 이 두 시일市日의 최고가격 간의 중위의 수.[457]

452 〔이것은 다음 란과 함께 17실링 7펜스로 되어야 할 것이다. 초판 및 제2판에는 12실링 7펜스라고 되어 있다. 이것은 가산함에 있어서 1파운드의 오산이 있었기 때문이다.〕

453 〔이것은 명백히 10실링 $\frac{5}{24}$펜스 이어야 할 것이다. 초판과 제2판은 합계를 6파운드 5실링 1펜스라고 하고 있고, 평균을 "10실링 5펜스"로 하고 있는데 이것은 앞의 주에서 말한 오산의 결과이다.〕

454 〔잘못 베껴진 것이다. 플릿우드, 《Chronicon Preciosum》, 123면에는 £2 13s. 4d.라고 되어 있다.〕

455 〔250면 주 1을 보라.〕

456 〔초판과 제2판에는 £2. 4s. $9\frac{1}{3}$d.라고 되어 있다. 이것은 평균을 산출함에 있어서 28파운드를 12로 나누어서 그 나머지 수인 4파운드를 실링으로 환산하여 9실링에 더하니 89실링이

연차		£.	s.	d.
1595,	–	2	0	0
1596,	–	2	8	0
1597,	–	3	9	6
1598,	–	2	16	8
1599,	–	1	19	2
1600,	–	1	17	8
1601,	–	1	14	10
1602,	–	1	9	4
1603,	–	1	15	4
1604,	–	1	10	8
1605,	–	1	15	10
1606,	–	1	13	0
1607,	–	1	16	8
1608,	–	2	16	8
1609,	–	2	10	0
1610,	–	1	15	10
1611,	–	1	18	8
1612,	–	2	2	4
1613,	–	2	8	8
1614,	–	2	1	$8\frac{1}{2}$
1615,	–	1	18	8
1616,	–	2	0	4
1617,	–	2	8	8
1618,	–	2	6	8
1619,	–	1	15	4
1620,	–	1	10	4
	26)	54	0	$6\frac{1}{2}$
		2	1	$6\frac{9}{13}$

연차		£.	s.	d.
1621,	–	1	10	4
1622,	–	2	18	8
1623,	–	2	12	0
1624,	–	2	8	0
1625,	–	2	12	0
1626,	–	2	9	4
1627,	–	1	16	0
1628,	–	1	8	0
1629,	–	2	2	0
1630,	–	2	15	8
1631,	–	3	8	0
1632,	–	2	13	4
1633,	–	2	18	0
1634,	–	2	16	0
1635,	–	2	16	0
1636,	–	2	16	8
	16)	40	0	0
		2	10	0

되었는데, 이것을 12로 나누어 7이 나왔어야 할 것을 20으로 나눈 것에서 생긴 잘못이다.〕

457 〔이 가격표는 그 시간 구분은 아니지만 명백히 찰스 스미스Charles Smith(《Tracts on the Corn Trade》(1966), 97~102면. 43, 104면과 비교 참조하라)를 베낀 것인데, 그러나 찰스 스미스는 이것을 이전에 공표된 것이라고 하고 있다(같은 책 96면).〕

연차		소맥 1쿼터에 £.	s.	d.
1637,	–	2	13	0
1638,	–	2	17	4
1639,	–	2	4	10
1640,	–	2	4	8
1641,	–	2	8	0
1642,	기록없음 1646년은 사교 플릿우드에 의해 보충됨	0	0	0
1643,		0	0	0
1644,		0	0	0
1645,		0	0	0
1646,	–	2	8	0
1647,	–	3	13	8
1648,	–	4	5	0
1649,	–	4	0	0
1650,	–	3	16	8
1651,	–	3	13	4
1652,	–	2	9	6
1653,	–	1	15	6
1654,	–	1	6	0
1655,	–	1	13	4
1656,	–	2	3	0
1657,	–	2	6	8
1658,	–	3	5	0
1659,	–	3	6	0
1660,	–	2	16	6
1661,	–	3	10	0
1662,	–	3	14	0
1663,	–	2	17	0
1664,	–	2	0	6
1665,	–	2	9	4
1666,	–	1	16	0
1667,	–	1	16	0
1668,	–	2	0	0
1669,	–	2	4	4
1670,	–	2	1	8
차란에 이월		79	14	10

연차		소맥 1쿼터에 £.	s.	d.
전란에서 이월		79	14	10
1671,	–	2	2	0
1672,	–	2	1	0
1673,	–	2	6	8
1674,	–	3	8	8
1675,	–	3	4	8
1676,	–	1	18	0
1677,	–	2	2	0
1678,	–	2	19	0
1679,	–	3	0	0
1680,	–	2	5	0
1681,	–	2	6	8
1682,	–	2	4	0
1683,	–	2	0	0
1684,	–	2	4	0
1685,	–	2	6	8
1686,	–	1	14	0
1687,	–	1	5	2
1688,	–	2	6	0
1689,	–	1	10	0
1690,	–	1	14	8
1691,	–	1	14	0
1692,	–	2	6	8
1693,	–	3	7	8
1694,	–	3	4	0
1695,	–	2	13	0
1696,	–	3	11	0
1697,	–	3	0	0
1698,	–	3	8	4
1699,	–	3	4	0
1700,	–	2	0	0
	60)	153	1	8
		2	11	$0\frac{1}{3}$

연차		소맥 1쿼터에 £.	s.	d.	연차		소맥 1쿼터에 £.	s.	d.
1701,	–	1	17	8	전란에서 이월		69	8	8
1702,	–	1	9	6	1734,	–	1	18	10
1703,	–	1	16	0	1735,	–	2	3	0
1704,	–	2	6	6	1736,	–	2	0	4
1705,	–	1	10	0	1737,	–	1	18	0
1706,	–	1	6	0	1738,	–	1	15	6
1707,	–	1	8	6	1739,	–	1	18	6
1708,	–	2	1	6	1740,	–	2	10	8
1709,	–	3	18	6	1741,	–	2	6	8
1710,	–	3	18	0	1742,	–	1	14	0
1711,	–	2	14	0	1743,	–	1	4	10
1712,	–	2	6	4	1744,	–	1	4	10
1713,	–	2	11	0	1745,	–	1	7	6
1714,	–	2	10	4	1746,	–	1	19	0
1715,	–	2	3	0	1747,	–	1	14	10
1716,	–	2	8	0	1748,	–	1	17	0
1717,	–	2	5	8	1749,	–	1	17	0
1718,	–	1	18	10	1750,	–	1	12	6
1719,	–	1	15	0	1751,	–	1	18	6
1720,	–	1	17	0	1752,	–	2	1	10
1721,	–	1	17	6	1753,	–	2	4	8
1722,	–	1	16	0	1754,	–	1	14	8
1723,	–	1	14	8	1755,	–	1	13	10
1724,	–	1	17	0	1756,	–	2	5	3
1725,	–	2	8	6	1757,	–	3	0	0
1726,	–	2	6	0	1758,	–	2	10	0
1727,	–	2	2	0	1759,	–	1	19	10
1728,	–	2	14	6	1760,	–	1	16	6
1729,	–	2	6	10	1761,	–	1	10	3
1730,	–	1	16	6	1762,	–	1	19	0
1731,	–	1	12	10	1763,	–	2	0	9
1732,	–	1	6	8	1764,	–	2	6	9
1733,	–	1	8	4			129	13	6
차란에 이월		69	8	8		64)	2	0	$6\frac{19}{32}$[458]

458 〔이것은 $\frac{9}{32}$ 이어야 할 것이다.〕

연차		소맥 1쿼터에 £.	s.	d.	연차		소맥 1쿼터에 £.	s.	d.
1731,	–	1	12	10	1741,	–	2	6	8
1732,	–	1	6	8	1742,	–	1	14	0
1733,	–	1	8	4	1743,	–	1	4	10
1734,	–	1	18	10	1744,	–	1	4	10
1735,	–	2	3	0	1745,	–	1	7	6
1736,	–	2	0	4	1746,	–	1	19	0
1737,	–	1	18	0	1747,	–	1	14	10
1738,	–	1	15	6	1748,	–	1	17	0
1739,	–	1	18	6	1749,	–	1	17	0
1740.	–	2	10	8	1750,	–	1	12	6
	10)	18	12	8		10)	16	18	2
		1	17	$3\frac{1}{5}$			1	13	$9\frac{4}{5}$

제 2 편

자재의 성질, 축적 및 용도에 관하여

서론

미개상태의 사회에서는 자재를 필요로 하지 않는다.

분업이라는 것도 없고, 교환도 거의 이루어지지 않으며, 모든 사람이 모든 것을 손수 마련하는 미개상태의 사회에서는 그 사회의 업무를 수행하기 위하여 자재가 미리 축적되거나 또는 저장되어야 할 필요는 없다. 모든 사람은 자기 자신의 노동에 의하여 수시로 일어나는 자기 자신의 욕망을 그때마다 충족하려고 노력한다. 배가 고프면 그는 사냥하러 숲으로 가며, 의복이 해어지면 그는 자기가 잡은 최초의 큰 짐승의 가죽을 몸에 걸치며, 오막살이가 허물어지기 시작하면 그는 가장 가까운 곳에 있는 나무나 잔디로써 될 수 있는 대로 훌륭하게 수리한다.

분업이 그것을 필요하게 만든다.

그러나 분업이 일단 철저하게 도입되면, 한 사람의 인간 자신의 노동의 생산물은 자기의 시시각각의 욕망 가운데 극히 작은 부분을 충족할 수 있을 따름이다. 그 욕망의 훨씬 더 많은 부분이 타인의 노동의 생산물로써 충족된다. 즉 그는 자기 자신의 노동의 생산물로써, 또는 같은 의미로서, 자기 자신의 생산물의 가격으로써 그것을 구매한다. 그러나 이 구매는 자기 자신의 노동의 생산물이 완성되어서 그것이 팔려 버리기까지는 이루어질 수 없다. 그러므로 적어도 이러한 두 가지 일이 이루어질 수 있을 때까지는 그를 부양하고, 그의 작업의 재료와 도구를 공급하기에 족할 만한 여러 가지 종류의 재화가 어딘가에 저장되어 있지 않으면 안 된다. 직조공은 자기의 직물이 완성되어 그 피륙이 팔려 버릴 때까지는 그를 부양하고 그의 일의 재료와 도구를 그에게 공급하기에 족할 만큼의 자재(stock)를, 자기 자신의 소유로나 또는 타인의 소유로서 미리 저장되어 있지 않은 한 그는 자신의 특수한 업무에 전념할 수 없다. 명백히 이 축적은 그의 근로를 그러한 특수한 업무에 그만큼 오랫동안 충용하는 것에 선행되지 않으면 안

된다.[1]

자재의 축적과 분업은 함께 전진한다.

자재의 축적은 본질적으로 분업에 선행하지 않으면 안 되는데, 노동도 역시 자재가 미리 축적되어 있는 것이 많으면 많을수록 그것에 비례하여[2] 그만큼 더 세분될 수 있다. 같은 수의 사람들이 가공할 수 있는 재료의 양은 노동이 세분화되어 가면 갈수록 점점 증가한다. 그리고 각 직공의 작업이 점차 단순화되어 감에 따라, 여러 가지 새로운 기계가 발명되어 이러한 작업을 더 쉽게 단축한다. 그러므로 분업이 전진함에 따라 같은 수의 직공에게 계속적인 일을 주기 위하여 종래와 같은 양의 식료품과, 비교적 미개한 상태에서 필요했던 것보다 더 많은 재료 및 도구가 미리 축적되어 있지 않으면 안 된다. 그러나 사업의 모든 부문에 있어서의 직공의 수는 일반적으로 그 부문의 분업의 진보와 더불어 증가하지만, 또는 그들은 이렇게 분화하고 세분화시키는 것은 오히려 그들의 수의 증가라고 하겠다.

축적은 등량의 근로로써 더 많은 생산을 하게 한다.

자재의 축적은 노동의 생산력의 이러한 대개선을 수행하는 데 미리 필요한 것이므로 그 축적은 자연히 이러한 개선을 선도한다. 노동을 유지하기 위하여 자기의 자재를 사용하는 사람은 반드시 될 수 있는 대로 많은 것을 사용하려고 한다. 따라서 그는 그의 직공들 사이에 일을 가장 적절하게 배분하고, 그가 발명할 수 있거나, 또는 구매할 수 있는 가장 좋은 기계를 그들에게 공급하려고 애쓴다. 이 두 가지 점에 있어서 그의 능력은 대체로 그의 자재의 크기 또는 자재로써 사용할 수 있는 인간의 수에 비례한다. 그러므로 어떠한 국가에 있어서도

1 〔《Lectures》, 181면.〕

2 〔"비례하여"는 초판 및 제2판에서는 "정도에만 비례하여"가 아니라 "정도에 비례하여서만"이라고 되어 있다.〕

근로의 양은 이것을 사용하는 자재의 증가에 따라 증가할 뿐만 아니라, 이러한 증가의 결과로써 같은 양의 근로가 훨씬 더 많은 제작품을 생산해 낸다. 생산력에 미치는 것은 효과이다.

본편은 자재의 성질, 그의 축적의 효과 및 그의 여러 가지 용도를 취급하고 있다.
이하의 편에서 나는 자재의 성질, 그것이 축적되어 여러 가지 종류의 자본(capitals)으로 되는 것의 효과, 그리고 이러한 자본의 여러 가지 용도의 효과를 설명하려고 노력했다. 본편은 5장으로 나뉜다. 제1장에서 나는 개인 또는 사회의 자재가 자연적으로 분할되는 여러 가지 부분 또는 부문이 어떠한 것인지 밝히려고 노력했다. 제2장에서 나는 사회의 일반적 자재의 특정부문이라고 생각되는 화폐의 성질 및 작용을 설명하려고 노력했다. 축적되어 자본이 된 자재는 이것을 소유하는 사람에 의하여 사용되든지 또는 어떤 타인에게 대여될 것이다. 제3장과 제4장에서 나는 자재가 이상의 두 가지 상태에서 작용하는 양상을 검토하려고 애썼다. 제5장인 마지막 장은 자본의 여러 가지 용도가 국민적 산업과 토지 및 노동의 연간 생산물 쌍방의 양에 직접적으로 미치는 여러 가지 효과를 다루고 있다.

제1장 자재의 분류에 관하여

사람들은 소액의 자재로써는 수입을 얻으려고 생각지 않는다.
어떤 사람이 소유하고 있는 자재가 자기를 며칠 또는 몇 주일 동안 부양하는 데 알맞을 만한 것에 지나지 않을 때는 그는 그 자재에서 수입을 얻으려고 생각지는 않는다. 그는 그것을 될 수 있는 대로 아껴서 소비하고 그것이 완전히 소비되기까지는 그것을 대신할 만한 어떤 것을 자기의 노동에 의하여 획득하려고 노력한다. 이런 경우에 그의 수입은 자기의 노동에서만 얻게 되는 것이다. 이것이 모든 나라에 있어서의 노동빈민의 대부분의 상태라고 하겠다.

직접의 소비에 족한 것보다 더 많은 자재를 가지고 있을 때 그는 그 나머지 것에서 수입을 얻으려고 노력한다.

그러나 그가 몇 달 또는 몇 년 동안 자기를 부양할 만큼 충분한 자재를 소유할 때는 그는 당연히 그 대부분에서 수입을 끌어내려고 하며, 자기의 직접의 소비를 위해 이 수입을 들어오기 시작할 때까지 자기를 부양할 수 있을 만한 것을 유보해 둘 따름이다. 그러므로 그의 자재 전체는 두 가지 부분으로 구별된다. 그에게 수입을 제공해 주리라고 그가 기대하는 부분은 그의 자본이라고 불린다. 다른 부분은 그의 직접의 소비를 충족하는 부분이며, 이것을 구성하고 있는 것은 첫째, 전全 자재 가운데 이 목적을 위하여 본래 유보된 부분, 둘째, 어떠한 원천에서 나오든지 간에 점차로 들어오는 그의 수입, 그리고 셋째, 이상의 두 가지 것의 어느 것에 의해서든지 그 이전의 연도에 구입해 두었던 것으로써 아직 완전히 소비되지 않은 것, 예를 들면 의복과 가구, 그 밖의 이와 비슷한 것의 저장품이라 하겠다. 사람들이 보통 자신들의 직접의 소비를 위하여 남겨 두는 자재는 이러한 세 가지 항목 가운데 그 어느 한 가지 또는 그 세 가지 모두로써 되어 있다.

이 경우 자본의 사용 방법에서 두 가지가 있다.

자본이 그 사용자에게 수입 또는 이윤을 가져다줄 수 있도록 사용되는 방법에는 상이한 두 가지가 있다.

(1) 유동자본으로서 사용되거나,

첫째, 자본은 재화를 조달하고 제조하고 구매하여 그들에 이윤을 붙여 다시 판매하는 데 사용된다. 이와 같이 사용되는 자본은 이것이 그 사용자의 소유로서 남아 있거나 또는 동일 형태로 존속하고 있는 동안에는 그 사용자에게 수입 또는 이윤을 가져다주지 않는다. 상인의 재화는 그가 이 재화를 화폐와 교환으로 팔 때까지는 그에게 수입 또는 이윤을 전혀 제공해 주지 않는다. 그리고 그 화폐도 또한 다시 재화와 교환될 때까지는 그에게 수입 또는 이윤을 가져다주지 않는다. 그의 자본은 끊임없이 어느 한 가지의 형태로서 그에게서 떠나가는가 하면, 또 다른 형태로서 그에게 돌아오고 있는 것이며, 자본이 그에게 이윤을 낳아 줄 수 있는 것도 이러한 유동(circulation), 즉 계속적 교환에 의할 따름이다. 그러므로 이러한 자본은 유동자본(circulation capitals)이라고 부르는 것이 극히 적합할 것이다.

(2) 또는 고정자본으로서 사용된다.

둘째, 자본은 토지의 개량에 사용되며, 또한 유용한 기계 및 직업상의 용구, 다시 말하면 그것은 주인을 바꾸지 아니하고, 즉 그 이상 유통하지 않으면서 수입 또는 이윤을 가져다주는 제물품의 구매에 사용된다. 그러므로 이러한 자본은 고정자본(fixed capitals)이라고 부르는 것이 마땅할 것이다.

직업이 다르면 그것이 필요로 하는 고정자본 및 유동자본의 비율도 다르다.

직업이 다르면 그들에 사용되는 고정자본과 유동자본의 비율도 대단히 달라진다.

예를 들면 상인의 자본은 전부 유동자본이다. 그의 점포 또는 창고를 직업상의 기계 및 용구라고 생각하지 않는 한, 그는 이러한 것을 필요로 하지 않는다.

마스터 공장工匠 또는 제조업자의 자본 가운데 얼마는 자기의 직업상의 용구에 고정되지 않으면 안 된다. 그러나 이 부분은 어떤 직업에서는 극히 적으며, 또 다른 어떤 직업에서는 대단히 많다. 마스터 재봉사는 한 꾸러미의 바늘 이외의 다른 직업상의 용구를 필요로 하지 않는다. 마스터 제화사의 용구도 극히 적기는 하지만 약간 비용이 든다. 직조공의 용구는 제화공의 그것보다는 훨씬 더 비싸다. 그러나 모든 이러한 마스터 공장의 자본 가운데 커다란 부분이 그들의 직공의 임금으로서, 또는 그들의 재료의 가격으로서 유통되고 그 제작품의 가격에 의해 이윤과 함께 회수된다. 다른 사업에서는 훨씬 더 많은 고정자본이 필요하다. 예를 들면 큰 제철소에서는 광석을 용해하는 용광로·괴철로·절단기는 거액의 비용을 들이지 않고서는 세워질 수 없는 사업상의 용구이다. 탄갱과 모든 종류의 광산에서 배수 또는 그 밖의 여러 목적에 필요한 기계는 더욱더 비쌀 때도 흔히 있다.

농업경영자의 자본으로써 농업 용구에 사용되는 부분은 고정자본이며, 노동사용인의 임금과 생활유지비로 사용되는 부분은 유동자본이다. 그는 전자를 자기 자신의 소유로서 보존함으로써 이윤을 보며, 후자를 내놓음으로써 이윤을 보는 것이다. 그의 역축役畜의 가격 또는 가치는 농업 용구의 가격 또는 가치가 고정자본인 것과 마찬가지로 고정자본이다. 그 유지비는 고용노동자의 생활유지비와 마찬가지로 유동자본이다. 농업경영자는 역축을 보유함으로써 이윤을 보며, 그것들의 유지비를 내놓음으로써 이윤을 본다. 사역하기 위해서가 아니라 팔기 위하여 구입되거나 비육되는 가축의 가격과 유지비는 모두 유동자본이다. 농업경영자는 그들을 내어놓음으로써 이윤을 얻는다. 축산 지방에서 사역이나 팔기 위해서가 아니라 그 양모와 우유 및 유축에 의하여 이윤을 보려고 구입되는 양떼나 젖소 떼는 고정자본이다. 그것들을 보유함으로써 이윤이 생긴다. 그것들의 유지비는 유동자본이다. 이윤은 그 유동자본을 내놓음으로써 얻어진다. 그리고 자본은 그 자체의 이윤과, 양모와 우유 및 유축의 가격으로 되는 가축의 전 가격에 대한 이윤과 함께 되돌아온다. 종자의 총가치도 적절히 말하면 고정자본이다. 종자는 토지와 곡창 사이를 왕래하지만 그것은 결코 주인을 바꾸지 않으며, 따라서 전혀 유통하지 않는 것이다. 농업경영자는 그것의 판매에 의하지 않고 그것의 증식에 의하여 이윤을 올린다.

사회의 재화도 마찬가지로 다음 세 부분으로 분할된다.

어떤 나라 또는 사회의 총자재는 그 주민 또는 성원 전원의 그것과 같으며, 따라서 역시 자연히 똑같은 세 부분으로 분할된다. 그 각각은 별개의 기능 또는 임무를 가지고 있다.

즉 (1) 직접의 소비를 위하여 유보되는 부분과,

첫째는 직접의 소비를 위하여 유보되는 부분이며, 그 특질은 그것이 수입 또는 이윤을 낳지 않는다는 것이다. 그것은 그 본래의 소비자에 의하여 구매되었으나 아직 완전히 소비되지 않은 식물·의복·가구 등의 저장품으로 되어 있다. 그 나라에서 어떤 일정 시기에 존재하고 있는 주택이라는 전 자재도 역시 이 첫째 부분의 일부를 이루고 있다. 가옥에 투하되는 자재는 만일 그것이 그 소유자의 주택이 되면 그 순간부터 자본으로의 기능을 하지 못하거나 또는 그 소유자에게 어떤 수입을 가져다주지 못하게 된다. 그와 같은 주택은 그 거주자의 수입에는 아무런 보탬이 되지 않으며, 비록 그것이 그에게는 지극히 유용한 것임은 틀림없으나 그것은 의복과 가구가 그에게 유용한 것이기는 하나, 그의 지출의 일부를 이루고 있을 뿐이며, 그의 수입의 일부는 아닌 것과 똑같은 것이다. 만일 그것이 임대료를 받고 차가인借家人에게 빌려 주어진다면, 가옥 그 자체는 아무것도 생산하지 않으므로[3] 차용인은 노동과 자재 또는 토지 가운데 어느 것에서 얻게 되는 다른 수입에서 그 가임을 지불하지 않으면 안 된다. 그러므로 가옥은 그 소유자에게 수입을 낳아 줄 수 있으며, 이 때문에 그에게는 일종의 자본으로서의 기능을 하지만, 그것은 공공사회에 대하여는 아무것도 낳아 줄 수 없으며, 또한 사회에 대하여 일종의 자본으로서의 기능을 하지 못하며, 인민 전체의 수입은 그것에 의하여 조금도 증가될 리 없는 것이다. 의복과 가구도 마찬가지로 수입을 낳아 줄 때가 있어서 특정한 사람들에게는 일종의 자본으로서의 기능을 다

3 〔"이 가옥 자체가 이 1000프랑을 낳는 것은 아니다—가옥의 재료는 그 사회에 대해서는 수입의 증가도 아니며, 새로운 부의 창조도 아니며, 반대로 그것은 일종의 이전이며 소유자의 변경에 지나지 않는다."-르메르시에 드 라 리비에르Mercier de la Rivière, 《L'Ordre naturel et essentiel des Societes politiques》, 제12판(1767), 제2권, 123면, 또는 외젠 데이어Eugène Daire, 《Physiocrates》, 487면.〕

하기도 한다. 가장무도회가 유행하고 있는 나라에서는 하룻밤 동안 가장용 의상을 빌려주는 것도 일종의 영업이다. 가구상들은 이따금 한 달에 얼마, 1년에 얼마로 가구를 빌려준다. 많은 사람들이 가구가 붙어 있는 가옥을 임대하고 그 가옥의 사용에 대해서까지 임료를 받는다. 그러나 이러한 것에서 얻게 되는 수입은 반드시 궁극에 가서는 어떤 다른 수입 원천에서 나오지 않으면 안 된다. 개인의 자재이든 사회의 그것이든 직접의 소비를 위하여 유보되는 자재의 모든 부분 가운데서 가옥에 투하되는 자재가 가장 원만히 소비된다고 하겠다. 의복이라는 자재는 수년 동안, 그리고 가구라는 자재는 반세기 또는 한 세기나 견디지만 가옥이라는 자재는 잘 건축되고 적당히 관리되면 수세기는 견딘다. 그러나 가옥을 전부 소비해 버리는 기간은 비교적 오래 걸리지만, 이것 역시 의복이나 가구와 마찬가지로 직접의 소비를 위하여 유보된 자재임은 사실이다.

⑵ 고정자본으로 이는 다음과 같은 네 가지로 되어 있다.

사회의 총자재가 분할되어 세 부분으로 되는 가운데서 그 두 번째 것은 고정자본이라 하겠는데, 그 특질은 유통하지도 않고 주인을 바꾸지도 않으면서 수입 또는 이윤을 제공해 준다는 것이다. 이것은 주로 다음 네 가지 항목으로 되어 있다.

⒜ 유용한 기계.

첫째는 노동을 촉진하고 단축해 주는 모든 유용한 기계 또는 직업상의 용구로서 되어 있다.

⒝ 유리한 건축물.

둘째는 임대료를 받고 임대하는 소유자에게뿐만 아니라 그것을 점유하여 그것에 대하여 임대료를 지불하는 사람에게까지도 수입을 조달하는 수단이 되어 주는 모든 유리한 건축물, 이를테면 점포·창고·작업장, 농사 및 그것에 필요한 모든 건물, 즉 외양간과 곡창 등으로 되어 있다. 이런 것들은 단순한 주택과는 대단히 다르다. 이것들은 일종의 직업상의 용구이며, 그것과 동일시되어도 좋은 것이다.

(c) 토지의 개량.

셋째는 토지의 개량, 토지의 개척, 배수, 울타리하기, 시비, 그리고 토지를 경작하고 재배하기에 가장 적합한 상태를 만들기 위해 유리하게 투하된 것으로 되어 있다. 개량된 농장은 노동을 촉진하고 단축해 주는 역할을 함으로써 등량의 유동자본이 그 사용자에게 훨씬 더 많은 수입을 제공해 줄 수 있는 기계와 동일시해도 좋을 것이다. 개량된 농장은 이러한 기계와 동등하게 유리하며, 더구나 그 어떠한 기계보다 내구적이며, 경작에 사용되는 농업경영자의 자본을 가장 유리하게 충용하는 것 이외에는 하등의 수선을 필요로 하지 않는 것이 보통이다.

(d) 습득된 유용한 재능.

넷째는 사회의 전체 주민 또는 전 성원이 습득한 유용한 재능으로 되어 있다. 이러한 재능의 획득에는 그 습득자가 그의 교육과 연구 또는 도제 수업의 기간 동안에 부양되고 있으므로, 언제나 현실의 경비가 들며, 그것은 말하자면 그의 일신에 고정되고 실현되어 있는 자본이다. 이러한 재능은 그의 재산의 일부를 이루고 있는 것과 마찬가지로 그가 속해 있는 사회의 재산의 일부를 이루고 있다. 직공의 개선된 기교는 노동을 촉진하고 단축해 주는 기계 또는 직업상의 용구와 동일시되어도 좋을 것이나, 이것은 어느 정도 경비가 들기는 하지만 이윤과 함께 그 경비를 회수하게 되는 것이다.[4]

그리고 (3) 유동자본, 이것은 다음의 것으로 구성된다.

사회의 총자재가 자연적으로 분할되는 세 부분의 세 번째 것인 마지막 부분은 유동자본이며, 그 특질은 이것이 유통함으로써, 즉 주인을 바꿈으로써 수입을

4 〔그러나 제1편 제10장에서는 개선된 기교와 보수가 임금으로 취급되어 있다.〕

가져다주는 것이라는 점이다. 이것 역시 다음의 네 부분으로 이루어져 있다.

(a) 화폐.

첫째는 화폐로서 되어 있으며, 다른 세 부분의 전부는 이것을 매개로 하여 유통하고 그것들의 적당한 소비자[5]에게 분배된다.

(b) 판매자가 소유하고 있는 식료품의 저장량.

둘째는 도살자, 목축업자, 농업경영자, 곡물 상인, 그리고 양조업자 등이 소유하고 있고, 더구나 그들이 그것을 판매함으로써 이윤을 볼 것이라고 기대하고 있는 식료품의 저장량으로 되어 있다.

(c) 의복, 가구 및 건축의 재료.

셋째는 전혀 미가공이거나 또는 다소 가공된 의복, 가구 및 건축물의 재료로서 아직 이 세 가지 형태로 완성되지 아니한 채 그 재배자·제조업자·포목상·직물상·재목상·목수·가구장이·벽돌제조업 등의 수중에 있는 재료로써 이루어져 있다.

(d) 상인 또는 제조업자들의 수중에 있는 완성된 제작품 등이 그것이다.

넷째, 즉 마지막 것은 만들어져서 완성된 것이지만 아직 상인 또는 제조업자의 수중에 있고, 아직 적당한 소비자에게 처분되거나 분배되지 않은 제작품, 예를 들면 우리가 대장간·가구장이·금장·보석사·도기상 등의 점포에서 기제품으로서 흔히 볼 수 있는 완제품으로 되어 있다. 유동자본은 이와 같이 각각의 상인의 수중에 있는 모든 종류의 식료품·재료·완제품과, 이것들을 유통시키고 그것들을 최종사용자 또는 최종소비자에게 분배하는 데 필요한 화폐로서 되어 있다.

5 〔"소비자"는 초판에서는 "사용자 및 소비자"라고 되어 있다.〕

유동자본의 마지막 세 부분은 규칙적으로 그것에서 빠져 나온다.

이 네 부분 가운데 세 가지, 즉 식료품·재료·완성품은 해마다 또는 그보다 더 길거나 짧은 기간 동안에 규칙적으로 유동자본에서 빠져 나와 고정자본에 편입되기도 하고, 직접의 소비를 위하여 유보되는 자재 속에 들어가기도 한다.

모든 고정자본은 유동자본에서 나오며, 그것에 의하여 유지되고 있다.

모든 고정자본은 본래 유동자본에서 나온 것이며, 유동자본에 의하여 끊임없이 유지될 것을 필요로 하고 있다. 모든 유용한 기계 및 직업상의 용구는 본래 이것들을 만들기 위한 재료를 공급하고, 이것들을 만드는 직공의 생활유지비를 제공하는 유동자본에서 나온 것이다. 이것들은 부단히 손질해 두는 데 또 같은 종류의 자본을 필요로 하고 있다.

이것 없이는 수입을 낼 수 없다.

유동자본을 매개로 하지 않고서는 어떠한 고정자본도 수입을 낼 수는 없다. 가장 유용한 기계와 직업상의 용구는 이것들이 사용하는 재료와 이것들을 사용하는 직공의 생활유지비를 제공하는 유동자본 없이는 아무것도 생산하지 못할 것이다. 그리고 아무리 개량된 토지라도 그것을 경작하고 그 생산물을 거둬들이는 노동자의 생활을 유지하는 유동자본 없이는 아무런 수입도 가져오지 못할 것이다.

고정자본과 유동자본은 다 같이 그 목적은 자재의 다른 부분을 유지하고 증가시키는 데 두고 있다고 하겠다.

직접의 소비를 위하여 유보될 수 있는 자재를 유지하고 증가시키는 것은 고정자본과 유동자본 쌍방의 유일한 목표이며, 또 목적이기도 하다. 인민을 먹이고, 입히고, 거주하게 하는 것은 바로 이 자재이다. 그들의 빈부는 이 두 가지의 자본이 직접의 소비분으로 유보된 자재에다 가져다줄 수 있는 공급이 빈약하냐 풍부하냐에 달려 있다.

유동자본은 토지 · 광산 · 어장의 생산물에 의해 유지된다.

사회의 총자재의 다른 두 부문에 편입되기 위하여 유동자본 가운데서 끊임없이 빠져 나가는 부분은 대단히 큰 것이므로, 유동자본은 한편으로 계속적인 공급을 필요로 하며, 이러한 공급 없이는 그것은 곧 존재하지 않게 될 것이다. 이들 공급은 주로 세 가지 원천, 즉 토지·광산·어장의 생산물에서 나온다. 이것들이 식료품과 재료를 부단히 공급하고, 그 일부는 후에 완제품으로 만들어지며, 또 유동자본에서 끊임없이 빠져 나가는 식료품·재료·완제품은 이 공급에 의하여 보충된다. 그 외에 광산에서도 유동자본 가운데 화폐로 되어 버린 부분을 유지하고 증가시키는 데 필요한 것이 뽑혀 나온다. 통상의 사업 과정에 있어서는 이 부분이 다른 세 부분과 마찬가지로 사회의 총자재의 다른 두 부문에 편입되기 위하여 유동자본에서 반드시 빠져 나온다고는 할 수 없으나, 다른 모든 부분과 마찬가지로 마침내는 소모되고 마손되며, 또한 때로는 분실되거나 수출되거나 하지 않을 수 없으니 이 부분도 다소나마 부단의 공급을 필요로 하지 않을 수 없다.

이 3자를 경영하기 위해서는 고정자본과 유동자본을 다 같이 필요로 한다.

토지·광산·어장을 경영하는 데는 고정자본과 유동자본이 다 같이 소요된다. 그리고 그것들의 생산물은 이윤과 더불어 이들 자본뿐만 아니라 사회의 다른 모든 자본을 회수한다. 이리하여 농업경영자는 제조업자가 그 전년도에 소비한 식료품과 그가 만들어 버린 재료를 해마다 그에게 돌려주며, 그리고 제조업자는 농업경영자가 동기간에 소모하고 마손해 버린 완제품을 그에게 돌려준다. 이것이 해마다 이 두 계급의 사람들 사이에 행해지는 실제의 교환이지만 농업경영자가 자기의 원하는 의복, 가구 및 직업상의 용구를 구매해 오는 바로 그 사람에게 자기의 곡물과 가축과 아마포와 양모를 판매하는 것은 극히 드물기 때문에,

농업경영자의 총생산물과 제조업자의 제조품이 직접 서로 물물교환되는 경우는 거의 없다. 그러므로 농업경영자는 화폐를 받고 자기의 총생산물을 판매하며, 이 화폐로써 그는 구매할 수 있는 곳이라면 어느 곳에서나 그가 필요로 하는 제조품을 구매할 수 있다. 토지도 적어도 어느 정도는 어장과 광산을 경영하는 자본의 일부분을 돌려준다. 즉 물에서 생선을 잡아 올리는 것은 토지의 생산물이며, 땅속 깊은 데서 광물을 채취하는 것도 역시 지표의 생산물인 것이다.

안전이 상당히 보증되는 곳에서는 모든 자재는 세 가지 용도 가운데 어느 한 가지에 사용된다.

안전이 상당한 정도로 보증되는 모든 나라에서는 보통의 이해력을 가진 사람이라면 누구나 자기가 지배할 수 있는 모든 자재를 현재의 향락을 누리는 데, 또는 장래의 이윤을 얻기 위하여 사용하려고 노력한다. 만일 그것이 현재의 향락을 얻기 위하여 사용된다면 그것은 곧 직접의 소비를 위하여 유보되는 자재이다. 만일 그것이 장래의 이윤을 얻기 위하여 사용된다면 그것을 그의 수중에 남아 있게 하거나 또는 그의 수중을 떠나게 함으로써 그 이윤을 얻어야 하는 것이다. 앞의 경우에는 그것은 고정자본이며, 뒤의 경우엔 그것은 유동자본이다. 안전이 상당하게 보장되는 곳에서 자기가 지배할 수 있는 모든 자재, 즉 그것이 자기 자신의 것이든, 타인으로부터 빈 것이든 간에 이상의 세 가지 용도 가운데 그 어느 한 가지에도 사용하지 않는 사람이 있다면 그는 완전히 미친 사람임에 틀림없을 것이다.

그러나 폭력이 횡행하는 나라에서는 많은 자재가 매장 또는 은닉된다.

실상 사람들이 그 손윗사람의 폭력을 항상 두려워하고 있는 불행한 나라에 있어서 그들이 시종 당하리라고 생각하고 있는 재액 때문에 위협을 받게 되는 경우엔, 그들의 자재의 대부분을 가까이에 두어서 어떤 안전한 장소에 가지고 갈 수 있게 하기 위하여 흔히 매장하고 은닉해 둔다. 이것은 터키와 인도스탄에서는 보통 행해지고 있다고 하며, 아시아에 있는 다른 대부분의 정부에서는 그러하다고 나는 믿고 있다. 우리들의 선조들 사이에도 봉건정부의 폭력이 있었던 동안에는 그러한 것이 보통 행해지고 있었던 것 같다. 이 당시 발굴된 자재가 유럽의 최강 군주들의 수입 가운데서 경시할 수 없는 부분으로 생각되고 있었다. 그것은 땅속에 은닉되어 있었던 것이 발견된 재보로 되어 있으며, 그것에 대해서는 어떠한 특정인도 전혀 권리를 증명할 수 없었다. 당시 이것은 대단히 중요한 물건이라고 생각되었기 때문에 그것은 언제나 주요한 물건이라고 생각되었기 때문에 그것은 언제나 주권자에게 속하는 것이라고 생각되었으며, 그것에 대한 권리가 주권자의 특허장에 명기된 조항에 의하여 그 발견자 또는 토지소유자에게 양도되지 않는 한, 그것은 그 발견자에게도, 그 토지의 소유자에게도 소속되지 않는 것이라고 생각되고 있었다. 즉 이것은 금은의 광산과 동일시되었으며 금은의 광산의 특허장에 특별 조항이 없이는 결코 토지의 일반적 양도 가운데 포함되어 있는 것이라고 생각되지 않았으나, 엽·동·석·석탄의 광산은 그렇게 중요하지 않은 것이라고 생각되어 그 가운데 포함되어 있다.

제2장 사회의 총자재의 특수한 부문이라고 생각되는 화폐에 관하여, 즉 국민자본의 유지비에 관하여

가격은 임금, 이윤 및 지대의 세 부분으로 분할된다.

제1편에서는 대부분의 상품의 가격은 세 부분으로 분해되어 첫째는 상품을 생산하여 시장에 보내는 데 사용된 노동의 임금을 지불하고, 둘째는 자본에 대한 이윤을 지불하고, 셋째는 토지의 지대를 지불하고 있다는 것을 설명해 왔다. 그리고 실은 그 가격이 이 세 부분 가운데 두 가지 부분, 즉 노동의 임금과 자본의 이윤만으로 이루어져 있는 상품도 있으며, 그 가격이 한 가지 부분, 즉 노동의 임금만으로 구성되는 상품은 극히 드물지만, 지대에도, 임금에도 귀속되지

않는 부분은 모두 반드시 어떤 사람의 이윤이 되는 것이므로, 모든 상품의 가격은 반드시 이 세 부분의 어느 한 부분 또는 두 부분 또는 이 세 부분 전부로 분해되지 않으면 안 된다는 것도 밝혀두었다.

그리고 연간 생산물의 총액도 같은 세 부분으로 분할된다.

이미 설명한 바와 같이 모든 특정 상품을 개별적으로 따져 볼 때 이상의 것은 사실이므로 모든 나라의 토지 및 노동의 연간 총생산물을 구성하는 모든 상품을 복합체로서 생각하더라도 이상은 사실이어야 한다. 그 연간 생산물의 가격, 즉 그 교환가치는 이상과 같은 세 부분으로 분해되어 그 나라의 여러 가지 주민들 사이에, 그들의 노동의 임금으로서, 그들의 자본에 대한 이윤으로서, 그리고 그들의 토지에 대한 지대로서 분배되지 않으면 안 된다.

그러나 우리는 총수입과 순수입을 구별할 수 있다.

그러나 모든 나라의 토지 및 노동의 연간 생산물의 총가치는 그 나라의 여러 주민들 사이에 이와 같이 분배되어, 그들의 수입을 구성하고 있지만 우리가 사유지의 지대에서 총지대(gross rent)와 순지대(neat rent)를 구별하듯이 우리는 어떤 큰 나라의 모든 주민의 수입에 관하여서도 그와 같은 구별을 할 수 있다.

총지대도 농업경영자에 의하여 지불된 전액이며, 순지대는 지주가 자유로 처분하도록 남겨진 것이다.

사유지의 총지대는 농업경영자가 지불하는 모든 것을 포함하고 있으며, 순지대는 경영비와 수선비, 기타 필요한 모든 비용을 제하고 난 뒤에 지주의 자유 처분으로 남겨진 것, 다시 말하면 그가 자기의 소유지를 해하지 아니하면서 직접의 소비를 위해 유보되는 자기의 자재 가운데 넣을 수 있는 것, 즉 자기의 식탁, 마차, 가옥의 장식과 가구, 자기의 개인적인 향락과 오락을 위하여 소비할 수 있는 것을 포함하고 있다. 그의 실질적인 부는 그의 총지대에 비례하지 않고 그의 순지대에 비례한다.

총수입은 연간 총생산물의 총액을 말하며, 순수입은 고정자본과 유동자본의 유지비를 제하고 난 뒤에 자유 처분할 수 있도록 남겨진 것이다.

어떤 대국의 모든 주민의 총수입(gross revenue)은 그들의 토지 및 노동의 연간 총생산물을 포함하고 있으며, 그 순수입(neat revenue)은 첫째 그들의 고정자본, 둘째 그들의 유동자본을 유지하는 비용을 제하고 난 뒤에 그들이 자유 처분할 수 있게 남겨진 것, 다시 말하면 그들이 그들의 자본을 잠식함이 없이 직접의 소비를 위하여 유보된 그들의 자재 가운데 집어넣을 수 있는 수입, 즉 그들의 생활자료·편의품·오락품에 소비할 수 있는 것을 포함하고 있다. 또한 그들의 실질적 부도 그들의 총수입에 비례하지 않고 그들의 순수입에 비례한다.

고정자본의 유지비는 제외되어야 하는데,

고정자본을 유지하는 전 비용은 그 사회의 순수입에서 명백히 제외되어야 한다. 유용한 기계와 직업상의 용구, 유리한 건축물 등을 유지하는 데 필요한 재료, 이들 재료를 적당한 형태로 만들어 내는 데 필요한 노동의 생산물, 이 모두는 순수입의 일부를 이룰 수 없는 것이다. 금의 총가치를 직접의 소비를 위하여 유보되는 그들의 자재 속에 넣을 수도 있기 때문에 그러한 노동의 가격은 순수입의 일부분이 될 수도 있다. 그러나 다른 모든 부류의 노동의 경우에는 가격과 생산물은 다 같이 직접의 소비를 위해 유보된 자재에 들어가는 것이며, 가격은 직공들의 그러한 자재에 들어가고, 생산물은 다른 사람들의 그러한 자재에 들어가는데, 이 다른 사람들의 생활자료·편의품·오락품은 이들 직공들의 노동에 의하여 증가된다.

그 이유는 고정자본의 유일한 목적은 노동의 생산력을 증진시키는 것이며 그것이 안가安價해지고 단순화되는 것은 유리하다고 생각되고 있기 때문이다.

고정자본의 목적은 노동의 생산력을 증진시키는 것, 다시 말하면 같은 수의 노동자로 하여금 훨씬 다량의 일을 수행할 수 있게 하는 데 있다. 모든 필요한 건물·울타리·배수로·도로 등이 가장 완전히 정비되어 있는 농장에서는 면적과 토질이 동등하더라도 위와 같은 편의를 다 갖추지 못한 농장에서보다, 같은 수의 노동자와 역축으로써 훨씬 더 많은 생산물을 산출할 것이다. 제조업에 있어서도 최량의 기계의 도움을 받는 같은 수의 일손은 비교적 불완전한 사업상의 용구의 도움을 받을 경우보다도 훨씬 다량의 재화를 만들어낼 것이다. 어떤 종류의 고정자본이라도 적절히 지출된 경비는 언제나 산물의 가치를 그러한 개량에 필요한 유지비의 가치보다 훨씬 더 많이 증가시킨다. 그러나 이 유지비 역시 그 생산물의 일정 부분을 필요로 한다. 그래서 의식주, 즉 그 사회의 생활자료 및 편의품을 증가시키기 위해 직접 사용되어 왔을 일정량의 재료와 일정 수의 직공의 노동은 다 같이 극히 유익하지만 이러한 용도와는 또 다른 용도로 전용된 셈이다. 같은 수의 직공으로 하여금 같은 양의 일을 종래에 보통이었던 것보다 더 값싸고 간단한 기계로써 수행할 수 있도록 하는 기계학상의 모든 개선이 어떠한 사회에도 유익한 것으로 간주되고 있는 것은 바로 이 때문이라 하겠다. 더 복잡하고 더 비싼 기계를 유지하는 데 종래 사용되어 왔던 일정량의 재료와 일정 수의 직공의 노동은 후에 그 기계 또는 어떤 다른 기계가 행하는 일의 양을 증가시키는 데 충용될 수 있게 된다. 어떤 큰 제조장의 기업가가 자기의 기계를 유지하는 데 1년에 1000파운드를 사용하는데, 만일 그가 이 경비를 500파운드로 줄일 수 있다면, 그는 자연히[6] 나머지 500파운드를 더 많은 양의 재료를 구매하여 더 많은 수의 직공들에 의하여 가공시키는 데 사용할 것이다. 따라서 그의 기계가 행한 일의 양은 자연히 증가할 것이며, 그 사회가 그 일에서 끌어낼 수 있는 모든 이익과 편의도 증대할 것이다.

고정자본의 유지비는 소유지의 수리비와 같은 것이지만,

6 이것이 반드시 "자연적" 행위라고 생각되어야 할 이유는 없는 것 같다.

어떤 대국에서의 고정자본의 유지비는 사유지의 수리비에 비유하는 것이 극히 적당할 것이다. 수리비는 그 소유지의 생산물을 유지하는 데 따라서 지주의 총지대 및 순지대의 쌍방을 유지하는 데 종종 필요할 것이다. 그러나 보다 적절한 관리에 의하여 생산물을 감소시키지 않고 그 수리비가 감소될 수 있을 때는, 총지대는 적어도 종전과 같고 순지대는 반드시 증가한다.

유동자본의 최후의 세 부분의 유지비는 공제되어서는 안 되는 것이다.

그러나 고정자본의 유지비를 이상에서 본 바와 같이 사회의 순수입에서 제외되는 것이 당연하지만 유동자본의 유지비에 관해서는 사정이 다르다. 이 유동자본을 구성하고 있는 네 가지 부분, 즉 화폐·식료품·재료·완제품 가운데 뒤의 3자는 이미 설명한 바와 같이 규칙적으로 유동자본에서 빠져 나와 사회의 고정자본 또는 직접의 소비를 위하여 유보된 그들의 자재에 편입되고 있다. 이러한 소비 가능한 자재 가운데서 전자의 유지에 사용되지 않는 부분은 모두 후자에 들어가서 그 사회의 순수입의 일부를 이루게 된다. 그러므로 이 세 부분의 유동자본 유지비는 고정자본을 유지하는 데 필요한 것 이외에는 사회의 순수입에서 연간 생산물의 어떤 부분도 빼내지 않는다.

사회의 유동자본은 이 점에서 개인의 그것과 다르다.

한 사회의 유동자본은 이러한 점에서 한 개인의 그것과 다르다. 한 개인의 유동자본은 그의 순수입의 어떤 부분을 이루는 것으로부터 전적으로 제외되어 있으며, 그의 순수입은 모두 그의 이윤으로서 이루어지지 않으면 안 된다. 그러나 모든 개인의 유동자본은 그가 속해 있는 사회의 유동자본의 일부를 형성하지만, 이 때문에 그것이 사회의 순수입의 일부가 되지 않는 것은 결코 아니다. 한 개인의 점포에 있는 재화 전체는 직접의 소비를 위하여 유보되는 그 자신의 자재에는 결코 편입되어서는 안 되지만, 다른 사람들의 그러한 자재에는 편입될 수 있고, 그 다른 사람들은 다른 자원에서 파생된 수입에 의하여 그 상인의 자본도 자기의 자본도 감소시키지 않고 그 상인에게 그의 재화의 가치를 그것의 이윤과 함께 규칙적으로 보상해 준다.[7]

화폐의 유지비만은 공제되어야 한다.

그러므로 화폐는 사회의 유동자본 가운데 그 유지가 사회의 순수입을 조금도 감소시키지 않는 유일한 부분인 셈이다.

화폐는 고정자본과 비슷하다. 그 이유는,

고정자본과 유동자본 가운데 화폐로서 되는 부분은 사회의 수입에 영향을 미치는 점에 관한 한 상호 대단히 큰 유사점을 가지고 있다.

(1) 화폐 저장의 유지비는 총수입의 일부분이지 순수입의 일부분은 아니며,

첫째, 직업상의 기계와 용구 등은 이것들을 처음 설치하는 데도, 그리고 그 뒤에 그것들을 유지하는 데도 일정한 경비를 필요로 하는데, 그 쌍방의 경비는 사회의 순수입의 일부를 이루고 있지만, 그 사회의 순수입에서의 공제비목인 것이며, 그리하여 어떤 나라에서 유통하는 화폐량(stock of money)은 처음에는 그것을 수집하고 그 뒤에는 그것을 유지하는 데 일정한 경비를 필요로 하는데, 이 두 가지 경비도 마찬가지로 사회의 순수입의 일부분을 이루고 있기는 하지만, 그 사회의 순수입에서는 공제된 비목이다. 대단히 비싼 재료, 이를테면 금은의 일정량과 극히 정교한 노동의 일정량은, 직접의 소비를 위해 유보되는 자재, 즉 개인의 생활자료·편의품·오락품을 증대시키기 위해 사용되는 대신에, 위대하지만 비경제적인 상업상의 용구를 유지하기 위하여 사용되며, 사회의 모든 개인은 그 용구를 매개로 하여 각자의 생활자료·편의품·오락품을 각자에게 적당한 비율

7 〔이 문단에서는 자본 또는 재화인 자재는 재화 그 자체와 혼동되어 있다. 자재를 구성하는 재화는 수입이 될 수 있으나, 자재 그 자체는 그렇게 될 수 없다. 자재가 부패하기 쉽고 소비 가능한 재화로서 되어 있더라도, 그 유지는 사회의 노동의 부담이 된다.〕

로써 규칙적으로 분배하고 있다.

(2) 화폐 그 자체는 순수입의 어떤 부분도 형성하지 않기 때문이다.

둘째, 개인 또는 사회의 고정자본을 형성하고 있는 직업상의 기계 및 용구 등이 그 어느 편의 총수입의 일부도 아니며 순수입의 일부도 아니듯이, 그 사회의 총수입을 그 각가지 모든 성원에게 규칙적으로 분배해 주는 수단인 화폐도 그 자체는 결코 그 수입의 일부를 구성하고 있는 것이 아니다. 유통의 이 거대한 수레바퀴는 이것에 의하여 유통되는 재화와는 전혀 다른 것이다. 사회의 수입은 이러한 재화로써만이 구성되는 것이며, 그 재화를 유통시키는 수레바퀴로 되는 것은 아니다. 어떤 사회의 총수입 또는 순수입을 계산할 경우 우리는 언제나 그 화폐 및 재화의 연간 유통 총액에서 화폐의 가치 총액을 차감하지 않으면 안 되며, 화폐는 단 한 파딩farthing이라도 이 총수입과 순수입 가운데 그 어느 것의 일부분도 형성할 수 없다.[8]

용어가 애매하기 때문에 그렇게 보일 뿐인데,

이 명제를 일견 의심스럽거나 또는 모순된 것처럼 보이게 하는 것은 오직 용어의 애매 그것뿐이다. 적당히 설명되고 이해될 때는 그것은 거의 자명하다.

그 까닭은 화폐액은 종종 주화 그 자체를 나타내는 경우에도 사용되는 동시에 구매할 수 있는 재화를 나타내는 데도 사용되기 때문이다.

우리가 어떤 특정한 화폐액에 관하여 말할 때, 우리는 그것을 구성하고 있는 금속 조각만을 의미할 때도 있고, 어떤 때는 그 금액과 교환으로 얻을 수 있는 재화 또는 그 금액을 소유함으로써 갖게 되는 구매력에 대한 막연한 관련을 그 의

8 〔만일 낡은 용어인 "유통(circulation)"을 쓰지 않고 비교적 새로운 용어인 "생산(produce)"을 사용했다면 이하의 설명은 불필요했을 것이다. 모든 화폐를 연간 생산물에 가산하려는 생각을 갖고 있지나 않는가 하고 의심받을 사람은 전혀 있을 리 없기 때문이다.〕

미 속에 포함시키기도 한다. 그리하여 우리들이 잉글랜드의 유통화폐가 1800만 파운드라고 산정되어 있다고 할 때, 우리는 어떤 저자가 이 나라에 유통하고 있다고 산정했거나, 또는 상상했던 금속 조각의 총액을 표현하려는 데 지나지 않는다고 생각한다. 그러나 우리가 어떤 사람은 1000에 50파운드 또는 100파운드의 가치가 있다고 말할 때 보통 우리는 그 사람에게 매년 지불되는 금속 조각의 총액뿐만 아니라, 그가 매년 구매하여 소비할 수 있는 재화의 가치도 표현하려고 한다. 우리는 이리하여 그의 생활정도는 어떠하며, 또는 어느 정도이어야 하는가, 다시 말하면 그가 적당하게 만족할 수 있는 생활필수품 및 사치품의 양과 질은 어느 정도인가를 확인하려고 하는 셈이다.

양자를 함께 가산해서는 안 된다.

특정한 화폐액으로써 우리는 그것을 구성하고 있는 금속 조각의 총액을 표현하려고 할 뿐만 아니라, 그것과 교환으로 얻을 수 있는 재화에 대한 막연한 지표를 포함하려 할 경우에 그것이 표시하는 부 또는 수입은 같은 말로 약간 애매하게 알려져 있는 두 가지 가치 가운데 그 어느 하나하고만 동등할 뿐이다. 그리고 전자보다는 후자와, 그 화폐 자체보다도 화폐의 가치(money's worth)와 더 동등하다.

어떤 사람이 1주에 1기니를 가진다면 그는 1기니의 가치가 나가는 생활자료 등을 향수하고 있는 셈이다.

그러므로 만일 특정 인물이 매주 받는 연금이 1기니guinea라면, 그는 1주일 동안에 그것으로 일정량의 생활자료·편의품·향락품을 구매할 수 있다. 이 양의 대소에 비례하여 그 사람의 실질적 부, 즉 그의 실질적 주당 수입이 많거나 적거나 할 것이다. 그의 주당 수입은 확실히 1기니와 그것으로 구매할 수 있는 것 모두와 동등하지 않으며, 오히려 이 두 가지 동등한 가치의 그 어느 하나와 동등하다. 더 적절히 말하면 전자보다도 후자, 즉 기니화guinea貨 자체보다도 1기니의 가치와 더 동등하다고 하겠다.

그 사람의 실질수입은 그 생활자료 등을 말한다.
비록 그러한 사람의 연금이 금으로 지불되지 않고 1기니의 주간 어음으로 그에게 지불되더라도 그의 수입은 확실히 그 지폐조각보다는 그것으로 그가 얻을 수 있는 것에 있다. 이 1기니는 그 부근의 모든 상인에게 돌려질 일정량의 필수품 및 편의품에 대한 어음이라고 생각하여도 된다. 그것을 지불받는 사람의 수입은 그만큼의 금 조각에 있다기보다, 그것과 교환으로 획득할 수 있는 것, 즉 그것과 교환할 수 있는 물건으로 되어 있다고 하는 것이 적절하다. 만일 그것이 어떤 것과도 교환될 수 없다고 한다면, 그것은 파산자 앞으로 갈 어음처럼 아무 소용없는 지폐조각의 가치밖에 되지 않을 것이다.

이와 같은 사실은 한 나라의 전체 주민에 관하여도 마찬가지다.
어떤 나라의 모든 주민들의 주간 또는 연간 수입도 마찬가지로 화폐로써 지불되어도 좋으며, 또 실제로 가끔 그렇게 지불되고 있지만, 전체 주민의 실질적 부, 즉 그들 전부의 실질적 주간 또는 연간 수입을 하나로 합쳐서 생각한다면, 그 대소는 언제나 그들 모두가 그 화폐로써 구매할 수 있는 소비 가능한 재화의 양의 대소에 비례함이 틀림없다. 그들 모두의 총수입을 하나로 합쳐서 생각하면, 그것이 화폐와 소비 가능한 재화와 쌍방을 합한 것과 같은 것이 아님은 명백하며, 다만 이 두 가지 가치 가운데 그 어느 것이든 한 가지와 같은 것이며, 전자보다 후자와 같다고 하는 것이 더 타당하다 하겠다.
그러므로 우리들이 이따금 어떤 사람의 수입을 해마다 그에게 지불되는 금속 조각으로 표시하더라도, 그 이유는 이러한 금속 조각이 그의 구매력의 크기, 즉 해마다 그가 소비할 수 있는 재화의 가치를 규정하기 때문에 그렇게 하는 것이다. 이 경우에도 우리는 그의 수입은 이 구매력 또는 소비력에 있다고 생각하지, 그 힘을 가지고 있는 쇠붙이 조각에 있다고는 생각하지 않는다.

한 개인에게 해마다 지불되는 주화의 양은 그의 수입과 같다고 할 수 있으나, 어떤

사회에 있어서의 주화의 축적이 그 사회의 총수입과는 결코 같지 않다.

그러나 이 사실이 개인에 관하여 충분히 명백한 것이라면, 그것은 한 사회에 관해서는 더욱 명백하다고 하겠다. 어떤 개인에게 해마다 지분의 금속 조각의 총액은 바로 그 사람의 수입과 똑같을 수 있으며, 이 때문에 그 금액은 그의 수입의 가치를 가장 간단명료하게 표현하고 있다. 그러나 어떤 사회에서 유통하고 있는 금속 조각의 총액은 결코 그 전 성원의 수입과 같을 수 없다. 오늘 어떤 개인의 매주의 연금으로써 지불되는 바로 그 기니화는 내일에는 또 한 사람의 그것에 지불될지도 모르며, 그다음 날에는 제3자의 그것에 지불될지도 모르기 때문에 어떤 나라에서 해마다 유통하고 있는 금속 조각의 총액은, 이것으로 해마다 지불되는 연금의 전체 화폐액보다 훨씬 적은 가치의 것임에 틀림없다. 그러나 그 구매력, 다시 말하면[9] 이러한 전체 화폐 연금이 연속적으로 지불되는 데 따라서 그것으로 구매되는 재화는 항상 이러한 연금과 정확하게 동일 가치임에 틀림없으며, 게다가 이 연금이 지불되는 여러 사람들의 수입과 정확하게 동일 가치일 것도 틀림없다. 그러므로 그 수입은 그 총액이 그 가치보다 훨씬 적은 그러한 금속 조각에 존재할 수는 없으며, 그 구매력, 즉 그 금속 조각이 손에서 손으로 유통하는 동안에 계속 구매될 수 있는 재화에 존재할 수 있다.

그러므로 화폐는 사회의 수입의 어떤 부분도 이루고 있지 않다.

그러므로 유통하는 거대한 수레바퀴이며 상업의 위대한 용구인 화폐는 직업상의 다른 모든 용구와 마찬가지로 자본의 일부, 더구나 극히 중요한 일부이기는 하지만, 이것이 속해 있는 사회의 수입의 어떤 부분을 이루고 있지는 않는 것이다. 그리고 화폐를 구성하고 있는 금속 조각은 그해의 유통과정에서 각자에게 당연히 귀속할 수입을 그 각자에게 분배하지만, 화폐 그 자체는 그 수입의 어떤 부분도 형성하고 있지는 않는 것이다.

9 〔초판에는 "다시 말하면"이 없다.〕

⑶ 화폐량의 유지비를 절약하는 것은 모두 일종의 개선이기 때문이다.

셋째, 그리고 마지막으로, 고정자본을 구성하는 기계 및 직업상의 용구 등은 다음의 점에서도 유동자본의 화폐 부분과 유사한 데가 있다. 즉 그러한 기계를 설치하고 유지하는 경비를 노동의 생산력을 감소시키지 않으면서 절약한다는 것은 모두가 사회의 순수입에 관한 일종의 개선이듯이, 유동자본 중의 화폐 부분을 수집하고 유지하는 경비를 절약하는 것도 모두가 동일한 종류의 개선이다.

고정자본 유지비의 모든 절약이 어떻게 해서 그 사회의 순수입에 관한 일종의 개선이 되는가 하는 문제는 너무나 명백한 사실이며, 어느 정도까지는 이미 설명한 셈이다. 모든 사업가의 총자본은 반드시 고정자본과 유동자본으로 분할된다. 그의 총자본이 일정할 경우 한쪽이 적으면 또 한쪽은 그만큼 많아야 한다. 재료와 노동의 임금을 제공해 주고, 산업을 활동시키는 것은 유동자본이다. 그러므로 노동의 생산력을 감소시키지 않는 고정자본의 유지비의 모든 절약은 근로를 활동시키는 기금(Fund)을 증가시키며, 토지 및 노동의 연간 생산물, 즉 모든 사회의 실질적 수입을 증가시키지 않으면 안 된다.

금화를 지폐로 대용하는 것은 하나의 개선이다.

금은화폐 대신에 지폐를 대용하는 것은 비싸게 먹히는 상업의 용구를 훨씬 싸게 먹히게 하면서 때로는 동등하게 편리한 용구로서 대치하는 것이다. 유통은 새로운 수레바퀴, 즉 옛날의 수레바퀴보다는 건조하고 유지하는 데도 경비가 적게 드는 수레바퀴에 의하여 행해지게 되었다. 그러나 이러한 작용이 어떻게 해서 실행되며, 또 그것은 어떻게 해서 그 사회의 총수입 아니면 순수익을 증가시키는 경향이 있는가 하는 것은 전혀 그렇게 명백하지는 않으므로 좀 더 설명이 필요할 것이다.

은행권은 가장 좋은 지폐이다.

지폐에는 몇 가지 다른 종류가 있지만 은행 및 은행가의 유통어음(circulating

notes)은 가장 잘 알려진 종류이며, 이러한 설명을 위해서는 가장 적당한 것이라고 생각된다.

어떤 특정 국가의 인민이 어떤 은행가의 재산, 성실 및 신원에 대하여 상당한 신뢰를 갖고 있고 그 은행가는 자기의 약속어음이 언제 제시되더라도 반드시 그 요구에 응하여 지불할 준비가 돼 있다는 것이 믿어질 때, 그러한 어음은 항상 그 어음과 교환으로 금은화폐를 얻을 수 있다는 신뢰 때문에 금은화와 똑같은 통용력(currency)을 갖게 된다.

어떤 은행가가 10만 파운드를 어음으로 보유하여 수중에는 2만 파운드의 금은화밖에 보유하고 있지 않는다면, 8만 파운드의 금은화가 유통계에서 절약되는 셈이다.

어떤 특정의 은행가가 자기의 고객들 사이에 가지의 약속어음을 20만 파운드를 한도로 대출한다고 가정하자. 이러한 어음은 화폐의 모든 목적에 소용이 닿는 것이므로, 그의 채무자들은 그가 그것과 같은 금액의 화폐를 그들에게 대출했을 때와 같은 이자를 그에게 지불한다. 이 이자는 그의 이득의 원천이다. 그리고 이 어음의 어떤 부분은 지불을 위하여 끊임없이 그에게 되돌아오지마는 그 나머지 부분은 몇 달이라도 몇 년이라도 계속 유통하고 있다. 그러므로 그는 일반적으로 10만 파운드를 한도로 하여 어음을 유통시키고 있지마는, 금은화로서는 2만 파운드만 있으면, 그 수시의 요구에 응할 수 있는 충분한 준비가 될 수도 흔히 있다. 따라서 이러한 조작에 의하여 금은화 2만 파운드는 이런 작용이 없을 경우 10만 파운드가 아니면 할 수 없을 모든 기능을 다하는 것이다. 즉 10만 파운드의 가치가 나가는 은행가의 약속어음에 의하여 마치 이것과 등가의 금은화폐에 의한 것과 동일한 교환이 행해질 수 있고, 그것과 동량의 소비재화가 유통되어 그 적당한 소비자들에게 분배될 것이다. 따라서 8만 파운드의 금은화는 이렇게 하여 그 나라의 유통계에서 절약될 수 있다. 그리도 만일 이와 동시에 수많은 은행 및 은행가에 의하여 같은 종류의 여러 가지 조작이 실행된다면 전체 유통은 그렇지 않을 경우에 필요한 금은화의 5분의 1로써 처리될 수 있을 것이다.

그리고 만일 많은 은행가가 같은 행동을 한다면 이전에 유통하고 있었던 금은화의 5분의 4가 외국으로 보내질 수 있을 것이다.

예를 들어 어떤 특정국의 유통화폐의 총액이 어느 특정 시기에 영화 100만 파운드에 달하고 그 금액은 그 당시에 그들의 토지 및 노력의 연간 총생산물을 유통시키기에 충분한 것이라고 가정하자. 또한 그 후 얼마 동안이 지난 뒤에 여러 은행 및 은행가가 100만 파운드를 한도로 지참인지불의 약속어음을 발행하여 수시의 요구에 응하기 위해서 그들의 별개의 금고에 20만 파운드를 준비해 둔다고 가정하자. 그러면 금은화 80만 파운드와 은행권(bank notes) 100만 파운드, 즉 180만 파운드의 지폐와 화폐가 유통계에 머물게 될 것이다. 그런데 그 나라의 토지 및 노동의 연간 생산물을 유통시키고 그의 정당한 소비자에게 분배하는 데는 이전에는 100만 파운드밖에 필요하지 않았으면 더구나 그 연간 생산물은 은행의 이러한 조작에 의하여 즉각적으로 증대되는 것은 아니다. 그러므로 이러한 조작이 이루어진 뒤에도 그것을 유통시키는 데는 100만 파운드로 충분할 것이다. 매매되는 재화는 이전과 정확하게 같으므로 그 재화를 매매하는 데도 동량의 화폐로써 충분할 것이다. 유통의 경로(channel)라고 하는 말을 써도 좋다면, 이 유통은 이전과 똑같을 것이다. 이 경로를 채우는 데는 100만 파운드로써 충분하다고 우리는 가정했다. 따라서 이 경로에 그 이상의 금액이 흘러들어가면 초과분은 그 경로를 흘러갈 수 없고, 넘쳐흘러 버리게 된다. 그런데 현재 180만 파운드가 그곳에 흘러들어 가게 된다. 그리하여 80만 파운드는 그 나라의 유통계에서 사용될 수 있는 금액을 초과함으로써 넘쳐흐르지 않을 수 없다. 그러나 이 금액이 국내에서는 사용될 수 없지마는 그렇다고 해서 유휴 상태로 버려두기에는 너무나 귀중한 것이다. 그리하여 그것은 국내에서는 발견할 수 없는 유리한 용도를 찾기 위하여 외국에 보내질 것이다. 그런데 지폐는 외국에 갈 수 없다. 왜냐하면 그것을 발행한 은행에서, 그리고 그 지불을 법률로써 강제할 수 있는 국가에서 멀리 떨어져 있는 곳에서는 그것은 보통의 지불에 있어서 수수授受되지 않을 것이기 때문이다. 따라서 80만 파운드에 달하는 금은화가 해외에 보내질 것이며, 그리하여 국내 유통의 수로는 이전에 그것을 채워 왔던 100만 파운드의 금속 대신에 100만 파운드의 지폐로써 계속 채워질 것이다.

그리고 재화와 교환된다.

그러나 그렇게 많은 양의 금은화가 이렇게 하여 외국으로 보내진다 하더라도 우리는 그것이 무상으로 외국에 보내진다거나, 또는 그 소유자들이 그것을 외국 국민들에게 증정한다고 상상해서는 안 된다. 그들은 그것을 어떠한 종류의 것이든, 외국 재화와 교환하여, 그 재화를 다른 외국의 소비 또는 자국의 소비를 충족하는 데 사용할 것이다.

즉 그것은 다른 나라의 소비를 충족시키기 위하여 교환되기도 하는데, 이 경우에는 그 이윤은 자국의 순수입의 추가분이 되는 것이다.

만일 그들이 그것을 사용하여 어떤 외국에서 재화를 구매하여 그것으로써 또 다른 외국의 소비를 충족한다면, 즉 만일 그들이 소위 중계무역(carrying trade)에 그것을 사용한다면, 그들이 얻게 되는 이윤은 그들 자국의 순수입에 대한 추가분이 될 것이다. 그것은 어떤 새로운 사업을 운영하기 위하여 창설된 일종의 새 기금과 같은 것인 바, 이는 국내사업이 지폐로써 거래되고 있으며, 금은화는 이러한 새 사업의 기금으로 전용되는 것이다.

또는 (1)사치품, (2)근면한 사람들이 부양되고 사용하는 재화와 도구 및 식료품의 국내소비를 충족하기 위하여 교환된다.

만일 그들이 그것을 사용하여 국내소비를 위한 외국 재화를 구매한다면 첫째, 외국 포도주, 외국제 편직물 등과 같이 아무것도 생산하지 않는 게으른 사람들에 의하여 소비되기 마련인 재화를 구매하거나 또는 둘째, 그 연간 소비의 가치를 이윤과 함께 재생산하는 근면한 사람들을 이전보다 더 많이 부양하는 데 사용하기 위하여 더 많은 양의 재료·도구·식료품을 구매할 것이다.

만일 그것이 사치품을 충족하기 위해 사용되면 낭비와 소비가 증가한다.

그것이 첫째 방법으로 사용되는 한, 그것은 생산을 증대시키거나, 또는 그 경비를 유지하기 위한 항구적인 기금을 확립함이 없이 낭비를 촉진하고 소비를 증대시키는 것이며, 따라서 이는 어느 면으로 보나 사회에 유해하다.

만일 그것이 재료 등을 충족시키기 위하여 사용된다면 소비를 유지하기 위한 항구적인 기금이 마련된다.

그것이 둘째 방법으로 사용되는 한, 그것은 근면을 촉진한다. 즉 비록 그것이 사회의 소비를 증가시키더라도 그것은 그 소비를 유지하기 위한 항구적 기금을 마련하고 있는 것이며, 소비하는 사람들은 그들의 연간 소비의 총가치를 이윤과 함께 재생산하고 있다. 그 사회의 총수입, 즉 그들의 토지 및 노동의 연간 생산물은 이러한 직공들의 노동이 그들의 사용하는 재료에 새로 부가하는 총가치만큼 증가하며, 또한 그들의 순수입은 그들의 도구와 직업상 용구를 유지하기 위하여 필요한 것을 이 가치에서 차인差引하고 남은 금액만큼 증가하는 것이다.

외국에 보내지는 금은화의 대부분은 재료 등을 구입한다.

은행업의 이러한 조작에 의하여 억지로 해외에 보내져서 국내소비를 위한 외국재화를 구매하는 데 사용되는 금은화의 대부분이 이 두 번째 동류의 재화의 구매에 현재 사용되고 있으며, 그렇게 사용되지 않을 수 없다는 것은 확실할 뿐만 아니라 거의 불가피하다고 생각된다. 어떤 특수한 사람들은 자신들 수입이 전혀 증가하지 않는데도 그들의 지출을 증가시킬 때도 때로는 있지만, 그러나 우리는 어떤 계급의 사람들 모두가 다 반드시 그렇게 하지는 않는다고 확신해도 좋다. 왜냐하면 보통의 사리분별의 원칙은 이 모든 개인의 행동을 반드시 지배한다고는 할 수 없지만, 이 원칙은 언제나 모든 계급의 대다수 사람들의 행동에 영향을 미치고 있기 때문이다. 그런데 하나의 계급으로서 생각하는 경우의 게으른 사람들의 수입은 이상과 같은 은행업의 조작에 의하여도 최소한도의 증가도 될 수 없다. 그러므로 비록 그들 가운데 몇 사람의 지출은 증가될지 모르며, 또 실제로 종종 증가되고는 있지만 그들의 지출총액이 이들의 조작에 의하여 크게 증가될 수는 없다. 따라서 외국 재화에 대한 게으른 사람들의 수요는 이전과 동일 또는 거의 동일하므로 은행업의 이러한 조작에 의하여 억지로 해외에 보내져서 국내소비를 위한 외국 재화의 구매에 사용되는 화폐 가운데 극히 작은 부분만이 그들의 사용을 위한 외국 재화의 구매에 사용될 것 같다. 그의 대부분은 자연, 근로를 사용하기 위한 것이지 나태를 유지하는 데 쓰이도록 되지는 않을 것이다.

유동자본이 사용할 수 있는 근로의 양은 식료품재료 및 완제품에 의하여 결정되는 것이며, 결코 화폐의 양에 의하여 결정되는 것은 아니다.

우리들이 어떠한 사회의 유동자본이 사용할 수 있는 근로의 양을 산정할 때 우리는 유동자본 가운데서 식료품·재료·완제품으로 되어 있는 부분만을 생각해야 하는 것이며, 화폐로 되어 있는 나머지 부분, 즉 이상의 세 가지를 유통시키는 데만 사용되는 부분은 공제되어야 한다. 근로를 활용시키기 위하여 세 가지 필요한 것이 있으니, 즉 가공될 재료, 작업할 도구 및 임금 또는 작업이 행해지는 것에 대한 보수가 곧 그것이다. 화폐는 가공될 재료도 아니요, 가지고 일할 도구도 아니며, 또한 비록 직업의 임금이 보통 화폐로써 지불되지만 그의 실질적 수입은 모든 다른 사람들의 그것과 마찬가지로 화폐에 있는 것이 아니고 그 화폐의 가치에 있는 것이니, 그 쇠붙이 조각에 있는 것이 아니라, 그것으로써 얻을 수 있는 것에 있다.

어떤 자본이 사용할 수 있는 노동의 양은 그 자본이 재료와 도구 및 작업의 성질에 적합한 생활자료를 공급할 수 있는 직공의 수와 같은 것임에 틀림없다. 원료와 작업할 도구와 직공의 생활자료를 구매하는 데는 화폐가 필요하다. 그러나 전全 자본이 사용할 수 있는 근로의 양은 재료와 도구 및 생활자료를 구매하는 화폐와 이 화폐로써 구매되는 재료와 도구 및 생활자료의 쌍방과 동등한 것이 아니고, 이 두 가지 가치 가운데 어느 한 가지와 같은 것이며, 전자보다 주로 후자와 동등하다고 함이 더 마땅하겠다.

금은화 대신에 지폐를 대용하면 그만큼 금은화는 감소하고 그 대신에 재료·도구·생활자료가 증가된다.

금은화 대신에 지폐가 사용되면 전체 유동자본이 공급할 수 있는 재료·도구·생활자료의 양은 이것을 구매하는 데 종래 사용되곤 했던 금은화의 총가치만큼 증가될 것이다. 유통과 분배하는 대차륜大車輪(거대한 수레바퀴)의 총가치는 그 거대한 수레바퀴에 의하여 유통되고 분배되는 재화에 부가된다. 이러한 조작은 기계학상 약간의 진보의 결과로서 자기의 구식 기계를 치워 버리고 신구 두 기계 가격의 차액을 자기의 유동자본, 즉 자기가 자기의 직공에게 재료를 공급하고 임금을 지불하는 기금에 부가하는 어떤 큰 상업의 기업가의 조작과 어느 정도 비슷하다.

화폐의 양은 총생산물에 대해서는 작은 비율을 차지하고 있으나, 근로의 유지를 위해 예정된 그 부분에 대하여는 큰 비율을 차지하고 있다.

어떤 나라의 유통화폐가 이것에 의하여 유통되는 연간 생산물의 총가치에 대하여 어떤 비율을 차지하고 있는가를 결정하는 것은 아마 불가능할 것이다. 그것은 저술자에 따라서는 그 가치의 5분의 1, 10분의 1, 20분의 1, 30분의 1이라고 산정되어 왔다.[10] 그러나 유통화폐가 연간 생산물의 총가치에 대하여 차지하는

10 〔《Verbum Sapienti》에서의 페티Petty의 계산은 소득 4000만 파운드에 대해서 주화 600만 파운드로 하고 있다. 조지 찰머스George Chalmers, 《Estimate》(1802)의 423, 427면에서의 그레고리 킹의 계산은 소득 4350만 파운드에 대해서 주화 2150만 파운드 정도로 이하는 아니라고 되어 있다.〕

비율이 아무리 작더라도, 근로를 유지하기 위하여 예정된 것은 그 생산물의 일부에 지나지 않으며, 극히 작은 부분에 지나지 않을 때도 흔히 있으므로, 이 부분에 대한 유통화폐는 항상 상당히 큰 비율을 차지하고 있음이 틀림없다. 그러므로 지폐의 대용에 의하여 유통에 필요한 금은화가 만일 이전의 양의 5분의 1로 감소되어서, 나머지 5분의 4의 대부분의 가치가 근로를 유지하기 위해 예정되는 기금에 부가된다면, 그것은 그 근로의 양에 대하여, 따라서 토지 및 노동의 연간 생산물의 가치에 대하여 상당히 많은 추가분이 될 것이 틀림없다.

이런 종류의 조작은 스코틀랜드에서 실행되어 놀라운 효과를 거두었다.

이런 종류의 조작은 거의 모든 대도시와 그리고 몇몇의 농촌 마을에서까지도 새로운 은행업 회사를 설립함으로써 지난 25년 내지 30년 동안에 스코틀랜드에서 실현되었다. 그 효과는 상술한 바와 똑같았다. 그 나라의 상거래는 거의 모두가 이러한 각가지 은행업 회사의 지폐를 매개로 하여 행해지고, 모든 종류의 매매는 일반적으로 지폐로써 이루어지고 있다. 은화는 20실링의 은행권의 거스름에 사용되는 이외에는 거의 보이지 않으며, 금화는 더욱더 드물다. 그러나 모든 이들 여러 회사의 행동이 나무랄 데가 없었던 것은 아니었고, 따라서 그것을 규제하기 위하여 의회의 법령을 필요로 했지만, 그럼에도 불구하고 그 나라가[11] 그들 회사의 영업에 의하여 많은 이익을 올렸던 것은 명백하다. 내가 확실히 들은 바에 의하면, 글래스고시의 상업은 그곳에 처음으로 여러 은행들이 설립된 이래 약 15년 동안에 두 배나 됐다고 한다. 그리고 스코틀랜드의 상업은 에든버러에 처음으로 두 개의 공립은행(public bank)이 설립된 이래 네 배나 되었다는 것이며, 그중의 하는 1695년 의회의 법령에 의하여 설립되었던 스코틀랜드 은행(The Royal Bank)이라고 불리는 것으로서 1727년 칙허장에 의하여 설립된 것이다.[12] 스코틀랜드의 전반의 상업이나 또는 특히 글래스고시의 그것이 이 짧은 기

11 〔제5판에서 "contrary"라고 오식되어 있다.〕

12 〔아담 앤더슨Adam Anderson, 《Commerce》(1695).〕

간에 실제로 그렇게 큰 비율로 증가됐는지 아닌지는 내가 알 바는 아니다. 만일 그 양자 중 어느 것이 이러한 비율로 증가되었다 하더라도, 그 비율은 이 원인만의 작용에 그 탓을 돌리기에는 너무나 큰 결과인 것 같다. 그러나 스코틀랜드의 상업과 공업이 이 시기에 상당히 많이 증진했으며, 더구나 여러 은행들이 이러한 증진에 적지 않게 이바지했다는 것은 의심할 여지가 없는 것이다.

합방 당시에는 금은화가 적어도 영화 100만 파운드는 있었는데, 현재는 영화 50만 파운드도 되지 않는다.

합방 이전인 1707년에 스코틀랜드에서 유통했고, 그 직후에 개주를 위하여 스코틀랜드 은행에 보내진 은화의 가치는 영화 41만 1117파운드 10실링 9펜스였다. 금화에 관해서는 기록을 얻을 수 없었지만, 그러나 스코틀랜드의 조폐국의 옛 기록에 나타나 있는 것으로는 해마다 주조된 금의 가치는 은의 가치보다 약간 더 많았던 것 같다.[13] 그 당시 돌려받을 수 없으리라는 불안에서 그들의 은화를 스코틀랜드 은행에 가지고 가지 않은 사람도 상당히 많았으며, 그 밖에 회수되지 않았던 잉글랜드의 주화도 약간 있었다.[14] 그러므로 합방 이전에 스코틀랜드에서 유통하고 있었던 은화의 총가치는 영화 100만 파운드 이하라고는 볼 수 없다. 이것은 이 나라의 통화의 거의 전부를 이루고 있었던 것 같다. 왜냐하면 그 당시에 경쟁자를 전혀 갖고 있지 않았던 스코틀랜드 은행의 은행권의 유통액은 상당히 많았지만, 전체에 비하면 극히 작은 부분에 지나지 않았던 것으로 생각되기 때문이다. 오늘날 스코틀랜드의 전全 통화는 200만 파운드 이하로 평가

13 《Anderson's Diplomate &c. Scotiæ》에 붙인 러디만Ruddiman의 서문을 보라. 〔84~85면을 보라.〕

14 〔"당시 몇 사람의 구두쇠의 어리석음 때문에, 또는 사람들이 자신들의 화폐를 잃게 되지나 않을까 하는 두려움이라든지, 또는 기타 여러 가지 위험과 재난에 대한 두려움 때문에 낡은 스코틀랜드의 주화의 매우 많은 양이 들어오지 않았다." 상게서上揭書 175면. 러디만은 상게서의 231면 주에서 "잉글랜드의 주화도 역시 회수하도록 되었다"라고 하고 있으나 그는 그것을 적어도 90만 파운드라고 하는 그의 평가에 포함시키지는 않고 있다. 전게서 176면.〕

될 수 없는데, 그 가운데 금화와 은화로 되어 있는 부분은 겨우 50만 파운드도 되지 않는다는 것은 거의 확실하다. 그러나 스코틀랜드의 유통되는 금은화가 이 기간에 그렇게 많이 감축되었는데도, 이 나라의 실질적 부와 번영은 조금도 감소되지 않았던 것 같다. 반대로 이 나라의 농업·제조업·상업, 즉 토지 및 노동의 연간 생산물은 명백히 증가되었던 것이다.

은행권은 보통 어음의 할인에 의하여 발행된다.

대부분의 은행 또는 은행가가 그 약속어음을 발행하는 것은 주로 환어음을 할인함으로써, 다시 말하면 환어음이 만기가 되기 전에 화폐를 선대하는 것에 의하여 이루어진다. 그들은 그 선대하는 금액이 얼마가 되든지 간에 그 금액에 대하여 환어음이 만기가 될 때까지의 합법이자를 반드시 공제한다. 만기가 되어서 어음이 지불되면, 선대되었던 것의 가치는 이자라고 하는 순이윤과 함께 은행에 회수된다. 은행가가 상인의 어음을 할인하여 선대해 줄 경우에 그것을 금은화로써 하지 않고 자기 자신의 약속어음으로써 할 때는, 그는 그의 경험상 보통 유통하고 있다고 생각하는 자기의 약속어음의 총가치만큼 많이 할인할 수 있는 이익을 가지고 있다. 즉 그는 그렇게 함으로써 그만큼 많은 금액에 대한 이자인 순이득을 볼 수 있게 되는 것이다.

스코틀랜드 은행은 캐시 어카운트(현금계정)라는 제도를 발명했다.

스코틀랜드의 상업은 현재도 그렇게 성대하지는 않으나 최초로 두 개의 은행업 회사가 설립되었을 당시에는 더욱더 보잘것없었으며, 또한 이 두 회사의 업무가 환어음의 할인만으로 국한되었더라면 그들의 거래는 더욱더 적었을 것이다. 그리하여 그들은 자신들의 약속어음을 발행하는 또 한 가지의 딴 방법을 발명한 것이니, 즉 그들이 소위 현금계정(cash accounts)이라고 하는 것을 허여許與하는 방법을 말하는데, 이는 어떠한 개인이라도 확실한 신용과 상당한 토지재산을 가지고 있는 두 사람의 보증인을 통해서 신용대출이 이루어지는 한도 내에서라면 어떠한 금액이 선대되더라도 요구할 때는 언제나 합법이자와 함께 변제한다는 것을 보증받을 수 있을 때, 이들 회사는 한 개인에게 일정 금액(이를테면 2000파운드 또는 3000파운드)의 한도 내에서 신용대출을 해 준다는 것이다. 이러한 종류의 신용은 세계의 모든 여러 지방의 은행과 은행가들에 의하여 허여되고 있다고 나는 믿고 있다. 그러나 스코틀랜드의 은행업 회사가 용인하는 간편한 상환조건은 내가 알고 있는 한 그들에게 특유한 것이며, 아마 이것이 이 두 회사의 거래액이 크다는 것과 그 나라가 이러한 거래에서 얻은 이익이 크다는 두 가지 사실의 주요한 원인이었을 것이다.

이러한 제도가 있기 때문에 이러한 회사는 쉽게 어음을 발행할 수 있다.

어떠한 사람이라도 이들 회사 중의 하나로부터 이런 종류의 신용을 얻어, 이를테면 1000파운드를 빌린다면 이 금액을 한 번에 20파운드 또는 30파운드라는 푼돈으로 상환할 수 있으며, 또한 그 회사는 이런 소액의 지불이 있을 때마다 그 소액에 상당하는 부분에 대한 불입 당일 이후의 이자를 그 금액에 대한 이자에서 차츰 공제해 가는 것이며, 이렇게 하여 마침내 전액이 상환된다. 그러므로 모든 상인과 거의 모든 사업가는 이러한 회사와 현금계정을 가지는 것이 편리하다는 것을 알게 되고, 그렇게 함으로써 그들은 이러한 회사의 거래가 촉진되는 것에 흥미를 가지고 모든 지불에 있어서 그런 회사의 어음을 쉽사리 받아들이며, 그들이 어떤 영향을 미칠 수 있는 사람들에게 그와 같이 하도록 장려하는 것도 이 때문인 것이다. 은행은 그의 고객들로부터 화폐차용의 신청을 받을 때, 일반적으로 그들에게 은행의 약속어음으로써 그것을 전대해 주는 것이 보통이다. 상인들은 이것을 재화의 대금으로서 제조업자들에게 지불하고 제조업자는 재료와 식료품과 교환으로 농업경영자에게 지불하고, 농업경영자는 자기의 지주에게 지대로서 지불하고, 지주는 자기에게 공급되는 편의품과 사치품의 대금으로서 상인에게 이것을 다시 지불한다. 그러면 그 상인은 자기의 현금계정을 결제하기 위하여, 환언하면 자기가 은행에서 빌렸던 것을 상환하기 위하여 다시 그것을 은행에 돌려주며, 이리하여 이 나라의 화폐거래의 거의 전부가 이 어음에 의하여 행해지는 것이다. 이러한 은행업 회사의 거래액이 큰 것도 이 때문이라 하겠다.

모든 상인은 이렇지 않을 경우에 할 수 있는 것보다 더욱 큰 상업을 할 수 있다. 모든 상인은 이들 현금계정에 의하여 이렇지 않을 경우 할 수 있었던 것보다 더 큰 상업을 무리없이 할 수 있다. 만일 두 사람의 상인이 한 사람은 런던에서, 또 한 사람은 에든버러에서 동일 부문의 사업에 같은 금액의 자본을 사용한다면, 에든버러의 상인은 무리하지 않고, 런던의 상인보다 더 다액의 거래를 할 수 있으며 더 많은 사람들을 고용할 수가 있다. 런던의 상인은 자기가 신용을 기초로 하여 구매하는 재화에 대하여 끊임없이 청구받는 지불에 응하기 위하여 자기 자신의 금고, 아니면 자기의 예금에 대한 이자를 조금도 지불해 주지 않는 거래 은행가의 금고에 상당히 거액의 화폐를 항상 보유하고 있지 않으면 안 된다. 이 금액의 통상액을 500파운드라고 가정하자. 그의 창고에 있는 재화의 가치는 그가 이만큼의 금액을 억지로 쓰지 않고 준비해 둘 필요가 없을 경우보다 500파운드만큼 적을 것이 틀림없다. 그리고 그는 자기 수중에 있는 전全 재고품(stock)을, 즉 수중의 전 재고품의 가치에 해당하는 재화를 대체로 1년에 1회 처분한다고 가정하자. 그러면 그는 그렇게 많은 금액을 쓰지 않고 갖고 있지 않으면 안 되므로 이렇지 않을 경우에 비하여 1년에 500파운드만큼 더 적은 가치의 재화를 판매할 수밖에 없다. 그의 연간 이윤은 500파운드나 더 많은 재화의 판매에서 얻을 수 있었을 이윤만큼 적지 않을 수 없으며, 그의 재화를 시장에 내기 위하여 조제하는 데 사용되는 사람의 수도 500파운드나 더 사용되었을 때 쓰일 수 있었을 사람 수만큼 적지 않을 수 없는 것이다. 그 반면 에든버러의 상인은 이러한 수시의 요구에 응하기 위해 화폐를 놀려 두지는 않는다. 이러한 청구가 실제로 오면, 그는 은행에 가지고 있는 그의 현금계정에서 그 요구를 충족시키며, 그리고 그의 재화의 수시의 판매에서 들어오는 화폐 또는 지폐로서 이 빈

금액을 점차 갚아 간다. 그러므로 같은 자본을 가지고서도 그는 아무런 무리 없이 그의 창고에는 언제나 런던의 상인보다 더 많은 양의 재화를 가질 수 있으며, 이렇게 함으로써 자기 자신은 더 많은 이윤을 볼 수 있으며, 나아가서는 시장에 내어가기 위해 이러한 재화를 마련하는 더 많은 근면한 사람에게 일정한 직업을 줄 수 있다. 이 나라가 이러한 거래에서 얻었던 이익이 크다는 것도 바로 이 때문이다.

스코틀랜드의 은행들도 물론 필요에 따라서 어음의 할인을 할 수 있다.
환어음의 할인이라는 편의가 스코틀랜드의 상인의 현금계정과 같은 편의를 잉글랜드 상인에게도 주고 있다고 생각할지도 모른다. 그러나 기억해 두어야 할 것은 스코틀랜드의 상인도 잉글랜드의 상인과 마찬가지로 간편하게 자신들의 환어음을 할인할 수 있다는 것이며, 더욱이 그들에게는 현금계정이라고 하는 추가적인 편의가 있다는 것이다.

지폐의 총액은 이것이 없었을 경우 필요했을 금은화의 금액을 초과할 수는 없다.
어떤 국가에서 쉽게 유통할 수 있는 모든 종류의 지폐의 총액은 이것이 대신하고 있는 금은화의 가치, 다시 말하면 (상거래가 동일하다고 하면) 지폐가 전혀 없을 경우에 그곳에 유통할 금은화의 가치를 결코 초과할 수 없다. 예를 들어 만일 스코틀랜드에서 유통하는 최저액의 지폐가 20실링이라고 하면, 이곳에서 쉽게 유통할 수 있는 통화의 금액은 이 나라에서 일상 거래되고 있는 20실링 내지는 그 이상의 가치의 연간 거래를 결제하는 데 소요될 금은화의 금액을 초과할 수는 없다. 어떤 시기에 유통지폐가 이 금액을 초과한다면 이 초과분은 외국으로 보내질 수도 없으며, 그 나라의 유통에서도 쓰일 수 없으므로, 그것은 곧 금은화와 태환兌換되기 위하여 은행에 돌아가지 않을 수 없다. 많은 사람들은 자신들이 국내에서 거래를 하는 데 필요한 것보다 더 많은 지폐를 가지고 있다는 것을 직감하게 될 것이며, 더구나 그들은 그것을 외국에 보낼 수 없으므로 은행에다 곧 그 지불을 요구할 것이다. 이러한 여분의 지폐가 금은으로 바뀌면 그들은 그것을 외국에 보내어 쉽사리 그 용도를 찾아낼 수 있을 것이지만, 오늘은 그것이 지폐의 형태로 되어 있는 한 아무런 용도도 찾을 수 없기 때문이다. 그러므로 이 여분의 지폐의 전액이 곧 은행에 쇄도할 것이며, 더욱이 은행이 지불에 약간의 곤란성 또는 지체를 보인다면, 더 많은 액수가 태환을 요구하여 쇄도할 것이다. 왜냐하면 이런 일이 일으키는 경악은 반드시 태환을 위한 쇄도를 증가시킬 것이기 때문이다.

은행 특유의 경비는 은행권을 상환하는 데 필요한 화폐의 저량貯量을 (1) 유지하고 (2)보완하기 위한 경비이다.

모든 사업에 공통된 경비, 이를테면 가대家貸의 비용, 사용인과 사무원, 회계원 등의 임금과 같은 경비를 초과하고, 그 이상으로 드는 은행 특유의 경비는 주로 다음 두 개로 되어 있다. 즉 첫째는 은행권 소지인의 수시적인 청구에 응하기 위하여 항상 그 금고에 다액의 화폐를 보유하는 데 드는 경비이며, 이 경우 은행은 이 부분의 화폐에 관한 이자를 손해 본다. 둘째는 이러한 수시의 청구에 응함으로써 금고가 비게 되면 그때마다 그것을 보충하는 데 드는 경비이다.

지폐를 과도하게 발행하는 은행은 이 제1의 경비가 증가하고,

어떤 은행업 회사가 그 나라의 유통계에서 사용하고 남음이 있을 만큼의 지폐를 발행하여, 그 초과분이 지불을 청구하여 끊임없이 그 회사에 복귀하는 경우에 이러한 은행업 회사는 항상 그 금고에 보유하고 있는 금액의 양을 그 초과분이 증가하는 비례에 비례해서뿐만 아니라, 그 이상의 비율로써 증가시키지 않으면 안 된다. 즉 은행권은 그 양이 초과하는 비율보다도 훨씬 급속하게 은행업 회사에 복귀하기 때문이다. 그러므로 이러한 회사는 이 제1항목의 경비를 자신들 업무의 확장상 부득이한 증가에 비례해서뿐만 아니라, 오히려 그보다 훨씬 큰 비율로 증가시키지 않으면 안 된다.

그리고 제2의 경비도 크게 증가시킬 것이다.

뿐만 아니라 이러한 회사의 금고는 그 업무가 현재보다 더 합리적인 범위에 국한되어 있을 때보다 훨씬 더 충분히 채워져 있어야 할 것이지만 훨씬 더 급속하게 비워지지 않을 수 없으며, 따라서 그것을 보충하기 위해서는 경비의 지출을 보다 더 심하게 할 뿐만 아니라, 보다 더 끊임없고 부단하게 하지 않으면 안 되는 것이다. 게다가 이와 같이 회사의 금고에서 부단히 극히 다량으로 인출되는 주화는 그 나라의 유통계에서 사용될 수 없는 것이다. 이 주화는 그 나라의 유통계에서 사용될 수 있는 금액 이상의 지폐 대신에 나오는 것이며, 따라서 그 자체도 그곳에서 사용될 수 있는 금액을 넘는 것이다. 그러나 그 주화는 놀려 둘 수는 없게 될 것이므로 국내에서는 찾을 수 없는 유리한 용도를 찾기 위하여 여러 가지 형태로서 해외로 보내지 않을 수 없을 것이며, 또한 이 금은화의 부단한 수출은 그렇게 신속하게 비워지는 금고를 보충하기 위하여 새로운 금은화를 발견하는 데 있어서 곤란을 증대시킴으로써 은행의 경비를 훨씬 더 증가시키지 않을 수 없다. 이리하여 이러한 회사는 그 업무의 이러한 부득이한 증가에 비례하여 제2항목의 경비를 제1항목의 것보다 훨씬 더 증가시키지 않으면 안 되는 것이다.

이는 하나의 예로써 밝혀질 것이다.

그 나라의 유통계가 쉽게 흡수하여 사용할 수 있는 어떤 특정 은행의 지폐 총액이 정확하게 4만 파운드라고 가정하고 수시의 청구에 응하기 위하여 그 은행은 항상 그 금고 속에 1만 파운드의 금은화를 보유하지 않으면 안 된다고 하자. 만일 이 은행이 4만 4000파운드를 유통시키려고 한다면, 그 유통계가 쉽게 흡수하여 사용할 수 있는 금액을 초과하는 4000파운드는 겨우 발행과 동시에 곧 은행에 복귀할 것이다. 그러므로 이 은행이 수시의 청구에 응하기 위하여 항상 금고에 보유해야 할 금액은 1만 파운드가 아닌 1만 4000파운드가 될 것이다. 이리하여 그 은행은 4000파운드의 초과유통고의 이자로는 아무런 이득도 보지 못할 것이고, 더구나 그 금고에 들어오자마자 계속 그곳에서 인출되어 버린

4000파운드의 금은화를 끊임없이 수집하는 전체 경비만큼을 손해 볼 것이다.

은행이 이러한 사실을 이해하지 못했을 때도 있는데,

모든 특정된 은행업 회사가 항상 그 자신의 특정된 이익을 이해하고 주의를 게을리하지 않았다면, 유통계는 지폐의 공급과잉이 결코 될 수 없었을 것이다. 그러나 모든 개개의 은행업 회사가 반드시 각자의 이익을 이해하고 또 그것에 대하여 주의를 기울였다고는 할 수 없기 때문에, 유통계는 흔히 지폐의 공급과잉 상태에 빠지곤 했다.

예를 들면 잉글랜드 은행이 그러했고,

너무 다액의 지폐를 발행하여 그 초과분이 금은화와 태환되기 위하여 끊임없이 되돌아 왔으므로 잉글랜드 은행(The Bank of England)은 여러 해 동안에 연액 80만 파운드 내지 100만 파운드, 즉 평균 연액 약 85만 파운드에 달할 만큼의 금화를 주조하지 않으면 안 되었다.[15] 이 거액의 주조를 위하여 이 은행은 (수년래 금화가 마손되고 마멸한 상태로 된 결과) 가끔 1온스에 4파운드라는 비싼 가격으로 금 지금을 구매하지 않으면 안 되었고, 또한 이 금 지금은 곧 1온스가 3파운드 17실링 10과 2분의 1펜스의 주화로 발행되었으니, 이렇게 하여 은행은 그렇게 거액의 주조에 대하여 2.5퍼센트 내지 3퍼센트의 손해를 본 셈이다. 따라서 은행은 조폐 수수료를 전혀 지불하지 않고, 정부가 이 주조비를 부담했으나, 정부의 이러한 관대한 처사도 은행의 실비를 완전히 막아 주지는 못했다.

스코틀랜드의 여러 은행들도 그러했다.

15 〔양단의 해를 포함하여 1766년부터 1772년까지의 주조액은 평균연액 81만 파운드였다. 1763~1772년의 10년간의 평균은 76만 파운드에 지나지 않았지만, "10년간을 통한" 금액은 연액 80만 파운드 이상이라고 쓰여 있다. 그러나 1773년의 대주조액, 즉 131만 7645파운드를 포함하면, 이 평균은 상당히 올라갈 것이다. 데이빗 맥퍼슨David Macpherson의 《Annals of Commerce》에 있는 각 연말의 숫자를 보라.〕

스코틀랜드의 여러 은행들도 이와 같은 종류의 초과 발행을 한 결과, 모든 은행이 화폐를 수집하기 위하여 런던에 항상 대리인을 두지 않으면 안 되었으며, 그 결과가 1.5퍼센트 또는 2퍼센트를 하회한 적은 별로 없었다. 이 화폐는 대형마차로 송금되었으며, 보험료로서 운송인에게 4분의 3퍼센트, 즉 100파운드당 15실링의 추가적 경비를 지불해야 했다. 이들 대리인도 그들의 고용주의 금고가 비게 되자마자, 곧 그것을 반드시 보충할 수 있었던 것은 아니었다. 이런 경우에 여러 은행들이 취하게 되는 방책은 런던에 있는 그들의 거래점 앞으로 그들이 필요로 하는 금액만큼의 환어음을 발행하는 일이었다. 그런데 그 후 이러한 거래점 이자 및 수수료와 함께 금액의 지불을 청구하여 이 은행 앞으로 어음을 발행했을 때는, 이러한 은행 가운데 어떤 것은 그 초과 발행에 의하여 빠져든 곤궁 때문에 런던의 동일 거래점 또는 다른 거래점 앞으로 두 번째의 어음을 발행하는 길밖에는 환어음을 결제할 길이 없었고, 그 결과 동일 금액, 아니 오히려 동일 금액에 대한 몇 개의 어음이 이와 같이 2~3회 이상의 왕래를 했을 것이며, 채무자인 은행은 언제나 누적된 전 금액에 대하여 이자와 수수료를 지불했을 것이다. 지나친 무분별로서 이름을 떨친 적이 있었던 스코틀랜드의 여러 은행들까지도 때로는 이러한 파멸적인 수단을 사용하지 않으면 안 되었던 것이다.

잉글랜드의 은행 아니면 스코틀랜드의 여러 은행들이 발행한 지폐 가운데 자국의 유통계에서 사용될 수 있는 금액을 넘는 부분과 교환으로 지불한 금화는 역시 그 유통계에서 사용될 수 있는 금액을 넘는 것이므로, 주화의 형태로 해외에 보내지기도 하고, 용해되어 지금의 형태로 해외에 보내지기도 하고, 용해되어 1온스에 4파운드라는 높은 가격으로 잉글랜드 은행에 팔리기도 했다. 전체 주화 가운데서 주의 깊게 뽑혀져서 해외로 보내지거나, 또는 용해되었던 것은 최신·최중·최량의 주화 조각뿐이었다. 국내에서는, 그리고 그것이 주화의 형태로 남아(remained)[16] 있는 한 이들 무거운 주화가 가벼운 주화 이상의 가치를 가지

16 〔제5판에서는 "remain"이라고 오식되어 있다.〕

는 것은 결코 아니었다. 그러나 그들은 해외에서는 그 이상의 가치를 가지게 되었으며, 또는 국내에서 용해되었을 때도 그러했다. 잉글랜드 은행은 그들의 연간 주조액이 다액이었는데도 불구하고 해마다 그 전년도에 일어났던 것과 같은 주화의 부족이 있었다는 것, 그리고 해마다 이 은행에서 발행되는 우량한 새 주화가 다액이었는데도 불구하고 주화의 상태는 해마다 좋아지기는커녕 해마다 더 나빠져 갔다는 사실을 발견하고 놀랐다. 즉 동행에서는 해마다 그 전년도에 주조했던 것과 거의 동량의 금화를 주조해야 할 필요에 놓여 있다는 것, 그리고 주화의 끊임없는 마손과 도삭의 결과로서 금 지금의 가격이 끊임없이 상승하기 때문에, 이러한 매년 엄청나게 주조하는 데 드는 경비도 점점 더 많아져 갔다는 것을 발견했던 것이다. 여기에 주목해야 할 것은 잉글랜드 은행이 자신의 금고에 주화를 공급하면 간접적으로 전체 왕국에 주화를 공급하지 않을 수 없는데, 이는 주화가 이들 금고에서 전체 왕국으로 수많은 길을 통하여 끊임없이 흘러나가고 있기 때문이다. 그러므로 스코틀랜드와 잉글랜드의 이러한 지폐 초과유통을 뒷받침해 주기 위하여 아무리 많은 주화가 필요했다 하더라도, 그리고 이러한 초과유통 때문에 이 국왕이 필요로 하는 주화에 어떠한 빈틈이 생겼다 하더라도, 잉글랜드 은행은 그것을 충족하지 않을 수 없었던 것이다. 스코틀랜드에 대하여 대단히 값비싼 대가를 치렀을 것임에 틀림없다. 그러나 잉글랜드 은행은 그 자신의 무분별에 대해서뿐만 아니라, 거의 모든 스코틀랜드의 여러 은행들의 보다 큰 무분별에 대해서까지도 대단히 비싼 대가를 지불했던 것이다.

초과유통은 과잉거래 때문에 야기되었다.

지폐의 이러한 초과유통의 근본 원인은 연합 왕국의 두 지방에 있어서의 약간의 아주 대담한 기획가들의 과잉거래(overtrading)였다.

은행은 상인들이 대출을 받지 않을 경우, 그들의 수중에 현금으로 보유하고 있어야

할 금액 이상으로 대출을 해 주어서는 안 된다.

어떤 은행이 어떤 종류의 상인 또는 기업가에게 얼마만큼 대출하는 것이 적당한가 하면, 그것은 상인 또는 기업가가 영업을 할 자본의 금액도 아니고, 더구나 그 자본의 어떤 상당한 부분도 아니며, 그가 대출을 받지 않을 경우 수시의 청구에 응하기 위해 부득이 놀려 두는 현금으로 수중에 보유하지 않을 수 없는 그러한 부분에 지나지 않는다. 만일 은행이 대출하는 지폐가 이 가치를 결코 넘지 않는다면, 지폐는 이것이 전혀 존재하지 않았을 경우 그 나라에 필연적으로 유통하게 될 금은화의 가치를 결코 초과할 수는 없을 것이며, 즉 그것은 그 나라의 유통계가 쉽게 흡수하여 사용할 수 있는 양을 초과할 수는 없는 것이다.

이 한도는 진정한 환어음만이 할인될 때 준수된다.

어떤 은행이 어떤 상인에 대하여 진정한 채권자가 진정한 채무자 앞으로 발행한 진정한 환어음을 할인하고, 그 위에 그 환어음은 만기가 되면 곧 그 채무자에 의하여 틀림없이 지불될 경우, 그 은행이 그에게 대출할 수 있는 금액은 그가 대출을 받지 않을 경우 수시의 청구에 응하기 위하여 현금으로 놀리면서 갖고 있지 않을 수 없는 가치의 일부분에 지나지 않는다. 그 어음이 만기가 될 때 그 어음의 지불은 은행이 대출했던 가치를 그 이자와 함께 은행에 돌려준다. 거래가 이러한 고객에게만 국한되는 한, 그 은행의 금고는 양이 부단히 유출하고 있는 양과 유입하고 있는 양이 똑같아서, 그렇게 조심스럽게 주의하지 않더라도 언제나 동등하게 가득 차 있거나 또는 아주 동등하게 가득 차 있는 연못과 비슷한 것이다. 이러한 은행의 금고를 보충하는 데는 거의 경비를 필요로 하지 않을 것이다.

이 목적을 달성하기 위해서는 현금계정을 주의 깊게 지켜보아야 하는데,

상인이란 과잉거래를 하지 않고서도, 더구나 할인할 수 있는 어음을 한 장도 갖고 있지 않은 경우에 있어서까지도 일정액의 현금을 필요로 할 경우가 종종 있다. 만일 어떤 은행이 이러한 상인의 어음을 할인할 뿐만 아니라, 이러한 경우 스코틀랜드의 은행업 회사가 하고 있는 것과 같은 간편한 조건으로 상인의 소요금액을 그의 현금계정으로써 그에게 대출하고, 그가 자기의 재화를 수시 판매하여 입금될 때마다 푼돈으로 상환할 것을 허용해 준다면, 그 은행은 상인이 수시의 청구에 응하기 위하여 그 자재의 일부분을 놀리면서 현금으로 가지고 있을 필요를 없게 해 주는 셈이다. 이러한 청구가 실제로 그에게 오면, 그는 자기의 현금계정으로써 충분히 그것에 응할 수 있다. 그러나 그 은행은 이러한 고객과 거래할 경우(이를테면 4, 5, 6개월 또는 8개월이라고 하는) 어떤 단기간 내에 고객으로부터 보통 받아들이는 상환액이 고객에게 보통 대출해 주는 금액과 완전히 동등하지 않은지를 아주 주의 깊게 관찰하지 않으면 안 된다. 만일 그러한 단기간 동안에 어떤 고객으로부터의 상환액이 대부분의 경우, 그 대출액과 완전히 동등하다고 하면, 은행은 안심하고 이러한 고객과 거래를 계속하여도 좋을 것이다. 이런 경우에, 비록 은행의 금고에서 부단히 유출하는 흐름이 대단히 크더라도, 그 금고 속으로 부단히 유입하는 흐름은 적어도 동등하게 클 것이 틀림없으므로, 그 이상 더 조심스럽게 주의하지 않아도 이 금고는 언제나 같든지 또는 거의 같을 정도로 채워져 있으며, 그것을 보충하는 데도 특별한 경비를 필요로 하는 일이 별로 없는 것이다. 이와 반대로 만일 어떤 다른 고객으로부터의 상환금액이 대출해 준 금액에 많이 미달되는 것이 보통이라면, 적어도 고객이 이런 방법으로 거래를 계속하는 한, 은행은 이런 고객과 안심하고 거래할 수 없는 것이다. 이 경우 은행의 금고로부터 부단히 유출하는 흐름은, 그곳에 부단히 유입하는 흐름보다 반드시 더 커지므로 끊임없이 다액의 경비를 지출하여 보충하지 않는 한, 이러한 금고는 드디어 완전히 말라 버리지 않을 수 없는 것이다.

스코틀랜드의 여러 은행들은 오랫동안 이것을 실행하여 빈번하고 규칙적인 거래를 요구했다.

따라서 스코틀랜드의 여러 은행업 회사들은 오랫동안 극히 신중하게 그들의 모든 고객으로부터의 빈번하고 규칙적인 상환을 요구하기로 했으며, 더구나 그들의 이른바 빈번하고 규칙적인 거래(frequent and regular operations)를 해 주지 않은 사람과는 비록 그의 재산 또는 신용이 얼마가 되더라도 결코 거래를 계속하려고 하지 않았다. 이러한 주의를 기울였으므로, 그들은 그들의 금고를 보충하는 특별한 경비를 거의 완전히 절약했을 뿐 아니라, 그 밖에도 두 가지의 대단히 큰 이익을 보았던 것이다.

(1) 그들의 채무자들의 업태를 판단할 수 있었으며,

첫째 이러한 주의를 함으로써 은행업 회사들은 그들 자신의 장부가 제공해 주는 것 이외의 어떤 다른 증거를 찾아볼 필요도 없이, 그들의 채무자들의 업태의 성쇠에 관하여 상당한 판단을 내릴 수 있으니, 이는 대부분의 사람들이 그들의 업태가 성하고 있느냐, 또는 쇠하고 있느냐에 따라 그들의 채무 상환을 규칙적으로 하거나, 또는 불규칙적으로 할 것이기 때문이다. 여섯 명 또는 열두 명 정도의 채무자에게 자기의 돈을 빌려주는 한 개인은 자기 자신, 또는 그 대리인을 통하여 계속적으로 주의깊게 채무자 각 개인의 행동과 상태를 관찰하고 조사할 것이다. 그러나 한 은행업 회사는 500명 정도나 되는 각가지 사람에게 돈을 빌려주고, 여러 가지 종류의 대상에 주의를 계속 기울여야 하므로, 대부분의 채무자의 행동과 상태에 관하여 자신의 정부가 제공해 주는 것 이외에는 규칙적인 정보를 얻을 수 없다.[17] 스코틀랜드의 은행업 회사가 그들의 모든 고객으로부터 빈번하고 규칙적인 상환을 요구함에는 이러한 이익을 고려했던 것 같다.

(2) 과다의 지폐 발행을 면할 수 있었다.

둘째 은행업 회사들은 이러한 주의를 기울였기 때문에 그 나라의 유통계가 쉽게 흡수하고 사용할 수 있는 양 이상으로 다액의 지폐를 발행할 가능성에서

17 〔그러나 플레이페어((편), 《Wealth of Nations》, 제1권, 472면)가 지적하고 있듯이, 은행은 고객을 많이 가지면 가질수록 그들 각자의 거래 상태를 알기 쉽게 될 것이다.〕

벗어났다. 그 은행업 회사가 상당한 기간에 걸쳐 어떤 특정한 고객으로부터의 상환액이 대부분의 경우 그에게 대출해 준 금액과 완전히 같다는 것을 관찰했을 때, 은행은 그에게 대출했던 지폐가 어느 때나 그가 대출을 받지 않을 경우, 수시의 청구에 응하기 위하여 자기 수중에 가지고 있어야 할 금은화의 양을 넘지 않았다는 것을 확신할 수 있었을 것이며, 또 그 결과로서 그들이 고객을 매개로 하여 유통시켰던 지폐는, 만일 지폐가 없을 경우에 그 나라에 유통했을 금은화의 양을 넘는 일이 그 어느 때도 없었다는 것도 확신할 수 있었을 것이다. 고객의 상환이 빈번하다는 것과 규칙적이라는 것, 그리고 다액이라는 것은 그들의 대출액이 언제나 그 고객이 대출받지 않았을 경우 수시의 청구에 응하기 위하여, 즉 그 나머지 자본부분을 계속하여 사용할 수 있게 해 두기 위하여, 수중에 놀리면서 현금으로 갖고 있지 않을 수 없었을 그 자본부분보다 더 많아지지 않았다는 것을 충분히 증명해 줄 것이다. 상당한 기간 내에 지폐든 주화든 간에 화폐라는 형태로 모든 상인에게 부단히 환류하고, 같은 형태로 그 상인들로부터 부단히 나가는 것은 그의 자본의 이 부분에 지나지 않는다. 만일 그 은행의 대출이 그의 자본 가운데 이 부분을 일반적으로 초과했다면, 상당한 기간 내에 그의 통상의 상환액이 은행의 통상의 대출액과 같을 수는 없었을 것이다. 즉 그 고객의 거래를 통하여 은행의 금고에 부단히 유입하는 흐름이, 같은 거래를 통하여 끊임없이 흘러나가는 흐름과 같을 수는 없었던 것이다. 은행지폐(bank paper)의 대출액이, 만일 이러한 대출이 전혀 없었을 경우에 수시의 청구에 응하기 위하여 그가 부득이 보유해야 했을 금은화의 양을 초과하면, 이는 또한 지폐라는 것이 전혀 없었을 때(상거래는 일정하다고 가정하고), 그 나라에 유통했을 금은화의 전량을 곧 초과하게 될 것이며, 그 결과 그 나라의 유통계가 쉽게 흡수하고 사용할 수 있는 양을 초과하게 될 것이며, 이러한 지폐의 초과분은 금은으로 태환되기 위하여 곧 그 은행에 환류할 것이다. 이러한 제2의 이익은 제1의 그것과 동등하게 현실적인 것이기는 하지만 스코틀랜드의 모든 각가지 은행업 회사로서는 제1의 이익처럼 충분히 이것을 이해하지 않았던 것 같다.

은행가의 대출은 온당한 기간의 것이어야 한다.

어느 국가의 신용 있는 개인들이 한편으로는 어음의 할인이란 편의와, 또 한편으로는 현금계정이란 편의에 의하여 수시의 청구에 응하기 위하여 자신들 자재의 일부를 수중에 유휴 상태의 현금으로 가지고 있어야 할 필요에서 벗어날 수 있을 때, 그들은 당연히 그 이상의 원조를 은행이나 은행가로부터 기대할 수 없으며, 은행이나 은행가도 이에 이르면 그들 자신의 이익과 안전을 손상하지 않고는 그 이상 더 원조해 줄 수는 없을 것이다. 은행이란 것은 그의 이익을 위해 어느 한 업자가 영업하는 데 쓰는 유동자본의 전부는 물론, 그 대부분까지도 대출할 수는 없는 것이다. 왜냐하면 그 자본이 화폐의 형태로서 끊임없이 그에게로 환류하며, 같은 형태로서 그의 손에서 떠나가고 있기는 하지만, 그 환류하는 총액이 유출하는 총액과는 너무나 큰 차이가 있으므로, 그의 상환액이 은행의 편의에 맞을 만한 온당한 기간 내에 그 대출액과 같을 수는 없을 것이기 때문이다. 하물며 은행은 이러한 상인에게 그의 고정자본 가운데에 어떤 상당한 부분을 그에게 대출해 줄 만한 여유는 없는 것이다. 예를 들면 제철공장의 기업가가 자기의 괴철로와 용광장, 작업장, 창고 및 그 직공들의 주택 등을 건설하는 데에 사용하는 자본의 상당한 부분이라든지, 또 광산기업가가 견갱堅坑의 개굴開掘, 배수 기관의 설치, 도로 및 차도의 건설 등에 사용하는 자본의 상당한 부분이라든지, 토지개량가가 황폐하고 경작되지 않은 들판을 개간하고, 배수하고, 울타리를 하고, 시비하고, 괭이질하고, 농사와 여기에 필요한 축사와 곡창 등의 모든 부속물을 건립하는 데 사용하는 자본의 상당한 부분을 대출할 만한 힘은 없는 것이다. 고정자본의 회수는 거의 모든 경우에 유동자본의 회수보다 훨씬 더 느리며, 이러한 경비는 비록 최대의 신중과 판단으로써 투하되었을 때라도, 수년의 기간이 지나지 않고서 기업가에게 회수되는 것은 극히 드물며, 이 수년이라는 기간은 은행의 편의에 알맞기에는 너무나 긴 기간이다. 상인과 기타의 기업가들은 그들의 기획의 대단히 많은 부분을 차금으로써 적당하게 운영할 수 있는 것은 틀림없다. 그러나 이러한 경우에 공평하게 말한다면, 그들 자신의 자본이 그들 채권자들의 자본을 보험할 수 있을 정도로, 다시 말하면 비록 그 계획의 성공이 계획가들의 예측한 바와는 훨씬 못하다 하더라도 이러한 채권자들이 어떤 손해를 입을 가능성이 극히 없게 할 정도로 충분하지 않으면 안 된다. 또한 이러한 주의를 하면서까지도 차용되는 화폐가 수년 후가 아니면 상환하지 못한다는 예정으로 빌려고 한다면, 은행으로부터 그것을 빌려서는 안 되며, 자본을 손수 노고를 들여서 사용하려고 하지 않고, 자기의 화폐의 이자로써 생활하려고 하는 개인으로부터 차용증서 또는 저당증서로써 빌려야 하며, 또한 이러한 개인들은 그 때문에 자기의 자본을 수년 동안 유지해 줄 듯한 충분히 신용 있는 사람에게 기꺼이 빌려주고 싶어 한다. 실로 인지비를 들이지 않고 또는 차용증서와 저당증서를 작성하는 변호사의 수수료도 들이지 않고 화폐를 빌려주고, 더구나 그 상환도 스코틀랜드의 은행업 회사의 간편한 조건으로 되는 은행은 이러한 상인들과 기업가들에게는 극히 편리한 채권자임이 틀림없을 것이다. 그 반면 그러한 상인과 기업가는 이러한 은행에게는 가장 불편한 채무자일 것도 틀림없을 것이다.

스코틀랜드에서는 지폐가 적당한 금액에 달했던 것은 이미 25년 이상이나 이전이었다. 그러나 상인들은 이에 만족하지 않고, 어떤 사람들은 어음의 발행 및 역발행이라는 수단에 의지했다.

스코틀랜드의 여러 가지 은행업 회사에 의하여 발행되었던 지폐가 이 나라의 유통계가 쉽게 흡수하고 사용할 수 있는 것과 완전히 동등한 금액, 아니 오히려 그보다 약간 더 많은 금액에 달했던 것은 지금부터 25년 이상이나 이전의 일이다. 따라서 이러한 은행업 회사는 벌써 오래전에 은행 및 은행가의 이익과 양립할 수 있는 모든 원조를 스코틀랜드의 상인과 기타의 기업가에게 주었던 것이다. 아니, 그들은 그보다 약간 더 많은 원조를 주기까지 했던 셈이다. 그들은 다소 과잉거래하고 있었던 것이며, 그 결과 그들은 이러한 특수한 사업에서는 최소한도의 과잉거래를 하여도 반드시 따르는 손실, 또는 적어도 이윤의 감소를 초래했던 것이다. 은행과 은행가들로부터 그렇게도 많은 원조를 받은 이들 상인과 기타의 기업가는 더욱더 많이 얻으려고 했다. 그들은 은행이라는 것을 몇 연連의 종이만 있으면, 그 밖의 아무런 경비도 들이지 않고 수요가 있는 데까지 얼마든지 그 신용을 확장할 수 있는 것이라고 생각하고 있었던 것 같다. 그들은 이러한 은행의 중역들의 인색한 식견과 비겁한 정신에 관하여 불평을 했는데, 즉 그들은 그 나라의 사업이 확장되는 데 비례하여, 은행의 신용을 확장하지 않았던 것도 이러한 식견과 정신이었다고 말하고 있다. 이 경우 그들이 사업의 확장이라고 하는 그 의미는 그들 자신의 자본 또는 차용증서 내지 저당증서라고 하는 통상의 방법으로 개인으로부터 신용을 빌려서 얻은 자본으로써 경영할 수 있는 한도 이상으로 그들의 계획을 확장하는 것을 뜻하고 있음은 말할 것도 없다. 그들은 은행이라고 하는 것은 부족된 것을 충족하고, 그들이 사업상 필요로 하는 모든 자본을 조달하는 것을 영광스러운 의무로 삼고 있다고 생각하고 있었던 것 같다. 그런데 은행은 견해를 달리하고 있었으며, 그 신용을 확장할 것을 거부했으므로, 그 상인들 가운데 어떤 사람은 일종의 편법에 의지했는데, 그것은 대단히 많은 경비를 들이기는 했지만, 얼마 동안은 은행의 신용을 최대한으로 확장하는 것과 같을 만큼 유효하게 그들의 목적에 이바지했다. 이 편법이 바로 어음의 발행(drawing) 및 역발행(redrawing)이라고 하는 유명한 속임수에 지나지 않고 있으며, 불행한 상인들이 파산하려 하고 있는 순식간에 이따금 의지하는 술책이기도 했다. 이러한 방법으로 자금을 조달하는 것은 잉글랜드에서는 오래전부터 알려져 있었던 것이며, 사업의 높은 이윤이 과잉거래에 대한 대유혹이 되어 있었던 최근의 전쟁 중에 대대적으로 행하여지고 있었다고 한다. 그 편법은 잉글랜드에서 스코틀랜드에 도입되어 있으며, 그곳에서는 대단히 제한된 상거래와 그렇게 많지 않은 자본에 비해서 그 편법은 얼마 되지 않아 잉글랜드에서 그렇게 했었던 것보다 훨씬 더 광범위하게 행해지게 되었다.

이는 이하에서 설명해 두기로 한다.
어음의 발행 및 역발행이라는 수단은 모든 실업가에게 너무나 잘 알려져 있기 때문에, 설명을 가할 필요도 없다고 생각될지도 모른다. 그러나 본서는 실업가가 아닌 많은 사람들의 손에도 들어갈 것이며, 이러한 수단이 은행업에 미치는 영향은 아마 실업가 자신들도 일반적으로 이해하지 못하고 있으므로, 나는 될 수 있는 데까지 명확하게 그것을 설명하려고 노력할 것이다.

환어음이라는 것은 법률상 이상한 특권을 가지고 있다.
유럽의 야만적인 법률이 아직 상인의 계약이행을 강제하지 않았을 때 확립되어 과거 두 세기가 경과하는 동안에 모든 유럽 국민의 법률도 채용되었던 상인의 관습은 환어음이라고 하는 것에 이상한 특권을 주어, 이것을 기초로 한 화폐의 대출은 다른 어떠한 종류의 채무를 기초로 한 것보다도 쉽게 행해졌으며, 이 어음이 발행일후 2~3개월 정도의 짧은 기간 내에 지불될 때는 특히 그러하다. 그 어음이 만기가 되었을 때, 만일 그 인수인이 그것이 제시되자마자 곧 그것을 지불하지 않으면 그는 그 순간부터 파산자가 된다. 그 어음은 지불을 거절당하고 그 발행인에게 반환되며, 만일 그 발행인이 즉시 그것을 지불하지 않으면, 그도 역시 파산자가 된다. 만일 그 어음이 지불을 위하여 그 인수인에게 제시하는 바로 그 사람의 손에 들어가기 전에 다른 몇 사람의 손을 거쳐서 그들이 차례로 그 액면금액만큼을 화폐나 또는 재화로 서로서로 대출하고, 또 그들 각자가 차례차례로 그 액면금액을 수령했다는 것을 표명하기 위하여, 그들 모두가 순서대로 배서背書를 했다면, 즉 그 어음의 배면背面에 서명을 했다면, 각 배서인은 차례차례로 그 어음의 소유자에 대하여 액면금액의 지불은 책임지게 되며, 만일 그가 그 지불을 하지 못하면, 그는 그 순간부터 파산자가 된다. 그 어음의 발행인·인수인·배서인이 모두가 신용이 의심스러운 인물이더라도, 그 지불기한이 단기라는 것이 어음의 소유자에게는 약간의 안심을 시켜 준다. 그들 모두가 자칫 하면 파산자가 될 것 같지만 그 전부가 다 단기간에 그렇게 된다면 그것은 우연히 생긴 일일 것이다. 한 사람의 지쳐 버린 나그네는 혼자 말하기를, 이 집은 흔들거려서 오래 서 있지는 못할 것이지만 그것이 차마 오늘 밤에 무너지랴. 그러니 오늘 밤엔 큰 마음먹고 여기에서 자기로 하자고 한다.

그러므로 두 사람이 한 사람은 런던에서 또 한 사람은 에든버러에서 서로 어음을 발행한다.

A라는 상인이 에든버러에서 런던에 있는 B라는 상인 앞으로 2개월 후 지급의 어음을 발행한다고 가정해 둔다. 그런데 실은 런던에 있는 B는 에든버러에 있는 A에게 아무런 채무도 없는데, 그는 이 어음의 지급기일 전에 에든버러에 있는 A 앞으로 동일 금액의 그 이자와 수수료를 합하여 역시 2개월 후 지급의 또 하나의 어음을 역발행해도 좋다는 조건으로 A의 어음을 받아들일 것을 승낙한다. 그래서 B는 최초의 2개월이 만료되기 전에 에든버러에 있는 A 앞으로 이러한 어음을 역발행하고, A는 다시 제2의 2개월이 만료되기 전에 런던에 있는 B 앞으로 역시 2개월 후 지급의 제2의 어음을 발행하고, 그리고 제3의 2개월이 만료되기 전에 런던에 있는 B는 에든버러에 있는 A 앞으로 역시 2개월 후 지급의 또 하나의 어음을 역발행한다. 이러한 방법이 어떤 때는 수개월 동안 계속될 뿐 아니라, 수년 계속되며, 그 어음은 항상 그 이전의 모든 어음의 이자 및 수수료를 누적해 가면서 에든버러에 있는 A 앞으로 돌아오는 것이다. 그 이자는 연 5퍼센트이며 수수료는 한 어음마다 0.5퍼센트 이하는 결코 아니었다. 이 수수료는 1년에 6회 이상이나 되풀이되므로 A가 이 편법에 의하여 조달하는 자금이 얼마가 되든지 간에 그에게 반드시 1년에 8퍼센트 또는 때로는 그 이상이나 들었을 것이 틀림없으며, 그 수수료가 오르기라도 한다든지 또는 그가 그 이전의 어음의 이자 및 수수료에 대한 복리를 지불하지 않으면 안 되었을 때는, 그는 훨씬 더 많이 들었을 것이 틀림없다. 이러한 방법은 융통에 의한 자금조달(raising money by circulation)이라고 불리고 있다.

다액의 화폐가 이러한 비경제적인 방법으로 조달되었다.

대부분의 상업상의 기획에 자재의 통상의 이윤이 대략 6퍼센트에서 10퍼센트라고 상정되고 있는 나라에서는, 어떤 사업의 보수가, 이러한 방법으로 경영에 필요한 자금을 차입하는 데 드는 거액의 경비를 메울 뿐만 아니라, 그 기획가에게도 충분한 잉여를 제공해 줄 수 있다는 것은, 극히 운이 좋은 투기사업이었을 것이 틀림없다. 그러나 수많은 방대하고 대규모의 기획이 세워졌으며, 더욱이 그러한 거액의 경비를 들여서 조달된 것 이외에 그것을 유지할 만한 아무런 다른 자금도 없이 수년 동안이나 경영되어 왔던 것이다. 그 기획가들은 그들의 황금의 꿈속에서 이러한 큰 이윤의 환상을 너무나 명확하게 가지고 있었던 것은 틀림없다. 그런데 내가 믿고 있기에는 그들의 기획의 종말 또는 그들이 그것을 그 이상 계속할 수 없게 되었을 때, 그들이 그 큰 이윤을 발견할 행운을 만나는 것은 지극히 드물었다.[18]

18 본문에서 설명된 방법이 그러한 모험자들이 융통에 의하여 자금을 조달하기 위하여 때때로 사용했던 가장 흔하거나 또는 가장 비싸게 먹힌 방법은 결코 아니었다. 에든버러에 있는 A는 제1의 환어음이 만기가 되기 며칠 전에 런던에 있는 같은 B 앞으로 3개월 후 지급의 제2의 어음을 발행함으로써 런던에 있는 B는 최초의 환어음을 지불할 수 있던 적이 흔히 있곤 했다. 즉 이 제2의 어음은 A 자신의 지명인에게 지불해야 할 것이므로, A는 그것을 에든버러에서 액면가격으로 매각하여 이의 순수익금으로 B의 지명인에게 지불하기로 되어 있는 런던 앞으로의 일람지급어음을 구매하여 이것을 B의 지명인에게 우송했다. 최근의 전쟁 말기에 런던과 에든버러 사이의 환시세는 종종 에든버러에 대하여 3퍼센트나 불리했다. 그러니 A는 그러한 일람지급어음에 대하여 흔히 그 프리미엄을 부담하지 않으면 안 되었다. 이러한 거래는 1년에 적어도 4회는 되풀이되며, 더구나 그때마다 적어도 0.5퍼센트의 수수료가 과해지므로, 그 당시 A는 1년에 적어도 14퍼센트의 비용을 들이지 않으면 안 되었다. 그리고 다른 때에도 A는 종종 B 앞으로의 제1의 환어음이 만기가 되기 수일 전에 2개월 후 지급의 제2의 어음을 B 앞으로가 아니라 어떤 제3자, 이를테면 런던에 있는 C 앞으로 발행함으로써 B가 제1의 어음을 지불할 수 있게 했다. 즉 그 제2의 어음은 B의 지명인에게 지불되도록 되어 있었으므로 B의 지명인은 C가 인수하자 그것을 런던의 어떤 은행가에게서 할인해 받았다. 그리고 A는 C가 그것을 지불할 수 있도록 하기 위해 그 어음이 만기가 되기 수일 전에 마찬가지로 2개

런던 앞으로 낸 어음은 에든버러에서 할인되고 에든버러 앞으로 낸 어음은 런던에서 할인되었을 것이며, 그 각각은 항상 다른 또 하나의 어음으로써 대치되었다. 에든버러에 있는 A가 런던에 있는 B 앞으로 발행한 어음을 A는 그것이 만기되기 2개월 전에 에든버러의 어떤 은행 또는 은행가에서 규칙적으로 할인해 받으며, 런던에 있는 B가 에든버러에 있는 A 앞으로 역발행한 어음을 마찬가지로 B가 잉글랜드 은행 또는 런던의 다른 어떤 은행가에게 규칙적으로 할인해 받았다. 이러한 융통어음(circulating bills)을 기초로 하여 대출된 금액이 얼마가 되든지 간에 이것은 에든버러에서는 스코틀랜드의 여러 은행들의 지폐로 대출되었으며, 런던에서는 그것이 잉글랜드 은행에서 할인되었을 때는 이 은행의 지폐로써 대출되었다. 비록 이러한 지폐가 대출된 모든 어음은 만기가 되면 곧 차례차례로 상환되었지만 제1의 어음을 기초로 하여 실제로 대출되었던 가치는 그것을 대출한 은행에는 사실상 결코 돌아오지 않았다. 왜냐하면 각 어음이 만기가 되기 전에 곧 지불되기로 되어 있는 어음보다 약간 더 많은 금액의 또 하나의 어음이 항상 발행되었으며, 이 또 하나의 어음을 할인하는 것은 곧 만기가 되는 어음의 지불을 하기 위하여 아무래도 필요했기 때문이다. 따라서 이러한 지불은 전혀

월 후 지급의 제3의 어음을 경우에 따라서는 제1의 거래선인 B앞으로, 때에 따라선 제4, 제5의 인물, 예를 들면 D 또는 E 앞으로 발행했다. 이 제3의 어음은 C의 지명인에게 지불되어야 하는 것이므로 C의 지명인은 그것이 인수되자마자 곧 같은 방법으로 런던의 어떤 은행가에게서 할인해 받았다. 이러한 조작은 1년에 적어도 6회는 되풀이되고, 더구나 되풀이될 때마다 적어도 0.5퍼센트의 수수료와 5퍼센트의 법정이자가 부담되었으므로, 이 자금조달법은 본문 중에 기술되는 방법과 마찬가지로, A에게 8퍼센트 이상을 부담시켰을 것이 틀림없다. 그러나 이 방법은 런던과 에든버러 사이의 환을 절약하기 때문에 이 주의 전단에서 설명한 방법보다는 덜 비싼 것이었다. 그러나 당시 이 방법을 쓰려면, 먼저 런던에 있는 한 개 이상의 점포에 신용을 설정해 두어야 할 것을 필요로 했으므로, 이러한 이점을 이들 위험자들이 항상 쉽게 마련해 낼 수 있는 것은 아니었다. 〔이 주는 제2판에서 처음 나온다. 플레이페어는 이 제1의 방법에 의한 손실이 14퍼센트라고 하는 계산은 틀렸다고 한다. 그 이유는 "만일 A가 에든버러에서 런던 앞으로 낸 자기의 어음을 할인해 받는데 3퍼센트의 손해를 본다면, 그가 런던 앞으로의 어음을 현금으로 구매하면 그만큼 이득을 볼 것이기 때문이다"라는 것이다. 《Wealth of Nations》, 제1권, 483면, 주註.〕

가공적인 것이었다. 이들 융통환어음을 매개로 하여 일단 여러 은행들의 금고에서 유출했던 화폐의 흐름은 그 금고로 실제로 유입하는 어떠한 흐름에 의하여서도 보충되지 않았다.

이리하여 은행이 대출한 금액은 상기의 한도를 초과하고 있었으나, 처음에는 이것을 알아차리지 못했다.

이러한 융통환어음을 기초로 하여 발행된 지폐는 수많은 경우 농업·상업·제조업에 관한 약간의 방대하고 대규모의 기획을 해 나가기 위해 예정된 자금의 총액에 달했던 것이며, 또한 이는 비단 지폐가 없었을 경우 그 기획가가 수시적인 청구에 응하기 위하여 부득이 놀리면서 현금으로 가지고 있어야만 했을 자금의 일부분에 그쳤던 것은 아니었다. 그 결과로 이들 지폐의 대부분은 지폐라는 것이 없었을 경우, 그 나라에서 유통했을 금은화의 가치 이상의 것이 되었다. 따라서 그것은 그 나라의 유통계가 쉽게 흡수하여 사용할 수 있는 금액 이상의 것이 되었으며, 또한 이 때문에 그것이 금은화와 태환되기 위하여 즉시 은행에 환류하고, 은행은 은행대로 그러한 금은화를 찾아내기에 전력을 다했던 것이다. 이러한 지폐는 그들 기획가가 극히 기술적으로 고안하여, 그들 은행으로부터 끌어내었던 자본이었으며, 은행은 그것에 관한 지식을 갖는다거나 또는 숙고한 뒤에 그것에 동의하지도 않았을 뿐만 아니라, 실제로 그것을 대출했다는 것을 상당히 오랫동안 최소한의 의심조차 해 보지도 않았던 것이다.

은행이 그것을 발견했을 때, 그들은 할인을 까다롭게 했는데, 이 사실은 기획가들을 놀라게 했으며 격노하게 했다.

서로 간에 끊임없이 어음의 발행과 역발행을 하고 있는 두 사람이 항상 동일한 은행가에게서 그들의 어음을 할인하고 있을 때, 그 은행가는 그들이 무엇을 하고 있는지를 재빨리 발견할 것은 틀림없으며, 그들은 그들 자신의 자본으로써 하는 것이 아니라, 그가 그들에게 대출한 자본으로써 거래를 하고 있다는 것을 확실히 알게 될 것도 틀림없다. 그러나 그들이 그들의 어음을 때로는 어느 한 사람의 은행가와 할인하고, 어떤 때는 또 다른 은행가와 할인할 때도 있으며, 또한 같은 두 사람이 서로 끊임없이 어음을 발행하고 역발행하는 것이 아니라 때로는 그들이 기획가들의 대집단 사이에 어음을 돌릴 때도 있으니, 이런 경우는 이러한 발견 역시 그렇게 쉬운 것은 아니며, 더욱이 그러한 기획가들은 이러한 자금조달법에 의하여 서로서로 도와주는 것을, 그리고 그 때문에 참다운 환어음과 공어음과의 구별을 될 수 있는 대로 곤란하게 하는 것, 즉 진정한 채권자가 진정한 채무자 앞으로 발행한 어음과 할인한 은행 이외에는 실제로 진정한 채권자가 없고 그 자금을 이용한 기획가 이외에는 진정한 채무자도 없는 그러한 어음과의 구별을 될 수 있는 대로 곤란하게 하는 것을 그들의 이익이라고 생각하고 있었던 것이다. 어떤 한 사람의 은행가가 이러한 사실을 발견했을 때는, 이미 때가 늦었으며, 그는 이미 이러한 기획가들의 어음을 너무 많이 할인하여 버렸으므로 그 이상의 할인을 거절하면 반드시 그들 모두를 파산시키게 되고, 그들을 그렇게 파멸시킴으로써 그 자신을 파멸시킬지도 모른다는 것을 발견했을 것이다. 그러므로 그는 자기 자신의 이익과 안전을 위하여 이러한 극히 위험한 상태하에서 얼마 동안 더 계속하기는 하지만 점차적으로 손을 떼려고 노력할 필요가 있다는 것을 알아차릴 것이며, 그리고 이 때문에 그는 나날이 하는 할인에 차츰 더욱더 곤란하게 함으로써 그러한 기획가들이 점차 다른 은행가들에게, 또는 다른 자금조달법에 의존하도록 강요하고, 그렇게 함으로써 그 은행가는 일각이라도 빨리 그 집단에서 빠져 나오려고 한다. 따라서 잉글랜드 은행과 런던의 주요 은행가와 비교적 조심성이 있는 스코틀랜드의 여러 은행들까지도 한 동안이 지난 뒤, 그리고 그들 모두가 이미 궁지에 몰렸을 때, 어음의 할인에 관하여 인식하기 시작했던 그 곤란은 그러한 기획가들을 경악하게 했을 뿐만 아니라 극도로 격분시켰다. 그들은 틀림없이 여러 은행들의 이러한 신려와 없어서는 안 될 자제가 그 직접의 원인인 그들 자신의 곤란을 그 나라의 곤란이라고 불렀으며, 이 곤란이야말로 그 나라를 미화하고 개선하고 부유하게 만들려고 노력하고 있는 사람들의 활기 넘치는 기획들에 충분한 원조를 아낌없이 주지 않으려고 하는 여러 은행들의 무지와 무기력과 악행에 전적으로 기인하고 있다고 말했다. 그들은 자신들이 빌려 쓰기를 바라는 금액이라면 아무리 장기간이라도, 그리고 아무리 다액이라도 빌려주는 것이 여러 은행들의 의무라고 생각하고 있었던 것 같다. 그러나 여러 은행들은 너무 다액의 신용을 이미 주었던 사람들에게 그 이상의 신용을 이와 같이 거절함으로써 이제는 그들 자신의 신용뿐 아니라 그 나라의 공신용公信用을 구제할 수 있는 유일의 가능한 방법을 채용했다고 하겠다.

바로 그때 에어 은행(Ayr bank)이 설립되어 극히 자유롭게 자금을 대출했으나, 얼마 되지 않아 궁경에 빠졌으며, 2년 안에 폐점하지 않을 수 없었다.

이러한 소란과 재난이 한창일 때 곤란의 구제를 그 명시된 목적으로 하는 하나의 새로운 은행이[19] 스코틀랜드에 설립되었다. 그 구상은 관대한 것이었으나, 그 업무의 집행은 경솔했으며, 더구나 그 은행이 구제하려고 했던 재난의 성질과 여러 원인은 아마 충분히 이해되지 못했던 것 같다. 이 은행은 현금계정의 허여

19 〔이 은행의 본점은 에어Ayr에 있었는데, 이 은행은 에든버러와 덤프리스Dumfries에 지점을 가지고 있었다. 동행의 상세한 연혁은 《The Precipitation and Fall of Messrs. Douglas, Heron and Company, late Bankers in Air with the Causes of their Distress and Ruin investigated and considered by a Committee of Inquiry appointed by the Proprietors》(에든버러, 1778) 가운데 있다. 이것에서 본다면 이 은행의 행동에 관한 스미스의 설명은 극히 정확한 것 같이 보인다. 이 사실은 틀림없이 스미스의 옛날 제자였던 바클루 공Duke of Buccleuch이 이 은행의 대주주의 한 사람이었다는 것에 기인한 것이겠다. 1772년 9월 5일 스미스는 풀트니Pulteney 앞으로 보낸 편지에서 다음과 같이 말하고 있다. "나 자신은 그 사회적 재난에 아무런 관련도 없지만, 내가 가장 많은 관심을 가지고 있는 친구들 가운데는 그것과 깊은 관련이 있는 사람이 몇이 있습니다. 그래서 나는 그들을 구출하는 가장 적절한 방법에 나의 전 주의력을 집중시키고 있습니다." 그 구출은 주로 상환부의 판매에 의하여 이루어졌다. 존 래, 《애덤 스미스의 삶》(1895), 253~255면 ; 데이빗 맥퍼슨David Macpherson, 《Annals of Commerce》, 제3권, 525~553면 ; 《House of Commons' Journals》, 제36권, 493~495면. 그리고 조지 3세 제14년 법률 제21호를 보라. 동인도회사는 그 은행이 발행할 증권證券이 자기 회사의 그것과 경쟁한다는 이유에서 그 법안을 반대하였으나, 그 반대는 하원下院에서 176표 대 36표로 부결되었다. 《Journals》, 제34권, 601면.〕

와 환어음의 할인 쌍방에 관하여 종래에 있었던 어떠한 다른 은행보다도 더 관대했다. 이 후자에 관하여 말하면, 그 은행은 진실어음과 융통어음과의 구별을 전혀 하지 않았고 모든 어음을 평등하게 할인했던 것 같다. 상당한 담보만 있으면, 이를테면 토지의 개량과 같이 그 수익이 가장 완만하고 가장 먼 장래의 것인 그러한 개량들에 사용될 모든 자본을 대부한다[20]는 것이 그 은행의 공언한 원칙이었다. 이러한 개량들을 촉진시킨다는 것은 이 은행의 공공정신에 입각한 목적들 가운데 주된 것이라고까지 했기 때문에 이 은행이 설립되었던 것이다. 그 은행은 현금계정을 허여하고 환어음을 할인함에 있어 관대했으므로 다액의 은행권을 발행했을 것이 틀림없다. 그러나 이러한 은행권의 대부분은 그 나라의 유통계가 쉽게 흡수하여 사용할 수 있는 금액을 초과했으므로 발행되자마자 금은화와 태환해 달라고 그 은행에 환류했다. 그런데 그 은행의 금고는 좀처럼 충분히 채워지지 못했다. 이 은행에 응모된 자본은 2회의 따로따로의 모집에서 16만 파운드에 달했는데, 불입된 것은 그 8퍼센트에 지나지 않았다. 더구나 이 금액도 수회의 분할지급으로써 불입되지 않을 수 없었다. 대부분의 주주(proprietors)는 제1회의 분할금을 불입했을 때, 그 은행과 현금계정을 개시했으며, 더구나 이사들은 자신들 은행의 주주들을 다른 모든 사람들에게 하는 것과 같이 관대하게 취급하는 것을 그들의 의무라고 생각함으로써, 다수의 주주에게 그 후의 분할지급에 의하여 불입된 금액을 이 현금계정으로 빌려주는 것을 허용했다. 그러므로 이러한 불입은 하나의 금고로부터 방금 끌어내 왔던 것을 또 하나의 다른 금고에 집어넣는 것에 지나지 않았다. 그러나 비록 그 은행의 금고가 아무리 충실해 있었다고 하더라도, 초과유통 때문에 보충되기 이전에 비워졌을 것이 틀림없으며, 더구나 그것을 보충하는 편법은 런던 앞으로 어음을 발행하여 그것이 만기가 되면 동지 앞으로 또 하나의 환어음을 발행함으로써 최

20 〔여기까지의 원문은 "to advance……, the whole capital which was to be employed in those improvements of which the returns are the most……"인데, 초판에는 "those"가 없다.〕

초의 어음을 그 이자 및 수수료와 함께 결제한다는 그러한 파멸적인 방법 이외에는 아무것도 없었다. 그 은행의 금고는 극히 불충실하게 채워졌으므로 이 은행은 업무를 개시하여 수개월도 안 돼서 하는 수 없이 이러한 수단을 취하게 되었다고 한다. 이 은행의 주주들의 자산은 수백만 파운드의 가치가 나갔으며, 또한 그들은 그 은행 고유의 원증서, 즉 원계약서에 서명했기 때문에 그들의 자산은 사실상 그 전체 채무에 응하기 위한 담보가 되어 있었다.[21] 그렇게 유력한 담보에 의하여 필연적으로 그 은행에 주어졌던 큰 신용을 개재시킴으로써 그 은행은 지나치게 관대하게 거동했음에도 불구하고, 2년 이상이나 그 업무를 계속할 수가 있었다. 부득이 문을 닫지 않을 수 없었을 때, 이 은행은 유통계에 약 20만 파운드의 은행권을 가지고 있었다. 발행되자마자 부단히 환류해 오는 이러한 은행권의 유통을 유지하기 위하여 이 은행은 계속 런던 앞으로 환어음을 발행해 왔으므로, 그 수와 가치는 부단히 증가하여 이 은행이 개점되었을 때는 그것은 60만 파운드 이상이나 되었다. 그러므로 이 은행은 2년이 될까 말까 한 사이에 온갖 사람들에게 5퍼센트로 80만 파운드 이상이나 대출했던 셈이다. 이 은행이 은행권으로서 유통시킨 20만 파운드에 대한 이 5퍼센트는 아마 경영비 이외에는 아무것도 공제되지 않은 순이득이라고 생각되었을 것이다. 그러나 이 은행은 런던 앞으로 계속 발행하고 있었던 환어음 60만 파운드 이상에 대하여 이자 및 수수료로서 8퍼센트 이상을 지불하고 있었다. 따라서 그 총거래액의 4분의 3 이상에 대하여 3퍼센트 이상의 손실을 보고 있었던 셈이다.

이 은행의 활동과 실패는 기획가들과 그 나라 일반의 재난을 증대시켰지만 스코틀랜드의 다른 여러 은행들을 구제했다.

이 은행의 여러 활동들은 그 은행을 계획하고 지휘했던 특정한 사람들에 의하

21 〔맥퍼슨Macpherson, 《Annals of Commerce》, 제3권, 525면은 이 은행의 사원(partners)은 바클루Buccleuch 및 퀸즈베리Queensberry 양공, 덤프리스 백작Earl of Dumfries, 더글라스 씨Mr. Douglas, 기타 다수의 신사였다고 하고 있다.〕

여 의도되었던 것과는 정반대의 결과를 초래했다고 생각된다. 그들은 당시 그 나라의 여러 지방에서 경영되고 있었던 기업들을 소위 활기 있는 기업이라고 생각하여 이러한 기업을 지원함과 동시에, 모든 은행 업무를 그들 자신에게 끌어옴으로써 다른 모든 스코틀랜드의 은행, 특히 그 환어음의 할인에 있어서 소극적이라고 해서 약간의 분노를 사고 있었던 에든버러에 있는 여러 은행들을 밀어내고 대신 들어앉으려는 의도였었던 것 같다. 이 은행은 틀림없이 이러한 기획가에게 약간의 일시적인 구제를 주었으며, 그들이 이렇게 않았을 경우 그들이 할 수 있었을 것보다 약 2년간이나 더 오래 그 계획을 계속할 수 있게 해 주었다. 그러나 이 은행은 그렇게 함으로써 그들이 부채의 심연에 점점 깊이 빠져들어가게 했을 뿐이며, 일단 파국이 왔을 때는 그 타격은 그들에게도 그 채권자들에게도 그만큼 더 심한 것이었다. 그러므로 이 은행의 여러 활동들은 그러한 기업가들이 자신들과 자신들 나라의 쌍방에 초래했던 재난을 구제하기는커녕 실은 결국 더 악화시켰던 것이다. 만일 실제보다 2년이나 더 빨리 그들의 대부분이 일을 중지하지 않을 수 없게 되었더라면, 그들 자신에게도 그들의 채권자에게도 그리고 그들의 나라에 대해서도 훨씬 더 좋았을 것이다. 그러나 이 은행이 그러한 기획가들에게 제공한 일시적인 구제는 스코틀랜드의 다른 여러 은행들에 대해서는 참되고 영구적인 구제였음이 판명되었다. 모든 융통환어음 거래업자는 다른 여러 은행들이 이 융통환어음의 할인에 너무 소극적이 되었으므로 모두가 이 새 은행에 의지했으며, 새 은행도 양손을 벌려서 그들을 받아들였던 것이다. 따라서 이들 다른 여러 은행들은 그 숙명적인 집단에서 쉽게 탈출할 수 있게 되었으며, 만일 새 은행의 구제가 없었다면, 다른 여러 은행들은 반드시 상당한 손실을 보지 않고서는 해방될 수 없었을 것이며, 또한 아마도 어느 정도의 불신용까지 초래했을 것이다. 그러므로 결국 이 은행의 여러 활동들은 이 은행이 구제하려고 했던 현실적 재난을 증대시켰으며, 더구나 이 은행이 물리치고 대신하려고 했던 경쟁자들을 대단히 큰 재난에서 결과적으로 구제해 준 셈이다.

또 하나의 계획은 차용자가 제공하는 담보를 기초로 하여 자금을 조달하려는 것이었을 것인데, 이것은 손해를 보는 업무였을 것이다.

이 은행이 발족된 당시에는 어떤 사람들은 그 은행의 금고가 아무리 급속히 비워진다 하더라도 그 은행이 지폐를 대출했던 사람들의 담보를 기초로 하여 자금을 조달하면 쉽게 금고를 보충할 수 있으리라는 견해를 가지고 있었다. 그러나 내가 믿고 있는 바로는, 그들은 경험에 의하여 곧 다음과 같은 사실을 납득하게 되었다. 즉 이러한 자금 조달 방법은 너무 완만하여서 그들의 목적에는 합치하지 않는다는 것, 그리고 본래 너무 불충분하게 채워졌으며 더구나 그렇게 급속히 비워져 버리는 금고를 보충하는 데는 런던으로 어음을 발행하고 그것이 만기가 되면 누적된 이자 및 수수료를 합해서 동지同地 앞으로 낸 다른 환어음으로써 그것을 결제하는 그러한 파멸적인 편법 이외는 별도리가 없다는 것이 그것이다. 그러나 이러한 방법으로 비록 그들이 원하는 바대로 빨리 자금을 조달할 수 있었다 하더라도, 그들은 이윤을 얻기는커녕 그러한 조작이 있을 때마다 손실을 보지 않으면 안 되었고, 그리하여 결국에 가서 그들은 아마도 어음의 발행 및 역발행이라고 하는 더 비싼 수단에 의할 때만큼 그렇게 빨리는 아니지만 한 개의 상업회사로서는 영락했을 것임에 틀림없다. 게다가 그러한 지폐는 그 나라의 유통계가 쉽게 흡수하여 사용할 수 있는 금액을 초과했으므로 발행되자마자 금은화와 태환되기 위하여 그들에게 환류했고, 그 지불을 위하여 그들은 부득이 계속 차금을 하지 않을 수 없었기 때문에, 그들은 그들이 발행한 지폐의 이자에 의해서는 아무런 이익을 올릴 수 없었다. 이와 반대로 차입에 관한 총경비, 즉 빌려줄 화폐를 가지고 있는 사람들을 찾아내는 대리인을 사용하는 경비, 이러한 사람들과 협의하는 경비, 적당한 차용증서 또는 양도증서를 작성하는 경비는 그들의 부담이 되었으며, 그들의 계정의 잔액상으로는 그만큼 많은 순손실이 아닐 수 없었다. 이상과 같은 방법으로 그들의 금고를 보충하려는 계획은 수류水流가 부단히 유출하나 전혀 유입하지 않는 연못을 가지고 있는 사람이 항상 그 못을 같은 정도로 채워 두기 위하여 다수의 사람을 사용하여 수 마일이나 떨어진 우물까지 물통을 가지고 보충할 물을 길러 보내려고 하는 것에 비교될 수 있을 것이다.

그리고 그것은 비록 유리하다 하더라도 그 나라에 대해서는 유해했을 것이다. 그러나 이러한 조작이 실행 가능할 뿐만 아니라 한 개의 상업회사로서의 은행에 대하여 유리하다는 것이 입증되었다 하더라도 그 나라는 그것에서 아무런 이익을 볼 수 없었고, 오히려 그 반대로 그것 때문에 막대한 손실을 보았을 것임에 틀림없다. 이런 조작은 대출될 화폐의 양을 최소한도라도 증가시킬 수 없었다. 그것은 단지 이 은행을 그 나라 전체에 대한 일종의 일반적 대출국으로 만들 수 있었을 뿐이다. 돈을 빌리기를 원하는 사람들은 이 은행에 자신들 화폐를 빌려주었던 개인들에게는 문의치 않고 이 은행에 문의했을 것이 틀림없다. 그러나 아마도 500명이나 되는 상이한 사람들에게 화폐를 대출해 주면서 그의 이사들이 그들의 대부분에 관해서 아주 조금밖에 알 수 없는 은행은, 그의 채무자의 선택의 경우, 자기의 화폐를 자기가 알고 있는 소수의 사람들에게 빌려주고 이들의 진실하고 검소한 행동을 믿을 만한 그럴듯한 이유를 가지고 있다고 생각하는 한 개인보다 더 현명하지는 못할 것 같다. 이러한 은행의 채무자들은 대부분이, 이미 내가 그 행동에 관하여 설명을 해 두었던 바와 같은 망상적인 기획가들이며, 융통어음의 발행인 또는 역발행인이었던 것 같다. 그리고 이러한 사람들은 터무니없는 기업에 화폐를 사용하므로 최대한의 원료가 주어지더라도 그것을 완성할 수 없을 것이며, 비록 그것을 완성할 수 있었다 하더라도 실제로 든 경비를 결코 갚을 수 없었을 것이며, 그것에 관하여 사용되었던 것과 같은 양의 노동을 유지할 수 있을 만큼의 기금을 결코 마련할 수 없었을 것이다. 그 반면 개인의 진실하고 검소한 채무자들은 빌려 온 화폐를 그들의 자본에 비례한 착실한 기업에 사용할 것이며, 더구나 이러한 기업은 장대하다든지 신기하다는 점에서는 위에서 말한 기업보다는 못 하더라도 견실하고 유리하다는 점에 있어서는 그보다 나은 것으로서 아무리 어떠한 금액이 그것에 투하되었더라도 대이윤과 함께 상환될 것이며, 이리하여 그것에 관하여 사용된 것과 같은 양의 노동을 유지할 수 있을 만한 기금을 제공할 것이다. 그러니 그 나라의 자본을 최소한도로나마도 증가시키지 않고서 이러한 조작을 하면 그 결과는 그의 대부분을 견실하고 유리한 기업으로부터 불견실하고 불리한 기업에 이전했던 것에 지나지 않을 것이다.

로의 계획은 뒤베르네와 뒤토에 의하여 충분히 설명되었다.

스코틀랜드의 산업이 사용해야 할 화폐가 부족하기 때문에 생기가 없어졌다는 것은 유명한 로Mr. Law의 의견이었다. 그 화폐부족을 구제하기 위하여 그는 특수한 종류의 은행을 설립할 것을 제안했는데, 그는 그런 종류의 은행이 그 나라의 모든 토지의 총가치에 달할 만큼의 지폐를 발행할 수 있다고 상상했던 것 같다. 그 밖에 처음 자기의 기획을 제안했을 때 스코틀랜드의 의회는 그것을 채용하는 것을 적당한 것이라고 생각하지 않았다.[22] 그 후에 그 기획은 약간 변경되어 당시 프랑스의 섭정이었던 오를레앙 공에 의하여 채용되었다. 지폐를 거의 무제한으로 증식할 수 있다는 상상은, 은행업과 투기 행위의 쌍방에 관해서 이때까지 세계에서 볼 수 있었던 가장 기발한 계획이 소위 미시시피 계획의 현실적 기초였다. 이 계획의 여러 가지 활동은 뒤베르네 씨의 "뒤토 씨의 상업 및 재정에 관한 정치적 숙고의 검토(Examination of the Political Reflections upon Commerce and Finances of Mr. Du Tot)"[23] 가운데 아주 완전히 명백하게 그리고 대단히 정연하고 명확하게 설명되어 있으므로, 나는 그것에 관하여 아무런 설명을 하지 않겠다.[24]

22 〔《Lectures》, 211면. 《Money and Trade》의 제2판에 대한 서점의 서문은 이 저작이 "로 씨가 1705년에 스코틀랜드의 의회에 제안한 한 계획의 약간의 항목"으로 되어 있다고 말하고 있다.〕

23 〔이 두 책은 제임스 보너James Bonar, 《Catalogue of Adam Smith's Library》, 35~36면에 있다. 뒤토Du Tot의 것은 《Réflexions politiques sur les Finances et le Commerce, oú l'on examine quelles out été sur le s revenus, les denrées, le change éfranger et conséquemment sur notre connerce, les influences des augmentations et des diminutions des valeurs numéraires des monnoyes》(덴하그La Haye, 1754)이며, 뒤베르네Du Verney의 것은 《Examen du livre intitulé》(덴하그, 1740)이다.〕

24 〔《Lectures》에는 명백히 뒤베르네의 저서에서 끌어낸 설명이었다. 그것은 동서同書의 211~218

그 계획이 기초로 하고 있는 원리들은 로 씨 자신이 그 계획을 처음 제안했을 때 그가 스코틀랜드에서 발간한 《화폐 및 무역에 관한 한 논문》[25] 가운데 설명되어 있다. 이 저작과 그리고 동일 원리에 입각한 다른 저작들에서 진술되어 있는 화려하나 꿈 같은 착상은 아직도 많은 사람들에게 감명을 주고 있으며, 최근 스코틀랜드에서도 그리고 다른 여러 지방들에서도 불평을 받아 왔던 그러한 은행업의 과다에 어느 정도 이바지했다.

잉글랜드 은행은 1694년에 창설되었다.

잉글랜드 은행은 유럽에서 최대의 발권은행(bank of circulation)이다. 이 은행은 의회의 법령의 이행으로 국인을 찍은 1694년 7월 27일부의 특허상에 의하여 법인화되었다. 당시 이 은행은 10만 파운드의 연금, 즉 8퍼센트의 이율로써 연액 9만 6000파운드의 이자 및 연액 4000파운드의 경영비와 교환으로 120만 파운드의 금액을 정부에 대출했다. 정부가 그렇게 비싼 이자로써 차금하지 않을 수 없었다는 것을 볼 때, 우리는 그 혁명에 의하여 수립된 새 정부의 신용이 대단히 낮았다고 믿어도 좋을 것이다.

1697년에 증자增資가 있었으며,

1697년 이 은행은 100만 1171파운드 10실링의 증자에 의하여 그의 주식자본(capital stock)을 증가시킬 것이 허용되었다. 따라서 동행의 전 자본액은 이 당시에 220만 1171파운드 10실링에 달했다. 이 증자는 공신력의 유지를 위해서 되었던 것이라고 한다. 1696년에는 할부(tallies)는 40퍼센트, 50퍼센트 내지 60퍼센트로 할인되었으며, 은행권은 20퍼센트로 할인되었다.[26] 이 당시에 진행 중이었던 은

면의 8면에 걸쳐 있다.〕

25 〔《Money and Trade Considered, with a Proposal for Supplying the Nation with Money》(1705).〕

26 제임스 포슬스웨이트James Postlethwaite, 《History of the Public Revenue》, 301면. 〔왕립학회 회원, 제임스 포슬스웨이트, 《History of the Public Revenue from 1688 to 1753, with

화의 대개주大改鑄 동안에 이 은행은 그 은행권의 태환을 정지하는 것이 적당하다고 생각했는데, 이것이 필연 은행권에 대한 불신을 일으켰다.

1708년의 증자.

앤 여왕 제7년 법률 제7호에 따라서 이 은행은 총액 40만 파운드를 대출하여 국고에 불입했다. 그 결과 이 은행이 본래의 연금, 즉 이자 9만 6000파운드 및 경영비 4000파운드와 교환으로 정부에 대출했던 금액은 총액 160만 파운드가 되었다. 따라서 1708년에는 정부가 당시의 보통의 법정 및 시장이자율, 즉 6퍼센트로 차입할 수 있었으므로 정부의 신용도 개인의 그것에 못지않게 좋아졌던 셈이다. 같은 법률에 의하여 이 은행은 177만 5027파운드 17실링 10.5펜스에 달하는 재무부 증권을 6퍼센트의 이자로써 말소했으며, 그와 동시에 그 자본을 배가하기 위하여 자본모집을 할 수 있도록 허용되었다. 따라서 1708년에는 이 은행의 자본은 440만 2343파운드에 달했으며, 정부에 대한 대출은 총액 337만 5027파운드 17실링 10.5펜스가 되었다.

1709년과 1710년의 증자.

1709년에는 15퍼센트의 불입청구(call)에 의하여 65만 6204파운드 1실링 9펜스가 불입되어 주식자본이 되고, 1710년에는 10퍼센트의 다른 불입청구에 의하여 50만 1448파운드 12실링 11펜스가 불입되어 주식자본이 되었다. 따라서 이 3회의 불입청구의 결과, 이 은생의 자본은 555만 9995파운드 14실링 8펜스에 달했다.

1717년과 그 후에도 각각 증자가 있었다.

조지 1세 제3년 법률 제8호에 따라서 이 은행은 말소될 200만 파운드의 재무부증권을 정부에 넘겨주었다. 따라서 이 은행은 그 당시 정부에 537만 5027파

an Appendix to 1758》(1759).〕

운드 17실링 10펜스를 대부貸付하고 있었던 셈이다.[27] 조지 1세 제8년 법률 제21호에 따라서 이 은행은 남해공사에서 400만 파운드에 달하는 주식을 구입했는데, 이 구입을 가능하게 하기 위한 자본모집을 한 결과 1722년에는 이 은행의 주식자본은 340만 파운드만큼 증가되었다. 따라서 이 당시 이 은행은 정부에 937만 5027파운드 17실링 10.5펜스나 대부貸付하고 있었는데, 이 은행의 주식자본은 895만 9995파운드 14실링 8펜스밖에 되지 않았다. 이 은행이 이자를 받고 정부에 대부했던 총액이 이 은행의 주식자본, 즉 이 은행이 그 주식의 소유자에게 배당을 지불하는 은행주식의 총액을 처음으로 초과하기 시작했던 것은 이때부터였다. 바꾸어 말하면 이 은행이 주식으로 분할된 자본(divided capital) 이상으로 주식으로 분할되지 않은 자본(undivided capital)을 갖기 시작했다는 것이다. 그 이래 이 은행은 동일 종류의 주식으로 분할되지 않는 자본을 계속 가져왔다. 1746년 이 은행은 여러 가지 기회에 1168만 6800파운드를 정부에 대부했으며, 이 은행의 주식으로 분할된 자본은 여러 가지 지불 청구와 모집에 의하여 1078만 파운드로 증가되었다.[28] 그 이후 이 두 금액의 상태는 계속 동일하다. 조지 3세 제4년 법률 제25호에 따라 이 은행은 그 특허상을 경신하는 대부로서 무이자와 무상환으로 11만 파운드를 정부에 지불할 것을 동의했다. 따라서 이 금액은 이 두 가지의 다른 금액 가운데 어느 것도 증가시키지 않았다.

이 은행이 정부로부터 받았던 이자율은 8퍼센트에서 3퍼센트로 줄었으며, 그리고 이 은행의 배당은 최근에 5.5퍼센트로 되었다.

그 은행의 배당은 이 은행이 여러 가지 시기에 정부에 대출했던 화폐에 대하여

27 〔이 3행은 초판에는 없다.〕

28 〔"법인화되었다"에서 여기까지는 포슬스웨이트Postlethwayt, 《History of the Public Revenue》, 301~310면에 있는 〈Historical State of the Bank of England〉의 발췌이다. 그 합계는 포슬스웨이트의 이 책의 면의 하부에서 따온 것이다.〕

받은 이자율이 변동하는 데 따라서 변동했으며, 그 밖의 사정들에 따라서도 변동했다. 이 이자율은 점차 8퍼센트에서 3퍼센트로 떨어졌다. 과거 수년 동안 은행의 배당은 5.5퍼센트에 머물러 왔다.

이 은행은 국가의 일대 기관으로서 활동하고 있다.

잉글랜드 은행의 안정도는 영국 정부의 그것과 동등하다. 이 은행이 정부에 대출했던 것 전부가 잃게 되어 버리기까지는 이 은행의 채권자는 손해를 입을 리 없다. 잉글랜드의 다른 어떠한 은행업 회사도 의회의 법령에 의하여 설정될 수 없으며, 여섯 명 이상의 사원으로 구성될 수도 없다. 이 은행은 한 개의 보통 은행으로서뿐만 아니라 국가의 일대 기관으로서 활동하고 있다. 이 은행은 정부의 채권자에 대하여 만기가 된 대부분의 연금을 받아들이고 지불하며, 재무부 증권을 유통시키며, 수년 후가 되지 않고서는 지불되지 않는 수가 흔히 있는 지조와 맥아세의 연수입액을 정부에 선대하기도 한다. 이러한 여러 가지 활동에서 이 은행은 그의 중역들의 과실이 없는데도 정부에 대한 의무상 지폐를 과잉으로 유통시키지 않을 수 없었을 때가 있었을 것이다. 이 은행도 역시 상업어음을 할인하고, 더구나 몇몇 경우에는 잉글랜드뿐만 아니라 함부르크와 네덜란드의 주요 상점의 신용을 유지하여 주기도 했다. 1763년의 한 가지 경우를 보면, 이 목적을 위하여 1주일간에 약 160만 파운드를, 그리고 그의 대부분을 지금으로 대출했던 일도 있었다고 한다. 그러나 나는 그 금액의 크기라든지 그 기간의 짧음을 굳이 보증하려고 하는 것은 아니다. 어떤 다른 경우에 있어서 이 큰 회사는 6펜스 은화로써 지불을 할 필요가 있었을 때도 있었다.[29]

은행업의 여러 활동들은 사장된 자재를 생산적 자본으로 바꾸지만 상업과 공업을 약간 불안정한 것으로 만든다.

29 〔1745년의 일이다. 매건스Magens, 《Universal Merchant》, 화폐가 반란을 지지하기 위해 발행되고 있지나 않나 하는 의심이 있었을지도 모른다는 것을 암시하고 있다.〕

은행업의 가장 현명한 여러 활동들이 그 나라의 산업을 증진시킬 수 있는 것은 그 나라의 자본을 증가시킴으로써 그렇게 하는 것이 아니라, 은행업의 이러한 활동이 없었을 경우에 비하여 그 자본의 대부분을 더 활동적이고 생산적인 것으로 만듦으로써 그렇게 할 수 있다. 어떤 상인이 수시의 청구에 응하기 위하여 부득이 쓰지 않고 현금으로 보유해야 하는 자본부분은 사장된 자재(dead stock)에 지나지 않으며, 이러한 상태로 있는 한, 그것은 그를 위해서도, 그의 나라를 위해서도 아무것도 생산해 주지 못한다. 은행업의 현명한 활동들은 그가 이러한 사장된 자재를 활동적이며 생산적인 자재로, 즉 가공될 재료와 작업하는 데 쓰는 도구와 이런 것을 만드는 작업에 필요한 식료품 및 생활자료로, 다시 말하면 그 자신[30]과 그의 나라의 쌍방에 어떤 것을 생산해 주는 자재로 바꿀 수 있게 해 준다. 어떤 나라에 유통하고 있으며, 그것을 매개로 하여 그 나라의 토지 및 노동의 연간 생산물이 유통되고 정당한 소비자들에게 분배되는 금은화폐도 상인의 현금과 마찬가지로 모두 죽은 자재이다. 그것은 그 나라의 자본 가운데 극히 귀중한 부분이기는 하지만 그 나라에 대하여 아무것도 생산해 주지 않는다. 은행업의 현명한 여러 활동들은 이러한 금은화의 대부분을 지폐로 대용시킴으로써 그 나라가 그러한 죽은 자재의 대부분을 활동적이고 생산적인 자재로, 즉 그 나라를 위하여 그 무엇을 생산하는 자재로 변하게 할 수 있도록 해 준다. 어떤 나라에 유통하고 있는 금은화는 공로에 비교하는 것이 극히 적절할지도 모른다. 즉 공로가 그 나라의 모든 목초와 곡물을 유통시키고 시장에 운반하지만 그 자체는 그 두 가지 가운데 어느 것이든 단 한 더미도 생산하지는 못한다. 은행업의 현명한 활동은, 나의 대단히 난폭한 비유가 허용된다면, 공중에 일종의 차도를 부설함으로써 그 나라가, 말하자면 공로의 대부분을 좋은 방목지와 곡물 밭으로 변하게 하고, 그리하여 그 나라의 토지 및 노동의 연간 생산물을 대단히 많이 증가시킬 수 있게 한다는 것이다. 그러나 그 나라의 상업과 공업이 어느 정도 증진하더라도, 상공업이, 이를테면 지폐라고 하는 다이달로스의 날개(Dædalian

30 〔"그 자신"은 초판과 제2판에는 "그"로 되어 있다.〕

wings) 위에 매달려 있는 동안에는, 금은화라고 하는 견고한 지면 위에서 돌아다니는 것처럼 아주 안전할 수는 없는 것이다. 상공업은 그 지폐의 관리인이 미숙하기 때문에 여러 가지 재난을 당하게 될 뿐만 아니라 관리인이 아무리 신중하고 숙달해 있더라도 결코 막을 수 없는 다른 몇 가지 재액을 당하기 쉽다.

유통계의 대부분이 화폐로써 채워지지 않도록 경계를 하지 않으며 안 된다.

예를 들면 불운한 전쟁으로 적이 수도를 점령하고, 따라서 지폐의 신용을 유지하고 있었던 재보도 점령된다면, 이러한 전쟁은 유통의 대부분 이 금은화로 이루어지고 있었던 나라에서보다 그 전부가 지폐로써 이루어지고 있었던 나라에서 훨씬 더 큰 혼란을 일으켰을 것이다. 상거래의 일상의 용구가 그 가치를 잃었으므로, 물물교환이나 신용에 의하지 않고서는 교환은 전혀 이루어질 수 없었을 것이다. 모든 조세는 보통 지폐로써 지불되고 있었으므로 군주는 자기의 군인들에게 봉급을 준다든지 군수품을 공급하는 데도 필요한 수단을 가질 수 없었을 것이다. 그리고 그 나라의 상태는 그 통화의 대부분이 금은화로 되어 있었을 때보다는 훨씬 더 회복할 수 없었을 것이다. 이러한 이유에서 자기의 영토를 언제나 가장 방위하기 쉬운 상태로 해 두려고 열망하는 군주는 지폐를 발행하는 바로 그 은행들을 파멸시켜 버리는 지폐의 과도의 증발을 방지할 뿐만 아니라, 이 은행들이 그 나라의 유통계의 대부분을 지폐로써 가득 차게 할 수 있게 하는 그 증발까지 방지하지 않으면 안 된다.

유통은 상인들 사이의 그것과 상인들과 소비자들 사이의 그것으로 나누어질 수 있을 것이다.

모든 나라의 유통은 두 가지 상이한 부분으로 나뉘어져 있다고 생각될 수 있다. 즉 상인들 상호의 유통과, 상인들과 소비자들 사이의 유통이 그것이다. 지폐든 금속화폐든 간에 동일 편의 화폐가 어떤 때는 전자의 유통에 사용되고 어떤 때는 후자의 유통에 사용되겠지만, 이 두 유통은 끊임없이 동시에 행해지고 있으므로 각 유통이 계속되기 위해서는 어느 종류든 화폐의 일정의 저량이 필요하다. 여러 상인들 사이에 유통한 재화의 가치는 상인들과 소비자들 사이에서 유통하는 재화의 가치를 결코 초과할 수 없다. 즉 상인들에 의하여 구매되는 것이 얼마가 되든지 간에 그것은 궁극적으로는 소비자들에게 팔리기로 예정되어 있다. 상인들 사이의 유통은 도매로 이루어지고 있으므로 모든 개개의 거래에는 보통 상당히 많은 금액의 화폐를 필요로 한다. 이와 반대로 상인들과 소비자들 사이의 그것은 대체로 소매로 행하여지고 있으므로 극히 소액의 화폐밖에 필요로 하지 않을 때가 종종 있으며, 1실링 또는 반 페니만으로도 충분할 때가 종종 있다. 그런데 적은 금액은 많은 금액보다도 훨씬 빨리 유통된다. 1실링화는 1기니화보다도 더 빈번히 주인을 바꾼다. 그리고 반 페니화는 1실링화보다도 더 자주 주인을 바꾼다. 그러므로 모든 소비자들의 연간 구매액이 적어도 그 가치에 있어서는 모든 상인의 그것과 동등하더라도 일반적으로 전자의 구매는 후자의 그것보다도 훨씬 더 적은 양의 화폐로써 거래될 수 있다. 그 이유는 동일의 화폐 조각이 더 신속하게 유통함으로써, 후자의 구매보다 훨씬 더 많은 전자의 구매 수단으로써 이바지하기 때문이다.

소액 거래에 은행권 사용을 허용하지 않으면 지폐의 유통은 전자에 국한될 것이다. 지폐는 규칙적으로서 여러 상인들 사이의 유통에만 한정시키거나 또는 상인과 소비자 사이의 유통에만 한정시키거나 또는 상인과 소비자 사이의 유통의 대부분에까지 확장되도록 할 수도 있다. 런던에서처럼[31] 10파운드 이하의 가치의 은행권이 한 장도 유통되고 있지 않는 곳에서는 지폐는 심히 국한되어 상인들 사이의 유통에만 쓰이고 있다. 10파운드의 은행권이 어떤 소비자의 손에 들어오면, 대체로 그는 5실링 가치의 재화를 구매할 필요가 생긴 최초의 상점에서 그

31 〔잉글랜드 은행은 1759년까지 20파운드 이하의 은행권을 한 장도 발행하지 않았으며, 15파운드 은행권과 10파운드 은행권이 도입된 것도 이때가 처음이었다.- 앤더슨Anderson, 《Commerce》(1759).〕

것을 바꾸지 않을 수 없게 된다. 그러므로 은행권은 소비자가 아직 그 화폐의 40분의 1도 소비해 버리기 전에 상인의 손에 되돌아올 때가 종종 있다. 그런데 스코틀랜드에서처럼 20실링과 같은 소액의 은행권이 발행되고 있는 곳에서는 지폐는 상인들과 소비들 사이의 유통 가운데 상당한 부분에까지 확장된다. 의회의 법령이 10실링권과 5실링권의 유통을 정지시키기 전에는[32] 그 지폐는 상인들과 소비자들 사이의 유통에 훨씬 많은 부분을 채우고 있었다. 북아메리카의 통화에서는 1실링과 같은 소액의 지폐가 보통 발행되어 그러한 유통의 거의 전부를 채우고 있었다. 요크셔의 어떤 지폐는 6펜스와 같은 소액으로도 발행되었다.

이러한 은행권의 발행은 부유하지 못한 사람들도 은행가가 되도록 해 준다.

이러한 극히 소액의 은행권을 발행하는 것이 허용되고 또 보통 실시되고 있는 곳에서는, 많은 부유하지 못한 사람들도 은행가가 될 수 있고, 또 그렇게 되도록 용기를 갖게 한다. 즉 5파운드 또는 20실링의 약속어음까지도 모든 사람에게 거절당할 만한 사람도 6펜스처럼 소액의 것이 발행될 때는 거리낌 없이 받게끔 될 것이다. 그러나 이러한 보잘것없는 은행가가 자칫하면 당하기 쉬운 파산은, 그들의 어음으로 지불을 받았던 많은 가난한 사람에게 대단히 심한 불편을 일으키며, 때로는 대단히 큰 불행을 초래할지도 모른다.

5파운드 이하의 은행권은 발행돼서는 안 된다.

이 왕국의 어떤 지방에서는 5파운드 이하의 소액으로는 은행권이 발행되지 않은 것이 훨씬 더 좋았다. 그렇게 되면 10파운드 이하의 가치의 은행권이 발행되지 않은 런던에서 현재 그러한 것처럼 이 왕국의 모든 지방에서 여러 상인들 사이의 유통에만 국한될 것이다. 왜냐하면 5파운드라고 하는 금액은 이 왕국의 대부분의 지방에서는 이 금액이 구매하는 재화의 양이 10파운드로써 구매하는 것의 반량 이상은 되지 않을지라도, 이것이 귀중시되고 쉽사리 쓰이지 않는다는

32 〔조지 3세 제5년 법률 제49호.〕

점에서는, 런던의 흔한 지불에서 볼 수 있는 10파운드와 같은 정도의 금액이기 때문이다.

이것은 많은 금액의 유통을 확보할 것이다.

주의해야 할 것은 런던에서처럼 지폐가 상인들 사이의 유통에만 심하게 국한되는 곳에서는, 언제나 금액이 풍부하다는 것이다. 스코틀랜드에서처럼, 그리고 북아메리카에서는 더욱더 그러한 것처럼, 그것이 상인들과 소비자들 사이의 유통의 상당한 부분에까지 확대되어 있는 곳에서는, 국내상업의 통상의 거래가 모두 지폐로써 이루어지고 있으므로 그것은 그 나라로부터 금액을 거의 완전히 구축해 버린다. 10실링 및 5실링의 은행권의 폐지는 스코틀랜드에서의 금액의 부족을 어느 정도 완화했으며, 20실링의 은행권도 폐지되었다면 아마 그것을 훨씬 더 완화했을 것이다. 이들 금속은 아메리카에서는 그 지폐 가운데 어떤 것이 폐지된 이래 금은화는 더욱 풍부해졌다고 한다. 게다가 이들 금속은 이러한 통화가 제정되기 전에는 훨씬 더 풍부했다고 한다.

그리고 은행이 상인에게 충분한 원조를 주지 못하게 하지는 않을 것이다.

지폐가 상인들 사이의 유통에만 심히 국한되더라도 은행과 은행가들은, 지폐가 유통의 거의 전부를 충족시켰을 때 할 수 있었던 것과 같은 원조를 그 나라의 공업과 상업에 줄 수 있었을 것이다. 상인이 수시의 청구에 응하기 위하여 수중에 보유하지 않으면 안 되는 현금은 그 자신과 다른 상인들, 즉 그가 재화를 구매하는 그 상인들 사이의 유통에만 할당되는 것이다. 그는 그 자신과 그의 고객이며 자기에게 어떤 것을 가져가는 대신에 현금을 자기에게 가져오는 소비자들 사이의 유통을 위해서 그의 수중에 조금도 화폐를 보유할 필요가 없는 것이다. 그러므로 비록 상인들 사이의 유통에만 거의 국한될 만한 그러한 금액 이상의 지폐 발행이 허용되지 않았을지라도, 은행과 은행가들은 일부분은 참다운 환어음을 할인함으로써, 또 일부분은 현금계정을 기초로 한 대출에 의하여 이러한 상인의 대부분을 그들이 수시의 청구에 응하기 위하여 자신들 자재의 어떤 상당한 부분을 부득이 놀린 채 현금으로 보유해 두어야 하는 필요에서 벗어날 수 있게 할 수 있었을 것이다. 은행과 은행가들은 역시 그들이 모든 종류의 상인에게 적당하게 줄 수 있는 최대한의 원조를 줄 수 있었을 것이다.

소액권을 금지하는 법률은 사회의 안전에 필요한 자연적 자유의 침해였을 것이다.

개인들이 기꺼이 은행가의 약속어음을 받으려고 할 때 개인에게 금액의 다소에 상관없이 지불에 있어서 그러한 어음을 수령하는 것을 억제한다든지, 또는 은행가의 모든 이웃 사람들은 즐겨 그러한 어음을 받으려고 하는데, 은행가에게 그러한 어음을 발행하는 것을 억제하든지 하는 것은 자연적 자유의 명백한 침해인 바, 이것을 침해하지 않고 지지하는 것이야말로 법률의 본래의 직무라고 하는 사람이 있을지 모른다. 틀림없이 이러한 여러 규제는 어떤 점에서는 자연적 자유에 위배되는 것이라고 생각될 수 있다. 그러나 사회 전체의 안전을 위험하게 할지도 모르는 소수의 개인의 자연적 자유의 행사는 가장 자유로운 정부든, 가장 전제적인 정부든, 마찬가지로 모든 정부의 법률에 의하여 억제되고 있으며, 또 억제되어야 한다. 화재가 번지는 것을 막기 위하여 경계벽을 건조해야 할 의무는 자연적 자유에 대한 침해이지만, 여기에 제안된 은행가의 여러 규제와 정확하게 동일 종류의 것이다.

요구에 따라 지불할 수 있는 지폐는 금은화와 동등하다.

지폐가 은행권으로 되어 있고, 신용이 확실한 사람들에 의하여 발행되어 요구가 있으면 무조건으로 지불할 수 있고, 더구나 사실상 항상 제출되자마자 곧 지불되고 있을 경우, 지폐는 어떤 점에서나 가치상으로 금은화와 같다. 그 이유는 이것과 교환으로 언제든지 금은화가 획득될 수 있기 때문이다. 이러한 지폐로써 매매되는 것은 무엇이든지 간에 반드시 금은화로써 매매될 수 있었던 것만큼 싸게 매매될 수 있을 것이 틀림없는 것이다.

물가를 올리지 않는다.

지폐의 증가는 전 통화의 양을 증가시킴으로써, 그 결과 전 통화의 가치를 감소시킴으로써 상품들의 화폐가격을 반드시 증가시킨다고 혹자는 말한다. 그러나 통화에서 제외되는 금은의 양은 그 통화에 추가되는 지폐의 양과 언제나 동일하므로, 지폐는 반드시 총통화량을 증가시킨다고는 할 수 없다. 전 세기의 초기부터 현대까지 스코틀랜드에서는 식료품이 1759년도만큼 값쌌던 해는 없었는데 당시 그 나라에서는 10실링 및 5실링의 은행권이 유통하고 있었으므로 현재보다도 더 많은 지폐가 있었다. 스코틀랜드에서의 식료품의 가격과 잉글랜드에서의 그것과의 비율은 스코틀랜드에서 은행업 회사가 크게 증가하기 이전이나 지금이나 마찬가지로 동일하다. 잉글랜드에서는 다량의 지폐가 있고 프랑스에는 거의 없는 데도 곡물은 대부분의 경우 잉글랜드에서는 프랑스에서와 마찬가지로 값이 싸다. 1751년과 흄 씨가 자기의 《정치론집Political Discourses》[33]을 공간했던 1752년 및 스코틀랜드에서 지폐가 크게 증가한 얼마 후에는, 식료품의 가격이 극히 현저하게 등귀했으며, 아마 이것은 계절이 불순했던 탓이며, 지폐의 증가에 기인한 것은 아니었을 것이다.

요구가 있을 때 지불할 수 없는 지폐는 금은화 이하로 떨어졌을 것인 바,

실로 지폐가 약속어음으로 되어 있어 그 즉시의 지불이 어떤 점에서, 즉 그것을 발행한 사람의 호의에 의존한다든지 또는 그 어음의 소지인이 반드시 이행할 만큼의 힘을 갖고 있지 않은 조건 때문이든지 또는 일정 연수가 지난 뒤가 아니고서는 지불이 강요될 수 없으며, 그동안 이자가 전혀 없을 경우에는 사정이 달라졌을 것이다. 그러한 지폐는 금은화의 가치 이하로 떨어졌을 것은 틀림없으며, 즉시의 지불을 받는 곤란성 또는 불확실성이 크거나 또는 작다고 생각되는 정도에 따라, 그리고 그 지불이 요구될 수 있는 기간이 긴지 짧은지에 따라서 하락

33 〔아마 “Discourse of Money” 및 “Discourse of the Balance of Trade” 가운데 있는 여러 구절을 의미하는 것일 것이다. 그곳에서 흄은 물가 등귀의 원인으로서 지폐를 비난하고 있다.-《Political Discourses》(1752), 43~45면과 89~91면. 《Lectures》, 197면과 비교하라.〕

했을 것이다.

이를테면 스코틀랜드에서는 선택조항이 널리 퍼졌을 동안 이러한 사태가 일어났으며, 몇 년 전에 스코틀랜드의 각가지 은행업 회사는 그들의 은행업에 선택조항(Optional Clause)이라고 불리는 것을 써넣는 관례가 있었으며, 이것에 의하여 그들은 그 은행권의 지참인에게 그것이 제시되면 곧 지불하거나, 또는 이사들의 선택에 의하여 그러한 제시가 있은 뒤 6개월 후, 그리고 이 6개월간의 법정이자와 함께 지불할 것을 약속했다. 이러한 은행 가운데 어떤 것의 이사들은 이 선택조항을 이용했을 때도 있었으며, 때로는 꽤 많은 액수의 은행권에 대한 금은화의 태환을 청구하는 사람들에게 이러한 청구자가 청구액의 일부분만으로 만족하지 않는 한, 선택조항을 이용하겠다고 위협했다. 당시 그러한 은행업 회사의 약속어음은 스코틀랜드의 통화의 훨씬 많은 부분을 구성하고 있었으며, 이러한 지불의 불확실성은 필연적으로 그것을 금은화의 가치 이하로 저락시켰던 것이다. 이러한 남용이 계속되는 동안(이것은 주로 1762~1764년에 널리 퍼졌다) 런던과 덤프리스 사이의 그것은 덤프리스시가 칼라일Carlisle에서 30마일도 못 되게 떨어져 있는데도 덤프리스에 대해서는 4퍼센트나 불리할 때도 있었을 것이다. 그러나 칼라일에서는 어음은 금은화로써 지불되고 있었는데, 덤프리스에서는 스코틀랜드의 은행권으로 지불되고 있었으며, 이리하여 그러한 은행권과 금은화와의 태환의 불확실성이 은행권을 금은주화의 가치 이하로 4퍼센트나 저락시켰던 것이다. 10실링 및 5실링의 은행권을 폐지한 바로 그 의회의 법령이 이러한 선택조항을 폐지했으며,[34] 그리하여 잉글랜드와 스코틀랜드 사이의 환시세가 그 자연율, 즉 거래와 송금 추이에서 생길 수 있는 비율로 복귀되었다.

요크셔의 통화에 관하여서는 소액을 기니로써 갚을 수 있었을 때도 이러한 사태가

34 〔조지 3세 제5년 법률 제49호.〕

일어났던 것이 틀림없다.

요크셔의 지폐에 관하여서는, 6펜스만큼의 소액의 지불을 받을 때도 그 은행권의 소지인이 발행자에게 1기니의 잔돈을 가져와야 한다는 조건에 때로는 따르기도 했는데, 이러한 조건은 그러한 은행권의 소지인이 이행하기에 곤란하다고 느꼈을 때가 많으며, 그 때문에 그것은 이 통화를 금은화의 가치 이하로 저락시켰던 것이 틀림없다. 따라서 의회의 한 법령은 이러한 모든 조항을 불법적인 것이라고 선언했으며, 스코틀랜드에서는 이와 같이 하여 20실링 가치 이하의 지참인 지불의 모든 약속어음을 모두 폐지했다.[35]

북아메리카의 지폐는 장기간 지난 뒤에 지불받을 수 있는 정부지폐로 되어 있었으므로 통화의 가치를 크게 저락시켰다.

북아메리카의 지폐는 요구에 따라 지참인에게 지불할 수 있는 은행권으로 되어 있지 않고, 발행 후 수년이 지나서 비로소 지불을 청구할 수 있는 정부지폐로 되어 있었다. 더구나 식민지 정부는 이러한 지폐의 소지인에게 전혀 이자를 지불하지 않았음에도, 그들은 그것을 발행가치 전액에 대한 지불을 위한 법화라고 선언했으며, 또 사실상 그렇게 만들었다. 그러나 식민지의 안전이 완전히 양호하다는 것을 인정하더라도, 15년 후에 지불될 100파운드는 이자가 6퍼센트인 나라에서는 40파운드의 현금과 거의 같은 가치밖에 나가지 않는다. 그러므로 현금으로 실제로 지불된 100파운드의 부채에 대하여 완전 상환으로서 이런 지폐를 받는 것을 채권자에게 강제하는 것은 대단히 난폭한 부정행위이며, 이는 자유를 표방하는 다른 어떠한 나라의 정부에 의해서도 시도된 적은 거의 없었을 것이다. 그것은 정직하고 솔직한 더글라스 박사가 우리들에게 확언한 바와 같이[36] 본래 사기적인 채무자가 그 채권자를 속이는 데 쓰던 계략이었으며, 그렇

35 〔조지 3세 제15년 법률 제51호.〕

36 〔"사기성이 있는 채무자들이 돈을 빌릴 때 쓰는 못된 책략은 빈 돈을 극히 감가된 가치로서 반제返濟한다는 것이다." 윌리엄 더글라스 박사William Douglass, M.D., 《Summary,

다는 것에 관한 명백한 증거도 있다고 한다. 사실로 펜실베니아 정부는 1722년에 처음으로 지폐를 발행함에 있어서 그 지폐를 금은화와 등가의 것으로 한다고 주장했으며, 이 때문에 자기의 자재를 식민지 지폐를 받고 판매할 때와 금은화를 받고 팔 때에 조금이라도 가격의 차를 만드는 사람이 있으면 누구든지 처벌된다고 규정했으며, 이러한 규제는 정부지폐와 금은화의 등가를 유지하려고 꾀해졌던 것과 동등하게 폭군적인 것이며, 그 효과에 있어서는 그보다도 훨씬 못한 것이었다. 실정법은 1실링을 1기니에 대한 법화로 만들 수 있을 것이다. 왜냐하면 그것은 재판소에 명하여 이러한 법화로 지불을 한 채무자의 채무를 면제시킬 수 있을 것이기 때문이다. 그러나 아무리 실정법이라도 재화를 파는 사람에게, 더구나 팔거나 팔지 않는 것은 그 사람의 자유인 그러한 사람에게 그 재화의 가격으로서 1실링화를 1기니화와 등가의 것으로서 받을 것을 강요할 수는 없다. 이런 종류의 규정이 있는데도 불구하고 영국과의 환시세의 추이에서 드러난 것을 보면, 영화 100파운드는 어떤 식민지에서는 130파운드의 통화와 등가로 생각되었을 때도 있었으며, 또 다른 식민지에서는 1100파운드라고 하는 대단히 거액의 통화와 등가라고 간주되었을 때도 있었다. 이러한 가치의 차이는 여러 가지 식민지에서 발행된 지폐의 양의 차이와, 그 최종적으로 변제 또는 상환되는 기한의 장단 및 확실성에서 생기는 것이다.

그러므로 그들 지폐는 당연히 금지되었다.

그러므로 장래에 식민지에서 발행될 어떠한 지폐도 지불을 위한 법화가 되어서는 안 된다고 선언한 의회의 법령은 식민지들에서는 불공평하다고 불평을 받았

Historical and Political, of the First Planting, Progressive Improvements, and Present State of the British Settlements in North America》(1760). 제2권, 107면의 저자는 그가 "식민지 지폐의 이 저주받은 사태"라고 부르는 것에 관하여 여러 곳에서 심한 말은 사용하고 있다. 제2권, 13면, 주註들. 그리고 같은 책의 제1권, 310, 359면. 제2권, 254~255면과 334~355면과 비교하라.〕

지만 이보다 더 공평한 법률은 있을 수 없었을 것이다.[37]

펜실베니아는 지폐 발행에 절제가 있었으며, 그 통화가 실질적인 평가 이하로 떨어진 적은 없었다.

펜실베니아는 우리의 식민지들 가운데 다른 어떤 것보다 그 지폐 발행에 절제가 있었다. 따라서 그곳의 지폐가 그 최초의 발행 이전에 그 식민지에 유통하고 있었던 금은화의 가치 이하로 떨어졌던 일은 결코 없었다고 한다. 그 발행 이전에 그 식민지는 주화의 명칭을 올렸으며, 주州의회의 법령에 의하여 영화 5실링은 식민지에서는 6실링 3펜스로 통용할 것을 명령했으며, 그 뒤에 가서는 6실링 8펜스로 통용할 것을 명령했다. 그러므로 식민지 통화의 1파운드는 이 통화가 금은화였을 때라도 영화 1파운드의 가치보다 30퍼센트 이상이나 떨어져 있었으며, 그 통화가 지폐로 바뀌었을 때도 30퍼센트 훨씬 이상이나 영화의 가치 이하로 떨어졌던 적도 거의 없었다. 그 주화의 명칭을 올리는 이유로서 주장된 것은 식민지에서의 등량의 이러한 금속을 모국에서보다 훨씬 더 큰 금액으로서 통용시킴으로써, 금은화의 수출을 방지한다는 것이었다. 그런데 모국으로부터 수입되는 모든 재화의 가격은 식민지가 그 주화의 명칭을 올렸던 것에 정확하게 비례하여 상승했으며, 그 결과 식민지의 금은화는 종전과 같이 급속하게 수출되고 있었다는 것이 밝혀졌다.

식민지 지폐는 조세의 지불에 수령되었으므로, 얼마간 그 가치가 유지되었다.

각 식민지의 지폐는 각주의 조세의 지불에 발행 당시의 총가치로서 수령되었으므로 그 지폐는 이러한 용도에서 약간의 추가적 가치를 끌어내었으며, 이 추가적인 가치는 이러한 지폐가 최종적으로 변제되고 상환되는 기한의 실제상 또는 상상 속의 장단에서 생겼을 가치보다 더 많은 것이었다. 이 추가적 가치는 발행된 지폐의 양이 이것을 발행한 특정 식민지의 조세의 지불에 사용될 수 있는 양

37 〔조지 3세 제4년 법률 제34호.〕

보다 많은지 적은지에 따라서 크기도 하고 작기도 했다. 모든 식민지에서는 그것이 이렇게 사용될 수 있는 양보다 훨씬 더 많았다.

어떤 조세는 특정의 지폐로써 지불되지 않으면 안 된다는 요청은 비록 그 지폐가 불환지폐였더라도 그 지폐에 어떤 일정의 가치를 부여했을 것이다.

어떤 군주가 자기의 조세의 어떤 일정 부분은 반드시 어떤 일정 종류의 지폐로써 지불되어야 한다는 것을 규정한다면, 비록 그 지폐의 최종적 변제 또는 상환의 기한이 전적으로 그 군주의 의사에만 의존하도록 되어 있었다 하더라도, 그러한 규정에 의하여 그는 이러한 지폐에 일정한 가치를 줄 수 있었을 것이다. 만일 이 지폐를 발행한 은행이 항상 그 양을 이러한 방법으로 쉽게 사용될 수 있을 만한 양보다 조금 모자라게 해 두려고 주의를 한다면 그 지폐에 대한 수요는 그것에 프리미엄까지 붙게끔 할 그러한 것일지도 모른다. 즉 그것과 교환으로 지폐가 발행된 바로 그 금은화의 양보다도 약간 더 많은 양과 교환으로 시장에서 팔릴지도 모른다. 어떤 사람들은 소위 암스테르담 은행의 프리미엄(Agio), 또는 통화에 대한 은행화폐(bank money)의 우위를, 비록 이 은행화폐는 그들이 주장하는 바와 같이 소유자의 의지대로 은행에서 인출할 수 없는 것이지만 이러한 방법으로 설명하고 있다. 외국환어음의 대부분은 은행지폐로써, 즉 은행의 장부상의 이전으로써 지불되지 않으면 안 되며, 그리고 은행의 이사들은 은행화폐의 전량을 이 용도가 일으킬 만한 수요량 이하로 유지하도록 주의하고 있다고 주장하고 있다. 또한 그들은 그 은행화폐가 프리미엄이 붙어서 판매되고 있는 것, 다시 말하면 그 나라의 금은통화의 동일명목액 이상으로 4퍼센트 내지 5퍼센트의 프리미엄이 붙어 있는 것도 바로 이 때문이라고 말한다. 그러한 암스테르담 은행에 관한 이러한 설명은 뒤에서 밝혀질 것이지만 대부분이 터무니없는 것이다.[38]

38 〔초판에서는 이 장은 다음과 같이 되어 있다. "그러나 암스테르담 은행에 관한 이러한 설명이 나로서는 그것이 전혀 터무니없는 것이라고 믿을 만한 이유가 있다."〕

주화의 가치 이하로 감가된 지폐는 금은의 가치를 떨어뜨리지는 않는다.

금은주화의 가치 이하로 하락하는 지폐는 그 때문에 그들 금속의 가치를 떨어뜨린다거나 또는 그것들의 등량[39]과 그보다 적은 양의 어떤 다른 종류의 재화와 교환되도록 하지는 않는다. 금은의 가치와 다른 어떤 종류의 재화의 그것과의 사이의 비율은, 모든 경우에 어떤 특정국에서 유통될 어떤 특정 화폐의 성질 또는 양에 의존하고 있는 것이 아니고, 어떤 특정 시기에 상업 세계의 큰 시장에 그들 금속을 공급하게 되는 광산들이 빈광인지 풍광인지에 의존하고 있다. 그것은 일정량의 금은을 시장에 보내기 위해 필요한 노동의 양과, 일정량의 다른 어떤 종류의 재화를 그곳에 보내기까지 필요한 노동량 간의 비율에 의존하고 있다.

은행업에 필요한 제한은 오직 소액 은행권의 금지와 모든 은행권을 요구에 따라 상환하도록 요구하는 것뿐이다.

만일 은행가들이 일정 금액 이하의 유통은행권(circulating bank notes)이나 또는 지참인 지급어음을 발행하지 못하도록 억제당한다면, 그리고 만일 그들이 그러한 은행권의 제시가 있으면, 곧 즉시 무조건으로 지불해야 할 의무에 따르게 된다면, 그들의 영업은 공공사회의 안전은 물론, 다른 모든 점에서도 완전히 자유롭게 될는지 모른다. 연합왕국의 두 지방에서의 최근 은행업 회사의 증가는 많은 사람들을 대단히 놀라게 했던 사건이었으나, 공공사회의 안전을 감소시키기는커녕 오히려 증가시키고 있다. 이 사건은 그들 모두를 더 신중하게 행동하도록 강요하고, 또 그들의 통화가 그들의 현금에 대한 정당한 비율을 넘을 정도로 팽창하지는 않도록 해 둠으로써 대단히 많은 경쟁자들의 경쟁심이 항상 그들에게 자칫하면 가져다줄 악의에 찬 기세로부터 그들 자신을 방위하도록 강요한다. 또한 그것은 각각의 특정 은행업 회사의 지폐의 유통을 비교적 좁은 범위에 억제하여 그들의 유통은행권을 보다 적

39 〔"그들 금속의 가치를 떨어뜨린다거나, 또는 그것들의 등량"은 초판에서는 "……또는 그들 금속의 등량"이라고 되어 있다.〕

은 액수로 줄인다. 전 유통계를 다수의 부분으로 분할함으로써 어느 한 회사가 실패하더라도, 즉 일의 진행 중, 때에 따라서는 일어나지 않을 수 없는 사고가 일어나더라도, 그것은 공공사회에 대하여 별로 중대한 것이 못 된다. 뿐만 아니라 이러한 자유경쟁은 모든 은행가가 그들의 고객들과 거래를 함에 있어서 그들을 억지로 더 관대하게끔 만드는데, 이것은 그들의 경쟁자가 고객들을 빼앗아 가지 못하게 하기 위함이다. 일반적으로 만일 어떤 사업부문, 또는 어떤 분업이 공공사회에 유리하다면, 경쟁이 더 자유롭고 더 일반적인 것으로 되면 될수록 그것은 언제나 점점 더 사회에 유리한 것이 될 것이다.

제3장 자본의 축적에 관하여, 즉 생산적 노동과 비생산적 노동에 관하여

노동에는 생산적 노동과 비생산적 노동의 두 가지가 있다.

노동에는 이것이 가해지는 대상의 가치를 증가시키는 부류의 것과, 이러한 결과를 전혀 낳지 않는 또 한 가지 부류의 것이 있다. 전자는 가치를 생산하므로 생산적 노동(productive labour)[40]이라고 불러도 좋을 것이며, 후자는 비생산적 노동(unproductive labour)이라고 부를 수 있을 것이다. 그리하여, 제조공의 노동은 일반적으로 자기가 가공하는 재료의 가치에다 자기 자신의 생활유지비와 자기의 마스터의 이윤의 가치를 부가한다. 이에 반하여 하인의 노동은 어떠한 가치고 부가하지 않는다. 제조공은 자기의 임금을 자기의 마스터로부터 선대해 받지만, 그러한 임금의 가치는 일반적으로 자기의 노동이 가해진 대상의 증대된 가치 가운데 이윤과 함께 회수되므로 실은 마스터에게는 아무런 비용도 들지 않는다. 그런데 하인의 생활유지비는 결코 회수되지 않는다. 사람이란 다수의 제조공을 사용함으로써 부유해져 가며, 다수의 하인을 부양함으로써 가난해져 간다.[41] 그

40 대단히 박식하고 창의력이 있는 프랑스의 저자들은 이 용어를 다른 의미로 사용하고 있다. 제4편의 마지막 장에서 나는 그들의 의미하는 것이 부적당하다는 것을 밝히려고 노력할 것이다.

41 〔이하의 본문 중의 논의에서는 제조공이 팔기 위한 상품을 생산하는 데 사용될 때와, 하인이

렇지만 후자의 노동도 그 자체의 가치를 가지고 있으며, 전자의 노동과 마찬가지로 그 보수를 받을 가치가 있다. 그러나 제조공의 노동은 어떤 특정의 대상 또는 팔 수 있는 상품에 그 자체를 고착시키고 실현하는 것이며 그러한 상품은 그 노동이 끝난 뒤에도 적어도 얼마 동안 존속한다. 말하자면 그것은 어떤 다른 경우에 필요하면 사용되기 위하여 저장되고 축적되는 일정량의 노동이다. 그 대상, 또는 같은 것이지만, 그 대상의 가격은 뒤에 가서 필요할 때 본래 그것을 생산했던 것과 같은 양의 노동을 가동시킬 수 있다. 이에 반하여 하인의 노동은 어떤 특정 대상 또는 팔 수 있는 상품에 그 자체를 고착시키거나 실현하지 않는다. 그의 서비스는 일반적으로 수행되는 바로 그 순식간에 소멸해 버리며, 그리고 뒤에 가서 그것과 교환으로 등량의 서비스를 획득할 수 있을 어떤 흔적, 또는 가치를 그것이 수행된 뒤에 좀처럼 남기지 않는다.

하인의 노무勞務 이외에도 많은 종류의 비생산적 노동이 있다.

사회에서 가장 존경할 만한 계급에 속하는 사람들의 노동도 하인의 그것과 마찬가지로 어떠한 가치에 관해서도 비생산적인 것이며, 또한 그 노동은 그것이 끝난 뒤에도 지속하며, 등량의 노동을 그 후에 획득할 수 있는 어떤 항구적인 대상, 또는 팔 수 있는 상품에 그 자체를 고착시키거나 실현하지도 않는다. 예를 들어 주권자와 그 밑에서 봉사하는 사법 및 군사의 모든 관리, 모든 육해군인도 비생산적 노동자들이다. 그들은 공공사회의 사용인이며, 다른 사람들의 근로의 연간 생산물의 일부로써 부양되고 있다. 그들의 서비스는 아무리 영예스럽고, 유용[42]하고, 설혹 필요한 것이라 하더라도 뒤에 가서 등량의 노무를 획

고용주의 안락을 위해서 단순히 사용될 때에 한해서 이것이 옳다고 하는 사실이 간과되어 있다. 사람이란 자기 자신의 소비용의 "특정의 대상 또는 팔릴 상품"을 만들기 위하여 사람들을 사용함으로써 가난해질지도 모르며, 종종 가난해지기도 한다. 또 여인숙의 주인은 하인들을 사용함으로써 더 부유해질지도 모르며, 실제 그렇게 되는 수가 종종 있다.〕

42 〔그러나 〈서론 및 본서의 구상〉, 즉 제1권 2면에서는 "유용한"이 "생산적인"과 연결되어 있고 그것과 동의의 것으로 씌어 있다.〕

득할 수 있을 아무것도 생산하지 않는다. 국가의 보호와 안전 및 방위, 즉 금년의 그들의 노동의 성과는 미래를 위한 그 나라의 보호와 안전 및 방위를 구매하지 않을 것이다. 이 계급에 위치해야 할 사람들로서는 가장 의젓하고, 가장 중요한 직업의 어떤 것과, 가장 천박한 직업의 어떤 것의 두 가지가 있으니, 즉 성직자, 법률가, 의사, 모든 종류의 문필가, 그리고 배우, 익살광대, 음악가, 오페라 가수, 오페라 댄서 등이다. 이들 가운데 가장 비천한 것의 노동도 어떤 일정한 가치를 가지고 있으며, 이 가치는 다른 모든 부류의 노동의 그것을 규정하는 것과 똑같은 원리들에 의하여 규정되며, 이들 가운데 가장 고귀하고 유익한 노동이라도 뒤에 가서 등량의 노동을 구매하거나, 획득할 수 있을 아무것도 생산하지 않는다. 배우의 극적인 낭독이라든지, 웅변가의 열변이라든지, 음악가의 선율처럼 그들 모두의 작품은 생산되자 바로 그 순식간에 소멸해 버린다.

생산적인 일손을 유지하기 위하여 사용되는 생산물의 비율은 다음해의 생산을 결정한다.

생산적 노동자도 비생산적 노동자도 그리고 전혀 노동을 하지 않는 사람들도 모두 그 나라의 토지와 노동의 연간 생산물로써 다 같이 부양된다. 이 생산물은 설혹 아무리 많다고 하더라도 결코 무한일 수는 없으며, 반드시 일정한 한계가 있다. 그러므로 어떤 연도에 비생산적 일손을 부양하는 데 사용되는 이 생산물의 비율이 적거나 많거나에 따라서, 전자의 경우에는 훨씬 많은 생산물이, 후자의 경우에는 보다 적은 생산물이 생산적인 일손을 위하여 남겨질 것이며, 그다음 해의 생산물도 그것에 따라서 많거나 또는 적을 것이다. 왜냐하면 연간 총생산물은 우리가 대지의 자연적인 생산을 제외한다면, 생산적 노동의 결과이기 때문이다.

생산물의 일부분은 자본을 회수하고 일부분은 이윤 및 지대를 구성한다.

모든 나라의 토지 및 노동의 연간 총생산물은 틀림없이 궁극적으로는 그 나라의 주민의 소비를 충족하기 위하여 그리고 그들에게 수입을 마련해 주기 위하여 예정된 것이지만, 그것이 최초로 토지에서 또는 생산적 노동자의 손에서 나올 때는, 자연히 그 자체를 두 가지 부분으로 분할한다. 종종 최대의 부분이기도 한 그 하나는 첫째로 자본을 회수하기 위하여, 즉 자본에서 빠져 나온 식료품·재료·완제품을 경신하기 위하여 예정된 것이며, 다른 부분은 이 자본의 소유자의 자재의 이윤으로서의 수입 또는 어떤 다른 사람의 토지의 지대로서의 수입을 구성하도록 예정된 것이다. 그러므로 토지의 생산물에 관하여 말하면 그 일부분은 농업경영자의 자본을 회수하고, 다른 부분은 그의 이윤과 지주의 지대를 지부한다. 그리하여 그 자본의 소유자의 자재의 이윤으로서의 수입과, 어떤 다른 사람의 토지의 지대로서의 수입인 쌍방을 구성하고 있다. 하나의 큰 제조장의 생산물에 관하여서도, 이와 마찬가지로 그 일부분이면서 언제나 최대의 부분은 그 사업의 기업가의 자본을 회수하고, 다른 부분은 그의 이윤을 지불한다. 그리하여 이 자본의 소유자의 수입을 구성하고 있다.[43]

자본을 회수하는 부분은 생산적인 일손만을 사용하지만,

어느 나라의 토지 및 노동의 연간 생산물 가운데 자본을 회수하는 부분은 결코 생산적인 일손 이외의 어떤 사람을 부양하는 데도 직접적으로 사용되지 않는다. 그것은 생산적 노동의 임금만을 지불한다. 이윤 또는 지대로서의 수입을 구성하기 위하여 직접적으로 예정되어 있는 부분은 생산적 일손(productive hands)이나 비생산적 일손(unproductive hands)이나 무차별로 부양할 것이다.

어떤 사람이 자본으로서 사용하는 것이 자기의 자재 가운데 어떤 부분이든 간에 그는 언제나 그것이 이윤과 함께 자기에게 회수될 것이라는 것을 기대하고 있다. 그러므로 그는 그것을 생산적 일손만을 부양하는 데 사용하며, 또한 그것

43 〔주의해야 할 것은 이 문단에서는 생산물(produce)이 소득(income) 또는 순생산물(net produce)이라는 보통의 경제학상의 의미로 사용되지 않고 모든 생산물(all produce)을 포함하는 것으로서, 예를 들면 직물은 물론 기계에 사용되는 기름도 포함하고 있는 것으로서 사용되어 있다는 것이다.〕

은 그에게 자본의 기능을 다한 뒤에 그러한 일군-群들의 수입을 구성한다. 만일 그가 그것의 어떤 부분을 어떤 종류의 비생산적 일군의 부양에 사용한다면 언제나 그 부분은 그 순간부터 그의 자본으로부터 빠져 나와 직접의 소비를 위하여 유보된 그의 자재 속에 들어간다.

한편 비생산적 일군과 노동을 하지 않는 사람들은 수입에 의하여 유지되고 있다. 비생산적 노동자와 전혀 노동을 하지 않는 사람들은 모두가 수입에 의하여 부양된다. 즉 그들은 첫째, 연간 생산물 가운데서 토지의 지대로써든지 또는 자재의 이윤으로써 어떤 특정된 사람들의 수입을 구성하기 위해서 본래 예정되어 있는 부분에 의하여 부양되거나, 또는 둘째, 연간 생산물 가운데 처음에는 자본을 회수하고 생산적 노동자만을 부양하기 위하여 예정되어 있었더라도 그것이 그들의 손에 일단 들어가면 그들의 필요한 생활자료를 넘어서 남는 부분은 모두 생산적 일군이든 비생산적 일군이든 간에 차별 없이 부양하는 데 사용될 수 있는 부분에 의하여 부양되거나 한다. 그러므로 대지주 또는 부유한 상인뿐만 아니라 보통의 직공까지도 자신들의 임금이 상당한 것이기만 하면 하인 한 사람쯤은 둘 수 있을 것이며, 때때로 연극이나 인형극을 구경하러 갈 것이며, 그렇게 함으로써 일군의 비생산적 노동자의 부양에 자기의 도움을 줄 수 있을 것이며, 또한 그는 어떤 조세를 지불함으로써 또 다른 일군의 사람들, 즉 훨씬 더 명예스럽고 더 유용하지만 마찬가지로 비생산적인 사람들을 부양하는 데 도움을 줄 수 있을 것이다. 그러나 연간 생산물 가운데 본래 자본을 회수하기 위해 예정되어 있었던 부분은, 이것이 그 생산적 노동의 전량을 완전히 가동시킬 때까지는, 다시 말하면 그것이 사용된 방법으로써 가동시킬 수 있는 모든 생산적 노동을 가동시킬 때까지는, 결코 비생산적인 일군의 부양으로 돌려지지는 않는다. 직공은 자기의 임금의 어떤 부분을 이러한 방법으로 사용할 수 있기 전에 일을 수행함으로써 자기의 임금을 벌어 놓지 않으면 안 된다. 뿐만 아니라 그러한 부분은 대체로 적은 것에 지나지 않는다. 그것은 생산적 노동자들이 좀처럼 낳이 가질 수 없는 그의 예비의 수입일 뿐이다. 그러나 그들은 일반적으로 그런 것을 조금은 가지고 있으며, 또한 조세의 지불에 있어서 그들의 수가 많다는 것은 그들의 분담액이 적다는 것을 어느 정도 메워 줄 것이다. 그러므로 토지의 지대와 자재의 이윤은 어디에서나 비생산적인 일군이 그 생활자료를 끌어내는 주요 원천이다. 그들이야말로 그 소유자들이 대체로 없어도 지낼 수 있는 최대의 여지를 가지고 있는 두 가지 부류의 수입이다. 이 수입은 생산적인 일군이든 비생산적인 일군이든 차별 없이 쌍방을 모두 부양할 수 있을 것이다. 그러나 이 수입은 다소 후자를 편애하는 것같이 생각된다. 대영주의 경비는 일반적으로 근면한 사람들보다 더 많은 게으른 사람들을 먹이고 있다. 부유한 상인은 자기의 자본으로써는 근면한 사람들만을 부양하지만 자기의 경비로써는, 다시 말하면 자기의 수입의 사용에 의하여서는 보통 대영주와 극히 동일한 부류의 사람들을 부양하고 있다.

그러므로 생산적 일손의 비율은 이윤 및 지대와 자본을 회수하는 생산적 부분과의 비율에 의존한다.

그러므로 생산적 일손과 비생산적 그것과의 비율은 어떠한 나라에서도, 연간 생산물 가운데 토지 또는 생산적 노동자의 손에서 나오자마자 자본을 회수하기 위하여 예정되어 있는 부분과, 지대 또는 이윤으로서의 수입을 구성하는 부분과의 비율에 의존함이 대단히 크다. 이 비율은 부국에 있어서는 빈국에 있어서의 그것과 대단히 상이하다.

지대는 옛날이 현재보다 농업 생산물 가운데 훨씬 많은 부분을 형성하고 있었다.

이리하여 현재 유럽의 부유한 제국에서는 토지 생산물의 극히 많은 부분, 아니 이따금 최대의 부분이 부유한 독립 농업경영자의 자본을 회수하기 위하여 예정되고 나머지 부분이 그의 이윤과 지주의 지대를 지불하기 위하여 예정된다. 그러나 옛날 봉건정치가 널리 유행했을 동안에는 생산물의 극히 적은 부분만으로도 경작에 사용된 자본을 회수하는 데 충분했다. 그것은 보통 미경작지의 자연 발생적인 생산물만으로써 사육되고 있는 초라한 몇 마리의 가축으로 되어 있었으며, 그 가축도 그러한 자연 발생적인 생산물의 일부분이라고 간주되었을는지도 모른다. 게다가 그것은 보통 지주에게 속해 있었으며, 지주가 토지의 점유자에게 선대했던 것이다. 나머지 모든 생산물은 지주의 토지에 대한 지대로서, 또는 이 보잘것없는 자재에 대한 이윤으로서 당연히 지주에게 속했다. 토지의 점유자들은 일반적으로 농노(bondmen)였으며, 그의 신체도 동산도 동등하게 지주의 재산이었다. 농노가 아닌 사람들은 임의해약차지인(tenants at will)이었으며, 그들이 지불하던 지대는 명목적으로는 종종 면역지대(quit-rent)나 다름없었지만, 그것이 실제로는 토지의 총생산물에 달했다. 그들의 영주는 언제 어느 때나 평화시에는 그들의 노동을 명령하고, 전시에는 그들에게 군역을 명할 수 있었다. 그들이 영주의 집에서 멀리 떨어진 곳에서 살고 있었지만, 그들은 그 집에서 살고 있었던 후자들(retainers)과 동등하게 그에게 종속되어 있었다. 그런데 토지의 총생산물이 이것으로 부양되고 있는 모든 사람의 노동과 서비스를 자유로 처분할 수 있는 영주에게 속하고 있음은 틀림없다. 유럽의 현 상태하에서는 지주의 몫은 토지의 총생산물의 3분의 1은 좀처럼 넘지 않으며, 때에 따라서는 4분의 1도 되지 않을 때도 있다. 그러나 그 나라의 개량된 모든 지방에서는 토지의 지대가 그 옛날에 비하면 세 배 내지 네 배로 되었으며, 그리하여 이 연간 생산물의 3분의 1 또는 4분의 1은 옛날에 있어서의 그 전체보다도 세 배 또는 네 배나 더 많은 것 같다. 개량이 진보함에 따라, 지대가 토지 면적에 비하여는 증가하지만 그 토지의 생산물에 비하여는 감소한다.

옛날에는 이윤이 제조업의 생산물 가운데서 현재보다 훨씬 더 큰 몫을 차지하고 있었으므로,

유럽의 부유한 제국에서는 현재 상업과 제조업에 대자본이 사용되고 있다. 옛날의 상태에서는 그 당시 움직이고 있었던 소규모의 상업과 당시 경영되고 있었

던 소수의 가문적이며 조잡한 제조업은 대단히 적은 자본밖에 필요로 하지 않았다. 그런데도 이러한 사업은 대단히 큰 이윤을 내었을 것이 틀림없다. 이자율이 10퍼센트 이하인 곳은 없었으며, 그들의 이윤은 이러한 큰 이자를 감당하기에 충분했을 것이 틀림없다. 현재 유럽의 개량된 여러 지방들에서는 어디에서나 이자율이 6퍼센트 이상인 곳은 없었으며, 가장 개량이 많이 된 어떤 지방에선 4퍼센트, 3퍼센트 및 2퍼센트 따위로 대단히 낮다. 주민들의 수입 가운데 자재의 이윤에서 나오는 부분은 항상 빈국에서보다도 부국에서 훨씬 더 많지만, 그것은 자재가 훨씬 많기 때문이며, 따라서 자재에 비하여 이윤은 대체로 훨씬 적다.[44]

자본을 회수하기 위하여 필요하게 되는 생산물의 비율은 옛날보다 현재가 더 크다.
그러므로 연간 생산물 가운데 토지 또는 생산적 노동자의 손에서 나오자마자 자본을 회수하도록 예정되는 부분은 빈국에서보다 부국에서 훨씬 더 클 뿐만 아니라 지대 또는 이윤으로서의 수입을 구성하기 위하여 직접적으로 예정되어 있는 부분에 대해서도 훨씬 더 큰 비율을 가지고 있다. 생산적 노동을 유지하기 위하여 예정된 기금은 전자에서보다 후자에서 훨씬 더 클 뿐만 아니라, 그들이 생산적 일손과 비생산적 일손의 쌍방을 부양하기 위하여 사용될지라도, 대체로 비생산적 일손을 편애하는 기금에 대하여 훨씬 더 큰 비율을 차지하고 있다.

기금들 사이의 비율은 그 나라의 주민이 근면하게 될 것인지 게으르게 될 것인지를 결정한다.
이러한 여러 가지 기금 사이의 비율은 반드시 모든 나라에서, 그 주민이 부지런한지 게으른지에 관한 그들의 일반적 성질을 결정해 준다. 우리는 우리의 부조父

44 〔이윤이 생산물 가운데서 비교적 큰 부분을 형성하고 있는지 아닌지라고 하는 최초로 제기된 문제가 전적으로 간과되어 있다. 생산물에 비하여 훨씬 더 큰 자재를 사용하면 이윤율이 비교적 낮더라도 생산물의 비율은 더 클 수 있을 것이다.〕

祖보다는 더 근면하다. 왜냐하면 현대에 있어서는 2~3세기 전보다도 근로를 유지하기 위하여 예정된 기금이 타태를 유지하기 위하여 사용될 것 같은 기금에 비하여 훨씬 크기 때문이다. 우리의 선조는 근로에 대한 자극이 부족되했었으므로 나태했다. 속담에도 무상으로 일하느니보다는 그냥 노는 편이 낫다는 말이 있다. 상업도시와 제조업도시에서는 하층계급의 사람들은 주로 자본의 사용에 의하여 부양되고 있으며 잉글랜드의 수많은 도시에 의하여 부양되고 있으며 잉글랜드의 수많은 도시와 네덜란드의 대다수의 도시에서 그러한 것처럼, 그들은 일반적으로 근면하며, 검소하고 부유해져 가고 있다. 궁정의 항구적 또는 수시적인 소재지임으로 해서 주로 유지되고, 하층계급의 사람들이 주로 수입의 소비에 의하여 부양되고 있는 도시에서는 로마·베르사유·콩피에뉴·퐁텐블로에서처럼, 그들은 대체로 타태하고 방종하고 가난하다. 만일 루앙과 보르도를 제외하면 프랑스의 어떠한 고등법원 소재 도시에도[45] 상업 또는 제조업은 거의 없으며, 또한 하층계급의 사람들은 주로 재판소원과 이들에게 청원하려고 오는 사람들의 비용에 의하여 주로 부양되고 있으므로, 일반적으로 게으르고 가난하다. 루앙과 보르도의 상업이 대대적인 것은 전적으로 그들의 위치의 결과인 것 같다. 루앙은 파리라는 대도시의 소비를 위하여 외국 또는 프랑스의 연해지방에서 보내어지는 모든 재화의 집산지가 되어 있다. 보르도는 이와 마찬가지로 가론강과 이곳으로 유입하는 여러 하천의 둑을 따라 생산되는 포도주의 집산지이며, 세계에서는 가장 풍부한 포도주 산지의 하나이며, 더욱이 수출에 가장 적합한 포도주, 즉 외국인의 구미에 가장 잘 맞는 포도주를 산출하는 지방인 것 같기도 하다. 이렇게 유리한 위치는 결국 자본에 대하여 큰 용도를 제공하므로 대자본을 끌어오며, 또한 이 자본의 사용이야말로 그 두 도시의 근로의 원인이다. 프랑스의 다른 고등법원 소재 도시에서는 그들 자체의 소비를 충족하는 데 필요

45 〔즉 파리·툴루즈Toulouse·그레노블Grenoble·보르도Bordeaux·디종·루앙Rouen·엑스Aix·렌Rennes·포Pau·메츠Metz·브장송Besançon·두에Douai 등이 그것이다.—《Encyclopédie》(1765), 제12권, 'Parlement'의 항.〕

한 것보다 더 많은 자본이 결코 사용되고 있는 것 같지 않다. 즉 그곳에서 사용될 수 있는 최소액의 자본에 지나지 않는다는 것이다. 파리·마드리드·빈에 관하여서도 마찬가지라고 할 수 있다. 이 세 도시 가운데서 파리가 가장 근면하지만, 파리 그 자체는 파리에 확립되어 있는 모든 제조업의 주요 시장이며, 그 자체의 소비는 파리가 운영해 가고 있는 모든 사업의 주요 대상이기도 하다. 궁정의 항구적 소재지인 동시에 상업도시라고 생각될 수 있는 것은, 즉 그 자체의 소비를 위해서뿐만 아니라, 다른 도시 및 제국의 소비를 위하여 거래하고 있는 도시로서는 아마 유럽에서는 런던·리스본·코펜하겐의 세 도시뿐일 것이다. 세 도시의 위치는 극히 유리하며, 자연적으로 먼 지방의 소비를 위해 예정된 대부분의 재화의 집산지가 되기에 꼭 알맞게 되어 있다. 거액의 수입이 지출되는 도시에서는 그 도시의 소비를 충족하는 목적 이외의 어떤 다른 목적에 자본을 유리하게 사용한다는 것은, 아마 하층계급의 사람들이 이러한 자본의 사용에서 끌어내는 것 이외의 다른 아무런 생활유지 수단을 갖고 있지 않는 도시에서보다 훨씬 더 곤란할 것이다. 수입의 지출에 의하여 부양되고 있는 대부분의 사람들의 타태가 자본의 사용에 의하여 부양되어야 할 사람들의 근면을 타락시킨다는 것은 있을 법하며, 더구나 이것은 그러한 지방에서 자본을 사용하는 것을 다른 지방에서 그렇게 하는 것보다 덜 불리하게 한다. 합방 이전의 에든버러에는 상업 또는 공업이 거의 없었다. 스코틀랜드의회가 그곳에서 소집되지 않게 되자, 그리고 그곳이 스코틀랜드의 주된 귀족과 향신들의 불가결한 거주로 되지 않게 되자 그곳은 약간의 상업 및 공업도시가 되었다. 그러나 에든버러는 역시 계속 스코틀랜드의 주요재판소·관세국·내국소비세국 등의 소재지이다. 상업과 공업에 관해서는 에든버러는 글래스고보다 훨씬 뒤떨어져 있고, 그리고 글래스고의 주민은 주로 자본의 사용에 의하여 부양되고 있다.[46] 커다란 마을의 주민이 제조업에서

46 〔《Lectures》, 154~156면에는 에든버러와 이와 비슷한 곳이 글래스고에 비하여 게으른 것을 주민의 독립심의 부족에만 그 탓을 돌리고 있다. 여기에 수입과 자본을 도입한 것은 중농학파의 제학설을 연구한 결과이다.〕

상당히 진보를 하고 난 후에 그들의 이웃에 대귀족이 거주하여 버린 결과로서 게을러지고 가난하여졌다는 사실이 때때로 관찰되어 왔다.

어떤 나라의 자본의 증감은 마침내 그 나라의 연간 생산물을 증감시킨다.

그러므로 자본과 수입 사이의 비율은 어떤 곳에서나 근면과 타태 사이의 비율을 결정하는 것 같다. 자본이 우위를 차지하고 있는 곳에서는 근면이 우세하고, 수입이 우위를 차지하는 곳에서는 타태가 우세하다. 그러므로 자본이 증감할 때마다 자연히 근면의 실제량, 즉 생산적 일손의 수를 증감시키는 경향이 있으며, 따라서 그 나라의 토지 및 노동의 연간 생산물의 교환가치, 즉 그 나라의 모든 주민의 실질적 부와 수입도 자연히 증감하는 경향이 있다.

자본은 인색 또는 저축에 의하여 증가된다.

자본은 인색(parsimony)에 의하여 증가되고 낭비와 그리고 잘못 처리함으로써 감소된다.

사람은 자기의 수입 가운데서 저축하는 모든 것을 자기의 자본에 추가하고, 그것을 생산적 일손의 추가량을 유지하는 데 손수 사용하거나, 또는 그것을 어떤 타인에게 이자, 즉 이윤의 몫을 받고 빌려주어서 그 사람으로 하여금 그렇게 할 수 있게 하거나 한다. 개인의 자본이 그의 연간 수입 또는 그의 연간 이득 가운데서 그가 저축하는 것에 의해서만 증가될 수 있듯이, 사회를 구성하는 전 개인의 자본과 동일물인 사회의 자본도 이와 동일한 방법에 의하여서만 증가할 수 있다.

근면이 아닌 인색이 자본 증가의 직접 원인이다. 사실 근면은 절약이 축적하게 되는 대상물을 조달한다. 그러나 근로가 어떠한 것을 획득할 수 있다 하더라도, 절약이 그것을 저축하고 저장하지 않는다면, 자본은 결코 더 커지지 않을 것이다.

인색은 생산적인 일손을 부양하기 위하여 예정되어 있는 기금을 증가시킴으로써, 그들의 노동이 주어져서 그 대상의 가치가 증가하는 그러한 일손의 수를 증가시키는 경향이 있다. 그러므로 그것은 그 나라의 토지 및 노동의 연간 생산물의 교환가치를 증가시키는 경향이 있다. 그것은 연간 생산물에 추가적 가치를 부여하는 근면의 추가량을 가동시킨다.

저축된 것은 생산적인 일손에 의하여 소비된다.

해마다 저축되는 것은 해마다 소비되는 것과 마찬가지로 규칙적으로, 그리고 또한 거의 동시적으로 소비된다.[47] 그러나 그것은 상이한 일군의 사람들에 의하여 소비된다. 부자가 해마다 소비하는 그의 수입 부분은 대부분의 경우 게으른 손님과 하인들에 의하여 소비되며, 이들은 자신들 소비의 답례로서 아무것도 남기지 않는다. 그가 해마다 저축하는 부분은 이윤을 얻기 위하여 자본으로서 즉시 사용되므로, 똑같은 방법으로 더구나 거의 동시에 소비되기는 하지만 상이한 일군의 사람들, 즉 노동자·제조공·공인에 의하여 소비되며, 이들은 그들의 연간 소비재의 가치를 이윤과 함께 재생산한다. 부자의 수입이 그에게 화폐로 지불된다고 가정하자. 만일 그가 그 전부를 소비했다면, 그 전부로써 구매했을 의식주는 전자의 일군의 사람들 사이에 분배되었을 것이다. 그 가운데 일부분을 저축함으로써, 그 부분은 그 자신이나 다른 사람에 의하여, 이윤을 얻기 위하여 즉시 자본으로서 사용되기 때문에, 그 부분으로 구매할 수 있는 의식주는 반드시 후자와 같은 일군의 사람들을 위하여 유보된다. 소비는 동일하지만 소비자가 다르다.

절약가는 생산적 일손의 고용을 위한 영구적인 기금을 설정한다.

절약하는 사람이 해마다 저축하는 것으로써, 그는 그해 또는 그다음 해를 위한 생산적 일손의 추가수追加數를 부양할 수 있을 뿐만 아니라, 공설의 작업장(public workhouse)의 설립자처럼 장래의 언제까지나 동수의 사람들을 부양하기

47 〔스미스가 이러한 역설에 도달한 것은 자본에 대한 추가분을 생산하는 노동자의 보수와 추가분 그 자체를 혼동했기 때문이다. 실제로 저축된 것은 자본에 대한 추가분이며, 이런 것은 소비되지 않는다.〕

위한, 말하자면 영구적인 기금을 설정할 수 있다. 사실 이 기금의 영구적 할당과 예정 목적이 반드시 성문법이라든지 신탁권 또는 영대기부행위永代寄附行爲(deed of mortmain)에 의하여 보호받고 있는 것은 아니다. 그러나 그것은 대단히 유력한 원리에 의하여, 즉 언제나 그것의 저축이 속하게 될 모든 개인의 평범하고 명백한 이해관계라고 하는 극히 유력한 원리에 의하여 항상 보호받고 있다. 그 기금의 어떤 부분도 그 후에 생산적인 일손 이외의 것을 부양하는 데 사용될 수 없으며, 만일 이렇게 그 본래의 예정 목적에서 벗어나 그것을 악용하는 사람이 있다면 그는 반드시 명백한 손실을 볼 것이다.

낭비자는 이러한 기금을 다른 여러 용도에 악용한다.
낭비자는 다음과 같은 방법으로 그것을 악용한다. 자기의 지출을 자기의 소득의 범위 내로 한정하지 않음으로써 자기의 자본을 잠식한다. 어떤 경건한 재단의 수입을 독신적인 목적에 악용하는 사람처럼 그는 근면한 사람들을 부양하기 위하여 자기의 부조들의 절약이 바쳤던 기금으로써 게으른 사람들의 임금을 지불한다. 그는 반드시 생산적 노동자를 사용하기 위하여 예정된 기금을 감소시킴으로써, 그것이[48] 자기에게 의존하고 있는 한, 노동이 주어짐으로써 대상의 가치가 증가하는 그러한 노동의 양을 감소시키며, 따라서 전국의 토지 및 노동의 연간 생산물의 가치, 즉 그 주민의 실질적 부와 수입을 감소시킨다. 만일 어떤 사람들의 낭비가 다른 사람들의 절약에 의하여 메워지지 않는다면 근면한 사람들의 빵으로 게으른 사람들을 먹이는 셈이므로, 모든 낭비자의 행위는 자기 자신을 거지로 만들 뿐만 아니라 자기의 나라를 빈곤화하는 데 도움이 될 뿐이다.

그가 국산제품을 소비하든지 외국 제품을 소비하든지 간에 아무런 차별도 생기지 않는다.

48 〔초판에는 "그것이"가 없다.〕

낭비자의 지출이 오로지 국산품에 관해서만 이루어졌고, 어떠한 지출 부분도 외국품에 관해서는 이루어지지 않았더라도 그것이 그 사회의 생산적 기금에 미치는 효과는 역시 동일했을 것이다. 당연히 생산적 일손을 유지해야 했을 일정량의 식물과 의복은 역시 해마다 비생산적 일손을 부양하기 위해 사용되었을 것이다. 그러므로 해마다 그렇지 않았을 경우 그 나라의 토지 및 노동의 연간 생산물의 가치가 되었을 것이 해마다 약간 감소되었을 것이다.

만일 그가 지출하지 않았다면, 국내에는 꼭 그만큼 많은 화폐와 생산적 일손에 의하여 생산된 재화가 있었을 것이다.

이 지출은 외국 재화에 관한 것은 아니며 금은의 수출을 전혀 일으키지 않으므로 종래와 동량의 화폐가 국내에 남을 것이라고 말할 사람이 있을지도 모른다. 그러나 만일 비생산적 일손에 의하여 이렇게 소비된 식물과 의복의 양이 생산적 일손들 사이에 분배되었다면, 그들은 그들의 소비의 총가치를 이윤과 함께 재생산했을 것이다. 이 경우에도 종래와 동량의 화폐가 국내에 남았을 것이며, 그 밖에도 동가치同價値의 소비재의 재생산이 있었을 것이다. 그곳에는 하나의 가치 대신에 두 개의 가치가 있었을 것이다.

그뿐 아니라 연간 생산물이 감소되면 화폐는 해외로 나갈 것이다.

뿐만 아니라 연간 생산물의 가치가 감소하는 나라라면 어떠한 나라에서도 화폐의 양이 오랫동안 동일한 그대로일 수는 없다. 화폐의 유일한 용도는 소비재를 유통시키는 것이다. 그것을 매개로 하여 식료품·재료·완제품이 매매되고, 정당한 소비자들에게 분배된다. 따라서 어떤 나라에서 해마다 사용될 수 있는 화폐의 양은 그 국내에서 해마다 유통하는 소비재의 가치에 의하여 결정되지 않을 수 없다. 이 소비재는 그 나라 자체의 토지 및 노동의 직접의 생산물로 되어 있거나 또는 이 생산물의 어떤 부분으로써 구매된 어떤 것으로 되어 있음이 틀림없다. 그러므로 그 소비재의 가치는 그 생산물의 가치가 감소하는 데 따라 감소하지 않을 수 없다. 그리고 그것에 따라 소비재를 유통시키는 데 사용될 수 있는 화폐의 양도 감소되지 않을 수 없다. 그러나 이러한 생산물의 연간 감소에 의하여 국내의 유통계에서 해마다 버려지는 화폐는 놀려 둔 채 내버려 두도록 허용되지는 않을 것이다. 그것을 소유하고 있는 사람들이 누구든지 간에 그 사람들의 이해관계는 그것이 사용되어야 할 것을 필요로 한다. 그러나 국내에서는 용도가 없으므로, 어떠한 법률과 금지가 있더라도 그것은 해외로 보내어져서, 국내에서 약간 소용이 될 것 같은 소비재를 구매하는 데 사용될 것이다. 화폐의 연간 수출은 이렇게 하여 계속 얼마 동안 그 나라 자체의 연간 생산물의 가치 이상으로 그 연간 소비에 그 어떤 것을 추가할 것이다. 그 나라가 번영했을 때 연간 생산물 가운데서 저축되어 금은을 구매하는데 사용된 화폐는 얼마 동안 역경에 처해 있는 그 나라의 소비를 유지하는 데 이바지할 것이다. 이런 경우 금은의 수출은 그 나라의 쇠퇴의 원인은 아니고 그 결과이며, 어느 단기간, 그 쇠퇴의 불행을 완화하기까지 할 것이다.

반면에 연간 생산물이 증가하면, 화폐는 들어올 것이다.

이와 반대로 어떤 나라에서나 연간 생산물의 가치가 증가하는 데 따라서 화폐량은 자연히 증가하지 않을 수 없다. 그 사회에서 해마다 유통되는 소비재의 가치가 점점 커지므로 그 소비재를 유통시키기 위하여 더 다량의 화폐를 필요로 할 것이다. 따라서 증가된 생산물의 일부분은 획득될 수 있는 곳이라면 어디에서나 나머지 부분을 유통시키는 데 필요한 금은의 추가량을 구매하는 데 자연히 사용될 것이다. 이런 경우 이러한 금속의 증가는 공공사회의 번영이 결과이지 원인은 아닐 것이다. 금은의 어디에서나 이렇게 해서 구매되고 있다. 페루에서도, 잉글랜드에서도 금은의 대가로서 지불되는 가격은 금은의 광산에서 시장에 보내는 데 노동 또는 자재를 사용하는 모든 사람들의 의식주와 수입 및 생활유지비이다. 이 가격을 지불할 수 있는 나라는 그 나라가 필요로 하고 있는 양의 이러한 금속을 오랫동안 갖지 않고 지내지는 않을 것이며, 어떠한 나라도 그것이 전혀 필요도 하지 않는 양의 그러한 금속을 오랫동안 유지하지도 않을 것이다.

그러므로 비록 일국의 실질적 부가 그의 화폐로 되어 있다 하더라도, 낭비자는 공공사회의 적으로 될 것이다.
그러므로 우리가 일국의 실질적 부와 수입을, 명백한 이성이 지시하고 있다고 생각되는 바와 같이, 그 나라의 토지 및 노동의 연간 생산물의 가치로써 되어 있다고 상상하거나, 또는 속된 편견이 상정하는 것처럼 그 나라에 유통하고 있는 귀금속의 양으로 되어 있다고 상상하든지 간에, 그 문제에 관한 그 어떤 견해로써도 모든 낭비자는 공공사회의 적이며, 모든 절약가는 그의 은인인 것 같다.

자본의 무분별한 사용은 낭비와 동일한 결과를 갖는다.
잘못 사용하는 결과는 이따금 낭비의 결과와 동일하다. 농업·광업·어업·상업·제조업에 관한 모든 무분별하고 성공의 가망이 없는 기획은 낭비와 마찬가지로 생산적 노동을 유지하기 위하여 예정된 기금을 감소시키는 경향이 있다. 이러한 모든 기획에 있어서는 비록 자본이 생산적 일손에만 의하여 소비된다 하더라도 그들의 사용 방법이 무분별하여 그들은 자신들이 쓴 소비재의 총가치를 재생산하지 못하므로, 그렇지 않았을 경우 그 사회의 생산적 기금이 되었을 것에 약간이나마 감소가 있을 것임에 틀림없다.

절약과 신중은 우위를 차지한다.
실로 일대 국민의 상태가 개인의 낭비 또는 비행에 의하여 크게 영향을 받는다는 것은 거의 있을 수 없다. 몇 사람의 낭비와 건방짐은 다른 사람들의 절약과 선행에 의하여 메워지고도 남을 것이기 때문이다.

낭비는 우리들의 생활상태를 보다 좋게 하려는 욕망보다는 더 간헐적이다.
낭비에 관하여서 보면, 지출을 자극하는 원리는 목전의 향락에 대한 격정이며,

이것은 때에 따라서는 맹렬하여 좀처럼 억제하기 곤란하지만 대체로 순간적인 것이며, 더구나 이따금씩 일어날 뿐이다. 그러나 저축하도록 자극하는 원리는 우리의 상태를 좀 더 낫게 하려는 욕망이며, 대체로 조용하고 냉정한 것이지만 어머니의 태내에서 우리와 함께 나와서 우리가 무덤에 들어갈 때까지는 우리를 떠나지 않는 욕망이기도 하다. 이 두 가지 순간으로 구분되는 전체 기간을 통하여, 어떤 사람이 그 이상 어떤 종류의 변경도 개선도 바라지 않는다고 할 만큼 자기의 처지에 완전히 만족하고 있는 것은 단 일순간[49]이라도 없을 것이다. 재산을 증가시킨다는 것은 대부분의 사람들이 자신들의 생활상태를 보다 낫게 하기 위하여 계획하고 희망하는 수단이다. 이것이 가장 통속적이며, 가장 명백한 수단인 것이며, 그들의 재산을 증가시키는 가장 그럴듯한 방법이란 그들이 획득한 것의 어떤 부분을 규칙적으로, 그리고 해마다 또는 특별한 기회마다 절약하고 축적한다는 것이겠다. 그러므로 지출의 원리는 어떤 경우에는 거의 모든 사람을 지배하고, 또 사람에 따라서는 거의 모든 경우에 이 원리에 지배되지만, 대부분의 사람들에게 그들의 전생애을 통하여 평균해 보면, 절약의 원리가 우위를 차지할 뿐만 아니라 대단히 크게 우위를 차지하고 있는 것 같다.

무분별한 기업은 수적으로 보아 사려 깊은 기업에 비해 적은 편이다.

비행에 관하여 본다면 신중하고 성공적인 기업은 어떠한 곳에서나 무분별하고 실패로 끝나는 기업보다 훨씬 더 수가 많다. 우리들은 파산이 빈번하다고 불평을 하지만, 이러한 불운에 빠지는 불행한 사람은 상업과 기타 모든 다른 부류의 업무에 종사하고 있는 사람들의 총수 가운데 극히 작은 부분을 차지하고 있음에 불과하며, 아마 1000명 가운데 한 사람을 넘지는 않을 것이다. 파산이란 죄 없는 인간에게 들이닥칠 수 있는 가장 굴욕적인 불행일 것이다. 따라서 대부분의 사람들은 충분히 주의하여 이를 피하려고 한다. 실은 이것을 피하려

49 〔"순간(instant)"은 제5판에서는 "instance"라고 오식되어 있다. 그 결과 현대판의 어떤 것에도 오식되어 있다.〕

고 하지 않는 사람도 있지만 그것은 교수대를 피하지 않으려고 하는 사람과 마찬가지이다.

공적인 낭비와 무분별은 사적인 것보다 더 두려운 것이다.

위대한 국민은 사적인 낭비와 비행에 의하여서는 결코 가난해지지[50]는 않으나, 공적인 낭비와 비행에 의하여서는 종종 가난해진다. 공공수입의 전부 또는 거의 전부는 대다수의 나라에서 비생산적 일손을 부양하는 데 사용된다. 즉 수많은 장려한 궁정과 종교상의 커다란 설립물을 짓는 사람들, 평시에는 아무것도 생산하지 않고, 전시에는 전쟁이 계속될 때조차 자신들을 부양하는 데 드는 비용을 메울 수 있는 아무것도 획득하지 못하는 거대한 해군과 육군을 구성하는 사람들이 그러한 사람들이다. 그러한 사람들은 그들 자신은 아무것도 생산하지 않으므로 모두 다른 사람들의 노동생산물에 의하여 부양된다. 그러므로 이러한 사람들이 증가하여 불필요한 수에 이르면, 그들은 어떤 특정 연도에 이러한 생산물의 몫을 너무 많이 소비하게 되어, 그 결과 다음 연도에 그것을 재생산해야 할 생산적 노동자를 부양하기에 족한 것을 남겨 놓지 않을 수도 있다. 따라서 차년의 생산물은 전년의 그것보다 적어질 것이며, 더구나 동일한 무질서가 계속된다면, 제3년째의 생산물은 제2년째의 그것보다 적어질 것이다. 국민의 여분의 수입의 일부분만으로써 부양되어야 할 이러한 비생산적 일손은 국민의 총수입의 너무 큰 몫을 소비하게 될 것이며, 그렇게 되면 대단히 많은 사람들이 부득이 자신들 자본을, 즉 생산적 노동을 유지하기 위하여 예정된 기금을 잠식하지 않을 수 없으므로, 개인의 모든 절약과 선행도 이렇게 난폭하고 강제적 잠식에 의하여 일어나는 생산의 낭비와 감퇴를 보상할 수 없을 것이다.

그러나 이것은 사적 절약과 신려에 의하여 상쇄된다.

50 〔"가난해진다(impoverished)"는 것은 여기에서는 "made poor", 즉 "파멸된다(ruined)"와 동의어이며, 단순히 "더 가난해진다(made poorer)"라는 의미는 아니다.〕

그러나 이런 절약과 선행이 대부분의 경우 개개인의 사적 낭비와 비행뿐만 아니라 정부의 낭비를 메우는 데 족한 것이라는 것은 경험상 밝혀져 있다. 모든 사람이 각자의 생활상태를 보다 낫게 하려 하는, 항상 불변이며 중단하지 않는 노력은 개인의 부는 물론, 공적이며 국민적인 부유도 본래 이에 연유한 원리이며, 이 노력은 정부의 낭비와 행정상의 최대의 과오가 있었음에 개선을 향해 나가려는 사물의 자연적인 전개를 유지하기에 족할 만큼 유력할 때도 흔히 있다. 그것은 동물의 생활에 관한 미개의 원리와 같이 그 원칙은 다만 질병뿐만 아니라 의사의 불합리한 처방이 있었다 해도 신체에 건강과 활력을 회복시키는 수가 흔히 있다.

국민의 생산물을 증가하기 위해서는 자본의 증가가 필요하다. 그러므로 만일 생산물이 증가하면 우리는 자본도 증가했다고 확신해도 좋다. 이 사실은 평화시에는 거의 모든 국민에 관한 실정이다.

어떤 국민의 토지 및 노동의 연간 생산물은 그 생산적 노동자의 수를 증가시키거나 또는 이전부터 사용되어 왔었던 노동자의 생산력을 증가시키지 않고서는 어떤 다른 방법에 의하여도 그의 가치를 증가시킬 수 없다. 그 나라의 생산적 노동자의 수가 자본의 증가의 결과로서, 즉 그들을 부양하기 위해 예정된 기금의 증가의 결과로서 증가하는 이외에는 결코 크게 증가될 수 없다는 것은 명백하다. 동수의 노동자의 생산력의 증가는 노동을 촉진하고 단축하는 여러 가지 기계와 용구를 다소나마 증가시키거나 개선하는 결과로서, 또는 일을 더 적절하게 분할하고 배분하는 결과로서가 아니고서는 결코 증가될 수 없다. 어느 경우에나 추가적 자본이 거의 언제나 필요하다. 어떤 사업의 기업가가 자기의 직공들에게 보다 좋은 기계를 마련해 줄 수 있고, 또 그들 사이에 일을 더 적절하게 분배해 줄 수 있는 것도 모두 추가적 자본을 매개로 해서만이 이루어진다. 성취되어야 할 일이 수많은 부분으로 구성될 때는, 각 개인을 항상 동일한 일에 종사시켜 두는 것이, 각 개인을 수시로 다른 부분의 일에 종사시키는 경우보다는, 훨씬 많은 자본을 필요로 한다. 그러므로 우리가 국민의 상태를 두 가지 상이한 시기에서 비교해서, 그 토지 및 노동의 연간 생산물이 전자의 시기보다도 후자의 시기에 명백히 더 크다는 것, 그 토지는 보다 잘 경작되고 그 제조업은 보다 많아지고 번성한다는 것, 그리고 그 상업은 더 확장된다는 것을 발견할 때, 우리는 그 국민의 자본이 이 두 시기 사이에 증가되었음이 틀림없다는 것, 어떤 사람들의 선행에 의하여 그 국민의 자본에 추가된 것이 다른 사람들의 사적인 비행 또는 정부의 공적인 낭비에 의하여 국민의 자본에서 제거되었을 것보다 더 많았을 것이 틀림없다는 것을 확신하여도 좋을 것이다. 그러나 우리는 꽤 조용하고 평화로운 시기에는 언제나 이상의 사실은 거의 모든 국민에 관하여 사실이었으며, 가장 신중하고 극도로 절약하는 정부를 갖고 있지 않은 국민들에 관하여서까지 사실이었다는 것을 발견할 것이다. 사실은 그것에 관하여 올바른 판단을 내리기 위해서 우리는 그 나라의 상태를 서로 약간 떨어진 시기에 관하여 비교해 보지 않으면 안 된다. 진보란 흔히 너무 점진적이어서 가까운 두 시기에 관하여 비교하면, 개선이 있었어도 눈에 띄지 않을 뿐만 아니라, 비록 그 나라가 일반적으로 크게 번영하고[51] 있더라도 이따금 발생하는 산업의 어떤 부분 또는 그 나라의 한 지역의 쇠미 때문에 그 나라 전체의 부와 산업이 감쇠되고 있지나 않나 하는 의심이 흔히 일어난다.

이를테면 1660년부터 1776년까지의 잉글랜드가 그러했으며,

예를 들면 잉글랜드의 토지 및 노동의 연간 생산물은 한 세기 남짓한 이전인 찰스 2세의 왕정복고 당시보다도 확실히 더 크다. 내가 믿고 있는 바로는 현재에 이 사실을 의심하는 사람은 거의 없겠지만 이 약 한 세기 동안을 통하여, 이 국민의 부는 급속히 감쇠하고 있다거나, 이 나라의 인구는 줄어들었다거나, 농업은 등한시되고 제조업은 쇠퇴하고 상업은 방치되어 있다고 하는 것을 증명한다고 주장하는 약간의 서적 또는 팸플릿, 더욱이 공중에 다소나마 권위를 획득

51 〔여기에선 가정법 "be"이지만 초판에서는 직설법 현재 "is"로 되어 있다.〕

할 만큼의 그러한 역량을 가지고 쓰였던 책이나 팸플릿이 공간되지 않고서 5년이 경과한 적은 없었던 것이다. 이들 출판물은 그 전부가 허위와 금전상의 무절조의 야비한 산물인 당파적 팸플릿만은 아니었다. 그중 많은 것이 대단히 공평하고, 대단히 총명한 사람들에 의하여 쓰였던 것이며, 이들은 자신들 믿고 있는 것 이외는 아무것도 쓰지 않았으며, 자신들이 그것을 믿고 있기 때문이지 달리 어떤 이유에서 그것을 썼던 것은 아니다.

1558년부터 1660년까지도 그러했는데,

또한 잉글랜드의 토지 및 노동의 연간 생산물은 정부 복고 당시에는 약 100년 전 엘리자베스의 즉위 당시의 상태라고 우리가 상상할 수 있는 것보다 확실히 훨씬 더 많았다. 더구나 엘리자베스의 즉위 당시에는 이 나라는 그 약 한 세기 전의 요크셔가家와 랭커스터가家의 분쟁의 말기보다도 훨씬 더 개선되어 있었다고 하는 것을 믿을 만한 충분한 이유를 우리는 가지고 있다. 아마 그 분쟁의 말기까지도 노르만의 정복 당시보다는 더 좋은 상태였을 것이며, 노르만정복 당시에는 색슨 7왕국의 분란시대보다도 상태는 좋았을 것이다. 더구나 이러한 초기의 시대에도 율리우스 카이사르의 침입 당시보다는 개선되어 있었던 것은 확실하다. 카이사르의 침입 당시 이 나라의 주민은 아메리카에서의 야만인과 거의 동일한 상태에 있었다.

더구나 그러한 당시에는 공사의 낭비가 대단히 많았으며, 그 밖의 다른 무질서와 재난이 일어났다.

그러나 이상에서 말한 각 시대에는 공사의 낭비가 대단히 많았으며 경비가 많이 든 불필요한 전쟁이 많았으며, 연간 생산물을 생산적 일손의 부양에서 비생산적인 일손의 그것에 악용했던 일이 많았을 뿐만 아니라, 때에 따라서는 내란의 혼란 속에서 자재의 절대적 낭비와 파괴도 있었으며, 이것이 부의 자연적 축적을 확실히 지체시켰을 뿐만 아니라 그 시기의 종말에는 그 나라를 그 초두에 있어서보다 훨씬 더 가난하게 해 버렸다고 상상될 정도였다. 이리하여 그 모든 시기 가운데서 가장 행복하고, 가장 행운이었던 왕정복고 이래 현재까지의 시기에도 만일 그것을 예견할 수 있었다면 그 나라의 빈곤화뿐만 아니라 전면적 파멸까지 예기하지 않을 수 없을 정도의 무질서와 재난이 얼마나 많이 일어났었던가! 즉 런던의 화재와 악역, 두 차례의 대對네덜란드 전쟁, 혁명의 무질서, 아일랜드에서의 전쟁, 1688년, 1702년,[52] 1742년 및 1756년의 4회에 걸친 값비싼 대불전쟁 및 1715년과 1745년의 두 차례의 반란이 그것이다. 네 차례의 대불전쟁이 진행된 동안 그 국민은 그 전쟁에 의하여 필요했던 다른 모든 연간 임시비 이외에도, 1억 4500만 파운드 이상의 채무를 졌으므로, 그 경비 총액은 2억 파운드 이하가 될 리는 없다. 그러므로 혁명 이후 여러 기회에 그 나라의 토지 및 노동의 연간 생산물 가운데 그렇게 큰 몫이 엄청난 숫자에 달하는 비생산적 일손을 부양하기 위하여 사용되었던 것이다. 그러나 만일 그러한 전쟁이 그렇게 큰 자본에 대하여 그러한 특수한 용도를 주지 않았더라면, 그 자본의 대부분은 자연히 생산적 일손을 부양하기 위하여 사용되었을 것이며, 그리고 이러한 일손의 노동은 자신들의 소비재의 총가치를 이윤과 함께 회수했을 것이다. 그 나라의 토지 및 노동의 연간 생산물의 가치는 그것에 의하여 매년 상당히 증가되었을 것이며, 매년의 증가는 그다음 해(the following year)[53]의 그것을 더욱더 증가시켰을 것이다. 훨씬 많은 가옥이 건축되었을 것이며 더 많은 토지가 개량되었을 것이며, 그 이전에 개량되어 있었던 토지는 더 충분히 경작되었을 것이며, 그리고 더 많은 제조업이 확립되었을 것이고, 그 이전에 확립되어 있었던 제조업은 더 확장됐을 것이다. 지금까지 그 나라의 실질적 부 및 수입이 얼마만큼 높이 올렸을 것인지는 아마 상상하기조차도 어려울 것이다.

사적인 절약과 신중이 이들 사정을 묵묵히 상쇄해 왔다.

52 〔"1702"년은 초판에는 "1701"년으로 되어 있다.〕

53 〔"그다음 해(the following year)"는 초판에는 "the next year"라고 되어 있다.〕

그러나 정부의 낭비가 부와 개선을 지향하는 잉글랜드의 자연적 진보를 지체시키지 않을 수 없었음은 틀림없으나, 그것이 그 진보를 정지시킬 수는 없었다. 그 토지 및 노동의 연간 생산물은 왕정복고 당시 또는 혁명 당시의 어느 때보다도 현재에 훨씬 더 크다는 것은 의심할 여지가 없다. 따라서 이 토지를 경작하고 이 노동을 유지하는 데 해마다 사용되는 자본도 역시 훨씬 더 많음이 틀림없다. 이 자본은 정부의 모든 가렴주구苛斂誅求가 한창일 때 개개인의 사적 절약과 선행에 의하여, 즉 그들이 그들 자신의 생활상태를 보다 낫게 하려는 보편적이고 계속적인, 더구나 중단할 줄 모르는 노력에 의하여 묵묵히 점진적으로 축적되어 왔다. 가장 유리한 방법으로 발휘할 것을 법률에 의하여 보호받고 자유에 의하여 인정되는 이 노력이야말로 과거 거의 모든 시대에 부유와 개선을 지향하는 잉글랜드의 진보를 유지하여 왔던 것이며, 장래 언제까지나 그러하기를 바람직한 것이기도 하다. 그러나 잉글랜드가 절약하는 정부를 가지는 축복을 누리지 못했듯이, 절약이라는 것이 그 나라 주민의 특징 있는 미덕이 되었던 적도 없었다. 그러므로 사치금지법 또는 외국산 사치품의 수입 금지에 의하여 개인의 경제를 감시한다든지, 그들의 경비를 억제할 것을 주장하는 것은 국왕이든 각료든 최고로 예모豫謀 없는 생각이요, 주제넘은 것이다. 국왕과 각료들이야말로 항상 그리고 예외 없이 사회에서 최대로 돈을 헤프게 쓰는 사람들이다. 그들에게는 그들 자신의 경비나 잘 보살피도록 하고, 개인의 소비는 안심하고 개인에게 맡겨 두면 된다. 그들 자신의 낭비가 국가를 파멸시키지 않는다면, 그들의 신민의 낭비가 결코 국가를 파멸시키지는 않을 것이다.

자본의 증감은 별문제로 하고 여러 가지 종류의 경비가 구별될 수 있다.

절약이 공공사회의 자본을 증가하고, 낭비가 그것을 감소하듯이 경비와 수입이 똑같은 사람들의 행위는 자본을 축적도 잠식도 하지 않으므로 그것을 증가시키지도 감소시키지도 않는다. 그러나 경비를 쓰는 데 있어서 어떤 방법은 다른 방법보다 사회의 부유의 증진에 기여함이 더 많은 것 같이 생각된다.

내구성이 있는 물품에 돈을 들이는 개인은 부패하기 쉬운 물품에 돈을 쓰는 개인보다 더 부유해질 것이다.

개인의 수입이라는 것은 즉시 소비되어 버리는 물품, 즉 그날의 경비가 다른 날의 그것을 경감하지도 않으며 보조하지도 않는 그러한 것에 쓰일 수도 있고 더 내구성이 있는, 따라서 축적될 수 있으며, 매일의 경비가 그가 바라는 대로 그다음 날의 경비를 경감하거나 보조하고, 그리고 그 효과를 높일 수 있는 그러한 물품에 쓰일 수도 있다. 예를 들면 재산가는 자기의 수입을 사치스럽고 값비싼 식탁과 수많은 하인 및 다수의 개와 말의 부양에 쓸 수도 있으며, 또는 자기 자신은 검소한 식탁과 여러 사람의 하인으로써 만족하고, 수입의 대부분을 자기의 가옥 또는 농촌의 별장의 장식, 실용적이고 장식적인 건축물과, 실용적 내지 장식적인 가구와, 서적, 조각 및 회화의 수집에 투하할 수도 있다. 그리고 더 하찮은 물건, 즉 보석류, 값싼 것, 여러 가지 종류의 정교한 자질구레한 장신구에 쓸 수도 있고, 또한 가장 어리석은 짓이지만, 수년 전에 죽은 어떤 대군주의 총신처럼[54] 커다란 장롱에 훌륭한 의복을 쌓아 두는 데 투하할 수도 있다. 만일 동등한 재산을 가지고 있는 두 사람이 그들의 수입을 소비하는 데, 한 사람은 주로 전자의 방법으로 쓰고, 다른 한 사람은 후자의 방법으로 썼다면, 내구성이 있는 물품에 주로 쓴 사람의 장려함은 계속 증가할 것이며, 매일의 경비가 그다음 날의 경비를 다소나마 보조하고, 그 효과를 높이는 데 기여했을 것이다. 그러나 이

54 〔제르망 가르니에Germain Garnier가 이 구절에 관한 주에서 암시하고 있는 바와 같이 (《Recherches sur la Nature et les Causes de la Richesse des Nations》(1802), 제2권, 346면), 이 대신은 틀림없이 네덜란드 국왕의 대신이며 시종장이었던 브륄 백작Count Bruhl이었으며, 그는 365벌의 값진 의복을 남기고 죽었다. 조나스 한웨이Jonas Hanway는 《Historical Account of the British Trade over the Caspian Sea, with a Jaounal of Travels from London through Russia into Persia and back through Russia, Germany and Holland》(1753), 제2권, 230면에서 말하기를, 이 백작은 300벌 내지 400벌의 값진 의복을 가지고 있었으며, 유럽에서 여러 가지 종류의 레이스와 자수는 물론 모든 제조소에서 만든 가장 아름다운 색채와 최상급의 옷감·벨벳·견직물을 모두 수집하고 있었다. 그리고 드레스덴에서는 회화나 서책도 수집하고 있었다고 한다. 그는 1764년에 사망했다.〕

와 반대로 다른 사람의 장려함은 그 시기의 종말에도 당초에 비하여 더 증가하지 않았을 것이다. 더욱이 전자는 그 시기의 종말에는 두 사람 가운데서 더 부유한 사람이 되었을 것이다. 그는 여러 가지 종류의 재화를 저장했을 것이며, 비록 그것이 그것에 먹힌 비용만큼의 가치밖에 될 수 없었다 하더라도 항상 약간의 가치를 가지고 있었을 것이다. 후자의 경비에는 아무런 흔적도 형적도 남지 않을 것이며, 10~20년의 낭비를 한 결과는 마치 아무런 낭비도 없었던 것처럼 완전히 소멸될 것이다.

이 사실은 한 나라에 관해서도 들어맞는다.

한 개인의 부유에 대해서 경비를 쓰는 어떤 방법이 다른 방법보다 더 유리하듯이, 국민의 부유에 대해서도 역시 그러하다. 부자의 가옥·가구·의복은 얼마 되지 않아 하층계급과 중류계급의 사람들에게 유용하게 된다. 그들은 상류의 사람들이 그런 것에 싫증이 났을 때 그것들을 구매할 수 있으며 경비의 이러한 사용 방법이 재산가들 사이에 보편화될 때 전 인민이 가재도구 일반도 이렇게 하여 점차 개선된다. 여러분은 오랫동안 부유했던 제국에서 하층계급의 사람들이 완전히 훌륭하고 흠 없는 가옥과 가구를 가지고 있는 것을 흔히 볼 것이다. 그러나 그 가운데서 그들 자신이 사용하기 위하여 세워졌거나 만들어진 가옥과 가구는 하나도 없는 것이다. 이전에는 시모어가Seymour家의 저택이었던 것이 현재에는 바스 가도(Bath road)의 한 채의 여인숙에 지나지 않는다.[55] 영국의 제임스 1세의 결혼의 침대는 주권자로부터 주권자에게 보내는 데 어울리는 선물로서 그의 왕비가 덴마크에서 가지고 왔던 것인데, 몇 년 전에 던펌린Dunfermline의 어떤 맥주점店의 장식이 되어 있었다.[56] 오랫동안 정체적이었거나 또는 다소 쇠퇴

55 〔이것은 말보로에 있는 캐슬 인Castle Inn을 말하는 것이다. 그것은 1843년에 여인숙을 그만두고 말보로 학원이 되었으며, 그리하여 또 한 번의 변천을 겪었던 셈이다.〕

56 〔이 여인숙의 주인 워커 부인은 열렬한 자코뱅당원이었으며 그 침대를 50기니로서 팔라는 것을 거절했으나, 그것은 1764년경 엘진 백작Earl of Elgin에게 선사했다(존 페르니John Fernie, 《History of the Town and Oarish of Dunfermline》(1815), 71면). 그 유물은 던펌린 가까이

하고 있었던 어떤 옛 도시에서 여러분은 그 현 주민들을 위하여 세워졌으리라고 생각되는 집을 거의 한 채도 발견하지 않을 때가 이따금 있을 것이다. 더욱이 여러분이 그러한 집에 들어가면, 비록 낡아 있으나 훌륭한 여러 개의 가구를 흔히 발견할 것이며, 그러한 가구는 지금도 역시 쓰기에 알맞은 것이지만 가옥 그 자체와 마찬가지로 고귀한 궁전, 장식한 별장과 서적, 조각, 그림 및 그 밖의 골동품의 대대적인 수집은 그 이웃에 대해서뿐만 아니라 이것들을 가지고 있는 나라 전체에 대해서도 장식이며 명예일 수가 흔히 있다. 베르사유는 프랑스에게는 하나의 장식이며 명예이기도 하며, 스토와 윌턴은 잉글랜드에 대하여 그러하다. 이탈리아는 이런 종류의 기념물을 만들어 낸 부는 이미 감쇠했음에도 불구하고,[57] 또한 그런 것들을 설계한 천재가 아마 그와 같은 일거리가 없어서 사라져 버린 것 같음에도 불구하고 이런 종류의 기념물을 수없이 가지고 있으므로 아직도 어떤 종류의 존경을 계속 받고 있다.

전자의 경비는 비교적 쉽게 끝나 버리며,

또한 내구적인 물품에 투하되는 경비는 축적하는 데뿐만 아니라 절약하는 데에도 편리하다. 만일 어떤 사람이 어느 때에 그런 것을 지나치게 했다 하더라도 그는 공공사회의 비난을 받지 않고 쉽게 고칠 수 있다. 자기의 사용인의 수를 대폭 줄인다든지, 크게 호화판이었던 자기의 식당을 아주 검소한 것으로 바꾼다든지, 한때 자기가 차렸던 집기를 버린다든지 하는 것은 반드시 이웃 사람들의 눈에 띌 수 있는 변화이며 그것은 지난날의 부당한 행위를 어느 정도 자인하고 있음을 뜻하고 있는 것 같이 생각되는 것이다. 따라서 불행히도 한때 이러한 부류의 돈쓰는 버릇과 너무 지나치게 젖어 버렸던 사람들 가운데, 파멸과 파산의 결과 부득이 고치게 되게 이르기 전에, 그 버릇을 고칠 만한 용기를 가지고 있는 사람은 거의 없다. 그러나 만일 어떤 사람이 어느 시기

에 있는 브룸홀Broomhall의 식당의 맨틀피스mantel－piece로 되어 있다.〕

57 〔초판에는 여기의 “불구하고”가 없다.〕

에 건물과 가구와 책 또는 그림에 너무 돈을 많이 써 버렸을 경우에 자기의 행동을 바꾸더라도 결코 그가 무분별하다고 추단될 리는 없다. 이런 것들은 한 번 경비를 들이면 그 이상의 경비는 불필요하게 될 때가 흔히 있는 것들로서, 그 사람이 돌연 그것을 그만두더라도 그가 자기의 자산을 초과했기 때문이 아니고 그가 자기의 도락을 만족했기 때문에 그렇게 하는 것으로 보일 것이다.

그리고 훨씬 많은 사람에게 생활유지비를 준다.

뿐만 아니라 내구적인 상품들에 투하되는 경비는 보통 가장 낭비적인 접대에 사용되는 것보다 훨씬 많은 사람들에게 생활유지비를 제공한다. 일대 연회의 경우에 200웨이트 내지 300웨이트의 식료품이 나올 때가 이따금 있는데 아마 그 반은 쓰레기통에 버려지며, 그곳에서는 언제나 대량의 낭비와 남용이 있다. 그러나 이러한 접대와 경비가 석공·목수·실내장식가·기계직공 등[58]을 취업시키는 데 사용되었다면 위의 것과 같은 가치가 있는 분량의 식료품이 훨씬 더 많은 사람들 사이에 분배되었을 것이며, 그 사람들은 이 식료품을 몇 펜스씩, 그리고 몇 파운드씩 구매하여 그중 1온스도 버리지는 않았을 것이다. 뿐만 아니라 이러한 경비는 이런 경우에는 생산적인 일손을 부양하고 다른 경우에는 비생산적인 일손을 부양한다. 그러므로 이러한 경비는 전자의 사용 방법에 있어서는 그 나라의 토지 및 노동의 연간 생산물의 교환가치를 증가시키지 않지만 후자의 방법에 있어서는 그것을 증가시키는 것이다.

그러나 그것은 보다 관대한 정신을 나타낸다는 것으로는 되지 않는다.

그러나 이상의 모든 것으로 인해 지속적인 상품에 투하된 일종의 비용이 연회 등에 투하된 다른 종류의 비용이 비해서 더 관대하고 후덕한 정신을 나타낸다는 것이라고 이해되지는 않을 것이다. 자산가가 자기의 수입을 주로 손님 접대에 소비한 때에는, 그는 그 대부분을 자기의 친구들과 동료들과 나누어 가진다. 그

58 〔초판에는 "등"이 없다.〕

러나 그가 그것을 그러한 내구적인 상품들을 구매하는 데 사용할 때는 그는 종종 그 전부를 자기의 일신을 위하여 소비하며, 등가물 없이는 어떠한 사람에게도 아무것도 주지 않는다. 그러므로 종자의 종류의 경비는 특히 사소한 물건, 즉 의류와 가구의 조그마한 장식품, 보석류, 하찮은 물건, 값싼 장식품에 쓰일 때 경박할 뿐만 아니라 천하고 이기적인 성향을 나타낼 때도 흔히 있다. 내가 밝히고자 하는 모든 것은 어떤 부류의 경비는 언제나 귀중한 상품의 약간의 축적을 일으키며, 또한 그것은 개인의 절약에도, 따라서 공공사회의 자본의 증가에도 유리하고, 나아가서 그것은 비생산적 일손보다는 오히려 생산적 일손을 부양하므로 다른 부류의 경비보다 공공사회의 부의 성장에 더 이바지한다는 것이다.

제4장 이자부로 대출되는 자재에 관하여

이자부로 대출되는 자재는, 대출자에게는 자본이지만, 차용자에게는 그럴 수도 있고, 그렇지 않을 수도 있다.

이자부로서는 대출되는 자재는 대출자에게는 항상 자본으로 간주된다. 그는 기한이 되면 그것이 자기에게 회수될 것이라는 것과, 그동안에 차용자는 그의 사용에 대하여 일정의 연간 임대료를 자기에게 지불할 것을 기대한다. 차용자는 그것을 자본으로 사용할 수도 있고, 또는 직접의 소비를 위하여 유보된 자재로 사용할 수도 있다. 만일 그가 그것을 자본으로 사용하면, 그는 그것을 생산적 노동자를 부양하는 데 사용하며, 생산적 노동자는 그 가치를 이윤과 함께 재생산한다. 이런 경우에 그는 수입의 어떤 다른 원천을 양도 또는 잠식하지 않고 자본을 회수할 수도 있고 이자를 지불할 수도 있다. 만일 그가 그것을 직접의 소비를 위하여 유보된 자재로 사용한다면, 그는 일종의 소비자의 역할을 하며, 근면한 사람들을 부양하기 위하여 예정되어 있었던 것을 게으른 사람들을 부양하는 데 소비하여 버린다. 이런 경우엔 그는 이를테면 자산 또는 지대라고 하는 수입의 어떤 다른 원천을 양도 또는 잠식하지 않고서는 자본을 회수할 수도 이자를 지불할 수도 없다.

일반적으로는 차용자에게도 자본이지만,

이자부로 임대되는 자재는 틀림없이 이러한 양 방법으로 수시 사용되지만 전자의 방법으로 사용되는 수가 후자의 방법으로 사용되는 경우보다 더 많다. 소비하기 위하여 차입하는 사람은 곧 파멸할 것이며, 그에게 돈을 빌려주는 사람도 대체로 자기의 어리석음을 후회하게 될 것이다. 그러므로 그러한 목적으로 빌거나 빌려주는 것은 야비한 고리대는 문제가 되지 않더라도, 모든 경우에 당사자 쌍방의 이해관계에 반하며, 비록 사람들이 이러한 대차를 하는 일이 흔히 일어나는 것은 틀림없으나, 누구나가 다 자기의 이익을 위해 그렇게 한다는 것을 고려한다면, 우리는 우리가 이따금 상상하곤 하는 것처럼 그렇게 흔히 일어날 수는 없는 것이라고 확신해도 좋을 것이다. 보통의 사려를 할 줄 아는 어떤 부자에게 그가 그 두 가지 부류의 사람들 가운데 어느 사람에게 그의 자재의 대부분을 빌려주었는지, 즉 그것을 유리하게 사용할 것이라고 생각되는 사람들에게 빌려주었는지, 또는 그것을 헛되이 소비할 것이라고 생각되는 사람들에게 빌려주었는지를 물어 보라. 그러면 그 사람은 그러한 질문을 제기한 당신을 보고 웃을 것이다. 그러므로 차용자들 사이에 있어서까지, 세간에서 으뜸가는 검약가라고는 할 수 없겠지만, 그래도 절약하고 근면한 사람의 수가 방탕하고 게으른 사람의 수를 상당히 능가하고 있다.

농촌의 신사들이 설정하는 저당권의 경우는 예외이다.

자재를 대출함에 있어서 그것을 대단히 유리하게 이용할 것이라는 것이 기대되지도 않은 채 보통 그 자재를 받는 유일한 사람들은 저당을 하고 빌려 온 농촌의 신사들뿐이다. 그들까지도 단지 소비하여 버리려고 비는 경우는 거의 없다. 그들이 빌리는 것은 그것을 빌리기 전에 보통 소비되는 것이라고 말해도 좋을 것이다. 일반적으로 그들은 상점주나 상인들이 신용으로 선대해 준 자재를 너무 다량으로 소비하여 버렸으므로 그 채무를 변제하기 위하여 이자부로 차입하지 않으면 안 된다는 것을 알게 된다. 차입된 자본은 그러한 상점주와 상인들의 자본을 회수하게 하지만, 그 농촌 신사들은 그 빌려 온 자본을 자신들 소유의 지대로써도 상환할 수 없었던 셈이다. 그러니 그것은 본래 소비하기 위하여 차입된 것이 아니고 그 이전에 소비되어 버렸던 자본을 상환하기 위하여 차입되는 것이다.

대출은 화폐로써 이루어지는데 차용자가 필요로 하고 또 획득하는 것은 재화이다.
거의 모든 이자부의 대출은 지폐든 금은이든 화폐로 이루어진다. 그러나 차용자가 실제로 원하고, 그리고 대출자가 실제로 그에게 공급하는 것은 화폐가 아닌 화폐의 가치이며, 즉 그것이 구매할 수 있는 재화이다. 만일 그가 그것을 직접 소비를 위한 자재로서 필요로 한다면, 그가 이 자재에 넣을 수 있는 것은 이들 재화뿐인 것이다. 만일 그가 그것을 근로를 고용하기 위한 자본으로서 필요로 한다면, 근면한 사람들이 자신들 일을 해 가기 위하여 필요한 도구·재료·생활자료를 공급받을 수 있는 것은 오직 이들 재화로부터라 하겠다. 이를테면 대출자는 대출라는 수단에 의하여 차용자에게 그 나라의 토지 및 노동의 연간 생산물의 일정 부분에 대한 자기의 권리를 양도하여 차용자가 원하는 대로 그 권리를 사용하게 하는 것이다.[59]

그러므로 대출될 수 있는 자재의 양은 그 소유자 자신이 사용하지 않는 자본을 회수하는 생산물 부분의 가치에 의하여 결정된다. 이것은 실제로 사용되는 화폐보다도 훨씬 많을 것이다.
그러므로 어떤 나라에서 이자부로 대출될 수 있는 자재의 양 또는 보통의 표현으로써는 이자부로 대출될 수 있는 화폐의 양은, 지폐이든 주화이든 간에 그 나

59 〔《Lectures》, 220면.〕

라에서 이루어진 여러 가지 대출의 용구로서의 역할을 다하고 있는 화폐의 가치에 의하여 규정되는 것이 아니고, 토지 또는 생산적 노동자의 손에서 나오자마자 자본을 회수할 뿐만 아니라 그 소유자 자신이 노고를 들여 그것을 사용하려고 하지 않는 자본을 회수하기 위해 예정되어 있는 연간 생산물 부분의 가치에 의하여 규정된다. 그러한 자본들은 보통 화폐로써 대출되어 화폐로써 갚아지므로 소위 금융이해관계(monied interest)라고 불리는 것을 구성한다. 그것은 농업이해관계(landed interest)와는 성질이 다른 것일 뿐만 아니라 상공업이해관계(trading and manufacturing interest)와도 성질이 다른 것인데, 이러한 종자의 업계에서는 자본의 소유자 자신이 자기의 자본을 사용하기 때문이다. 그러나 금융이해관계계에 있어서까지도 화폐란 말하자면 자본의 소유자가 손수 그것을 사용하려고 하지 않는 자본을 한 사람의 손에서 또 다른 사람의 손에 전달하는 양도증서에 지나지 않는다. 그러한 자본은 그들의 전달수단으로서의 역할을 다하는 화폐의 금액보다 거의 비교가 되지 않을 만큼 더 많을 것이다. 이는 동일의 화폐 조각이 수많은 상이한 구매뿐만 아니라 대출을 위해 계속적으로 소용되고 있기 때문이다. 예를 들어 A가 W에게 1000파운드를 대출하여 W는 즉시 그것으로써 B로부터 1000파운드 가치의 재화를 구매한다. B 자신은 그 화폐를 전혀 필요로 하지 않으므로 그 화폐 조각을 X에게 빌려주고, X는 즉시 그것으로써 C로부터 1000파운드 가치의 다른 재화를 구매한다. C는 동일한 이유에서 동일한 방법으로 그 화폐를 Y에게 빌려주고, Y도 그것으로써 다시 D로부터 재화를 구매한다. 이렇게 하여 주화이든 지폐이든 간에 동일 화폐 조각이 수일 내에 세 가지 별개의 대출 및 세 가지 별개의 구매 수단으로서 쓰일 것이며, 이들 중 각각은 가치상으론 그러한 화폐 조각의 총액과 같다. A · B · C라고 하는 3인의 돈 있는 사람이 W · X · Y라는 3인의 차용자에게 양도하는 것은 그러한 구매를 이룩하는 힘이라 하겠다. 대출의 가치와 효용은 다 같이 바로 이 힘에 의존하는 것이다. 세 명의 돈 있는 사람에 의하여 대출된 자재는 그것으로 구매될 수 있는 재화의 가치와 동등하며, 더구나 그것으로써 구매가 행해지는 화폐의 가치보다 세 배나 더 크다. 그러나 그러한 대출은 모두 완전히 잘 보증될 수 있다. 왜냐하면 각각의 채무자들에 의하여 구매된 재화는 때가 되면 등가치의 주화 또는 지폐를 이윤과 함께 상환할 수 있도록 사용되고 있기 때문이다. 그리하여 동일한 화폐 조각이 3인에 대한 별개의 대출 수단으로서 그 가치의 세 배의 역할을 할 수 있으며, 같은 이유로서 30배나 되는 역할을 할 수 있으므로, 그러한 화폐 조각은 상환 수단으로서도 계속 그 역할을 다할 수 있을 것이다.

화폐는 원금 또는 이자로 실제로 양도되는 것과는 전혀 다르다.

이자부로 대출되는 자본은 이렇게 하여 대출자가 연간 생산물 가운데 꽤 많은 일정 부분을 차용자에게 양도하는 것이라고 간주되어도 좋다. 다만 이 경우 차용자는 그 대신에 그 대출의 계속기간 중 연간 생산물의 일부분을 소위 이자로서 해마다 대출자에게 양도하고 그 대출기간의 마지막에는 처음 그에게 양도되었던 것과 똑같은 크기의 부분을 이른바 상환으로서 대출자에게 양도한다는 조건이 따른다. 주화이든 지폐이든 화폐는 일반적으로 그 비교적 작은 부분과 비교적 큰 부분의 쌍방에 대한 양도증서로서의 역할을 다하고 있더라도, 그 자체는 그것에 의하여 양도되는 것과는 전혀 다른 것이다.

이자부로 대출되는 자재는 자재의 전량이 증가함에 따라 자연히 증대한다.

어떠한 나라에서도 그 연간 생산물 가운데 토지 또는 생산적 노동자의 손에서 나오자마자 자본을 회수하기 위해 예정되어 있는 몫이 증가되면 이것에 비례하여 소위 금융이해관계라고 불리는 것이 자연히 확대한다. 그 소유자들이 손수 수고하며, 그것을 사용하지 않으면서 수입을 끌어내고자 하는 그러한 특수한 자본의 증가는 자연히 자본의 일반적 증가를 수반하는 것이며, 바꾸어 말하면 자재가 증가함에 따라 이자부로 대출되는 자재의 양도 점차 증대하는 것이다.

대출된 자재의 양이 증가함에 따라 이자는 하락한다. 왜냐하면 새로운 자본의 유리한 사용 방법을 발견한다는 것이 더욱 곤란해짐에 따라 이윤이 감소하기 때문이다. 이자부로 대출될 자재의 양이 증가함에 따라 이자, 즉 그 자재의 사용에 대하여 지불되어야 하는 가격은, 여러 물품은 그 양이 증가하는 데 따라 시장가격이 감소하게 된다는 일반적 원인에서뿐만 아니라 이 특수한 경우에 특유한 다른 여러 원인 때문에도 반드시 감소된다. 어떤 나라에서 자본이 증가하면 그 자본을 사용하여 올릴 수 있는 이윤은 반드시 감소한다. 어떤 새로운 자본의 유리한 사용 방법을 그 나라에서 발견하는 것이 점점 더 어려워진다. 그 결과로 여러 가지 자본 사이에 경쟁이 일어나고 한 가지 자본의 소유자는 또 다른 자본의 소유자가 종사하고 있는 일도 손에 넣으려고 노력하게 된다. 그러나 대부분의 경우 그는 더 합리적인 조건으로 거래를 하는 방법 이외의 어떠한 다른 방법에 의해서도 그 다른 사람을 이 일에서 구축하려고 해도 되지 않는다. 그는 자기가 취급하고 있는 것을 약간 싸게 팔아야 할 뿐만 아니라, 그것을 팔기 위해서 구입하는데도 그는 그것을 비교적 비싸게 사지 않으면 안 될 때도 있다. 생산적 노동에 대한 수요는 이것을 유지하기 위해 예정되어 있는 기금의 증가에 의하여 나날이 증대해 간다. 노동자들은 쉽게 일거리를 찾지만 자본의 소유자들은 사용할 노동자를 획득하기가 어려워진다. 그들의 경쟁은 노동의 임금을 올리고, 자재의 이윤을 떨어뜨린다. 그러나 자본의 사용에 의해 획득할 수 있는 이윤이 이렇게 말하자면 양단에서 감소될 때는, 그것의 사용에 대하여 지불될 수 있는 가격, 즉 이자율은 이윤과 함께 반드시 감소되지 않을 수 없다.

이자를 저하시킨 것이 서인도 제도의 발견이라는 견해는 흄에 의하여 논박되었다. 로크 씨, 로 씨, 몽테스키외 씨와 다른 많은 저술가[60]들은 스페인령 서인도 제도

60 〔존 로크John Locke, 《Some Considerations》(1696), 6, 10, 11, 81면, 존 로John Law, 《Money and Trade Considered》, 제2판(1720), 17면, 몽테스키외Montesquieu, 《법의 정신Esprit des Lois》, 제22권, 제16장. 로크와 로는, 이자율은 화폐의 양과 함께 오르고 내리는 것이라고 생각하고, 몽테스키외는 그 역사적인 하락을 특히 아메리카의 광산들의 발견에 그 탓을 돌리고 있다. 캔틸런은 유효화폐의 증가가 이자율을 감소시킨다고 하는 보통 용인되고 있는 관념을 옳

의 발견의 결과로서의 금은의 양의 증가가 유럽의 대부분을 통하여 이자율을 저하시킨 실질적인 원인이었다고 상상하고 있었던 것 같다. 그들은 말하기를 이들 금속은 그들 자체의 가치가 적어졌으므로 그것들의 특정량의 사용가격도 역시 반드시 적어졌다고 한다. 일견해서 아주 그럴듯하게 보이는 이 견해는 흄[61] 씨에 의하여 충분히 해명되었으므로, 아마 그것에 관하여 그 이상 더 말할 필요는 없을 것 같다. 그러나 다음에 나오는 대단히 짧은 명백한 논의는 그러한 신사들을 오해로 이끌었다고 생각되는 착오를 더욱 명확하게 설명하는 데 도움이 될 것이다.

만일 당시 50파운드로써 구매했을 것을 현재에 구매하는 데 100파운드를 필요로 한다면, 당시 5파운드로 구매했을 것을 현재에 구매하는 데는 10파운드를 필요로 할 것이 틀림없다.

스페인령 서인도 제도가 발견되기 이전에는 유럽의 대부분을 통하여 10퍼센트라는 것이 보통 이자율이었던 것 같다. 그 당시 이래 여러 나라에서 그것은 6퍼센트, 5퍼센트, 4퍼센트, 그리고 3퍼센트로 떨어졌다. 모든 특정국에서 은의 가치가 비율과 정확하게 동일 비율로 내렸다고 가정하자. 환언하면 예를 들어 이자가 10퍼센트에서 5퍼센트로 떨어져 버린 나라에서는 동량의 은이 이전에 구매할 수 있었던 재화의 꼭 절반을 현재 구매할 수 있다고 가정하자. 내가 믿는 바로는, 이러한 가정이 어디에 가나 사실과 일치하지 않음이 밝혀지겠지만, 우리가 검토하려고 하고 있는 견해에 대해서는 가장 쓸모 있는 가정이며, 이 가정하에서도 은의 가치의 저하가 이자율을 저하시키는 경향을 조금이라도 가질 수 있다는 것은 아주 불가능하다는 것이다. 만일 이러한 나라에서 현재의 100파운드가 당시의 50파운드 가치밖에 되지 않을 것이고 지금의 10파운드가 당시의 5파운드 가치밖에 되지 않을 것은 틀림없다. 자본의 가치를 저하시킨 원인이 무

지 않다고 보고 있다.―《Essai》, 282~285면과 《Lectures》, 219~220면을 보라.)

61 《정치론집Political Discourses》(1752)의 그의 논문 〈Of Interest〉을 말한다.

엇이었든지 간에 바로 그 원인이 필연적으로 이자의 가치를 저하시켰음은 틀림없으며, 그것과 정확하게 동일한 비율로 저하시켰을 것도 틀림없다. 그러면 자본의 가치와 이자의 그것 사이의 비율은 비록 이자율이 전혀 변경되지 않았더라도, 동일한 그대로 있을 것이 틀림없다. 이와 반대로 이자율이 변경하면 이들 두 가치 사이의 비율은 반드시 변경하게 된다. 만일 현재의 100파운드가 당시의 50파운드의 가치밖에 되지 않는다면, 현재의 5파운드는 당시의 2파운드 10실링의 가치밖에 되지 않는 것이다. 그러므로 이자율을 10퍼센트에서 5퍼센트로 내림으로써 우리는 이전의 가치의 반과 동등하다고 생각되는 자본의 사용에 대하여 이전의 이자의 가치의 겨우 4분의 1과 동등한 이자를 주는 셈이 된다.

은의 양의 증가는 그 가치를 감소시킬 수 있을 따름이다. 명목임금은 더 커질 것이지만 실질임금은 동일할 것이다. 이윤은 각 목적으로도 실질적으로도 동일할 것이다.

은을 매개로 하여 유통되는 상품들의 양은 동일한 그대로인데, 은의 양이 얼마만큼 증가하면, 그 증가는 그 금속의 가치를 감소시키는 것 이외에는 아무런 효과를 낼 수 없을 것이다. 모든 부류의 재화의 명목가치는 보다 커질 것이지만 그 실질가치는 이전과 정확하게 동일할 것이다. 그러한 재화는 그 이전보다 훨씬 다수의 은편과 교환될 것이지만, 그러나 그것들이 지배할 수 있는 노동량, 즉 그것들이 부양하고 사용할 수 있는 사람들의 수는 그 이전과 정확하게 동일할 것이다. 비록 그 이전과 동일한 어떤 자본 부분을 한 사람의 손에서 다른 사람의 손에 양도하는 데는 더 많은 수의 은편이 필요하게 될지 모르지만, 그 나라의 자본은 그 이전과 동일할 것이다. 양도증서는 다변의 변호사의 양도증서처럼 이전보다 더 성가실 테지만 양도되는 물건은 이전과 정확하게 동일하고, 이전과 동일한 효과만을 낼 수 있을 것이다. 생산적 노동을 유지하기 위한 기금이 그 이전과 동일하다면, 그 노동에 대한 수요도 동일할 것이다. 그러므로 그의 가격, 즉 임금은 명목적으로는 이전보다 더 커질 것이지만 실질적으로는 그 이전과 동일할 것이다. 임금은 그 이전보다 다수의 은편으로 지불될 것이지만 그 노임으로써는 그 이전과 같은 양의 재화만을 구매할 따름일 것이다. 자재의 이윤은 명목적으로나 실질적으로나 다 같이 전과 동일할 것이다. 노동의 임금은 노동자에게 지불되는 은의 양에 의하여 보통 산정되고 있다. 따라서 그것이 증가하면 그의 임금은, 그 이전보다 더 많지 않을 때가 종종 있긴 하지만 그것이 증가된 것 같이 보인다. 그러나 자재의 이윤은 지불되는 은편의 수로써 산정되는 것이 아니고 사용되는 상품본에 대하여 그러한 은편이 가지고 있는 비율에 의하여 산정된다. 따라서 어떤 특정국에서는 노동의 보통 임금이 주 5실링이라고 하고, 자재의 보통 이윤은 10퍼센트라고 한다. 그런데 그 나라의 상품본은 그 이전과 동일하므로 그것이 분할되는 개개인의 여러 가지의 자본 사이의 경쟁도 또한 그 이전과 동일할 것이다. 그들은 모두 동일한 이익 및 불이익을 보면서 사업을 할 것이다. 그러므로 자본과 이윤 사이의 보통 비율은 동일할 것이며, 그 결과 화폐의 보통 이자도 그러할 것이다. 왜냐하면 화폐의 사용에 대하여 보통 주어질 수 있는 것은 그 사용에 의하여 보통 획득될 수 있는 것에 의하여 반드시 규정되기 때문이다.

해마다 유통하는 재화의 증가는 이윤을 하락시키고, 따라서 이자를 하락시킨다.

이와 반대로 상품들을 유통시키는 화폐의 양은 그 이전과 동일한데, 해마다 유통하는 상품들의 양이 얼마만큼이라도 증가하면 이 증가는 화폐의 가치를 올린다고 하는 결과 이외에도 많은 다른 중요한 결과를 초래할 것이다. 그 나라의 자본은 비록 명목적으로는 그 이전과 동일할지 모르지만 실질적으로는 증가될 것이다. 그것은 계속 그 이전과 동량의 화폐로써 표현될지 모르지만 그것은 그 이전보다 다량의 노동을 지배할 것이다. 그것이 유지하고 사용할 수 있을 생산적 노동의 양은 증가할 것이며, 따라서 그 노동에 대한 수요도 증가할 것이다. 그의 임금은 수요와 함께 자연히 상승할 것이지만, 그럼에도 불구하고 외관상으로는 떨어지는 것같이 보일지도 모른다. 임금은 그 이전보다 소량의 화폐로써 지불될 것이지만, 그 소량의 화폐는 그 이전에 이보다 더 다량의 화폐가 구매했던 것보다 더욱 다량의 재화를 구매할 것이다. 자재의 이윤은 실질적으로 외관상으로나 모두 감소할 것이다. 그 나라의 전체 자본이 증가된다면, 그것을 구성하고 있었던 각가지 자본 사이의 경쟁도 또한 그와 함께 자연히 증가될 것이다. 그러한 특정의 자본의 소유자들도 그들 각자의 자본이 사용한 노동의 생산물 가운데서 그 이전보다 적은 몫으로써 만족하지 않을 수 없을 것이다. 화폐의 가치, 즉 특정액의 화폐가 구매할 수 있는 재화의 양은 크게 증가되었지만 화폐의 이자는 자재의 이윤과 항상 보조를 같이 하면서 이렇게 하여 크게 감소될 것이다.

이자의 금지는 부당하며, 오히려 고리의 해악을 증진시킨다.

어떤 나라에서는 화폐의 이자가 법률에 의하여 금지되어 있다. 그러나 어떤 곳에서나 화폐의 사용에 의하여 어떤 것이 획득될 수 있으므로, 어느 곳에서나 그 사용에 대하여 그 어떤 것이 지불되어야 함은 당연하다. 이러한 규제는 고리의 해악을 방지하기는커녕 오히려 증가시킨다는 것이 경험상 밝혀졌다. 즉 채무자는 화폐를 사용하는 데 대해서뿐만 아니라 채권자가 그 사용에 대한 대상을 용인함으로써 처하게 되는 위험에 대해서도 대가로 지불하지 않으면 안 되기 때문이다. 말하자면 채무자는 고리의 형벌에 의하여 자기의 채권자를 보험해 주지 않으면 안 되는 것이다.

최고 높은 비율이 정해져 있는 곳에서는 이것은 확실한 담보가 붙은 시장률보다 약간 높아야 할 것이다.

이자가 허용되는 곳에서는 일반적으로 법률은 고리의 착취를 방지하기 위하여 형벌을 받지 않고 받을 수 있는 최고 높은 비율을 정하고 있다. 이 비율은 최저의 시장가격보다, 즉 가장 확실한 담보를 제공할 수 있는 사람이 화폐의 사용에 대하여 보통 지불하는 가격보다 항상 약간 더 높아야 한다. 만일 이 법정률이 최저의 시장률보다 낮게 정해진다면, 이 고정의 결과는 이자를 전면적으로 금지할 경우의 그것과 거의 동일하게 될 것이 틀림없다. 채권자는 자기의 화폐를 그 이용의 가치 이하로는 대출하지 않을 것이며, 채무자는 채권자가 그 이용의 총 가치를 용인함으로써 대하게 되는 위험에 대해서도 지불하지 않으면 안 되기 때문이다. 만일 그것이 정확하게 최저시장가격에 고정된다면 그것은 최량의 담보를 제공할 수 없는 모든 사람의 신용을 그 나라의 법률들을 존중하는 정직한 사람들과 더불어 파멸시키며, 그들로 하여금 부득이 엄청난 고리대에 의존하지 않을 수 없게 한다. 영국처럼 화폐가 3퍼센트로 정부에 대출되고 개인에게는 확실한 담보를 잡고 4퍼센트 내지는 4.5퍼센트로 대출되는 나라에서는, 5퍼센트라는 현행의 법정이자율은 아마 무엇보다도 적합한 것이라 하겠다.

그러나 그것은 훨씬 많이 초과하여서는 안 된다. 그렇지 않으면 대출의 대부분은 낭비자와 투기업자의 손에 들어갈 것이다.

주의해야 할 것은 법정률은 최저의 시장률을 약간 상회하는 것이어야 하지만, 그것을 지나치게 넘는 것이어서는 안 된다는 것이다. 예를 들어 만일 영국의 법정이자율이 8퍼센트 내지 10퍼센트와 같이 높게 정해진다면, 대출된 화폐의 대부분은 낭비자와 기획가에게 대출될 것이며, 그들만이 이렇게 높은 이자를 서슴지 않고 지불할 것이다. 화폐를 사용함으로써 획득할 것 같은 것의 일부분보다 더 많은 것을 그 화폐의 사용에 대해 지불하려고 하지 않는 진실한 사람들은 감히 그 경쟁에 참여하지 않을 것이다. 그러나 자본의 대부분은 그것을 유리하게 그리고 유익하게 사용할 가능성이 가장 많은 사람들의 손이 닿지 않는 곳에 놓이게 될 것이며, 그것을 낭비하고 파괴해 버리기 쉬운 사람들의 손에 던져질 것이다. 이와 반대로 법정이자율이 최저시장률보다 약간 더 높게 정해져 있는 곳에선 일반적으로 낭비자와 기획가들보다는 오히려 진실한 사람들이 차용자로서 더 선호되고 있다. 화폐를 빌려주는 사람은 전자로부터 감히 획득하는 것과 거의 같을 만큼의 이자를 후자로부터도 획득하며, 더구나 그의 화폐는 전자의 부류의 사람들 수중에 있는 것보다는 후자의 부류의 사람들 수중에 있을 경우가 훨씬 더 안전하다. 그리하여 그 나라의 자본의 대부분은 그것을 유리하게 사용할 가능성이 가장 많은 사람들의 손에 맡겨지는 것이다.

어떠한 법률도 이자를 시장률 이하로 인하할 수 없다.

어떠한 법률도 보통의 이자율을 그 법률의 제정 당시에 있어서의 통상시장률 이하로 인하할 수는 없다. 프랑스의 국왕이 이자율을 5퍼센트에서 4퍼센트로 인하하려고 꾀했던 1766년의 칙령에도 불구하고 몇 가지의 상이한 방법으로 그 법률을 용케 피하여 프랑스에서는 화폐는 계속 5퍼센트로 대출되고 있었다.

보통 토지에 대하여 지불되는 구매년수는 이자율에 의존한다.

주의해야 할 것은 토지의 통상의 시장가격은 어디에서나 통상의 시장이자율에 의존하고 있다는 것이다.[62] 자본을 가지고 있는 사람이 손수 노고를 들여 그것을 사용하지 않으면서 그것에서 수입을 끌어내려고 할 때 그는 그것으로 토지를 구매할 것인지 또는 그것을 이자부로 대출할 것인지를 숙려한다. 토지의 탁월한 안정성과 이런 종류의 재산에는 거의 어느 곳에서나 따르게 되는 약간의 다른 이익은 일반적으로 그로 하여금 자기의 화폐를 이자부로 대출함으로써 그가 얻게 되는 것보다는 오히려 토지에서의 보다 적은 수입으로 만족하게끔 한다. 이러한 이익은 수입의 일정한 차이를 보상하기에 족한 것이지만, 그 이익이 보상하는 것은 일정의 차이만에 그칠 것이며, 만일 토지의 지대가 보다 큰 차로서 화폐의 이자에 미달한다면 누구도 토지를 구매하려고 하지 않을 것이므로 토지의 통상가격은 곧 떨어질 것이다. 이와 반대로 만일 그러한 이익이 그 차이를 보상하고도 남음이 있다면, 누구나 토지를 구매하려고 할 것이므로 토지의 통상가격은 곧 다시 인상될 것이다. 이자가 10퍼센트이었을 때 토지는 보통 10년 내지 12년의 구매년수(years purchase)로서 팔리고 있었다. 그러나 이자가 6퍼센트, 5퍼센트, 4퍼센트로 떨어짐에 따라 토지의 가격은 20년, 25년 및 30년의 구매년

62 〔이것은 명백한 것 같다. 그러나 로크Locke, 《Some Considerations》, 83~84면에 의하여 확실히 부정되어 있었다.〕

수로 올랐다. 이자의 시장률은 잉글랜드에서보다 프랑스에서 더 높으며, 토지의 보통가격은 프랑스에서 더 낮다. 잉글랜드에서는 그것은 보통 30년의 구매년수로 팔리는데 프랑스에서는 20년의 구매년수로 팔리고 있다.

제5장 자본의 여러 가지 용도에 관하여

자본에 의하여 가동되는 노동의 양과 연간 생산물에 부가하는 가치는 그 용도에 따라 다르다.

모든 자본이 생산적 노동만을 유지하기 위하여 예정되어 있더라도 동량의 자본이 가동시킬 수 있는 노동의 양은 그 용도의 다양성에 따라서 극히 다르며, 또한 이와 마찬가지로 그 용도가 그 나라의 토지 및 노동의 연간 생산물에 부가하는 가치도 달라진다.

자본을 사용하는 데는 네 가지 서로 다른 방법이 있는데,

자본이란 네 가지 다른 방법으로 사용될 수 있다. 첫째, 사회의 사용 및 소비를 위해 해마다 필요로 하는 총생산물을 조달하는 데, 또는 둘째, 직접의 사용 및 소비를 위하여 그 총생산물을 제조하고 조제하는 데, 또는 셋째, 총생산물 또는 제조품을 풍부한 지방에서 모자라는 지방에 운송하는 데, 또는 마지막으로, 이 양자 가운데 어느 것의 특정 부분을 이것을 필요로 하는 사람들의 수시의 수요에 적합하도록 적은 꾸러미로 분할하는 데 사용할 수 있다. 제1의 방법으로 사용되는 것은 토지, 금광 또는 어장의 개량 또는 경작을 기도하는 모든 사람들의 자본이며, 제2의 방법으로 사용되는 것은 모든 마스터 제조업자들의 그것이며, 제3의 방법으로 사용되는 것은 모든 도매상인의 그것이며, 제4의 방법으로 사용되는 것은 모든 소매업자의 그것이다. 이상의 네 가지 가운데 그 어느 한 가지로 분류될 수 없는 방법으로 사용되는 자본이라는 것을 상상한다는 것은 곤

란하다.

그 모두가 필요하다.

자본을 사용하는 이 네 가지 방법의 각각은 다른 세 가지 방법의 존재와 확장을 위하여, 그리고 사회의 일반적 편의를 위해서도 본질적으로 필요한 것이다.

즉 (1) 총생산물의 조달도,

자본이 총생산물을 어느 정도 윤택하게 공급하는 데 사용되지 않는 한, 어떠한 종류의 제조업도 상업도 존재할 수 없을 것이다.

(2) 제조업도,

사용 및 소비에 적합하게 될 때까지 충분한 조제를 필요로 하는 총생산물 부분의 제조에 자본이 사용되지 않는 한, 그러한 총생산물은 이에 대한 수요가 전혀 있을 수 없을 것이므로 결코 생산되지 않을 것이다. 또는 만일 그러한 총생산물이 자연 발생적으로 생산된다면, 그것에는 아무런 교환가치도 없을 것이며, 그것은 사회의 부에 아무것도 부가할 수 없을 것이다.

(3) 운송도,

총생산물 또는 제조품을 그것이 풍부한 지방에서 결핍된 지방으로 운송하는 데 자본이 사용되지 않는 한, 그 양자는 모두 바로 그 이웃의 소비를 위해 필요로 한 양 이상으로 생산될 수 없을 것이다. 상인의 자본은 어떤 지방의 잉여생산물을 다른 지방의 그것과 교환하고, 이렇게 하여 두 지방의 산업을 장려하고 향락을 증진시킨다.

그리고 (4) 분배도 모두가 필요한 것이다.

만일 자본이 총생산물 또는 제조품의 일정 부분을 그것을 필요로 하는 사람들의 수시의 수요에 적합하도록 작은 꾸러미로 분해하거나 분할하는 데 사용되지 않는다면, 모든 사람은 부득이 자기가 당장 필요로 하는 것 이상으로 다량의 재화를 구매하지 않을 수 없을 것이다. 예를 들어 만일 푸줏간이라는 것이 없다면 모든 사람은 한 번에 한 마리 전부의 황소 또는 한 마리 전부의 양을 구매하지 않을 수 없을 것이다. 이것은 일반적으로 부자에게는 불편할 것이며, 빈민에게는 더욱더 불편할 것이다. 만일 한 사람의 가난한 직공이 한 번에 1개월분 또는 6개월분의 식료품을 구매하지 않을 수 없다면, 그는 자기가 직업상의 용구라든지, 자기의 상점의 비품에 자본으로서 사용하여 자기에게 수입을 가져다주게 하는 자재의 하나의 큰 부분을 직접의 소비를 위해 유보하며 부득이 자기에게 아무런 수입도 낳아 주지 않는 자재부분에 투입해 두지 않을 수 없을 것이다. 이런 사람들에게는 날마다 아니 시간마다 자기가 필요로 하는 데 따라서 그 생활자료를 구매할 수 있다는 것보다 더 편리한 것은 없을 것이다. 이렇게 해서 그는 자기의 거의 전체 자재를 자본으로 사용할 수 있다. 그는 그렇게 해서 훨씬 더 큰 가치가 있는 제작품을 제공할 수 있게 되고, 그가 이러한 방법으로 그 제작품에서 얻게 되는 이윤은 소매상인의 이윤으로 재화에 과해지는 가격의 추가분을 보상하고도 훨씬 남는다. 상점주와 상인에 반대하는 약간의 정론가의 편견은 전혀 근거 없는 것이다. 그들의 수가 아무리 증가한다 하더라도, 그들의 수가 서로 서로를 해칠 정도로 증가할는지는 모르지만 공공사회를 해칠 만큼 증가될 수는 없으므로 그들에게 과세한다거나 또는 그들의 수를 제한하는 것은 전혀 불필요하다. 예를 들어 어떤 특정 도시에서 팔릴 수 있는 재화의 양은 그[63] 도시와 그 부근의 수요에 의하여 한정된다. 그러므로 잡화상에 사용될 수 있는 자본은 그 양을 구매하는 데 족한 것을 초과할 수 없다. 만일 이 자본이 두 사람의 서로 다른 잡화상인 사이에 분할되면, 그들의 경쟁은 그들 두 사람으로 하여금 이 자본이 단지 한 사람의 손에 있을 경우보다 더 싸게 팔게 하는 경향이 있을 것이다. 그리고 만일 20인 사이에 분할된다면, 그들의 경쟁은 꼭 그만큼 심해질 것이며,

63 〔초판에는 "그(its)"가 없다.〕

그들이 그 가격을 올리기 위하여 단결할 수 있는 기회도 꼭 그만큼 적어질 것이다. 그들의 경쟁은 그들 가운데 어떤 사람을 파멸시킬지 모르지만, 이것에 주의하는 것은 관계 당사자의 일이며, 그것을 안심하고 그들의 분할에 맡겨 두면 된다. 그것은 결코 소비자를 해하거나 생산자를 해할 수는 없다. 그 반대로 그것도 소매상인으로 하여금 상업이 모두 한두 사람에 의하여 독점되어 있을 경우보다도 더 싸게 팔고 더 비싸게 사도록 하는 경향이 있음에 틀림없다. 그들 가운데 어떤 사람은 아마 약한 고객을 꾀어 그가 필요로 하지 않는 것을 사도록 할 때도 있을 것이다. 그러나 이러한 해악은 공공사회의 주의를 끌 만큼 중요한 것도 아니며, 그리도 그들의 수를 제한한다고 해서 반드시 방지되지도 않을 것이다. 가장 의심스러운 실례를 든다면, 서민들 사이에서 일반적으로 취태기풍을 일으키는 것은 맥주점이 많다는 것 때문은 아니며, 다른 여러 원인들에서 생기는 이러한 기질이 반드시 수많은 맥주점에 생업을 주고 있기 때문이다.

이러한 자본의 사용자는 생산적 노동자이다.

이상의 네 가지 방법 가운데 어느 것으로든지 자기 자본이 사용되고 있는 사람들은 그들 자신이 생산적 노동자이다. 그들의 노동은 이것이 적당한 방면에 돌려질 때 그것이 가해지는 대상, 즉 팔 수 있는 상품에 그 자체를 고착시키고 실현한다. 그리고 일반적으로 그 대상의 가격에다 적어도 그들 자신의 생활자료 및 소비재의 가치를 부가한다. 농업경영자, 제조업자, 도매상인 및 소매상인의 이윤은 모두 처음의 둘이 생산하고 뒤의 둘이 매매하는 재화에서 빠져 나온다. 그러나 같은 금액의 자본이라도 위의 네 가지 상이한 각각의 방법으로 사용되면 이 각각이 직접[64] 가동시킬 생산적 노동의 양에는 대단한 차이가 있을 것이며, 그 자본이 속하고 있는 사회의 토지 및 노동의 연간 생산물의 가치를 증가시키는 비율에는 상당한 차이가 있을 것이다.

64 〔초판에는 여기와 7행 뒤에 있는 “직접”이 없다.〕

소매상인의 자본은 그 자신만을 고용할 뿐이다.

소매상인의 자본은 그의 이윤과 더불어 그가 재화를 구입해 오는 도매상인의 자본을 회수하고, 그렇게 함으로써 도매상인이 그 업무를 계속할 수 있게 한다. 소매상인의 자본이 직접 사용하는 유일한 생산적 노동자는 그 소매상인 자신이다. 그 자본의 사용이 그 사회의 토지 및 노동의 연간 생산물에 부가하는 총가치는 그의 이윤에 존재한다.

도매상인의 자본은 선원과 운반인을 사용하며,

도매상인의 자본은 그가 취급하는 총생산물 및 제조품을 구입해 오는 농업경영자와 제조업자의 자본을 그들의 이윤과 함께 회수하며, 그렇게 함으로써 그는 그들로 하여금 그들 각자의 직업을 계속할 수 있게 한다. 주로 이러한 서비스에 의하여 그는 그 사회의 생산적 노동을 유지하고 그 연간 생산물의 가치를 증가시키는 데 간접적으로 이바지한다. 그 위에 그의 자본은 그의 재화를 어떤 지방에서 다른 지방으로 운송하는 선원과 운반인을 사용하고, 또 그것은 그러한 재화의 가격을 자기의 이윤의 가치뿐만 아니라 선원과 운반인의 임금의 가치만큼을 증가시킨다. 이것이 그 자본이 직접 가동시키는 생산적 노동의 전부이며 이것이 그 자본이 연간 생산물에 직접 부가하는 가치의 전부이기도 하다. 이들 두 가지 점에 있어서의 그 자본의 작용은 소매상인의 자본을 훨씬 능가하고 있다.

제조업자의 자본은 그의 공인을 사용하고,

마스터 제조업자의 자본의 일부분은 고정자본으로서 그의 직업상의 용구로서 사용되고, 그가 그 용구를 구입하는 다른 약간의 공장의 자본을 그의 이윤과 함께 회수한다. 그의 유동자본의 일부는 재료를 구입하는 데 사용되고 그가 그러한 재료를 구입해 오는 농업경영자와 광업자의 자본을 그의 이윤과 함께 회수한다. 그러나 그 대부분은 항상 해마다 또는 그보다 단기간에 그가 사용하는 여러 가지 공인들 사이에 분배된다. 그것은 그 재료의 가치를 그들의 임금과 그 사업에 사용된 임금과 재료 및 직업상의 용구라고 하는 전체 자재에 대한 그들의 마스터들의 이윤만큼을 증가시킨다. 그러므로 이 자본은 어떠한 도매상인의 수중에 있는 같은 금액의 자본보다도 훨씬 더 많은 양의 생산적 노동을 직접[65] 가동시키며, 그 사회의 토지 및 노동의 연간 생산물에 훨씬 다량의 가치를 부가하는 것이다.

농업경영자의 자본은 그의 사용인 및 그의 가축을 사용하고, 연간 생산물에 다른 자본이 하는 것보다 훨씬 더 많은 가치를 부가한다.

같은 금액의 자본으로서 농업경영자의 자본만큼 다량의 생산적 노동을 가동시키는 자본은 없다. 그의 노동하는 사용인뿐만 아니라 그의 역축도 생산적 노동자이다. 더욱이 농업에 있어서는 자연도 인간과 더불어 노동한다. 그리고 자연의 노동은 비록 경비가 들지 않지만, 그 생산물은 가장 경비가 많이 드는 일군의 그것처럼 그 가치를 가지고 있다. 가장 중요한 농업은 자연의 비옥도를 증진시키기 위해 의도된 것이라 생각되며, 또한 이 농업이 현실적으로 그렇게 이루어지고 있기는 하나, 보다 더 중요한 것은 자연의 비옥도를 인간에게 가장 유리한 식물의 생산을 할 수 있게 전향시키도록 의도된 것이라고 생각된다. 찔레와 가시덤불로 뒤덮인 들도 최선의 경작이 이루어진 포도원이나 곡물생산지와 동등할 정도로 다량의 채소를 생산할 수 있을 때가 흔히 있다. 재배와 경작은 자연의 능동적인 비옥도를 촉진시키기보다 오히려 그것을 규제하는 수가 많다. 그리고 모든 노동을 가한 뒤에도 그 일의 대부분은 언제나 자연에 의해 이루어질 것으로 남겨진다. 그러므로 농업에 사용되는 노동자 및 역축은 제조업에 있어서의 공인과 같이 그들 자신의 소비재에 동등한 가치, 즉 그들을 사용하는 자본에 동등한 가치를 그 자본의 소유자들의 이윤과 함께 재생산할 뿐만 아니라, 그보다 훨씬 더 많은 가치를 재생산한다. 즉 그들은 농업경영자의 자본과 그 모든 이윤을 넘어서 규칙적으로 지주의 지대의 재생산을 일으킨다. 이 지대는 그

65 〔초판에는 "직접"이 없다.〕

사용을 지주가 농업경영자에게 대출하는 자연의 제력의 생산물이라고 생각되어도 좋을 것이다. 그것은 그러한 제력의 상상 속의 크기에 따라, 다시 말하면 토지의 상상 속의 자연적 또는 개량된 비옥도에 따라서 커지기도 하고 작아지기도 한다. 그것은 인간의 소산이라고 생각될 수 있는 모든 것을 공제하거나 또는 보상하고 난 뒤에 남는 자연의 소산이다. 그리고 지대는 전 생산물의 4분의 1 이하인 경우는 좀처럼 없으며 3분의 1 이상일 때도 흔히 있다. 제조법에 사용되는 어떠한 등량의 생산적 노동도 결코 그렇게 큰 재생산을 일으킬 수 없다. 제조업에 있어서는 자연은 아무것도 하지 않고, 인간이 모든 것을 다 한다. 그리고 재생산은 항상 그것을 일으키는 요인의 힘에 비례하지 않을 수 없다. 따라서 농업에 사용되는 자본은 제조업에 사용되는 어떠한 등류의 자본보다 더 다량의 생산적 노동을 가동시킬 뿐만 아니라, 그것이 사용하는 생산적 노동의 양에 대한 비에 있어서도 그 나라의 토지 및 노동의 연간 생산물, 즉 그 주민의 실질적 부와 수입에 훨씬 더 많은 가치를 부가한다. 그것은 자본이 사용될 수 있는 모든 방법 가운데 사회에 대하여 아주 최대로 유리한 것이다.

농업과 소매업에 사용되는 자본은 국내에 체류하지 않으면 안 되지만,

어떤 사회의 농업과 소매업에 사용되는 자본은 항상 그 사회 내에 체류하지 않으면 안 된다. 그것들의 용도는 농장이라든지 소매상의 가게라고 하는 바로 그 장소에 거의 국한되어 있다. 더욱이 그러한 자본들은 약간의 예외는 있지만 일반적으로 그 사회에 거주하는 성원에게 속해 있음은 틀림없다.

도매상인의 자본은 어디에 체류하여도 좋으며,

이에 반하여 도매상인의 자본은 어떤 곳이든 고정적 체류지나 필요한 체류지를 갖고 있지는 않을 것 같으며, 그것이 싸게 살 수 있거나 또는 비싸게 팔 수 있는 데에 따라서 이곳저곳으로 전전傳傳 이동할 수도 있다.

제조업자의 자본은 그 제조업의 소재지에 있지 않으면 안 되지만 그것은 반드시 정해져 있는 것은 아니다.

제조업자의 자본은 그 제조업이 경영되고 있는 곳에 체류하여야 함은 물론이다. 그러나 이것이 어디에 있어야 할 것인지는 반드시 필연적으로 정해져 있는 것은 아니다. 그것은 그 원료의 산지와 완제품의 소비지와는 훨씬 멀리 떨어져 있을 수도 흔히 있다. 리옹은 그 제조품의 원료를 공급하는 지방과도, 그리고 그 소비지와도 대단히 먼 거리에 있다. 시칠리아섬의 상류사회의 사람들은 그들 자국이 산출하는 원료로써 제품된 타국의 견직물을 입고 있다. 스페인의 양모의 일부는 영국에서 제조되고, 그 모직물의 어떤 부분은 그 뒤에 스페인에 돌려보내진다.

수출업자는 그 나라의 사람이든 아니든 간에 별 차이 없다.

자기의 자본으로써 어떤 사회의 잉여생산물을 수출하고 있는 상인이 자국인이든 외국인이든 간에 그것은 별로 중요하지 않다. 만일 그가 외국인이라면 그가 자국인이었을 경우보다도 그 나라의 사회의 생산적 노동자의 수는 반드시 한 사람만큼 적다. 그리고 그 사회의 연간 생산물의 가치는 그 한 사람의 이윤만큼 적어진다. 그가 사용하는 선원과 운송인은 그 사람이 마치 자국인이었을 경우와 마찬가지로 그와 같은 나라 사람이든 또는 어느 다른 나라의 사람이든 역시 별 차이는 없다. 외국인의 자본도 자국인의 그것과 똑같이 그 사회의 잉여생산물을 국내에서 수요가 있는 어떤 것과 교환함으로써 그 잉여생산물에 가치를 주기 때문이다. 외국인의 자본은 자국인의 자본과 똑같이 유효하게 그 잉여를 생산하는 사람의 자본을 회수하고, 그것과 똑같이 유효하게 그 잉여를 생산하는 사람이 자기의 업무를 계속할 수 있게 해 준다. 이 서비스는 이것을 통하여 도매상인의 자본이 그 소속된 사회의 생산적 노동의 유지와 그 사회의 연간 생산물의 가치의 증가에 주로 기여하고 있는 서비스라 하겠다.

제조업자의 자본은 이것이 국내에 체류할 경우에는 비교적 많은 자국의 노동을 가동시킬 것이다. 그러나 그것이 외국에 체류할 경우에도 역시 유용하다.

제조업의 자본이 국내에 체류해야 한다는 것은 더 중요하다. 그것은 반드시 비교적 많은 생산적 노동자를 가동시키고, 그 사회의 토지 및 노동의 연간 생산물에 비교적 많은 가치를 부가한다. 그러나 그것이 그 나라 안에 체류하고 있지 않더라도 그 나라에 대하여 대단히 유용할 수도 있다. 발트해의 연안에서 해마다 수입되는 아마와 대마를 가공하는 영국의 제조업자의 자본은 그것을 생산하는 나라들에 대해서 확실히 매우 유용하다. 그러한 원료는 그러한 나라들의 잉여생산물의 일부이며, 그곳에서 수요가 있는 어떤 것과 해마다 교환되지 않는 한, 그것은 아무런 가치도 없는 것이 될 것이며, 그리고 그 생산은 드디어 종식될 것이다. 그것을 수출하는 상인은 그것을 생산하는 사람들의 자본을 회수하고, 그렇게 함으로써 생산을 계속하도록 그들을 격려한다. 그리고 영국의 제조업자들은 그러한 상인의 자본을 회수해 준다.

어떤 나라들은 경작 · 제조 · 운송을 위한 충분한 자본을 갖고 있지 못할 때가 종종 있다.

어떤 특정된 나라는 어떤 특정된 사람과 마찬가지로 그 모든 토지를 개량하고 경작하기 위해, 그리고 그 모든 원생산물을 직접 사용하고 소비할 수 있도록 제조하고 조제하기 위해, 그리고 원생산물 또는 제조품을 본국 내에서 수요가 있는 어떤 것과 교환할 수 있을 만한 먼 곳의 여러 시장에 운송하기 위해, 충분한 자본을 가지지 못할 때가 많다. 영국의 여러 지방의 주민은 그들의 모든 토지를 개량하고 경작하기 위한 충분한 자본을 갖고 있지 않다. 스코틀랜드 남부지역의 양모는 그 대부분이 그것을 국내에서 제조할 자본이 없으므로 대단히 열악한 도로를 통해 멀리 운송된 후에 요크셔에서 제조된다. 영국엔 그 주민이 그들 자신의 근로의 생산물을 이것에 대한 수요와 소비가 있는 먼 곳의 시장에 운송하기 위한 충분한 자본을 갖고 있지 않은 많은 소제조업도시가 있다. 그들 사이에 몇 사람의 상인이 있지만, 그들은 주로 약간의 비교적 큰 상업도시에 거주하는 비교적 부유한 상인의 대리인에 지나지 않는다.

이러한 경우에는 농업에 사용되는 자본이 많으면 많을수록 연간 생산물도 더 많아질 것이다.
어떤 나라의 자본이 이상의 세 가지 목적 전부에 불충분할 때는, 농업에 사용되는 자본의 몫이 커지는 데 비례하여 그 국내에서 가동되는 생산적 노동의 양도 많아질 것이며, 또한 마찬가지로 그 자본의 사용이 그 사회의 토지 및 노동의 연간 생산물에 부가하는 가치도 점점 커질 것이다. 농업 다음으로는 제조업에 사용되는 자본이 최대량의 생산적 노동을 가동시키며, 연간 생산물에 최대의 가치를 부가한다. 수출업에 사용되는 자본은 이 세 가지 가운데 최저의 효과를 가진다.

자본을 이러한 세 가지 목적 모두에 충분한 것으로 만드는 최단의 첩경은 가장 유리한 것부터 시작하는 것이다.
사실 이 세 가지 목적 모두를 위한 충분한 자본을 갖고 있지 않은 나라는 그 나라가 자연적으로 예정되어 있는 것 같은 정도의 부유에는 아직 도달하지 못한 것이다. 그러나 시기상조로 그리고 불충분한 자본으로써 이 세 가지 모두를 하려고 기도하는 것은 확실히 한 개인에게 그러한 것과 같은 정도로 한 사회에 충분한 자본을 획득하는 최단의 첩경이 못 된다. 한 나라의 모든 개인의 자본은 단 한 사람의 그것과 마찬가지로 그 한도를 가지고 있어서, 일정한 목적을 달성할 수 있을 따름이다. 한 나라의 모든 개인의 자본은 단 한 사람의 개인의 그것과 마찬가지로 그들이 그들의 수입에서 저축하는 모든 것을 끊임없이 축적하고 그것을 자본에 부가함으로써 증가된다. 그러므로 자본은 그것이 그 나라의 모든 주민에게 최대량의 수입을 가져다주는 그러한 방법으로 사용될 때, 그들은 최대의 저축을 할 수 있으므로 가장 급속하게 증가될 것 같다. 그러나 그 나라의 모든 주민의 수입은 그들의 토지 및 노동의 연간 생산물의 가치에 반드시 비례한다.

그들이 그렇게 해 왔다는 그 점이 아메리카 식민지가 진보하게 된 주요 요인이었다.
우리의 아메리카 식민지의 거의 전체 자본이 종래 농업에 사용되어 왔다는 점이 그러한 식민지가 급속하게 부유해지고 강대해진 주요 원인이었다. 그 식민지에는 농업의 진보에 따라 필연적으로 수반하며, 각 사적인 세대 내의 부인과 아이들의 일로 되어 있는 가내적이며 비교적 조잡한 제조업을 제외하고는 제조업이라는 것을 전혀 갖고 있지 않았다. 아메리카의 수출무역과 연안무역의 쌍방은 그 대부분이 영국에 거주하는 상인들의 자본에 의하여 운영되고 있다. 어떤 지방, 특히 버지니아와 메릴랜드에서 재화가 소매되고 있는 상점과 큰 점포까지도 모국에 거주하는 상인에 속해 있는 것이 많으며, 이는 어떤 사회의 소매업이 그 거주 성원이 아닌 사람들의 자본에 의하여 운영되고 있는 극히 드문 실례 중의 하나를 제공하는 셈이다. 만일 아메리카인들이 단결이라든가 다른 부류의 폭력에 의하여 유럽제품의 수입을 정지하고 유사한 재화를 제조할 수 있는 그러한 그들 자국민에게 독점권을 줌으로써 자본의 상당한 부분을 이러한 용도에 유용한다면, 그들은 그들의 연간 생산물의 가치의 보다 큰 증가를 촉진하기는커녕 도리어 늦추게 될 것이며, 그 나라가 실질적 부와 강대로 향해 진보하는 것을 조장하기는커녕 방해하게 될 것이다. 마찬가지로 그들이 그들의 전체 수출무역을 자신들에게 독점시키려고 기도하기라도 한다면, 더욱더 이상과 같은 실정에 빠지게 될 것이다.

대국들이라 할지라도 이상에서 말한 모든 목적을 위한 충분한 자본을 획득했던 적은 거의 없다.
실로 어떤 대국이 이상의 세 가지 목적 모두에 충분할 만한 자본을 획득할 수 있을 만큼 인류의 번영이 오래 계속되었던 적은 좀처럼 없었던 것 같으며, 아마

이는 우리가 중국의 부와 경작이라든지 고대 이집트의 그것이라든지 고대 인도의 그것에 관한 놀라운 기록을 신용하지 않는 한 그러하다. 모든 기록에 의하면 이들 세 나라는 이때까지 세계에 있었던 가장 부유한 나라들이었는데, 이들까지도 그 농업 및 제조업에 있어서 그들이 우월하다는 것으로서 주로 유명하다. 그들은 외국무역에 있어서 뛰어나 있었던 것 같지는 않다. 고대 이집트인은 바다에 대하여 미신적인 반감을 가지고 있었으며,[66] 이와 거의 같은 종류의 미신은 인도인들 사이에도 퍼져 있고, 중국인은 외국무역에 있어서 결코 탁월하지 못했다. 이 모든 세 나라의 잉여생산물의 대부분은 항상 외국인들에 의하여 수출되고 있었던 것 같으며, 외국인들은 그것과의 교환으로 그곳에서 수요가 있는 다른 어떤 것, 흔히 금은을 주곤 했다.

여러 가지 종류의 도매업은 여러 가지 양의 생산적 노동을 사용하고 연간 생산물에 여러 가지 금액의 가치를 부가한다.

따라서 어느 나라에서나 동일한 자본이라도 이것이 농업·제조업·도매업에 사용되는 상이한 비율에 따라서, 다량 또는 소량의 생산적 노동을 가동시킬 것이며, 그 나라의 토지 및 노동의 연간 생산물에 보다 큰 또는 보다 작은 가치를 부가할 것이다. 뿐만 아니라 그 차이는 그 자본의 일부가 사용되는 도매업의 여러 가지 부류에 따라서 대단히 크다.

상업에는 국내상업 · 외국무역 · 중계무역의 세 종류가 있다.

모든 도매상업(wholesale trade), 즉 도매로 재판매하기 위한 모든 구매는 세 가지 다른 부류로 요약될 수 있다. 즉 국내상업(home trade), 소비재의 외국무역 및 중계무역(carrying trade)이 그것이다. 국내상업은 그 나라의 산업의 생산물을 동일

66 〔이 진술의 전거는 아마 몽테스키외, 《법의 정신》, 제21권, 제6장일 것이다. 즉 여기에 "이집트는 종교상 관습상 · 외국과의 교통과 멀리 떨어져 있었으므로, 외국과의 무역은 거의 하고 있지 않았다……이집트인은 외국무역을 그렇게 중시하지 않았으므로 홍해무역은 그곳에 몇몇 항구를 갖고 있는 약소국민에게 맡겨 두고 있었다"라고 되어 있다.〕

국의 어떤 지방에서 사들여서 다른 지방에 파는 데 종사한다. 그것은 내륙상업과 연안무역의 쌍방을 포함한다. 소비재의 외국무역은 국내소비를 위하여 외국의 재화를 구매하는 데 종사한다. 중계무역은 여러 외국의 교역을 다루는데, 즉 어떤 한 나라의 잉여생산물을 다른 나라에 운송하는 데 종사한다.

그 나라의 다른 지방에서 팔기 위하여 어떤 한 지방에서 구매하는 데 사용되는 자본은 두 가지 국내자본을 회수한다.

그 나라의 산업의 생산물을 그 나라의 다른 지방에서 판매하기 위하여 그 나라의 어떤 한 지방에서 구매하는 데 사용되는 자본은 일반적으로 그러한 활동을 할 때마다 그 나라의 농업 또는 제조업에 사용되었던 두 개의 별개의 자본을 회수하고, 또 그렇게 함으로써 그러한 자본이 그 용도에 계속 사용될 수 있도록 한다. 그 자본이 상인의 거주지에서 어떤 일정 가치의 상품들을 실어 내면 그 대신에 그것은 일반적으로 적어도 등가의 다른 상품들을 그 거주지에 들여오는 것이다. 그 양자가 국내 산업의 생산물일 때는, 그것은 반드시 그러한 활동이 있을 때마다 생산적 노동을 유지하는 데 사용되었던 두 개의 별개의 자본을 회수하며, 또한 그렇게 함으로써 그러한 자본들이 그러한 유지를 계속할 수 있게 해준다. 스코틀랜드의 제조품을 런던으로 보내고 잉글랜드의 곡물과 제조품을 에든버러에 돌려보내는 자본은 그러한 활동을 할 때마다 영국의 농업 또는 제조업에 사용되었던 두 개의 영국의 자본을 반드시 회수한다.

수입에 사용되는 자본은 하나의 국내자본과 하나의 외국자본을 회수한다.

국내소비를 위하여 외국 재화를 구매하는 데 사용되는 자본도 이 구매가 국내 산업의 생산물로써 이루어질 때는 이러한 활동을 할 때마다 역시 두 개의 전혀 별개의 자본을 회수하는데, 이들 중의 하나만이 국내 산업을 유지하는 데 사용된다. 영국의 재화를 포르투갈에 보내고 포르투갈의 재화를 영국에 가져오는 자본은 이러한 활동이 있을 때마다 하나의 영국의 자본만을 회수한다. 다른 하나는 포르투갈의 자본이다. 그러므로 소비재의 외국무역의 대금회수(returns)는 국내상업의 그것과 마찬가지로 급속하다 하더라도 소비재의 외국무역에 사용되는 자본은 그 나라의 산업에, 즉 생산적 노동에 대하여 절반밖에 자극을 주지 못할 것이다.

그의 대금회수는 국내상업의 그것만큼 빠르지 않다.

그러나 소비재의 외국무역의 대금회수가 국내상업의 그것만큼 급속한 경우는 좀처럼 없다. 국내상업의 대금회수는 대체로 그 연도의 말까지는 되며, 1년에 3회 또는 4회가 될 때도 있다. 소비재의 외국무역의 대금회수는 그 연도의 말까지는 좀처럼 되지 않으며, 2~3년 후에 될 때도 있다. 그러므로 소비재의 외국무역에 사용되는 자본이 회전하기 전에 국내상업에 사용되는 자본은 때에 따라서는 12회나 활동한다. 다시 말하면 12회나 나가서 들어온다. 따라서 만일 자본이 등액이면 전자는 후자보다 그 나라의 근로에 대하여 24배나 되는 장려와 고무를 주게 될 것이다.[67]

우회외국무역은 직접외국무역과 동일한 효과를 갖는다.

국내소비를 위한 외국 재화가 국내 산업의 생산물로써 구매되지 않고 어떤 다른 외국 재화로써 구매될 때도 있다. 그러나 이 후자의 재화는 국내 산업의 생산물로써 직접 구매되었거나, 또는 그것으로써 구매되었던 어떤 다른 것으로써 구매되었을 것이 틀림없다. 왜냐하면 전쟁과 정복의 경우를 제하면 외국 재화는 직접적으로든지 또는 2회 또는 그 이상의 별개의 교환을 겪고 난 연후이든 간에 국내에서 생산되었던 어떤 것과 교환되지 않고서는 결코 획득될 수 없기 때문이다. 그러므로 이러한 소비재의 우회적 외국무역에 사용되는 자본의 효과는 어떠한 점에서나 가장 직접적인 같은 종류의 무역에 사용되는 자본의 효과와 동일하

67 〔만일 급속한 대금회수의 이점에 관한 이 학설이 본 장의 더 앞에서 적용되었다면, 그것은 농업의 우위에 관한 논의를 부정하게 했을 것이다.〕

지만 다만 다른 바는 최종적인 대금회수가 2회 내지 3회의 전혀 별개의 외국무역의 대금회수에 의존하지 않을 수 없기 때문에 그 최종회수가 훨씬 오래 걸릴 것 같은 경향이 있다는 것뿐이다. 만일 리가Riga의 아마와 대마가 버지니아의 담배로써 구매되고 또 버지니아의 담배는 영국의 제조품으로 구매되었다면, 그 상인은 자기가 동량의 영국의 제조품을 재구매하는 데 바로 그 자본을 사용할 수 있을 때까지는 별개의 두 외국무역의 대금회수를 기다리지 않으면 안 된다. 만일 버지니아의 담배가 영국의 제조품이 아니라 영국의 제조품으로 구매된 자메이카의 사탕과 럼주로써 구매되었다면, 그는 세 가지의 대금회수를 기다리지 않으면 안 된다. 만일 이런 2~3의 전혀 별개의 외국무역이 간혹 두 사람 내지 세 사람의 전혀 별개의 상인에 의해 수행되고, 그들 중에 제2의 상인에 의해 수입된 재화를 재수출하기 위하여 구매하고, 제3의 상인은 제2의 상인에 의해 수입된 재화를 재수출하기 위해 구매하기라도 한다면, 이 경우에 각 상인은 비교적 급속히 자기 자신의 자본에 관한 대금회수를 받을 것이다. 그러나 그 무역에 사용된 전체의 자본에 관한 최종적 대금회수가 완만함은 다른 경우와 마찬가지일 것이다. 이런 우회무역에 사용된 전체의 자본이 한 사람의 상인에게 속하거나, 아니면 세 사람의 상인에 속하거나 간에 개인의 상인에 관해서는 몰라도, 그 나라에 관해서는 별 차이가 있을 수 없다. 이 두 경우에 영국의 제조품의 일정 가치를 아마와 대마의 일정량과 교환하기 위해 그 제조품과 아마 및 대마가 직접 상호 교환되었을 경우, 필요했을 것보다 세 배나 더 큰 자본이 사용되지 않으면 안 된다. 따라서 이러한 우회외국무역에 사용되는 전체의 자본은 일반적으로 보다 직접적인 같은 종류의 무역에 사용되는 같은 금액의 자본보다도 그 나라의 생산적 노동에 대해 더 적은 장려와 고무밖에 주지 못할 것이다.

금은을 매개로 하여 이루어지는 외국무역은 나머지 방법과 결코 다르지 않다.
국내소비를 위해 외국 재화를 구매하는 데 쓰이는 외국 상품이 어떤 것이든 간에 그것은 그 무역의 성격에 관해서나 또는 그 무역이 이루어지고 있는 나라의 생산적 노동에 줄 수 있는 장려와 고무에 관해서나 아무런 본질적인 차이를 일으킬 수는 없다. 예를 들어 만일 이러한 외국 재화가 브라질의 금, 또는 페루의 은으로써 구매된다면, 이 금은은 버지니아의 담배와 같이 그 나라의 산업의 생산물의 어떤 것, 또는 그 나라의 산업의 생산물로써 구입된 재화로써 구매되었을 것은 틀림없다. 그러므로 그 나라의 생산적 노동에 관한 한, 금은을 매개로 하여 이루어진 소비재의 외국무역은 어떠한 다른 소비재의 우회외국무역에도 따르는 모든 이점과 불편을 가지고 있으며, 그 국내의 생산적 노동을 유지하는 데 직접 사용되는 자본을 회수하는 속도도 똑같이 빠르거나 또는 똑같이 느리거나 할 것이다. 그런데 그것은 다른 동등한 우회적인 외국무역의 어떤 것보다 단 한 가지의 이점을 가지고 있는 것 같다. 이러한 금속을 어떤 지방에서 또 다른 지방에 운송하는 데는 부피가 적고 가치가 크기 때문에 다른 등가의 거의 어떠한 외국 재화보다도 경비가 적게 들기 때문이다. 그들 금속의 운임은 다른 것에 비하여 훨씬 적으며, 그것에 관한 보험료도 크지 않다.[68] 그뿐 아니라 운송에 의하여 상할 염려가 이보다 적은 것으로는 이 밖의 다른 재화도 없는 것이다. 그러므로 금은을 개재시킨다면 다른 어떠한 외국 재화를 개재시키는 것보다 국내 산업의 비교적 소량의 생산물로써 등량의 외국 재화를 구매할 수는 흔히 있을 것이다. 그 나라의 수요는 이러한 방법으로써 다른 어떠한 방법에 의하기보다 더 완전히, 그리고 더 적은 경비로써 충족될 수 있을 때도 종종 있을 것이다. 그러한 금속의 끊임없는 수출에 의하여, 이런 종류의 무역이 이 무역을 하고 있는 나라를 어떤 다른 점에 있어서 빈곤화시킬 우려가 있는지 없는지를 나는 뒤에서 아주 장황히 검토할 기회를 가질 것이다.[69]

중계무역에 사용되는 자본은 두 개의 외국자본을 회수한다. 그것은 그 나라에 속하는 선박 및 선원을 사용할 수도 있지만 반드시 그렇다고는 할 수 없다. 그리고 수입

68 〔이 문장에서 여기 이하의 부분은 초판에는 없다.〕

69 〔제4편〕

무역 또는 연안무역에 사용되는 등액의 자본은 중계무역이 사용하는 것과 동수의 선박과 선원을 사용할 수도 있다.

어떤 나라의 자본 가운데서 중계무역에 사용되는 부분은 전부가 어떤 외국의 생산적 노동을 유지하기 위하여 그 특정국의 생산적 노동의 유지에서 빠져 나온 것이다. 그것은 활동할 때마다 전혀 별개의 두 개의 자본을 회수하지만, 그 어느 하나도 그 특정국에 속하는 것은 아니다. 네덜란드의 곡물을 포르투갈에 운반해 가고, 포르투갈의 과실과 포도주를 가지고 돌아오는 네덜란드 상인의 자본은 이러한 활동을 할 때마다 두 자본을 회수한다. 그리고 그 어느 것도 네덜란드의 생산적 노동을 유지하는 데 사용되고 있었던 것은 아니며, 그 하나는 네덜란드의 그것을 유지하기 위하여서, 다른 하나는 네덜란드의 그것을 유지하기 위하여서, 다른 하나는 포르투갈의 그것을 유지하기 위하여 사용되고 있었던 것이다. 이윤만이 규칙적으로 네덜란드에 돌아간다. 그리고 이윤만이 이 무역이 그 나라의 토지 및 노동의 연간 생산물에 반드시 부가하는 그 전추가분을 구성한다. 사실 어떤 특정한 나라의 중계무역이 자국의 선박과 선원에 의하여 운영되고 있을 때, 운임을 지불하는 데 사용되는 자본부분은 그 나라의 일정 수의 생산적 노동자들 사이에 분배되며, 그리고 또한 이들을 가동시킨다. 중계무역의 상당한 몫을 차지하여 왔던 거의 모든 국민은 사실상 그것을 이러한 방법으로 하여 왔다. 그 무역 자체도 아마 그 이름을 이러한 나라들의 인민이 다른 나라들에게는 중계인이 된다는 의미에서 끌어낸 것 같다. 그러나 그 무역이 그렇게 수행되어야 한다는 것이 그 무역의 성질에 본질적인 것이라고는 생각되지 않는다. 예를 들어 네덜란드와 포르투갈의 상거래를 처리하는 네덜란드 상인은 네덜란드의 화물선으로써 하는 것이 아니라 영국의 화물선으로써 한 나라의 잉여생산물 부분을 다른 나라에 운송하는 데 자기의 자본을 사용해도 된다. 그는 실제로 어떤 특정의 경우에는 그렇게 하고 있다고 추정해도 좋을 것이다. 그러나 그의 방어와 안전이 선원과 선박의 수에 의존하고 있는 영국과 같은 나라로서는 중계무역이 특히 유리한 것이라고 생각되어 왔던 것도 바로 이 때문이라 하겠다. 그러나 같은 금액의 자본이 사용할 수 있는 선원 및 선박의 수는, 소비품의 외국무역에 있어서도 또는 연안상선에 의해서 이루어지는 경우에는 국내상업에 있어서까지도 어느 것이나 중계무역에 있어서 사용할 수 있는 것과 동수이다. 어떤 특정 자본이 사용할 수 있는 선원 및 선박의 수는 그 무역의 성질에 의존하지 않고, 얼마간은 화물이 수송될 항구 간의 거리에 의존하며, 더욱이 이 두 가지 사정 가운데서 주로 전자에 의존하고 있다. 예를 들면 뉴캐슬에서 런던으로의 석탄 무역은 두 항이 그렇게 크게 떨어져 있지 않더라도 잉글랜드의 모든 중계무역이 사용하는 것보다 더 많은 선박을 사용하고 있다. 어떤 나라의 자본 가운데서 중계무역에 자연적으로 향해 갈 것보다 더 큰 몫을 특별한 장려 방법에 의하여 강제적으로 중계무역에 향하게 하는 것은 반드시 그 나라의 선박을 증가시킨다고는 할 수 없을 것이다.

그러므로 국내상업에 사용되는 자본은 마치 외국무역에 사용되는 자본보다 더 많은 생산적 노동을 유지한다. 그러나 외국무역에 사용되는 자본은 중계무역에 사용되는 자본보다 더 많은 생산적 노동을 유지한다. 따라서 경제정책은 자본을 외국무역 또는 중계무역에 유인해서는 안 된다.

그러므로 어떤 나라의 국내상업에 사용되는 자본은 소비재의 외국무역에 사용되는 등액의 자본보다도 일반적으로 그 나라의 보다 더 다량의 생산적 노동에 대한 장려와 고무를 주며, 그 나라의 연간 생산물의 가치를 더 증가시킬 것이다. 그리고 이 후자의 무역에 사용되는 자본은 중계무역에 사용되는 등액의 자본보다도 이상의 두 가지 점의 어느 점에서나 훨씬 더 큰 이점을 가지고 있다. 모든 나라의 부와, 그리고 힘이 부의 의존하는 한, 그 힘은 그 연간 생산물의 가치, 즉 모든 조세가 궁극적으로 지불되어야 하는 자원에 항상 비례함이 틀림없다. 그러나 모든 나라의 경제정책(political economy)의 큰 목적은 그 나라의 부와 힘을 증진시키는 일이다. 따라서 그것은 국내상업보다도 소비재의 외국무역을 더 우선하게 해서는 안 되며, 특히 더 장려해서도 안 되는 것이다. 그리고 그것은 소비재의 외국무역 및 중계무역이라는 두 개의 수로 가운데서 자연히 저절로 그곳에 유입하게 되는 것보다 더 큰 부분을 결코 강제적으로 유입시키거나 유입하도록 유인해서도 안 되는 것이다.

이 각각이 자연적으로 도입될 때는 어느 사업 부분에도 유리하다.
그러나 그러한 별개의 무역부문의 각각은 어떠한 억압이나 폭력 없이 사물의 진행이 자연적으로 그것을 도입할 때는 다만 유리할 뿐만 아니라, 필요하고 불가피하다.

특정 산업부문의 생산물의 잉여는 해외로 보내져야 한다.
어떤 특정 산업부문의 생산물이 그 나라의 수요가 필요로 하고 있는 것을 초과할 때, 그 잉여는 해외로 보내져서 국내에서 수요가 있는 어떤 것과 교환되지 않으면 안 된다. 이러한 수출 없이는 그 나라의 생산적 노동의 일부는 반드시 종식[70]될 것이며, 그 연간 생산물의 가치는 감소한다. 영국의 토지 및 노동은 대체로 국내시장이 필요로 하는 것보다 더 많은 곡물·모직물·쇠붙이를 생산한다. 그러므로 그 가운데서 잉여 부분은 해외로 보내져서 국내에서 수요가 있는 어떤 것과 교환되지 않으면 안 된다. 이 잉여가 그 생산에 든 노동 및 경비를 보상하기에 충분한 가치를 획득할 수 있는 것은 이러한 수출의 수단에 의할 수밖에 없다. 해안의 이웃이라든가 모든 항행 가능한 하천의 연안이 산업에 대하여 유리한 위치라는 것도 오직 그러한 지방이 그러한 잉여생산물을 수출하여 그곳에서 더 많이 수요가 되는 어떤 것과 교환하도록 촉진하기 때문이다.

교환에 의하여 획득된 외국 재화는 이따금 재수출되지 않으면 안 된다.

70 〔그러나 왜 그 노동이 "국내에서 수요가 있는 어떤 것"의 생산에 전향되지 않는가? 곧 바로 그 밑에 "곡물 · 모직물 · 쇠붙이"가 나오는 것을 보면 아마 그 나라는 그 주민에게 그 특정 상품의 생산을 강제할 만큼의 어떤 자연적 특성을 가지고 있다는 것이 상정되어 있음을 뜻하고 있는 것 같다.〕

따라서 국내 산업의 잉여생산물로써 구매되는 외국 재화가 국내시장의 수요를 초과할 때 그 잉여 부분은 다시 해외로 보내져서 국내에서 더 수요가 많은 어떤 것과 교환되지 않으면 안 된다. 버지니아와 메릴랜드에서 약 9만 6000통(hogsheads)의 담배가 영국의 근로의 잉여생산물의 일부분으로써 해마다 구매된다. 그러나 영국의 수요는 아마 1만 4000통 정도밖에 필요로 하지 않는다.[71] 따라서 만일 그 나머지 8만 2000통이 해외로 보내져서 국내에서 더 수요가 많은 어떤 것과 교환될 수 없다면, 그 수입은 곧 종식되지 않을 수 없으며, 현재 이 8만 2000통을 매년 구매하는 데 쓰이는 재화를 마련하는 데 사용되고 있는 영국의 모든 주민의 생산적 노동도 종식되지 않을 수 없다. 영국의 토지 및 노동의 생산물의 일부인 그들 재화는 국내에선 시장을 가지지 못하며, 더구나 해외에 있었던 시장을 빼앗기면 그 생산은 종식되지 않을 수 없게 된다. 그러므로 소비재의 가장 우회적인 외국무역도 때에 따라서는 그 나라의 생산적 노동과 그 연간 생산물의 가치를 유지하기 위해서는 가장 직접적인 외국무역과 같은 정도로 필요할 수가 있다.

다른 여러 용도가 꽉 차 있을 때, 잉여의 자본은 중계무역으로 흘러들어 간다. 그리고 이것은 위대한 국부의 원인이라기보다 오히려 그 징후이다.

어떤 나라의 자본자재(capital stock)가 대단히 증가하여 그 특정국의 소비를 충족하고 생산적 노동을 유지하는 데 사용되고도 남을 만큼 된다면, 그 잉여 부분은 자연 중계무역으로 흘러들어 가서 다른 나라들에 대하여 동일한 역할을 수행하는 데 사용된다. 중계무역은 위대한 국부의 자연적 결과이며 징후이기도 하지만, 그러나 그것은 그 자연적 원인은 아닌 것처럼 생각된다. 중계무역을 특별히 장려하고자 했던 정치가들은 그 결과와 징후를 그 원인이라고 잘못 생각했던 것 같다. 네덜란드는 그 토지의 면적과 주민 수에 비해서는 유럽에서 아주 최대

71 〔9만 6000 및 1만 3500이라는 숫자는 다음의 서적에 의해서 든 것일 것이다. 앤더슨Anderson, 《Commerce》, ad 1775, 1801년 역, 제4권, 187면.〕

로 부유한 나라이며, 따라서 유럽의 중계무역 가운데 최대의 몫을 차지하고 있다. 잉글랜드는 아마 유럽에서 두 번째로 가장 부유한 나라로서 역시 중계무역의 상당한 몫을 차지하고 있다고 생각된다. 그렇더라도 보통 잉글랜드의 중계무역으로 간주되고 있는 것은 소비재의 우회무역에 지나지 않을 경우가 흔히 나타날 것이다. 이를테면 동서인도와 아메리카의 재화를 여러 유럽 시장에 운송하는 무역은 대부분이 그러하다. 그러한 재화는 대체로 영국의 근로의 생산물로써 직접 구매되거나 또는 그 생산물로써 그러한 무역의 최종적으로 회수된 대금은 대체로 영국에서 사용 또는 소비된다. 지중해의 여러 항구 간에 영국의 화물선으로 행해지고 있는 무역과, 인도의 여러 항구 간에 영국의 상인에 의해 행해지고 있는 같은 종류의 무역 가운데 어떤 것은 아마 본 장 영국의 중계무역이라고 할 만한 것이 주요 부문을 이루고 있는 것 같다.

중계무역의 발전성은 훨씬 크다.

국내상업과 여기에 사용될 수 있는 자본의 크기는 그들 각자의 생산물을 서로 교환할 필요가 있는 나라 안의 모든 원격지방의 여러 잉여생산물의 가치에 의하여 반드시 제한된다. 소비재의 외국무역의 크기는 그 나라 전체의 잉여생산물의 가치와 그 생산물로써 구매될 수 있는 것의 가치에 의하여 반드시 제한된다. 중계무역의 크기는 세계에 있는 여러 나라의 잉여생산물의 가치에 의하여 제한된다. 그러므로 그 가능한 크기는 다른 두 가지의 크기에 비하면 어떤 의미로는 무한한 것이며, 최대의 자본을 흡수할 수 있다.

농업은 그것이 흡수할 수 있는 모든 자본을 유인할 만큼 충분한 이윤을 낳지 않는다. 그 이유는 다음의 두 편에서 설명될 것이다.

자기 자신의 사적인 이윤에 관한 배려야말로 어떤 자본의 소유자가 그 자본을 농업 혹은 제조업에 사용할 것인지, 또는 도매와 소매의 약간의 특정부문에 사용할 것인지를 결정하는 유일한 동기이다. 그것이 가동시킬 수 있는 생산적 노동의 여러 양과 그것이 그러한 여러 가지 방법 중 어느 하나를 사용하는 데 따라 그 사회의 토지 및 노동의 연간 생산물에 부가할 수 있는 여러 가지 가치는 자기의 고려에 들어가지 않는다. 그러므로 농업이 모든 사업 중에서 가장 유리한 사업이고, 농경과 개량이 굉장한 재산을 얻을 수 있는 최단의 첩경인 나라에서는, 개개인의 자본은 자연히 사회 전체에 대해서도 가장 유리한 방법으로 사용될 것이다. 그러나 농업의 이윤은 유럽의 어떤 지방에서도 다른 사업의 그것보다 우세하지는 않은 것 같다. 실로 유럽의 모든 지방에 있어서의 기획자들은 지난 몇 해 전부터 토지의 경작과 개량에 의하여 얻게 될 이윤에 관한 가장 훌륭한 설명으로써 공공사회를 즐겁게 했다. 우리는 그들의 계산에 관한 어떤 특수한 논의에 개입하지 않고서도 하나의 극히 단순한 관찰로써 그들의 계산의 결과가 틀렸음이 틀림없다는 것을 납득할 수 있을 것이다. 우리는 상업과 제조업에 의해 단 1세기 동안에 극히 소자본에서, 아니 때로는 무자본에서 가장 엄청난 재산이 획득되어 왔음을 늘 목격하고 있다. 그와 같은 기간에 그리고 그런 자본에서 그만큼의 재산이 농업에 의해 획득되었다는 사례는 아마 현 세기를 통해 유럽에서는 단 한 번도 일어나지 않았을 것이다. 그런데 유럽의 모든 대국은 대단히 좋은 토지가 아직도 경작되지 않은 채 남아 있으며, 경작된 토지의 대부분도 개량될 수 있는 한까지 개량되기엔 아직도 요원하다 하겠다. 따라서 농업은 거의 어느 곳에서나 이때까지 사용되어 왔던 것보다 훨씬 더 많은 자본을 흡수할 여지가 있다. 그러면 유럽의 정책에 있어서 어떤 사정이 농촌에서 운영되고 있는 사업보다도 도시에서 운영되고 있는 사업에 대단히 큰 이익을 주었으며, 그 결과 개인들은 흔히 자신들 자본을 그 부근에 있는 가장 다산적인 토지의 개량과 경작에 사용하기보다 오히려 아시아와 아메리카의 먼 거리의 중계무역에 사용하는 것이 보다 더 자신들의 이익이 된다고 생각하게끔 했는지를, 나는 이하의 두 편에서 충분히 상세하게 설명하려고 노력할 것이다.

제 3 편

각국에서의 국부 증진의 차이에 관하여

제1장 부유의 자연적 증진에 관하여

대규모의 상업은 도시와 농촌 사이의 것인 바 이는 명백히 양자에게 다 같이 유리하다. 모든 문명사회의 큰 상업은 도시의 주민들과 농촌 주민들 사이에 행해지고 있는 상업이다. 그것은 직접적으로나 혹은 화폐 또는 화폐를 대표하는 어떤 종류의 지폐를 개재시킴으로써 원생산물을 제조품과 교환하는 데 있다. 농촌은 도시의 생활자료와 제조품의 원료를 공급한다. 도시는 농촌의 주민들에게 그 제조품의 일부를 돌려보냄으로써 이 공급에 보답한다. 물자(substances)의 재생산이 전혀 되지 않고, 또한 전혀 할 수 없는 도시는[1] 그 부와 생활자료의 전부를 농촌에서 얻고 있다고 함이 적합하겠다. 그러나 이 때문에 우리는 도시의 이득은 농촌의 손실이라고 생각해서는 안 된다. 양자의 이득은 상호적이며 호혜적이기도 하다. 그리고 이 경우에 분업은 다른 모든 경우와 마찬가지로 세분된 여러 가지 직업에 종사하는 여러 가지 사람들 모두에게 유리한 것이다. 농촌의 주민은 자신들이 손수 그것을 마련하려고 했을 때, 사용하지 않을 수 없었을 것보다 훨씬 소량의 그들 자신의 노동의 생산물로써 비교적 다량의 제조품을 도시에서 구매한다. 도시는 농촌의 잉여생산물, 즉 경작자의 생활자료를 넘어서 남는 것에 대한 시장을 제공한다. 그리고 농촌의 주민은 그 시장에서 그 잉여생산물을 그들 사이에서 수요되고 있는 어떤 다른 것과 교환하는 것이다. 도시의 주민의 수와 수입이 커지면 커질수록, 농촌 주민에게 제공하는 시장도 점점 확대될 것이다. 그리고 그 시장이 확대되면 될수록 그것은 반드시 다수의 인원에게 보다 더 유리해질 것이다. 그 시장에서는 도시에서 1마일 이내에서 생산되는 곡물이 20마일이나 떨어져 있는 곳에서 오는 것과 동일 가격으로 팔린다. 그러나 후자의 가격은 대체로 그것을 생산하고 시장에 보내는 데 드는 비용을 지불할 뿐만 아니라 농업경영자에 대하여 농업의 통상의 이윤을 제공할

1 〔농업은 물자를 생산하는데, 제조업은 그것을 변형시킬 뿐이라고 하는 오류는 틀림없이 생산적 노동 및 비생산적 노동의 이론에서 획득된 토대를 그 근거로 하고 있다.〕

만한 것이어야 한다. 따라서 도시의 부근에 소재하는 농촌의 토지소유자와 경작자는 그들이 판매하는 것의 가격에서 농업의 통상의 이윤 이상으로, 더 원거리에 있는 여러 지방들로부터 보내지는 유사한 생산물의 운임의 전 가치를 이득할 뿐만 아니라, 그들이 구매하는 것의 가격에서는 이 운송의 전 가치를 절약한다. 어떤 꽤 큰 도시의 부근에 있는 토지의 경작과 그 도시에서 다소 먼 곳에 떨어져 있는 어떤 토지의 경작과를 비교해 보라. 그러면 여러분은 농촌이 도시의 상업에 의하여 얼마나 많은 혜택을 입고 있는가를 쉽게 확인할 것이다. 무역차액(balance of trade)에 관하여 유포되어 온 불합리한 공론이 많았지만, 그 전부 가운데서도 농촌이 도시와의 상업 때문에 손해를 본다든지, 도시가 도시를 부양해 주는 농촌과의 그것 때문에 손해를 본다든지 하는 것은 아직도 주장된 적이 없었다.

도시가 그의 생활자료를 끌어내는 농촌으로부터 때로는 멀리 떨어져 있을 수도 있지만 농촌의 경작은 도시의 증대에 선행되지 않으면 안 된다.

생활자료는 본질적으로 생각건대 편의품과 사치품에 앞서는 것이므로 전자를 조달하는 산업은 반드시 후자에 공헌하는 산업에 앞서지 않으면 안 된다. 그러므로 생활자료를 제공하는 농촌의 경작과 개량이 반드시 편의품과 사치품의 수단만을 공급하는 도시의 확대에 선행되어야 한다. 농촌의 잉여생산물만이, 즉 경작자의 생활유지 이상의 것만이 도시의 생활자료를 구성하며, 도시는 이 잉여생산물의 증가와 더불어서만이 확대할 수 있다. 실로 도시는 반드시 그 전 생활자료를 그 이웃의 농촌이나 그 도시가 속하고 있는 영역에서만 끌어낸다고는 할 수 없으며, 대단히 멀리 있는 농촌에서 끌어낼 수도 있다. 이 사실은 비록 일반원칙의 예외를 형성하는 것은 아니지만, 여러 가지 시대와 여러 국민들의 부유의 진보에 상당한 차이를 일으켜 왔던 것이다.

사물의 이러한 순서는 농업에 대한 인간의 자연적 편애에 의하여 조장된다.

모든 특정국에서 그렇다는 것은 아니지만 일반적으로 필요상 그렇게 되는 사물의 그러한 순서는 어떠한 나라에서나 인간의 자연적 성향에 의하여 촉진된다. 만일 인간의 제도가 그런 자연적 성향을 결코 방해하지 않았다면 도시는 어떤 곳에서나 적어도 그들이 위치하고 있는 그 영토의 개량과 경작에 의해 공급될 수 있는 것 이상으로 증대될 수는 없었다. 즉 적어도 그 영토의 전체가 완전히 경작되고 개량되기까지는 증대될 수가 없었다. 왜냐하면 이윤이 동등하거나 거의 동등할 경우에는 사람들은 자신들 자본을 제조업이라든지 외국무역에 사용하기보다는 오히려 토지의 개량과 경작에 사용하려고 할 것이기 때문이다. 자기의 자본을 토지에 사용하는 사람은 상인의 것보다 훨씬 잘 손수 그것을 감시하고 지배할 수 있으며, 자기의 재산 또한 상인의 것보다 재난을 당하게 할 가능성이 훨씬 적다. 왜냐하면 상인은 자기의 재산을 흔히 풍파에 맡기게 되지 않을 수 없을 뿐만 아니라 자기가 좀처럼 그 성격과 지위를 충분히 알 수 없는 그러한 먼 나라의 사람들에게 큰 신용을 줌으로써 인간의 우열과 부정이라고 하는 더욱더 불확실한 요소에 그것을 내맡기지 않을 수 없을 때가 많다. 이와 반대로 자기의 토지의 개량에 고정되어 있는 지주의 자본은 인간사의 성질상 허용될 수 있는 최대한도의 안전이 확보되어 있는 것 같다. 그뿐 아니라 농촌의 아름다움, 전원생활의 즐거움, 그것이 보증해 주는 마음의 평온함과 부정한 인간의 법률이 방해하지 않는 한, 전원생활이 실제로 가져다주는 자주독립, 이러한 것들은 모든 사람을 다소라도 끌어당기는 매력을 가지고 있다. 더구나 토지를 경작한다는 것은 인간에게 본래 운명지어진 것이었으므로, 인간은 그 생활사의 모든 단계에서 이러한 원시적인 직업에 대한 편애를 가지고 있는 것이라고 생각된다.

경작자는 공장의 조력을 필요로 하고 공장은 경작자와 함께 정주하여 마을을 이룬다. 그리고 그들의 일은 그 지방의 개량과 함께 증가한다.

실로 약간의 공장의 조력이 없이는 토지의 경작은 행해질 수 없으며, 대단한 불편과 부단한 중단을 면치 못한다. 대장장이나 목수, 수레바퀴 제조인, 쟁기 제조인, 석공, 벽돌 쌓는 사람, 무두장이, 구두장이, 양복장이 등은 모두 농업경영자가 종종 필요로 하는 서비스를 해 주는 사람들이다. 그러한 공장들도 때에 따라서는 상호의 조력을 필요로 하고 있으며, 그들의 주거는 농업경영자의 그것처럼 반드시 확실한 지점에 묶여 있지 않으므로, 그들은 자연히 서로서로 이웃에 정주하고 그렇게 하여서 조그마한 도시나 마을을 형성한다. 푸줏간과 주점 및 빵가게는 곧 그들의 수시적인 욕망을 충족시키기 위하여 필요하거나 또는 유용한 다른 많은 공장과 소매상과 함께 그들과 결합한다. 그리고 이들은 도시를 훨씬 더 확대시키는 것에 공헌한다. 도시의 주민과 농촌의 주민은 서로서로의 사용인인 셈이다. 도시는 농촌의 주민이 자신들 원생산물을 제조품과 교환하기 위하여 드나드는 부단의 정기시(fair) 또는 시장이다.[2] 도시의 주민에게 그들의 일거리와 그들의 생활자료의 쌍방을 공급하는 것도 이러한 상거래이다. 도시의 주민이 농촌의 주민에게 파는 완제품의 양은 반드시 그들이 사들이는 재료와 식료품의 양을 규정한다. 그러므로 그들의 일도, 생활자료도 완제품에 대한 농촌의 수요가 증가하는 데 비례하여 증가할 수밖에 없다. 그리고 이 수요는 개량과 경작의 확대에 비례해서만 증가할 수 있다. 따라서 인간의 제도가 사물의 자연적 진행을 교란하지 않았다면, 도시의 부의 증진과 도시의 확대는 모든 정치사회에 있어서도 그 영역 또는 농촌의 개량과 경작의 귀결로서, 그리고 그것에 비례하여 이루어졌을 것이다.

북아메리카의 식민지들에서는 충분한 자료를 획득한 공장은 원격지에 판매하기 위한 제조업자가 되는 대신에 재식자가 된다.

아직도 미경작의 토지들이 안이한 조건으로 얻어지는 우리의 북아메리카 식민지들에서는 그들의 제시 가운데 어느 도시에서도 원격지의 판매를 위한 어떤 제조업이 설립된 적이 없다. 북아메리카에서는 어떤 공장이 자기의 바로 이웃

2 〔이 문단의 처음에서 여기까지의 구절은 아마 캔틸런, 《Essai》, 11~22면에 의하여 암시를 받았을 것이다.〕

지방에 공급을 하기 위한 사업을 운영하는 데 필요한 것보다 약간이라도 더 많은 자재를 획득하면 그는 그것으로써 원격지에 판매하기로 하는 제조업을 설립하려고 하지 않고, 그것을 미경작의 구입과 개량에 사용하려고 한다. 그는 공장에서 재식자로 되며, 그 나라가 공장들에게 제공하는 임금이 아무리 많고 또 생활자료가 아무리 쉽게 얻어진다 하더라도 이것이 그를 매혹시켜 그 자신을 위해서보다 다른 사람들을 위하여 일하도록 꾀일 수는 없는 것이다. 그는 공장이란 그의 고객의 사용인이며, 그들에게서 그의 생활자료를 끌어내는 사람이지만, 자기 자신의 토지를 경작하고 더구나 자기의 필요한 생활자료를 자기 자신의 가족의 노동에서 끌어내는 재식자는 진정한 주인이며 만천하의 독립자라고 느끼고 있다.

미경작의 토지가 전혀 조달될 수 없는 지방에서는, 그러한 공장은 원격지 판매를 위한 제조업자가 된다.

이와 반대로 미경작의 토지가 전혀 없거나, 또는 안이한 조건으로 손에 넣을 수 없는 나라에서는 바로 그 이웃의 수시적인 일에 사용할 수 있는 것 이상의 자재를 획득한 모든 공장은 더 원격지에 판매하기 위한 제작품을 마련하려고 노력한다. 대장장이는 어떤 종류의 제철물을 건설하고, 직장은 어떤 종류의 아마포 또는 모직물의 공장을 건설한다. 그러한 여러 가지 제조업은 시간이 지나감에 따라 점점 세분되고 따라서 아주 여러 가지 방법으로 개선되기도 하고 세속되게 이른다. 이런 사실은 쉽게 상상될 수 있는 것이므로 이 이상 더 설명할 필요는 없는 것이다.

제조업은, 자연, 외국상업보다도 더 선호된다.

자본의 용도를 찾을 경우에 이윤이 동등하거나 또는 거의 동등하다면 사람들은 자연히 외국상업보다 제조업을 선호하는데, 이는 제조업보다는 농업을 자연히 더 좋아하는 것과 같은 이유 때문이다. 지주나 농업경영자의 자본이 제조업자의 그것보다 더 안전하듯이, 제조업자의 자본은 언제나 무역상인의 그것보다 한층 더 자기의 감시와 지배를 받게 되므로 무역상인의 그것보다 더 안전하다. 사실 모든 시대의 모든 사회에서 원생산물과 제조품 쌍방의 잉여 부분, 즉 국내에서 수요가 없는 부분은 국내에서 수요가 있는 어떤 것과 교환되도록 해외에 보내져야 한다. 그러나 이 잉여생산물을 해외로 수송하는 자본이 외국자본이냐 국내자본이냐 하는 것은 별로 중요하지 않다. 만일 사회가 모든 토지를 경작하고, 그[3] 원생산물의 전부를 가장 완전한 방법으로 제조하기 위한 충분한 자본을 획득하지 못했다면, 그 사회의 전 자재를 더 유리한 목적에 사용되도록 하기 위하여 그 원생산물[4]을 외국자본에 의하여 수출시킨다는 것은 상당한 이익이 되기까지 할 것이다. 고대 이집트의 부, 중국과 인도스탄의 부는 비록 그 수출무역의 대부분이 외국인에 의하여 이루어지더라도 그 국민은 대단히 고도의 부유에 도달할 수 있다는 것을 충분히 입증하고 있다. 우리의 북아메리카와 서인도 식민지들의 진보도 만일 그들 자신에게 속해 있었던 자본 이외의 그 잉여생산물의 수출에 사용되었던 자본이 전혀 없었더라면, 훨씬 더 완만했을 것이다.

그러므로 사물의 자연적 전개과정은 첫째 농업이요, 그다음이 제조업이며 마지막이 해외 상업이다.

따라서, 사물의 자연적 전개과정에 따르면, 모든 발전적인 사회의 대부분의 자본은 첫째는 농업으로, 그다음이 제조업으로, 그리고 마지막으로 해외 상업에 돌려진다. 일의 이런 순서는 너무나 자연적인 것이므로, 영토를 가지고 있는 모든 사회에선 어느 정도 항상 관찰되어 왔던 사업이라고 나는 믿고 있다. 그러한 제사회의 토지 가운데 어떤 부분은 꽤 큰 도시가 건설되기 전에 이미 경작되어 있었을 것이 틀림없으며, 제조업이라고 할 만한 부류의 조粗공업도 이들 도시가 외국상업에 종사할 것을 생각해 내기 전에 벌써 그곳에 가서 경영되어 왔을 것

3 〔"그것의(its)"는 초판에는 "그들의(their)"로 되어 있다.〕

4 〔"그 원생산물"은 초판에는 "그것"으로 되어 있다.〕

임에 틀림없다.

그러나 이 순서는 많은 점에서 전도되어 왔다.

그러나 이 사물의 자연적 순서는 그러한 모든 사회에서 어느 정도 발생되어 왔음에 틀림없지만, 유럽의 모든 근대 국가에서는 그 순서가 많은 점에서 전혀 전도되어 왔다. 그들의 대도시 가운데 어떤 것의 외국상업은 그들의 모든 보다 정교한 제조업, 이를테면 원격지 판매에 적합한 제조업을 도입했으며, 제조업과 외국상업이 다 같이 농업의 주요한 개량을 초래했다. 그들의 당초의 정부의 성질상 도입되어서 그 정부가 대변혁를 보게 된 후에도 잔존했던 풍속 습관이 필연적으로 그러한 나라들을 이러한 부자연스럽고 역행적인 순서로 밀어 넣었던 것이다.

제2장 로마제국의 몰락 이후 유럽의 고대 상태에 있어서의 농업의 저해에 관하여

로마제국의 몰락 이후 서유럽의 모든 토지는 주로 대토지소유자들에 의하여 독점되었다.

게르만 민족과 스키타이 민족이 로마제국의 서부의 여러 속주를 황폐하게 만들었을 때, 그러한 대변혁에 따라 일어났던 혼란은 그 후 수 세기 동안 계속되었다. 그 야만인들이 고래의 주민에게 행사했던 약탈과 폭행은 도시와 농촌 간의 상거래를 중단시켰다. 도시는 텅 비었고, 농촌은 경작되지 않은 채 버려졌으며, 로마제국 치하에서 상당한 정도의 부유를 향수하고 있었던 유럽의 서부 여러 지방들은 빈곤과 야만의 구렁텅이로 빠져들어 갔다. 그러한 혼란이 계속되는 동안 그들 민족의 족장과 지도자는 그러한 나라의 토지의 대부분을 획득 또는 횡령했다. 그 토지의 대부분이 경작되지 않았지만, 경작된 것이든 안 된 것이든 간에 어떠한 부분도 소유자 없이 버려져 있지는 않았다. 토지의 전부는 독점되었으며 더구나 그 대부분이 소수의 대토지소유자에 의하여 독점되어 버렸다.

장자상속제와 한사상속제는 대소유지의 분할을 방해했다.

미경작지에 관한 이 최초의 독점은 비록 그것이 아무리 컸다 하더라도 일시적인 해악에 지나지 않았을지도 모른다. 즉 그 미경작지는 곧 상속 또는 양도에 의해 재분할되어 적은 덩어리로 분해되었을는지 모른다. 그런데 장자상속법(law of primogeniture)은 미경작지가 상속에 의하여 분할되는 것을 저지했고, 한사상속제(entails)의 도입은 그 미경작지가 양도에 의하여 소구획의 토지로 분해되는 것을 저지했다.[5]

장자상속제가 도입된 것은 모든 대지주가 일종의 소군주였기 때문이다.

토지가 동산처럼 생존과 향락의 수단이라고밖에 생각되지 않았을 때는 상속에 관한 자연법은 토지를 동산과 마찬가지로 그 가족의 아이들 모두에게 분할한다. 즉 아버지에게는 모든 아이들의 생존과 향락은 동등하게 중요하게 여겨졌을 것이기 때문이다. 따라서 로마인들 사이에서 상속에 관한 이 자연법이 발생했으며, 이들 로마인이 토지의 상속에 있어서 장유와 남녀 사이에 차별을 두지 않았던 것은 우리가 동산의 분배에 관해서 현재 그렇게 하고 있는 것과 같다고 하겠다. 그러나 토지가 단지 생존뿐만 아니라 권력과 보호의 수단이라고 생각되었을 때는, 토지를 분할하지 않은 채 한 사람에게 물려주는 것이 더 좋다고 생각되었다. 그러한 무질서한 시대에는 모든 대지주는 일종의 소군주였다. 그의 차지인(tenants)은 그의 신하이었다. 그는 그들의 재판관이었으며 어떤 점에서는 평화시의 그들의 입법자이며, 전시에는 그들의 지휘자였다. 그는 자기 자신의 마음대로 흔히 그 이웃과 전쟁을 했으며, 때에 따라서는 자기의 주권자와도 싸웠다. 따라서 토지재산의 안전, 즉 토지의 소유자가 거주자들에게 제공할 수

5 〔《Lectures》, 124, 228면에는 장자상속제와 한사상속제가 농업에 유해하다는 것으로서 비난받고 있다.〕

있는 보호는 토지재산의 크기에 의존했다. 그것을 분할하는 것은 그것을 파멸시키는 것이었고, 그 모든 부분이 이웃 사람들의 습격에 의하여 압박되고 삼켜져 버리도록 하는 것과 같다. 그러므로 장자상속법은 토지재산의 상속에 있어서 갑자기 일어나게 된 것은 아니고 세월이 감에 따라서 이루어졌던 것이며, 이는 최초로 제정된 당시부터 항상 그러했다고는 할 수 없지만 군주제의 상속법이 대체로 장자상속법으로 이루어졌던 것과 같은 이유로서 이루어졌다. 군주제의 권력, 따라서 군주제의 안전이 분할에 의하여 약화되지 않도록 하기 위해서는 그 권력을 아이들 가운데 한 아이에게 전적으로 물려주어야 한다. 그렇게 중요한 우선권을 아이들 가운데 누구에게 줄 것인지의 문제는 개인적인 장점이라고 하는 의심스러운 차별에 기초를 두지 않고 논의의 여지가 전혀 없는 분명하고 명백한 차별에 입각한 어떤 일반원칙에 의하여 결정되지 않으면 안 된다. 동일 가족의 아이들 사이에서 논의의 여지가 있을 수 없는 차별이란 그 성과 연령밖에 없다. 남성은 보통 여성보다 우선적으로 발탁된다. 그리고 다른 모든 사정이 동등할 때 연장자가 어느 곳에서나 연소자를 대신한다. 여기에 장자상속권의 기원이 있다.[6]

현재에도 그것이 불합리하지만 가문의 영예라 하는 것이 프라이드를 유지하고 있다. 법률이란 그를 제정케 했고 또 그를 합리화시킬 수 있었던 여러 사정이 없어져 버린 뒤에도 오랫동안 계속 효력을 가질 수가 흔히 있다. 유럽의 현 상태에서는 단 1에이커의 토지의 소유자라도 그 소유권이 10만 에이커의 토지소유자의 그것과 동등하게 완전히 안전하다. 그러나 장자상속권은 아직도 계속 존중되고 있으며, 더구나 그것은 모든 제도 중에서 가문의 영예라는 긍지를 유지하는 데 가장 적합한 것이므로, 그것은 아직도 수 세기 동안 더 지탱할 것 같다. 모든 다른 점에 있어서 한 아이를 부유하게 만들기 위해 나머지 아이들을 거지로 만드는 권리만큼, 수많은 가족의 실리에 더 반하는 것이란 있을 수 없다.

6 〔《Lectures》, 117~118면.〕

한사상속제도 그 기원은 같은데,

한사상속제는 장자상속법의 자연적 귀결이다. 이 제도는 장자상속법이 최초로 그 착상의 원인이었던 일정한 직계 상속을 유지하기 위하여 도입되었다. 그리고 증여·유증·양도에 의하여 또는 후계의 소유자의 어리석음과 불행에 의하여, 최초의 재산이 비록 그 일부분이라도 소정의 혈통 이외로 옮겨지는 것을 저지하기 위하여 도입되었던 것이다. 그러한 제도는 로마인들에게는 전혀 알려져 있지 않았다. 로마인의 보충상속(substitutions)도 신탁유증(fideicommisses)도 한사상속과 아무런 유사점을 갖고 있지 않지만, 그러나 프랑스의 몇몇의 법률학자는 이 근대적인 제도를 그런 고대 로마 제도의 명칭과 의상[7]으로 꾸미는 것이 적당하다고 생각했던 것이다.[8]

현재에는 불합리하다.

대토지재산이 일종의 공령(principalities)이었던 시대에는 한사상속은 불합리한 것이 아니었을지도 모른다. 몇몇 군주국의 이른바 기본법과 마찬가지로 그 제도는 한 사람의 인물의 변덕이나 낭비에 의하여 수천 인의 안전이 위험에 빠지게 되는 것을 저지했을지도 모른다. 그러나 유럽의 현 상태에서는 대소의 어떠한 재산도 그 나라의 법률로써 안전이 보증되어 있으므로, 이것처럼 아주 불합리한 것은 있을 수 없다. 그것은 모든 불합리한 가정 가운데서도 최대로 불합리한 가정, 즉 인간의 모든 후계세대는 대지 및 대지가 가지고 있는 모든 것에 대하여 동등한 권리를 가지지 않고 현세대의 재산은 아마 500년이나 이전에 죽은 사람들의 순간적인 생각에 따라서 제약되고 규제되어야 한다는 가정에 그 기초를 두고 있다.[9] 그러나 한사상속제는 유럽의 대부분의 지방을 통하여, 특히 명문 출

7 〔"의상"은 초판에서는 "형태"라고 되어 있다.〕

8 〔《Lectures》, 123면에서 한사상속제의 기원이 로마에 있다는 것이 시인되고 있는 것같이 보인다.〕

9 〔이 구절은 《Lectures》, 124면을 상당히 밀접하게 따르고 있다. "불합리"라는 말이 되풀이되어 있는 점까지도 똑같다.〕

신이라는 것이 문무 어느 편이든 그 명예를 향수하는 데 필요한 자격이 되는 나라에서는 아직도 존중되고 있다. 한사상속제는 그 나라의 고위의 관직과 명예에 대한 귀족의 그러한 배타적 특권을 유지하는 데 필요한 것이라고 생각되고 있으며, 그 계급을 사람들은 나머지 그들의 시민동포보다 부당히 우월한 이점을 이미 횡령했으므로, 빈곤해져서 조소를 받게 되지 않도록 그들이 또 하나의 특권을 가져야 한다는 것은 당연한 것으로 생각되고 있다. 실로 잉글랜드의 보통법은 영대소유권(perpetuities)을 싫어한다고들 하며, 따라서 그곳에서의 영대소유권은 유럽의 다른 어떠한 군주국에서보다 더 제한되어 있다. 그렇지만 잉글랜드에서까지도 그것이 전혀 없는 것이 아니다. 스코틀랜드에서는 현재에도 그 나라의 전 토지의 5분의 1 이상, 아마 3분의 1 이상이 엄격한 한사상속제하에 놓여 있다라고 생각된다.[10]

대토지소유자가 대개량가일 경우는 별로 없다.

이렇게 해서 미경작의 대지역은 특정의 가족에 의하여 독점되었을 뿐만 아니라, 그것이 재분할될 가능성은 될 수 있는 한 영구히 저지되었다. 그런데 대토지소유자가 대개량가라는 사실은 좀처럼 일어나지 않는다. 그러한 야만적인 제도를 낳아 놓은 무질서한 시대에는 대토지소유자는 자기 자신의 영역을 방위하거나 또는 자기의 이웃에 그의 지배권과 권위를 확대하는 데 급급했다. 그는 토지의 경작과 개량에 주의를 할 만한 여가를 가지지 못했다. 법률과 질서가 확립되어 그가 이러한 여가를 가졌을 때는 그는 종종 그러한 생각을 갖지 못했고, 거의 언제나 그것에 필요한 능력마저 갖지 못했다. 비록 그의 가옥과 일신에 관한 경비가 그의 수입과 같든지 또는 아주 그것을 초과하더라도 그는 토지의 경작과 개량에 사용할 자재를 전혀 갖고 있지 않았다. 그가 경제가(œconomist)였더라면, 그는 대체로 자기의 연간 저축을 자기의 재래의 소유지의 개량에 사용하기보다 오히려 새로운 소유지의 구입에 사용하는 것이 더 유리하

10 〔초판에는 "……라고 생각된다"가 없다.〕

다는 것을 깨달았을 것이다. 모든 다른 상업상의 기획과 마찬가지로 이윤으로써 토지를 개량한다는 것은 소액의 저축과 소액의 이득에 대한 정밀한 주의를 필요로 하는데, 이것은 대재산가로 태어난 사람에게는 비록 그가 선천적으로 인색하다 하더라도 좀처럼 할 수 없는 노릇이다. 그런 사람의 처지는 자연히 그로 하여금 그가 거의 필요로 하지 않는 이윤 같은 것에 주의를 기울이게 하기보다는 자기의 도락을 만족시키는 장식품에 더 주의를 기울이게끔 한다. 자기의 의복과 집기, 가옥 및 가구를 우아하게 하는 것은 그의 어릴 적부터 습관으로서 늘 열망해 왔던 대상이라 하겠다. 그가 토지의 개량에 생각이 미치게 될 때도 이러한 습관에 의하여 자연히 형성된 성향은 그를 떠나지 않는다. 그는 자기 집 부근의 아마 4500에이커를 미화하는 데 그 토지의 개량이 완료된 후의 지가의 열 배나 되는 경비를 들인다. 그리고 만일 그가 자기의 소유지의 전부를 이렇게 개량하려고 하고, 그 밖의 어떤 다른 취미도 없다면, 그는 그 10분의 1을 완성하기 전에 파산해 버릴 것임을 알게 될 것이다. 연합왕국의 두 지방에는 봉건적 무정부 시대 이래 계속 동일 가족의 수중에 들어 있는 약간의 대소유지가 아직도 남아 있다. 그들 소유지의 현상을 그 이웃에 있는 소小소유자의 보유지와 비교해 보라. 그러면 여러분은 그렇게 광대한 토지재산이 개량에 대해 얼마나 불리한 것인지를 깨닫게 되는데, 그 이상 아무런 어떤 다른 논의를 필요로 하지 않을 것이다.[11]

토지의 점유자들은 토지에 매인 노예였으며 재산을 획득할 수 없었기 때문에 개량을 할 것 같지 않았다.

만일 그러한 대토지소유자들에게 개량을 거의 기대할 수 없다면 그들 밑에서 토지를 점유하고 있는 사람들에게서는 더욱더 기대할 수 없는 것이다. 유럽의 고대 상태에서는 토지의 점유자는 모두 임의해약차지인(tenants at will)이었다. 그들은 모두 또는 거의 모두가 노예였다. 그러나 그들의 노예의 신세는 고대 그리

11 〔이 소견은 《Lectures》, 228면을 따르고 있다.〕

스인과 로마인들 사이에 알려져 있었던 것보다는, 또는 심지어 우리의 서인도의 식민지들에서 알려져 있는 것보다도 온후한 종류의 것이었다. 그들은 그 주인에게 속해 있다고 하기보다는 오히려 더 직접적으로 그 토지에 속해 있다고 생각되고 있었다. 그러므로 그들은 토지와 함께는 팔리지만 따로 떼어서 팔릴 수는 없었다. 그들은 주인의 동의만 있다면 결혼할 수 있었고, 그들의 결혼 후에 주인은 그 부처를 별개의 사람들에게 팔아 버림으로써 그 부부관계를 해소시킬 수는 없었다. 만일 주인이 그들 가운데 누구를 불구로 만들거나, 살해하면 그는 일반적으로 아주 가벼운 것이기는 하지만 약간의 형벌을 받아야 했다. 그러나 그들은 재산을 획득할 수는 없었다. 그들이 획득한 것은 무엇이든지 간에 그것은 그들의 주인을 위해 획득된 것이며, 주인은 마음대로 그들에게서 그런 것을 빼앗을 수 있었다. 그러한 노예에 의하여 행해진 경작과 개량이 어떠한 것이든 간에 그것은 의당 그들의 주인에 의해 이루어진 것이다. 그것은 주인의 경비로써 되었다. 종자도 가축도 그리고 영농 용구도 모두 주인의 것이었다. 그것은 주인의 이익을 위한 것이었다. 그러한 노예들을 그들의 나날의 생활자료 이외는 아무것도 획득할 수 없었다. 그러므로 이런 경우에 자기 자신의 토지를 점유하고 그것을 자기의 농노들에게 경작시켰던 것은 실은 토지소유자 그 자신이었다고 함이 옳겠다. 이런 종류의 노예제도는 러시아, 네덜란드, 헝가리, 보헤미아, 모라비아 및 독일의 다른 지방에 아직도 존재하고 있다. 그것이 점차 완전히 폐지되어 버린 것은 오직 유럽의 서부 및 남부 여러 지방들뿐이다.[12]

노예노동은 모든 노동 가운데서 가장 비싼 것이다.

그러나 만일 대개량이 대토지소유자들에게서는 좀처럼 기대될 만한 것이 못된다면 그들이 그들의 노동자(workmen)로서의 노예를 사용할 때는 무엇보다도 더욱 기대될 수 없다. 내가 믿고 있는 바로는, 모든 시대의 모든 국민의 경험

12 〔"유럽의 서부의 일소지방—小地方이 지구상에서 노예제가 없는 유일한 부분이며" "그것은 아직도 그것이 퍼져 있는 광대한 대륙과 비교하면 아무것도 아니다."—《Lectures》, 96면.〕

은 노예에 의하여 이룩된 일이 비록 외관상으로는 그들의 생활유지의 비용밖에 들지 않는 것 같지만, 결국 무엇보다도 비싼 것이라는 것을 증명하고 있다는 것이다. 재산을 획득할 수 없는 사람은 될 수 있는 대로 많이 먹고, 될 수 있는 대로 적게 노동한다는 것 이외는 아무 즐거움도 가질 수 없다. 그 자신의 생활자료를 구매하기에 족할 정도 이상으로 행하는 일이란 어떤 것이든 간에 그것은 폭력에 의해서 짜내어질 수 있을 뿐이며, 그 자신의 이익 때문에 행하여진 것은 아니다. 고대 이탈리아에서 그 경영이 노예의 손에 들어갔을 때 곡물의 경작이 얼마나 퇴보했으며 주인에게 얼마나 불리했나 하는 것은 플리니우스Pliny와 콜루멜라Columella 양자에 의하여 논술되어 있다.[13] 고대 그리스의 아리스토텔레스의 시대에도 경작의 상태는 별로 좋지 않았다. 플라톤의 《법률》에 기술돼 있는 이상 공화국에 관한 논급에서, 아리스토텔레스는 5000명의 무위도식자(이것은 그 나라의 방위상 필요하다고 생각된 군인의 수다)를 그들의 부녀와 하인과 함께 부양하는 데는 바빌로니아의 평야와 같은 끝없이 광활하고 다산적인 영역이 필요할 것이라고 말하고 있다.[14]

오늘날 사탕과 담배는 노예 경작을 할 수가 있으나, 곡물은 불가능하다.

인간은 자존심이란 것이 있어 권세를 부리는 것을 좋아한다. 그리고 저자세로 자기의 손아랫사람을 설득하지 않을 수 없는 것만큼 인간에게 굴욕을 느끼게 하는 것은 없다. 그러므로 법률이 그것을 허용하고, 일의 성질상 그것을 할 수 있는 곳이라면 어디에서나 인간은 대체로 자유민(freemen)의 서비스보다는 노예의 그것을 더 좋아할 것이다. 설탕과 담배의 재배는 노예 경작의 경비를 지불할 여유가 있다. 그러나 오늘날에 있어서 곡물의 재배는 그것을 지불할 수 없는 것 같다. 주 생산물이 곡물인 잉글랜드의 식민지들에서는 그 일의 훨씬 많은 부분을 자유민이 하고 있다. 그들의 흑인 노예를 해방시키려는 펜실베이니

13 〔플리니우스, 《박물지》 제18권, 제4장과, 콜루멜라, 《농업론De re rustica》, 제1권, 〈서문〉.〕

14 〔《정치학Politics》, 1265a.〕

아에 있어서의 퀘이커 교도의 최근의 결의[15]는 흑인 노예의 수가 그렇게 많을 리 없다는 것을 우리들에게 납득시켜 줄 것이다. 만일 흑인 노예가 그들의 재산의 상당한 부분을 이루고 있었다면, 그러한 결의는 결코 동의를 얻을 수 없었을 것이다. 이와 반대로 우리의 설탕 재식지에서는 일의 전부가 노예에 의하여 이루어지고, 우리의 담배 재식지에서는 대단히 큰 부분이 그렇게 행해지고 있다. 우리의 서인도 식민지들의 어느 곳에서나, 사탕 재식지의 이윤은 유럽 또는 아메리카에서 알려져 있는 다른 어떤 경작의 이윤보다 훨씬 더 크다. 그리고 담배 재식지의 이윤은 비록 설탕의 그것보다는 못하더라도 이미 설명한 바와 같이[16] 곡물 재배의 이윤을 능가하고 양자는 모두 노예 경작의 경비를 지불할 여유가 있지만 설탕은 담배보다 더 낫게 그것을 지불할 여유가 있다. 따라서 우리의 설탕 재식지에서는 담배 재식지에서보다 흑인의 수는 백인의 그것에 비하여 훨씬 더 많다.

노예를 계승한 것은 반타작 소작인이지만,

고대의 노예 경작자(slave cultivators)의 뒤를 점차로 이어간 것이 현재 프랑스에서 반타작 소작인(Metayers)이라는 이름으로 알려져 있는 일종의 농업경영자이다. 그들은 라틴어로서 '콜로니 파르티아리Coloni Partiarii'라고 불린다. 잉글랜드에서는 그들은 폐지된 지가 너무 오래되었으므로 현재 나는 그들에 상당하는 영어명을 모른다. 토지소유자는 그들에게 종자와 가축 및 영농 용구, 요컨대 농장을 경작하는 데 필요한 모든 자재를 공급했다. 생산물은 자재를 유지하는 데 필요하다고 판단되는 것을 제쳐놓은 뒤에 토지소유자와 농업경영자 사이에 동등하게 분할된다. 그리고 그 자재는 농업경영자가 그 농장을 그만두든지 또는 내쫓길 때는 토지소유자에게 반환되었다.[17]

15 〔기욤 토마스 프랑수아 레이날Guillaume Thomas François Raynal, 《Histoire philosophique》(암스테르담Amsterdam), 제6권, 368~388면.〕

16 〔《Lectures》, 225면.〕

17 〔《Lectures》, 100~101면.〕

그들은 재산을 획득할 수 있다는 점에서 노예와 대단히 다르다.

그러한 차지인에게 점유된 토지는 노예가 점유한 토지와 같이 마땅히 토지소유자의 경비부담으로 경작된다. 그러나 양자 간에는 아주 본질적인 한 가지 차이가 있다. 그러한 소작인은 자유민이므로 재산을 획득할 수 있으며, 그리고 토지 생산물의 일정 비율의 것을 받게 되므로 그들의 몫을 될 수 있는 대로 크게 하기 위해서는 총생산물이 될 수 있는 대로 많아야 한다는 하나의 명백한 이익관계를 가지고 있다. 이와 반대로 자기의 생활자료 이외에는 아무것도 획득할 수 없는 노예는 토지가 자기의 생활자료 이상으로는 될 수 있는 대로 적게 생산하게 함으로써 자기 자신의 안일을 고려한다. 유럽의 대부분의 지방을 통하여 농노토지유보제(tenure in villanage)가 점차 마멸되어 버린 것은 일부분은 이상에서 말한 이점 때문이었고, 또 일부분은 항상 대영주를 시기하는 주권자가 점차 대영주의 농노(villains)를 고무하였으며 마침내 이런 종류의 예속관계가 전적으로 불편하게 되어 버렸다고 생각할 만큼 대영주의 권력을 잠식시켰기 때문이라 하겠다. 그러나 그렇게도 중대한 변혁이 어떠한 시기에 어떻게 해서 일어났는가 하는 것은 근세사상 가장 애매한 문제의 하나이다. 로마교회는 그것에 관해 대공적이 있었다고 주장하고 또 일찍이 12세기에 벌써 알렉산더 3세[18]가 노예의 일반적 해방에 대한 교서를 공포했던 것은 확실하다. 그렇지만 그것은 신도에 대하여 엄격한 복종을 요구한 법률이라기보다 일종의 경건한 권고였던 것 같다. 노예제도는 그 후 수 세기 동안 거의 보편적으로 계속되고 있었는데, 점차로 폐지되게 되었던 것은 상술의 두 이해관계, 즉 한편으로 토지소유자의 이해관계와 또 한편으로 주권자의 그것이 공동의 작용을 함으로써 점차 폐지되었다. 농노는 해방되면서 계속 토지의 점유가 허용되었으나, 자기 자신의 자재를 전혀 갖고 있지 않았으므로, 지주가 그에게 선대해 준 것만을 이용하여 그 토지를 경작할 수 있었을 따름이다. 따라서 농노란 프랑스인들의 반타작 소

18 〔레이날, 《Histoire philosophique》(암스테르담), 제1권, 12면. 《Lectures》, 101~102면에는 이노센트 3세Innocent Ⅲ라 되어 있는데 이것은 알렉산더 3세의 잘못인 것 같다.〕

작인이었음에 틀림없다.

그러나 그들도 개량에 자재를 사용하는 데 아무런 흥미를 가질 수 없었다.
그러나 토지를 더 개량하기 위하여 생산물 중의 그들 자신의 몫에서 저축할 수 있었던 적은 자재의 어떤 부분을 투하한다는 것은 이 마지막 종류의 경작자에게까지도 결코 이익이 될 수는 없었다. 왜냐하면 아무것도 투하하지 않은 영주가 생산되는 것의 2분의 1을 가지기로 되어 있었기 때문이다. 10분의 1세는, 생산물의 겨우 10분의 1에 지나지 않았으나, 개량에 대하여는 대단히 큰 장해라고 하는 것이 밝혀져 있다. 따라서 반액에 달하는 조세란 개량에 대한 유력한 방해물이었을 것이 틀림없다. 토지소유자가 공급해 주는 자재를 사용하여 토지의 생산물을 될 수 있는 대로 많이 산출하게 한다는 것이 반타작 소작인의 이익이 될는지는 모르지만, 그것에 자기 자신의 자재를 조금이라도 혼입한다는 것은 결코 그의 이익이 될 수는 없었을 것이다. 왕국 전체의 6분의 5나 되는 지방이 아직도 이런 종류의 경작자에 의하여 점유되어 있다고 하는 프랑스에서는[19] 토지소유자들이 그들의 반타작 소작인이 기회만 있으면 주인의 가축을 경작보다 오히려 운반에 사용한다고 불평을 하고 있다. 왜냐하면 주인의 가축을 운반에 사용하면 그들은 모든 이윤을 그들 자신이 차지하고, 그것을 경작에 사용하면 그들은 이윤을 주인과 나누어 가져야 하기 때문이다. 이런 종류의 차지인은 스코틀랜드의 어떤 지방에서는 아직도 존재하고 있다. 그들은 '스틸보우[20] 차지인(steel-bow tenants)'이라고 불리고 있다. 재무 재판소 재판장 길버트와 블

19 〔이것은 아마 케네의 개산槪算인 것 같다. 《Encyclopédie》 가운데 케네가 집필한 〈Fermiers〉라는 논문과 비교하라. 그 논문은 케네의 《Œuvres》(온켄Oncken, 1888), 160, 171면에 번각되어 있다.〕

20 〔가르니에Garnier는 "아마 이 명칭은 옛날 그들이 전쟁 중 무장했던 그 양식에서 유래한 것일 것이다"라고 하고 있으나, 그것은 확실히 잘못된 것이다. -《Recherches., ets.》, 제2권, 428면. "bow"는 농업경영 자재이며 "steel"은 계약의 성질을 가리키는 것이라고 한다. 그리고 코스모 이네스Cosmo Innes, 《Lectures on Scotch Legal Aniquities》(1872), 245, 266면에는 이와 같은 것으로서 "eisern vieh"와 "bestia ferri"가 인용되어 있다.〕

랙스톤 박사가, 실은 농업경영자라기보다는 오히려 지주의 토지관리인(bailiffs)에 해당한다고 말하는데, 이러한 옛날의 잉글랜드의 차지인은 아마 이와 같은 종류의 것이라 하겠다.[21]

반타작 소작인의 뒤를 이은 것은 농업경영자로서 그들은 차지권을 가지고 있을 때는 개량이 그들의 이익이라고 생각할 때도 있었다. 그러나 차지권은 오랫동안 안전하지는 않았다. 잉글랜드에 있어서 연액 40실링의 종신차지권을 가지는 자유보유자의 선거권은 농업경영자의 지위를 안전히 하는 데 공헌했다.

비록 천천히 그러했기는 하지만 이런 종류의 차지관계(tenancy)를 이어받은 것은 고유의 농업경영자(farmer)라 불리는 사람들인데, 이들은 지주에게 일정의 지대를 지불해 가면서 그들 자신의 자재를 가지고 토지를 경작했다. 이러한 농업경영자들이 몇 년이라는 기한의 차지권(lease)을 가지고 있을 때는 농지를 더욱더 개량하는 데 자신의 자본 일부를 투하하는 것이 그들의 이익이라는 것을 때로는 깨달을 수도 있다. 왜냐하면 그들은 차지계약기간이 만료되기 전에 때론 큰 이윤과 함께 그 자재의 일부를 회복하리라고 기대할 수도 있었기 때문이다. 그러나 그런 농업경영자에게까지도 그 점유권은 오랫동안 극히 불안정한 것이었으며, 유럽의 많은 지방에선 아직도 그러하다. 그들은 새로운 구매자에 의해 그들의 기간이 만료되기도 전에 그들의 차지에서 합법적으로 쫓겨날 수도 있었으며, 더구나 잉글랜드에서는 허구의 부동산회복소송(action of a common recovery)에 의해서까지 그렇게 될 수 있었다. 만일 그들이 그들의 주인의 폭력에 의하여 불법으로 내쫓기더라도, 그들이 구제받기 위한 소송은 극히 불완전했다. 그것은 언제나 그들에게 토지의 점유권을 회복시키는 것은 아니었지만, 손해배상은 주었다. 그러나 그것도 실손해액에 달하지는 않았다. 유럽에서 백작 농민(yeomanry)이 항

21 〔길버트Gilbert, 《A Treatise of Tenures》, 제3판(1757), 34, 54면 ; 윌리엄 블랙스톤William Blackstone, 《영국법 주해Commentaries on the Laws of England》, 제2권, 141~142면. 이의 전체 문단은 아주 근사하게 《Lectures》, 226면을 따르고 있다.〕

상 가장 존경받아 온 나라인 잉글랜드에서까지, 헨리 7세의 제14년경에야 비로소 차지점유회복소송(action of ejectment)이 안출되어[22] 그 때문에 차지인은 손해배상뿐 아니라 점유권까지 회복했으며, 또한 그 소송에서 차지인의 청구권은 단 1회의 순회재판의 불확실한 판결에 의하여 반드시 종결되는 것은 아니었다. 이 소송은 극히 유효한 구제책임이 밝혀졌으므로, 근대적 관행에서는 지주까지도 토지의 소유권에 대한 소송을 제기할 필요가 생겼을 때 본래 지주로서의 자기에게 속해 있는 제소권, 즉 권리영장權利令狀(writ of right) 또는 부동산점유회복영장不動產占有回復令狀(writ of entry)[23]을 이용하지는 않았으며, 자기의 차지인의 이름으로 차지점유회복영장借地占有回復令狀(writ of ejectment)에 의하여 소송을 했다. 그러므로 잉글랜드에서는 차지인의 안전은 토지소유자의 그것에 필적하고 있다. 뿐만 아니라 잉글랜드에서는 연액 40실링의 가치의 종신차지권(lease for life)은 하나의 자유보유권(freehold)이며, 그 차지권보유자(lessee)에게는 국회의원 한 명의 선거권이 주어져 있다. 그리고 백작 농민의 대부분이 이런 종류의 자유보유권을 가지고 있으므로 그 모든 계급은 이 권리가 그들에게 주는 정치적 중요성 때문에 그들의 지주로부터 존경받게 된다.[24] 내가 믿고 있는 바로는 차지인이 차지권을 갖고 있지 않은 토지 위에 건물을 짓고, 더구나 자기의 지주는 그의 명예를 위해서도 그처럼 중요한 개량에 간여하지는 않을 것이라는 것을 믿고 있는 사례는 잉글랜드를 제외하고서는 유럽의 어느 곳에도 없다는 것이다. 백작 농민에게 그렇게도 유리한 상술의 법률들과 습관은 아마 그들의 자랑스러운 상업상의 규칙을 전부 합친 것보다, 잉글랜드의 현재의 위용에 더 많은 공헌을 했을 것이다.

스코틀랜드의 법률은 아주 그렇게 유리한 것은 못 된다.

22 〔매튜 베이컨Matthew Bacon, 《New Abridgment of the Law》, 제3판(1768), 제2권, 160면의 'Ejectment'의 항. 《Lectures》, 227면과 비교하라.〕

23 〔윌리엄 블랙스톤, 《영국법 주해》, 제3권, 197면.〕

24 〔《Lectures》, 227~228면.〕

모든 종류의 계승자에 대하여 가장 장기의 차지권을 보증하는 법률은 내가 알고 있는 한에 있어서는 영국에 특유한 것이다. 그것은 일찍이 1449년에 이미 제임스 2세의 법률[25]에 의하여 스코틀랜드에 도입되었다. 그러나 그의 유익한 영향력은 한사상속제에 의하여 크게 저지되었고, 한사상속제의 상속인은 일반적으로 어떤 긴 연한의 차지계약, 흔히 1년 이상의 그것을 맺지 못하도록 억제되어 있었기 때문이다. 최근의 의회의 법령[26]은 이 점에 관한 그들의 속박을 다소 완화했지만, 아직도 너무 엄중하다. 뿐만 아니라 스코틀랜드에서는 차지권을 가지고 있더라도 국회의원의 선거권은 전혀 주어지지 않으므로, 이 때문에 자작농민은 잉글랜드에서보다 그들의 지주의 존경을 덜 받는 셈이다.

유럽의 그 밖의 여러 지방들에서는 농업경영자는 이만큼 안전하지 못하다.

유럽의 다른 여러 지방들에서는 상속과 구매자의 쌍방에 대하여 차지인의 안전을 보증하는 것이 편리하다는 것을 알고 난 뒤에도 그들의 보증기간은 역시 극히 단기로 한정되어 있었다. 예를 들어 프랑스에서는 그것은 차지계약의 개시 후 9개년이었다. 실은 이 나라에서는 그것은 최근에 27개년으로 연장되었으나 그것도 역시 차지인이 가장 중요한 개량을 하게끔 자극하기에는 너무 짧은 기간이다. 토지의 소유자가 옛날에 유럽의 어디에서나 입법자였다. 따라서 토지에 관한 법률들은 모두 토지소유자에게 이익이 된다고 생각한 바에 따라 입안됐다. 즉 토지소유자의 이익을 위하여, 그 선행자의 누군가가 허여한 어떤 차지계약도 그 소유자가 자기의 토지의 총가치를 오랜 기간에 걸쳐 향수하는 것을 방해해선 안 된다고 생각을 하고 있었다. 탐욕과 부정은 항상 근시안적인 것이며, 사람들은 이러한 규제가 얼마나 심하게 개량을 방해하고, 그럼으로써 결국에는 지주의 실질적 이익을 손상시키지 않을 수 없다는 예견을 하지 못했던 것이다.[27]

25 〔"땅에서 노동하는 빈민의 안전과 이익을 위해 제정되었다." 1449년의 법률 제6호.〕

26 〔조지 3세 제10년 법률 제51호.〕

27 〔《Lectures》, 226~227면.〕

관습적인 노역이란 농업경영자에게는 성가신 것이었으며,

더욱이 옛날의 농업경영자는 지대를 지불하는 이외에 지주에게 수많은 서비스를 치를 의무를 지고 있다고 생각되었으며, 더구나 이들은 차지계약 가운데 명기된다거나 어떤 확실한 규정에 의하여 규제되는 일은 좀처럼 없었으며, 장원(manor) 또는 귀족령(barony)의 습관과 풍습에 의하여 규제되고 있었다. 그러므로 이런 서비스는 거의 완전히 임의적인 것이어서 차지인을 몹시 성가신 일에 매이게 했다. 스코틀랜드에서는 차지계약에 확실히 규정되어 있지 않은 모든 서비스가 폐지되었으므로[28] 그 나라의 자작농민의 상태는 수년 내에 대단히 많이 개선되었다.

도로건설과 식량징발에 관한 강제노동도 그러했고,

자작농민의 의무로 되어 있었던 공적인 서비스도 사적인 것 못지않게 자의적인 것이었다. 공도를 건설하고 유지하기 위한 부역(servitude)이 내가 믿고 있기에는 비록 나라마다 그 압제의 정도에 차이는 있더라도, 모든 곳에 아직 존재하고 있는 것으로서 부역은 이것에만 한정된 것은 아니었다. 국왕의 군대라든지 국왕의 일족 또는 어떤 종류의 관리들이 그 나라의 어떤 지방을 통과할 때는 자작농민은 징발관에 의하여 규정되는 가격으로 그들에게 말과 차와 식량을 제공하지 않으면 안 되었다. 내가 믿기로는, 잉글랜드는 유럽에서 징발이라는 압제가 완전히 폐지된 유일한 군주국이라는 것이다. 그것은 프랑스와 독일에서는 아직도 존재하고 있다.

소작세도 그러했다.

그들이 납부해야 하는 공적인 조세도 서비스와 마찬가지로 불규칙적이고 압제적이었다. 옛날의 영주들은 그들 자신은 주권자에 대한 헌금(pecuniary aid)을 극히 싫어하면서도, 주권자가 자신들 차지인에게 소위 소작세를 부과(tallage)하는

28 〔조지 2세 제20년 법률 제50호 제21조.〕

것을 쉽게 허용했으며,[29] 그리고 이것이 결국엔 그들 자신의 수입에 얼마나 심한 영향을 미칠 것인지를 예견할 만큼의 지식을 갖고 있지 않았다. 프랑스에 아직 존재하고 있는 타이유taille는 이러한 옛날의 소작세의 일례가 될 것이다. 그것은 농업경영자가 그 농장에 투하된 자재에 의하여 영주들이 평가하는 농업경영자의 추정이윤에 대하여 과해지는 일종의 조세이다. 그러므로 될 수 있는 대로 자재를 적게 가지고 있는 것같이 보이고, 따라서 농장의 경작에는 될 수 있는 대로 적게 그것을 사용하고, 그의 개량에는 전혀 사용하지 않는 것같이 보이는 것이 농업경영자에게는 이익이 되는 것이다. 만일 프랑스의 농업경영자의 수중에 간혹 조금이라도 자재가 축적되기라도 한다면 타이유는 그 자재가 토지에 사용되지 못하게 금지하는 것과 거의 같다고 하겠다. 그뿐 아니라 이 조세는 이것을 납부해야 할 모든 사람을 망신시키고, 지주는 물론 시민의 신분 이하로 그의 지위를 내리는 것이라고 생각되고 있었으며, 더구나 다른 사람의 토지를 임차하는 사람은 누구든지 그것을 물게 된다. 지주는 물론 자재를 가지고 있는 어떠한 시민까지도[30] 이러한 신분의 저락을 달게 받지는 않을 것이다. 따라서 이 조세는 지주에 축적되는 자재가 그 개량에 사용되는 것을 저지할 뿐만 아니라, 다른 모든 자재를 초지에서 구축한다. 옛날 잉글랜드에서 그렇게 흔히 있었던 10분의 1세와 15분의 1세(tenths and fifteenths)[31]는 토지에 영향을 미친 한에 있어서는 타이유와 동일한 성질의 조세였던 것 같다.

최선의 법률에서까지도 농업경영자는 개량을 하기엔 불리하다. 그러나 대大농업경영자는 소小토지소유자 다음으로 중요한 개량가이다.

29 〔《Lectures》, 227면.〕

30 〔이 구절의 원문은 "……even any burgher who has stock"인데 초판에는 이 "who"가 "that"으로 되어 있다.

31 〔본래는 동산의 10분의 1과 15분의 1이었는데, 그 후 교구에서 징수하는 정액세가 되고, 교구는 다른 지방세와 마찬가지로 그것을 징수했다. 캐넌Cannan, 《History of Local Rates》(1896), 13~14, 18~20면, 22~23번 주註를 보라.〕

이러한 모든 저해요인들 밑에서는 개량이란 토지의 점유자에게는 거의 기득될 수 없었다. 이 계급의 사람들은 법률이 줄 수 있는 모든 자유와 안전을 향수하면서도 항상 대단히 불리한 입장에서 개량을 하지 않으면 안 된다. 농업경영자를 토지소유자와 비교하는 것은 차금으로 경영하고 있는 상인을 자기 자신의 화폐로써 하고 있는 상인에 비교해 보는 것과 같다. 양자의 자재는 함께 증진하겠지만 전자의 자재는 이윤의 큰 몫이 대출금의 이자로서 소비되기 때문에 오로지 경영 방법이 똑같이 우수할 경우에는 후자의 그것보다 훨씬 완만하게 증진하지 않을 수 없다. 이와 마찬가지로 농업경영자에 의하여 개량되는 토지도 오로지 경영 방법이 똑같이 우수할 경우에는 토지소유자에 의하여 개량되는 토지보다 더 완만히 개량될 것이 틀림없다. 왜냐하면 생산물의 큰 몫이 지대로서 소비되기 때문이며, 또 만일 농업경영자가 토지소유자였다면 그 몫을 토지의 더 나은 개량에 사용했을지도 모르기 때문이다.[32] 그뿐 아니라 농업경영자의 지위는 사물의 성질상 토지소유자의 그것보다 열등하다. 유럽의 대부분을 통하여 자작농민은 비교적 상층의 상인(tradesmen)과 직공(mechanics)에 비해서도 더 하층계급의 사람들이라고 간주되고 있으며, 유럽의 모든 지방에서는 대상인과 마스터 제조업자보다 더 하층의 계급의 사람들이라고 생각되고 있다. 그러므로 상당한 자재를 가지고 있는 사람이 자기들 하층의 지위에 편입시키기 위하여 굳이 상층의 지위를 버리기라도 한다는 것은 좀처럼 있을 수 없다. 따라서 유럽의 현 상태에 있어서까지도 자재가 어떤 다른 직업으로부터 농작을 위한 토지개량에 돌려질 것 같지는 않다. 영국에서는, 아마 다른 어떤 나라에서보다 이런 경우가 더 많을 것이지만, 이 영국마저도 약간의 지방의 농경에 사용되고 있는 대자재는 대체로 농경에 의하여 획득된 것이기는 하지만, 이 사업에서는 다른 모든 사업보다도 자재의 획득이 보통 가장 완만한 셈이다. 그럼에도 불구하고 소토지소유자 다음으로는 어느 나라에서나 부유한 대大농업경영자가 주요 개량가이다. 잉글랜드에서는 유럽의 다른 어떤 군주국보다 이러한 농업경영자가 더 많이 있을

32 〔《Lectures》, 226면.〕

것이다. 네덜란드 공화국과 스위스의 베른 공화국의 농업경영자들은 잉글랜드의 농업경영자보다 열등하지는 않다고 한다.[33]

곡물 수출의 일반적 금지 및 농업 생산물의 국내상업의 억제는 농업을 더욱더 해하는 요인들이었다.

유럽의 옛 정책은 이상에서 말한 모든 것 이외에도 토지의 개량과 경작에 대해서는, 그것이 토지소유자에 의하여 이루어지거나 또는 농업경영자에 의해 이루어지거나 간에 불리한 것이었다. 그 첫째로는 특별한 허가 없이 행해지는 곡물 수출의 일반적 금지에 의한 것인데, 그것은 극히 보편적인 규제였다고 생각된다. 그리고 둘째로는 곡물뿐만 아니라 농산물의 거의 모든 다른 부분에 관한 국내상업에 과해진 억제에 의한 것인데, 이것은 독점자(engrossers)·중매인(regraters)·매점인(forestallers)에 대처하기 위한 불합리한 법률들과, 정기시와 시장에의 특권에 의하여 이루어졌다. 곡물의 수출금지가 외국산 곡물의 수입에 대하여 주어진 약간의 장려와 더불어, 자연적으로는 유럽에서 가장 다산적인 나라이며, 당시 세계 최대의 상국의 자리를 차지했던 고대 이탈리아의 경작을 어떻게 하여 방해했는가 하는 문제는 이미 설명한 바 있다.[34] 이런 상품의 국내상업에 대한 그러한 억제가 곡물 수출의 일반적 금지와 결부되어 보다 덜 비옥하고 보다 덜 유리한 사정에 있는 제국의 경작을 어느 정도로 저해하지 않을 수 없었던가 하는 것은 아마도 상상하기에도 그다지 쉽지 않을 것이다.

제3장 로마제국의 몰락 이후 대소도시의 발흥 및 발달에 관하여

도시인들은 처음에는 농촌 사람들보다 더 좋은 대우를 받지 못했다.

33 〔(월터 하트Walter Harte의)《Essays on Husbandry》(1764), 69~80면.〕

34 〔《Lectures》, 229면.〕

로마제국의 몰락 이후 대소도시의 주민은 농촌의 주민들보다 더 나은 대우를 받지 못했다. 사실 그들은 그리스와 이탈리아의 고대 공화국의 최초의 주민과는 대단히 다른 계급의 사람들로 구성되어 있었다. 즉 후자는 주로 토지소유자에 의해 구성되어 있었고, 국토는 본래 그들 사이에 분할되어 있었으며, 그들은 서로 이웃하여 집을 짓고 공동의 방위를 위하여 그들의 가옥을 벽으로 둘러싸는 것이 편리하다는 것을 알았다. 이와 반대로 로마제국의 몰락 이후에는 토지의 소유자들은 대체로 그들 자신의 소유지에 있는 요새화한 성에서 그들 자신의 차지인과 후자에 둘러싸여 살고 있었던 것 같다. 도시에는 상인과 직공이 주로 살고 있었으며, 당시에 그들은 노예 상태나 또는 거의 그와 비슷한 상태에 놓여 있었다고 생각된다. 옛날의 특허장에 의해 유럽의 주요한 도시들 가운데 몇몇의 주민들에게 수여되었다고 우리들이 알고 있는 여러 특권은 그러한 수여가 있기 전의 그들의 상태가 어떠했던가를 충분히 말해 주고 있다. 즉 그들은 영주의 동의 없이 그들의 딸을 시집보내도 좋다는 것, 그들이 사망할 경우에는 그들의 영주가 아닌 그들 자신의 아이들이 그들의 재산을 계승해야 한다는 것, 그리고 그들은 유언에 의하여 그들의 동산을 처분해도 좋다는 것들이 특권으로서 그 사람들에게 수여되었는데, 그러한 특권이 수여되기 이전의 그들은 농촌의 토지점유자들과 전혀 동일 또는 거의 동일한 노예적 상태에 있었음이 틀림없다.

그들은 거의 노예와 같은 상태에 있었다.

실은 그들은 대단히 가난하고 비천한 일군의 사람들이었으며, 오늘날의 도붓장수와 행상인들처럼 그들의 자재를 가지고 이곳에서 저곳으로, 이 정기시장에서 저 정기시장으로 떠돌아다니는 것이 보통이었다.[35] 당시 유럽의 모든 여러 나라에서는 현재 아시아의 타타르의 통치 아래 몇몇 지역에서 하고 있는 것과 똑같이 여행자들이 어떤 장원을 통과했을 때, 어떤 다리를 건넜을 때, 한 정기시에서 재화를 이곳저곳으로 가지고 다녔을 때, 그곳에서 재화를 팔기 위하여 매점이

35 〔《Lectures》, 233면.〕

나 노점을 세웠을 때는 그들은 그 일신에 관해서도, 그 재화에 관해서도 제조세가 징수되는 것이 보통이었다. 이러한 여러 가지 조세는 잉글랜드에서는 통행세(passage)·교량세(pontage)·적하세(lastage)·노점세(stallage)라는 이름으로 알려져 있었다. 어떤 때는 국왕이, 어떤 때는 경우에 따라선 그렇게 할 권한이 있다고 생각되는 대영주가 자신들 영지에 살고 있는 특정의 상인들에게 그러한 조세를 일반적으로 면제해 주기도 했다. 그러한 상인들은 다른 점에서는 노예상태 또는 거의 그와 같은 상태에 있었지만 이 때문에 자유상인(Free traders)이라고 불리었다. 그들은 그 대신에 언제나 자신들 보호자에게 해마다 일종의 인두세를 지불했었다. 이 당시에는 비싼 보수 없이는 보호가 좀처럼 허용되지 않았으며, 이 조세도 아마 그들의 보호자가 다른 조세를 면제해 줌으로써 잃게 될 손실에 대한 보상이라고 생각되었을 것이다. 처음에는 그러한 인두세와 그러한 면세도 모두 전혀 개인적인 것이었던 것 같으며, 다만 특정의 개인에만 그들의 생존 중이라든지 또는 그들의 보호자가 좋아하는 동안에 유효했던 것이라고 생각된다. 잉글랜드의 몇몇 도시의 토지대장(Domesday-book)을 기초로 공표되었던, 대단히 불완전한 기록을 보면 특정의 시민 각자가 그런 종류의 보호의 대가로서 국왕 또는 어떤 다른 대영주에게 지불했던 조세에 관해 언급되어 있을 때가 흔히 있으며, 그리고 그러한 모든 조세의 총액만이 언급되어 있을 때도 이따금 있다.[36]

그들은 자신들 도시의 징세청부권을 얻게 됨으로써 농촌 사람들보다 훨씬 일찍이 자유를 얻게 되었는데,

그러나 본래 도시(the towns)[37]의 주민의 신분이 아무리 노예적이었다 하더라도,

36 브래디Brady, 《Historical Treatise of Cities and Burghs or Boroughs》 3면 등을 보라. 〔로버트 브래디Robert Brady, 《Historical Treatise of Cities and Burghs or Boroughs》, 제2판(1711). 이상의 두 문단에 포함되어 있는 도시의 사람들과 상인들의 상태에 관한 소설에 관해서는 특히 16, 18면 그리고 부록 8면을 보라. 토지대장에 관해서도 브래디Brady에 관해서도 언급하고 있는 흄Hume, 《History》(1773), 제1권, 205면과 비교하라. 이 주는 제2판에서 처음으로 나온다.〕

37 〔"도시(the towns)"는 초판에는 "towns"라고 되어 있다.〕

그들이 농촌의 차지인보다는 훨씬 빨리 자유와 독립을 얻게 되었다는 것은 명백한 것 같다. 국왕의 수입 가운데 어떤 특정 도시에서의 그러한 인두세에서 생기는 부분은 때로는 그 주의 집정장관(sheriff)에게, 또는 때로는 그 밖의 사람들에게 몇 년이라는 기간 동안 일정액의 임료를 받고 청부되었었다. 시민들 자신도 자신들 도시에서 생기는 이런 종류의 수입을 청부맡을 만큼 충분한 신용을 획득하고 있었는데 그것은 그들이 그 전임료에 대해 연대적으로도, 개별적으로도 책임을 질 수 있게 됐기 때문이다.[38] 내가 믿고 있는 바로는, 이런 방법으로 징세청부권徵稅請負權을 빌려주는 것이 유럽의 여러 나라의 주권자들의 일상생활엔 아주 적합한 것이었다. 즉 주권자들은 흔히 그들 장원의 모든 차지인에게 전 장원을 빌려주었는데 이는 그 차지인들이 전 임료에 대해 연대적으로나 개별적으로나, 책임을 질 수 있게 되었기 때문이다.[39] 그러나 그 대신에 징세 방법은 그들의 마음대로 하도록 했고, 국왕의 금고에 대한 불입도 그들 자신의 집행리의 손으로 할 수 있도록 했으며, 그들은 그렇게 함으로써 국왕의 관리들의 횡포에서 해방되었다. 그리고 이 사실이야말로 그런 시대엔 가장 중요한 것이라고 생각되었다.

이 징세청부권은 처음에는 몇 년의 기한부였으나 그 후에 영구적인 것이 되었다. 도시의 징세청부권은 처음에는 다른 징세청부인의 경우와 마찬가지로 단지 몇 년이라는 기간 동안 시민에게 빌려주었던 것 같다. 그러나 시간이 경과함에 따

38 토마스 매독스Thomas Madox, 《Firma Burgi》(1726) 18면과 〔매독스〕, 《The History 〔and Antiquities〕 of the Exchequer》, 제10장, 제5부, 223면을 보라. 〔1711년. 그러나 상기한 본문 중의 소설, 즉 징세청부제도가 인두세로 대신되었다는 것은 《Firma Burgi》, 251면에 의하여 입증되어 있지는 않다. 그곳에서 매독스Madox는 다음과 같이 말하고 있다. "도시의 매년 징세청부권(ferme)은 이득 또는 이윤을 낳는 일정의 임대 또는 양도물, 예를 들면 고정지대, 소원, 영주의 부정기 이득, 화물관세, 정기시세, 시장, 노점세, 시참사회원직市參事會員職, 통행세, 부두 사용료에서 발생했다. 도시 사람들로부터의 직접의 공납이 징수되었던 것은 이상에서 나온 수입이 징세청부액에 모자랄 때뿐이었다." 이 주는 제2판에서 처음 나온다.〕

39 〔《Firma Burgi》, 21면에는 이것에 관한 하나의 사례가 예시되어 있다.〕

라 후에 결코 증액되지 않는 일정액의 임료를 유보시켜 놓고 징세청부권을 시민에게 세습적으로, 다시 말해서 영구적으로 수여하는 것이 일반적 관행이 되어 버린 것 같다. 이렇게 해서 지불이 영구적인 것이 되었으므로 이것 대신에 이루어졌던 면세도 또한 자연히 영구적인 것이 되었다. 따라서 그들 면세는 이제 개인적인 것이 아니었고, 나중에는 사인으로서의 개인에게 속하는 것이라고는 생각될 수 없었고, 특정의 자치도시(burgh)의 시민으로서의 개인에게 속한 것이라고 생각될 수 있었으며, 이 때문에 특정의 자치도시는 그 시민이 자유시민 또는 자유상인(Free burghers or Free traders)이라고 불리고 있었던 것과 똑같은 이유로서 자유시(Free burgh)라고 불리고 있었다.

그리고 그들은 징세청부권을 획득함과 동시에 자유에 대등한 다른 여러 가지의 특권을 획득했고,

자치도시의 시민들은 일반적으로 이 특권 수여와 함께 그들 자신의 딸들을 시집보낼 수 있고, 그들의 아이들에게 상속을 시키고, 유언에 의하여 자신들 재산을 처분할 수 있다는 상술의 중요한 여러 특권도 획득했다. 이러한 여러 특권이 이미 그 이전에 상업의 자유와 함께 사인으로서의 개개의 시민에게 보통 수여되었는지 아닌지는 나는 알지 못하고 있다. 나는 그것에 관하여 아무런 직접적인 증거를 제출할 수는 없지만 그런 일은 없지도 않았으리라고 생각한다. 그러나 비록 이것이야 어떠했든지 간에 농노의 신분 및 노예의 신분이라는 중요한 속성이 이렇게 해서 그들에게서 떨어져 나갔으므로 이제 그들은 적어도 현재 우리가 사용하고 있는 자유(Freedom)라고 하는 말의 의미에 있어서 실질적으로 자유롭게 되었다.

자치권도 획득했다.

이상이 전부는 아니었다. 그와 동시에 그들은 일반적으로 공동체, 즉 도시공동체(commonalty or corporation)를 창설했다. 그리고 그 도시공동체는 그들 자신의 행정장관(magistrates)과 시회(town council)를 가지는 특권, 그들 자신의 자치를 위한 조례를 제정하는 특권, 그 방위를 위해 성벽을 축조할 특권, 그들의 모든 주민에게 주야의 경계를 하지 않으면 안 되도록 함으로써 그들을 일종의 군대 훈련에 따르게 하는 특권을 가지고 있었다. 그런데 여기에서 주야의 경계란 것은 옛날에 이해되고 있었던 바와 같이 낮에는 물론 밤에도 공격과 기습에 대하여 그러한 성벽을 감시하고 방위한다는 것이다. 잉글랜드에서는 그들은 일반적으로 촌락과 주의 재판소(hundred and county courts)에 대하여 청원은 형사에 관한 소원 이외에는 그들 자신의 행정장관의 판결에 맡겨져 있었다. 그 밖의 제국에서는 이보다 훨씬 더 크고 광범위한 사법권이 흔히 그들에게 수여되었다.[40]

주권자들이 수입 증가의 전망을 버리고 독립된 공화국을 창설했다는 것은 이상하게 생각되지만,

그들 자체의 수입을 청부맡을 수 있게 되는 그러한 도시에 대하여 그들 자신의 시민들로 하여금 지불하도록 하는 어떤 종류의 강제적 사법권을 수여함이 아마 필요했을지도 모른다. 그러한 무질서한 시대에는 다른 어떤 법정에서 이런 부류의 문제에 관한 옳고 그름을 가리도록 맡겨 둔다는 것은 그들에게 극히 불편했을 것이다. 맡겨 둔다는 것은 그들에게 극히 불편했을 것이다. 그러나 유럽의 모든 여러 나라의 주권자들이 결코 더 증액되지 않는 일정액의 임료와 다른 모든 수입 부분 가운데 그들 자신의 경비나 주의를 들이지 않고도 사물의 자연적 운행에 의해 증진될[41] 가망이 가장 많았던 부문을 이렇게 해서 그들 자신의 영토의 심장부에 일종의 독립한 공화국을 자발적으로 창설해야 했다는 것은 이상한

40 매독스Madox, 《Firma Burgi》를 보라. 또한 펫펠Pfeffel이 말하고 있는 프레데릭 2세 치하 및 그 후계자인 슈바벤가(house of Suabia) 치하에서 주목할 만한 사건을 보라. 〔이 주는 제2판에서 처음 나온다. 펫펠, 《Nouuvel Abrégé chronologique de l'histoire et du droit public d'Allemagne》(1776), "프레데릭 2세 치하에 있어서 주목할 만한 제사건"이라고 하는 것이 장의 표제가 되어 있으며, 그 뒤에 계속되는 장도 같은 방법으로 표제가 붙어져 있다.〕

41 〔《Lectures》, 40면.〕

일이라고 생각되지 않을 수 없다.

도시는 영주에 대항하는 주권자의 자연적 동맹자였다.

이 사실을 이해하기 위해서는 당시 아마 유럽의 어떤 나라의 주권자도 자기 영토의 전역을 통하여 자기의 신하 가운데 비교적 약한 부분을 대영주의 압제하에서 보호해 줄 수 없었다는 것을 기억해 두어야 하겠다. 법률이 보호해 줄 수도 없고 자위할 만큼 충분히 강하지도 않았던 사람들은 어떤 대영주의 보호에 의지하며, 보호를 받기 위하여 그의 노예 또는 가신이 되든지, 아니면 서로 공동으로 보호하기 위하여 상호방위의 동맹을 맺거나 하지 않으면 안 되었다. 도시와 자치도시의 주민은 단일의 개인으로서 생각하면 전혀 자위력을 가지지 않았으나 그 이웃 사람들과 상호방위의 동맹을 맺으면 그들은 경멸하지 못할 만한 저항력을 행사할 수 있었다. 영주들은 시민을 경멸했으며, 시민은 그들과는 다른 계급의 사람들이라고 생각했을 뿐만 아니라, 그들과는 거의 종족이 다른 해방된 노예의 일군이라고 생각했다. 그런데 시민의 부는 틀림없이 그들의 질투와 분노를 일으켰으며, 그들은 기회 있을 때마다 무자비하게 또는 용서 없이 그것을 약탈했다. 자연히 시민들은 영주들을 미워했으며 두려워했다. 국왕도 영주들을 미워하고 두려워했다. 그러나 국왕은 아마 시민을 경멸했을지 몰라도 그들을 미워하든지 두려워할 이유는 없었다. 그러므로 상호의 이해관계에서 시민은 영주에 대항하여 국왕을 지원했고, 국왕은 영주에 대항하여 시민을 지원했다. 시민들은 국왕의 적의 적이었으며, 국왕은 할 수 있는 한 시민들을 그러한 적으로부터 안전하게 해 주고 독립시켜 주는 것이 자기의 이익이었다. 시민들에게 그들 자신의 행정장관을 가질 특권을 수여하고 그들의 자치를 위한 여러 법령을 제정하는 특권을 수여하고 그들 자신의 방위를 위하여 성벽을 축조할 특권을 수여하고, 그들의 모든 주민을 일종의 군대 기율하에 두는 특권을 수여함으로써 국왕은 자기의 권력의 범위 내에서 시민들에게 그들이 제후(barons)에 대하여 안전과 독립을 쟁취할 수 있도록 모든 수단을 제공했던 것이다. 이런 종류의 어떤 정규적인 정부가 확립되지 않고서는, 즉 그 주민을 어떤 일정의 계획 또는 제도에 따라서 행동하도록 강제하는 권력이 확립되지 않고선 어떠한 상호방위의 자발적 동맹도 그들에게 영구적인 안전을 제공할 수는 없었을 것이며, 그들로 하여금 국왕에게 어떤 상당한 지원을 줄 수 있게 할 수도 없었을 것이다. 시민들에게 자신들 도시의 징세청부권을 세습적으로 수여함으로써, 국왕은 그가 친구로 삼으려고 했던 사람들, 즉 소위 동맹자로 삼으려고 했던 사람들로부터 자기가 후에 그들의 도시의 징세청부임료를 올린다든지 모든 그것을 다른 징세청부인에게 주어 버림으로써 그들을 억압하게 되지나 않을까 하는 경계와 의심의 모든 근거를 제거해 버렸다.

제후와 가장 반목이 심했던 주권자들은 도시에 대해서는 가장 관대했다.

따라서 제후들과 가장 사이가 나빴던 군주들은 그들의 자치도시에 이런 종류의 특권을 수여함에 있어서는 가장 관대했던 것 같다. 예를 들면 잉글랜드의 국왕 존은 자기의 여러 도시에 대하여 가장 선심을 잘 쓰는 후원자였다고 생각된다.[42] 프랑스의 필립 1세는 그의 제후에 대한 모든 권위를 다 잃었다. 다니엘 신부(Father Daniel)에 의하면 나중에 루이 비만왕이라는 이름으로 알려진 그의 아들 루이는 그의 치세 말기쯤 대영주들의 폭력을 억제하는 가장 적절한 방법에 관하여 왕실소유지의 사교들과 상의했다.[43] 사교들의 충고는 두 가지의 서로 다른 제안으로 되어 있었다. 즉 그 하나는 국왕의 직할지에 있는 꽤 큰 도시마다 행정장관과 시회를 설치함으로써 사법권에 관한 새로운 질서를 세우는 것이었

42 매독스, 〔《Firma Burgi》 35, 150면을 보라. 이 주는 초판에는 없다.〕

43 〔필립 1세의 파문과 국무에 대한 태만은 프랑스에서의 그의 전 권위를 떨어뜨리고 있었다. 프랑스의 가장 권력 있는 신하들은 그 이상 국왕에 대하여 결코 순종하지 않게 되어 있었다.……부父필립의 만년의 수년 동안 국정을 맡고 있었던 루이 비만왕은 왕영지의 사교들과 함께 이 폐해를 구제하는 방법을 협의했으며, 군대의 징모를 위한 새로운 정책을 세우고 범죄 간과의 방지를 위한 도시에 있어서의 새 사법제도에 관하여 그들과 함께 생각했다.—가브리엘 다니엘Gabriel Daniel, 《Histoire de France》(1755), 제3권, 512~513면.〕

다. 또 하나는 그러한 도시의 주민을 그들 자신의 행정장관의 지휘 아래 둠으로써 새로운 시민군을 조직하여 적당한 기회에 국왕을 원조하기 위해서 도시내서 진군시킨다는 것이었다. 프랑스의 고사연구가들에 의하면[44] 우리가 프랑스의 도시에 행정장관과 시회라고 하는 제도가 생긴 그 연도를 매겨야 한다면 그것은 바로 이 시기부터라고 한다. 독일의 자유도시의 대부분이 그들의 특권을 처음으로 받은 것도, 그리고 유명한 한자동맹이 처음으로 만만치 않게 되었던 것도 슈바벤가의 군주들의 불운한 치세기였다.[45]

도시의 시민군은 이탈리아와 스위스에서 그러했던 것처럼 종종 근린의 영주들을 압도할 수 있었다.

그 당시의 도시의 시민군은 농촌의 그것보다 열등했던 것 같지는 않으며, 그들은 어떠한 돌발적인 경우에도 신속하게 집합될 수 있으므로, 그들은 이웃의 영주들과 겨룰 때는 흔히 유리했다. 이탈리아와 스위스와 같은 나라에서는 도시가 정부의 소재지에서 멀리 떨어져 있다든지, 농촌 그 자체가 자연적으로 견고하다든지, 또는 어떤 다른 이유 때문에 주권자가 그 권위를 잃게 되면 도시는 대체로 독립한 공화국이 되어 버렸으며, 그 이웃의 모든 귀족을 정복했다. 그 때문에 귀족은 농촌에 있는 그들의 성을 쓰러뜨리고 다른 평화스러운 주민들과 마찬가지로 도시에 살지 않을 수 없게 되었다. 이것이 베른 공화국과 스위스의 다른 몇 개 도시의 소사小史이다. 베네치아라는 도시는 그 역사가 약간 색다르기 때문에 이것을 제외하면, 그것은 또한 이탈리아의 꽤 큰 공화국에 대한 모두의 역사이기도 한 것인데, 이들 가운데 상당히 많은 수가 12세기의 말엽에서 16세기

44 〔아마 뒤 칸즈Du Cange(이 사람에 관해선 다니엘Daniel, 514면의 난외 및 흄Hume, 《History》(1773), 제2권, 118면에 기술되어 있다)의 《용어사전Glossarium》, 'Commune'과 'communia' 항 등일 것이다. 그곳에는 "실로 프랑스에서는 최초로 국왕 루이 7세(6세?)가 이런 종류의 공동체수를 증가시키고 그것을 크게 만들었다(Primus vero ejus modi Communias in Francia Ludov. VII(?VI) rex multiplicavit et auxit)."〕

45 펫펠Pfeffel을 보라. 〔이 주는 초판에는 없다.〕

의 초두 사이에 발흥하고 멸망했던 것이다.

프랑스와 잉글랜드에서는 그 도시 자체의 동의 없이는 도시들에 과세할 수 없었다.
프랑스 또는 잉글랜드처럼 비록 주권자의 권위가 극히 낮았지만 결코 아주 파괴되어 버리지 않았던 나라들에서는 도시들은 완전히 독립할 기회를 전혀 갖지 못했다. 그러나 여러 도시들은 대단히 커졌으므로 주권자는 정액의 징세청부임료를 제하고는 그들의 동의 없이 과세할 수 없었다. 그러므로 도시들은 왕국의 여러 신분에 의하여 구성되는 총회(general assembly of the states of the kingdom)에 대표자를 보낼 것을 부탁받게 되었으며, 이 총회에서는 도시의 대표자들은 성직자와 제후들과 동석해서 긴급사태에 임해서는 국왕에 대한 약간의 임시적인 헌금을 줄 것을 승낙했다. 일반적으로 도시의 대표자들은 국왕의 권력에 비교적 호의를 보이고 있었으므로 국왕은 그들을[46] 그러한 총회에 있어서 대영주들의 권위에 대항하는 하나의 평형력으로서 이용했을 때도 있었다고 생각된다. 여기에서 유럽에 있는 모든 대군주국의 신분의회(states general)의 자치도시 대표의 기원이 시작되었던 것이다.

도시의 안전이 더 증대한 결과로 도시에는 농촌에서보다 일찍 산업이 융성하고 자재도 축적되었다.
농촌의 토지점유자들이 모든 종류의 폭력에 젖어 있었던 그 시대에, 도시에서는 질서와 선정善政, 그리고 이것에 따르는 개인의 자유와 안전이 이상과 같이하여 확립되었다. 그러나 인간이란 이러한 무방위의 상태에 놓여 있으면 자연히 그들의 필요한 생활자료만 있으면 만족하는데, 이는 그 이상의 것을 획득한다는 것은 그들의 압제자들의 부정을 유발하는 것밖에 되지 않을 것이기 때문이다. 이에 반하여 그들이 그들의 근로의 소산물을 향수할 것이 보증되어 있을 때는 그

46 〔초판에는 여기 이하가 다음과 같이 되어 있다. "그러한 총회에서 대영주들의 권위에 대항하는 하나의 평형력으로서 이용했을 때도 있었던 것 같다." 《Lectures》, 41면을 보라.〕

들은 자연히 그들의 생활상태를 개선하고, 생활필수품뿐만 아니라 편의품과 우아한 것까지 획득하려고 힘쓴다. 따라서 필요한 생활자료보다 더 많은 어떤 것을 목표로 하는 산업은 농촌의 토지점유자들이 보통으로 실시하기 훨씬 이전에 도시에서 확립되어 있었다. 만일 농노제의 고역으로 억눌려 있었던 가난한 경작자의 수중에 다소나마 소자재가 축적되기라도 한다면, 자연히 그는 그렇게 하지 않는 한, 자기의 주인에게 빼앗길 것이므로 대단히 조심스럽게 그것을 주인 몰래 감추어서 기회가 오기만 하면 도시로 도주할 것이다. 당시의 법률은 도시의 주민에게는 극히 관대했으며, 농촌의 주민에 대한 영주의 권위를 감소시키는 것을 대단히 열망하고 있었으므로, 만일 도주한 그가 1년간 영주의 추적을 피하여 도시에 잠복해 있을 수만 있다면 그는 영구히 자유롭게 되는 것이었다.[47] 그러므로 농촌 주민 가운데 부지런한 사람들의 수중에 축적된 자재는 그것이 얼마만큼의 것이든지 자연히 도시로 피난했으며, 도시야말로 그 자재를 획득한 사람의 안전을 보증하는 유일한 성역이었다고 하겠다.

해안과 항해 가능한 하천의 연안에 있는 도시는 그 이웃의 농촌에 의존하지 않는다. 어떤 도시의 주민은 자신들의 생활자료와 산업의 원근 및 수단의 전부를 궁극적으로 언제나 농촌에서 끌어내 오지 않으면 안 된다는 것은 사실이다. 그러나 해안 또는 항행 가능한 하천의 연안 가까이에 위치하고 있는 도시의 주민은 그런 것을 반드시 그 이웃에 있는 농촌에서 끌어내 온다고 할 수 없다. 그들은 훨씬 광대한 활동 구역을 가지고 있으므로 자신들 산업의 제조품과 교환하거나, 또는 멀리 떨어져 있는 나라들 사이의 운반인의 역할을 수행하여, 어떤 나라의 생산물을 다른 나라의 그것과 교환함으로써 세계의 가장 먼 구석구석에서 그런 것을 끌어들일 수 있다. 이렇게 해서 어떤 도시는 그 이웃의 농촌뿐만 아니라, 이 도시와 거래하는 모든 농촌이 가난하고 비참한 상태에 놓여 있는 동안에 대단히 부유해지고 훌륭해졌을 것이다. 그러한 농촌들의 각각은 개별적으로 따져

47 〔《Lectures》, 40면.〕

보면 그 도시의 생활자료나 도시의 일의 작은 부분밖에 제공할 수 없었으나, 그들을 모두 합해 보면 막대한 생활자료와 일을 제공할 수 있었을 것이다. 그러나 그 당시의 협소한 교역권 내에서도 부유하고 근면한 몇몇 나라가 있었다. 이를테면 그리스 제국은 그것이 존속한 동안은 그러했듯이 아바스 왕조의 치세 중의 사라센인의 제국도 그러했다. 또한 이집트도 터키인에게 정복당할 때까지는 그러했고, 바르바리의 해안에 있는 어떤 지역과 무어인의 통치 아래 있었던 스페인의 모든 지방도 그러했다.

이탈리아의 도시가 우선 처음으로 부유해졌던 것은 중앙에 위치했기 때문이며, 십자군의 은혜를 입었기 때문이다.

상업으로 상당한 정도의 부에 달했던 것으로는 유럽에서 이탈리아의 도시가 최초였던 것 같다. 이탈리아는 당시 세계의 문명 개화의 중앙부에 놓여 있었다. 더욱이 십자군은 그들이 일으켰던 자재의 대낭비와 주민의 파멸에 의해 유럽의 대부분의 진보를 필연적으로 늦추었음엔 틀림없으나 이탈리아의 몇몇 도시가 진보하는 데는 극히 유리했다. 성지를 정복하기 위하여 모든 지방에서 진군한 대군대는 어떤 때는 십자군을 그곳에 수송함으로써, 그리고 항상 그들에게 식량공급을 해 줌으로써 베네치아·제노바·피사의 해운업을 굉장히 촉진시켰다. 그 도시들은 말하자면 그러한 군대의 병참부였다. 그리고 유럽의 국민들에게 들이닥쳤던 것들 가운데서 가장 파괴적인 광란[48]이 그들 공화국들에게는 부유의 한 원천이었던 셈이다.

도시는 더 부유한 나라들로부터 제조품과 사치품을 수입하고 그 대가로서 총생산물을 지불했다.

48 〔흄, 《History》(1773), 제1권, 292면에는 "모든 시대 또는 모든 국민에게 나타났던 인간의 어리석음을 가운데서도 가장 현저하고 가장 영속적인 기념비"라고 되어 있고, 흄, 《History》(1773), 제1권, 298면 ; 《History》(1770), 제1권, 327면에는 "이 보편적인 광란"이라고 되어 있다. 그러나 흄은 동서의 초판에서 "보편적 광란"이라고 썼다.〕

상업도시들의 주민들은 보다 더 부유한 나라들의 개선된 제조품과 비싼 사치품을 수입함으로써, 그들 자신의 토지의 다량의 원생산물로써 그런 것들을 구매하고자 열망하고 있었던 대토지소유자들의 허영심을 어느 정도 만족시켜 주었다. 따라서 그 당시의 유럽의 대부분의 상업은 주로 그들 자신의 원생산물보다 더 문명이 진보한 나라의 제조품과 교환하는 데 있었다. 그리하여 오늘날 네덜란드의 곡물[49]이 프랑스의 포도주 및 브랜디와 교환되고 또 프랑스와 이탈리아의 견직물과 벨벳과도 교환되고 있는 것과 똑같은 방법으로 잉글랜드의 양모는 프랑스의 포도주 및 플랑드르의 우수한 직물과 교환되곤 했다.

그러한 제조품에 대한 수요가 상당히 커졌으므로 그들의 제조업이 도시에 확립되었다.

이렇게 해서 보다 더 훌륭하고 개선된 제조품에 대한 기호가 외국상업에 의하여 그러한 것의 제작이 전혀 행해지고 있지 않았던 제국에 도입되었다. 그러나 상인들은 이러한 기호가 상당한 수요를 일으킬 만큼 일반화되었을 때 운송비를 절약하기 위하여 자연적으로 자신들 나라에 몇 개의 같은 종류의 제조업을 확립하려고 노력했다. 이것이 로마제국의 몰락 이후 유럽의 4부 여러 지방들에서 확립되어 왔다고 생각되는 원격지 판매를 위한 최초의 제조업의 기원인 것이다.

어떠한 나라에도 약간의 제조업은 있다.

대국이라면 어떠한 나라도 그 국내에 반드시 어떤 종류의 제조업을 경영하지 않고서는 존속하지도 못했고 또 존속할 수도 없었다는 것을 알아 두어야 할 것이다. 그리고 그러한 어떤 나라에 제조업이 전혀 없다고 일컬어질 때라도 그것은 항상 더 세련되고 개선된 제조업이거나, 또는 원격지 판매에 적합한 제조업이 없다는 의미로 이해되어야 한다. 모든 대국에서는 인민의 대부분의 의복과 가구가 자국 산업의 생산물이다. 이 사실은 보통 제조업이 전혀 없다고 하는 빈국의 경

49 〔제5판에는 "네덜란드의 곡물(Corn of Poland)"의 "of"가 "in"으로 오식되어 있다.〕

우가 그것을 풍부하게 가지고 있다고 하는 부국의 경우보다 훨씬 더 보편적으로 타당한 사실이다. 여러분은 대체로 후자의 나라에서 최하층계급의 사람들의 의복과 가국의 쌍방에 관한 외국 제품의 비율이 전자의 나라보다도 훨씬 더 크다는 것을 발견할 것이다.

때로는 원격지 판매를 목적으로 하는 제조업이 외국제조업을 모방하여 도입되는 수도 있다.

때로는 그들 제조업은 상술한 방법으로 같은 종류의 몇몇 외국 제조업을 모방하여 그것을 확실한 특정의 상인과 기업가의 자재의, 말하자면 폭력적 활동에 의하여 도입되었다. 그러므로 그러한 제조업들은 외국상업의 소산이며, 이를테면 13세기 동안에 루카Lucca에서 번창했던[50] 견직물 벨벳 및 능라와 같은 옛날의 제조업이 그런 것들이었던 것 같다. 그러한 제조업은 마키아벨리Machiavel의 용장들 중의 한 사람인 카스트루치오 카스트라카니Castruccio Castracani의 폭정 때문에 거기에서 추방되었다. 즉 1310년에 900세대가 루카에서 쫓겨났는데 그 가운데 31세대는 베네치아로 퇴거하여 그곳에 견직물 제조업을 도입할 것을 제의했다.[51] 그들의 제의는 수락되어 많은 특권이 그들에게 주어졌으며, 그들은 300명의 직공으로 그 제조업을 시작했다. 또한 옛날 플랑드르에서 번창하여 엘리자베스 치세의 초두에 잉글랜드에 도입된 훌륭한 직물의 제조업도 그러했던 것 같다. 그리고 리옹과 스피탈필즈Spital-fields의 현재의 견직물도 그러하다고 하겠다. 이렇게 해서 도입된 제조업은 외국제조업의 모방이었으므로,[52] 일반적으로

50 "13세기 동안에 루카에 번창한"은 초판에서 "13세기의 초두의 베네치아에 도입된"이라고 되어 있다.

51 Sandi, 《Civile de Vinezia》, 제2부, 제1권, 247, 256면을 보라. 〔Vettor Sandi, 《Principj di storia civile della Repubblica di Venezia》(Venice 1755). 면은 "247, 256"이 아니고 "257, 258"면이라야 할 것이다. 이 주의 "그러한 제조업은"에서 "그들은 200명의 직공으로 그 제조업을 시작했다"까지의 세 개 문장은 제2판에서 처음 나온다.〕

52 〔"외국제조업의 모방이었으므로"는 초판에는 "외국제조업을 모방한 것이므로"로 되어 있다.〕

외국 원료를 사용했다. 베네치아의 제조업이 처음 확립되었을 때 그 원료는 모두 시칠리아섬과 레반트Levant에서 가져온 것이었다. 루카의 보다 더 오래된 제조업도 역시 외국 원료로써 이루어지고 있었다. 뽕나무의 재배와 누에의 사육은 16세기 이전의 이탈리아의 북부 지방에서는 흔하지 않았던 것 같다.[53] 그러한 기술은 샤를르 9세의 치세까지도 프랑스에는 도입되지 않았다.[54] 플랑드르의 제조업은 주로 스페인과 잉글랜드의 양모로써 수행되었다. 스페인의 양모는 잉글랜드의 최초의 모직물 제조업의 원료는 아니었고, 원격지의 판매에 적합했던 최초의 모직물 제조업의 원료였던 것이다. 리옹의 제조업의 원료의 반 이상이 오늘날에는 외국 견사이다. 그런데 그것이 처음 확립되었을 때는 그 전부 또는 거의 전부가 그러했다. 스피탈필즈의 제조업의 원료 중 그 일부분도 잉글랜드의 생산물이 될 것 같지는 않다. 그러한 제조업은 일반적으로 어떤 소수의 개인의 설계와 기획에 의하여 도입되므로 그 입지도 그들의 이해관계와 판단력 또는 기분이 결정하곤 하는 데 따라서 어떤 때는 해안의 도시에 세워지고 어떤 때는 내륙지방의 도시에 세워지기도 한다.

어떤 때는 원격지 판매를 목적으로 하는 제조업은 조잡한 가내제조업에서 성장했다. 다른 경우에는 원격지 판매를 목적으로 하는 제조업은 가장 가난하고 가장 미개한 제국에서까지도 언제나 경영되지 않으면 안 되는 비교적 조잡한 가내제조업이 점차 세련되어 감으로써 자연히 이를테면, 저절로 성장했다. 그러한 제조업은 대체로 그 나라에서 생산하는 원료를 사용했으며, 처음에는 해안과 모든 수운에서까지 크게 떨어지지는 않았으나 꽤 멀리 떨어져 있는 그러한 내륙지방

53 〔"같다(seem)"는 초판에는 "seems"로 되어 있다.〕

54 〔초판에는 (6줄 앞에서) 여기까지가 다음과 같이 되어 있다. 즉 "베네치아의 제조업이 번창하고 있었을 때는 모든 롬바르디아에 뽕나무라고는 없었으며 그 결과 누에도 없었다. 그들은 시칠리아섬에서 그리고 레반트에서 원료를 가져왔으며, 그것도 그 제조업 자체가 그리스 제국에서 경영되고 있었던 것을 모방한 것이기 때문이었다. 뽕나무가 롬바르디아에 처음 재배된 것은 밀라노 공Duke of Milan인 루도비코 스포르차Ludovico Sforza에 의한 것으로서 16세기 초두의 일이었다."〕

에서 세련되고 개선되었던 적이 흔히 있었던 것 같다. 자연히 다산적이며 쉽게 경작될 수 있는 내륙지방은 그 경작자들을 부양하는 데 필요한 것 이상으로 커다란 잉여의 식료품을 생산한다. 그리고 육운의 경비와 하천 항행의 불편 때문에 그 잉여를 해외에 보내는 것이 곤란할 때가 흔히 있을는지도 모른다. 그러므로 식료품이 풍부하다는 사실은 그 값을 싸게 하고, 그 결과 다수의 직공은 다른 장소보다도 그곳에서 그들의 근로로써 더 많은 생활필수품과 편의품을 마련할 수 있으리라는 것을 알고, 그 이웃에 정주하게끔 된다. 그들은 그 토지가 생산하는 제조업의 원료를 가공하고 그들의 완제품을 또는 같은 말이지만, 그것의 가격을 더 많은 원료 및 식료품과 교환한다. 그들은 그것을 수변(the water side)이나 또는 멀리 있는 어떤 시장에 운송하는 데 드는 경비를 절약함으로써 원생산물의 잉여 부분에 새로운 가치를 부여한다. 그리고 그 경작자들에게도 그들에게 유용하거나 마음에 드는 어떤 것을 그것과 교환으로 종래 그들이 그것을 획득할 수 있었던 것보다 더 쉬운 조건으로 공급한다. 경작자들은 자신들의 잉여생산물에 대해 보다 좋은 가격을 받고, 그들이 필요로 하는 다른 편의품을 더 싸게 구매할 수 있다. 이렇게 해서 그들은 토지를 더욱더 개량하고 더 잘 경작함으로써 이러한 잉여생산물을 증가시키도록 자극받게 되고 또 증가시킬 수 있게 된다. 그리고 토지의 비옥도가 제조업을 낳게 했던 것과 마찬가지로 제조업의 진보가 토지에 반작용을 하여 그 비옥도를 훨씬 더 증진시킨다. 제조업자들은 처음에는 그 이웃에 공급하고 그 뒤에는 그들의 제품이 개선되고 세련됨에 따라서 보다 더 멀리 떨어져 있는 도시들에 공급한다. 왜냐하면, 원생산물은 물론 조잡한 제조품까지도 대단히 큰 곤란을 겪지 않고서는 상당한 액수의 육운경비를 부담할 수 없지만, 세련되고 개선된 제품은 쉽게 부담할 수 있을 것이기 때문이다. 그런 물품은 부피는 적어도 흔히 다량의 원생산물의 가격을 포함하고 있는 수가 있다. 예를 들면 80파운드의 중량밖에 나가지 않는 고급직물 한 필은 80파운드의 무게가 나가는 양모의 가격뿐만 아니라 때에 따라서는 여러 노동자와 그들의 직접의 고용주의 생활자료인 수천 파운드의 무게가 나가는 곡물의 가격까지 그 속에 포함하고 있다. 그 자체의 형태상 해외에 운반되는 데 대단히 어려웠던 곡물도 이렇게 해서 사실상 완제품의 형태로서 수출되며, 세계의 가장 먼 구석구석에 쉽게 보내질 수 있을 것이다. 리즈Leeds·핼리팩스Halifax·셰필드Sheffield·버밍엄Birmingham·울버햄프턴Wolverhampton의 제조업들은 이렇게 해서 자연히 이를테면, 저절로 성장했다. 그러한 제조업은 농업의 소산이다. 유럽의 근대사에 있어서 그러한 제조업자들의 확장과 개선은 일반적으로 외국상업의 소산이었던 제조업보다는 뒤떨어져 있었다. 잉글랜드는 상술한 여러 장소에서 현재 번창하고 있는 제조업 가운데 어떤 것은 외국 판매에 적합하게 되기 1세기 이상이나 이전에 스페인의 양모로 만들어진 고급 모직물 제조업으로 유명했다. 맨 마지막에 말한 제조업의 확장과 개량은 외국상과 그리고 이것에 의하여 직접 도입된 제조업의 마지막이자 최대의 성과인 농업의 확장과 개선의 결과로서가 아니고서는 결코 일어날 수 없었다. 따라서 나는 그것을 앞으로 계속 설명할 것이다.

제4장 도시의 상업이 어떻게 해서 농촌의 개량에 공헌했는가

도시의 발흥이 농촌에 이익이 되었던 것은,

상업 및 제조업을 하는 도시가 증대하고 부유해짐은 이들이 소속했던 농촌의 개량 및 경작에 다음과 같은 세 가지의 상이한 방법으로 공헌했다.

(1) 도시는 농촌의 생산물에 시장을 제공하고 있었기 때문이며,

첫째, 도시는 농촌의 원생산물을 위해 손쉽고 커다란 시장을 제공함으로써 농촌의 경작과 개량에 자극을 주었다. 이 이익은 도시가 위치하고 있는 농촌에만 국한되지 않고, 도시와 조금이라도 거래를 하고 있는 모든 농촌에 다소나마 확대되었다. 도시는 모든 농촌에 대해서 그 농촌의 원생산물 또는 제조품의 일부

분에 대한 시장을 제공했고, 그 결과 모든 농촌의 근로와 개량에 약간의 자극을 주었다. 그러나 도시가 소재하는 농촌은 도시에 인접해 있기 때문에 필연적으로 이 시장에서 최대의 이익을 끌어내었다. 이러한 농촌의 원생산물은 운송비가 적게 들므로 상인들은 그것에 대하여 생산자에게 비교적 좋은 가격을 지불할 수 있었다. 그리고도 소비자에게는 더 먼 농촌의 원생산물과 마찬가지로 그것을 싸게 제공할 수 있었다.

(2) 상인들이 농촌에서 토지를 판매하여 그것을 개량했기 때문이며,

둘째, 도시의 주민에 의하여 획득된 부는 팔리기로 되어 있으니, 그 대부분이 흔히 경작되지 않았던 그러한 토지를 구매하는 데 사용되었을 때가 종종 있었다. 상인들은 보통 농촌의 대지주로 되어 보겠다는 야심을 가지고 그렇게 되면 그들은 대체로 모든 개량가 가운데서도 가장 훌륭한 개량가가 된다. 상인이란 자기의 화폐를 주로 유리한 기획에 사용하는 습관이 있는 데 반하여, 단순한 농촌 지주는 주로 그것을 소비에 써 버리는 습관이 있다. 전자는 자기를 떠나간 화폐가 이윤과 함께 그에게 되돌아오는 것을 이따금 보지만, 후자는 일단 그것을 놓치면 이 이상 그것을 보리라고는 좀처럼 기대하지 못한다. 그들 상이한 습관은 모든 부류의 사업에 있어서 그들의 기질과 성향에 자연히 영향을 미친다. 상인은 보통 대담한 기업가이며, 농촌 지주는 소심한 기업가이다. 전자는 그 경비에 비례하여 자기의 토지의 가치를 올릴 듯한 전망을 가질 때는, 그 토지의 개량에 단번에 대자본을 투하하는 것을 두려워하지 않는다. 후자는 항상 자본을 가지고 있는 것도 아니지만, 비록 약간의 자본을 가지고 있더라도 그것을 감히 이러한 방법으로 사용하려들지를 않는다. 비록 그가 개량을 한다 하더라도 보통 그는 자본을 사용하여서 하는 것이 아니고, 자기의 연간 수입에서 절약할 수 있는 것으로써 그렇게 한다. 아직 개량되지 않은 농촌에 위치하고 있는 상업도시에서 다행히도 생활해 본 일이 있는 사람이라면 누구나 이러한 방법으로 행해지는 상인의 활동이 단수한 농촌 지주의 그것보다도 얼마나 더 활기에 차 있는가를 이따금 관찰했을 것이다. 뿐만 아니라 상업상의 업무가 자연히 일개 상인을 형성시켜 주는 질서 있고 경제적이며 주의를 하는 습관은 그를 이윤과 성공이 따르는 어떤 개량 기획을 실행하는 데 훨씬 더 적합한 인물로 만들어 준다.

⑶ 질서와 선정善政이 도입되었기 때문이다.

셋째, 그리고 마지막으로 상업과 제조업은, 이전에는 그 이웃과의 거의 끊임없는 전쟁 상태에 살았으며, 상층의 사람들에 대한 끊임없는 노예적 종속 상태에서 생활했던 농촌의 주민들 사이에 점차 질서와 선정을, 그리고 이와 함께 또한 자유와 안전을 도입했다. 종래 이 사실은 주목되지 않았으나, 이 사실이 상업과 제조업의 일체의 성과 중에서도 아주 최대로 중요한 것이다. 내가 알고 있는 한에서는 이때까지 이 점에 주목을 한 바 있는 유일한 저술가는 흄 씨이다.[55]

대토지소유자들은 외국상업과 훌륭한 제조업이 도입되기 전에는 가신들의 무리로 둘러싸여 있었다.

외국상업도 없으며 비교적 정교한 제조업도 없는 나라에서는 대토지소유자는 자기의 토지 생산물 가운데서 경작자들을 부양하고도 남는 것의 대부분을 주고 교환할 수 있는 것이 아무것도 없기 때문에 그 전부를 농촌풍의 향응에 소비한다. 만일 이 잉여생산물이 100명 또는 1000명을 부양할 만한 것이라면 그는 100명 또는 1000명의 사람을 부양하는 것 이외에 다른 방법으로 그것을 이용할 수 없다. 따라서 그는 언제나 다수의 가신들과 하인들에게 둘러싸여 있으며, 이들은 부양되는 대가로써 줄 수 있는 등가물을 전혀 갖고 있지 않고, 또 순전히 그의 하사물에 의하여 부양되고 있으므로 병사들이 자신들에게 급료를 주는 군주에게 복종하지 않으면 안 되는 것과 똑같은 이유로서 그에게 복종하지 않으면

55 〔《Political Discourses》(1752)의 〈Of commerce〉와 〈Of Luxury〉, 그리고 《History》(1773), 제3권, 400면.〕

안 된다. 유럽에서 상업과 제조업이 확장되기 이전에는 주권자로부터 최소의 제후에 이르기까지 부자와 귀족이 행했던 환대는 오늘날 우리가 쉽게 생각할 수 있는 정도의 것과는 거리가 먼 것이었다. 웨스트민스터홀Westminster hall은 윌리엄 적발왕赤髮王의 식당이었으며 아마도 그의 손님을 위해서 너무 지나치게 큰 것이 아닐 때도 흔히 있었을는지 모른다. 토마스 베켓이 자신들 홀의 마루에 자리를 얻을 수 없었던 기사와 그 후자들이 저녁 식사를 하려고 마룻바닥에 앉았을 때 그들의 고운 옷을 버리지 않도록 하기 위하여 계절에 따라 깨끗한 건초와 등심초를 자기의 방에 뿌렸다는 것은 그의 호사豪奢의 일단을 말해 주는 것이라고 간주되고 있었다.[56] 워익 대백작the great earl of Warwick은 자기의 여러 장원에서 매일 3만 명의 사람들을 접대했다고 한다. 그리고 그 숫자는 비록 과장되었을는지 모르지만 이러한 과장을 허용할 만큼 대단히 컸다는 것은 틀림없는 것이다.[57] 스코틀랜드의 고지지방에서는 이와 거의 같은 종류의 환대가 최근까지 여러 곳에서 실행되고 있었다. 그것은 상업과 제조업이 거의 알려지지 않은 모든 국민에게는 공통적인 것 같다. 포코크 박사Dr. Pocock는 말하기를 나는 아랍인의 일족장이 자기의 가축을 팔러 갔던 도시의 거리에서 식사를 하고, 모든 통행인과 심지어는 보통의 거지까지 불러 자기와 함께 앉아서 식사를 같이 하자고 하는 것을 본 적이 있다고 한다.[58]

56 〔명백히 흄, 《History》(1773), 제1권, 384면에서 나온 것이다.〕

57 〔"그가 잉글랜드에 소유하고 있었던 여러 장원과 성에서는 날마다 적어도 3만 명 이상의 사람들이 묵고 있었다고 한다."-흄, 《History》(1773), 제3권, 182면과 《Lectures》, 42면에는 그것은 "차지인 이외에도 4만 명"이 있었다고 되어 있다.〕

58 〔"아랍의 군주는 자기의 문전의 거리에서 식사를 흔히 한다. 그리고 그곳을 지나가는 모든 사람에게, 그리고 심지어는 거지에게까지 보통 쓰는 말로써 비스밀라Bismillah, 즉 '신의 이름으로'라고 한다. 그러면 그들은 그곳에 와서 앉아 식사를 마치면 함델릴라Hamdellilah, 즉 '고마워라'라고 한다. 이는 아랍인들이 위대한 평등주의자이며, 모든 사람을 자기와 대등하게 취급하고 있기 때문이라 하겠다. 그리고 그들이 그들의 이익을 유지하고 있는 것도 그러한 관대와 환대에 의한 것이라 하겠다"-리차드 포코크Richard Pocock, 《Description of the East》(1743), 제1권, 183면.〕

임의해약차지인도 가신들과 꼭 마찬가지로 종속적이었다.

토지의 점유자가 모든 점에서 대토지소유자에 종속되어 있었던 것은 대토지소유자의 가신과 마찬가지였다. 그들 가운데 농노의 신분에 있지 않았던 그러한 사람들까지도 임의해약차지인이었으며, 그들은 토지가 그들에게 제공해 준 생활자료와는 전혀 동등하지 않은 지대를 지불하고 있었다. 1크라운, 반 크라운, 양 한 마리, 그리고 새끼 양 한 마리라고 하는 것이 수년 전 스코틀랜드의 고지지방에서 한 가족을 부양했던 토지에 대한 보통의 지대였었다. 어떤 지방에서는 오늘날에도 그러하다. 그러나 화폐가 현재 그곳에서 다른 지방에서보다도 더 다량의 상품을 구매하지는 못할 것이다. 대소유지의 잉여생산물이 그 소유지 자체에서 소비되어 버리지 않으면 안 되는 그러한 농촌에서는 그 잉여생산물을 소비하는 사람들이 그의 가신이나 하인들처럼 그에게 종속되어 있다면, 그 일부분이 토지소유자의 집에서 멀리 떨어져 있는 곳에서 소비되는 것이 그 소유자에게는 흔히 훨씬 더 편리할 때가 있을 것이다. 그렇게 함으로써 그는 손님과 가족이 너무 많아지는 번거로움에서 벗어날 수 있기 때문이다. 부역면제지대와 거의 동류의 대가를 주고, 자기 가족을 부양하기에 족한 토지를 점유하고 있는 임의해약차지인은 어떠한 사용인이나 가신과 마찬가지로 그 토지소유자에게 종속하고 있으며, 거의 무조건으로 그에게 복종하지 않으면 안 된다. 그러한 토지소유자는 자기의 사용인과 가신들도 자기 집에서 먹이고 있는 것과 마찬가지로 그는 자기의 차지인들도 그들의 집에서 먹이고 있다. 양자의 생활자료는 모두 그의 선심에서 나오는 것이며, 그것이 언제까지 계속할 것인지도 그의 선의에 달려 있다.

옛날 제후들의 권력은 이것에 기초를 두고 있었다.

대토지소유자가 이러한 사태에서 자신들 차지인과 가신들에 대하여 필연적으로 가지고 있었던 권위야말로 옛날 제후의 권력의 기초였었다. 제후는 필연적으로 평화시에는 자신들 소유지에 살고 있는 모든 사람의 재판관이 되었으며 전시에는 그들의 지휘자가 되었다. 제후는 각자의 직할지直轄地 내에서 질서를 유지하고 법률을 집행할 수 있었다. 왜냐하면 그들 각자는 그 주민의 어떤 한 사람의 부정에 대항하여 그곳에 있는 모든 주민의 총력을 돌릴 수 있었기 때문이다. 다른 어떠한 사람도 이렇게 할 만큼 충분한 권위를 가지지는 못했다. 특히 국왕도 그것을 갖고 있지 않았다. 옛날에는 국왕은 자기의 영토에서 최대의 토지소유자라는 것에 지나지 않았으며, 다른 대토지소유자들도 공동의 점에 대하여 공동의 방위를 하기 때문에 그에게 대하여 일정한 존경을 베풀었을 뿐이다. 모든 주민이 무장되어 있고 서로 원조해 주게 습관이 되어 있는 어떤 대토지소유자의 토지에서 국왕이 소액의 부채의 지불을 강제하는 것은 만일 그가 자기 자신의 권위로써 그 일을 꾀했다면, 그에게는 내란을 진압하는 것과 거의 같은 노력이 었을 것이다. 그러므로 그는 그 나라의 대부분을 통한 사법의 집행을 그것을 할 수 있는 사람들에게 넘겨주지 않을 수 없었다. 그리고 이와 동일한 이유에서 지방 민병대의 지휘권을 그 민병대가 복종할 만한 사람들에게 맡겨 두지 않을 수 없었던 것이다.

그것은 봉건법에 선행한 것이며, 봉건법과는 관계가 없는 것이다.

그러한 지역적인 재판권의 기원이 봉건법에 있다고 생각하는 것은 잘못이다. 민사와 형사의 최고재판권뿐만 아니라 군대의 징모권, 화폐의 주조권, 그리고 그 인민의 통치권을 위한 조례의 판정권까지도 유럽에서 봉건법이라는 이름마저 알려지기 수 세기 이전에 대토지소유자들에 의하여 자유보유권自由保有權으로(allodially) 보유하고 있었던 모든 권리였다. 잉글랜드에서의 색슨의 영주들의 권위 및 재판권은 노르만 정복 이전에 있어서는 그 이후에 있어서의 노르만 영주 중의 어떤 자의 그것에 비해서도 같은 정도로 강대했던 것 같다.[59] 그러나 봉건법이 정복 이전에 잉글랜드의 보통법이 되어 있었다고는 생각되지 않는다.[60] 프랑스의 대영주들이 이 나라에 봉건법이 도입되기 오래전부터 가장 광범위한 권위

59 〔"같다(appear)"는 초판 및 재판에는 "appears"로 되어 있다.〕

60 〔흄, 《History》(1773), 제1권, 224면.〕

와 사법권을 자유소유지적으로 보유하고 있었다는 것은 의심할 여지가 없는 사실이다. 그 권위도, 그러한 사법권도 모두 방금 기술한 재산과 풍속의 상태에서 필연적으로 흘러나왔던 것이다. 프랑스 또는 잉글랜드의 먼 옛날의 군주제까지 거슬러 올라갈 것도 없이, 우리는 그러한 결과는 항상 그러한 원인에서 흘러나오지 않을 수 없는 것에 관한 수많은 증거를 훨씬 후의 시대에 이르러서 발견할 수 있다. 그것은 스코틀랜드의 로카바Lochabar의 지주이었던 로칠Lochiel의 카메론 씨Mr. Cameron가 아무런 법률상의 권한도 없이 그리고 당시 소위 국왕위임의 지방관할자(lord of regality)도 아니었고, 직속수봉자(tenant in chief)조차도 아니었고, 아가일 공duke of Argyle의 가신이었는 데다가 더구나 치안판사도 아니었는데, 자기 자신의 인민에게 최고의 형사재판권을 행사하곤 했던 것으로서 이는 지금으로부터 30년도 채 안 된 일이다. 그는 재판상의 어떤 형식을 지니고 있었던 것은 아닌데도 불구하고 그 일을 대단히 공평하게 수행했다고 한다. 그리고 그 당시에 그 나라의 그 지방의 상태가 공공의 평화를 유지하기 위하여 그가 이러한 권위를 쥐고 있을 것을 필요로 했다는 것은 있을 법한 일이겠다. 그 지주는 자기의 지대가 연액 500파운드를 넘었던 적이 결코 없었는데, 1745년에는 800명이나 되는 자기의 인민을 반란에 끌어넣었던 것이다.[61]

그 권력은 봉건법에 의해 완화되었으며,

봉건법의 도입은 자유보유지의 대영주들의 권위를 확대하기는커녕, 그것을 완화하기 위한 한 기도라고 간주되어도 좋다.[62] 그것은 국왕으로부터 최소의 토지소유자에 이르기까지 일련의 노역과 의무를 수반하는 규칙적인 복종 관계를 확립했다. 토지소유자가 미성년일 동안 지대는 그 토지의 관리권과 함께 그의 직접의 손윗사람의 수중에 들어갔으며, 따라서 모든 대토지소유자의 지대와 그 토지

61 〔"스코틀랜드의 고지지방은 법률상 오래전부터 영국의 신민이 가지고 있는 모든 특권을 받고 있었다. 그러나 서민이 그러한 특권을 실제로 향수할 수 있었던 것은 아주 최근의 일이었다." —흄, 《History》(1173), 제1권, 214면. 《Lectures》, 116면과 비교하라.〕

62 〔《Lectures》, 38~39면.〕

의 관리권은 국왕의 손에 들어갔다. 국왕은 피후견인의 부양과 교육의 의무를 졌으며, 보호자로서의 권위에서 피보호자의 신분에 어울리는 방법으로라면 그의 결혼을 처리해 주는 권리를 가지고 있다고 생각되었다. 그러나 이러한 제도는 필연적으로 국왕의 권위를 강화하고 대토지소유자의 그것을 약화시키는 경향이 있었지만, 그 나라의 주민들 사이에 질서와 선정을 확립하는 데는 그 어느 쪽에도 충분할 수는 없었다. 왜냐하면 그것은 무질서가 발생해 나오는 그러한 재산과 풍속의 상태를 충분히 변경할 수 없었기 때문이다. 통치의 권위는 계속 구태의연하여 수장은 너무 약한데, 하층의 성원은 너무 강하며, 더구나 하층의 성원이 지나치게 강하다는 것이 수장이 약체라는 것의 원인이었다. 봉건적 종속관계가 제도화된 뒤에도, 국왕이 대영주들의 폭력을 억제할 수 없었던 것은 여전했다. 대영주들은 여전히 그들 자신의 재량에 따라서 거의 끊임없이 서로 싸우고 대단히 빈번히 국왕과도 다투고 있었다. 그리고 광대한 지방은 역시 계속 폭력과 약탈과 무질서의 무대가 되어 있었다.

외국상업에 의하여 침식되었다.

그러나 봉건제도의 모든 폭력으로써도 달성할 수 없었던 것은 외국상업과 제조업이라는 조용하고도 눈에 띄지 않는 작용으로써 점차 달성했던 것이다. 외국상업과 제조업은 점차로 대토지소유자들에게 그들이 자신의 토지 전체 잉여생산물과 교환할 수 있고, 더구나 그것을 차지인이나 후견인들과 나누어 가지지 않고, 그들 스스로가 소비할 수 있는 그러한 어떤 것을 공급했다. 모든 것은 우리 자신을 위한 것이고, 다른 사람들을 위한 것이 아무것도 없다는 것이 세계의 모든 시대에 있어서의 인류의 지배자들의 자신들 지대의 총가치를 손수 소비하는 방법을 알 수 있게 되자마자, 그들은 그것을 다른 사람들과 나누어 가지려는 성향을 갖지 않게 되었다. 그들은 아마 한 쌍의 다이아몬드가 달린 버클buckles이라든지, 하찮은 무용지물을 1000명의 1년분의 생활자료, 또는 같은 뜻이지만 1000명의 1년분의 생활자료의 가격과 교환했으며, 그와 동시에 그 1000명의 1년분의 생활자료가 그들에게 줄 수 있을 관록 및 권위와 교환했던 것이다. 그러나 그 버클은 전부 그들 자신의 것으로 되어야 했고, 다른 어떠한 인간도 그 몫을 나누어 가지게 되어 있지는 않았다. 그런데 더 옛날의 지출 방법으로 그들은 적어도 1000명의 사람들과 그것을 나누어 가지기 마련이었다. 어느 것을 택할 것인지를 결정해야 하는 판단자들에게는 이상에서 말한 차이점이 완전히 결정적인 것이었다. 그리하여 그들은 모든 허영 가운데서도 가장 유치하고, 가장 천하고, 가장 지저분한 것을 만족시키기 위하여 자신들의 모든 권력과 권위를 점차 팔아 버렸던 것이다.[63]

현재 한 사람의 부자는 전체로서는 옛날 제후가 하던 것처럼 많은 사람들을 부양하고 있으나, 그가 그 각각의 사람들의 생활유지에 이바지하는 것은 그의 작은 부분에 지나지 않는다.

외국상업이란 것이 없고 비교적 정교한 제조업이 전혀 없는 나라에서는 1년에 만 파운드의 수입이 있는 사람은 그것을 아마 1000세대를 부양하는 방법 이외에 어떤 다른 방법으로도 사용할 수 없을 것이다. 그리고 그러한 가족은 모두가 필연적으로 그의 지배 아래 놓이게 된다. 유럽의 현재 상태에서는 1년에 만 파운드의 수입이 있는 사람은 20명의 사람을 부양하지도 않고, 그렇다고 해서 지배할 가치마저 없는 20명 이상의 하인을 지배할 수 있게 될 것도 없이 자기의 총수입을 소비할 수 있으며, 또 대체로 그렇게 소비하고 있다. 간접적으로라면, 그는 아마 옛날의 지배 방법에 의하여 그가 부양할 수 있었던 것과 같은 수의 사람들을, 또는 그 이상의 사람들을 부양하고 있었을 것이다. 왜냐하면 그가 자기의 총수입과 교환하는 비싼 생산물은 비록 극히 소량이지만 이것을 수집하고 마련하는 데에 사용된 직공의 수는 반드시 대단히 많았을 것임이 틀림없기 때문이다. 그 생산물의 높은 가격은 대체로 그들의 노동자들의 임금과, 그들을 직접 사용하는 모든 고용주의 부양에 간접적으로 이바지한다. 그렇지만 그가 모든 직

63 〔흄, 《History》(1773), 제3권, 400면과 제5권, 488면.〕

공과 고용주 각 개인의 부양에 이바지하는 것은 대체로 극소부분에 지나지 않으며, 극히 소수의 사람에게는 아마 그들의 매년 전체 생활유지비 가운데 10분의 1정도를 이바지할 것이며, 많은 사람들에게는 그 100분의 1도, 또 어떤 사람에게는 그 1000분의 1도 이바지하지 못할 것이다. 그러므로 비록 그는 그들 모두를 부양하는 데 이바지한다 하더라도 그들은 다소나마 그로부터 독립해 있다. 왜냐하면 일반적으로 그들은 그가 없더라도 모두 부양될 수 있기 때문이다.
대토지소유자들이 자신들 지대를 자신들 차지인과 가신들을 부양하는 데 소비할 때는, 그들은 모둔 각각의 차지인과 후자의 모든 생활을 전적으로 부양한다. 그러나 그들이 그들의 지대를 상인과 공장을 부양하는 데 소비할 때는, 그들은 그 전부를 한데 합쳐서 생각하면 종래와 같은 만큼의 다수의 사람들을 부양할 수 있을 것이며, 농촌풍의 환대에 따르는 낭비를 고려한다면 종래보다 더 다수의 사람들을 부양할 수 있을 것이다. 그러나 그들 각자는 개별적으로 따져 볼 때 이렇게 많은 수 가운데 어떤 개인의 생활유지에 대하여는 극히 적은 몫밖에 공헌하지 않을 때가 종종 있다. 상인 또는 공장은 각자 자기의 생활자료를 한 사람의 고객이 아닌 100명 또는 1000명이나 되는 여러 고객이 제공해 주는 일거리에서 끌어내고 있다. 따라서 비록 그는 어느 정도까지는 모든 고객들로부터 은혜를 입고 있지만, 그 가운데 어떤 한 사람에게 절대적으로 종속되고 있는 것은 아니다.

대토지소유자들은 자신들의 새로운 경비를 치르기 위하여 자신들의 종자들과 불필요한 차지인을 해고했으며, 남은 차지인에게는 장기의 차지계약을 맺어 주었으며, 이렇게 해서 대토지소유자들의 개인적 경비가 점차 증대했으므로, 그들의 종자의 수도 이와 마찬가지로 점차 감소하지 않을 수 없게 되고, 마침내 그들은 모두 해고되어 버렸다. 이와 동일한 이유에 의하여 점차 그들은 자신들 차지인들 가운데 불필요한 부분을 해고하게 되었다. 농지는 확장되었고, 토지점유자들이 인구 감소에 대한 불평에도 불구하고 그 당시의 불완전한 경작과 개량의 상태에 응하여 그것을 경작하는 데 필요한 수로 감축되었다. 불필요한 식구를 제거하고 농업경영자로부터 농지의 총가치를 착취해 냄으로써 토지소유자는 보다 더 많은 잉여, 또는 동일한 것이지만 보다 많은 잉여의 가격을 획득했고, 더구나 상인과 제조업자들은 곧 그에게 그가 그 잔여의 것을 낭비하고 있었던 것과 똑같은 방법으로 그것을 자기 자신에게 소비하는 방법을 제공했다. 이와 동일한 원인이 계속 작용했으므로 그는 자기의 토지의 지대를 그 개량의 실상이 감당할 수 있는 한도 이상으로 올리고자 열망했다. 그의 차지인들은 자신들의 점유가 보증되어야 할 기간이란 그들이 토지를 더 낫게 개량하는 데 그들이 투하해야 했을 것을 이윤과 함께 회수할 수 있을 만한 기간이어야 한다는 것을 유일한 조건으로 하고, 이것에 동의할 수 있었다. 지주의 낭비적인 허영심은 그로 하여금 이런 조건을 서슴지 않고 받아들이도록 했고, 이것이 장기 차지계약의 기원인 것이다.

이렇게 해서 그들을 독립시켰다.

토지의 총가치를 지불하는 임의해약차지인까지도 전적으로 지주에게 의존하고 있는 것은 아니다. 그들이 서로 받고 있는 금전적 이익은 상호적이며 균등하다. 그리고 그러한 차지인은 토지소유자에 대한 봉사에 자기의 생명이나 재산을 내놓지는 않을 것이다. 그러나 만일 그가 몇 년의 장기간의 차지권을 보유하고 있으면, 그는 전적으로 독립되어 있는 것이며, 그리고 그의 지주도 차지계약에 명백히 약정되어 있거나 또는 그 나라의 습관적이며, 주지의 법률에 의하여 그에게 과해져 있는 것 이상으로는 가장 사소한 봉사까지도 그로부터 기대해서는 안 된다.

이리하여 대토지소유자들은 대수롭지 않은 존재가 되어 버렸다.

이렇게 해서 차지인이 독립하게 되고 종자들이 해고되었으므로, 대토지소유자들은 그 이상 더 사법권의 규칙적인 집행을 중단시키거나 또는 그 나라의 평화를 교란할 수는 없게 되었다. 에서Esau가 배고픔과 궁핍에 쫓겨서 죽 한 그릇에 자기의 생득의 권리를 팔아 버렸던 것과는 달리, 대토지소유자들은 풍부라는 방종에서 인간이 진지하게 추구해야 할 것이라기보다는 오히려 아이들의 장난감에 더 어울리는 자질구레한 장신구와 하찮은 물건과 교환으로 자신들 생득의 권리를 팔아 버렸으므로, 그들은 어떤 도시의 실력 있는 시민 또는 상인이나 마찬가지로 대수롭지 않은 존재가 되었다. 그리고 도시뿐만 아니라 농촌에서도 정규의 통치권이 확립되었는데, 이는 전자에 있어서나 후자에 있어서나 마찬가지로 정규의 통치 활동을 교란하기에 족할 만한 권력을 가지는 사람은 한 사람도 없었기 때문이다.

상업국에는 구가舊家가 드물다.

당면의 주제와는 아마도 무관한 것이겠지만 내가 여기서 일언해 두지 않을 수 없는 것은, 아버지로부터 아들에게까지 차례로 계속하여 여러 세대 동안 상당히 많은 토지재산을 소유하여 온 그러한 대단히 오래된 가문은 상업국에서는 대단히 드물다는 것이다. 이와 반대로 웨일스 또는 스코틀랜드의 고지지방처럼 상업이 거의 행해지고 있지 않은 나라에서는 그러한 구가가 대단히 흔하다. 아랍의 제사서는 모두가 족보로써 가득 차 있을 것 같다. 그리고 타타르의 칸에 의하여 쓰였고 유럽의 수개 국어로 번역된 한 사서에는 족보 이외에는 거의 아무것도 들어 있지 않다.[64] 이것은 그러한 국민들 사이에는 구가가 자기의 수입으로써 될 수 있는 대로 많은 사람을 부양하는 길 이외의 어떤 다른 방법으로써 자기의 수입을 소비할 수 없는 나라에서는, 그는 파산할 위험은 적고 그가 아무

64 〔《Histoire généalogique des Tartars traduite du manuscript Tartare D'Abulgasi−Bayadur−chan et enrichie d'un grand nombre de remarques quthentiques et très curieuses surle véritable estat present de l'Asie septentrionale avec les cartes géographiques nécessaires》, par D., 레이덴Leyden, 1726년. 이 책의 서문에서는 시베리아에 번역되어 있었던 스웨덴의 어떤 장교들이 그것을 러시아어로 번역했고, 그리고 난 뒤에 그것을 그들 자신이 다른 국어로 번역했다고 되어 있다.

리 자비심에 가득 차 있다 하더라도 그가 감당할 수 있는 이상으로 많은 사람을 부양하려고 꾀할 만큼 무모하지는 않을 것이라고 생각된다. 그러나 그가 자기의 일신을 위하여 최대의 수입을 소비할 수 있는 나라에서는 그의 허영심 또는 자기의 일신에 대한 자기의 애착에 한도가 없을 때가 흔히 있기 때문에, 그의 소비에도 한도라는 것이 없을 때가 흔히 있다. 그러므로 상업국에서는 부의 탕진을 방지하는 가장 강력한 법적 규제가 있음에도 불구하고 부가 오랫동안 동일 가족에 머물러 있는 일은 좀처럼 없다. 이와는 반대로 단순한 여러 국민들 사이에서는 법적 규제가 없는데도 부는 오랫동안 동일 가족에 머물러 있는 일이 흔히 있다. 그 이유는 타타르인과 아랍인과 같은 유목민족 사이에서는 그들의 자산이 소비될 수 있는 성질을 가지고 있다는 그 사실이 반드시 그러한 규제들을 불가능한 것으로 만들기 때문이다.

그리하여 하나의 변혁이 눈에 띄지 않을 정도로 천천히 일어났으며,

이렇게 해서 공공사회의 행복에 대해서는 최대의 중요성을 갖는 하나의 변혁이 공공사회에 봉사하려는 의도를 조금도 갖고 있지 않았던 두 가지 상이한 계급의 사람들에 의해 일으켜졌다. 즉 가장 유치한 허영심을 만족시킨다는 것이 대토지 소유자들의 유일한 동기였다. 그리고 이보다는 훨씬 적게 우스꽝스럽지만 상인과 공장들은 단지 자기 자신의 이익을 위해서 행동하는 데 지나지 않았으며, 1페니라도 획득될 수 있는 곳이라면 1페니라도 회전시켜 본다는 행상인 근성을 추구하여 행동했음에 지나지 않는다. 그들은 누구나가 다 전자의 우행과 후자의 근면이 점차 일으키고 있었던 대변혁에 관하여 지식도 없었고 예견하지도 못했던 것이다.

상업과 제조업이 농촌의 개량의 원인이 되었다.

유럽의 대부분을 통하여 도시의 상업과 제조업이 농촌의 개량과 경작의 결과였기는커녕 오히려 그 원인과 계기였다는 것은 이상에서 본 바와 같다.

사물의 이러한 순서는 북아메리카 식민지의 급속한 진보에 의해 알 수 있는 사물의 자연적 순서에 비하면 느리기도 하고 불확실하기도 한데,

그러나 이러한 순서는 사물의 자연적인 진행에 반하고 있으므로 필연적으로 완만하고 또 불확실하기도 하다. 부가 상업과 제조업에 크게 의존하고 있는 유럽제국의 완만한 진보를 그 부가 전적으로 농업에서 그 기초가 세워진 우리의 북아메리카 식민지들의 신속한 진보와 비교해 보라. 유럽의 대부분을 통하여 주민의 수가 500년 이내에는 배가 된다고는 생각되지 않는다. 우리의 북아메리카 식민지들의 몇몇 곳에서는 그것은 20년 내지 25년 내에 배가 된다는 것이 밝혀져 있다. 유럽에서는 장자상속법과 여러 가지 종류의 영대소유권이 대토지재산의 증가를 저지하고 있다. 그러나 소토지소유자는 자기의 작은 토지의 모든 부분을 샅샅이 알고 있으며, 재산 특히 소재산이 자연적으로 불러일으키는 애착으로써 그것을 모두 조사하고,[65] 그리고 그 때문에 그것을 경작할 뿐만 아니라 그것을 꾸미는 것까지 즐겨하므로 그는 일반적으로 모든 개량가 가운데서도 가장 근면하고, 가장 현명하고, 가장 성공적인 개량가이다. 그뿐 아니라 이상의 여러 규제들은 대단히 많은 토지를 시장에서 몰아내므로 그곳에는 항상 매지보다는 그것을 구매하려는 자본이 더 많다. 그러므로 팔리는 토지는 항상 독점가격으로 팔리고 있다. 지대는 구매화폐의 이자를 결코 지불하지 못하며 그 밖에도 화폐의 이자로써는 책임지지 않아도 되는 수리비와 다른 수시의(occasional) 비용을 부담하게 되어 있다. 토지를 구매한다는 것은 유럽의 어떤 곳에서도 소자본을 사용하는 방법으로서는 가장 불리한 일이다. 실로 토지가 탁월한 안전성을 가지고 있기 때문에 보통의 처지에 있는 사람은 자기가 사업에서 물러 나올 때 자기의 소자본을 토지에 투하하기로 정할 때도 있을 것이다. 그리고 다른 원천에서 자기의 수입을 끌어내는 직업인이 자기의 저축을 이

65 〔이 구의 원문은 "Who views it all with the affection which property, especially small property, naturally inspires"인데 제5판에는 오식 때문에 "who"가 빠져 있다. 그리고 제2판에서 제5판까지의 각판은 여기의 "all with"를 "with all"이라고 되어 있는데 이것은 변조되었음이 틀림없다.〕

와 같은 방법으로 확보하고자 하는 수도 종종 있다. 그러나 어떤 청년이 상업이나 어떤 직업에 전념하는 대신에 2000~3000파운드의 자본을 한 소구획의 토지의 구입과 경작에 사용한다면, 그는 실로 대단히 행복하게, 더구나 아주 독립적으로 살아갈 것을 기대할지도 모른다. 그러나 만일 그의 재산을 다른 어떤 방면에 사용함으로써 그도 다른 사람이 얻을 수 있는 기회와 똑같은 기회를 가질 수 있었을지도 모르는 대재산 또는 대공적을 획득하리라는 모든 희망과 영구히 작별하지 않으면 안 된다. 더욱이 그러한 인물은 비록 토지소유자가 되려는 대망을 바랄 수는 없더라도 농업경영자가 되는 것을 떳떳하게 여기지 않을 수도 종종 있을 것이다. 그러므로 시장에 나오는 토지가 소량이라는 것과, 그곳에[66] 나와 있는 토지가 높은 가격이라는 사실은 다량의 자본이 토지의 경작과 개량에 사용되지 못하게 하고 있는데 만일 이러한 사실들이 없었다면 그 대량의 자본은 토지의 경작과 개량에 사용되었을 것이다. 이와 반대로 북아메리카에서는 50~60파운드만 있어도 재식을 시작하는 데 충분한 자재라고 알려져 있다. 그곳에서는 미경작지를 구입하여 개량하는 것이 최대의 자본은 물론 최소의 자본에게도 가장 유리한 용도이며, 그리고 이것은 그 나라에서 획득될 수 있는 모든 재산과 공적으로 향해 가는 가장 가까운 길이기도 하다. 사실 북아메리카에서는 그 정도의 토지라면 거의 거저로, 또는 그 자연적 생산물의 가치보다 훨씬 낮은 가격으로 손에 넣을 수도 있는데, 이런 일은 유럽이라든지 또는 모든 토지가 오랫동안 사유재산으로 되어 있었던 어떤 나라에 있어서도 실로 불가능한 것이다. 그러나 만일 토지재산의 소유자가 다수의 가족을 남기고 죽은 뒤 그러한 재산이 모든 아이들에게 평등하게 분할된다면 그 재산은 대체로 팔리게 될 것이다. 그렇게 되면 대단히 많은 토지가 시장에 나올 것이므로 그것은 그 이상 독점가격으로 팔릴 수 없다. 그 토지의 자유지대(free rent)는 구매화폐의 이자를 지불할 정도에 더 접근해 갈 것이며, 그 결과 토지를 구매하는 데 소자본을 사용하더라도 그것은 어떤 다른 방법으로 사용하는 것과 똑

66 〔초판에는 "그곳에"가 없다.〕

같을 만큼 유리할 것이다.

그리고 잉글랜드의 농업이 그것에 주어진 편애에도 불구하고 그 진보는 완만하다. 그 토질에 자연적 비옥도가 있기 때문에, 그리고 전국의 면적에 비해서 해안의[67] 면적이 크기 때문에, 그리고 수많은 항행 가능한 하천이 전국을 관류하여 그 나라의 가장 내륙지방에 있는 약간의 지방에 수운의 편의를 제공하고 있기 때문에 잉글랜드는 외국상업과 원격지에의 판매를 위한 여러 제조업을 영위하는 데, 그리고 이런 것들이 일으킬 수 있는 모든 개량을 하는 데 그 중심지로서 자연히 아주 적합함은 유럽에 있는 어떤 대국에 못지않다. 그 위에 엘리자베스 치세의 초엽부터 잉글랜드의 입법부는 상업과 제조업의 이익에 관해 격별한 주의를 경주하고 있는 것이며, 실제로 전체로서의 법률이 이러한 부류의 산업에 이보다 더 유리하게 되어 있는 나라란 유럽에서는 어떤 나라도 없을뿐더러 네덜란드 자체도 예외는 아니다. 따라서 상업과 제조업은 이 기간을 통틀어 부단히 진보해 왔다. 농촌의 경작과 개량도 역시 틀림없이 점차 진보하여 왔지만, 그러나 상업과 제조업의 보다 신속한 진보에 비교한다면 천천히 더구나 어떤 거리를 두면서 뒤따라왔다고 생각된다. 농촌의 대부분은 아마 엘리자베스 치세 이전부터 경작되어 왔음이 틀림없지만, 그 가운데 극히 큰 부분은 아직도 경작되지 않은 채 남아 있으며, 더구나 그보다 훨씬 더 큰 부분의 경작도 기대되고 있는 것보다 많이 뒤떨어져 있다고 하겠다. 그러나 잉글랜드의 법률은 상업을 보호함으로써 농업을 간접적으로 장려할 뿐만 아니라 몇 가지 직접적인 장려책에 의해서도 장려하고 있다. 흉작일 때를 제외하고는 곡물 수출은 자유일 뿐만 아니라 장려금(bounty)에 의해 장려되고 있다. 알맞은 농업시에는 외국 곡물의 수입을 금지시키는 것과 다름없을 정도의 수입세가 부과된다. 생가축의 수입은 아일랜드에서 오는 것을 제하면 언제나 금지되어 있으며,[68] 그곳으로부터의 수입이 허가된 것도 거의 최근의

67 〔"해안(the sea coast)"은 초판에는 "the"가 빠져 "sea－coast"라고 되어 있다.〕

68 〔찰스 2세 제18년 법률 제2호.〕

일에 불과하다.[69] 그러므로 토지를 경작하는 사람들은 동국인들에 대하여 토지 생산물 가운데 가장 많고 가장 중요한 두 개 품목, 즉 빵과 도육에 관한 독점권을 가지고 있다. 이러한 장려책은 뒤에서 밝히겠지만, 사실은 아마 전적으로 사람을 현혹시키는 것이겠지만, 적어도 입법부가 농업을 장려하려는 선의를 가지고 있다는 것을 충분히 입증해 주고 있다. 그러나 그러한 모든 것보다도 훨씬 더 중요한 것은 잉글랜드의 중소농민계급이 법률상으로 할 수 있는 데까지는 안전을 보장받고, 독립되고, 존경을 받게 되었다는 것이다. 따라서 장자상속권이 행사되고 10분의 1세를 지불하고 비록 법률 정신에 위반된다 하더라도 경우에 따라서는 영구소유권이 설정되어 있는 나라로서 잉글랜드보다 더 농업에 장려를 베풀 수 있는 나라는 없다고 하겠다. 그런데 그럼에도 불구하고 잉글랜드의 경작의 상태는 방금 설명한 그대로의 상태이다. 만일 법률이 상업의 진보에서 간접적으로 생기는 것 이외에 농업에 대하여 아무런 직접의 장려를 하지 않았고, 더구나 중소농민계급을 유럽의 다른 대다수의 나라에서와 동일한 상태에 방치해 두었다면, 어떠한 상태가 되어 있겠는가? 지금은 엘리자베스 치세의 초엽 이래 200년이나 되었으니 그 기간은 인류의 번영의 통상의 계속기간만큼이나 되는 오랜 기간이기도 하다.

그리고 프랑스의 진보는 더욱 완만하다.

프랑스는 잉글랜드가 상업국으로서 두각을 나타내기 거의 1세기나 이전에 외국상업에서 꽤 많은 몫을 차지하고 있었던 것 같다. 당시의 견해에 의하면 샤를 8세의 나폴리 원정 이전에 프랑스의 해운업은 상당했다는 것이다.[70] 그러나 프랑

69 〔조지 2세 제32년 법률 제11호 제1조, 조지 3세 제5년 법률 제10호, 조지 3세 제12년 법률 제2호.〕

70 〔여기에서는 (다음 면에는 그렇지 않는데) 샤를 8세가 성 루이St. Louis의 동생인 샤를르 드 앙주(Charles of Anjou)와 혼동되어 있는 것 같다. 하여튼 에노Hénault는 다음과 같이 말하고 있다. 즉 "필립 오귀스트Philippe August의 치하에서 창설되자마자 격멸된 우리 해군은 성 루이의 치하에서 훌륭하게 재건되었으며, 한 사가史家가 말하듯이 이 왕이 애그 모르트Aigues-

스의 경작과 개량은 대체로 잉글랜드의 그것보다 못하다. 그 나라의 법률은 농업에 대하여 잉글랜드가 취했던 것과 같은 직접적 장려는 주지 않았던 것이다.

스페인과 포르투갈의 진보는 더욱더 완만하다는 것으로서도 알 수 있다.

유럽의 다른 지방에 대한 스페인과 포르투갈의 외국상업은 주로 외국 선박에 의하여 운영되고 있지만 아주 상당한 것이다. 그들의 식민지에 대한 외국상업은 자국의 선박으로 행하여지고 있으며, 그러한 식민지의 부와 면적이 크기 때문에 훨씬 더 대규모이었다. 그러나 그러한 외국상업은 그들 나라 가운데 어느 나라에도 원격지에의 판매를 위한 어떤 상당한 제조업은 도입하지 않았으며, 양국의 대부분은 아직도 경작되지 않은 채로 있다. 포르투갈의 외국상업은 이탈리아를 제하면 유럽에서 어떠한 대국의 그것보다 오래된 것이다.

이탈리아만은 외국상업과 수출을 위한 제조업에 의하여 철저하게 개량되었다.

이탈리아는 외국상업과 원격지에의 판매를 위한 제조업에 의하여 그 나라의 구석구석까지 경작되고 개량되었다고 생각되는 유럽 유일의 대국이다. 샤를 8세가 침략하기 이전의 이탈리아는 귀치아르디니Guicciardin에 의하면,[71] 그 나라의 가장 산악지요, 불모의 지방도 가장 평탄하고, 가장 다산적인 지방에 못지않게 경

mortes에서 6만 명을 태웠을 정도의 것이었다. 최초의 원정에 관해서는 조앙빌Joinville은 대미에타의 정벌을 위하여 키프로스를 출범했을 때 크고 작은 1800척의 함선이었다고 했다. 성 루이도 또한 헨리 3세의 함대에 대항하여 프와투의 해안을 방위하기 위해 1대 함대를 바다에 띄웠으며 그의 동생인 샤를르 드 앙주는 나폴리 원정 때 캘리선과 범선으로 된 80척의 1함대를 가지고 있었다"라고 말하고 있다.―《Nouvel Abrégé chronologique de l'histoire de France》(1768), 제1권, 201면, ad 1299. 이것에 의하면 프랑스의 해군이 상당했던 것은 스미스가 기술하고 있는 연대보다 200년이나 빠른 것으로서 되어 있다.〕

71 〔"왜냐하면 요컨대 모든 것이 평화와 평온 가운데 있으며, 산지나 불모지가 평야나 한층 다산적인 지방과 마찬가지로 경작되어 있으며, 주민과 부가 가장 풍부했을 뿐 아니라 이탈리아의 국가 이외의 국가에 복종해 본 일은 없었기 때문이다."―프란체스코 귀치아르디니Francesco Guicciardini, 《Della Istoria d'Italia, Venice》(1738), 제1권, 2면.〕

작되어 있었다고 한다. 그 나라의 유리한 위치와 당시 그 국내에 존재하고 있었던 다수의 독립국가가 아마 이러한 전면적인 경작에 적지 않게 이바지했을 것이다. 근대 사가들 가운데 가장 현명하고 자제력이 있는 사람 중의 한 사람이 이러한 일반적인 표현을 하고 있음에도 불구하고 당시의 이탈리아는 현대의 잉글랜드보다 더 낫게 경작되어 있지 않았다는 것은 역시 있을 수 있는 일이라 하겠다.

상업과 제조업에 의하여 획득된 국민적 자본은 그것이 토지의 개량이라는 형태로 현실화될 때까지는 불확실한 소유물이다.

그러나 상업과 제조업에 의하여 어떤 나라에 획득된 자본은 그것의 어떤 부분이 그 나라의 토지의 경작과 개량이라는 형태로 확보되고 현실화될 때까지는 모두 대단히 불안정하고 불확실한 소유물이다. 상인이라고 하는 것은 반드시 어떤 특정국의 시민이라고는 할 수 없다는 말은 아주 적절한 말이다. 어느 장소를 근거로 자기의 상업을 영위하고 있느냐 하는 문제는 그에게는 거의 전혀 상관이 없는 것이다. 그리고 조금이라도 기분에 안 들기라도 하면 그는 자기의 자본을, 이것이 유지하고 있는 모든 산업과 함께, 어떤 나라로부터 다른 나라로 옮겨 버릴 것이다. 그 자본이 건축물이라든지 또는 토지의 영속적인 개량이라는 형식으로, 말하자면 그 나라의 지표에 뿌려져 버리기까지는 그 자본의 어떤 부분도 어떤 특정국에 속해 있다고는 할 수 없을 것이다. 한자의 대부분의 도시에 의하여 소유되어 있었다고 하는 거대한 부는 13~14세기에 관한 모호한 사서 가운데 있는 것을 제하면 현재에는 그 흔적도 없다. 그러한 도시들 가운데 어떤 것이 어디에 위치했었으며, 또한 그들 중의 어떤 것에 주어진 라틴명은 현재의 유럽의 어느 도시에 해당하는 것인지 이런 것마저 확실하지 않다. 그러나 비록 15세기 말엽과 16세기 초두의 이탈리아의 불행이 롬바르디아Lombardy와 토스카나Tuscany 여러 도시의 상업과 제조업을 대대적으로 축소시켰더라도, 그러한 나라들은 역시 계속 유럽 중에서도 가장 인구가 조밀하고 가장 잘 경작된 나라 가운데 들어 있다. 플랑드르의 내란과 이에 뒤따랐던 스페인의 통치는 앤트워프

Antwerp · 겐트Ghent · 브뤼주Bruges의 큰 상업을 구축해 버렸다. 그러나 플랑드르는 아직도 유럽에서 가장 부유하고 가장 잘 경작된 나라 중의 하나이다. 전쟁과 통치라고 하는 통상의 변혁은 상업에서만 생기는 부의 원천을 쉽게 고갈시켜 버린다. 보다 더 견실한 농업의 개량에서 생기는 부는 이보다 훨씬 더 내구적인 것이며, 로마제국 몰락의 전후 얼마 동안 유럽의 서부 여러 지방들에서 일어났던 것과 같이 1~2세기 동안이나 계속된 적의 있고 야만적인 민족의 약탈에 의하여 일어났던 보다 폭력적인 동란에 의하지 않고서는 결코 파괴될 리 없는 것이다.

국부론 1

초판 발행 | 2014년 4월 17일
개정판 발행 | 2020년 7월 24일
펴낸이 | 홍정욱
기획 | 이상민 김지훈
편집 · 교열 | 김화란
표지제호 | 강병인
디자인 | 황인정
펴낸곳 | 사단법인 올재
출판등록 | 2011년 11월 4일 제300-2011-188호
주소 | 서울시 용산구 이태원로 220 3층
전화 | 02-720-8278
팩스 | 070-4763-5551
홈페이지 | www.olje.or.kr
ISBN | 979-11-5993-200-7 04320

Olje Classics

01 한글논어 이을호 역 | 현암학술문화연구소 보補
02 국가 플라톤 저 | 조우현 역
03 정치학 아리스토텔레스 저 | 라종일 역
04 고운집 최치원 저 | 이상현 역 | 한국고전번역원 기획
05 한글맹자 이을호 역 | 현암학술문화연구소 보補
06 소크라테스의 변명 외 플라톤 저 | 조우현 역
07 유토피아 토머스 모어 저 | 주요섭 역
08 청성잡기 성대중 저 | 한국고전번역원 기획 · 번역
09 한글중용 · 대학 이을호 역 | 현암학술문화연구소 보補
10 팡세 파스칼 저 | 정봉구 역
11 군주론 마키아벨리 저 | 임명방 역
12 기측체의 최한기 저 | 한국고전번역원 기획 · 번역
13 우서 유수원 저 | 한영구 역 | 한국고전번역원 기획
14 채근담 홍자성 저 | 송정희 역
15 차라투스트라는 이렇게 말했다. 프리드리히 니체 저 | 김정진 역
16 천로역정 존 버니언 저 | 주요섭 역
17 조선경국전 정도전 저 | 한영우 역
18, 19 계원필경집1, 2 최치원 저 | 이상현 역
20 꿈의 해석 지그문트 프로이트 저| 장병길 역
21 명심보감 추적 저 | 이민수 역
22 서경 | 권덕주 역
23 사회계약론 장 자크 루소 저 | 박은수 역
24 명상록 마르쿠스 아우렐리우스 저| 황문수 역
25 택리지 이중환 저| 이민수 역
26, 27 열하일기1, 2 박지원 저 |이가원 역
28 햄릿 윌리엄 셰익스피어 저 | 최재서 역
29 유혹자의 일기 쇠렌 키에르케고어 저 | 황문수 역
30 에밀 장 자크 루소 저 | 박은수 역
31 땅의 양식 앙드레 지드 저 | 박은수 역
32 격몽요결 이이 저 | 정후수 역
33 훈민정음통사 방종현 저 | 이상규 주해
34 방법서설 르네 데카르트 저 | 김형효 역
35 리바이어던 토머스 홉스 저 | 이정식 역
36 역옹패설 이제현 저 | 남만성 역
37 유리알 유희 헤르만 헤세 저 | 노태한 역
38, 39 국부론1, 2 애덤 스미스 저 | 최임환 역
40 도덕경 노자 저 | 이석명 역
41 마음 나쓰메 소세키 저 | 김성기 역
42~45 수호지1~4 시내암 저 | 연변대학 수호지 번역팀 역
46 난중일기 이순신 저 | 이은상 역
47 징비록 유성룡 저 | 구지현 역
48, 49 쇄미록1, 2 오희문 저 | 이민수 역
50 장자 장자 저 | 신동준 역
51 열자 열자 저 | 정창영 역
52 바가바드 기타 | 정창영 역
53 젊은 베르테르의 슬픔 요한 볼프강 폰 괴테 저 | 이인웅 역
54 산해경 | 장수철 역
55 박물지 쥘 르나르 저 | 손석린 역
56, 57 춘추좌전1, 2 좌구명 저 | 신동준 역
58~61 서유기1~4 오승은 저 | 연변인민출판사 번역팀 역
62 대당서역기 현장 저 | 권덕주 역
63 손자병법 손무 저 | 임용한 역
64 오자병법 오기 저 | 임용한 역
65 전술론 니콜로 마키아벨리 저 | 이영남 역
66 포화 앙리 바르뷔스 저 | 정봉구 역
67 시경 | 신동준 역
68 문심조룡 유협 저 | 김관웅 · 김정은 역
69 시학 · 데 아니마 아리스토텔레스 저 | 김완수 역
70 주홍 글씨 너대니얼 호손 저 | 최재서 역
71, 72 지봉유설1, 2 이수광 저 | 남만성 역
73 종의 기원 찰스 다윈 저 | 이민재 역
74 비글호 항해기

찰스 다윈 저 | 권혜련 · 김정석 · 박완신 · 이혜진 역

75~78 홍루몽1~4 조설근 저 | 연변인민출판사 번역팀 역

79~83 동주 열국지1~5 풍몽룡 저 | 신동준 역

84, 85 카라마조프네 형제들1, 2 도스토옙스키 저 | 이동현 역

86 고용, 이자 및 화폐의 일반이론 케인스 저 | 조순 역

87, 88 법, 입법 그리고 자유1, 2 하이에크 저 | 양승두 외 역

89~93 금병매1~5 난릉 소소생 저 | 김관웅 · 김정은 역

94, 95 한비자1, 2 한비 저 | 신동준 역

96 상군서 상앙 저 | 신동준 역

97, 98 회남자1, 2 유안 저 | 이석명 역

99 금강경 동봉 역해

100 동의수세보원 이제마 저 | 이을호 · 홍순용 역 | 주종천 보補

101, 102 르네상스 미술가 평전1, 2

조르조 바자리 저 | 이근배 역 | 최병진 감수

103, 104 삼국사기1, 2 김부식 저 | 허성도 역

105 크눌프 · 황야의 이리 헤르만 헤세 저 | 이인웅 역

106 최초의 모험 헤르만 헤세 저 | 이인웅 역

107 사기 본기 · 사기 서 사마천 저 | 신동준 역

108 사기 표 사마천 저 | 신동준 역

109 사기 세가 사마천 저 | 신동준 역

110, 111 사기 열전1, 2 사마천 저 | 신동준 역

112~116 삼국지1~5 나관중 저 | 연변인민출판사 번역팀 역

117, 118 황금가지1, 2 제임스 조지 프레이저 저 | 장병길 역

119 파워엘리트 찰스 라이트 밀스 저 | 진덕규 역

120 묵자 신동준 역

121, 122 십팔사략1, 2 증선지 저 | 신동준 역

123, 124 당시삼백수1, 2 손수 편 | 임동석 역

125 돈키호테 미겔 데 세르반테스 저 | 최민순 역

126~135 자치통감1~10 사마광 저 | 신동준 역

136~145 잃어버린 시간을 찾아서1~10

마르셀 프루스트 저 | 김창석 역

146, 147 관자1, 2 관중 저 | 신동준 역

148 순자 순자 저 | 신동준 역

149 주역 신원봉 역

150, 151 전국책1, 2 유향 저 | 임동석 역

152 맥베스 윌리엄 셰익스피어 저 | 김우탁 역

153 오셀로 윌리엄 셰익스피어 저 | 김우탁 역

154 리어왕 윌리엄 셰익스피어 저 | 김우탁 역

155, 156 데카메론1, 2 조반니 보카치오 저 | 허인 역

157, 158 유림외사1, 2 오경재 저 | 김관웅 · 김정은 역

159, 160 정관정요1, 2 오긍 저 | 임동석 역

161 안씨가훈 안지추 저 | 임동석 역

162 신기관 프랜시스 베이컨 저 | 김홍표 역

Olje Selections

01 한글논어 이을호 역 | 현암학술문화연구소 보補

02 국가 플라톤 저 | 조우현 역

03 조선경국전 정도전 저 | 한영우 역

04 햄릿 윌리엄 셰익스피어 저 |최재서 역

05 한글맹자 이을호 역 | 현암학술문화연구소 보補

06 훈민정음통사 방종현 저 | 이상규 주해

07 정치학 아리스토텔레스 저 | 라종일 역

08 도덕경 노자 저 | 이석명 역

09~12 수호지1~4 시내암 저 | 연변대학 수호지 번역팀 역

13, 14 열하일기1, 2 박지원 저 |이가원 역

15 명상록 마르쿠스 아우렐리우스 저 | 황문수 역

16 젊은 베르테르의 슬픔

요한 볼프강 폰 괴테 저 | 이인웅 역

17, 18 국부론1, 2 애덤 스미스 저 | 최임환 역